Textbook of POST-ICU Medicine

The Legacy of Critical Care

한글판

Edited by

Robert D. Stevens, **MD**
Associate Professor of Anesthesiology Critical Care Medicine
Associate Professor of Neurology, Neurosurgery and Radiology
Johns Hopkins University School of Medicine
F.M. Kirby Center for Functional Brain Imaging, Kennedy Krieger Institute
Baltimore, Maryland, USA

Nicholas Hart, **MBBS, BSc, PhD, MRCP, FFICM**
Clinical & Academic Director, Lane Fox Respiratory Unit, St Thomas' Hospital, Guy's & St Thomas' NHS Foundation Trust, London UK
Reader in Respiratory & Critical Care Medicine, Department of Asthma, Allergy and Respiratory Science, Division of Asthma, Allergy and Lung Biology, King's College London, London UK

Margaret S. Herridge, **MSc, MD, FRCPC, MPH**
Professor of Medicine, University of Toronto Critical Care and Pulmonary Medicine Scientist, Toronto General Research Institute
University Health Network/Toronto General Hospital NCSB 11C–1180
Toronto, ON Canada

Textbook of Post-ICU Medicine
The Legacy of Critical Care

첫째판 1쇄 인쇄 | 2021년 07월 23일
첫째판 1쇄 발행 | 2021년 08월 11일

대 표 역 자 문재영, 지성주, 김국성, 안소영
발 행 인 장주연
출 판 기 획 김도성
편집디자인 양은정
표지디자인 김재욱
발 행 처 군자출판사(주)
등록 제4-139호(1991. 6. 24)
본사 (10881) **파주출판단지** 경기도 파주시 회동길 338(서패동 474-1)
전화 (031) 943-1888 팩스 (031) 955-9545
홈페이지 | www.koonja.co.kr

ISBN 979-11-5955-732-3
정가 70,000원

대표역자

문재영 | 충남대학교 의과대학 내과학교실 호흡기/중환자의학

지성주 | 충남대학교 의과대학 재활의학교실

김국성 | 충남대학교 의과대학 생리학교실

안소영 | 충남대학교 의과대학 재활의학교실

역자

강은영 | PhD Student, McDonnell International Scholar Academy Fellow
Washington University School of Medicine
Program in Occupational Therapy

강다현 | 충남대학교 의과대학 내과학교실 호흡기내과

최영균 | 세종충남대학교병원 감염내과/중환자의학 전문의

이주상 | 충남대학교병원 간호부 교육전담간호사

최양환 | 前 우송베스티안병원 화상전문의/응급의학전문의

손승현 | 마취통증의학 전문의, 신탄진 제일신경외과의원
(前 충남대학교병원 마취통증의학과)

이혜원 | 재활의학과 전문의, 대전재활병원(前 충남대학교병원 재활의학과)

권민정 | 물리치료사, 창원경상국립대학교병원

박지은 | 물리치료사, 대전보훈병원

박수연 | 물리치료사, 충남대학교병원 대전충청권역 의료재활센터

최현준 | 물리치료사, 대전 더탑재활의학과의원

김성란(Shenglan Jin) | Department of Rehabilitation, Yanbian University Hospital, Yanji, China
충남대학교 의과대학 재활의학교실 박사 연구원

감수

임채만 | 울산대학교 의과대학 내과학교실, 前 대한중환자의학회장

손민균 | 충남대학교 의과대학 재활의학교실, 대한근전도·전기진단의학회 이사장

서광선 | 충남대학교 의과대학 병리학교실, 대한병리학회 상임이사

머리말

지난 50년간 중환자의학은 생사기로에 있는 중환자를 구하기 위해 참으로 많은 발전을 거듭해왔다. 중환자실 의료진이 급성장기기능 부전을 바로잡기 위해서는 긴박성, 즉시성이 필요했고 그동안 생리적 교정 및 환자의 생존이 성공의 척도로 간주되어 왔다. 그렇지만 지난 20여 년간 생존환자와 가족들에게서 중증질환을 겪는다는 것이 어떤 것인지 많은 이야기를 들을 수 있었다. 우리가 몸담고 있는 의학 분야는 조직 복원력, 쇠약, 회복력 등이 생존을 결정하는 전쟁터이다. 하지만 이러한 생존에는 대가가 따른다. 우리의 관심영역이 눈앞에 보이는 질병을 넘어서면서, '중증질환이 남긴 유산'에 대해 알게 되었고, 중증질환으로 인한 신체기능, 정신기능, 사회생활에 미치는 영향을 통해 중환자실 퇴원 이후의 삶에 중증질환이 어떠한 영향을 미치는지에 대해 알게 되었다. 본 교재에서는 단순히 환자의 생명을 구하는 것에서 벗어나 중증질환이라는 힘겨운 싸움을 치른 환자와 가족의 일상생활 복귀를 도울 수 있는 최선의 방법을 찾고자 한다.

중환자치료에 대한 인식과 성공이라는 결과 척도에, 회복 후 삶의 질을 포함시키는 근본적인 문화의 변화는 환자와 가족의 의견에 귀 기울여 문제를 파악하고 인과관계와 가능한 치료에 관한 연구가설을 세워 면밀한 시험을 거치는 등 의학적 접근법을 취하였기에 가능하였다. 이를 통해 중환자치료 이후 환자를 어떻게 바라볼 것인지, 어떻게 돌봐야 할 것인지에 변화를 몰고 왔을 뿐 아니라, 중증질환의 결과 환자에게 미치는 영향에 대해 상세한 지식을 축적함으로써 중환자실 입원 중 치료요법을 개선하는 기초 연구를 활성화할 수 있었다. 모든 건전한 임상적 발전이 그렇겠지만 잘못된 정보에 바탕을 둔 독단적 믿음을 계몽하고, 중증질환이 장기적으로 남기는 유산도 동일하게 고려되도록 연구의제를 다시 정립하였다. 그동안 중요하게 고려되지 않았던 부동상태(Immobility)는 장애의 중요한 병리적 기여요소로 인식되기 시작했다. 단기 마취상태에서의 기억상실증의 경우 기존에는 바람직하다고 인식되었지만 이제는 그간 제대로 인식되지 못했던 인지결핍 및 망상경험과 더불어 급성뇌기능장애의 결과인 것으로 병리적 중요성이 확인되었다. 그간에는 단순히 환자에 관한 정보의 저장소로 여겨졌던 환자 가족은 이제는 환자의 회복에 좀 더 많은 역할을 하는 것으로 인식되고 있다. 이들은 환자의 중증질환으로 인해 심적 충격을 받기 때문에 환자의 재활을 돕기 위해서는 가족에 대한 지원과 지지가 필요하다.

이번 연구를 진행하면서 가장 중요한 성과는 환자와 환자 가족뿐 아니라 세계 곳곳에서 중환자치료를 담당하고 있는 다양한 전문가의 의견과 연구결과를 담아낸 것이라 할 수 있다. 집중치료실의 문이 활짝 열렸을 뿐 아니라 최선의 치료를 위해 동분서주하는 전문가들의 마음도 활짝 열렸다. 죽음의 나락에서 살아난 환자가 몇 개월 후 반갑게 찾아온다면 의료진에게는 그것만한 보상이 없을 것이다. 이제는 환자가 그들에게 무슨 일이 있었는지를 이해하고, 환자와 환자 가족이 중환자치료의 유산을 딛고 자신의 삶을 되찾으려 할 때 필요한 도움을 받게 되었다는다는 점은 우리가 자랑스럽게 여길만한 일이다. 그동안 얻은 교훈을 무시해서는 안될 것이다. 본 교재가 관련 연구를 지속하고 중환자에게 훌륭한 의술을 전달하는 좋은 자극제가 되기를 바란다.

리차드 D. 그리피스(Richard D. Griffiths BSc. MD, FRCP, FFICM)

의학과 명예교수(중환자의학), 근골격생물학,
노화 및 만성질환연구소, 보건&생명과학학부, 영국 리버풀대학

역자 서문

병원에 입원한다는 것은 누구에게나 특별한 경험이다. 특히 생사가 불확실할지도 모르는 중환자실에 입원한다는 것은 본인에게 어떠한 일이 벌어지게 되는지 상상할 수 없을뿐더러 가족에게는 크나큰 상심과 고통의 시간이 될 것이 자명하다. 다행히도 사회는 진보하고 현대 의학은 발달하고 있다. 외상환자 진료 시스템, 응급환자 진료 시스템을 선진화하는데 많은 예산을 투여하고 있고, 각종 수술 기법이 발달하여 사망률과 후유증을 낮출 수 있게 되었으며, 십 년 전만 하더라도 실험적이기만 했던 체외막형산화장치(에크모, ECMO)의 노하우가 축적되면서 매년 수백 명에 이르는 환자들을 더 살릴 수 있게 되었다. 90년대 초 50%에 가깝던 패혈증 쇼크에 의한 사망률은 이제 20% 내외에 불과하다.

하지만 현대 의학은 '진단과 치료의 기술' 이상의 것을 탐구하지 못했다. 의사들은 '살리는 것' 이외에 무엇이 문제인지 충분히 알지 못했을 뿐만 아니라, 퇴원 이후 환자의 삶과 삶의 질 문제는 의학의 영역이 아니라고 생각했다. 최근 십여 년간 해외 연구자들의 선구자적인 연구들을 통해서 이 문제들에 관한 인식이 높아졌다. 그리고 중환자의 퇴원 후 삶의 질은 중환자의학 분야에서 점차 중요한 의제로 자리잡기 시작하였다.

"

어느 날 내가 패혈증과 같은 중증질환으로 중환자실에 입원하게 된다면, 호흡은 입을 거쳐 기도까지 삽관한 검지 손가락만한 굵기의 튜브를 통해 기계환기의 도움을 받게 된다. 상상이 되는가? 상태가 안정될 때까지 진통제와 진정제를 24시간 정맥주사로 투여 받으며 몽롱한 정신상태로 몇 날 며칠이 지났는지 알지 못한 채 침상에 누워있게 된다. 밤인지 낮인지 분간할 수 없을 정도로 중환자실은 밝은 빛으로 가득하고, 주변의 기계 장치에서 시시때때로 울리는 알람 소리로 깊은 잠에 들지 못한 채 꿈인 듯 아닌 듯한 시간이 흘러간다. 어쩌다 정신을 차려 보면 빗장뼈 앞쪽으로 젓가락 굵기만한 정맥투여를 위한 관이 삽입되어 있고, 가려움에 긁기라도 하려 하면 담당 간호사는 득달같이 달려와 손을 침대기둥에 사정없이 잡아 묶는다. 각종 승압제와 약물이 투여되는 중심정맥관이 환자의 실수로 빠지게 되는 대참사를 막기 위한 안전조치인 것이다. 시간이 흘러 이제 좀 나아졌는지 깨어 있는 시간은 늘었지만 사지의 힘이 없고, 의사 같이 생긴 사람이 글씨를 써 보라도 펜을 쥐어주지만 내 이름 조차 똑바로 쓰지 못한다. 다행히 일반 병실로 옮길 정도로 좋아졌지만 여전히 병실에서 화장실까지 옮겨갈 때에도 주변의 도움을 받아야 하고, 중환자실에서 어떠한 일이 있었는지 누가 면회를 하러 왔는지 아무런 기억이 나지 않는다. 때로는 이러다 직장에 복귀할 수 없을지도 모른다는 두려움에 우울해지기도 한다.

”

그렇다. 이것이 중환자실 치료 중에 생존 환자에게 일어나는 신체적, 정신적 후유증이다. 지금은 이것을 집중치료후증후군(Post-intensive care syndrome)이라고 한다. 의학기술의 발달로 환자는 생존하게 되었지만 이후 신경근쇠약, 인지장애, 정서장애 등의 문제를 상당 기간 경험하게 되고, 일부 환자는 직장에 복귀하게 되지만, 그렇지 못하는 환자도 많다. 이들은 정서적 고통을 겪으며 사회 활동이 위축되고, 경제적 능력이 감소한다. 결국 환자 개인의 문제가 아닌 가족 모두의 문제, 사회적 부담 증가라는 문제로 이어진다는 것이다.

역자 서문

환자의 생존도 중요하지만 생존 이후 삶의 질까지 예상하고 집중치료후증후군을 최소화할 수 있는 치료계획이 중요하다. 이를 위해서는 중환자실에서부터 포괄적인 재활치료를 시작해야 하며, 선진국에서는 오래전부터 중환자재활이 표준치료 프로토콜에 포함되었다. 하지만 아직 우리나라는 많은 인력이 필요한 재활분야에 오히려 보험급여가 낮고, 이 때문에 중환자 재활은 걸음마 수준에 불과하다. 첨단 의료와 암 치료에는 많은 돈을 쏟아 붓고 있지만, 정작 이러한 치료를 받던 환자들이 중증질환 상태에 이르면 이들의 회복을 위해 쓸 비용과 서비스가 제한되어 있다는 것은 아이러니다.

이 책은 '중환자재활'과 '집중치료후증후군'의 교과서나 마찬가지이다. 한국에서는 이와 관련해 체계적으로 기술한 서적이 출간된 적이 없다. 하지만 친절하고 읽기 편한 교과서는 아니다. 원저의 저자들은 책을 준비하면서 매우 과학적이고 학술적으로 접근한 듯하다. 그동안 발표된 다양한 연구결과들을 수집하고, 학문적 근거들을 하나하나 요약하여 집대성한 충실한 전집 같은 느낌이다. 그래서 번역 작업은 어려웠다. 번역에 참여한 팀원들이 번역 전문가가 아니기도 했고, 그에 비해 원저의 내용과 양은 쉽게 엄두가 나지 않을 정도였다. 매주마다 다 같이 모여 한 문장씩 검토하면서 원문에 충실하고자 애썼다. 번역 전문가가 아니다 보니 번역투의 오류도 많다. 반대로 일부는 쉬운 우리말 표현으로 바꾸다 보니 원문의 의미가 뚜렷하게 전달되지 않았을 수도 있다. 다행히 번역팀을 다직종(의사, 간호사, 물리치료사, 작업치료사), 다학제(내과, 재활의학, 마취통증의학, 응급의학, 생리학)로 꾸릴 수 있었기에 어려운 고비마다 넘어갈 수 있지 않았나 싶다. 그럼에도 불구하고 내용의 오류와 번역투의 불편함은 전적으로 역자들의 책임이자 몫이다.

복잡하게 얽힌 저작권 문제들을 해결하느라 고생한 군자출판사 김도성 차장님과 '우리나라 첫 집중치료후증후군 교과서'라는 의미있는 작업에 선뜻 투자해주신 출판사 임직원 모두에게 감사의 인사를 전한다. 이 어려운 작업에 자신의 시간과 열정을 기꺼이

나누어준 팀원 모두에게 고맙다. 어렵고 굳은 일까지 도맡으며 우리의 작업이 멈추지 않도록 뒤에서 밀어준 강은영 연구원의 노력에 감사한다.

특히 복잡한 저작권 문제로 원문의 표와 그림을 모두 싣지 못해 많이 아쉽다. 비록 완벽하지는 않은 모습이더라도 서둘러 이 책을 세상에 소개해야겠다는 욕심이 앞섰다. 부족할지라도 중환자의학이 앞으로 더 나아가는 데 이 책이 조금이라도 기여하기를 희망한다. 끝으로 이 시간에도 중환자실에서 고생하는 환자들이 부디 건강하게 회복하고 집중치료후증후군에서 하루 빨리 벗어나게 되기를 전국의 모든 중환자실 의료진들과 함께 기원한다.

2021년 7월

역자 대표 문재영

*** 본 출판은 보건복지부의 재원으로**
한국보건산업진흥원 보건의료기술연구개발사업 지원에 의하여 이루어진 것임(HI13C1990).

목차

PART
중환자실 퇴원 이후의 삶

PART

중증질환 이후 만성장기기능장애

PART

중증질환 이후에 발생하는 인지장애와 행동장애

PART

중증질환 이후 발생하는 신경근과 근골격계 질환

목차

PART

손상과 회복의 생물학적 메커니즘

PART

중환자실 치료와 재활

PART

중환자실 치료 후 재활 전략

Contributors

Neill K.J. Adhikari
Staff physician, Associate Scientist,
Department of Critical Care Medicine,
Sunnybrook Health Sciences Centre,
Sunnybrook Research Institute,
University of Toronto,
Toronto, Canada

Naeem A. Ali
Associate Professor
Division of Pulmonary, Allergy, Critical Care and Sleep Medicine,
Wexner Medical Center at The Ohio State University,
The Ohio State University
Columbus, USA

Derek C. Angus
Distinguished Professor and Mitchell P. Fink Endowed Chair in Critical Care Medicine,
Professor of Critical Care Medicine, Medicine, Health Policy and Management, and Clinical and Translational Science,
The CRISMA Laboratory (Clinical Research, Investigation, and Systems Modeling of Acute Illness),
Department of Critical Care Medicine,
University of Pittsburgh,
Pittsburgh, USA

Sean M. Bagshaw
Associate Professor,
Division of Critical Care Medicine,
Faculty of Medicine and Dentistry,
University of Alberta,
Edmonton, Canada

Matthew Baldwin
Assistant Professor of Medicine,
Division of Pulmonary, Allergy, and Critical Care Medicine,
Department of Medicine, College of Physicians & Surgeons,
Columbia University,
New York, USA

Amelia Barry
Department of Medicine, Division of Physical Medicine and Rehabilitation,
University of Ottawa,
The Ottawa Hospital—Rehabilitation Centre,
Ottawa, Canada

Gaëtan Beduneau
Medical Intensive Care Unit and Specialized Weaning Unit,
University Hospital,
Rouen, France

Rinaldo Bellomo
Professor of Medicine,
Melbourne University;
Honorary Professor of Medicine,
Monash University;
Austin Health, Intensive Care Unit,
Department of Intensive Care,
Heidelberg, Australia

O. Joseph Bienvenu
Associate Professor of Psychiatry and Behavioural Sciences,
Johns Hopkins University School of Medicine,
Baltimore, USA

Stephen Brett
Consultant in Intensive Care Medicine,
Imperial College Healthcare NHS Trust,
London, UK

Laurent Brochard
Department of Critical Care,
St Michael's Hospital, Toronto and
Interdepartmental Division of Critical Care Medicine,
University of Toronto,
Toronto, Canada

Lisa Burry
Clinician Scientist, Clinical Pharmacy Specialist,
Leslie Dan Faculty of Pharmacy,
University of Toronto,
Department of Pharmacy, Mount Sinai Hospital,
Toronto, Canada

Jill I. Cameron
CIHR New Investigator, Associate Professor,
Department of Occupational Science
and Occupational Therapy,
Graduate Department of Rehabilitation Science,
University of Toronto,
Toronto, Canada

Shannon S. Carson
Professor of Medicine and Chief,
Division of Pulmonary and Critical Care
Medicine,
University of North Carolina School of
Medicine,
Chapel Hill, USA

Nancy A. Collop
Professor of Medicine and Neurology,
Emory University School of Medicine,
Department of Medicine,
Division of Pulmonary, Allergy and Critical
Care Medicine,
Atlanta, USA

Christopher E. Cox
Associate Professor of Medicine,
Department of Medicine,
Division of Pulmonary and Critical Care
Medicine,
Duke University Medical Center,
Durham, USA

Benedict Creagh-Brown
Consultant Physician, Intensive Care
and Respiratory Medicine,
Chair, Surrey Peri-operative Anaesthesia and
Critical care collaborative Research (SPACeR)
Clinical Academic Group
Surrey, UK

Brian H. Cuthbertson
Chief and Professor of Critical Care,
Department of Critical Care Medicine,
Sunnybrook Health Sciences Centre, and
Department of Anaesthesia,
University of Toronto,
Toronto, Canada

Michele Dambrosio
Chief and Professor of Critical Care,
Department of Anesthesia and Critical
Care,
University of Foggia,
Foggia, Italy

Linda Denehy
Professor and Head,
Department of Physiotherapy,
Melbourne School of Health Sciences,
The University of Melbourne,
Melbourne,
Australia

Eva C. Diaz
Research Fellow,
University of Texas Medical Branch
at Galveston,
Galveston, USA

David Dyzenhaus
Professor of Law and Philosophy,
University of Toronto,
Toronto, Canada

Doug Elliott
Professor of Nursing,
University of Technology,
Sydney, Australia

E. Wesley Ely
Professor of Medicine and Critical Care,
Center for Health Services Research,

Contributors

Associate Director of Aging Research,
Tennessee Valley, VA-GRECC,
Vanderbilt University Medical Center,
Nashville, USA

Christopher T. Erb
Postdoctoral Fellow,
Yale School of Medicine, Department of Internal Medicine,
Section of Pulmonary, Critical Care, and Sleep Medicine,
New Haven, USA

Vito Fanelli
Assistant Professor,
Department of Anesthesia and Critical Care,
University of Turin,
Turin, Italy

Luca Fasano
Pulmonary and Critical Care Medicine,
Sant'Orsola Malpighi University Hospital,
Bologna, Italy

Celeste C. Finnerty
Associate Professor,
Department of Surgery, University of Texas Medical Branch at Galveston,
Associate Director of Research,
Shriners Hospitals for Children-Galveston
Galveston, USA

Kevin M. Fischer
Clinical Assistant Professor of Medicine,
Division of Pulmonary and Critical Care Medicine,
University of North Carolina School of Medicine,
Chapel Hill, USA

Sinead Galvin
Consultant Anaesthetist,
Department of Anaesthesia and Critical Care, Beaumont Hospital,
Dublin, Ireland

Vasiliki Gerovasili
Pulmonology Fellow,
First Critical Care Department,
National and Kapodistrian University of Athens,
Athens, Greece

Neil J. Glassford
Research Fellow,
Austin Health, Department of Intensive Care
ANZIC-RC (Australian and New Zealand Intensive Care Research Center)
Melbourne, Australia

Shannon L. Goddard
Staff Physician,
Department of Critical Care Medicine;
Sunnybrook Health Sciences Centre, and
Department of Anaesthesia,
University of Toronto,
Toronto, Canada

Rik Gosselink
Professor of Rehabilitation Sciences,
Faculty of Kinesiology and Rehabilitation Sciences, Katholieke Universiteit Leuven,
Division of Respiratory Rehabilitation,
University Hospital Gasthuisberg,
Leuven, Belgium

Richard D. Griffiths
Emeritus Professor of Medicine (Intensive Care)
Musculoskeletal Biology
Institute of Ageing & Chronic Disease
Faculty of Health & Life Sciences
University of Liverpool
Liverpool, UK

Ziv Harel
Staff Physician, Assistant Professor,
Division of Nephrology, St. Michael's Hospital,
Department of Medicine, University of Toronto,

Toronto, Canada

Stephen Harridge
Professor of Human & Applied Physiology, and Director, Centre of Human & Aerospace Physiological Sciences,
King's College London
London, UK

Greet Hermans
Associate Professor, Deputy Head of Clinic, KU Leuven and Medical Intensive Care Unit, University Hospitals Leuven,
Leuven, Belgium

David N. Herndon
Jesse H. Jones Distinguished Chair in Burn Surgery, Professor, Departments of Surgery and Pediatrics, University of Texas Medical Branch at Galveston
Director of Burn Services and Director of Research, Shriners Hospitals for Children-Galveston,
Galveston, USA

Daren K. Heyland
Professor of Medicine,
Clinical Evaluation Research Unit,
Kingston General Hospital,
Department of Community Health and Epidemiology,
Queen's University,
Department of Medicine,
Queen's University,
Kingston, Canada

Scott Hoff
Assistant Professor of Medicine,
Emory University School of Medicine,
Department of Medicine, Division of Pulmonary, Allergy and Critical Care Medicine,
Atlanta, USA

Karen Hoffman
Senior Occupational Therapist,
Trauma Sciences, Blizard Institute,
Queen Mary University of London
London, UK

José G.M. Hofhuis
Department of Intensive Care,
Gelre Hospitals,
Apeldoorn, Netherlands

Aluko A. Hope
Assistant Professor of Medicine,
Department of Medicine, Division of Critical Care Medicine,
Albert Einstein College of Medicine of Yeshiva University,
Bronx, USA

Ramona O. Hopkins
Psychology Department and Neuroscience Center, Brigham Young University, Provo,
Department of Medicine, Pulmonary and Critical Care Division,
Intermountain Medical Center,
Murray, USA

Catherine L. Hough
Associate Professor of Medicine,
Division of Pulmonary and Critical Care Medicine, Harborview Medical Center,
University of Washington,
Seattle, USA

Stefano Italiano
Intensive Care Unit
Hospital Verge de la Cinta,
Tortosa, Spain

Theodore J. Iwashyna
VA Center for Clinical Management Research,
Department of Internal Medicine, University of Michigan,
Institute for Social Research, University

of Michigan,
Ann Arbor, USA

James C. Jackson
Assistant Professor of Allergy,
Pulmonary, and Critical Care Medicine,
Division of Allergy, Pulmonary, Critical Care Medicine,
Center for Health Services Research,
Vanderbilt University School of Medicine,
Nashville, USA

Christina Jones
Nurse Consultant Critical Care Rehabilitation,
Honorary Reader,
Critical Care Unit, Whiston Hospital, Prescot,
Institute of Aging and Chronic Disease,
University of Liverpool,
Liverpool, UK

Jeremy M. Kahn
Associate Professor of Critical Care and
Health Policy and Management,
Clinical Research, Investigation and Systems
Modeling of Acute Illness (CRISMA) Center,
Department of Critical Care Medicine,
University of Pittsburgh School of Medicine,
Department of Health Policy and
Management, University of Pittsburgh
Graduate School of Public Health,
Pittsburgh, USA

Stefan Kluge
Director of Division of Critical Care Medicine,
Department of Intensive Care,
University Medical Center,
Hamburg, Germany

John P. Kress
Professor of Medicine, Director of Medical ICU,
Department of Medicine, Section of
Pulmonary and Critical Care,
University of Chicago,
Chicago, USA

Nicola Latronico
Associate Professor of Anesthesia and Critical
Care Medicine, and Director of the University
Division and School of Specialty of Anesthesia
and Critical Care Medicine,
University of Brescia, Spedali Civili,
Brescia, Italy

Eric Magalhaes
Physician,
General Intensive Care Unit, Raymond
Poincaré Teaching Hospital,
University of Versailles Saint-Quentin en Yvelines,
Garches, France

Michael Marber
Professor of Cardiology,
The Rayne Institute, St Thomas' Hospital,
London, UK

Victoria McCredie
Staff Physician,
Department of Critical Care Medicine,
Sunnybrook Health Sciences Centre
Toronto, Canada

Robert C. McDermid
Clinical Professor,
Division of Critical Care Medicine, Faculty of
Medicine and Dentistry,
University of Alberta,
Edmonton, Canada

Sangeeta Mehta
Research Director, Medical/Surgical ICU,
Associate Professor,
University of Toronto, Mount Sinai Hospital,
Toronto, Canada

Lucia Mirabella
Assistant Professor of Critical Care,
Department of Critical Care,
University of Foggia,
Foggia, Italy

Cheryl Misak
Professor of Philosophy,
University of Toronto,
Toronto, Canada

Hugh Montgomery
Professor of Intensive Care Medicine,
University College London, and
Whittington Hospital NHS Trust
London, UK

Marina Mourtzakis
Assistant Professor,
Department of Kinesiology,
University of Waterloo,
Waterloo, Canada

John Moxham
Professor of Respiratory Medicine,
Department of Respiratory Medicine,
King's College London,
London, UK

Serafim N. Nanas
Professor of Intensive Care Medicine,
First Critical Care Department,
National and Kapodistrian University
of Athens
Athens, Greece

Stefano Nava
Respiratory and Critical Care,
Sant'Orsola Malpighi Hospital;
Alma Mater Studiorum,
University of Bologna,
Department of Specialistic, Diagnostic and
Experimental Medicine (DIMES),
Bologna, Italy

Judith E. Nelson
Professor of Medicine,
Department of Medicine, Division of
Pulmonary, Critical Care and Sleep Medicine,
Mount Sinai School of Medicine,
New York, USA

Sanjeev Noel
Postdoctoral Fellow,
Division of Nephrology, School of Medicine,
Johns Hopkins University,
Baltimore, USA

Simone Piva
Staff Physician,
University Division of Anesthesia and
Critical Care Medicine,
Section of Neuroanesthesia and Neurocritical
Care,
University of Brescia at Spedali Civili,
Brescia, Italy

Andréa Polito
Senior Intensivist,
Critical Care Department, Raymond Poincaré
Hospital,
Garches, France

Angelo Polito
Paediatric Anaesthesiology and Critical Care
Medicine Physician,
Cardiac Intensive Care Unit,
Bambino Gesù Children's Hospital IRCCS,
Rome, Italy

Zudin Puthucheary
Respiratory and Critical Care Consultant,
National University Hospital Singapore,
Singapore

Hamid Rabb
Professor and Vice Chairmen,
Department of Medicine, Division
of Nephrology, School of Medicine,

Contributors

Johns Hopkins University,
Baltimore, USA

Gerrard Rafferty
Senior Lecturer in Human Physiology,
Department of Respiratory Medicine,
King's College London,
London, UK

V. Marco Ranieri
Department of Anesthesia and Critical Care Medicine,
Università degli Studi di Torino,
Turin, Italy

Vanessa Raymont
Clinical Research Fellow,
Centre for Mental Health, Department of Medicine,
Imperial College London,
London, UK

Mark M. Rich
Professor,
Department of Neuroscience, Cell Biology and Physiology,
Wright State University,
Dayton, USA

Jean-Christophe M. Richard
Associate Professor,
Intensive Care Division, Anesthesiology, Pharmacology and Intensive Care Department, University Hospital,
School of Medicine, University of Geneva,
Geneva, Switzerland

Antoine G. Schneider
Research Fellow,
Austin Health, Intensive Care Unit,
Department of Intensive Care,
ANZIC-RC (Australian and New Zealand Intensive Care Research Center)
Heidelberg Australia

Bernd Schönhofer
Professor
Klinikum Region Hannover,
Krankenhaus Oststadt-Heidehaus,
Department of Pulmonary and Intensive Care Medicine,
Hannover, Germany

William D. Schweickert
Assistant Professor of Medicine,
Department of Medicine, Division of Pulmonary, Allergy and Critical Care Medicine,
University of Pennsylvania,
Philadelphia, USA

Nishant K. Sekaran
RWJF Clinical Scholars Program,
University of Michigan
Ann Arbor, USA

Tarek Sharshar
General Intensive Care Unit, Raymond Poincaré Teaching Hospital, University of Versailles Saint-Quentin en Yvelines,
Garches, France, and
Laboratory of Human Histopathology and Animal Models,
Institut Pasteur,
Paris, France

Mark D. Siegel
Associate Professor, Director, Traditional Internal Medicine Residency
Yale School of Medicine,
Department of Internal Medicine,
Section of Pulmonary, Critical Care, and Sleep Medicine
New Haven, USA

Peter E. Spronk
Department of Intensive Care,
Gelre Hospitals,
Apeldoorn, Netherlands

Joerg Steier
Consultant Physician and Senior Lecturer
King's College London and King's Health Partners, Lane Fox Respiratory Unit/Sleep Disorders Centre,
St Thomas' Hospital, Guy's and St Thomas' NHS Foundation Trust,
London, UK

Amanda Thomas
Clinical Specialist Physiotherapist,
Adult Critical Care Unit, The Royal London Hospital,
London, UK

Guy Trudel
Professor of Medicine,
Faculty of Medicine,
Bone and Joint Research Laboratory,
University of Ottawa,
The Ottawa Hospital—Rehabilitation Centre,
Ottawa, Canada

Ching-Wei Tsai
Postdoctoral Fellow-STU,
Division of Nephrology, School of Medicine,
Johns Hopkins University,
Baltimore, USA

Kavitha Vimalesvaran
Research Fellow
The Rayne Institute, St Thomas' Hospital,
London, UK

Ron Wald
Staff Physician,
Division of Nephrology, St. Michael's Hospital,
Scientist, Li Ka Shing Knowledge Institute of St. Michael's Hospital,
Assistant Professor,
Department of Medicine, University of Toronto,
Toronto, Canada

Hannah Wunsch
Herbert Irving Assistant Professor of Anesthesiology & Epidemiology,
Department of Anesthesiology, College of Physicians & Surgeons, Columbia University,
Department of Epidemiology, Mailman School of Public Health, Columbia University,
New York, USA

Sachin Yende
Associate Professor/Director of CRISMA Fellowship/Director of Clinical Epidemiology Program,
The CRISMA Laboratory (Clinical Research, Investigation, and Systems Modeling of Acute Illness),
Department of Critical Care Medicine,
University of Pittsburgh,
Pittsburgh, USA

용어

Ab	antibody
ACE	angiotensin-converting enzyme
ACOS	Adult Respiratory Distress Syndrome Cognitive Outcomes Study
ACTH	adrenocorticotropic hormone
ACV	assist control ventilation
ADL	activities of daily living
ADP	adenosine diphosphate
AIDS	acquired immunodeficiency syndrome
ALI	acute lung injury
alkP	alkaline phosphatase
AMP	adenosine monophosphate
AMPK	AMP-activated protein kinase
ANP	atrial natriuretic peptide
APACHE	Acute Physiology and Chronic Health Evaluation
AQoL	assessment of quality of life
ARA	aldosterone receptor antagonist
ARB	angiotensin receptor blocker
ARDS	acute respiratory distress syndrome
ARF	acute renal failure; acute respiratory failure
ASV	adaptive support ventilation
ATICE	Assessment to Intensive Care Environment
ATP	adenosine triphosphate
BAMPS	bilateral, anterolateral magnetic phrenic nerve stimulation
BAN	body area network
BBB	blood-brain barrier
bd	twice daily
BDI	Beck Depression Inventory
bFGF	basic fibroblast growth factor
BIS	bispectral index
BMC	bone mineral content
BMD	bone mineral density
BMI	body mass index
BMSC	bone marrow stem cell
BNP	brain natriuretic peptide
BRC	brain reserve capacity
CAF	Comprehensive Assessment of Frailty
CAM-ICU	confusion assessment method for the ICU
CBF	cerebral blood flow
CBT	cognitive behavioural therapy
cc	cubic centimetre
CCFNI	Critical Care Family Needs Inventory
CCI	chronic critical illness
CES-D	Center for Epidemiologic Studies Depression (scale)
CFS	Clinical Frailty Scale
CGA	Comprehensive Geriatric Assessment
CGIC-PF	Clinical Global Impression of Change in Physical Frailty
cGy	centigray
CHF	congestive heart failure; chronic heart failure
CI	confidence interval
CIM	critical illness myopathy
CINM	critical illness neuromyopathy
CINMA	critical illness neuromuscular abnormality
CIP	critical illness polyneuropathy
CIPNM	critical illness polyneuromyopathy
CIT	conventional insulin therapy
CK	creatine kinase
CKD	chronic kidney disease
cm	centimetre
CMAP	compound muscle action potential
cmH_2O	centimetre of water
CMS	cervical magnetic stimulation
CNS	central nervous system

CO	cardiac output
CO_2	carbon dioxide
COPD	chronic obstructive pulmonary disease
CPAP	continuous positive airway pressure
CPM	continuous passive motion
CRIMYNE	critical illness myopathy and/or neuropathy
CRP	C-reactive protein
CRRT	continuous renal replacement therapy
CSF	cerebrospinal fluid
CSF-1	colony-stimulating factor 1
CT	computed tomography
CVO	circumventricular organ
CVVH	continuous veno-venous haemofiltration
CVVHDF	continuous veno-venous haemodiafiltration
DASS	Depression, Anxiety, and Stress Scale
dB	decibel
DC	dendritic cell
DEXA	dual-energy X-ray absorptiometry
DIC	disseminated intravascular coagulation
DIS	daily interruption of sedation
dL	decilitre
DLCO	diffusing capacity for carbon monoxide
DNA	deoxyribonucleic acid
DSM	Diagnostic and Statistical Manual of Mental Disorders
DTI	diffusion tensor imaging
ECCM	extracellular collagen matrix
ECG	electrocardiography
ECHO	echocardiography
ECM	extracellular matrix
EEF	eukaryotic elongation factor
EEG	electroencephalogram
EGF	epidermal growth factor
eGFR	estimated glomerular filtration rate
EIF	eukaryotic initiation factor
EM	electron microscopy
EMDR	eye movement desensitization and reprocessing
EMG	electromyography
EMS	electrical muscle stimulation
EMT	epithelial-mesenchymal transition
EN	enteral nutrition
EndoMT	endothelial-mesenchymal transition
EPO	erythropoietin
EQ-5D	EuroQol-5D
ERF	eukaryotic release factor
ERK	extracellular signal regulated kinase
ERS	European Respiratory Society
ES	electrical stimulation
ESR	erythrocyte sedimentation rate
ESRD	end-stage renal disease
ETT	endotracheal tube
FACTT	Acute Respiratory Distress Syndrome Clinical Trials Network Fluid and Catheter Treatment Trial
FDR	false discovery rate
FI	Frailty Index
FIM	Functional Independence Measure
FiO_2	fraction of inspired oxygen
fMRI	functional magnetic resonance imaging
FS-ICU	Family Satisfaction in the ICU
FSR	fractional synthetic rate
ft	foot
g	gram
GABA	gamma-aminobutyric acid
GC	glucocorticoid

GCS	Glasgow coma scale
GFP	green fluorescence protein
GFR	glomerular filtration rate
GH	growth hormone
GLUT	glucose transporter
GM-CSF	granulocyte-macrophage colonystimulating factor
GP	general practitioner
GWAS	genome-wide association studies
Gy	gray
HADS	Hospital Anxiety and Depression Scale
HCO_3^-	bicarbonate ion
H & E	haematoxylin and eosin (stain)
HF	heart failure
HGF	hepatocyte growth factor
HHD	handheld dynamometry
HIF	hypoxia-inducible factor
HIV	human immunodeficiency virus
HO	heterotopic ossification
HR	hazard ratio
HRQoL	health-related quality of life
HSC	haematopoietic stem cell
Hz	hertz
IADL	instrumental activity of daily living
ICD	International Classification of Disease
ICDSC	intensive care delirium screening checklist
ICF	International Classification of Functioning, Disability, and Health
ICP	intracranial pressure
ICU	intensive care unit
ICUAW	ICU-acquired weakness
IES	Impact of Events Scale
IES-R	Impact of Events Scale—Revised
IFN-γ	interferon gamma
Ig	immunoglobulin
IGF-1	insulin-like growth factor-1
IHD	intermittent haemodialysis
IIT	intensive insulin therapy
IL	interleukin
IMV	invasive mechanical ventilation
iNOS	inducible nitric oxide synthase
IQ	intelligence quotient
I/R	ischaemia-reperfusion
IRF	inpatient rehabilitation facility
IRI	ischaemia-reperfusion injury
IRS-1	insulin receptor substrate 1
IU	international unit
IV	intravenous
IvIg	intravenous immunoglobulin
IZ	infarct zone
JNK	c-Jun N-terminal kinase
K^+	potassium ion
kcal	kilocalorie
kDa	kilodalton
kg	kilogram
kPa	kilopascal
L	litre
LBM	lean body mass
LD	linkage disequilibrium
LDL	low-density lipoprotein
LMA	laryngeal mask airway
LPS	lipopolysaccharide
LTAC	long-term acute care
LV	left ventricular/ventricle
lx	lux

m	metre
MAAS	Motor Activity Assessment Scale
MAP	mean arterial pressure
MAPK	mitogen-activated protein kinase
MCS	mental health summary scale; mental component score
mg	milligram
MHC	myosin heavy chain
MI	myocardial infarction; motivational interviewing
MIF	macrophage inhibitory factor
min	minute
MIP	maximal inspiratory pressure
miR	micro-RNA
mL	millitre
mm	millimetre
mmHg	millimetre of mercury
mmol	millimole
MMP	metalloproteinase
MMV	mandatory minute ventilation
MODS	multiple organ dysfunction syndrome
MOF	multiple organ failure
MPB	muscle protein breakdown
MPS	muscle protein synthesis
MRC	Medical Research Council
MRI	magnetic resonance imaging
mRNA	messenger ribonucleic acid
ms	millisecond
MSC	mesenchymal stem cell
mTOR	mammalian target of rapamycin
MV	mechanical ventilation
MVC	maximal voluntary contraction
N	newton
Na^+	sodium ion
NAVA	neutrally adjusted ventilator assistance
NCS	nerve conduction studies
NE	norepinephrine
$NF\kappa\beta$	nuclear factor kappa beta
ng	nanogram
NHP	Nottingham Health Profile
NICE	National Institute for Health and Care Excellence
NIH	National Institutes of Health
NIRS	near-infrared spectroscopy
NIV	non-invasive ventilation
NIZ	non-infarcted zone
NK	natural killer
NKT	natural killer T (cell)
NMBA	neuromuscular blocking agent
NMES	neuromuscular electrical stimulation
nmol	nanomole
NNT	number to treat
NO	nitric oxide
NREM	non-rapid eye movement
NSAID	non-steroidal anti-inflammatory drug
NUTRIC	NUTrition Risk in the Critically ill (score)
NYHA	New York Heart Association
O_2	oxygen
OA	osteoarthritis
OR	odds ratio
OT	occupational therapy
P	probability
$PaCO_2$	arterial partial pressure of carbon dioxide
PAI	plasminogen activator inhibitor
p-Akt	phosphorylated Akt
PaO_2	arterial partial pressure of oxygen

PAV	proportional assist ventilation
PBW	predicted body weight
PCS	physical health summary scale; physical component score; patient-controlled sedation
PCT	procalcitonin
PD-1	programmed death 1
PDGF	platelet-derived growth factor
Pdi	diaphragm pressure
PDS	Post-traumatic Diagnostic Scale
PEEP	positive end-expiratory pressure
Pemax	maximal expiratory pressure
PET	positron emission tomography
PFC	prefrontal cortex
Pgas	gastric pressure
PGHS	prostaglandin-H synthase
PICS	post-intensive care syndrome
PICS-F	post-intensive care syndrome-family
PI3K	phosphatidylinositol-3 kinase
Pimax	maximal inspiratory pressure
PMV	prolonged mechanical ventilation
PN	parenteral nutrition
Poes	oesophageal pressure
POLST	Physician Orders for Life Sustaining Treatment
PRIS	propofol infusion syndrome
PSG	polysomnography
PSV	pressure support ventilation
PT	physical therapy
PTH	parathyroid hormone
PTS	post-traumatic stress
PTSD	post-traumatic stress disorder
PTSS	post-traumatic symptom scale
QALY	quality-adjusted life year
QoL	quality of life
RANKL	receptor activator of nuclear transcription factor κ B ligand
RAS	renin-angiotensin system
RASS	Richmond agitation and sedation scale
RBF	renal blood flow
RCT	randomized controlled trial
REE	resting energy expenditure
REM	rapid eye movement
rhGH	recombinant human growth hormone
RICU	respiratory critical care unit
RNA	ribonucleic acid
RNS	reactive nitrogen species
ROS	reactive oxygen species
RRT	renal replacement therapy
RSBI	rapid shallow breathing index
s	second
SAE	sepsis-associated encephalopathy
SaO_2	arterial oxygen saturation
SAPS	Simplified Acute Physiology Score
SARS	severe acute respiratory syndrome
SBT	spontaneous breathing trial
SCCM	Society of Critical Care Medicine
SCID	Structured Clinical Interview for DSM-IV
SCN	suprachiasmatic nucleus
SD	standard deviation
SEM s	tandard error of the mean
SF-36	Short-form 36
SIMV	synchronized intermittent mandatory ventilation
Sir	silent information regulator
SIRS	systemic inflammatory response syndrome

SLED	sustained low-efficiency dialysis
SNAP	sensory nerve action potential
SNF	skilled nursing facility
SNIP	sniff nasal inspiratory pressure
SNP	single nucleotide polymorphism
SOFA	sequential organ failure
SpO_2	oxygen saturation
SWS	slow-wave sleep
SWU	specialized weaning units
TBI	traumatic brain injury
TBSA-B	total body surface area burned
99mTc	technetium-99m
TCR	T cell receptor
TDT	transmission disequilibrium test
TEC	tubular epithelial cell
TENS	transcutaneous electrical nerve stimulator
TGF	transforming growth factor
TIMP	tissue inhibitor of metalloproteinase
TIR	timing it right
TKA	total knee arthroplasty
TMS	transcranial magnetic stimulation
TNF	tumour necrosis factor
TNF-α	tumour necrosis factor alpha
Treg	regulatory T cell
TSH	thyroid-stimulating hormone
TST	total sleep time
TTM	transtheoretical model
TUG	Timed Up and Go (test)
TwAP	adductor pollicis twitch tension
TwPaw	twitch airway pressure
TwPdi	twitch Pdi
TWEAK	TNF-related weak inducer of apoptosis
TwQ	quadriceps twitch response
UK	United Kingdom
UPP	ubiquitin-proteasome pathway
US	United States
UTR	untranslated region
VAP	ventilator-associated pneumonia
VAS	visual analogue scale
VEGF	vascular endothelial cell growth factor
VFD	ventilator-free day
VICS	Vancouver Interaction and Calmness Scale
VIDD	ventilator-induced diaphragmatic dysfunction
VLPO	ventrolateral preoptic
VNTR	variable number of tandem repeats vs versus
WHO	World Health Organization
WHODAS II	WHO Disability Assessment Schedule II
WOB	work of breathing
YFP	yellow fluorescent protein
ZDRS	Zung Depression Rating Scale

PART

중환자실 퇴원 이후의 삶

Chapter 01

서론: 중환자실 퇴원 이후의 삶

마가렛 S. 헤리지(Margaret S. Herridge)

중증질환에서 회복되어 생존한다고 해서 우리가 환자에게 바라던 해피엔딩이 이루어지는 것은 아니다. 중환자실에서 생명을 건졌어도 향후 수개월 또는 수년 동안 지속될 장애를 입거나 고통을 겪을 수 있다. 그간에는 중증질환 이후 사망률에만 관심이 집중되면서 중환자실 퇴원 이후의 삶, 다시 말해 장기적인 신체 및 신경심리적 기능장애, 지속적인 의료시설 이용, 비용, 경제 및 정신건강의 피폐 위기 등은 간과되었다. 45년 전, Ashbaugh와 연구진은 급성호흡곤란증후군에 관한 획기적인 논문을[1] 발표하였고, 당시에는 미처 깨닫지 못했지만, 중환자실에서 치료받는 중환자들 중 일부가 겪게 되는 경험에 대해 이해하고자 하는 움직임이 태동하였다.

지난 수십 년간 중환자실 임상결과에 관한 연구는 매우 체계적으로 진화되었다. 초기에 평가측정은 주로 생리적인 것으로, 급성호흡곤란증후군을 겪은 환자들의 심폐기능을 평가하는 수많은 연구들이 있었다. 이러한 연구는 일반적인 건강 관련 삶의 질(HRQoL) 연구로 이어져 환자의 신체기능이 현저히 저하된다는 점을 밝혀냈지만, 그 유발인자에 대해서는 명확하게 이해하지 못하였다. 다만 이러한 기능장애가 급성호흡곤란증후군 이후 폐질환의 결과라고만 추정하였다. 이후 급성호흡곤란증후군 환자는 중요한 신경인지기능장애와 정서장애를 겪는다는 것이 알려졌고, 이후 운동 및 기능 척도를 활용한 개별적 추적관찰연구를 통해 근육소모와 약화가 건강 관련 삶의 질 저하를 초래하는 주요 결정요소이자 중요한 질병이환이라는 점이 밝혀졌다.

초기 연구가 급성호흡곤란증후군에 초점이 맞추어져 있었다면, 지금은 다양한 임상적 표현형으로 분류된 환자집단을 대상으로 연구가 수행되어 다양하고 독특한 결과를 얻고 있다. 최근 들어서는 건강했던 젊은 환자, 동반질환이 있는 노인 환자, 기능장애가 있는 노인 환자, 장기기계환기 환자 등으로 범위가 확대되고 있다. 단순히 질병이환에 대한 목록작성에서 벗어나 장기장애를 유발할 수 있는 중환자실의 위험인자에 대한 이해를 높이고, 중환자실에서 시행되는 치료와 관련하여 서로 상충하는 위험의 우선 순위를 마련하는 쪽으로 변화하였다. 현재는 질환의 분자 기전, 임상적 표현형과 취약성, 위험에 따라 맞춤화한 재활프로그램 간의 상관관계에 대한 연구가 진행 중이다. 후생유전학에서 환자를 돌보는 가족과 환자의 정서장애까지 포함하는 결과 개념을 채택한 것은, 접근법과 사고가 혁신적으로 발전한 결과라고 볼 수 있다.

본 장에서는 중증질환의 규모와 정도, 중증질환으로 인한 사망률, 세부적인 질병이환 및 비용에 대한 이해를 돕고자 한다. 환자 가족이 결과조정자, 위험조정자로서 수행하는 주요 역할에 대해 조명하고, 다발성장기부전을 동반한 중증 패혈증 치료 이후의 경험을 적은 부부의 수기를 통해 간병하는 가족의 중요성을 재확인한다. 환자의 건강을 회복하는 방법에 대해 이해하려면 먼저 해결하고자 하는 사안에 대해 명확히 기술하고 적절한 틀을 구상해야 한다. 서론부에서는 바로 이러한 배경을 마련하고자 한다.

참고문헌

1 Ashbaugh DG, Bigelow DB, Petty TL Levine BE. Acute respiratory distress in adults. Lancet 1967;2:319-23.

Chapter 02

전 세계 중증질환과 결과

닐 히카리(Neill K.J. Adhikari)

전 세계 중증질환의 규모

암, 심혈관질환, 결핵, HIV/AIDS 등 다양한 질병의 전 세계적 규모에 대한 자세한 내용은 웹 기반 자료를 참고하면 된다.[1] 하지만 급성호흡곤란증후군, 패혈증, 다발성장기기능장애 등 중증질환은 신뢰할만한 국제비교 역학자료가 존재하지 않는다. 이와 마찬가지로, 폐기능장애, 쇠약, 일상생활 수행능력 손상, 정신질환, 인지장애, 건강 관련 삶의 질 저하[2] 등 중증질환 합병증은 임상의들이 충분히 인지하고 있음에도 불구하고 역학자료는 미국에 국한되어 있다.

중증질환과 그 후유증에 관한 세부적인 인구집단 자료 확보가 어려운 몇 가지 요인이 있다. 첫째로, HIV에 대한 혈청검사, 심근경색 진단을 위한 트로포닌 측정과는 달리 중증질환에 관한 단일 진단검사가 존재하지 않는다. 또한 패혈증,[3-5] 원내 감염,[6,7] 급성호흡곤란증후군의[8,9] 정의는 전문위원회에 의해 만들어지고 개정이 되기도 하며, 임상, 실험실, 방사선학, 생리적 기준을 토대로 만들어진다. 일부 정의는 신뢰성이 부족하다.[10,11] 중증질환의 정신의학적 영향은 면담자가 표준평가도구를[12] 활용하여 확인할 수 있기는 하지만, 보통은 증상을 토대로 한다. 둘째, 암, 천식, 결핵과 같은 만성질환과 비교할 때 중증질환은 전조증상이 상대적으로 짧고, 단기사망률은 높다. 또한 이러한 단기사망률은 중환자실 자원이 부족한 국가에서 더욱 높다. 따라서 만성질환에 비해, 주어진 기간동안 연구를 위해 활용할 수 있는 유병사례 확보에 그만큼 제약을 받게 된다. 반면 생존자가 겪는 후유증은 수개월에서 수년간 지속되기도 한다. 따라서 횡단연구기법이 질환의 규모에 관한 보다 신뢰할 수 있는 자료를 제공할 것이다. 셋째, 중증질환의 경우 시술에 의해 정의되거나 병원 코딩을 통해 가려내기가 어렵기 때문에 외상이나 심혈관 질환에 비해 현존하는 원무행정 데이터베이스를[13] 가지고 연구를 수행하기가 어렵다. 따라서 현재까지는 중증질환 회복 환자에 관한 인구집단 연구는 미국에만 국한되어 있다. 또한 이러한 연구를 수행하기 위해서 인지,[14,15] 기능[14] 상태를 확인하고 코호트 연구를 병원행정데이터베이스에 연계함으로써 중환자실 입원, (패혈증 등) 중증질환, 기계환기 등의 노출을 규정해야 한다. 마지막으로 중증질환과 그 후유증의 역학은 중환자실 자원의 가용성과 집약도에 의해 좌우된다. 다시 말해 중환자실이 없다면 중증질환이나 그로 인한 장기적 결과도 존재할 수 없는 것이다. 일부 중증질환의 경우 수술이나 골수이식 등 치료적 중재술의 부작용인 경우가 있으므로 그 역학 또한 다른 의료서비스의 집약도에 따라 달라진다. 중증질환 이후 사망률은 중환자치료를 제한하기로 한 임상적 결정(예; 연명의료 유보 또는 중단–역자주)과 중증질환으로 인한 영향을 반영하기도 한다.

동반질환이 있는 노인 환자의 장기이식, 고강도 항암화학요법, 심혈관 질환 치료를 위한 역량을 갖춘 국가의 경우, 그렇지 못한 국가에 비해 전술한 치료를 받은 생존자의 중증질환 부담이나 사망률이 높다. 중증질환은 중환자실 밖에서 발생한다는 정설에도 불구하고 중증질환에 대한 연구, 특히 역학연구는 일반적으로 중환자실 안에서 수행된다. 패혈증,[16] 원내 감염,[17,18] 기계환기,[19,20] 말기 돌봄에[21] 관한 각국의 관행을 비교하는 관찰연구가 수행되어 질병중증도 점수를[22,23] 마련하는데 활용되었다. 이러한 연구는 기간유병률이나 단기간의 '스냅샷' 데이터수집을 통해 중환자실에서 수행되었다. 이를 통해 국가별 과정과 결과의 상이점이 드러나기는 하였으나 지역 내에 완전한 사례확인조사가 결여되어 정확한 인구집단 발생률 데이터를 제공하지는 못한다. 일부 예외가 존재하기는 하나[20,24] 이러한 연구에는 개발도상국의 데이터가 들어 있지 않다.

자원이 부족한 환경의 경우 중증질환의 결과, 구조, 사례믹스(case mix), 치료과정에 관한 데이터가 서술적 연구에 국한되어 있다. 이러한 연구에서는 중환자용 병상, 기반시설, 인력, 장비가 제한적임을 알 수 있다. 따라서 질병 중증도가 매우 높은 환자가 중환자실로 입원하게 되면, 일부이기는 하나 자원의 부족으로 인해 임상결과가 나빠진다는 것을 서술적 자료와[25,26] 제한된 관찰 데이터를[27,28] 통해 알 수 있다.[29,30] 한정된 자원의 활용을 최적화하기 위해서는 지역 현실에[31] 기초한 지역화와 지역 통합에 관심을 쏟아야 한다. 개발도상국의 급성질환 이후 장기 사망률에 대한 연구는 일반적으로, 아동,[32-35] 뇌졸중,[36-38] 손상[39,40] 등에 초점이 맞추어져 있고 거의 예외 없이 단일 센터에 한정되어 있다.[36,37]

대표적인 중증질환인 패혈증에 대한 관찰연구에서는 이러한 역학적 난제가 그대로 드러난다. 발병률, 유병률, 예후 등은 연구의 설계가 인구집단의 발병률을 측정했는지 아니면 중환자실에서 치료받은 환자의 발병률을 측정했는지에 따라 달라진다. 이 밖에도 바이어스(bias)가 생길 수 있는 중요 원인으로 입원환자의 추적관찰 기간(1일 vs. 입원기간 전체), 사례정의, 기관 유형, 연구현장(중환자실로 국한 여부), 계절적 가변성, 사례믹스[41] 등이 있다. 병원행정데이터를 활용한 미국의 인구집단 연구에서 중증 패혈증은 100,000인년(person-year)당 300례,[42] 패혈증은 100,000인년당 240례의[43] 발병률을 보여주었다. 환경을 중환자실로 옮기면 대부분의 연구에서 중환자실 입원 100건당 약 10례의 발병률인 것으로 나타났다.[44] 중환자실 병상 수가 적은 환경에서는 발병률이 이보다 훨씬 높은 것으로 나타났다.[45,46] 이는 증상이 심한 환자를 골라 입원을 시키거나 수술 후 모니터링에서 저위험 환자는 분모에서 제외시켰기 때문이다.[16] 패혈증의 추적관찰연구에서는 일반적인 병원 입원과 비교할 때 중증 패혈증으로 인한 입원 이후 중등증 또는 중증의 인지장애와 기능저하(일상생활수행능력의 상실로 측정)의 위험이 증가하는 것으로 나타났다.[14] 한 연구에 따르면 미국의 65세 이상 메디케어 환자 중 2008년 말 현재, 중증 패혈증 이후 최소 3년(5년)간 생존한 환자는 637,867명(344,111명)으로 추산되며, 106,311명(95% 신뢰구간 79,692–133,930)의 생존자가 중등증 또는 중증의 인지장애를, 476,862명(95% 신뢰구간 455,062–498,698)의 생존자가 일상생활 수행능력이나 도구적 일상생활 수행능력 중 적어도 한 가지 이상 보조를 받아야 하는 기능장애를 가지고 있는 것으로 나타났다.[47] 이는 중증질환이나 기계환기 자체보다는 급성질환으로 인한 병원 입원이 주요 원인인 것으로 보이며,[15,48,49] 미국 노인 환자의 중환자실 퇴원 후 3년 사망 위험이 중환자실 입원보다는 병원 입원으로 인해 증가한 것과 같은 맥락이다.[50]

따라서 중증질환 후유증의 인구집단 역학을 규정하기 위해서는 두 가지 문제점이 해결되어야 한다. 첫 번째는 전 세계 중증질환의 규모를 추정해야 한다. 이와 관련하여 고려해볼 만한 접근법과 도전 과제는 다음과 같다.

1. 중환자실 입원 집계. 이러한 접근법은 단순하다는 장점이 있지만, 중환자실과 중환자실에 있는 생명유지장치의 가용성이 다를 수 있으므로 사례믹스와 질병 중증도에 큰 폭의 격차가 발생할 수 있다. 특히 저소득국가와 중간소득국가의 중증질환 발병률이 크게 과소평가될 수 있다. 또한 최근 영국과 미국의 입원 특징과 결과를 비교한 코호트 연구에서도 볼 수 있듯이 고소득 국가끼리의 비교도 쉽지 않다. 두 국가의 퇴원 관행에 큰 차이가 존재하기 때문에 표준화된 원내 사망률에 대한 신뢰성 높은 비교가 수행될 수 없었다.[51]

2. 전 세계 중증질환 규모의 대략적 추정을 위해 증상별 데이터를 세계 인구에 대입. 다만 이렇게 추정할 경우 감염, 손상이 사망에서 차지하는 비율이 높은 개발도상국의 중증질환 규모를 과소평가할 수 있다. 또한, 연령, 성별, 위험인자 분포, 중환자치료역량 등이 역학자료를 생성한 북미 인구와 유사하다고 가정하는 점에 유의해야 한다. 선진국에서도 중환자 병상 가용성에 관한 역학 데이터는 많지 않으므로, 이러한 가정에는 분명한 오류가 있다.

3. 정의가 표준화되어 있는 사망사유에 관한 데이터를 활용하여 중증질환 규모 추정(예; 세계 질병규모 프로젝트 http://www.who.int/topis/global_burden_of_disease/en/). 이러한 접근법에서는 사망한 환자 모두에게 중증질환이 있었다고 가정하여 급성사유로 인한 사망을 전부 취합, 중증질환의 규모를 모델화하고, 각각의 급성증상별로 중증질환 생존자의 추정치를 모델화한다. 일례로 치료 자원이 풍부한 국가에서는 폐렴이나 외상으로 인해 사망한 환자 대부분이 중환자실로 입원했었을 것이다. 사망자의 몇 배수를 할 경우 중증질환 생존자 수를 구할 수 있다. 이러한 접근법을 활용할 경우 가장 중요한 사망 사유는 급성질환(예; 급성감염, 외상, 허혈성 심장질환 등)에 기인한 것이다. 또한 만성질환(예; 악성종양, B형 간염, C형 간염 등)을 배제시킬 수 있다. 이렇게 하여 각국별로 규모를 추정하고 이를 1인당 급성질환 병상수, 인공호흡기가 있는 중환자 병상, 준중환자 병상(high-dependency beds) 등 각국의 중환자치료 자원 추정치와 비교한다.

중증질환 규모를 정량화할 수 있다 하더라도 그 다음 문제는 생존자의 중증질환 후유증의 규모를 기록하는 것이다. 이러한 후유증이 병원행정데이터에 보다 정확하게 코딩될 때까지는 통념상 적절하고, 해석된, 신뢰성있는, 유효한 수단을[52] 활용하여 결과 확인이 가능한, 중증질환의 생존자에 대한 코호트 연구가 필요하다. 미국의 중증질환 규모를 토대로 세계 다른 지역의 규모를 추정하는 것은 전술한 이유로 인해 문제가 될 수 있다. 또한 중증질환 이후 질병이환의 정도는 미국보다 인구 집단의 연령이 낮을 경우 다르게 나타난다. 젊은 중증질환 생존자의 경우 동반질환 발병가능성은 낮지만, 중환자치료 이후 질병이환으로 인해 기존 직장으로의 복귀가 어렵다면 경제적 어려움을 겪을 수 있다.[53] 사하라 이남 아프리카 지역의[27] 패혈증 환자에게 흔히 나타나는 HIV 동시감염이 중증질환 이후 질병이환의 궤적에 미치는 역할은 좀 더 지켜보아야 하겠지만 환자, 의료진, 보건정책 입안자 모두에게 시사하는 바가 크다.

이러한 난제를 고려한다면 전 세계의 중증질환이나 그 후유증의 규모를 규명해내기란 불가능할 수도 있다. 전 세계 중환자치료 역량을 규정하는 일은 그보다는 만만해 보이지만 중환자용 병상에 대한 통일된 정의가 없다는 점을 감안하면 이 또한 결코 쉽다고 할 수 없다. 한 연구에서 선진국 8개국 사이에서도 중환자용 병상의 가용성과 관련하여 다섯 배 이상의 격차가 존재함을 보여주었다.[54] 이러한 과제를 달성하는 것은 보건시스템 자원을 배분하고, 중증질환 환자의 치료의 질을 개선하고, 예기치 못한 질환의 증가(전염병 창궐)에 대비하기 위해 반드시 필요하다. 이러한 문제를 풀다 보면 세계보건기구의 청소년 및 성인의 급성질환 관리 통합가이드라인(WHO Integrated Management of Adolescent and Adult Acute Illness Guidelines)과 같이 저개발국 성인의 급성질환 치료결과 개선을 위한 이니셔티브를 태동시킬 수도 있을 것이다.[55,56] 전 세계 수술 규모에 대한 연구와 함께 시작된, 전 세계 수술치료 개선을 위한 이니셔티브는[57,58] 이를 위한 모범적 사례라 할 수 있다.

중증질환 규모와 생존자의 질병이환에 영향을 미치는 세계 트렌드는 무엇일까?

최근 몇몇 흐름을 살펴보면 중환자치료 서비스에 대한 수요가 증가할 것이며 생존자의 수도 증가할 것이라고 예측할 수 있다.

도시화

현재 세계 인구의 절반 이상이 도시에 거주하고 있으며 그 수가 꾸준히 증가하고 있다(http://esa.un.org/unpd/wup/index.htm). 도시에 거주하는 사람의 수가 증가하면, 중환자치료자원을 확보한 병원에 대한 접근성도 증가하게 된다. 동시에, 특히 대규모 빈민가에 인구가 밀집되면서 과거에는 농촌 지역에만 국한되었던 감염질환의 확산도 가속화될 수 있다.[59] 최근 유행병을 통해서도 알 수 있듯이 중환자치료자원은 질병의 대규모 발병이 사망으로 이어지는 것을 차단하는 마지막 보루이다. 또 높은 인구밀집도로 인해 생물학적 무기를 이용하는 테러활동이나 자연재해의 영향도 증폭될 수 있다. 그러나 도시화로 인한 장점도 분명히 존재한다. 인구밀집현상이 심화되면서 임상 전문가들이 도시에 집중되었고, 전문화된 중환자치료 및 재활 서비스의 제공도 활성화되었다.[60]

인구학적 통계

연령이 높아지면 중증질환에 이르게 하는 질환과 동반질환의 발병도 증가하게 된다. 의학이 진보함에 따라 다수의 동반질환(당뇨병, 만성신장질환, 울혈성 심부전, 만성폐쇄성폐질환, 악성종양), 면역체계약화, 고령 등 고위험군 환자에 대한 치료도 발전하였다. 이렇듯 질환의 범위가 확대되었기에 합병증 증가는 어쩌면 당연한 일이다. 급성폐손상을 예방하는 효과적인 치료가 개발되지 않는다고 가정한다면 미국 역학 자료를 토대로 추정해볼 때, 급성폐손상은 2030

년까지 연간 330,000건 이상, 즉 현 수치에서 50% 이상 증가하게 될 것으로 보인다.[61] 동시에 패혈증,[42] 기계환기[62] 사례도 증가할 것이다. 이러한 인구통계학적 현실로 파악할 때, 치료수요는 노인 입원환자 중 중환자실에서 사망한 환자 비율이 매우 높은 미국(영국은 10%인 반면 미국은 47%)에서 특히 빠르게 증가할 것이다.[63]

선진국에서는 인구 노령화 추세와 더불어 청년 임금생활자의 상대적 감소로 인해, 향후 경제가 회복되더라도 날로 확대되는 중환자치료의 수요를 현재와 같은 수준으로 충족시킬 수는 없게 될 것이다. 선진국에서는 인구 피라미드가 역전되는 반면 개발도상국에서는 전체 인구에서 청년층이 차지하는 비율은 높으나, 높은 출산율, 공공보건 기반시설 및 중환자치료 기반시설 부족 등이 문제가 된다. 개발도상국의 현 추세가 중환자치료에 미치는 영향은 제한적이다. 다만 현재 개발도상국의 중환자치료 역량이 낮기 때문에 분쟁이나 재해로 인해(치료받지 못하는) 중증질환의 규모가 증가하는 것은 피할 수 없는 일이며, 이로 인해 전 세계에 미치는 정치적 여파도 엄청날 것으로 예상된다.[64]

병원조직

인구통계학적 추세와 더불어 중환자실 전담전문의가 병원에서 담당하는 역할이 확대되면서 중환자실 전담전문의의 수요는 크게 증가할 것이다. 미국 병원내 일반 입원환자 병상수는 2000년과 2005년 사이 4.2% 감소한 반면 중환자용 병상수는 6.5% 증가하였다.[65] 이는 중환자치료에 대한 중요성이 그만큼 커졌다는 사실을 반영하는 자료이다. 이들 전문의는 중환자실 밖인 일반병동에서도 급성질환자를 평가하고 조기 중재술을 통해 중증질환을 예방하는 신속대응팀의 일원으로서,[66] 또한 중증질환 이후 합병증을 가려내고 치료하는 추후관리 의료진으로서[67] 그 역할이 확대되고 있다. 마지막으로 중환자치료 서비스를 상급병원(high-volume center)으로 모으는 지역화 정책이[68] 널리 시행된다면 상급병원의 중환자치료 서비스에 대한 요구도 증가할 것이다.

중환자치료 서비스는 대부분 전문교육을 받은 중환자실 전담전문의가 중환자실을 담당하는 식으로 구성된다. 하지만 이러한 모델이 보편적이라 할 수는 없다. 이 모델의 효과에 관한 연구 대부분이 중환자치료 전달 모델에서 가장 큰 편차를 보이는 미국에서 수행되고 있다. 현존하는 자료에 따르면 중환자실 전담전문의를 배치했을 때 환자의 임상결과를 개선할 수 있는 것으로 나타났다.[69] 이는 아마도 이들 전문인력이 중증질환자와 그 가족들에게 적절한 치료를 제공할 수 있도록 훈련을 받았으며 치료를 위해 시간을 할애했기 때문이거나, 중환자치료팀을 가장 효과적으로 관리할 수 있기 때문일 것이다. 하지만 무작위시험을 통해서는 분명한 답을 찾을 수 없

고, 관찰연구를 통해 얻은 증거자료에서도 일정한 패턴을 확인할 수 없다.[70,71]

병원조직에 관한 이러한 결정들이 급성중증질환과 그 이후 중환자치료 서비스의 수요 전반에 어떠한 영향을 미치는지는 명확하지 않다. 대체로 수요는 증가하는 듯하나 전문의나 수련의의 수는 부족하다.[72-74] 다만 이러한 수요 공급 간의 불균형은 거의 모든 전공에서 일반적으로 나타나는 현상이다.[75] 공급부족에 대한 해결책으로는 중환자실 전담전문의를 보다 많이 양성하고, 가이드라인과 프로토콜을 개발 및 배포하고, 의사가 아닌 의료인력을 훈련하여 중환자실 전담전문의를 대체하도록 하며, 원격의료를 통해 의사와 간호사가 지역의 한계에서 벗어나 치료서비스를 제공할 수 있도록 하는 방안 등을 생각해볼 수 있다.[76] 일례로 세계보건기구(WHO)는 자원이 부족한 환경에서 중증질환자를 돌볼 수 있도록 비전문의 의료인력의 기술적 역량을 제고하는 임상훈련프로그램을 개발하였다. 일례로 청소년과 성인 질환 통합관리 지역의료인력 매뉴얼(Integrated Management of Adolescent and Adult Illness District Clinician Manual)에 기반한 훈련으로, 병동에서 중증 호흡곤란과 패혈증쇼크가 발생한 성인환자의 인지, 관리, 모니터링을 위한 지침을 제공하고 있다.[56] 다른 예로 중증인플루엔자감염 관리를 위한 중환자의학 훈련(Critical Care Training for Management of Severe Influenza Infection)으로 안전한 기계환기 방법 등 치료의 모범사례를 교육한다. 이 외에도 비전문의를 대상으로 일반 중환자치료 단기 코스를 제공하기도 하였다.[77] 중환자를 돌보는 의료인력에게 지식을 확산시키는 것은 분명 가치 있는 일이다. 그러나 자원이 풍부한 환경에서 일반적으로 적용되는 중환자치료 접근법을 별다른 평가 없이 자원이 부족한 환경에 확대 적용할 경우, 예상하지 못한 결과가 초래될 수 있음을 명심해야 한다. 최근 아프리카의 열성 저관류 아동의 수액전략에 관한 무작위시험에서 자원이 풍부한 중환자실에서 환자 소생의 표준이 된 수액의 대량투입이 그렇지 않은 환경에서는 단기사망률 급등과 관련이 있는 것으로 밝혀지면서 주의가 촉구되었다.[78] 원격의료의 경우 접근법의 개념 자체는 매력적이다. 다만 원격의료를 위해서는 인적자원과 기술자원이 추가로 투입되어야 하는데, 이는 중간소득국가나 고소득국가에서는 가능할 수 있으나 개발도상국 의료시스템의 역량에서는 버거울 수 있다. 원격의료가 되었건 비전문의를 중환자실의 주요 의료인력으로 배치하는 방안이 되었건, 이 방안들이 중환자실 전담전문의를 대체할만한 안전하고 효과적인 대안이 될 수 있다는 증거자료는 현재로서는 많지 않다.

전쟁, 재난, 전염병

자연 재해, 인재 등으로 인해 예기치 못하게 중환자가 다수 발생하기도 한다. 현대 의학에서 이러한 사례는 흔치 않지만, 독감이나 기타 전염병이 유행하여 호흡기나 기타 장기의 기능장애를 초래한다면 상황은 급변할 수 있다. 2003년 동아시아[79,80]와 캐나다 토론토[81]에서 주로 발생한 중증급성호흡기증후군 사스(SARS)는, 감염된 환자의 질환 중증도가 매우 높았으며 중환자 치료 자원이 부족하였다. 따라서 일반 상황과 고위험 수술을 담당하는 인력을 동원하여 사스 치료에 투입하였고, 이 과정에서 의료진들까지 감염이 되면서 남은 의료진의 업무량이 폭증하는 등의 문제가 생겼다. 이는 대규모 유행병이 창궐할 경우 발생할 수 있는 문제점을 여실히 보여주었다.[82,83] 2009년 대유행했던 신종플루(H1N1) 자료에 따르면 신종플루가 젊고 건강한 사람에게도 심각한 질환과 사망을 초래하고, 신종플루감염자는 기계환기에 의존하거나 사망에 이르렀다.[84-86]

전 세계 도처에서 매일 벌어지고 있는 전쟁, 테러, 2010년의 아이티 지진 등을 통해, 인재 및 자연재해는 사상자 수가 그리 많지 않더라도 개발도상국뿐 아니라 선진국의 지역 보건의료 기반시설을 빠르게 마비시킬 수 있음을 알 수 있다. 최근 들어서야 일시적 폭증에 대비한 사전계획, 이동식 중환자치료, 환자분류 및 재배치, 병원 자원 관리, 인원 배치 등 재난관리가 중환자의학의 학문적 연구 분야가 되었다.[87,88] 전시에 수행된 체계적인 가구집단표본추출을 통해, 대규모 사망이나 중환자치료 수요의 대부분이 폭력보다는 (콜레라 등의) 공중보건 기반시설의 붕괴, 의약품 공급 중단으로 인한 만성질환 치료의 한계 등, 의료적 상황에서 기인하는 것으로 밝혀졌다.[89,90] 개발도상국에서는 보건의료시스템에 큰 부담이 되는 HIV나 외상 등과 같은 지역 특유의 질환으로 인해 상황이 더욱 악화된다.

경제적 측면

전 세계에 경제둔화가 진행되면서 정부와 기부단체의 지출이 감소하고, 보건의료를 위한 가계 자금이 다른 중요 지출로 전환되고, 민간보험 비용의 증가로 정부서비스를 얻기 위한 경쟁이 치열해지면서, 선진국과 개발도상국 모두 의료서비스의 문제에 봉착하게 될 것이다.[91,92] 북미의 경우 중환자치료가 국내총생산의 0.5−1%를 차지한다는 점을 감안한다면 중환자에게도 불똥이 튀지 않으리라는 보장이 없다.[65] 세계총생산이 감소하면서 보건의료, 특히 중환자치료의 수요가 감소하거나 이들 서비스의 비용을 줄이는 방안이 마련되지 않는 한, 선진국의 보건의료 비중은 현저히 증가할 것이다. 보건의료 재정담당자는 1차 진료나 예방적 치료에 집중할 수도 있다. 전 세계 경제침체와 빈부격차의 심화로 인해 지난 수십 년간 제기되었던 다음과 같은 문제점이 재조명되고 있다. 중환자치료가 얼마나 효과적인가? 중환자치료의 비용효율성은 어떠한가? 소위 죽음의 문턱에 있는 생명을 구하는 서비스를 어떻게 배급할 수 있을까?[93,94] 이러한 현실에도 불구하고 미국의 의료진은 중환자치료의 제약을 인식하지 못하고 있다.[95]

결론

전 세계 중환자치료의 수요와 중증질환 생존자의 후유증 규모를 추정하려면 (중환자용 병상수 외에도) 중증질환에 대한 인구집단 추정치, 중증질환 치료를 위한 가용자원, 생존자의 질병이환 등을 파악해야 한다. 공통의 정의에 따라 중증질환 이후 질병이환에 대하여 적절히 세분화된 자료를 위해서는 다수 국가의 상세한 관찰 자료가 필요하다. 또 중환자 수와 급성기 치료자원을 확인하기 위해서는 현존하는 행정용 보건데이터베이스를 활용하여 모델링하는 것이 보다 실용적이고 종합적일 것이다. 이러한 연구를 통해 효과적이고, 현실적이며, 확장 가능한 개입이 필요한 전 세계 중환자의 필요를 파악하고, 중증질환을 예방/치료할 수 있다.

참고문헌

1 World Health Organization. Global health observatory (2013). Geneva: World Health Organization.

2 Needham DM, Davidson J, Cohen H, et al. Improving long-term outcomes after discharge from intensive care unit: report from a stakeholders' conference. Crit Care Med 2012;40:502-9.

3 Bone RC, Balk RA, Cerra FB, et al. Definitions for sepsis and organ failure and guidelines for the use of innovative therapies in sepsis. The ACCP/SCCM Consensus Conference Committee. American College of Chest Physicians/Society of Critical Care Medicine. Chest 1992;101:1644-55.

4 Levy MM, Fink MP, Marshall JC, et al. 2001 SCCM/ESICM/ACCP/ATS/SIS International Sepsis Definitions Conference. Crit Care Med 2003;31:1250-6.

5 Greenhalgh DG, Saffle JR, Holmes JH, et al. American Burn Association consensus conference to define sepsis and infection in burns. J Burn Care Res 2007;28:776-90.

6 Garner JS, Jarvis WR, Emori TG, et al. CDC definitions for nosocomial infections, 1988. Am J Infect Control 1988;16:128-40.

7 Calandra T, Cohen J. The international sepsis forum consensus conference on definitions of infection in the intensive care unit. Crit Care Med 2005;33:1538-48.

8 Bernard GR, Artigas A, Brigham KL, et al. The American-European Consensus Conference on ARDS. Definitions, mechanisms, relevant outcomes, and clinical trial coordination. Am J Respir Crit Care Med 1994;149:819-24.

9 The ARDS Definition Task Force. Acute respiratory distress syndrome: the Berlin definition. JAMA 2012;307:2526-33.

10 Villar J, Perez-Mendez L, Lopez J, et al. An early PEEP/F_IO_2 trial identifies different degrees of lung injury in patients with acute respiratory distress syndrome. Am J Respir Crit Care Med 2007;176:795-804.

11 Rubenfeld GD, Caldwell E, Granton J, et al. Interobserver variability in applying a radiographic definition for ARDS. Chest 1999;116:1347-53.

12 Homaifar BY, Brenner LA, Gutierrez PM, et al. Sensitivity and specificity of the Beck Depression Inventory-II in persons with traumatic brain injury. Arch Phys Med Rehabil 2009;90:652-6.

13 Wunsch H, Harrison DA, Rowan K. Health services research in critical care using administrative data. J Crit Care 2005;20:264-9.

14 Iwashyna TJ, Ely EW, Smith DM, et al. Long-term cognitive impairment and functional disability among survivors of severe sepsis. JAMA 2010;304:1787-94.

15 Ehlenbach WJ, Hough CL, Crane PK, et al. Association between acute care and critical illness hospitalization and cognitive function in older adults. JAMA 2010;303:763-70.

16 Vincent JL, Sakr Y, Sprung CL, et al. Sepsis in European intensive care units: results of the SOAP study. Crit Care Med 2006;34:344-53.

17 Vincent JL, Bihari DJ, Suter PM, et al. The prevalence of nosocomial infection in intensive care units in Europe. Results of the European Prevalence of Infection in Intensive Care (EPIC) Study. EPIC International Advisory Committee. JAMA 1995;274:639-44.

18 Bloemendaal AL, Fluit AC, Jansen WM, et al. Acquisition and cross-transmission of Staphylococcus aureus in European intensive care units. Infect Control Hosp Epidemiol 2009;30:117-24.

19 Esteban A, Anzueto A, Frutos F, et al. Characteristics and outcomes in adult patients receiving mechanical ventilation: a 28-day international study. JAMA 2002;287:345-55.

20 Esteban A, Ferguson ND, Meade MO, et al. Evolution of mechanical ventilation in response to clinical research. Am J Respir Crit Care Med 2008;177:170-7.

21 Sprung CL, Cohen SL, Sjokvist P, et al. End-of-life practices in European intensive care units: the Ethicus Study. JAMA 2003;290:790-7.

22 Knaus WA, Draper EA, Wagner DP, et al. APACHE II: a severity of disease classification system. Crit Care Med 1985;13:818-29.

23 Metnitz PG, Moreno RP, Almeida E, et al. SAPS 3-From evaluation of the patient to evaluation of the intensive care unit. Part 1: objectives, methods and cohort description. Intensive Care Med 2005;31:1336-44.

24 Rosenthal VD, Maki DG, Graves N. The International Nosocomial Infection Control Consortium (INICC): goals and objectives, description of surveillance methods, and operational activities. Am J Infect Control 2008;36:e1-12.

25 Towey RM, Ojara S. Intensive care in the developing world. Anaesthesia 2007;62(Suppl 1):32-7.

26 Dunser MW, Baelani I, Ganbold L. A review and analysis of intensive care medicine in the least developed countries. Crit Care Med 2006;34:1234-42.

27 Jacob ST, Moore CC, Banura P, et al. Severe sepsis in two Ugandan hospitals: a prospective observational study of management and outcomes in a predominantly HIV-1 infected population. PLoS One 2009;4:e7782.

28 Kwizera A, Dunser M, Nakibuuka J. National intensive care unit bed capacity and ICU patient characteristics in a low income country. BMC Res Notes 2012;5:475.

29 Baelani I, Jochberger S, Laimer T, et al. Availability of critical care resources to treat patients with severe sepsis or septic shock in Africa: a self-reported, continent-wide survey of anaesthesia providers. Crit Care 2011;15:R10.

30 Phua J, Koh Y, Du B, et al. Management of severe sepsis in patients admitted to Asian intensive care units: prospective cohort study. BMJ 2011;342:d3245.

31 Bhagwanjee S, Scribante J. National audit of critical care resources in South Africa-unit and bed distribution. S Afr Med J 2007;97:1311-4.

32 Abdullah JM, Kumaraswamy N, Awang N, et al. Persistence of cognitive deficits following paediatric head injury without professional rehabilitation in rural East Coast Malaysia. Asian J Surg 2005;28:163-7.

33 Wilde JCH, Lameris W, van Hasselt EH, et al. Challenges and outcome of Wilms' tumour management in a resource-constrained setting. Afr J Paediatr Surg 2010;7:159-62.

34 Wandi F, Kiagi G, Duke T. Long-term outcome for children with bacterial meningitis in rural Papua New Guinea. J Trop Pediatr 2005;51:51-3.

35 Xu XJ, Tang YM, Song H, et al. Long-term outcome of childhood acute myeloid leukemia in a developing country: experience from a children's hospital in China. [Erratum appears in Leuk Lymphoma. 2011 Mar;52(3):544]. Leuk Lymphoma 2010;51:2262-9.

36 Kulesh SD, Kastsinevich TM, Kliatskova LA, et al. Long-term outcome after stroke in Belarus: the Grodno stroke study. Stroke 2011;42:3274-6.

37 Walker RW, Jusabani A, Aris E, et al. Post-stroke case fatality within an incident population in rural Tanzania. J Neurol Neurosurg Psychiatry 2011;82:1001-5.

38 Garbusinski JM, van der Sande MAB, Bartholome EJ, et al. Stroke presentation and outcome in developing countries: a prospective study in the Gambia. Stroke 2005;36:1388-93.

39 Gosselin RA, Coppotelli C. A follow-up study of patients with spinal cord injury in Sierra Leone. Int Orthop

2005;29:330-2.

40 Wal A. Long-term results of intramedullary pinning of forearm fractures in a developing country. Aust N Z J Surg 1997;67:622-4.

41 Angus DC, Pereira CA, Silva E. Epidemiology of severe sepsis around the world. Endocr Metab Immune Disord Drug Targets 2006;6:207-12.

42 Angus DC, Linde-Zwirble WT, Lidicker J, et al. Epidemiology of severe sepsis in the United States: analysis of incidence, outcome, and associated costs of care. Crit Care Med 2001;29:1303-10.

43 Martin GS, Mannino DM, Eaton S, et al. The epidemiology of sepsis in the United States from 1979 through 2000. N Engl J Med 2003;348:1546-54.

44 Linde-Zwirble WT, Angus DC. Severe sepsis epidemiology: sampling, selection, and society. Crit Care 2004; 8:222-6.

45 Harrison DA, Welch CA, Eddleston JM. The epidemiology of severe sepsis in England, Wales and Northern Ireland, 1996 to 2004: secondary analysis of a high quality clinical database, the IC-NARC Case Mix Programme Database. Crit Care 2006;10:R42.

46 Silva E, Pedro MA, Sogayar AC, et al. Brazilian Sepsis Epidemiological Study (BASES study). Crit Care 2004;8: R251-60.

47 Iwashyna TJ, Cooke CR, Wunsch H, et al. Population burden of long-term survivorship after severe sepsis in older Americans. J Am Geriatr Soc 2012;60:1070-7.

48 Iwashyna TJ, Netzer G, Langa KM, et al. Spurious inferences about long-term outcomes: the case of severe sepsis and geriatric conditions. Am J Respir Crit Care Med 2012;185:835-41.

49 Rubenfeld GD. Does the hospital make you older faster? Am J Respir Crit Care Med 2012;185:796-8.

50 Wunsch H, Guerra C, Barnato AE, et al. Three-year outcomes for Medicare beneficiaries who survive intensive care. JAMA 2010;303:849-56.

51 Wunsch H, Angus DC, Harrison DA, et al. Comparison of medical admissions to intensive care units in the United States and United Kingdom. Am J Respir Crit Care Med 2011;183:1666-73.

52 Wing JK, Babor T, Brugha T, et al. SCAN. Schedules for Clinical Assessment in Neuropsychiatry. Arch Gen Psychiatry 1990;47:589-93.

53 Herridge MS, Cheung AM, Tansey CM, et al. One-year outcomes in survivors of the acute respiratory distress syndrome. N Engl J Med 2003;348:683-93.

54 Wunsch H, Angus DC, Harrison DA, et al. Variation in critical care services across North America and Western Europe. Crit Care Med 2008;36:2787-9.

55 Crump JA, Gove S, Parry CM. Management of adolescents and adults with febrile illness in resource limited areas. BMJ 2011;343:d4847.

56 World Health Organization. IMAI district clinician manual: hospital care for adolescents and adults: guidelines for the management of illnesses with limited resources. (2011). Geneva: World Health Organization.

57 Haynes AB, Weiser TG, Berry WR, et al. A surgical safety checklist to reduce morbidity and mortality in a global population. N Engl J Med 2009;360:491-9.

58 Weiser TG, Regenbogen SE, Thompson KD, et al. An estimation of the global volume of surgery: a modelling strategy based on available data. Lancet 2008;372:139-44.

59 Alirol E, Getaz L, Stoll B, et al. Urbanisation and infectious diseases in a globalised world. Lancet Infect Dis 2011;11:131-41.

60 Gupta N, Zurn P, Diallo K, et al. Uses of population census data for monitoring geographical imbalance in the health workforce: snapshots from three developing countries. Int J Equity Health 2003;2:11.

61 Rubenfeld GD, Caldwell E, Peabody E, et al. Incidence and outcomes of acute lung injury. N Engl J Med 2005;353:1685-93.

62 Needham DM, Bronskill SE, Calinawan JR, et al. Projected incidence of mechanical ventilation in Ontario to 2026: preparing for the aging baby boomers. Crit Care Med 2005;33:574-9.

63 Wunsch H, Linde-Zwirble WT, Harrison DA, et al. Use of intensive care services during terminal hospitalizations in England and the United States. Am J Respir Crit Care Med 2009;180:875-80.

64 Jackson R, Howe N, with Strauss RaNK. The graying of the great powers: demography and geopolitics in

the 21st century. Washington, DC: Center for Strategic and International Studies; 2008.

65 Halpern NA, Pastores SM. Critical care medicine in the United States 2000-5: an analysis of bed numbers, occupancy rates, payer mix, and costs. Crit Care Med 2010;38:65-71.

66 Winters BD, Pham JC, Hunt EA, et al. Rapid response systems: a systematic review. Crit Care Med 2007;35: 1238-43.

67 Griffiths JA, Barber VS, Cuthbertson BH, et al. A national survey of intensive care follow-up clinics. Anaesthesia 2006;61:950-5.

68 Kahn JM, Goss CH, Heagerty PJ, et al. Hospital volume and the outcomes of mechanical ventilation. N Engl J Med 2006;355:41-50.

69 Pronovost PJ, Angus DC, Dorman T, et al. Physician staffing patterns and clinical outcomes in critically ill patients: a systematic review. JAMA 2002:288:2151-62.

70 Levy MM, Rapoport J, Lemeshow S, et al. Association between critical care physician management and patient mortality in the intensive care unit. Ann Intern Med 2008;148:801-9.

71 Rubenfeld GD, Angus DC. Are intensivists safe? Ann Intern Med 2008;148:877-9.

72 Angus DC, Kelley MA, Schmitz RJ, et al. Caring for the critically ill patient. Current and projected workforce requirements for care of the critically ill and patients with pulmonary disease: can we meet the requirements of an aging population? JAMA 2000;284:2762-70.

73 Robnett MK. Critical care nursing: workforce issues and potential solutions. Crit Care Med 2006;34(3 Suppl):S25-31.

74 Scribante J, Bhagwanjee S. National audit of critical care resources in South Africa-nursing profile. S Afr Med J 2007;97:1315-18.

75 Salsberg E, Grover A. Physician workforce shortages: implications and issues for academic health centers and policymakers. Acad Med 2006;81:782-7.

76 Wilcox ME, Adhikari NK. The effect of telemedicine in critically ill patients: systematic review and meta-analysis. Crit Care 2012;16:R127.

77 Joynt GM, Zimmerman J, Li TS, et al. A systematic review of short courses for nonspecialist education in intensive care. J Crit Care 2011;26:533.

78 Maitland K, Kiguli S, Opoka RO, et al. Mortality after fluid bolus in African children with severe infection. N Engl J Med 2011;364:2483-95.

79 Lee N, Hui D, Wu A, et al. A major outbreak of severe acute respiratory syndrome in Hong Kong. N Engl J Med 2003;348:1986-94.

80 Tsang KW, Ho PL, Ooi GC, et al. A cluster of cases of severe acute respiratory syndrome in Hong Kong. N Engl J Med 2003;348:1977-85.

81 Poutanen SM, Low DE, Henry B, et al. Identification of severe acute respiratory syndrome in Canada. N Engl J Med 2003;348:1995-2005.

82 Booth CM, Matukas LM, Tomlinson GA, et al. Clinical features and short-term outcomes of 144 patients with SARS in the greater Toronto area. JAMA 2003;289:2801-9.

83 Fowler RA, Lapinsky SE, Hallett D, et al. Critically ill patients with severe acute respiratory syndrome. JAMA 2003;290:367-73.

84 Dominguez-Cherit G, Lapinsky SE, Macias AE, et al. Critically ill patients with 2009 influenza A(H1N1) in Mexico. JAMA 2009;302:1880-7.

85 Kumar A, Zarychanski R, Pinto R, et al. Critically ill patients with 2009 influenza A(H1N1) infection in Canada. JAMA 2009;302:1872-9.

86 ANZIC Influenza Investigators, Webb SA, Pettilä V, et al. Critical care services and 2009 H1N1 influenza in Australia and New Zealand. N Engl J Med 2009;361:1925-34.

87 Christian MD, Hawryluck L, Wax RS, et al. Development of a triage protocol for critical care during an influenza pandemic. CMAJ 2006;175:1377-81.

88 Devereaux A, Christian MD, Dichter JR, et al. Summary of suggestions from the Task Force for Mass Critical Care summit, January 26-7, 2007. Chest 2008;133(5 Suppl):1S-7S.

89 Burnham G, Lafta R, Doocy S, et al. Mortality after the 2003 invasion of Iraq: a cross-sectional cluster sam-

ple survey. Lancet 2006;368:1421-8.

90 Coghlan B, Brennan RJ, Ngoy P, et al. Mortality in the Democratic Republic of Congo: a nationwide survey. Lancet 2006;367:44-51.

91 Horton R. The global financial crisis: an acute threat to health. Lancet 2009;373:355-6.

92 Marmot MG, Bell R. How will the financial crisis affect health? BMJ 2009;338:b1314.

93 Morgan A, Daly C, Murawski BJ. Dollar and human costs of intensive care. J Surg Res 1973;14:441-8.

94 Jonsen AR. Bentham in a box: technology assessment and health care allocation. Law Med Health Care 1986;14:172-4.

95 Ward NS, Teno JM, Curtis JR, et al. Perceptions of cost constraints, resource limitations, and rationing in United States intensive care units: results of a national survey. Crit Care Med 2008;36:471-6.

96 Carson SS, Cox CE, Holmes GM, et al. The changing epidemiology of mechanical ventilation: a population-based study. J Intensive Care Med 2006;21:173-82.

97 Needham DM, Bronskill SE, Sibbald WJ, et al. Mechanical ventilation in Ontario, 1992-2000: incidence, survival, and hospital bed utilization of noncardiac surgery adult patients. Crit Care Med 2004;32:1504-9.

98 Luhr OR, Antonsen K, Karlsson M, et al. Incidence and mortality after acute respiratory failure and acute respiratory distress syndrome in Sweden, Denmark, and Iceland. The ARF Study Group. Am J Respir Crit Care Med 1999;159:1849-61.

99 Sinuff T, Cook DJ. Guidelines in the intensive care unit. Clin Chest Med 2003;24:739-49.

100 O'Connor C, Adhikari NK, Decaire K, et al. Medical admission order sets to improve deep vein thrombosis prophylaxis rates and other outcomes. J Hosp Med 2009;4:81-9.

101 Sinuff T, Muscedere J, Adhikari NK, et al. Knowledge translation interventions for critically ill patients: a systematic review. Crit Care Med 2013;41:2627-40.

102 Gershengorn HB, Wunsch H, Wahab R, et al. Impact of nonphysician staffing on outcomes in a medical ICU. Chest 2011;139:1347-53.

Chapter 03

중증질환 이후 사망률

매튜 볼드윈, 한나 분쉬
(Matthew Baldwin and Hannah Wunsch)

서론

일반적으로 중환자치료의 성공 여부는 퇴원 또는 28일째 생존해 있는 환자의 비율로 판가름되었다.[1-5] 기술의 진보와 더불어, 많은 중환자가 과거에는 치명적이었던 질환에서 회복되면서[6-8] 중환자실 생존자의 숫자가 증가하고 있다. 일부 중증질환은 급성으로 발생하여 후유증을 거의 남기지 않지만, 상당수 환자가 만성질환과 유사한 상태에 머물며, 이들의 장기적인 질병이환과 사망 위험은 높다. 중증질환이 퇴원 후의 사망률에 어떠한 영향을 미치는지를 이해하는 것은 중환자치료의 진정한 가치를 측정하는 데 중요하며, 중증질환 이후 생존율과 삶의 질을 개선시키는 치료적 중재, 고통경감을 위한 개입은 모두를 위해서도 중요하다. 본 장에서는 (1) 중증질환 이후 장기사망률을 추적 연구할 때 직면하게 되는 과제를 알아보고, (2) 현재의 역학을 평가하며, (3) 중증질환 이후 사망률에 영향을 미치는 변수를 확인하고, (4) 쇠약, 장애, 동반질환의 측정이 신뢰성 있는 장기사망률 예측 모델 마련에 어떻게 기여할 수 있을지를 살펴보고자 한다.

중증질환 이후 사망률 연구과제

인구집단 정의

중환자실 환자에 대한 장기적 연구에서는[9-17] 중환자 전체 또는 임상이나 치료적 특성을 공유하는 하위집단의 사망률을 추적한다. 많은 경우 중증질환에 대한 정의는 중증질환을 대리하는 개념으로 '중환자실 입원'을 사용한다.[11,18] 그러나 이런 방식의 정의는 중환자이기는 하나 중환자실이 아닌 다른 장소에서 치료받는 사람을 집계하지 않거나, 혹은 질환의 중증도가 그리 높지 않은 환자를 포함시킬 수도 있다.[19,20] 그 대안으로 중증 패혈증,[21-24] 급성호흡곤란증후군,[25-29] 장기기계환기,[10, 30-34] 노인 환자와[35-39] 같이 중환자실 환자를 분류한 하위집단에 초점을 맞추는 방법이 있다. 이렇듯 환자 하위집단에 대한 연구는 특정 환자집단과 관련된 중요 정보를 제공하기는 하나 그 결과가 다른 중환자에게는 적용되지 못할 수도 있다.

대다수 연구에서는 중환자실 입원 시기부터 장기사망률을 집계하고 원내 사망한 중환자실 환자를 연구 대상에 포함시킨다.[12,13,17] 다만 최근 발표되는 인구집단 연구에서는 집중치료 이후 생존한 환자의 퇴원일로부터 장기사망률을 집계하였다.[10,11,18] 질환의 중증도가 높은 환자의 경우 원내사망률이 높다는 점을 감안한다면, 퇴원일로부터 장기사망률을 집계하는 접근법은 퇴원 이후 사망률에 대한 보다 명확한 평가를 가능하게 한다. 따라서 원내 사망을 포함시키는지 여부에 따라 사망률 추정치가 크게 변할 수 있으므로 다양한 연구에서 제시되는 사망률을 비교할 때는 이러한 점에 유의해야 한다.

대조집단 선정

중증질환이 장기적으로 사망에 미치는 위험성을 평가할 때 가장 이상적인 것은, 중환자실의 환자와 중증질환을 제외하고 모든 변수의 영향을 기록할 수 있는 대조집단을 매칭시키는 것이다. 하지만 집중치료를 받지 않는 입원환자의 대조집단과 비교를 해야 하는 것인지 아니면 입원하지 않은 대조집단과 비교를 해야 하는지는 알 수 없다. 이 두 대조집단 모두 중요한 정보를 제공한다. 입원환자와의 비교는 위험 변수로서의 질환의 중증도를 분리해낼 수 있다는 장점이 있다.[11,18] 하지만 일반인구집단과 비교할 경우, "평균"인과 비교할 때 전체 잔여사망위험을 추정해내기 좋다.[13,14,17,40,.41] 다만 현실적으로는 중환자실 환자와 대조집단 사이의 측정되지 않은 동반질환으로 인해 중증질환과 장기사망률과의 연관성에 잠재적으로 교란영향이 발생할 수 있다.

추적관찰기간의 결정

급성질환치료 후 퇴원 시기는 양상이 변하였다. 특히 미국에서는 조기에 전문요양시설(skilled care facili-tieis)로 이송하는 환자수가 증가하고 있다.[10] 퇴원 후 전문요양시설로 옮겨지는 환자의 경우 퇴원하여 가정으로 돌아가는 환자보다 이후 수주나 수개월 사이 사망률이 증가하는 것으로 알려져 있다.[10,18,42] 또한 전문요양시설로 이송되는 건수가 소폭 증가할 경우 원내사망률이 인위적으로 낮아진다는 점이 연구를 통해 밝혀졌다.[43,44] 따라서 보다 장기적인 추적관찰이 필요하다. 그렇다면 과연 환자의 치료결과가 중증질환 후유증과 어떠한 관련이 있는지를 이해하기 위한 장기 추적관찰의 바람직한 기간이 어느 정도인지는 좀 더 논의가 되어야 할 것이다.

중증질환 생존자의 생존곡선 기울기가 해당 대조집단과 평행해질 때까지 이들 생존자에 대해 추적관찰을 하는 것이 가장 바람직하다. 그러나 정확한 기간은 연구대상 중환자의 특정 유형과 선택된 대조집단에 따라 달라진다. 국제 컨센서스패널은 중환자 대상 임상시험의 종료점으로 3-6개월 사망률을 이용할 것을 권고한다.[45,46] 중환자실 고혈당증에 대한 인슐린 치료와 초기 급성호흡곤란증후군에[48] 대한 신경근육차단제(NMBA)에 관한 중환자치료 연구에서는 90일(3개월) 사망률을 종료점으로 채택하였다. 하지만 다른 연구에 따르면 장기입원이 필요한 일부 중증질환의 경우 3개월도 적절하지 않을 수 있다. 일례로 급성호흡곤란증후군 네트워크 연구에 등록된 대상자의 1/4은 코르티코스테로이드의 효용성을 평가하기 위해 입원 60일째에도 여전히 입원해있었다.[49] 집중치료 이후 추적관찰의 적정 기간은 특정 연구주제, 연구대상 질병이나 치료의 기전과 시점, 연구디자인에 따라 다르지만,[50] 병원 퇴원 후 발생하는 사망을 집계할 수 있는 기간으로 선정하는 것이 대부분 바람직하다.

장기사망률의 의미

임상조사에서 연구대상을 추적하고 유지하는 데는 상당한 노력과 재정자원이 필요하다. 사망은 환자와 환자 가족에 대한 직접적인 추적조사를 통해서도 알 수 있지만 행정기록이나 정부기록을 통해 확인하는 경우가 더 많다. 장기사망률을 추적하는 연구의 대다수가 사망률이 낮은 것이 "보다 바람직"한 결과라는 가정을 갖고 시작한다. 하지만 중환자치료 생존자 중 일부는 생명유지치료보다는 고통경감치료를 선호할 수도 있다.[51] 안타깝게도 행정자료는 환자의 선호도나 의사결정에 대한 정보를 제공하지 않는다. 현재로서는 연명의료의 질을 중증질환 치료결과인 사망률에 포함시키는 명확한 방법론이 존재하지 않는다.

집중치료 이후 장기사망률 역학

인구집단 연구

연구대상 인구를 국가별로 선정했든, 혹은 나이, 중재술, 특정 진단에 따라 선정했든 간에 연구 대부분에서 중증질환 이후 발생한 사망의 대다수가 병원 퇴원 이후 6-12개월 사이에 발생하는 것으로 확인되었다.[10,12,13,15,17,18,41] 메디케어 가입자에 대한 연구를 통해 노인 환자의 2.5%

표본에서 퇴원 이후 사망 위험은 처음 6개월에 집중되어 있으며, 특히 기계환기 치료를 받았거나 전문요양시설로 퇴원할 수밖에 없었던 상태일 경우에는 더욱 그러하였다.[18] 퇴원 후 3년차에 중환자실 생존자는(39.5%) 상응하는 일반입원 대조집단(34.5%)에 비해 다소 높은 사망률을, 일반인구집단(14.9%)에 비해서는 상당히 높은 사망률을 보였다.

캐나다에서 수행된 한 연구에서는 1994년부터 1996년[11] 사이 캐나다 브리티시콜럼비아주의 환자 집단에서 중증질환이 장기사망률에 미치는 영향을 병원 입원 효과에서 분리하고자 했다. 미국 자료는 65세 이상 중환자실 생존자에 국한되어 있는 반면 캐나다의 연구는 병원에서 사망한 환자(신생아와 임산부는 제외)를 포함하여 전 연령의 중환자실 환자를 대상으로 하고 있다. 이렇듯 중환자실 생존자의 코호트 연령이 낮아지면서 1년 사망률과 3년 사망률이 각각 10.8%와 17.0%로 낮았다. 하지만 중환자실 입원 이후 사망은 여전히 1년 안에 집중되었고, 3년간의 추적조사기간 동안 일반인구집단보다 큰 폭으로 높았다. 일반입원환자 집단과 비교하자면 정량적으로는 유사하지만 여전히 높은 수준이었다.

다기관 단일 기관 및 코호트 연구

내과계 중환자실 환자와 외과계 중환자실 환자로 구성된 소규모 코호트 연구에서는 환자의 사망 위험이 높은 기간에 대해 모순된 데이터를 제시하였다. 연구에서 연령과 성별 매칭을 한 일반인구 대조집단과 비교할 때 중환자실 생존자의 사망률은 2–15년 사이 어느 구간에서건 높았다.[12-14,17,41] 일반 중환자실 퇴원 환자의 1년 사망률을 측정한 19개의 코호트 연구에서 사례믹스, 인구통계학상의 변수, 질병의 중증도 등은 크게 차이를 보였다.[15] 장기사망률은 1년 후 26–63%, 3년 후 40–72%, 5년 후 40–58%였다. 하지만 입원하여 중환자치료를 받은 후 발생한 사망의 대부분은 퇴원 후 1년 사이에 집중되어 있었다.

중증질환 이후 사망 확률에 영향을 미치는 변수

중환자실 입원 시 진단

코호트 연구들에서 사례믹스와 질병 중증도의 차이로 장기사망률의 편차를 대부분 설명할 수 있다. 특정 중증질환 진단에 따른 중환자실 하위집단 연구를 통해 중증질환 이후 사망률에 관한 매우 세부적인 정보를 얻을 수 있었다. 일부 진단적 분류는 높은 단기사망률과 연관이 있지만 또 일부는 장기사망 위험 증가와 연관이 있다. 일반적인 중환자실 코호트 연구 중에 심혈관 및 외상 환자의 경우 대체로 장기생존율이 가장 우수하며, 2개월에서 2년 사이 사망률도 일반인구집단과 유사하다. 그렇지만 암, 호흡부전, 신경계질환 중환자실 환자는 적어도 5년 동안 사망률이 높았다.[11,13,14,16,17]

중증 패혈증

중증 패혈증 환자는[45] 일반인구 대조집단과 비교할 때 퇴원 후 2–8년 사이 사망위험이 높다.[13,21,23] 원내사망 환자를 포함한 장기사망률에 관한 여러 연구에서 중증 패혈증을 겪은 환자의 절반가량이 1년 안에 사망하였고,[23,52] 74%가 중환자실 치료 후 5년 내 사망했다.[22,23] 중환자실 패혈증 생존자에 관한 17건의 연구를 보면 병원 퇴원 후 평균 1년 사망률 가중 평균치는 23%인 것으로 나타나 많은 환자가 감염 치료 이후 1년 사이에 사망하는 것을 알 수 있다.[23]

급성호흡부전

다른 중증질환과는 대조적으로 급성폐손상과 급성호흡곤란증후군은 원내사망률에는 상당한 위험으로 작용하지만 장기사망률의 위험은 놀라울 정도로 낮다.

Cheung 등은 급성호흡곤란증후군 환자의 2년 사망률이 49%라고 하였다. 그러나 생존하여 퇴원 절차를 밟은 환자 중에서는 이후 2년 동안 15%만이 사망하였다.[26] 이러한 연구 결과는 급성호흡곤란증후군 생존자에 관한 다른 코호트 연구에 의해서도 뒷받침된다. 캐나다에서 수행된 코호트 연구에서는 급성호흡곤란증후군 생존자의 1년, 5년 사망률이 각각 12%와 19%라고 밝혔으며,[27,28] 미국의 코호트 연구에서는 1년을 추적조사한 결과 퇴원 후 발생한 전체 사망은 추적조사 실시 이후 6개월 내에 발생했다고 밝혔다.[29]

이러한 데이터는 일반인구 대조집단과 비교할 때 호흡기 질환 환자의 5년 사망률이 높다는 일반 중환자실 코호트 연구결과와는 차이가 있다.[11,13,17] 이러한 중환자실 환자에 관한 일반 코호트 연구에는 패혈성 쇼크 이후 만성폐질환, 호흡부전과 연관이 있는 급성–만성호흡부전 환자가 포함된다. 만성폐쇄성폐질환과 같은 만성폐질환 환자는 중증질환 이후 장기 결과가 대체로 열악하다. 일례로 기계환기를 시작한 만성폐쇄성폐질환 환자에 대한 연구에서 병원내, 1년, 5년 사망률이 각각 25%, 39%, 76%인 것으로 나타났다. 만성폐질환 환자의 장기 결과는 급성폐손상이나 급성호흡곤란증후군 진단을 받은 환자와는 크게 다르다는 것을 알 수 있다.[53]

암

중환자실에 입원한 암환자는 일반인구 대조집단과 비교할 때 적어도 5년간 사망률이 높다.[13,17] 하지만 암이 장기사망률에 미치는 영향은 중증질환과 구분하기 쉽지 않다. 지난 30년 동안 중환자실에서 중증질환을 겪는 암환자의 치료가 폭넓게 수용되고 있으며 환자선정 기준의 변화, 새로운 항암치료, 진일보한 지지요법으로 80%가 넘던 원내사망률은 30-60%로 하락하였다.[54,55] 이렇게 단기생존에서는 진일보하였음에도 불구하고 1년 사망률은 여전히 높아 71-95% 수준이다.[56,57] 게다가 혈액암 환자는 고형암 환자보다 장기생존율이 대체로 매우 낮다.[11,13,16,58]

이 밖에도 전문 중환자실에서 치료를 받는 심장수술을 받은 환자,[59-61] 뇌손상을 입은 환자[62,63] 등 특정 환자 집단이 다양하게 존재한다. 이러한 집단을 대상으로 장단기 생존율 관련 연구가 수행되었고, 특정 진단명에 따라 장기예후가 다르다.

중환자실 치료

기계환기

특정 진단명이 아니라 중증질환을 겪을 때 받은 중재술을 토대로 연구가 진행되기도 한다. 특히 기계환기, 신대체요법의 필요성에 따라 분류한다. 기간에 상관없이 기계환기를 받은 중환자실 생존자는 그렇지 않은 중환자실 환자나 다른 대조집단에 비해 장기사망률이 매우 높다. 일례로 미국에서 기계환기를 시행한 65세 이상 환자의 3년 사망률은 58%로, 입원환자 대조집단의 33%와 큰 차이를 보인다.[18] 과거 소규모로 진행된 연구의 다변량수분석에서 기계환기와 장기사망률 증가 사이에 통계적으로 유의미한 연관성을 밝혀내지 못했지만,[64,65] 최근 대규모 연구에서는 기계환기가 연령, 질병의 중증도 등을 보정하고 난 후 장기생존율 부진을 예측할 수 있는 독립예측인자라는 점을 밝혀냈다.[66]

급성질환으로 인해 기계환기를 시행해야 하는 환자의 5-10%가 장기기계환기로 진행된다.[33,67] 장기기계환기의 정의는 논문에 따라 상이하지만 일반적으로 일정 기간(21일 등) 동안 기계환기를 시행하거나 기관절개술을 시행한 경우이다.[68,69] 장기기계환기 환자의 1년 사망률은 지난 15년간 36-77%로 부진함을 면치 못했으며 사망은 대부분 퇴원 후 6개월 내에 발생하였다.[10,33,34,70,71]

연령과 병전 기능은 장기기계환기 환자의 생존이 저조할 것임을 예측하는 가장 강력한 예측인자인 듯하다. Carson 등의 연구에서는 74세 이상 고령 환자와 입원 전 기능적으로 의존적이던 64세 이상 환자의 경우 1년 사망률이 95% (95% 신뢰구간 84-99%)라고 밝혔다.[71] 또한 장기기계환기 1년 사망률 예측 모델도 구축하여 외부 입증도 받았다.[72] 1년 사망률의 독립예측인자는 50세 이상 연령이며, 요구 조건은 혈압상승제, 혈액투석, 기계환기 21일째 150,000보다 낮은 혈소판수치이다.[73]

신대체요법

급성신부전 환자의 1년 사망률은 50%가 훌쩍 넘는다.[74] 하지만 신대체요법이 필요한 중증 급성신부전은 사구체질환이 일차적인 이유라기 보다는 패혈증, 심장수술, 진행성 간질환 등과 관련하여 신장관류 저하에 부수적으로 발생하는 경우가 더 많다.[74] 따라서 1년 사망률이 높은 것은 중증질환 이전에 이미 존재한 동반질환에 기인한다.[74-77] 한 연구에서는 다발성장기부전으로 중환자실에 입원한 만성혈액투석 환자의 2년 사망률은 44%이지만, 중환자실에 입원한 환자의 생존곡선은 퇴원 후 1개월 내 혈액투석 환자 집단과 유사하다는 것을 보여주었다.[78]

연령효과

선진국에서 노령인구가 빠르게 증가하고 있으며, 현재 65세 이상 환자가 미국 전체 중환자실 입원의 절반 이상을 차지하고 있다.[79] 소규모 코호트 연구에서, 처음에는 중환자실 환자의 퇴원 후 생존이 연령의 영향을 받지 않는다고 했다.[35,37] 그러나 최근 대규모 코호트 및 인구집단 연구에서는 중증질환의 중증도, 만성적인 건강상태 등을 보정한 후, 연령이 장기사망률 예측에 있어 비록 부차적이기는 하나 독립예측인자라는 점을 밝혀냈다.[11,14,66,80] 노령 자체라기 보다는 노령과 연계된 다른 측정되지 않은 변인이 궁극적으로 노령환자의 예후를 결정한다. 특히 노령환자의 장기사망률이 좋지 않은 것은 측정되지 않은 발병 전 기능장애와 쇠약으로 인해 중증질환 이후 회복이 제약을 받고,[38] 그들이 소극적인 치료를 선택하기 때문일 수 있다.[39,81]

사망원인

역학

추적조사를 수행하기가 쉽지 않기 때문에 중증질환과 이후 사망원인 간의 관계에 대해서는 알려진 바가 많지 않다. 중환자실 생존자의 사망원인에 대한 두 개의 연구가 수행되었지만 모두 단일센터, 퇴원 후 코호트 연구 설계, ICD-9 코드 사용, 사망원인을 결정하기 위한 사망증명서 상의 진단명 사용 등에 국한되어 있다.[82-84] 이러한 제약에도 불구하고, 전술한 연구에서 중증질환 관련 진단명으로 사망한 중환자실 생존자의 경우 퇴원 6개월–1년 사이에 사망한 것으로 나타났다. 이러한 중환자실 생존자의 사망원인으로는 악성종양과 심혈관질환이 가장 많았지만 이는 연구대상 환자의 대다수가 심장 관련 수술이나 암 관련 수술 이후에 중환자실에 입실했기 때문이다.[83,84]

장기기계환기를 시행한 중환자실 생존자에 관한 연구를 통해 가장 쇠약한 중증질환 생존자의 사망원인과 그 기전이 일부 밝혀졌다. 장기기계환기를 시행한 환자 대부분이 만성중증질환(Chronic Critical Illness)으로 발전한다. 만성중증질환은 호흡부전, 심각한 쇠약, 내분비계질환, 영양부족, 전신부종, 피부손상, 그로 인한 기능적 의존성 등이 복합적으로 나타난다.[85] 만성중증환자는 초기의 급성중증질환과 상관없이 대체로 패혈증이 재발하여 진행성 다발성장기부전(Multiple Organ Failure, MOF)으로 사망하게 된다.[86] 이들 환자는 감염에 특히 취약하게 되는데 이는 장벽손상, 전염성이 강하고 내성이 있는 병원균, 동반질환의 복합적 작용 및 중증질환 후유증에서 기인한 면역부전 등이 원인이다.[87]

(65세 이상) 노령의 중환자실 생존자의 사망은 반복 감염과 패혈증 때문임을 시사하는 연구들이 많아졌다. 지역사회 획득 폐렴으로 입원한 노인 환자(이들 환자 중 일부는 호흡부전과 패혈증으로 중환자실 치료를 받음)의 재입원과 90일 사망원인 중 폐렴 재발이 가장 많았으며,[88,89] 급성뇌졸중을 겪은 노인 환자의 재입원사유로는 감염과 흡인성 폐렴이 가장 많았다.[90] 향후 중환자실 생존자를 추적조사할 때는 사망원인에 대한 철저한 검증이 필요할 것이다.

높은 장기사망률의 생물학적 기전

패혈증으로 인한 면역마비(immunoparalysis)

동물 모델과 인간 대상 연구에서 중증 패혈증은 면역억제(또는 면역마비)를 초래할 수 있으며 이는 추후 패혈증 재발과 사망 위험을 높이는 것으로 밝혀졌다.[91-93] 장기간 지속된 중증 패혈증 이후 면역마비는 복수의 분자기전을 통해 중재되며 림프구와 수지상 세포의 고갈, 항원 제시 복합체 HLA-DR의 발현 증가, 공동자극분자 PD-1 (negative costimulatory molecules programmed death 1) 표현 증가로 이어지고, 이는 T 세포 억제(또는 '고갈')를[91] 초래하여 T 세포의 확산을 방지한다. 면역마비뿐 아니라 폐렴과 패혈증 치료 이후 지속되는 IL-6와 같은 친감염성 표지자의 증가는 1년 사망률과 연관이 있다. 이는 일부 환자의 경우 면역을 손상시키고 장기사망률에 영향을 주는, 장기간 지속되는 무증상 감염이 있을 수 있음을 시사한다.[94]

중증 패혈증 상태의 쥐와 인간을 대상으로 한 면역자극 시험에서 희망적인 결과가 도출되기도 했다. 곰팡이 감염과 박테리아성 패혈증 상태의 쥐를 PD-1 억제제로 치료했더니 생존율이 개선되었다.[95] 2단계 시험에서는 중증 패혈증이나 패혈성 쇼크에 빠져 HLA-DR 수치가 낮은 성인 환자에게 GM-CSF를 투여하였다. 단핵구성 면역능력의 표지자가 회복되었고 기계환기기간 단축, 병원입원기간 단축 등과 연관이 있었으며 부작용이 없었다.[96] 앞으로는 패혈증으로 인한 면역마비의 기전을 설명하고, 생물표지자나 임상 결과를 토대로 개별 환자를 위한 맞춤 면역강화 요법을 실험하기 위해, 동물과 인간 대상 연구가 수행되어야 할 것이다.[91]

중환자실 획득 쇠약

중환자실에서 발생하는 중환자실 획득 쇠약(ICU-acquired weakness)은 CIP (critical polyneuropathy)와 CIM (critical illness myopathy), 또는 이 두 가지가 복합적으로 나타나는 증상으로, 중증질환 이후 종종 나타나고 오래 지속되는 병적상태이다.[97] 중환자실에서 일어나는 근육약화로 다양한 기능적 결과가 존재하기는 하나, 대체로 중증도와 회복까지의 기간은 연령, 동반질환으로 인해 신경예비능과 근육예비능이 감소하면 증가하는 것으로 보인다. 중증도와 회복에 영향을 주는 다른 인자에는 패혈증으로 인한 중증질환, 부동(immobilization) 상태 기간(중증질환의 중증도 등)이 있다.[98,99] 중환자실 획득 쇠약이 장기간 지속되어, 병상에 누워 지내거나 기계환기에 의존해야 하는 중환자실 생존자의 경우 전문요양시설에서 치료를 받아야 하기 때문에, 복수약제에 내성을 보이는 병원균에 노출될 수 있다. 또한 욕창, 감염재발, 인공호흡기 관련 폐렴에 이환되기 쉬운데 모두 패혈증과 사망을 초래할 수 있다.[86] 동물 모델을 통해 CIM과 CIP의 병리생리학적 과정에 대한 이해가 확대되었으나 상호작용의 시간적 배열은 제대로 정리되지 못하였다.[99] 향후 동물모델 연구는 CIM과 CIP의 시기와 기전을 중점적으로 해명해야 할 것이며, 더 나아가 치료법 개발로 이어져야 할 것이다. 중환자실에서 일어나는 근육약화의 서로 다른 표현형을 결정하기 위해, 임상적 평가와 시험결과를 근육과 신경 생검에 관한 조직병리학과 연결하는 인간 대상 임상연구가 수행되어야 할 것이다. 그럼으로써 초기에 인지, 예방, 치료를 맞춤화하여 중증질환 이후 질병이환율과 사망률을 개선해나가야 한다.

신경내분비계의 변화와 영양결핍

중증질환이 장기간 지속된 중환자실 생존자의 경우 중증질환이 해결된 후에도 이화작용이 지속되기도 한다. 이러한 환자는 대부분 만성중증환자며, 골격근육량의 손실, 지방 증가, 전신부종 등이 복합적으로 나타난다.[86,100] 또한 박동성 분비나 뇌하수체 전엽 호르몬이 소실되거나 약화되는 시상하부성 뇌하수체 기능저하증이 흔히 나타난다.[101] 성장호르몬 손상, IGF-1 활동 손상, 테스토스테론 저하(흔히 감지되지 않음)가 동반되는 저성선자극호르몬증(hypogonadotropism)이 근육소모와 이화작용에 기여하는 것으로 보인다.[100,102,103] 장기 중증질환자의 경구 동화 약물과 rhGH에 대한 그간의 연구에서 결과는 부정적이거나 질병이환률, 사망률 증가와 관련이 있는 것으로 나타났다. 다만 이러한 호르몬의 동화작용이 중증질환 발병 후 회복단계에서 구체적으로 검사된 적이 없다.[106] 시상하부방출인자 치료는 과다복용과 독성 방지를 위해 필요한 경우 사용되며, (목표 호르몬 수치에 맞게 신체를 변화시키는) 비정상적인 신경내분비계의 기능을 교정하는 좋은 수단으로 인식되기 시작했다.[101,107]

튜브로 공급하는 경장영양법에 의존하는 만성중증환자에 대한 관찰연구를 통해 환자들이 매일 필요한 영양분의 43-68%만을 얻는 것으로 드러났다.[108-110] 최근 연구를 통해, 급성중증질환 발생 첫 주에 소량의 경장영양법을 시행하는 것이, 완전한 경장영양법을 시행하는 것에 대비하여 별다른 장점이 존재하지는 않지만, 장기기계환자에게는 장기적으로 영양공급이 감소된다는 사실을 알 수 있었다. 이는 대체로 영양공급에 대한 관용성이 떨어지거나 인공호흡기 이탈 시도 혹은 다른 처치를 위해 금식을 빈번하게 시행한 결과이며,[109] 감염에 의한 합병증, 사망률 증가와 관련이 있다고 하였다.[112,113] 비타민 D와 글루타민 등 미량영양소 결핍은 만성중증환자에게 흔히 발생하며, 중증질환 이후 단백질 합성과 면역체계를 방해하여 환자를 더욱 쇠약하게 하고 감염재발에 취약하게 할 수 있다.[114,115] 퇴원 후 가정으로 돌아갔거나 전문요양시설로 수용된, 만성중증질환이 발생하지 않은 중환자실 생존자의 영양섭취에 대해서는 알려진 바가 거의 없다.

유전적 변화

마지막으로 중증질환 이후 일부 환자에게 사망위험이 증가하는 것은 유전적 변화로 설명할 수 있을 것이다. 현재까지 수행된 연구는 대부분 패혈증의 질병이환률과 사망률이 상이한 것을 설명하기 위해 염증반응을 통제하는 유전자의 유전적 다형성에 대한 연구를 중심으로 수행되었다. 일례로 폐렴, 패혈증 환자의 TLR-1,[116] 플라스미노겐 활성 억제인자-1(PAI-1),[117] 대식세포유주억제인자[118] 다형성은 감염재발 취약성 증가, 장기기능장애, 사망 등과 연관이 있었다. 중증질환의 유전적 결정에 대한 이해를 제고하고자 하는 앞으로의 연구를 통해 위험의 계층화가 개선되고, 개별맞춤치료가 가능해지고, 질병의 생물학적 기전에 대한 이해가 확대될 수 있을 것이다.[119] 하지만 중증질환 유전학에 대한 초기 연구 결과가 서로 상충하고 일반적인 질병에 대한 개별적 게놈 배열의 예측능력이 제한적인 결과를 보이면서, 중증질환 결과 개선을 위해 유전학을 활용하겠다는 열띤 분위기는 많이 가라앉았다.[120,121] 유전자가 중증질환 이후 장기사망률에 어떻게 영향을 미치는지에 대한 이해를 제고하기 위해서는 대규모 코호트를 대상으로 하는 유전자 연구가 필요하다.

중증질환 생존자의 사망률 예측

질병중증도 점수체계

질병의 중증도를 나타내는 여러 점수체계는 중증질환자의 단기사망률(병원내 또는 28일째 사망률) 위험을 계층화한다.[58,122-124] APACHE (Acute Physiology and Chronic Health Evaluation) II 점수는 중환자실 환자 코호트에서 초기 중증질환의 중증도를 설명하기 위해 가장 많이 사용되고 있다.[58] 다양한 연구를 통해, 중환자실 입원기간 중 각기 다른 시기에 산출한 질병의 중증도 점수가 장기사망률을 어떻게 예측하는지를 살펴보았다. 두 건의 연구에서 APACHE II 점수가 중환자실에 입원한 노인 환자(75세 이상 또는 80세 이상)의 1년 사망률을 독립적으로 예측하지 못하는 것으로 나타났다.[125,126] 또 중환자실 입원 3일째 산출한 APACHE II 점수가 입원 당시 산출한 점수에 비해 80세 이상 노인 환자의 1년 사망률 예측에서 우수한 결과를 보이는 것으로 나타났다.[127] 하지만 다른 변수를 포함시키지 않을 경우 전반적인 장기사망률의 예측인자로서 부진한 결과를 나타냈다. 퇴원 혹은 쇠약해진 중환자실 생존자를 위한 전문요양시설의 입소 시, 산출한 질병의 중증도도 추후 사망률을 예측하지 못하였다. 이는 장기예측을 위해 급성질환보다는 만성질환과 관련된 변수가 보다 많이 포함되도록 이러한 점수를 조정할 필요가 있다는 점을 시사한다.[128]

동반질환

최근 연구에 따르면 중환자실 생존자의 퇴원 전 장애, 동반질환, 쇠약을 평가하는 것이 진단명과 상관없이 퇴원 후 사망률을 정확하게 예측하는 데 중요하다.[129] 동반질환은 환자의 주된 진단명과 관련이 없는 질환의 전체 규모로 정의되며, 중환자실 결과연구에서 Charlson Comorbidity Index로 측정된다.[130,131] 동반질환은 개별 질환의 위험 이상으로 장애 및 장기사망률의 위험을 상당히 증가시키는 것으로 알려져 있다.[132] 연령을 제외하면 Charlson Comorbidity Index는 APACHE II score, 기계환기 시행일수, 승압제 사용, 신대체요법 사용, 장기부전 기관수, 성별보다도 중환자실 생존자의 장기사망률 예측에 보다 많은 기여를 하는 것으로 밝혀졌다.[14,66] 정확하게 말하자면 동반질환은 중증질환의 위험인자인 동시에 중증질환의 결과이다. 일례로 신부전 환자는 패혈증 위험이 높아진다.[21] 중증 패혈증 상태에서 신부전이 악화될 수 있고, 이로 인해 장기투석이 필요하며, 감염과 패혈증의 위험이 더욱 높아진다.[52] 따라서 동반질환과 중증질환의 상호작용으로 결국 사망에 이르게 되는 점진적인 쇠약의 악순환에 빠질 수 있다.

발병 전 장애

발병 전 동반질환/장애와 중증질환 발병 직후의 기능적 독립성 상실은 퇴원 후 1–3년 사이의 사망률을 예측하는 중요한 독립예측인자인 것으로 다수의 연구에서 밝혀졌다.[18,125,126,133,134] 다만 발병 전 장애는 미리 예상하여 자료를 수집하기가 어렵고, 추정은 본질적으로 환자나 대리인의 회상 편견(recall bias)에 영향을 받기 쉽다.[135,136] 퇴원 직전 기능적 상태를 평가하는 것이 보다 현실적이고 정확한 측정이 될 수 있으며 환자의 장기 예후와도 관련이 있다. 중환자실 생존자의 퇴원 시, 기능적 상태와 장기사망률 간의 연관성을 전향적으로 평가하는 연구가 수행되어야 할 것이다. 퇴원 시 상태를 평가한 그간의 연구는 대체로 중증질환이 아닌 질환으로, 입원한 노인 환자에 국한되어 있다.[137,138]

쇠약

쇠약은 노인 환자의 예비능 감소와 그로 인한 취약성을 보여주는 표지자가 될 수 있는 건강상태 영역이며, 이러한 인식이 확산되고 있다. 쇠약은 '연령 또는 질환과 연관되어 생리적 축적이 한계점 이하로 감소하고 그로 인해 다수의 생리시스템에 영향을 미침으로써 초래되는 위험을 나타내는 집합적인 표현'이다.[139] 장애, 동반질환, 쇠약이 모두 연결되어 있기는 하지만 각각은 임상적으로 중요하며 나머지와 독립적으로 발생할 수 있다.[139] 지역사회에서 일상생활을 하고 있는 노인의 쇠약은 동반질환, 장애와는 별개로 질병이환률과 사망율을 정확하게 예측해내는 지표가 된다. 중환자실 환자의 쇠약 정도를 평가하면, 노인 환자 중 예상보다 회복이 양호하거나 그렇지 않은 경우가 왜 발생하는지 설명할 수 있을 것이다. 일례로 쇠약을 나타내는 척도가 노인 중환자실 생존자의 6개월 사망률 예측 모델에서 예측력의 30%를 차지했다.[129]

중증질환을 겪은 후 생존했으나 쇠약한 환자들의 쇠약을 모델링하는 연구가 필요하다. 기존의 쇠약모델을 검사해 볼 뿐만 아니라,[140,141] 지속적인 섬망,[142] 근감소증,[143-145] IL-6[94]처럼 중환자실 생존자의 장기결과와 연관성이 있는 쇠약의 인지적, 생리적, 생화학적 표지자를 전체적으로 평가할 경우, 쇠약의 중증도를 계층화하고 이들 환자군의 장기사망률을 예측하는 데 도움이 될 것이다.

결론

중증질환 이후 장기사망률은 급성중증질환, 동반질환, 발병 전 기능적 상태, 생리적 예비능 간의 상호작용의 기능으로 큰 편차를 보인다. 하지만 대부분의 중증질환 환자집단에서 중환자실 생존자의 사망이 대체로 퇴원 후 6-12개월 사이에 발생하며, 이는 결과 개선을 위해 향후 연구와 개입이 필요함을 시사한다. 따라서 퇴원 시 생존 여부가 성공을 가늠하는 종착점이 되어서는 안된다. 생화학적, 생리적, 인지적 표지자를 종합적으로 평가하는 출발점이 되어야 할 것이다. 이러한 평가는 장기사망률 예측의 신뢰성을 높이고 중증질환 발병 이후 보다 나은 치료를 위한 완화적, 치료적 개입을 할 때 근간이 될 것이다.

참고문헌

1 The Acute Respiratory Distress Syndrome Network. Ventilation with lower tidal volumes as compared with traditional tidal volumes for acute lung injury and the acute respiratory distress syndrome. N Engl J Med 2000;342:1301-8.

2 Bernard GR, Vincent JL, Laterre PF, et al. Efficacy and safety of recombinant human activated protein C for severe sepsis. N Engl J Med 2001;344:699-709.

3 Hebert PC, Wells G, Blajchman MA, et al. A multicenter, randomized, controlled clinical trial of transfusion requirements in critical care. Transfusion Requirements in Critical Care Investigators, Canadian Critical Care Trials Group. N Engl J Med 1999;340:409-17.

4 Van den Berghe G, Wilmer A, Hermans G, et al. Intensive insulin therapy in the medical ICU. N Engl J Med 2006;354:449-61.

5 Higgins TL, Teres D, Copes WS, Nathanson BH, Stark M, Kramer AA. Assessing contemporary intensive care unit outcome: an updated Mortality Probability Admission Model (MPM0-III). Crit Care Med 2007;35:827-35.

6 Spragg RG, Bernard GR, Checkley W, et al. Beyond mortality: future clinical research in acute lung injury. Am J Respir Crit Care Med 2010;181:1121-7.

7 Lerolle N, Trinquart L, Bornstain C, et al. Increased intensity of treatment and decreased mortality in elderly patients in an intensive care unit over a decade. Crit Care Med 2010;38:59-64.

8 Kvale R, Flaatten H. Changes in intensive care from 1987 to 1997-has outcome improved? A single centre study. Intensive Care Med 2002;28:1110-16.

9 Wunsch H, Angus DC, Harrison DA, Linde-Zwirble WT, Rowan KM. Comparison of medical admissions to intensive care units in the United States and United kingdom. Am J Respir Crit Care Med 2011;183:1666-73.

10 Kahn JM, Benson NM, Appleby D, Carson SS, Iwashyna TJ. Long-term acute care hospital utili-zation after critical illness. JAMA 2010;303:2253-9.

11 Keenan SP, Dodek P, Chan K, et al. Intensive care unit admission has minimal impact on long-term mortality. Crit Care Med 2002;30:501-7.

12 Dragsted L. Outcome from intensive care. A five year study of 1,308 patients. Dan Med Bull 1991;38:365-74.

13 Wright JC, Plenderleith L, Ridley SA. Long-term survival following intensive care: subgroup analysis and comparison with the general population. Anaesthesia 2003;58:637-42.

14 Williams TA, Dobb GJ, Finn JC, et al. Determinants of long-term survival after intensive care. Crit Care Med 2008;36:1523-30.

15 Williams TA, Dobb GJ, Finn JC, Webb SA. Long-term survival from intensive care: a review. Intensive Care Med 2005;31:1306-15.

16 Kaufmann PA, Smolle KH, Krejs GJ. Short- and long-term survival of nonsurgical intensive care patients and its relation to diagnosis, severity of disease, age and comorbidities. Curr Aging Sci 2009;2:240-8.

17 Niskanen M, Kari A, Halonen P. Five-year survival after intensive care-comparison of 12,180 patients with the general population. Finnish ICU Study Group. Crit Care Med 1996;24:1962-7.

18 Wunsch H, Guerra C, Barnato AE, Angus DC, Li G, Linde-Zwirble WT. Three-year outcomes for Medicare beneficiaries who survive intensive care. JAMA 2010;303:849-56.

19 Simchen E, Sprung CL, Galai N, et al. Survival of critically ill patients hospitalized in and out of intensive care units under paucity of intensive care unit beds. Crit Care Med 2004;32:1654-61.

20 Zimmerman JE, Kramer AA. A model for identifying patients who may not need intensive care unit admission. J Crit Care 2010;25:205-13.

21 Quartin AA, Schein RM, Kett DH, Peduzzi PN. Magnitude and duration of the effect of sepsis on survival. Department of Veterans Affairs Systemic Sepsis Cooperative Studies Group. JAMA 1997;277:1058-63.

22 Weycker D, Akhras KS, Edelsberg J, Angus DC, Oster G. Long-term mortality and medical care charges in patients with severe sepsis. Crit Care Med 2003;31:2316-23.

23 Winters BD, Eberlein M, Leung J, Needham DM, Pronovost PJ, Sevransky JE. Long-term mortality and quality of life in sepsis: a systematic review. Crit Care Med 2010;38:1276-83.

24 Perl TM, Dvorak L, Hwang T, Wenzel RP. Long-term survival and function after suspected gramnegative sepsis. JAMA 1995;274:338-45.

25 Davidson TA, Rubenfeld GD, Caldwell ES, Hudson LD, Steinberg KP. The effect of acute respiratory distress syndrome on long-term survival. Am J Respir Crit Care Med 1999;160:1838-42.

26 Cheung AM, Tansey CM, Tomlinson G, et al. Two-year outcomes, health care use, and costs of survivors of acute respiratory distress syndrome. Am J Respir Crit Care Med 2006;174:538-44.

27 Herridge MS, Cheung AM, Tansey CM, et al. One-year outcomes in survivors of the acute respiratory distress syndrome. N Engl J Med 2003;348(8):683-93.

28 Herridge MS, Tansey CM, Matte A, et al. Functional disability 5 years after acute respiratory distress syndrome. N Engl J Med 2011;364:1293-304.

29 Angus DC, Musthafa AA, Clermont G, et al. Quality-adjusted survival in the first year after the acute respiratory distress syndrome. Am J Respir Crit Care Med 2001;163:1389-94.

30 Carson SS, Bach PB. The epidemiology and costs of chronic critical illness. Crit Care Clin 2002;18:461-76.

31 Schonhofer B, Euteneuer S, Nava S, Suchi S, Kohler D. Survival of mechanically ventilated patients admitted to a specialised weaning centre. Intensive Care Med 2002;28:908-16.

32 Combes A, Costa MA, Trouillet JL, et al. Morbidity, mortality, and quality-of-life outcomes of patients requiring >or =14 days of mechanical ventilation. Crit Care Med 2003;31:1373-81.

33 Engoren M, Arslanian-Engoren C, Fenn-Buderer N. Hospital and long-term outcome after tracheostomy for respiratory failure. Chest 2004;125:220-7.

34 Pilcher DV, Bailey MJ, Treacher DF, Hamid S, Williams AJ, Davidson AC. Outcomes, cost and long term survival of patients referred to a regional weaning centre. Thorax 2005;60:187-92.

35 Chelluri L, Pinsky MR, Donahoe MP, Grenvik A. Long-term outcome of critically ill elderly patients requiring intensive care. JAMA 1993;269:3119-23.

36 Chelluri L, Pinsky MR, Grenvik AN. Outcome of intensive care of the 'oldest-old' critically ill patients. Crit Care Med 1992;20:757-61.

37 Rockwood K, Noseworthy TW, Gibney RT, et al. One-year outcome of elderly and young patients admitted to intensive care units. Crit Care Med 1993;21:687-91.

38 de Rooij SE, Abu-Hanna A, Levi M, de Jonge E. Factors that predict outcome of intensive care treatment in very elderly patients: a review. Crit Care 2005;9:R307-14.

39 Boumendil A, Aegerter P, Guidet B. Treatment intensity and outcome of patients aged 80 and older in intensive care units: a multicenter matched-cohort study. J Am Geriatr Soc 2005;53:88-93.

40 Flaatten H, Kvale R. Survival and quality of life 12 years after ICU. A comparison with the general Norwegian population. Intensive Care Med 2001;27:1005-11.

41 Ridley S, Plenderleith L. Survival after intensive care. Comparison with a matched normal population as an indicator of effectiveness. Anaesthesia 1994;49:933-5.

42 Nasraway SA, Button GJ, Rand WM, Hudson-Jinks T, Gustafson M. Survivors of catastrophic illness: outcome after direct transfer from intensive care to extended care facilities. Crit Care Med 2000;28:19-25.

43 Kahn JM, Kramer AA, Rubenfeld GD. Transferring critically ill patients out of hospital improves the standardized mortality ratio: a simulation study. Chest 2007;131:68-75.

44 Hall WB, Willis LE, Medvedev S, Carson SS. The implications of long term acute care hospital transfer practices for measures of in-hospital mortality and length of stay. Am J Respir Crit Care Med 2012;185:53-57.

45 Levy MM, Fink MP, Marshall JC, et al. 2001 SCCM/ESICM/ACCP/ATS/SIS International Sepsis Definitions Conference. Crit Care Med 2003;31:1250-6.

46 Angus DC, Carlet J. Surviving intensive care: a report from the 2002 Brussels Roundtable. Intensive Care

Med 2003;29:368-77.

47 Finfer S, Chittock DR, Su SY, et al. Intensive versus conventional glucose control in critically ill patients. N Engl J Med 2009;360:1283-97.

48 Papazian L, Forel JM, Gacouin A, et al. Neuromuscular blockers in early acute respiratory distress syndrome. N Engl J Med 2010;363:1107-16.

49 Steinberg KP, Hudson LD, Goodman RB, et al. Efficacy and safety of corticosteroids for persistent acute respiratory distress syndrome. N Engl J Med 2006;354:1671-84.

50 Rubenfeld GD, Angus DC, Pinsky MR, Curtis JR, Connors AF, Jr, Bernard GR. Outcomes research in critical care: results of the American Thoracic Society Critical Care Assembly Workshop on Outcomes Research. The Members of the Outcomes Research Workshop. Am J Respir Crit Care Med 1999;160:358-67.

51 Fried TR, Bradley EH, Towle VR, Allore H. Understanding the treatment preferences of seriously ill patients. N Engl J Med 2002;346:1061-6.

52 Yende S, Angus DC. Long-term outcomes from sepsis. Curr Infect Dis Rep 2007;9:382-6.

53 Ai-Ping C, Lee KH, Lim TK. In-hospital and 5-year mortality of patients treated in the ICU for acute exacerbation of COPD: a retrospective study. Chest 2005;128:518-24.

54 Darmon M, Azoulay E. Critical care management of cancer patients: cause for optimism and need for objectivity. Curr Opin Oncol 2009;21:318-26.

55 Kress JP, Christenson J, Pohlman AS, Linkin DR, Hall JB. Outcomes of critically ill cancer patients in a university hospital setting. Am J Respir Crit Care Med 1999;160:1957-61.

56 Staudinger T, Stoiser B, Mullner M, et al. Outcome and prognostic factors in critically ill cancer patients admitted to the intensive care unit. Crit Care Med 2000;28:1322-8.

57 Kroschinsky F, Weise M, Illmer T, et al. Outcome and prognostic features of intensive care unit treatment in patients with hematological malignancies. Intensive Care Med 2002;28:1294-300.

58 Knaus WA, Draper EA, Wagner DP, Zimmerman JE. APACHE II: a severity of disease classification system. Crit Care Med 1985;13:818-29.

59 Hannan EL, Racz MJ, Walford G, et al. Long-term outcomes of coronary-artery bypass grafting versus stent implantation. N Engl J Med 2005;352:2174-83.

60 Hannan EL, Wu C, Walford G, et al. Drug-eluting stents vs. coronary-artery bypass grafting in multivessel coronary disease. N Engl J Med 2008;358:331-41.

61 Lagercrantz E, Lindblom D, Sartipy U. Survival and quality of life in cardiac surgery patients with prolonged intensive care. Ann Thorac Surg 2010;89:490-5.

62 Navarrete-Navarro P, Rivera-Fernandez R, Lopez-Mutuberria MT, et al. Outcome prediction in terms of functional disability and mortality at 1 year among ICU-admitted severe stroke patients: a prospective epidemiological study in the south of the European Union (Evascan Project, Andalusia, Spain). Intensive Care Med 2003;29:1237-44.

63 Golestanian E, Liou JI, Smith MA. Long-term survival in older critically ill patients with acute ischemic stroke. Crit Care Med 2009;37:3107-13.

64 Zaren B, Bergstrom R. Survival compared to the general population and changes in health status among intensive care patients. Acta Anaesthesiol Scand 1989;33:6-12.

65 Nunn JF, Milledge JS, Singaraya J. Survival of patients ventilated in an intensive therapy unit. Br Med J 1979;1:1525-7.

66 Ho KM, Knuiman M, Finn J, Webb SA. Estimating long-term survival of critically ill patients: the PREDICT model. PLoS One 2008;3:e3226.

67 Seneff MG, Zimmerman JE, Knaus WA, Wagner DP, Draper EA. Predicting the duration of mechanical ventilation. The importance of disease and patient characteristics. Chest 1996;110:469-79.

68 MacIntyre NR, Epstein SK, Carson S, Scheinhorn D, Christopher K, Muldoon S. Management of patients requiring prolonged mechanical ventilation: report of a NAMDRC consensus conference. Chest 2005;128:3937-54.

69 Cox CE, Carson SS, Lindquist JH, Olsen MK, Govert JA, Chelluri L. Differences in one-year health outcomes and resource utilization by definition of prolonged mechanical ventilation: a prospective cohort study. Crit

Care 2007;11:R9.

70 Unroe M, Kahn JM, Carson SS, et al. One-year trajectories of care and resource utilization for recipients of prolonged mechanical ventilation: a cohort study. Ann Intern Med 2010;153:167-75.

71 Carson SS, Bach PB, Brzozowski L, Leff A. Outcomes after long-term acute care. An analysis of 133 mechanically ventilated patients. Am J Respir Crit Care Med 1999;159:1568-73.

72 Carson SS, Kahn JM, Hough CL, et al. A multicenter mortality prediction model for patients receiving prolonged mechanical ventilation. Crit Care Med 2012;40:1171-6.

73 Carson SS, Garrett J, Hanson LC, et al. A prognostic model for one-year mortality in patients requiring prolonged mechanical ventilation. Crit Care Med 2008;36:2061-9.

74 Bagshaw SM. The long-term outcome after acute renal failure. Curr Opin Crit Care 2006;12:561-6.

75 Bagshaw SM, Laupland KB, Doig CJ, et al. Prognosis for long-term survival and renal recovery in critically ill patients with severe acute renal failure: a population-based study. Crit Care 2005;9:R700-9.

76 Morgera S, Kraft AK, Siebert G, Luft FC, Neumayer HH. Long-term outcomes in acute renal failure patients treated with continuous renal replacement therapies. Am J Kidney Dis 2002;40:275-9.

77 Ahlstrom A, Tallgren M, Peltonen S, Rasanen P, Pettila V. Survival and quality of life of patients requiring acute renal replacement therapy. Intensive Care Med 2005;31:1222-8.

78 Chapman RJ, Templeton M, Ashworth S, Broomhead R, McLean A, Brett SJ. Long-term survival of chronic dialysis patients following survival from an episode of multiple-organ failure. Crit Care 2009;13:R65.

79 Angus DC, Shorr AF, White A, Dremsizov TT, Schmitz RJ, Kelley MA. Critical care delivery in the United States: distribution of services and compliance with Leapfrog recommendations. Crit Care Med 2006;34:1016-24.

80 Nierman DM, Schechter CB, Cannon LM, Meier DE. Outcome prediction model for very elderly critically ill patients. Crit Care Med 2001;29:1853-9.

81 Hanson LC, Danis M. Use of life-sustaining care for the elderly. J Am Geriatr Soc 1991;39:772-7.

82 Ridley S, Purdie J. Cause of death after critical illness. Anaesthesia 1992;47:116-19.

83 Mayr VD, Dunser MW, Greil V, et al. Causes of death and determinants of outcome in critically ill patients. Crit Care 2006;10:R154.

84 Hicks PR, Mackle DM. Cause of death in intensive care patients within 2 years of discharge from hospital. Crit Care Resusc 2010;12:78-82.

85 Nelson JE MD, Litke A, Natale DA, Siegel RE, Morrison RS. The symptom burden of chronic critical illness. Crit Care Med 2004;32:1527-34.

86 Nelson JE, Cox CE, Hope AA, Carson SS. Chronic critical illness. Am J Respir Crit Care Med 2010;182:446-54.

87 Kalb TH, Lorin S. Infection in the chronically critically ill: unique risk profile in a newly defined population. Crit Care Clin 2002;18:529-52.

88 Yende S, Angus DC, Ali IS, et al. Influence of comorbid conditions on long-term mortality after pneumonia in older people. J Am Geriatr Soc 2007;55:518-25.

89 Mortensen EM, Coley CM, Singer DE, et al. Causes of death for patients with community-acquired pneumonia: results from the Pneumonia Patient Outcomes Research Team cohort study. Arch Intern Med 2002;162:1059-64.

90 Kind AJ, Smith MA, Pandhi N, Frytak JR, Finch MD. Bouncing-back: rehospitalization in patients with complicated transitions in the first thirty days after hospital discharge for acute stroke. Home Health Care Serv Q 2007;26:37-55.

91 Hotchkiss RS, Opal S. Immunotherapy for sepsis--a new approach against an ancient foe. N Engl J Med 2010;363:87-9.

92 Otto GP, Sossdorf M, Claus RA, et al. The late phase of sepsis is characterized by an increased microbiological burden and death rate. Crit Care 2011;15:R183.

93 Benjamim CF, Hogaboam CM, Kunkel SL. The chronic consequences of severe sepsis. J Leukoc Biol 2004;75:408-12.

94 Yende S, D'Angelo G, Kellum JA, al. Inflammatory markers at hospital discharge predict subsequent mortality after pneumonia and sepsis. Am J Respir Crit Care Med 2008;177:1242-7.

95 Huang X, Venet F, Wang YL, Lepape A, Yuan Z, Chen Y, et al. PD-1 expression by macrophages plays a pathologic role in altering microbial clearance and the innate inflammatory response to sepsis. Proc Natl Acad Sci USA 2009;106(15):6303-8.

96 Meisel C, Schefold JC, Pschowski R, Baumann T, Hetzger K, Gregor J, et al. Granulocytemacrophage colony-stimulating factor to reverse sepsis-associated immunosuppression: a doubleblind, randomized, placebo-controlled multicenter trial. Am J Respir Crit Care Med 2009;180(7):640-8.

97 Stevens RD, Marshall SA, Cornblath DR, et al. A framework for diagnosing and classifying intensive care unit-acquired weakness. Crit Care Med 2009;37(10 Suppl):S299-308.

98 Schefold JC, Bierbrauer J, Weber-Carstens S. Intensive care unit-acquired weakness (ICUAW) and muscle wasting in critically ill patients with severe sepsis and septic shock. J Cachexia Sarcopenia Muscle 2010;1:147-57.

99 Batt J, Dos Santos CC, Cameron JI, Herridge MS. Intensive-care unit acquired weakness (ICUAW): clinical phenotypes and molecular mechanisms. Am J Respir Crit Care Med 2013;187:238-46.

100 Hollander JM, Mechanick JI. Nutrition support and the chronic critical illness syndrome. Nutr Clin Pract 2006;21:587-604.

101 Van den Berghe G. Novel insights into the neuroendocrinology of critical illness. Eur J Endocrinol 2000;143:1-13.

102 Schulman RC, Mechanick JI. Metabolic and nutrition support in the chronic critical illness syndrome. Respir Care 2012;57:958-77; discussion 77-8.

103 Nierman DM, Mechanick JI. Hypotestosteronemia in chronically critically ill men. Crit Care Med 1999;27: 2418-21.

104 Takala J, Ruokonen E, Webster NR, et al. Increased mortality associated with growth hormone treatment in critically ill adults. N Engl J Med 1999;341:785-92.

105 Bulger EM, Jurkovich GJ, Farver CL, Klotz P, Maier RV. Oxandrolone does not improve outcome of ventilator dependent surgical patients. Ann Surg 2004;240:472-8; discussion 8-80.

106 Mechanick JI, Nierman DM. Gonadal steroids in critical illness. Crit Care Clin 2006;22:87-103, vii.

107 Van den Berghe G, Baxter RC, Weekers F, et al. The combined administration of GH-releasing peptide-2 (GHRP-2), TRH and GnRH to men with prolonged critical illness evokes superior endocrine and metabolic effects compared to treatment with GHRP-2 alone. Clin Endocrinol (Oxf) 2002;56:655-69.

108 Kemper M, Weissman C, Hyman AI. Caloric requirements and supply in critically ill surgical patients. Crit Care Med 1992;20:344-8.

109 McClave SA, Sexton LK, Spain DA, et al. Enteral tube feeding in the intensive care unit: factors impeding adequate delivery. Crit Care Med 1999;27:1252-6.

110 Heyland D, Cook DJ, Winder B, Brylowski L, Van deMark H, Guyatt G. Enteral nutrition in the critically ill patient: a prospective survey. Crit Care Med 1995;23:1055-60.

111 Rice TW, Wheeler AP, Thompson BT, et al. Initial trophic vs. full enteral feeding in patients with acute lung injury: the EDEN randomized trial. JAMA 2012;307:795-803.

112 Rubinson L, Diette GB, Song X, Brower RG, Krishnan JA. Low caloric intake is associated with nosocomial bloodstream infections in patients in the medical intensive care unit. Crit Care Med 2004;32:350-7.

113 Artinian V, Krayem H, DiGiovine B. Effects of early enteral feeding on the outcome of critically ill mechanically ventilated medical patients. Chest 2006;129:960-7.

114 Coeffier M, Dechelotte P. The role of glutamine in intensive care unit patients: mechanisms of action and clinical outcome. Nutr Rev 2005;63:65-9.

115 Nierman DM, Mechanick JI. Bone hyperresorption is prevalent in chronically critically ill patients. Chest 1998;114:1122-8.

116 Wurfel MM, Gordon AC, Holden TD, et al. Toll-like receptor 1 polymorphisms affect innate immune responses and outcomes in sepsis. Am J Respir Crit Care Med 2008;178:710-20.

117 Yende S, Angus DC, Ding J, et al. 4G/5G plasminogen activator inhibitor-1 polymorphisms and haplotypes are associated with pneumonia. Am J Respir Crit Care Med 2007;176:1129-37.

118 Yende S, Angus DC, Kong L, et al. The influence of macrophage migration inhibitory factor gene polymor-

phisms on outcome from community-acquired pneumonia. FASEB J 2009;23:2403-11.

119 Yende S, Kammerer CM, Angus DC. Genetics and proteomics: deciphering gene association studies in critical illness. Crit Care 2006;10:227.

120 Weiss KM, Terwilliger JD. How many diseases does it take to map a gene with SNPs? Nat Genet 2000;26:151-7.

121 Roberts NJ, Vogelstein JT, Parmigiani G, Kinzler KW, Vogelstein B, Velculescu VE. The predictive capacity of personal genome sequencing. Sci Transl Med 2012;4:133ra58.

122 Lemeshow S, Teres D, Klar J, Avrunin JS, Gehlbach SH, Rapoport J. Mortality Probability Models (MPM II) based on an international cohort of intensive care unit patients. JAMA 1993;270:2478-86.

123 Le Gall JR, Lemeshow S, Saulnier F. A new Simplified Acute Physiology Score (SAPS II) based on a European/North American multicenter study. JAMA 1993;270:2957-63.

124 Le Gall JR, Klar J, Lemeshow S, et al. The logistic organ dysfunction system. A new way to assess organ dysfunction in the intensive care unit. ICU Scoring Group. JAMA 1996;276:802-10.

125 Boumendil A, Maury E, Reinhard I, Luquel L, Offenstadt G, Guidet B. Prognosis of patients aged 80 years and over admitted in medical intensive care unit. Intensive Care Med 2004;30:647-54.

126 Somme D, Maillet JM, Gisselbrecht M, Novara A, Ract C, Fagon JY. Critically ill old and the oldestold patients in intensive care: short- and long-term outcomes. Intensive Care Med 2003;29:2137-43.

127 Teno JM, Harrell FE, Jr, Knaus W, et al. Prediction of survival for older hospitalized patients: the HELP survival model. Hospitalized Elderly Longitudinal Project. J Am Geriatr Soc 2000;48(5 Suppl):S16-24.

128 Carson SS, Bach PB. Predicting mortality in patients suffering from prolonged critical illness: an assessment of four severity-of-illness measures. Chest 2001;120:928-33.

129 Baldwin MR,Narain WR, Wunsch H, et al. A prognostic model for six-month mortality in elderly survivors of critical illness. Chest 2013;143:910-19.

130 Needham DM, Scales DC, Laupacis A, Pronovost PJ. A systematic review of the Charlson comorbidity index using Canadian administrative databases: a perspective on risk adjustment in critical care research. J Crit Care 2005;20:12-19.

131 Charlson ME, Pompei P, Ales KL, MacKenzie CR. A new method of classifying prognostic comorbidity in longitudinal studies: development and validation. J Chronic Dis 1987;40:373-83.

132 Fried LP, Kronmal RA, Newman AB, et al. Risk factors for 5-year mortality in older adults: the Cardiovascular Health Study. JAMA 1998;279:585-92.

133 Bo M, Massaia M, Raspo S, et al. Predictive factors of in-hospital mortality in older patients admitted to a medical intensive care unit. J Am Geriatr Soc 2003;51:529-33.

134 Sligl WI, Eurich DT, Marrie TJ, Majumdar SR. Only severely limited, premorbid functional status is associated with short- and long-term mortality in patients with pneumonia who are critically ill: a prospective observational study. Chest 2011;139:88-94.

135 Granja C, Azevedo LF. When (quality of) life is at stake and intensive care is needed: how much can we trust our proxies? Intensive Care Med 2006;32:1681-2.

136 Rogers J, Ridley S, Chrispin P, Scotton H, Lloyd D. Reliability of the next of kins' estimates of critically ill patients' quality of life. Anaesthesia 1997;52:1137-43.

137 Walter LC, Brand RJ, Counsell SR, et al. Development and validation of a prognostic index for 1-year mortality in older adults after hospitalization. JAMA 2001;285:2987-94.

138 Espaulella J, Arnau A, Cubi D, Amblas J, Yanez A. Time-dependent prognostic factors of 6-month mortality in frail elderly patients admitted to postacute care. Age Ageing 2007;36:407-13.

139 Fried LP, Ferrucci L, Darer J, Williamson JD, Anderson G. Untangling the concepts of disability, frailty, and comorbidity: implications for improved targeting and care. J Gerontol A Biol Sci Med Sci 2004;59:255-63.

140 Fried LP, Tangen CM, Walston J, et al. Frailty in older adults: evidence for a phenotype. J Gerontol A Biol Sci Med Sci 2001;56:M146-56.

141 Ensrud KE, Ewing SK, Taylor BC, et al. Comparison of 2 frailty indexes for prediction of falls, disability, fractures, and death in older women. Arch Intern Med 2008;168:382-9.

142 Pisani MA, Kong SY, Kasl SV, Murphy TE, Araujo KL, Van Ness PH. Days of delirium are associated with

1-year mortality in an older intensive care unit population. Am J Respir Crit Care Med 2009;180:1092-7.

143 Englesbe MJ, Patel SP, He K, et al. Sarcopenia and mortality after liver transplantation. J Am Coll Surg 2010; 211:271-8.

144 Slinde F, Gronberg A, Engstrom CP, Rossander-Hulthen L, Larsson S. Body composition by bioelectrical impedance predicts mortality in chronic obstructive pulmonary disease patients. Respir Med 2005;99:1004-9.

145 Vestbo J, Prescott E, Almdal T, et al. Body mass, fat-free body mass, and prognosis in patients with chronic obstructive pulmonary disease from a random population sample: findings from the Copenhagen City Heart Study. Am J Respir Crit Care Med 2006;173:79-83.

Chapter 04

장기 인공호흡 병원의 역할

제레미 M. 칸(Jeremy M. Kahn)

서론

중환자실 생존자는 전 세계 보건의료에 중요한 문제점을 제기하고 있다.[1] 현재 미국의 연간 중환자실 입원건수는 4백만–7백만 건으로 추정된다.[2] 중환자실 입원 환자 대다수가 생존하지만, 이들은 중증질환의 다양한 신체적, 정서적, 신경인지적 후유증으로 인해 지속적으로 보건의료 서비스를 찾게 된다.[3] 이들 중 5–10%는 만성중증질환으로 발전하게 된다. 만성중증질환은 장기부전 상태가 지속되어 장기간의 기계환기를 포함하여 생명유지장치에 의존해야 한다.[4] 현재 미국에서는 해마다 100,000명 이상이 장기간 기계환기에 의존하고 있으며, 인구 노령화와 중환자치료 수요가 증가함에 따라 기계환기에 의존하는 환자의 수가 증가할 것으로 예상된다.[5] 최근에는 중환자의학의 발전으로 중환자실 사망률이 하락하면서 이러한 증가세에 가속도가 붙고 있다. 중환자실 치료 이후 생존하는 환자가 증가하면서 즉시 완벽하게 회복하지 못하고 만성중증질환으로 이행하는 환자의 수도 증가하고 있다. 이들 만성중증환자는 보건의료자원을 불균형하게 소비한다. 또한 퇴원 후 질병이환률과 사망률도 상당히 높다. 전체 중환자실 생존자의 6개월 생존율은 80%인데 비해 만성중증환자의 6개월 생존율은 40%에 불과하다.[6]

최근 중증질환 회복과 관련하여 진행 중인 이슈는 주로 중환자실 생존자를 어떻게 돌볼 것인가에 대한 것으로, 구체적으로는 근거자료를 토대로 치료전략을 수립하고 이를 시험하여 장기의 빠른 회복을 돕고 삶의 질을 최적화하자는 것이다. 그러나 이에 못지 않게 중요한 논의점은 중환자실 생존자를 어디에서 돌볼 것인가이다. 다시 말해 특정 유형의 병원이나 급성기병원의 조직 및 관리 전략과 치료와 회복의 개선이 연관이 있는지를 논의해보아야 한다. 실제로 중환자실은 주로 사망위험이 매우 높은 환자를 위해 고도로 전문화된 급성기 치료를 제공하도록 설계되었다. 그런 만큼 급성기질환의 회복기에 있는 환자의 경우 비록 지속적인 생명유지치료가 필요하다 하더라도 중환자실이 이들의 특정 필요에 맞는 최적의 치료 환경은 아닐 수 있다.

이러한 점을 토대로 병원과 보건시스템에서는 장기부전이 지속되어 중증 치료가 필요한 회복기 환자를 위해 중환자실 이외의 대안을 마련하였다. 급성기 치료 병원 내 'step-down units', 기계환기 또는 신대체요법을 시행할 수 있는 전문요양시설, 만성중증질환상태(chronic critically ill, CCI) 환자를 위해 설계된 장기요양 병원 등이 있다. 전술한 모델 각각은 이론상 장단점을 모두 가지고 있지만 중환자실 생존자 치료의 다양한 영역에서 나름 중요한 역할을 수행한다. 본 장에서는 다양한 중증질환 회복기 치료 모델을 살펴보고, 이러한 모델이 이론상 임상이나 재정에 미치는 영향에 대해 논의하고, 향후 중증질환 회복을 위해 전문병원이 어떠한 역할을 담당할 수 있을지를 조명하고자 한다.

중증질환 회복을 위한 치료환경

중증질환의 회복기 환자를 위한 전문시설이 생기기 전에, 급성중증질환에서 생존했지만 장기 기계환기를 시행해야 하거나, 다른 형태의 만성중증질환을 겪는 환자는 여전히 중환자실에서 치료받았다. 이는 중환자실이 다른 복합적 치료의 요구가 있는 환자에게 기계환기를 안전하게 시행할 수 있는 유일한 환경이었기 때문이다. 물론 가정에서 기계환기를 시행할 수 있고 지금도 가능하다. 그러나 가정내 기계환기는 일반적으로 급성호흡부전에서 회복단계에 있는 환자가 아니라 만성질환으로 인해 호흡부전을 겪는 환자에게 주로 시행된다.[7] 그럼에도 불구하고 중환자실에서 만성중증환자를 치료하는 것은 몇 가지 단점이 있다. 중환자실 내 인력의 다양성으로 인해 환자와의 장기적인 관계 형성이 어렵고, 부족한 중환자실 자원을 비효율적으로 사용하는 것일 수도 있다. 결과적으로 병원들은 이러한 환자를 돌보는 전문화된 영역을 생각해내게 되었다.

이러한 전문 영역은 급성기병원 내 step-down units의 형태를 띠며, 일반 병동보다는 집중적인 치료를 할 수 있으나 중환자실의 모든 역량을 갖추고 있지는 않다. 이러한 step-down units은 인구 1인당 중환자실 병상이 상대적으로 부족하여 중환자실 병상을 응급상황을 위해 반드시 확보해두어야 하는 영국 등의 국가에서 비교적 흔히 볼 수 있다.[8] 다른 선진국의 경우 이러한 step-down unit이 정확히 얼마나 있는지를 데이터로 확인하기란 쉽지 않지만, 많지 않은 것만은 사실이다. 다만 성격이 상대적으로 잘 규명되어 있는 치료시설 중 하나이다.[9] 일반적으로 전형적인 중환자실에 비해 환자 대비 간호사의 비율이 낮고, 승압제, 지속적인 신대체요법, 비통상적인 형태의 기계환기 등 일부 생명유지치료를 제공할 수 있는 역량이 없다. 하지만 일반적인 기계환기를 시행할 수 있고, 특히 장기간 인공호흡기 적용으로 인해 의존성이 생긴 환자를 위해 인공호흡기 이탈 서비스 등이 제공된다. 무엇보다도 급성기병원 내에 위치하기 때문에 급성기병원의 제반 서비스에 접근하기가 쉽다. 환자는 영상의학 검사를 받을 수 있고, 전문의 상담을 받을 수 있으며, 필요한 경우, 즉 상태가 악화되는 경우 일반 중환자실로 신속하게 옮길 수 있다.

재활병원과 전문요양시설도 대안으로 볼 수 있다. 특히 미국의 경우 이러한 형태의 보건의료시설이 많다. 이들 병원은 중증질환에서 회복 중인 환자를 위한 전문 서비스를 제공하기는 하지만 기계환기나 다른 형태의 생명유지치료를 제공하지는 못한다.[10,11] 결과적으로 이들 시설은, 아직 가정으로 돌아갈 정도는 아니지만 기계환기에서는 벗어나서 적극적인 물리치료와 다른 재활활동에 참여할 수 있는 환자를 위한 것이다. 대부분의 경우 이러한 시설에서 기계환기를 시행할 수 없기 때문에 급성기 치료 중환자실에 대한 대안으로는 볼 수 없다. 그러나 급성기병원에서 퇴원 후 회복이라는 긴 궤도에 오른 환자를 수용한다는 점에서 중환자치료 이후 환자의 건강과 삶에서 중요한 역할을 한다고 할 수 있다.

장기급성기병원(LTAC)

미국에는 중환자실에 대한 대안으로 장기급성기병원도 존재한다.[12] 미 정부에서 규정하는 장기급성기병원의 협의의 의미는 평균입원기간이 최소 25일인 병원이다.[13] 장기급성기병원은 초고비용 만성중증환자에 대한 치료를 허용하는 특별환급규정에 따라 운영된다. 하지만 보다 폭넓게는 만성중증환자의 필요에 부합하도록 설계된 병원이라 정의할 수 있다. 일반적으로 급성기 중환자실의 제반 의료서비스를 모두 제공하지만 이러한 서비스가 제공되는 환경의 집중도는 다소 낮은 편이다. 초중증도 환자를 치료하지 않는다고 명시하기 때문에 장기인공호흡기치료를 포함하여 일반적인 물리치료, 작업치료 등 보다 전반적인 치료를 제공할 수 있다. 미국의 장기급성기병원은 1950년대 결핵전문병원으로 출발하였다가 최근 들어 중증질환 회복기 치료병원으로 변모하였다.

중환자실과는 달리 장기급성기병원은 집중적인 치료 환경이 아니고, 단기적 생존보다는 장기적 회복에 보다 중점을 둔다. 환자대비 간호사의 비율은 중환자실보다는 step-down unit과 유사하고 의사의 인력배치도 일반적으로 적다.[14] 가장 중요한 점은 장기급성기병원이 일반적으로 환자의 장기인공호흡기 이탈을 위한 표준화된 프로토콜을 채용하고 있다는 것이다.[15] 장기급성기병원에서는 급성기 중환자실에서 일반적으로 시행되는 1일 1회 자발호흡시도(spontaneous breathing trial, SBT)보다는[16] 점진적으로 압력보조(Pressure Support)를 낮추고 인공호흡기를 달지 않는 기간을 늘려가는 호흡기 이탈 전략을 채택한다.[17] 기계환기를 적용한 장기급성기병원 환자에게는 기관절개술 및 위루설치술이 시행되어 장기 급성기 치료에 필요한 장기적 호흡 및 영양지원을 원활하게 한다.

미국에서 장기기계환기가 필요한 환자의 수가 증가하면서 장기급성기병원의 수도 급속도로 증가하였다. 1997년부터 2006년까지 10년 동안 장기급성기병원 수는 192개에서 408개로 증가하여 미국 급성기 치료 중 가장 빠른 성장세를 보였다.[18] 실제로 동기간 전통적인 급성기병원은 감소하였다. 미국 내 장기급성기병원의 분포는 균일하지 않다.[19] 다른 지역에 비해 남부와 동북부 지역에 집중적으로 분포되어 있다. 이렇듯 지역적 편차가 존재하기 때문에 활용에도 영향을 미친다. 환자가 입원한 병원이 장기급성기병원과 인접해있을 경우 추후 치료를 위해 장기급성기병원으로 이송될 가능성이 보다 높다.[20]

장기급성기병원의 수가 증가하는 것과 동시에 장기급성기병원으로 수용되는 환자의 수도 증가하였다. 노인을 위한 미 정부의 건강보험제도인 메디케어에 따르면 중환자치료 이후 장기급성기병원으로 이송된 환자 수가 1997년과 2006년 사이에 13,732명에서 40,352명으로 3배 이상 증가하였으며 연간 비용은 13억 2천 5백만 달러에 달한다.[18] 이렇게 장기급성기병원으로 이송되는 주요 이유는 회복기 치료보다는 인공호흡기 이탈이다. 1997년과 2000년 사이 메디케어의 장기급성기병원 이송자의 16.4%만이 장기급성기병원에서 기계환기 치료를 받은 반면 2004–2006년에는 그 수치가 29.8%로 증가하였다.

미국 이외 지역의 장기급성기 치료

미국 이외의 지역에서 장기급성기병원 형태의 치료는 장기호흡부전 환자를 위한 전담 인공호흡 이탈센터에서 찾아볼 수 있다. 이러한 병원은 1950년대 소아마비의 대유행으로 기계환기의 필요성이 대두되면서 설립된 것으로 미국의 장기급성기병원 모델 이전부터 존재하였다. 영국,[21] 캐나다,[22] 독일,[23] 이탈리아[24,25] 등 많은 국가에서 적게는 한 곳, 또는 그 이상의 센터를 두고 있다. 이러한 인공호흡 이탈센터는 일반적으로 소규모 병원이지만 장기기계환기가 필요한 환자를 치료할 수 있는 모든 자원을 확보하고 있다. 일반적으로 인공호흡 이탈센터는 중환자실 퇴원 이후 재활, 인공호흡기 이탈뿐만 아니라, 여러 전문 분야를 포괄하는 치료 접근법이 필요하다는 점에서 중환자실 퇴원 이후 회복기에 비유될 수 있는 증상인 만성호흡부전, 수면장애호흡, 신경근육병을 전문으로 한다. 이들 질환은 비침습적 기계환기를 이용하는 것이 도움이 된다.[26]

장기 병원 vs. 중환자실

장기급성기병원과 인공호흡 이탈센터와 같은 장기 병원이 일반적인 중환자실과 비교할 때 임상과 재정적 측면에서 우수하다거나 혹은 그렇지 않다고 볼 만한 이유가 여럿 있다.

장기병원이 임상 결과를 개선시킬 수 있다;

장기병원은 장기기계환기 환자에 대한 임상 경험이 풍부하기 때문에 장기기계환기 이후 환자의 생존율, 기능적 결과 등을 개선시킬 수 있다. 기계환기 적용 환자가 많은 병원이 적은 병원보다 치료 결과가 우수하다는 데이터가 있다.[27] 또한 장기병원은 단기입원 중환자실의 결과를 개선시키는 것으로 알려진 다학제팀의 활용, 프로토콜화된 인공호흡기 이탈, 조기활동 등을 통해서도 결과를 개선시킬 수 있다.[28-30] 장기병원은 지역의 진료의뢰센터로서 일반적인 중환자실보다 장기기계환기 환자 치료 비율이 높기 때문에 이러한 효과가 더욱 커질 수 있다. 게다가 일반적인 중환자실과는 달리 장기급성기병원은 초중증도 환자를 치료해야 하는 부담이 없기 때문에 장기치료에 집중할 수 있다.

장기병원은 임상결과를 악화시킬 수 있다;

장기병원은 몇 가지 이유로 임상결과를 악화시킬 수 있다. 먼저 장기병원으로 옮길 경우 치료 인력과 임상의가 바뀌는 등 전통적인 급성기병원과 물리적으로 분리된다. 이렇게 치료가 분절화되면 의사소통이 단절되어 매우 복잡한 치료를 요하는 환자에 대한 치료 연속성을 저해할 수 있다. 둘째, 전통적인 중환자실과 비교할 때 장기병원의 간호사와 의사의 집중도가 떨어지기 때문에 생리적 악화, 응급기도관리, 기타 만성중증질환 합병증 대처에 있어 대비가 되어 있지 않을 수도 있다.[31,32] 집중도가 낮은 간호사와 의사의 인력배치는 중환자의 사망률 증가와 관련 있고, 이러한 관계는 집중치료 이후 회복기에도 발생할 수 있다.[33,34]

장기병원은 의료비용을 감소시킬 수 있다;

장기치료병원은 전통적인 중환자실과 비교할 때 전체 기계환기 적용기간을 줄임으로써 의료의 효율성을 개선시킬 수 있다. 기계환기의 적용기간과 입원기간은 적어도 단기적으로는 중환자실 비용과 직결되지 않는다.[35] 하지만 장기적으로 볼 때 병원은 입원기간을 줄임으로써 자원과 인력을 줄일 수 있고, 궁극적으로는 비용도 절감할 수 있다.[36]

장기병원이 효율성을 개선할 수 있는 또 다른 기전은 집중도가 낮은 인력배치를 통해서이다. 그렇게 되면 일단 중환자실보다 비용을 낮출 수 있고, 많은 기계환기 환자를 치료함으로써 범위의 경제, 규모의 경제도 꾀할 수 있다.[37]

장기병원은 의료비용을 증가시킬 수 있다;

장기치료병원이 전체입원기간을 연장시킨다면 총 의료비용은 증가할 수 있다. 이러한 상황은 단기입원한 중환자실에서 장기급성기병원으로 이송 중 의사소통의 결여로 임상적 실수가 발생하고 그 결과 합병증이 발생하는 경우, 장기병원의 우수한 인력과 인공호흡이탈 프로토콜에도 불구하고 입원기간을 줄이는데 실패하는 경우 발생할 수 있다. 또한 장기병원이 환자의 생존율을 개선하는 경우에도 사망환자보다 생존환자에게 많은 자원이 투입되기 때문에 비용이 증가할 수 있다.

현재까지 병원의 유형별로 환자의 치료 결과를 직접적으로 비교한 임상연구는 거의 존재하지 않는다. 인공호흡기 이탈을 위해 장기 병원으로 이송된 환자의 1년 생존율은 약 50%이며[18] 많은 환자가 결국 인공호흡기에서 이탈하지 못했다.[38,39] 다른 기준과 비교하자면 이러한 결과가 저조한 듯 보일 수 있지만, 유효한 비교집단이 없는 상태에서 장기치료병원이 임상적 혜택을 제공하는지 여부를 논할 수는 없다. 1,702명의 환자를 대상으로 한 미국의 연구에 따르면 장기급성기병원으로 이송된 환자는 그렇지 않은 환자와 비교할 때 6개월 생존율과 비용이 유사하였다.[40] 미국에서 수행된 또 다른 연구에서도 비슷한 결과를 확인할 수 있다. 환자집단이 유사할 경우 장기급성기병원은 일반적인 급성기병원과 비슷한 효과를 보이나 더 많은 비용이 들었다.[41] 두 연구 결과 모두 장기병원 입원 선별과정으로 반박할 수 있다. 장기병원은 입원시킬 환자를 선별하므로 가장 혜택을 많이 볼 것으로 예상되는 환자를 선별할 수 있다. 결국 장기병원에서의 치료를 통해 혜택을 볼 수 있는 환자군이 어떤지를 판단하기 위해 보다 많은 연구가 필요하다.

사회적 혜택

장기급성기병원에서 실제로 치료를 받는 환자가 얻은 혜택을 제외하더라도 장기급성기병원이 보건의료체계 전반에 미치는 혜택이 존재한다. 이러한 '파급' 효과는 장기급성기병원이 만성중환자를 담당하는 역할을 평가하는 방정식에 있어서 중요한 부분이며, 긍정적일 수도 부정적일 수도 있다.

긍정적인 측면을 보자면 지역사회에서 장기급성기병원은 회복기의 장기환자를 수용함으로써 다른 환자를 위해 중환자실 병상을 비워주는 긍정적인 저감효과를 갖는다. 중환자실 병상은 자원이 한정되어 있기 때문에, 공급이 제한된 환경에서는 최대한 활용되어야 한다.[42] 최대 역량으로 운영되기 때문에 환자를 너무 빨리 중환자실에서 퇴원 시키거나 응급실에서 중환자실로 입원이 지연되는 등 부정적인 영향이 발생할 수도 있다.[43,44] 만성중증질환을 겪는 장기 환자가 중환자실에서 장기급성기병원으로 이송되어 중환자실의 가용병상수를 효과적으로 늘릴 수 있다면 이러한 부정적인 결과를 최소화시킬 수 있을 것이다. 중환자실 병상에 여유가 생기면 암 수술이나 관상동맥우회술과 같이 위험도가 높은 대기 수술도 가능해진다. 이론적으로 이러한 의료행위의 횟수는 사회적 규범에 의해 결정되어야 할 문제이지 수술 후 회복에 필요한 중환자실 병상의 가용성에 따라 정해져서는 안 된다.[45] 이렇듯 장기급성기병원이 중환자실 밖에서 장기입원환자를 위한 중환자치료를 제공하도록 한다는 점에서 현존하는 중환자실 자원의 보다 효율적인 활용을 가능하게 한다.[46]

사회에 미치는 폐단

장기급성기병원이 잠재적으로 갖는 부정적인 파급효과는 역설적이게도 장기입원환자를 중환자실에서 퇴원 시킴으로써 중환자실 병상이 실질적으로 증가하는 것에서 기인한다. 장기급성기병원이 중환자실에서 장기입원환자를 퇴원 시키는 배출구로 존재하면서 임상의 사이에 만성중증질환에 대한 관용이 생기고, 대안으로 장기급성기병원이 존재한다는 것을 인지하고 있는 임상의는 중증환자에게 연명치료에 관한 논의를 시작하지도 않을 수 있다.[47] 장기급성기병원이 존재하지 않는다면 임상의들은 연명치료에 대해 어느 쪽을 선호하는지 환자에게 생각해 보게 하고, 그 결과 완화의료의 질이 개선될 수 있다.[48] 궁극적으로 중환자치료라는 것은 환자와 보건의료시스템 간의 계약으로 볼 수 있다. 환자는 약간의 개인적 비용(불편이라는 형태)과 약간의 사회적 비용(자원활용)을 치르고 생존기간을 늘리고자 한다. 집중치료에서 완화의료로 이행한다는 것은 생존의 잠재적 장점이 더 이상 비용을 치를 만한 가치가 없다는 인식하에 이러한 계약을 파기하는 것이다.

이러한 계약은 환자와 의사 사이에도 발생할 수 있다. 의사는 고위험 수술 이후 환자의 생명을 구하지 못할 경우 이를 개인적인 실패로 볼 수 있기 때문이다.[49] 장기급성기병원으로 인해 중환자실 병상에 여유가 생기고 환자 사망에 대한 의사의 부담감이 경감되면서 중증질환의 사회적 비용이 감소하는 한 장기 중환자치료에서 발생하는 '인간이라는 비용(human cost)'은 고려되지 않을 수 있다. 연명치료 시 집중치료를 원하는 환자라면 문제될 것이 없다. 하지만 그렇지 않은 환자도 있게 마련이고, 미국과 같이 중환자실 병상수가 충분한 국가에서 임상의는 환자에게 완화의료 선택권에 대한 제안조차도 하지 않을 수 있다.[50,51]

보상의 역할

장기병원이 보건의료시스템에서 담당하는 정확한 역할은 비용과 효과라는 전통적인 주제를 통해 평가될 수 있다. 다만 이들 병원의 존재는 보상과는 떼어 생각할 수 없다. 보건의료시스템마다 장기병원에 대한 지급과 보상을 다르게 처리함으로써 장기병원의 활용을 조장하기도 하고 반대로 방해하기도 하는 재정적 인센티브가 발생하게 된다. 병원에 내원하는 환자에게 최소한 어느 정도의 치료를 제공해야 하는 전통적인 병원과는 달리 장기병원은 환자를 심사하여 선별할 수 있다. 때문에 입원과 관련된 결정에 재정적인 문제가 개입될 수 있다. 따라서 이러한 병원에 대한 논의에서 상환의 문제는 반드시 다루어져야 한다. 이는 장기병원이 활용되는 방식뿐만 아니라 의료보험관리공단과 정책입안가가 이들 병원의 치료 결과를 해석하는 방식에도 영향을 미칠 수 있다.

미국 장기급성기병원의 보상

미국의 장기급성기병원에 관한 논의에서 비용 지급의 문제는 본질적이다. 장기급성기병원의 존재가 바로 지급정책에서 태동하였기 때문이다. 미국의 경우 미 정부를 포함한 대부분의 의료보험관리공단이 각 환자의 치료 비용을 지역의 해당 환자 유형의 평균 비용에 해당하는 고정액으로 병원에게 지급한다. 바로 포괄수가제(prospective payment system)이다.[52] 예정된 지급액보다 낮은 비용으로 환자를 치료할 수 있는 병원은 해당 환자 치료를 통해 경제적 이익을 볼 수 있고, 예정된 지급액보다 높은 비용이 투입될 경우 경제적 손실을 보게 된다. 1980년대 미국에서 포괄수가제가 도입되었을 당시 장기급성기병원에 대해 전통적인 급성기병원과 환자의 구성(case mix)이 본질적으로 다르다며 포괄수가제가 적용되지 않았다. 하지만 그럼으로써 의도치 않게도, 전통적 병원이 장기급성기병원에게 환자를 보내는 재정상 인센티브가 생겨나게 되었다. 병원에서 만성중증환자는 가장 자원이 집중적으로 투입되는 환자이기 때문에 이들을 조기에 장기급성기병원으로 퇴원시킬 수 있다면 병원의 입장에서는 그만큼 경제적 손실을 줄일 수 있게 된다. 2002년 장기급성기병원에 대한 포괄수가제가 시행된 후에도 장기급성기병원은 비교적 수익성이 좋다.[53] 그렇다면 장기급성기병원으로의 이송을 조장하는 원동력인 재정적 인센티브는 이송을 보내는 병원이나 환자를 수용하는 병원 모두에게 이롭다는 의미가 된다. 다만 미 정부 등 의료보험관리공단의 입장에서는 한 건의 병원입원이 아니라 두 건에 대해 비용을 지불해야 한다.

전술한 인센티브가 미국에서 장기급성기병원의 성장을 촉진한 주요 원동력이었다. 물론 장기급성기병원이 임상적으로 유용하지 않다는 의미는 아니다. 다만 이들 병원의 성장은 임상적 측면보다는 경제적 고려가 우선시되었다. 이러한 인센티브가 중요했다는 것은 환자 선별이라는 개념에서도 분명히 나타난다. 미국에서 의료보험가입여부가 장기급성기병원 입원을 결정하는 가장 강력한 요인 중 하나이다. 민간의료보험에 가입된 환자는 정부가 제공하는 의료보험 가입자보다 장기급성기병원으로 이송되는 경우가 많고, 의료보험에 가입되지 않은 환자는 장기급성기병원으로 이송되는 경우가 결코 없다.[54] 게다가 민간영리병원은 비영리병원에 비해 환자를 장기급성기병원에 더 많이 보낸다.[20] 장기급성기병원의 치료가 환자에게 도움이 된다고 가정한다면 안타깝게도 현 지급제도는 의료보험 미가입 환자가 적절한 치료를 받을 수 없는 보건의료의 불균형을 초래하고 있다.

미국 이외 지역의 현황

국민의료보험제도를 시행하고 있는 국가를 포함하여 많은 선진국에서는 포괄수가제에 따라 병원에 비용을 지급함으로써 장기급성기병원의 인센티브와 유사한 재정적 문제를 안고 있다. 인두제 수가지급제도(Capitated Payment System)를 활용하는 국가도 있다. 인두제 수가지급제도에서는 1년에 한번 총액을 일시에 지급받고 그 비용 내에서 필요한 제반 치료를 충당해야 한다. 인두제 수가지급제도 하에서 병원 입장에서는 조기 퇴원의 인센티브가 존재하기도 하고, 그렇지 않기도 하다.[55] 효율적인 치료를 할 경우 재정적 보상이 존재하는데, 병원이 해당 환자의 장기급성기병원 관련 비용을 책임지지 않을 경우에만 그러하다. 인두제 수가지급제도에서 인공호흡기 이탈병원 치료비용은 처음 환자를 치료한 병원이 부담하게 된다.[21] 인공호흡기 이탈병원의 치료가 중환자실에서 제공되는 치료에 비해 비용이 낮을 수도 있고, 그렇지 않을 수도 있기 때문에 병원은 병원의 상황을 고려하여 환자의 의뢰 빈도를 결정해야 한다. 일반적으로 이들 국가의 인공호흡기 이탈병원에서는 입원환자를 선별할 수 있다. 부정적인 측면이 하나 있다면 인공호흡기 이탈병원은 발생비용에 따라 지급받기 때문에 효율이 높은 치료를 제공할 인센티브가 존재하지 않고 따라서 전체 치료비용이 증가될 수 있다.

결론

장기급성기병원과 인공호흡기 이탈병원이 중환자치료 이후 회복기 환자의 치료에 어떠한 영향을 미치는지와는 무관하게 이들 병원은 보건의료서비스의 중요한 일부가 되었고 향후에도 존립할 것으로 보인다. 따라서 향후 일차적인 목표는 이들 병원이 중환자실 퇴원 후 치료를 위한 비용효율적 방법인지 여부를 결정하는 것이라기 보다는 가장 효과적으로, 또한 최고의 사회적 선을 위해 활용할 수 있는 방법을 모색하는 것이다. 본 장에서 기술한 바와 같이 장기급성기병원의 임상적 효과가 부정적이기도, 긍정적이기도 하고, 재정상 효과도 긍정적인 면과 부정적인 면이 모두 존재한다고 가정하는 데는 그만한 이유가 있다. 또한 만일 임상적, 재정적 효과가 중립적이라면, 필요한 환자를 위해 중환자실 병상의 가용성을 늘리는 등 이들 병원의 치료 양태를 정당화할만한 중요한 긍정적인 파급효과가 존재한다. 그렇다면 이러한 긍정적인 파급효과를 생존이나 삶의 질 개선 없이 임종에 이르는 과정만을 연장시키는 만성중증질환에 대한 부적절한 관용적 태도 확산 등과 같은 부정적인 파급효과와 비교 분석해야 할 것이다.

보건의료시스템내에서 이들 병원이 수행해야 하는 최적의 역할을 결정하기 위해 보다 환자중심의 결과 연구가 필요하다. 뿐만 아니라 이러한 역할은 앞으로 지속적으로 진화해야 한다.

향후에는 장기급성기병원 입원을 위한 환자의 선별기준을 표준화하고, 급성기병원의 중환자실과 인공호흡 이탈병원간의 통합을 개선하여 치료계획의 단절을 최소화하고 의료서비스 제공자간의 의사소통의 오류를 최소화함으로써 치료 기관을 옮기는 과정이 보다 매끄럽게 되도록 해야 할 것이다. 이러한 과정이 동시다발적으로 진행된다면 치료기관 사이의 이송이 개선된다 하더라도 오용이나 남용으로 변질되지는 않을 것이다. 또한 질 중심의 지급제도의 개혁을 통해 이송의 적절성, 치료의 질이 극대화되도록 해야 할 것이다. 마지막으로 증거자료 수집을 통해 인공호흡기 이탈, 진정제 관리, 재활치료계획을 보다 잘 지도할 수 있어야 할 것이다. 중환자실에서는 효과가 있는 관행도 장기치료기관에서는 그 효과를 발휘하지 못할 수도 있다.

만성중증환자를 치료하는 임상의는 이들 환자를 장기급성기병원이나 인공호흡기 이탈병원에 의뢰할 때 이러한 문제점을 인식하고 있어야 한다. 이들 병원이 어떠한 서비스를 제공하는지 정확하게 파악하고, 환자와 가족에게 장기적인 인공호흡기 치료를 할 경우 미치는 영향에 대해 알리며, 장기병원으로 이송하는 것이 환자의 선호도와 가치에 부합하는지를 확인해야 한다. 이렇게 함으로써 임상의는 장기치료병원이 제시하는 불확실한 혜택에 대해 최소한의 불편만이 초래되도록 막을 수 있다.

참고문헌

1 Kahn JM, Angus DC. Health policy and future planning for survivors of critical illness. Curr Opin Crit Care 2007;13:514-18.

2 Halpern NA, Pastores SM, Thaler HT, Greenstein RJ. Changes in critical care beds and occupancy in the United States 1985-2000: differences attributable to hospital size. Crit Care Med 2006;34:2105-12.

3 Herridge MS. Long-term outcomes after critical illness: past, present, future. Curr Opin Crit Care 2007;13:473-5.

4 Nelson JE, Cox CE, Hope AA, Carson SS. Chronic critical illness. Am J Respir Crit Care Med 2010;182:446-54.

5 Carson SS, Bach PB. The epidemiology and costs of chronic critical illness. Crit Care Clin 2002;18:461-76.

6 Douglas SL, Daly BJ, Gordon N, Brennan PF. Survival and quality of life: short-term versus long-term ventilator patients. Crit Care Med 2002;30:2655-62.

7 Wise MP, Hart N, Davidson C, et al. Home mechanical ventilation. BMJ 2011;342:d1687.

8 O'Dea J, Pepperman M, Bion J. Comprehensive Critical Care: a national strategic framework in all but name. Intensive Care Med 2003;29:341.

9 Criner GJ, Travaline JM. Transitional respiratory care and rehabilitation. Curr Opin Crit Care 1999;5:81.

10 Latriano B, McCauley P, Astiz ME, Greenbaum D, Rackow EC. Non-ICU care of hemodynamically stable mechanically ventilated patients. Chest 1996;109:1591-6.

11 Ambrosino N, Vianello A. Where to perform long-term ventilation. Respir Care Clin N Am 2002;8:463-78.

12 Eskildsen MA. Long-term acute care: a review of the literature. J Am Geriatr Soc 2007;55:775-9.

13 Carson SS. Know your long-term care hospital. Chest 2007;131:2-5.

14 Liu K, Baseggio C, Wissoker D, Maxwell S, Haley J, Long S. Long-term care hospitals under Medicare: facility-level characteristics. Health Care Financ Rev 2001;23:1-18.

15 MacIntyre NR, Epstein SK, Carson S, Scheinhorn D, Christopher K, Muldoon S. Management of patients requiring prolonged mechanical ventilation: report of a NAMDRC consensus conference. Chest 2005;128:3937-54.

16 Esteban A, Ferguson ND, Meade MO, et al. Evolution of mechanical ventilation in response to clinical research. Am J Respir Crit Care Med 2008;177:170-7.

17 Scheinhorn DJ, Hassenpflug MS, Votto JJ, et al. Post-ICU mechanical ventilation at 23 long-term care hospitals: a multicenter outcomes study. Chest 2007;131:85-93.

18 Kahn JM, Benson NM, Appleby D, Carson SS, Iwashyna TJ. Long-term acute care hospital utilization after critical illness. JAMA 2010;303:2253-9.

19 Halpern NA, Pastores SM. Critical care medicine in the United States 2000-5: an analysis of bed numbers, occupancy rates, payer mix, and costs. Crit Care Med 2010;38:65-71.

20 Kahn JM, Werner RM, Carson SS, Iwashyna TJ. Variation in long-term acute care hospital use after intensive care. Med Care Res Rev 2012;69:339-50.

21 Pilcher DV, Bailey MJ, Treacher DF, Hamid S, Williams AJ, Davidson AC. Outcomes, cost and long term survival of patients referred to a regional weaning centre. Thorax 2005;60:187-92.

22 Toronto Centeral Local Health Integration Network. Long-term ventilation strategy development for Ontario. Toronto: Ministry of Health and Long-Term Care; 2008.

23 Schonhofer B, Euteneuer S, Nava S, Suchi S, Kohler D. Survival of mechanically ventilated patients admitted to a specialised weaning centre. Intensive Care Med 2002;28:908-16.

24 Clini EM, Siddu P, Trianni L, Graziosi R, Crisafulli E, Nobile MT. Activity and analysis of costs in a dedicated weaning centre. Monaldi Arch Chest Dis 2008;69:55-8.

25 Carpene N, Vagheggini G, Panait E, Gabbrielli L, Ambrosino N. A proposal of a new model for longterm weaning: respiratory intensive care unit and weaning center. Respir Med 2010;104:1505-11.

26 Chandra D, Stamm JA, Taylor B, et al. Outcomes of noninvasive ventilation for acute exacerbations of chronic obstructive pulmonary disease in the United States, 1998-2008. Am J Respir Crit Care Med 2012; 185:152-9.

27 Kahn JM, Goss CH, Heagerty PJ, Kramer AA, O'Brien CR, Rubenfeld GD. Hospital volume and the outcomes of mechanical ventilation. N Engl J Med 2006;355:41-50.

28 Kim MM, Barnato AE, Angus DC, Fleisher LA, Kahn JM. The effect of multidisciplinary care teams on intensive care unit mortality. Arch Intern Med 2010;170:369-76.

29 Girard TD, Kress JP, Fuchs BD, et al. Efficacy and safety of a paired sedation and ventilator weaning protocol for mechanically ventilated patients in intensive care (Awakening and Breathing Controlled trial): a randomised controlled trial. Lancet 2008;371:126-34.

30 Schweickert WD, Pohlman MC, Pohlman AS, et al. Early physical and occupational therapy in mechanically ventilated, critically ill patients: a randomised controlled trial. Lancet 2009;373:1874-82.

31 Coleman EA, Min SJ, Chomiak A, Kramer AM. Posthospital care transitions: patterns, complications, and risk identification. Health Serv Res 2004;39:1449-65.

32 White AC, Joseph B, Perrotta BA, et al. Unplanned transfers following admission to a long-term acute care hospital: a quality issue. Chron Respir Dis 2011;8:245-52.

33 Tarnow-Mordi WO, Hau C, Warden A, Shearer AJ. Hospital mortality in relation to staff workload: a 4-year study in an adult intensive-care unit. Lancet 2000;356:185-9.

34 Pronovost PJ, Angus DC, Dorman T, Robinson KA, Dremsizov TT, Young TL. Physician staffing patterns and clinical outcomes in critically ill patients: a systematic review. JAMA 2002;288:2151-62.

35 Kahn JM, Rubenfeld GD, Rohrbach J, Fuchs BD. Cost savings attributable to reductions in intensive care unit length of stay for mechanically ventilated patients. Med Care 2008;46:1226-33.

36 Rapoport J, Teres D, Zhao Y, Lemeshow S. Length of stay data as a guide to hospital economic performance for ICU patients. Med Care 2003;41:386-97.

37 Jacobs P, Rapoport J, Edbrooke D. Economies of scale in British intensive care units and combined intensive care/high dependency units. Intensive Care Med 2004;30:660-4.

38 Scheinhorn DJ, Hassenpflug MS, Votto JJ, et al. Ventilator-dependent survivors of catastrophic illness transferred to 23 long-term care hospitals for weaning from prolonged mechanical ventilation. Chest 2007;131:76-84.

39 Carson SS, Bach PB, Brzozowski L, Leff A. Outcomes after long-term acute care. An analysis of 133 mechanically ventilated patients. Am J Respir Crit Care Med 1999;159:1568-73.

40 Seneff MG, Wagner D, Thompson D, Honeycutt C, Silver MR. The impact of long-term acutecare facilities on the outcome and cost of care for patients undergoing prolonged mechanical venti-lation. Crit Care Med 2000;28:342-50.

41 Medicare Payment Advisory Commission. Defining long term acute care hospitals. Report to the Congress: new approaches in Medicare. Washington, DC: MedPAC; 2004.

42 Terwiesch C, Diwas KC, Kahn JM. Working with capacity limitations: operations management in critical care. Crit Care 2011;15:308.

43 Goldfrad C, Rowan K. Consequences of discharges from intensive care at night. Lancet 2000;355:1138-42.

44 Chalfin DB, Trzeciak S, Likourezos A, Baumann BM, Dellinger RP. Impact of delayed transfer of critically ill patients from the emergency department to the intensive care unit. Crit Care Med 2007;35:1477-83.

45 Truog RD, Brock DW, Cook DJ, et al. Rationing in the intensive care unit. Crit Care Med 2006;34:958-63;

quiz 971.

46 Hutchings A, Durand MA, Grieve R, et al. Evaluation of modernisation of adult critical care services in England: time series and cost effectiveness analysis. BMJ 2009;339:b4353.

47 Wunsch H, Linde-Zwirble WT, Harrison DA, Barnato AE, Rowan KM, Angus DC. Use of intensive care services during terminal hospitalizations in England and the United States. Am J Respir Crit Care Med 2009;180:875-80.

48 Lewis-Newby M, Curtis JR, Martin DP, Engelberg RA. Measuring family satisfaction with care and quality of dying in the intensive care unit: does patient age matter? J Palliat Med 2011;14:1284-90.

49 Schwarze ML, Bradley CT, Brasel KJ. Surgical 'buy-in': the contractual relationship between surgeons and patients that influences decisions regarding life-supporting therapy. Crit Care Med 2010;38:843-8.

50 Gries CJ, Curtis JR, Wall RJ, Engelberg RA. Family member satisfaction with end-of-life decision making in the ICU. Chest 2008;133:704-12.

51 Curtis JR, Engelberg RA, Wenrich MD, Shannon SE, Treece PD, Rubenfeld GD. Missed opportunities during family conferences about end-of-life care in the intensive care unit. Am J Respir Crit Care Med 2005;171:844-9.

52 Menke TJ, Ashton CM, Petersen NJ, Wolinsky FD. Impact of an all-inclusive diagnosis-related group payment system on inpatient utilization. Med Care 1998;36:1126-37.

53 Centers for Medicare and Medicade Services. Prospective payment for long-term care hospitals; proposed annual payment rate updates and policy changes; proposed rule. Federal Register 2004;69:4754-71.

54 Lane-Fall MB, Iwashyna TJ, Cooke CR, Benson NM, Kahn JM. Insurance and racial differences in long-term acute care utilization after critical illness. Crit Care Med 2012;40:1143-9.

55 Conrad D, Wickizer T, Maynard C, et al. Managing care, incentives, and information: an exploratory look inside the 'black box' of hospital efficiency. Health Serv Res 1996;31:235-59.

56 Kahn JM. The evolving role of dedicated weaning facilities in critical care. Intensive Care Med 2010;36:8-10.

Chapter

완화의료와 중증질환이 중첩되는 부분

아루코 A. 호프, 쥬디스 E. 넬슨
(Aluko A. Hope and Judith E. Nelson)

서론

중환자실 생존자의 수가 증가하고, 이들 환자와 가족이 겪은 경험에 대해 보다 많은 관찰연구가 수행되면서 중증질환이 미치는 장기적인 영향에 대해 보다 정확하게 파악할 수 있게 되었다.[1] 한편 중증질환의 급성기 치료기간 동안 겪게 되는 불편함과 그 밖의 어려움을 조명하는 연구가 지속되고 있다. 또한 중환자실의 입원, 퇴원, 그 이후 기간에 대해서도 연구가 진행 중이다. 환자는 기능장애, 인지장애와 함께 광범위한 신체적, 정신적 증상을 겪게 된다.[2-16] 가족은 환자를 대신하여 의사결정을 내려야 하고, 환자를 돌보는 과정에서 각종 스트레스를 겪는 등 어려움을 호소한다.[17-25] 치료계획은 환자가 가지고 있는 가치나 선호도와는 무관하게 수립되며, 심지어 계획의 달성가능 여부와 무관해지기도 한다. 치료장소가 바뀌거나 복수의 전문의가 환자를 치료하면서 발생하는 분절화로 인해 치료의 연속성이 저해된다. 결과적으로 환자와 가족의 관심사는 뒷전으로 밀리게 된다.[26,27]

이러한 환자와 가족의 필요가 바로 완화의료의 핵심으로, 완화의료는 의학의 전문분야이기도 하고, 심각하고 복잡한 질환을 겪고 있는 모든 환자의 치료에 통합될 수 있는 접근법이기도 한다.[28-32] 구체적으로 완화의료는 증상의 완화, 치료목표에 대한 의사소통, 환자의 가치와 선호도에 맞는 치료, 이송계획, 질병기간 동안 환자 및 가족에 대한 지지 등이 핵심 구성요소이다.[33-35] 한때 완화의료는 집중치료 실패의 차후 단계로만 인식되어 그 역할이 생명연장치료를 모두 시행한 이후 여명기간으로 제한되어 있었다. 지금은 사망률과 질병이환률의 위험도가 높은 모든 만성질환자나 중환자의 치료에 통합되어야 한다는 권고안을 통해서도 완화의료의 광범위한 관련성을 확인할 수 있다.[28-30]

본 장에서는 중증질환의 급성기 치료기간 중 완화의료의 핵심요소를 효과적으로 통합시켜 중환자실 퇴원 후 수일, 수개월, 수년 동안 닥칠 여러 어려움에 대해 환자와 가족을 준비시킬 수 있는 방안에 대해 논의한다. 중환자치료를 뛰어넘어 확대될 수 있는 완화의료의 접근법을 다룰 것이다. 중증질환의 가장 괴로운 유산이라고도 할 수 있는 만성중증질환에 대해서도 논의할 것이다. 만성중증질환은 생존이 곧 회복을 의미하지도 않고, 중환자치료 이후에도 질환이 지속된다. 또한 중증질환 치료 전 과정 동안 환자와 가족에게 완화의료를 제공하는 완화의료 전문의와 기타 임상의의 역할에 대해서도 검토한다.

기대수준과 결과의 격차 줄이기: 효과적인 의사소통

중환자실 생존자와 가족의 경험에 관해 보다 많은 연구가 수행되어야 하겠지만, 현존하는 자료를 살펴보면 중증질환에서의 회복은 사망률과 질병이환률 상승이라는 위험이 지속되는 등 불완전한 경우가 많다.[36,37] 현존하는 근거자료에 따르면 장기간의 집중치료 이후에도 이러한 위험을 제대로 인지하고 있는 환자와 가족은 거의 없다.[12,26] 10여 년 전 Azoulay 등은 중환자실 전문의가 상주하는 대학병원 중환자실에 입원한 환자 가족 중 절반이 급성기 치료 당시 환자의 상태나 예후에 관한 기본적인 정보도 이해하지 못하고 있다고 기록하였다.[38] 장기간의 집중치료 이후 기계환기나 기타 생명유지장치에 의존하고 있는 환자의 보호자 중 대부분이 장기 중증질환의 성격이나 예상 결과에 대한 지식이 없었다.[12,26] 일례로 한 연구에 따르면 최근 기관절개술을 받은 만성중증(chronic critically ill, CCI) 환자의 대리인은 장기적 기능의존성이 발생할 수 있다거나 1년 생존율에 관한 예후 등에 대해 어떠한 정보도 받은 바가 없다고 답변하였다.[26] 정성적 연구에서 만성중증질환 치료를 받은 환자와 가족은 기계환기를 위해 기관절개술을 받은 것이 낙관적인 예후와 관련 있는 긍정적인 발전이라고 이해하였고, 시일이 상당히 지난 후에야 기능장애, 인지장애 등 기계환기의 장기 의존성이라는 다소 암울한 영향에 대해 깨닫게 되었다.[39] Cox 등이 수행한 또 다른 정성적 연구에서 대리인의 경우 환자의 1년 생존율, 기능적 상태, 장기기계환기 이후 삶의 질에 대해 높은 기대수준을 가지고 있지만 이러한 환자의 10% 미만이 추적조사에서 주요기능의 제약 없이 생존하는 것으로 나타났다.[12] 의사는 대리인보다 결과에 대해 보다 현실적인 견해를 가지고 있음에도 불구하고 대리인 중 3/4은 담당의와 이러한 정보를 나누지 못했다고 답하였다.[12]

중환자실 입원 환자의 보호자를 포함하여 환자들의 가족을 대상으로 한 연구자료에 따르면 임상의와 환자 및 가족 간 의사소통의 빈도와 질이 개선되어야 하며,[27,40-42] 그럴 경우 기대수준을 결과와 비슷하게 조율할 수 있고 따라서 중환자실 퇴원 후 경험에 보다 긍정적으로 기여할 수 있다. 미국 각지의 대학병원 중환자실과 지역병원 중환자실에 대한 최근 연구에서 중환자실 입원 후 5일째에 임상의가 환자의 상태, 예후, 치료의 목적을 알리기 위해 가족과 상담한 것으로 의료기록에 기록된 경우는 환자의 20%에도 미치지 않았다.[42] 중환자실 가족 상담과 외래 환자에 대한 정성적 연구에서 가족에게 질문이나 의견을 피력하도록 격려하고, 대리인의 기본적인 의사결정 사항에 대해 설명하고, 환자와 가족이 중요한 정보를 흡수, 통합할 수 있는 능력을 저해할 수 있는 정서적 어려움에 관심을 보이고 세심하게 경청하는 등 환자와 가족을 지지할 수 있는 기회를 놓치고 있는 것으로 나타났다.[27,40,43] 중증환자 대리인의 대부분이 의사가 정확하게 예후를 예측할 수 없다는 점을 이해하고 받아들이며 치료결과에 대한 기대가 불확실하고 비관적이라 하더라도 이에 대해 논의하고 싶어한다.[21,44] 그럼에도 불구하고 의사는 중증질환에 대한 구체적인 예후 관련 정보를 제공하기를 주저하고 예후에 관한 추정을 회피하거나 부풀리는 경향이 있다.[21] 예후에 관한 논의를 할 때 희망의 싹을 자르거나 정서적 스트레스를 악화시킬 수 있다고 의사는 우려하지만[21,44] 이러한 경험적 증거는 존재하지 않는다. 반면에 예후에 대해 지나치게 낙관적으로 이해하는 경우 환자들은 도움이 되지도 않는 치료를 선택할 가능성이 높다는 자료는 존재한다.[45,46]

중환자실 환자의 대리인으로부터 얻은 정성적 자료에서 기대결과에 대한 시의적절하고 솔직하며 배려 깊은 대화는 가족들이 정서적으로 대비를 하는데 매우 중요한 것으로 나타났다. 대체로 정서적인 대비는 서서히 진행되는 점진적인 과정이다.[21,47,48] 이를 주제로 한 연구의 피면담자로 참여한 중환자실 환자의 대리인은 다음과 같이 말했다. “알아야 생각할 수 있다. 논의도 하고 정서적으로 준비할 수도 있다.” “어려운 일을 받아들이기 시작하는 등 모든 과정을 겪어야 한다. 절대 짧은 시간 내에 할 수 있는 일이 아니다. 그러니까 정보를 빨리 알수록 낫다고 생각한다.”[21] 또한 대리인은 절차나 실질적인 준비를 원활하게 하고 환자와 가족 스스로를 위한 가족의 지지를 강화하는 데도 예후에 관한 논의를 빨리 시작하는 것이 중요하다고 강조하였다. 부적절한 정보를 가지고 있거나 비현실적으로 기대수준이 높은 가족은 생존환자와 가족이 겪는 부담에 대해 알게 되면 분노, 좌절, 실망의 감정을 느끼게 된다.[39] 중증질환 이후 신체 및 인지 기능의 손상에 대해 미리 논의하게 되면 이러한 반응을 줄이는데 도움이 된다. 중환자실에서 인공호흡기 관리와 진정제에 대한 모범사례를 먼저 활용하고 주의를 기울일수록 장기 합병증을 예방하는 데 도움이 되듯이 효과적인 의사소통을 미리부터 반복하여 하게 되면 중환자실 생존자와 가족이 향후 겪게 될 어려움에 대처하는 데 도움을 줄 수 있다.[49,50]

중환자실과 기타 치료환경에서 임상의의 의사소통에 관한 전문가의 의견과 정성적 연구에 따르면 이러한 의사소통의 효과를 개선할 수 있는 접근법이 있음을 알 수 있다. 그 중 하나는 (중환자실 이후 기간을 포함하여) 중증질환 등의 전 과정에 적용될 수 있는 것으로 "질문하고–말하고–질문하라"이다.[51] 즉 임상의는 먼저 환자와 가족에게 다른 임상의한테 들은 내용을 포함하여 현 상황(환자의 상황, 상태, 예후 등)에 대해 어떻게 이해하고 있는지 질문하고, 논의를 이어가도 될지 의견을 묻는다. 이후 임상의가 의학적 용어나 문화적 배경에 차이가 있을 수 있음을 인식하여 일반인이 알아 듣기 쉬운 용어로 현 상황에 대해 간략하게 설명한다. 중환자실 치료기간과 그 이후 기간 동안 환자와 가족이 정신적 스트레스를 받는다는 점을 고려하여[17,18] 의사소통 시 공감을 표현하고 감정을 조절함으로써 중요한 의학적 정보에 대한 인지처리를 강화하는 방법으로 권고되고 있다.[42,52,53] 영어의 첫 글자를 따서 조합하여 만든 "NURSE"라는 용어로 공감을 표하는 효과적인 전략을 간략히 설명할 수 있다. 감정을 인식하였다는 것을 보여주기 위해 감정에 이름을 붙여라(Name), 솔직하고 공감하는 태도로 이해했다고 표현한다(Understanding), 이러한 감정을 느끼는 이에게 이를 존중한다고 표현한다(Respect), 지지한다는 점을 확인시켜준다(Support), 타인이 겪는 감정을 심도 있게 탐구한다(Explore). 'NURSE'에 따른 공감 표현의 사례에 대한 지침도 존재한다.[43,54]

삶의 의미와 목적을 찾는 방식이라고 정의할 수 있는 영적 돌봄(Spirituality)도 질병을 겪는 동안 환자와 가족의 태도, 기대수준, 의사결정, 행동에 영향을 줄 수 있다. 효과적으로 의사소통을 하려면 종교나 영적인 믿음에 대해 존중하고 관용하는 태도를 보여야 한다. 중환자의 보호자 50명에 대한 정성적 연구에서 영적 믿음으로 인해 의사의 예후진단의 정확성에 의구심을 제기한 것으로 나타났다. 50%가 중환자치료 결과는 이미 신이 정해놓은 일이라고 느낀다고 답하였다.[48] 다른 연구에서는 의사가 더 이상의 치료가 무의미하다고 말한 것에 대해 영적인 이유로 의구심을 품은 대리인들은 지속적으로 생명유지치료를 해달라고 요청할 가능성이 높은 것으로 나타났다.[55] 또한 암환자에 대한 연구에서는 영적인 부분을 다루지 못한 경우 치료결과가 더욱 저조하고 연명의료 비용이 증가하며 치료계획을 준수하지 못하고 치료의 질이나 환자의 만족도 조사에서 낮은 점수를 받게 되는 것으로 나타났다.[56,57] 환자와의 만남에서 영성을 평가하는 툴이 있으며,[58-60] 기적을 바라는 환자나 가족에게 어떻게 접근해야 하는지, 기도나 다른 영적 의식을 요구할 경우 어떻게 대응해야 하는지에 대한 지침도 존재한다.[61,62]

임상의의 직접적인 의사소통과 더불어, 중증질환을 겪는 환자와 가족의 다양한 경험을 담은 정보책자, 온라인, 영상매체 등을 활용하는 것도 바람직하다.[63-65] 의료인력과 대면상담 시 가족이 어떠한 준비를 해야 할지를 알려주는 책자를 제공하는 것도 한 가지 방법이다. 이를 위해

"중환자실 가족 상담 책자"의 견본을 활용하거나 이를 수정하여 사용할 수 있다.[66,67] 만성중증질환이 환자 인지와 기능에 미치는 잠재적인 장기적 영향과 가족이 직면하게 되는 여러 어려움 등에 대한 정보를 제공하고 논의를 활성화하기 위한 책자도 마련되었다.[68] 미국중환자의학회(SCCM)에서도 "중환자실 퇴원 후 무엇을 기대해야 하나?"라는 제목의 책자를 발간하여 기억상실과 그 밖의 중환자치료의 다양한 정신적 후유증 등의 문제를 다루었다.[69] 환자와 가족에 대한 교육, 이들의 의사결정 지원을 위한 인쇄물과 영상물, 신기술 등의 활용을 탐구하는 다양한 연구는 중증질환의 전 과정에 걸쳐 관련성이 높다.[65,70,71] 연구를 통해 중환자실 생존자의 경험이 속속 밝혀지면서 새로운 지식이 이러한 인쇄물, 영상물에 반영되어 환자와 그 가족이 향후 겪어야 할 어려움을 예측하고 관리하는데 도움을 줄 것이다.

사전돌봄계획(advance care planning): 환자의 가치와 선호도에 따라 치료 수준 조율하기

전형적인 급성중증질환자는 인지장애가 심각하여 향후 치료 계획을 수립하는데 참여하지 못할 수 있다.[72,73] 중증질환이 만성화된 환자 중에 사전에 사전연명의료의향서(미국은 사전의향서 개념이나, 한국은 연명의료계획서에 가깝다–역자주) 준비한 사람은 거의 없고 대다수가 대리의사결정을 위한 의료대리인도 선정하지 않았다.[74] 하지만 중환자실 생존자는 생존 후에도 여전히 의학적 위험요인이 높기 때문에 중증질환에서 회복한다면 사전돌봄계획을 할 수 있는 기회가 마련되는 셈이다. 중환자치료를 경험한 환자는 이득과 부담에 대해 보다 잘 이해하고 있어 사전돌봄계획의 가치를 잘 이해할 것이다. 다만 자료에 따르면 이전 중환자치료의 영향은 격차가 있을 수 있고 예측하기 어렵고,[75] 치료에 대한 선호도는 사망뿐 아니라 기능장애, 인지장애 등 부정적인 결과의 발생 가능성에 영향을 받으며,[76] 시간이 흐르면서 건강 상태의 변화 등 다른 변수에 따라 바뀔 수도 있는 만큼 개인이 향후 치료에 대해 무엇을 선호하는가 꾸준히 살펴볼 필요가 있다.[77,78]

사전 치료지침을 마련하는 것이 어떠한 가치가 있는가를 두고 의구심이 제기되기도 하지만 최근 연구에서는 사전 지침이 있을 경우 환자의 선호도에 맞춰 치료를 제공할 수 있고 대리인이 의사결정을 할 때도 도움이 된다고 하였다.[73-79] Silveira 등은 대규모 관찰연구를 통해 "연명을 위해 가능한 모든 치료"를 하는 것에 찬성 또는 반대를 밝힌 생전유언을 준비한 미국 노인의 경우 적시한 선호도와 연명치료가 일치했고, 가능한 모든 치료를 요청한 연구 대상자는 그렇지 않은 환자에 비해 이러한 치료를 받은 확률이 높고, 제한적 치료 또는 고통완화에 초점을 맞춘 치료를 요청한 경우 그렇지 않은 경우보다 이에 상응하는 치료를 받을 확률이 훨씬 높다고 밝혔다.[73] 또한 대리인으로 선임된 사람 중 90%가 환자의 생전유언이 대리인이 해야 하는 의사결정의 대부분을 해결한다고 답했다. 연구를 통해 대리인을 선임해 놓은 환자는 병원에서 죽음을 맞이하고 싶어하지 않는 것으로 나타났다. Detering 등은[79] 무작위대조군중재연구를 통해 일반적인 치료와 비교할 때 80세 이상의 입원환자에게 교육을 받은 비의료직원이 사전돌봄계획을 권유한 경우 환자의 선호도와 연명치료 간의 일치, 환자와 가족의 만족도 증가, 환자 사망 후 가족과 친지들이 겪는 외상후스트레스장애, 불안, 우울감이 감소하는 것으로 관찰되었다. 가족은 계획을 논의하는 단계부터 참여하기 때문에 환자가 바라는 바에 대한 이해도가 높아지고, 대리인으로서 내려야 하는 의사결정의 부담감을 줄일 수 있다.

환자의 선호를 기록함으로써 사전돌봄계획 절차를 공식화할 때 모델로 사용할 수 있는 서면지침양식도 있다. 이와 관련하여 법적 요건은 미국 각 주마다 상이하다.[80] 의료기록의 전자화가 가속화되면서 모든 관련 의료진이 이러한 기록에 접근할 수 있다. 심각한 질환이 발생할 경우에 대비하여 심폐소생술, 정맥수액요법, 영양공급관, 기타 중재술 등과 같은 치료지침을 구체적으로 명시할 수 있는 치료지침 요구서에 환자의 의사를 포함할 수도 있다. POLST (Physician Orders for Life-Sustaining Treatment)로 알려진 환자의 연명의료에 관한 의사 지시서는 이러한 접근법의 좋은 예로, 환자가 진술한 선호도와 치료를 조율하고 완화의료 목표에 관심을 불러일으키는데 효과적이다.[81-83]

살펴본 바와 같이 '현재 당면한 과제는 사전돌봄계획을 단순히 양식에 기술하고 서명하는 행위에서, 환자의 현재 건강상태를 명확히 알리고, 치료의 목적을 명시하고, 대리인을 선임하여 이러한 치료목적을 해석하고 실행에 옮길 때 의료진과 협의하도록 하는 과정으로 전환하는 것이다.'[84] 사전연명의료의향서는 이러한 과정의 시발점으로 가치가 높다. 가치에 대한 논의, 예를 들어 환자의 삶을 가치있게 하는 기능상태 및 인지상태에 대한 논의를 통해 환자의 상태에 따라 치료 목표를 수립하는 기본틀을 마련할 수 있다.[85,86] 앞서 강조한 바와 같이, 향후 의사결정능력을 상실하는 상태나, 질환에 대비한 계획을 수립하면서 환자 중심 돌봄의 틀이 마련될 수 있을 것이다. 구체적인 의사결정을 예측하기란 어렵기 때문에 변화하는 상황에 실시간으로 대처할 수 있도록 의료행위결정 대리인(proxy)을 선임하는 것은 사전돌봄계획에 있어 특히 중요하다. 물론 환자가 의사결정대리인과 자신이 바라는 바에 대해 직접적으로 논의하지 않았다면 대리인이 이를 정확하게 파악할 수 없을 것이다.[86] 환자, 의사결정 대리인, 의료인의 의사소통 과정이 중요하다.

환자의 고통 완화: 증상 관리

양질의 완화의료에서 증상의 완화는 핵심요소이며, 중증질환으로 치료를 받는 환자와 가족에게 가장 중요한 부분이다.[33] 첫째, 환자의 안위를 증진하는 중재술은 증상의 빈도와 강도, 이와 관련된 불편의 정도를 명확히 이해할 때 가능하다. 둘째, 신체적, 정서적 증상과 고통이 사망률 등 여러 부정적인 결과와 관련이 있다는 증거가 중증질환을 비롯한 다양한 상황에서 밝혀지고 있다. 반면 증상을 주기적으로 평가하고 효과적으로 관리하는 것은 생리적 안정, 회복, 재활과 직결된다고 한다.[88-90]

중환자실의 규제, 성과 관리, 임상 및 연구 영역에서 통증관리에 대한 관심이 크게 확대되고 있으며 앞으로도 지속적인 연구와 발전이 필요하다.[91] Puntillo는 20여 년 전 외과 중환자실 퇴원 환자를 대상으로 면담을 실시하여, 면담 환자 중 70%가 통증을 기억하였고 63%가 통증을 중간에서 심한 수준으로 평가했다고 하였다.[4] 최근에는 Gelinas 등은 흉부외과 중환자실에서 옮겨온 환자의 77%가 통증을 기억했고 그 중 64%가 통증을 중등증 이상이라고 호소했다는 연구결과를 발표했다.[91] 중환자실 치료를 받은 중증 암환자에 대한 연구에서 증상을 자가 보고할 수 있는 환자의 56%가 중등도에서 심한 통증을 경험한 것으로 나타나기도 했다.[3] 다양한 중환자실 환자집단이 경험하는 통증 이외 다른 증상에 관한 증거자료는 많지 않다.[5,92] 병원 내 사망 위험(실제로 1/3이 사망함)이 높은 171명의 중환자실 환자집단에 대한 복합증상 평가에서 50–75%에서 환자가 갈증, 불안, 피로를 호소하였고, 많은 환자가 다양한 신체적, 생리적 증상을 보고하였으며 증상의 강도 측면에서는 갈증이 가장 높은 것으로 나타났다. 24시간 이상 기계환기가 시행되었고 증상평가에 응답할 수 있었던 96명의 중환자실 환자를 대상으로 한 연구에서 절반이 호흡곤란을 겪었고 그 정도는 심하였으며 불안과 밀접하게 연관되어 있었다.[92]

만성중증환자는 여러 증상을 겪는다.[2] 인공호흡기에 대한 장기 의존으로 기관절개술을 시행한 중증질환자를 대상으로 한 전향적 연구에서, 실시간으로 증상을 보고할 수 있는 환자 중 3/4이 평가도구에 있는 16개의 증상 중 10개 이상을 경험했다.[2] 이들 환자 중 40% 이상이 통증척도에서 가장 높은 수준의 통증을 경험하였고, 60% 이상이 '자주' 또는 '거의 지속적으로' 정신증상(슬픔, 근심, 불안)을 겪는다고 보고하였다. 그 밖에도 여러 신체적, 정신적 증상을 겪는다고 했다. 인공호흡기 이탈을 위해 장기급성기병원으로 이송된 300명 이상의 환자를 대상으로 실시된 전향적 연구에서는 40% 이상이 DSM–IV 진단기준의 우울장애 기준을 충족하는 것으로 나타났다.[88] 우울장애를 겪는 환자의 경우 기계환기 기간이 두 배 정도 길고, 우울장애가 없는 환자보다 인공호흡기 의존도가 세 배 높은 것으로 나타났으며, 시설에서 사망할 확률도 두 배 이상 높았다. 이러한 사망률 증가는 연령, 동반질환, 기타 사망의 독립예측인자를 통제한 후에도 유의미한 것으로 나타났다.

일상으로 복귀한 중환자실 생존자가 겪은 증상 경험은 중요한 연구 분야이다. 중환자치료 이후 3-9개월이 경과한 급성호흡곤란증후군 생존자에 대한 정성적 연구에서 일반적으로 정서불안, 우울, 불안 등과 함께 불면증, 피로, 통증이 보고되었다.[93] 캐나다의 급성호흡곤란환자에 대한 장기추적조사에서 급성호흡곤란증후군 생존자는 중환자치료 이후 최장 5년 동안 지속적인 기능장애와 신체적 삶의 질 저해와 더불어 정신적인 후유증을 겪는 것으로 나타났다.[94] 퇴원 이후 22개월에 생존자의 1/3이 중등증 이상의 우울증을 겪었고,[95] 5년 후에도 20% 정도는 여전히 유사한 증상이 있다고 보고했다.[96] 5년 생존자의 절반이 치료 이후 2-5년 사이 최소한 한 번 이상 의사로부터 우울, 불안, 또는 두 증상 모두를 진단받은 것으로 보고했으며 이보다 심각한 증상을 겪은 환자도 적은 수지만 존재하였다.[94,97] 중환자실 생존자 집단에게 관찰되는 그 밖의 증상스트레스에 대한 정보가 많지는 않다. 일반 중환자실 생존자의 우울증에 대한 체계적 연구에서 임상적으로 유의미한 우울증의 평균 유병률은 28%이며, 중환자실 퇴원 초기에 우울증이 발생했다면 장기 우울증이 예견되는 것으로 밝혀졌다.[98] 호주에서 실시된 단일센터 연구에 따르면 중환자실 퇴원 이후 추적조사를 실시한 6개월 동안 생존자의 1/4이 만성통증과 이로 인한 건강 관련 삶의 질 저하를 경험하였다.[99]

현재 진행 중이거나 향후 연구의 결과를 기다리는 사이, 중증질환 생존자나 중증질환자를 돌보는 의료진은 육체적 증상과 정신적 증상에 대한 체계적인 평가를 환자 중심 치료에 통합해 볼 수 있을 것이다. 뇌기능장애, 기관내삽관 등으로 인해 증상을 자가 보고할 수 없는 만성중증환자에게는 통증과 호흡곤란 평가를 위해 행동통증척도(behavioural pain scale), 중환자통증관찰도구(Critical Care Observation Tool, CPOT), '통증 추정(Assume pain present)' 접근법[100,101,103] 등 몇 가지 객관적인 도구를 활용할 수 있다. 증상평가에 응답할 수 있는 환자를 위해서는 간단하지만 실질적인 증상 측정 도구가 마련되어 불필요한 부담은 없애고 임상관리를 위해 충분한 정보를 제공할 수 있도록 하였다. 다양한 증상을 측정하는 도구로는 중환자를 위해 사용될 수 있도록 조정가능한 MSAC 간편양식,[104] 에드몬튼 증상평가척도[105] 등이 있다. 중환자에게 흔히 관찰되고 생존자에 대해 평가할 만한[96] 가치가 있는 통증,[106] 호흡곤란,[107] 우울증과[108] 같은 특정 증상을 평가하는 약식평가도구도 있다. 만성중증환자나 질환에서는 회복했지만 여전히 증상스트레스를 겪고 있는 생존자의 증상을 완화하기 위한 중재술을 평가한 연구는 현재까지 발표된 바 없다. 관련 자료가 활용가능해질 때까지는 다른 환자집단의 증상관리를 위한 근거기반 전략을 해당 임상상황에 적절하게 수정, 적용해 볼 수 있다.

가족의 충족되지 않은 필요에 대응하기: 지원 및 전환계획

중증질환 발병 이후 비록 환자가 중환자실 치료에서 생존하였다 하더라도 가족이 느끼는 정서적, 육체적, 현실적 부담감이 과중하다는 것은 여러 자료를 통해 알 수 있다. 집중치료후증후군이라는 용어는 중증질환을 겪은 후 신체적, 인지적, 정신적 건강상태가 새롭게 저하되거나 더욱 악화되어 급성기병원치료 이후에도 지속되는 현상을 가리키는 것으로 가족구성원이나 중환자실 생존자에게 그대로 적용될 수 있다.[109] 급성스트레스장애나 외상후스트레스장애는 환자뿐 아니라 가족에게도 영향을 미친다.[18,110-112] 환자가 가정에서 간호를 받건 아니면 입원치료를 받건 간에 생존자 가족에게 우울증이 일반적으로 관찰된다.[25,113,114] 비공식간병인의 경우 정서적 스트레스는 오래 지속될 수 있다. Cameron 등은 급성호흡곤란증후군 생존자를 돌보는 간병자는 환자의 퇴원 이후 길게는 2년까지 이러한 스트레스를 겪는다고 했고,[115] 정성적 연구에서는 보호자(간병자)의 표현을 그대로 차용하여 후회, 소진, 고립, 절망 등의 주제어를 가려냈다.[93] 기계환기를 시행한 환자 가족의 경우 중환자치료 이후 신체건강 및 건강 관련 삶의 질 저하가 일반적으로 관찰되었고, 시간이 흐르면서 역할의 과부하, 부담감 축적 등을 경험한 것으로 나타났다.[24,116] 간병의 역할을 수행하면서 어려움을 느끼는 보호자는 사망의 위험이 높은 것으로 알려져 있다.[117] 또한 이들 개인의 생활이나 직업도 많은 영향을 받았다. Swoboda과 Lepsett의 연구에 따르면 외과 중환자실에 1주 이상 입원한 환자의 가족은 추후 수개월 동안 간병수발을 들었고, 가족의 상당수가 직장을 그만두고 그동안 모아두었던 저축도 모두 써버리는 경우도 많았다.[23] Van Pelt 등은 1년 넘는 추적조사 기간 동안 중환자실 생존자의 보호자 사이에 일상생활이 붕괴되고 직장을 그만두는 경우가 일반적이며 지속적으로 관찰된다고 보고하였다.[24]

중증환자 집단과 보호자에게도 노령화가 진행되고, 가족들이 간병수발을 담당하는 비중이 증가하면서 이러한 문제는 더욱 확대될 것으로 예상되는 바, 이러한 문제를 해결하기 위해 효과적이고 비용효율적인 개입이 무엇인지를 파악하기 위해 많은 자료가 필요하다. 간병하는 보호자가 느끼는 부담이 환자의 회복과 재활 가능성을 제한할 수 있는 만큼 이러한 개입은 더욱 중요하다. Douglas 등은 기계환기를 시행한 중환자실 환자와 보호자에게 전문간호사(advanced practice nurse)가 퇴원 전후 총 8주간 정서적 지원, 치료조율, 교육, 사례관리서비스를 제공하도록 하는 질병관리 프로그램을 평가하였다. 일반적인 치료와 비교할 때 이러한 개입은 수발자의 우울증, 부담감, 신체건강을 개선하거나 환자의 재입원율을 낮추지 못하였다. 가족이 처한 복잡다단한 문제를 살펴보면 다양한 분야의 지원이 가족의 필요 충족을 위해 필요하다는 것을 알 수 있지만, 다양한 분야의 팀을 구성할 때 가장 적절한 구성원은 누구인가, 가족의 어려움을 경감시켜 그들이 환자의 회복을 지원할 수 있도록 하기 위해 필수적인 요소는 무엇인가, 이러한 종류의 프로그램을 개시하는 시점으로 최적의 시기는 언제인가, 어느 정도의 기간을 목표로 프로그램이 운영되어야 하는가, 중환자실 생존자의 치료와 간병이라는 종합적인 관점에서 다양한 치료환경 사이에 가족을 위한 지원을 어떻게 통합하고 조율할 것인가와 같은 논제에 대해서는 추후 연구를 통해 그 답이 제시되어야 할 것이다. 중환자실 생존자 가족 지원을 위한 전략을 수립하고 평가할 때 다른 만성질환자의 수발자를 위한 개입을 연구한 사례가 도움이 될 수 있을 것이다. 중증질환 이후 가족이 겪게 되는 경험, 결과, 충족되지 않은 필요 등을 기술하고, 적절한 개입을 강조하며, 빠르게 변화하고 갈수록 비용절감노력이 강화되는 보건의료환경에서 수용될 수 있는 전달 체계 모델을 중심으로 연구가 수행되어야 할 것이다.

완화의료의 필요 충족: 전문가 상담의 역할

지난 10년간 미국 내 급성기병원에서 완화의료 상담인력의 존재는 빠르고 지속적으로 확대되었으며 다른 나라에서도 해당 분야는 성장을 거듭하고 있다.[119,120] 오늘날 300병상 이상 병원의 80%와 50병상 이상 병원의 절반 정도가 전미병원연합의 연례조사에서 완화의료 프로그램을 운영하고 있다고 응답하였다.[120] 자격을 갖춘 의사는 10개 공동후원 전문위원회 중 한 곳을 통해 미국 내과학회 전문의 자격 중 완화의료 세부전문의 인증을 받을 수 있다. 완화의료 간호사는 전미호스피스와 완화의료간호사 인증위원회의 인증을 받으면 된다. 학사나 석사학위를 가지고 있는 사회복지사는 완화의료 전문가로 자격을 인증받을 수 있다. 그 외에도 완화의료 전문가팀의 핵심일원으로 목회자, 심리학자 등을 들 수 있다.[35] 미국 병원에서 임종을 맞는 환자의 20%가 최종 입원기간 동안 중환자실 집중치료를 받기 때문에[121] 증상의 관리, 치료 목표에 관한 대화, 전환계획, 급성기 중환자실 환경에서 가족에 대한 지원 등에 완화의료 전문가가 개입할 필요에 대해 더 많은 관심이 필요하다.[122-124] 여러 연구에서 중환자실 입원 중 완화의료 상담을 할 경우 기대할 수 있는 장점이 나열되어 있다. 입원기간 단축, 사망 과정의 조기 인지와 환자중심 임종돌봄으로의 전환, 적절한 시기에 치료 집중도가 낮은 의료기관으로 환자이송 등이다.[122-124] 중환자실 외에서 입원환자를 위한 완화의료 상담을 실시할 경우 증상관리, 적절한 치료 목표의 시의적절한 수립, 효율적인 자원활용 등 다양한 분야에서 개선된 결과가 보고되었다. 일부 병원이나 중환자실에서는 사망위험이 매우 높거나 심각한 기능장애와 인지장애를 겪고 있는 환자에게 완화의료 전문가를 투입하는 기준을 마련하고 있다.[3,122,124]

호스피스가 아닌 다학제적 전문가에 의한 완화의료를 급성기병원뿐 아니라 지역사회로 확대시킨 프로그램은 아직 상대적으로 많지 않고, 완화의료는 호스피스 치료의 적격여부를 결정하는 여명기간인 6개월보다 다소 긴 환자에게만 적용되고 있다. 남부캘리포니아의 카이저 퍼머넌트(Kaiser Permanente)에서는 여명이 1년 정도 남은 환자(연구대상 코호트에서 가장 일반적인 진단명은 만성폐쇄성폐질환, 울혈성심부전, 암 등)를 대상으로 선구적인 가정 완화의료 프로그램을 운영하였다.[127] 환자는 회복치료(restorative care)와 주치의 치료를 계속 받는 한편, 증상관리와 치료코디네이션의 전문지식을 갖춘 간호사, 사회복지사, 완화의료 전문의의 방문도 받게 된다. 2년의 연구기간 동안 사망한 환자를 중심으로, 이러한 개입을 한 환자와 메디케어의 급성기질환 기준에 부합하는 환자를 위한 가정간호 등 일반적인 치료를 받은 환자를 비교한 결과, 완화의료 프로그램 환자가 서비스에 대한 만족도가 높았고 급성기 치료나 다른 시설치료의 사용빈도가 낮아 궁극적으로는 의료비용이 크게 절감되었다. 이후 두 개 주에서 수행된 무작위대조군연구에서도 이러한 장점이 확인되었다.[128] Rabow 등은 여명수명이 1–5년인 만성폐쇄성폐질환, 울혈성심부전, 암환자 집단을 외래 완화의료 상담에 관한 무작위대조군연구에 포함시켰다.[129] 이 연구는 대학병원의 가정의학과에서 진행하였다. 1년 동안 의사, 사회복지사, 간호사, 목회자, 심리학자 등으로 구성된 다학제팀이 주치의에게 신체 및 정신적 증상 관리, 영적 치료, 사회적 지원, 사전돌봄계획, 사례관리, 간병 지원, 의사 이외의 팀원이 직접 또는 전화로 제공하는 기타 서비스에 관한 권고사항을 전달하였다. 이러한 개입을 받은 환자는 일부 증상이 크게 개선되었다고 보고하였고, 대조집단 환자와 비교할 때 1차 진료나 응급진료를 받기 위해 병원을 방문한 횟수도 적었다. 하지만 두 집단의 전체의료비용은 별 차이를 보이지 않았다. 이에 대해 연구원은 완화의료팀의 권고사항을 일관되게 이행하지 않아 개입의 효과가 제한적일 수 있다는 관찰 결과를 내놓았다.[129]

통합암센터의 지지요법이나 암클리닉의 외래환자에게도 전문가의 완화의료가 제공되었다. 클리닉의 후향적 연구에서는 완화의학전문의가 이끄는 다학제팀의 일차상담방문과 1개월 후 추적평가로 구성된 표준화된 관리계획에 따라 진행성 암환자에게 치료를 제공하였다.[130] 추적조사 기간 동안 다양한 신체적, 정신적 증상에서 기인하는 고통이 크게 감소하였다.[130] 무작위대조군연구에서는 완화의료를 종양치료에 통합하는 것에 대해 평가하였다. 이러한 평가는 전이성 폐암 진단을 받고 폐암클리닉에 외래진료를 받으러 내원한 환자를 대상으로 수행되었고 완화의료전문가가 신체적, 사회심리적 증상을 듣고, 치료 목표를 수립하고, 치료 관련 의사결정을 지원하고, 치료 수준을 조율하였다.[131] 일반적인 암치료만을 받은 환자와 비교할 때 통원치료 시 완화의료도 함께 받은 환자는 삶의 질이 높았고 편안한 마음가짐을 가질 수 있었다. 또한 연구의 부수적인 결과로 완화의료 개입을 할 경우 생존기간도 연장된다는 것을 밝혀냈다.

결론

향후에는 완화의료전문가가 보다 광범위하게 활용되면서, 집중치료 이후에도 삶의 질에 영향을 미치는 증상스트레스와 상당한 장애를 안고 살고 있는 환자의 치료에 도움을 줄 수 있을 것이다. 지금으로서는 급성기병원 입원기간 중에만 전문가의 완화의료를 가장 쉽게 접할 수 있다. 급성기병원 입원기간 동안에는 증상을 긴밀히 관리하고, 치료 목표를 이해하고, 사전돌봄계획을 시작하며, 다른 의료환경으로의 이송준비를 한다. 현재까지는 병원에서의 완화의료와 중증질환의 접점은 집중치료에도 불구하고 임종을 앞두고 있거나, 임종이 예상되는 환자의 관리에 주로 집중되어 있었다. 하지만 중환자실의 전문의료인력뿐 아니라 예후와 무관하게 중증질환의 전 과정에서 완화의료가 환자와 가족에게 주는 혜택에 대해 인지하는 많은 사람들이 완화의료의 역할 확대를 지지하고 있다.[31] 앞으로는 만성중증질환이나 기타 의존성으로 인해 시설에 수용되어야 하는 환자와, 심한 정도는 아니지만 만성적인 장애를 안고 지역사회로 돌아가는 사람 등, 중증질환 생존자의 치료에 기여할 만큼 그 역할이 확대될 수 있을지도 모른다. 하지만 완화의료전문가가 존재한다 하더라도 집중치료실의 의료인력과 기타 회복치료의 1차적 책임을 맡은 이들이 환자와 가족의 기본적인 완화의료에 관심을 기울여야 할 것이다.[31,32] 가장 바람직한 것은 이들 의료인력이 기본적인 요구에 응할 수 있는 충분한 지식과 기술을 확보하면서, 보다 복잡하거나 까다로운 문제에 대해서는 전문가 수준의 완화의료서비스에 접근할 수 있도록 하는 것이다.

참고문헌

1 Desai SV, Law TJ, Needham DM. Long-term complications of critical care. Crit Care Med 2011;39:371-9.

2 Nelson JE, Meier DE, Litke A, Natale DA, Siegel RE, Morrison RS. The symptom burden of chronic critical illness. Crit Care Med 2004;32:1527-34.

3 Nelson JE, Meier DE, Oei EJ, et al. Self-reported symptom experience of critically ill cancer patients receiving intensive care. Crit Care Med 2001;29:277-82.

4 Puntillo KA. Pain experience of intensive care unit patients. Heart Lung 1990;19:525-33.

5 Puntillo KA, Arai S, Cohen NH, et al. Symptoms experienced by intensive care unit patients at high risk of dying. Crit Care Med 2010;38:2155-60.

6 Myhren H, Ekeberg O, Toien K, Karlsson S, Stokland O. Posttraumatic stress, anxiety and depression symptoms in patients during the first year post intensive care unit discharge. Crit Care 2010;14:R14.

7 Davydow DS, Gifford JM, Desai SV, Needham DM, Bienvenu OJ. Posttraumatic stress disorder in general intensive care unit survivors: a systematic review. Gen Hosp Psychiatry 2008;30:421-34.

8 Nelson JE, Tandon N, Mercado AF, Camhi SL, Ely EW, Morrison RS. Brain dysfunction: another burden for the chronically critically ill. Arch Intern Med 2006;166:1993-9.

9 Jackson JC, Hart RP, Gordon SM, et al. Six-month neuropsychological outcome of medical intensive care unit patients. Crit Care Med 2003;31:1226-34.

10 Jackson JC, Girard TD, Gordon SM, et al. Long-term cognitive and psychological outcomes in the awaken-

ing and breathing controlled trial. Am J Respir Crit Care Med 2010;182:183-91.

11 Iwashyna TJ, Ely EW, Smith DM, Langa KM. Long-term cognitive impairment and functional disability among survivors of severe sepsis. JAMA 2010;304:1787-94.

12 Cox CE, Martinu T, Sathy SJ, et al. Expectations and outcomes of prolonged mechanical ventilation. Crit Care Med 2009;37:2888-94; quiz 904.

13 van der Schaaf M, Dettling DS, Beelen A, Lucas C, Dongelmans DA, Nollet F. Poor functional status immediately after discharge from an intensive care unit. Disabil Rehabil 2008;30:1812-8.

14 van der Schaaf M, Beelen A, Dongelmans DA, Vroom MB, Nollet F. Functional status after intensive care: a challenge for rehabilitation professionals to improve outcome. J Rehabil Med 2009;41:360-6.

15 van der Schaaf M, Beelen A, Dongelmans DA, Vroom MB, Nollet F. Poor functional recovery after a critical illness: a longitudinal study. J Rehabil Med 2009;41:1041-8.

16 Girard TD, Jackson JC, Pandharipande PP, et al. Delirium as a predictor of long-term cognitive impairment in survivors of critical illness. Crit Care Med 2010;38:1513-20.

17 Pochard F, Azoulay E, Chevret S, et al. Symptoms of anxiety and depression in family members of intensive care unit patients: ethical hypothesis regarding decision-making capacity. Crit Care Med 2001;29:1893-7.

18 Anderson WG, Arnold RM, Angus DC, Bryce CL. Posttraumatic stress and complicated grief in family members of patients in the intensive care unit. J Gen Intern Med 2008:23:1871-6.

19 McAdam JL, Dracup KA, White DB, et al. Symptom experiences of family members of intensive care unit patients at high risk for dying. Crit Care Med 2010;38:1078-85.

20 McAdam JL, Dracup KA, White DB, et al. Psychological symptoms of family members of highrisk intensive care unit patients. Am J Crit Care 2012;21:386-94.

21 Apatira L, Boyd EA, Malvar G, et al. Hope, truth, and preparing for death: perspectives of surrogate decision makers. Ann Intern Med 2008;149:861-8.

22 Wendler D, Rid A. Systematic review: the effect on surrogates of making treatment decisions for others. Ann Intern Med 2011;154:336-46.

23 Swoboda SM, Lipsett PA. Impact of a prolonged surgical critical illness on patients' families. Am J Crit Care 2002;11:459-66.

24 Van Pelt DC, Milbrandt EB, Qin L, et al. Informal caregiver burden among survivors of prolonged mechanical ventilation. Am J Respir Crit Care Med 2007;175:167-73.

25 Douglas SL, Daly BJ. Caregivers of long-term ventilator patients: physical and psychological outcomes. Chest 2003;123:1073-81.

26 Nelson JE, Mercado AF, Camhi SL, et al. Communication about chronic critical illness. Arch Intern Med 2007;167:2509-15.

27 Curtis JR, Engelberg RA, Wenrich MD, Shannon SE, Treece PD, Rubenfeld GD. Missed opportunities during family conferences about end-of-life care in the intensive care unit. Am J Respir Crit Care Med 2005; 171:844-9.

28 Lanken PN, Terry PB, Delisser HM, et al. An official American Thoracic Society clinical policy statement: palliative care for patients with respiratory diseases and critical illnesses. Am J Respir Crit Care Med 2008; 177:912-27.

29 Truog RD, Campbell ML, Curtis JR, et al. Recommendations for end-of-life care in the intensive care unit: a consensus statement by the American College [corrected] of Critical Care Medicine. Crit Care Med 2008;36: 953-63.

30 Selecky PA, Eliasson CA, Hall RI, Schneider RF, Varkey B, McCaffree DR. Palliative and end-of-life care for patients with cardiopulmonary diseases: American College of Chest Physicians position statement. Chest 2005;128:3599-610.

31 Nelson JE, Bassett R, Boss RD, et al. Models for structuring a clinical initiative to enhance palliative care in the intensive care unit: a report from the Improve Palliative Care in the ICU (IPAL-ICU) Project and the Center to Advance Palliative Care. Crit Care Med 2010;38:1765-72.

32 Weissman DE, Meier DE. Identifying patients in need of a palliative care assessment in the hospital setting: a consensus report from the Center to Advance Palliative Care. J Palliat Med 2011;14:17-23.

33 Nelson JE, Puntillo KA, Pronovost PJ, et al. In their own words: patients and families define highquality palliative care in the intensive care unit. Crit Care Med 2010;38:808-18.

34 Clarke EB, Curtis JR, Luce JM, et al. Quality indicators for end-of-life care in the intensive care unit. Crit Care Med 2003;31:2255-62.

35 National Consensus Project for Quality Palliative Care. Clinical practice guidelines for quality palliative care. (2009). Available at: http://www.nationalconsensusproject.org/guideline.pdf (accessed 15 December 2012).

36 Desai SV, Law TJ, and Needham DM. Long-term complications of critical care. Crit Care Med 2011;39:371-9.

37 Needham DM, Davidson J, Cohen H, et al. Improving long-term outcomes after discharge from intensive care unit: report from a stakeholders' conference. Crit Care Med 2012;40:502-9.

38 Azoulay E, Chevret S, Leleu G, et al. Half the families of ICU patients experience inadequate communication with physicians. Crit Care Med 2000;8:3044-9.

39 Nelson JE, Kinjo K, Meier DE, Ahmad K, Morrison RS. When critical illness becomes chronic: informational needs of patients and families. J Crit Care 2005;20:79-89.

40 McDonagh JR, Elliott TB, Engelberg RA, et al. Family satisfaction with family conferences about end-of-life care in the intensive care unit: increased proportion of family speech is associated with increased satisfaction. Crit Care Med 2004;32:1484-7.

41 Teno JM, Fisher E, Hamel MB, et al. Decision-making and outcomes of prolonged ICU stays in seriously ill patients. J Am Geriatr Soc 2000;48:S70-S4.

42 Penrod JD, Pronovost PJ, Livote EE, et al. Meeting standards of high-quality ICU palliative care: Clinical performance and predictors. Crit Care Med 2012; 40:1105-12.

43 Pollak KI, Arnold RM, Jeffreys AS, et al. Oncologist communication about emotion during visits with patients with advanced cancer. J Clin Oncol 2007;25:5748-52.

44 Wright AA, Zhang B, Ray A, et al. Associations between end-of-life discussions, patient mental health, medical care near death, and caregiver bereavement adjustment. JAMA 2008;300:1665-73.

45 Weeks JC, Cook EF, O'Day SJ, et al. Relationship between cancer patients' predictions of prognosis and their treatment preferences. JAMA 1998;279:1709-14.

46 El-Jawahr A, Podgurski LM, Eichler AF, et al. Use of video to facilitate end-of-life discussions with patients with cancer: a randomized controlled trial. J Clin Oncol 2010;28:305-10.

47 Evans LR, Boyd EA, Malvar G et al. Surrogate decision-makers' perspectives on discussing prognosis in the face of uncertainty. Am J Respir Crit Care Med 2009;179:48-53.

48 Zier LS, Burack JH, Micco G, et al. Doubt and belief in physicians' ability to prognosticate during critical illness: the perspective of surrogate decision makers. Crit Care Med 2008;36:2341-7.

49 Scheunemann LP, McDevitt M, Carson SS, Hanson LC. Randomized, controlled trials of interventions to improve communication in intensive care: a systematic review. Chest 2011;139:543-54.

50 Schaefer KG, Block SD. Physician communication with families in the ICU: evidence-based strategies for improvement. Curr Opin Crit Care 2009;15:569-77.

51 Back AL, Arnold RM, Baile WF, Tulsky JA, Fryer-Edwards K. Approaching difficult communication tasks in oncology. CA Cancer J Clin 2005;55:164-77.

52 Selph RB, Shiang J, Engelberg R, Curtis JR, White DB. Empathy and life support decisions in intensive care units. J Gen Intern Med 2008;23:1311-17.

53 Back A, Arnold R, Tulsky J. Mastering communication with seriously ill patients: balancing honesty with empathy and hope. New York: Cambridge University Press;2009.

54 Krimshtein NS, Luhrs CA, Puntillo KA, et al. Training nurses for interdisciplinary communication with families in the intensive care unit: an intervention. J Palliat Med 2011;14:1325-32.

55 Zier LS, Burack JH, Micco G, et al. Surrogate decision makers' responses to physicians' predictions of medical futility. Chest 2009;136:110-17.

56 Puchalski CM. Spirituality in the cancer trajectory. Ann Oncol 2012:23(Suppl 3):49-55.

57 Balboni T, Balboni M, Paulk ME, et al. Support of cancer patients' spiritual needs and associations with medical care costs at the end of life. Cancer 2011;117:5383-91.

58 Anandarajah G, Hight E. Spirituality and medical practice: Using the HOPE questions as a practical tool for

spiritual assessment. Am Fam Physician 2001;63:81-9.

59 Borneman T, Ferrell B, Puchalski CM. Evaluation of the FICA tool for spiritual assessment. J Pain Sympt Manage 2010;40:163-73.

60 Steinhauser KE, Voils CI, Clipp EC, et al. 'Are you at peace?': one item to probe spiritual concerns at the end of life. Arch Intern Med 2006;166:101-5.

61 Delisser HM. A practical approach to the family that expects a miracle. Chest 2009; 135:1643-7.

62 Lo B, Kates LW, Ruston D, et al. Responding to requests regarding prayer and religious ceremonies by patients near the end of life and their families. J Palliat Med 2003;6:409-15.

63 Azoulay E, Pochard F, Chevret S, et al. Impact of a family information leaflet on effectiveness of information provided to family members of intensive care unit patients: a multicenter, prospective, randomized, controlled trial. Am J Respir Crit Care Med 2002;165:438-42.

64 Lautrette A, Darmon M, Megarbane B, et al. A communication strategy and brochure for relatives of patients dying in the ICU. N Engl J Med 2007;356:469-78.

65 McCannon JB, O'Donnell WJ, Thompson BT, et al. Augmenting communication and decision making in the intensive care unit with a cardiopulmonary resuscitation video decision support tool: a temporal intervention study. J Palliat Med 2012;15:1382-7.

66 Gay EB, Pronovost PJ, Bassett RD, Nelson JE. The intensive care unit family meeting: making it happen. J Crit Care 2009;24:629 e1-12.

67 The IPAL-ICU Project. ICU family meeting guide. Available at: http://ipal-live.capc.stackop.com/downloads/meeting-with-the-icu-team-a-guide-for-families.pdf (accessed 15 December 2012).

68 Carson SS, Vu M, Danis M, et al. Development and validation of a printed information brochure for families of chronically critically ill patients. Crit Care Med 2012;40:73-8.

69 Society of Critical Care Medicine. What should I expect after leaving the ICU? Available at: http://www.myicucare.org/Support_Brochures/Pages/AfterLeavingtheICU.aspx (accessed 15 December 2012).

70 Volandes AE, Paasche-Orlow MK, Mitchel SL, et al. Randomized controlled trial of a video decision support tool for cardiopulmonary resuscitation decision making in advanced cancer. J Clin Oncol 2013;31:380-6

71 Cox CE, Lewis CL, Hanson, LC, et al. Development and pilot testing of a decision aid for surrogates of patients with prolonged mechanical ventilation. Crit Care Med 2012;40:2327-34.

72 Smedira NG, Evans BH, Grais LS, et al. Withholding and withdrawal of life support from the critically ill. N Engl J Med 1990;322:309-15.

73 Silveira MJ, Kim SY, Langa KM. Advance directives and outcomes of surrogate decision making before death. N Engl J Med 2010;362:1211-18.

74 Camhi SL, Mercado AF, Morrison RS, et al. Deciding in the dark: advance directives and continuation of treatment in chronic critical illness. Crit Care Med 2009;37:919-25.

75 Danis M, Patrick DL, Southerland LI, Green ML. Patients' and families' preferences for medical intensive care. JAMA 1988;260:797-802.

76 Fried TR, Bradley EH, Towle VR, Allore H. Understanding the treatment preferences of seriously ill patients. N Engl J Med 2002;346:1061-6.

77 Fried TR, O'Leary J, Van Ness P, Fraenkel L. Inconsistency over time in the preferences of older persons with advanced illness for life-sustaining treatment. J Am Geriatr Soc 2007;55:1007-14.

78 Fried TR, Byers AL, Gallo WT, et al. Prospective study of health status preferences and changes in preferences over time in older adults. Arch Intern Med 2006;166:890-5.

79 Detering KM, Hancock AD, Reade MC, Silvester W. The impact of advance care planning on end of life care in elderly patients: randomised controlled trial. BMJ 2010;340:c1345.

80 Connections of the National Hospice and Palliative Care Organization. Download your state's advance directives. Available at: http://www.caringinfo.org/i4a/pages/index.cfm?pageid=3289 (accessed 15 December 2012).

81 POLST Paradigm Program. Physician orders for life-sustaining treatment paradigm. Available at: http://www.ohsu.edu/polst/ (accessed 15 December 2012).

82 Tolle SW, Tilden VP, Nelson CA, Dunn PM. A prospective study of the efficacy of the physician order form

for life-sustaining treatment. J Am Geriatr Soc 1998;46:1097-102.

83 Lee MA, Brummel-Smith K, Meyer J, Drew N, London MR. Physician orders for life-sustaining treatment (POLST): outcomes in a PACE program. Program of All-Inclusive Care for the Elderly. J Am Geriatr Soc 2000;48:1219-25.

84 Gillick MR. Reversing the code status of advance directives? N Engl J Med 2010;362:1239-40.

85 Perkins HS. Controlling death: the false promise of advance directives. Ann Intern Med 2007;147:51-7.

86 Tulsky JA. Beyond advance directives: importance of communication skills at the end of life. JAMA 2005;294:359-65.

87 Shalowitz DI, Garrett-Mayer E, Wendler D. The accuracy of surrogate decision makers: a systematic review. Arch Intern Med 2006;166:493-7.

88 Jubran A, Lawm G, Kelly J, et al. Depressive disorders during weaning from prolonged mechanical ventilation. Intensive Care Med 2010;36:828-35.

89 Chang VT, Thaler HT, Polyak HT, Kornblith AB, Lepore JM, Portenoy RK. Quality of life and survival. Cancer 1998;83:173-9.

90 Covinsky KE, Kahana E, Chin MH, Palmer RM, Fortinsky RH, Landefeld CS. Depressive symptoms and 3-year mortality in older hospitalized medical patients. Ann Intern Med 1999;130:563-9.

91 Gelinas C, Fortier M, Viens C, Fillion L, Puntillo K. Pain assessment and management in critically ill intubated patients: a retrospective study. Am J Crit Care 2004;13:126-35.

92 Schmidt M, Demoule A, Polito A, et al. Dyspnea in mechanically ventilated critically ill patients. Crit Care Med 2011;39:2059-65.

93 Cox CE, Docherty SL, Brandon DH, et al. Surviving critical illness: acute respiratory distress syndrome as experienced by patients and their caregivers. Crit Care Med 2009;37:2702-8.

94 Herridge MS, Tansey CM, Matte A, et al. Functional disability 5 years after acute respiratory distress syndrome. N Engl J Med 2011;364:1293-304.

95 Adhikari NK, McAndrews MP, Tansey CM, et al. Self-reported symptoms of depression and memory dysfunction in survivors of ARDS. Chest 2009;135:678-87.

96 Adhikari NK, Tansey CM, McAndrews MP, et al. Self-reported depressive symptoms and memory complaints in survivors five years after acute respiratory distress syndrome. Chest 2011;140:1484-93.

97 Davydow DS, Desai SV, Needham DM, Bienvenu OJ. Psychiatric morbidity in survivors of the acute respiratory distress syndrome: a systematic review. Psychosom Med 2008;70:512-19.

98 Davydow DS, Gifford JM, Desai SV, Bienvenu OJ, Needham DM. Depression in general intensive care unit survivors: a systematic review. Intensive Care Med 2009;35:796-809.

99 Boyle M, Murgo M, Adamson H, Gill J, Elliott D, Crawford M. The effect of chronic pain on health related quality of life amongst intensive care survivors. Aust Crit Care 2004;17:104-6, 8-13.

100 Payen JF, Bru O, Bosson JL, et al. Assessing pain in critically ill sedated patients by using a behavioral pain scale. Crit Care Med 2001;29:2258-63.

101 Gelinas C, Harel F, Fillion L, Puntillo KA, Johnston CC. Sensitivity and specificity of the critical-care pain observation tool for the detection of pain in intubated adults after cardiac surgery. J Pain Symptm Manage 2009;37:58-67.

102 Herr K, Coyne PJ, Key T, et al. Pain assessment in the nonverbal patient: position statement with clinical practice recommendations. Pain Manag Nurs 2006;7:44-52.

103 Campbell ML, Templin T, Walch J. A Respiratory Distress Observation Scale for patients unable to self-report dyspnea. J Palliat Med 2010;13:285-90.

104 Chang VT, Hwang SS, Kasimis B, Thaler HT. Shorter symptom assessment instruments: the Condensed Memorial Symptom Assessment Scale (CMSAS). Cancer Invest 2004;22:526-36.

105 Bruera E, Kuehn N, Miller MJ, Selmser P, Macmillan K. The Edmonton symptom assessment system (ESAS): a simple method for the assessment of palliative care patients. J Pall Care 1991;7:6-9.

106 Melzack R. The short-form McGill Pain Questionnaire. Pain 1987;30:191-7.

107 Dorman S, Byrne A, Edwards A. Which measurement scales should we use to measure breathlessness in palliative care? A systematic review. Palliat Med 2007;21:177-91.

108 Chochinov HM, Wilson KG, Enns M, Lander S. 'Are you depressed?' Screening for depression in the terminally ill. Am J Psych 1997;154:674-6.

109 Needham DM, Davidson J, Cohen H, et al. Improving long-term outcomes after discharge from intensive care unit: Report from a stakeholders' conference. Crit Care Med 2012;40:502-9.

110 Azoulay E, Pochard F, Kentish-Barnes N, et al. Risk of post-traumatic stress symptoms in family members of intensive care unit patients. Am J Respir Crit Care Med 2005;171:987-94.

111 Paparrigopoulos T, Melissaki A, Efthymiou A, et al. Short-term psychological impact on family members of intensive care unit patients. J Psychosom Res 2006;61:719-22.

112 Jones C, Skirrow P, Griffiths RD, et al. Post-traumatic stress disorder-related symptoms in relatives of patients following intensive care. Intensive Care Med 2004;30:456-60.

113 Douglas SL, Daly BJ, O'Toole E, Hickman RL, Jr. Depression among white and nonwhite caregivers of the chronically critically ill. J Crit Care 2010;25:364 e11-19.

114 Im K, Belle SH, Schulz R, Mendelsohn AB, Chelluri L. Prevalence and outcomes of caregiving after prolonged (> or = 48 hours) mechanical ventilation in the ICU. Chest 2004;125:597-606.

115 Cameron JI, Herridge MS, Tansey CM, McAndrews MP, Cheung AM. Well-being in informal caregivers of survivors of acute respiratory distress syndrome. Crit Care Med 2006;34:81-6.

116 Choi J, Donahoe MP, Zullo TG, Hoffman LA. Caregivers of the chronically critically ill after discharge from the intensive care unit: six months' experience. Am J Crit Care 2011;20:12-22; quiz 3.

117 Schulz R, Beach SR. Caregiving as a risk factor for mortality: the Caregiver Health Effects Study. JAMA 1999;282:2215-9.

118 Douglas SL, Daly BJ, Kelley CG, O'Toole E, Montenegro H. Impact of a disease management program upon caregivers of chronically critically ill patients. Chest 2005;128:3925-36.

119 Goldsmith B, Dietrich J, Du Q, Morrison RS. Variability in access to hospital palliative care in the United States. J Palliat Med 2008;11:1094-102.

120 Center to Advance Palliative Care. Growth of palliative care in US hospitals-2011 snapshot. Available at: http://www.capc.org/news-and-events/releases/capc-growth-snapshot-2011.pdf (accessed 15 December 2012).

121 Angus DC, Barnato AE, Linde-Zwirble WT, et al. Use of intensive care at the end of life in the United States: An epidemiologic study. Crit Care Med 2004;32:638-43.

122 Norton SA, Hogan LA, Holloway RG, Temkin-Greener H, Buckley MJ, Quill TE. Proactive palliative care in the medical intensive care unit: effects on length of stay for selected high-risk patients. Crit Care Med 2007;35:1530-5.

123 O'Mahony S, McHenry J, Blank AE, et al. Preliminary report of the integration of a palliative care team into an intensive care unit. Palliat Med 2010;24:154-65.

124 Campbell ML, Guzman JA. Impact of a proactive approach to improve end-of-life care in a medical ICU. Chest 2003;123:266-71.

125 Morrison RS, Penrod JD, Cassel JB, et al. Cost savings associated with US hospital palliative care consultation programs. Arch Intern Med 2008;168:1783-90.

126 Higginson IJ, Finlay I, Goodwin DM, et al. Do hospital-based palliative teams improve care for patients or families at the end of life? J Pain Symptom Manage 2002;23:96-106.

127 Brumley RD, Enguidanos S, Cherin DA. Effectiveness of a home-based palliative care program for end-of-life. J Palliat Med 2003;6:715-24.

128 Brumley R, Enguidanos S, Jamison P, et al. Increased satisfaction with care and lower costs: results of a randomized trial of in-home palliative care. J Am Geriatr Soc 2007;55:993-1000.

129 Rabow MW, Dibble SL, Pantilat SZ, McPhee SJ. The comprehensive care team: a controlled trial of outpatient palliative medicine consultation. Arch Intern Med 2004;164:83-91.

130 Yennurajalingam S, Urbauer DL, Casper KL, et al. Impact of a palliative care consultation team on cancer-related symptoms in advanced cancer patients referred to an outpatient supportive care clinic. J Pain Symptm Manage 2011;41:49-56.

131 Temel JS, Greer JA, Muzikansky A, et al. Early palliative care for patients with metastatic non-smallcell lung cancer. N Engl J Med 2010;363:733-42.

Chapter 06

중증질환 발병 이후 회복 패턴

니샨트 K. 세카란, 테오도르 J. 이와쉬나
(Nishant K. Sekaran and Theodore J. Iwashyna)

서론

중환자실의 생존율이 개선되고,[1] 사회로 복귀하는 중환자실 생존자의 수가 늘어나면서 중증질환 이후 잘 지낸다는 것이 무엇을 의미하는지에 대한 의문이 제기되었다.[2] 중환자의학 전문가들이 주지하고 있듯이, 또 환자나 가족이 이해하게 된 것처럼, 생존은 중증질환 이후 잘 살기 위한 필요조건이기는 하나 충분조건은 아니다. 생존자는 중증질환 발병으로 인해 상당한 신체적, 인지적, 정신적 합병증을 겪는다.[3,4] 본 장에서는 중환자실 생존자의 신체적 기능, 즉 신체적 기능감퇴와 회복과정에 대해 이미 잘 알려져 있는 바와 우리가 미처 알지 못했던 내용에 대해 주로 논의하고자 한다. 개념을 개략적으로 살펴보고, 그 과정에서 의료인들이 관련 문제를 개념화하여 이러한 위험환자군의 신체적 회복을 촉진하는 전략을 수립하도록 돕고자 한다.

개념적 접근법

최근 연구에 따르면 중증질환 생존자는 매칭된 일반대조군과 비교할 때 신체기능 장애를 겪는 비율이 높다.[5] 이 연구에서 중증질환이 신체기능저하를 초래했는지를 밝히지는 않았지만 중증질환 생존자가 신체기능저하와 관련하여 장기적인 필요가 충족되지 않는다는 사실을 부정할 수는 없다. 중환자치료팀과 보건의료시스템은 생존자의 치료결과를 개선할 수 있는 새로운 기회와 동시에 전문 의료인으로서 의무를 모두 가지고 있는 셈이다.

많은 중환자실 환자, 특히 노인 환자의 경우 중증질환 이전에 이미 기능저하가 점진적으로 진행되었을 수도 있다. 중증질환이 발병하면 급성질환과 입원치료 과정에서 격심한 기능저하가 발생한다. 이후에는 점진적인 회복과 적응기간이 따라온다. 이때는 회복이 눈에 띌 만큼 진행되기도 한다. 회복기간이 중요하다. 노인학 연구에 따르면 급성기입원치료 이후 18-24개월까지 기능회복이 지속된다고 한다.[6,7] 스페인의 중환자실 노인증후군 환자[8]와 캐나다의 급성호흡곤란증후군 환자의[9] 경우에도 회복 기간이 최소 1년 이상으로 긴 것으로 확인되었다. 1-2년의 회복기간이 마무리되면 새로운 기저치와 궤적이 마련된다. 아직은 이해가 부족한 회복 역학에 대해 모두 알게 된다면 중증질환의 1차적 손상의 수준; 회복이 진행되는 기울기, 기간, 조정가능성; 새로운 안정기의 최종 수준; 환자가 중증질환 이후 이전과는 다른 궤적에 놓이게 되는지 여부 등을 알 수 있게 될 것이다. 이러한 각각의 지점이 개입지점이 될 수도 있다.

그러나 이 모델만 가능한 것은 아니다. 최근 Woon 등은 병원 퇴원과 이후 6개월 사이 인지기능의 궤적에 관한 놀라운 자료를 발표했다.[10] 많은 환자가 일시적 저하 경로를 따르는 것으로 나타났으며, 이를 "빅히트" 모델이라고 칭하기로 한다(그림 6-1 참조).[11] 중요한 것은 이들 저자가 다른 두 개의 궤적도 존재함을 보여준 것이다. 첫째, 식별할 만한 손상이 없는 환자집단-예상하지 못한 것은 아니지만 간과해왔던 것이 사실이다-도 존재한다는 것을 보여주었다. 둘째, 퇴원 당시에는 정상인 것으로 보였으나 6개월 후 추적 조사에서 상당한 인지저하를 겪는 환자집단이 존재하였다. 이러한 환자집단은 "진행성 저하", "느린 연소", "후발손상" 표현형이라고 할 수 있다. 이들 자료는 "재발성 회귀" 궤적과 일맥상통하지만 Woon 등의 연구에는 진행성 저하와 재발성 회귀를 구별할 수 있는 어떤 적정시기에 대한 정보가 없다. 안타깝게도 이러한 궤적이 다른 인구집단이나 결과에서 관찰되는 상대적 빈도에 대한 정보도 없다. 임상시험의 설계와 예후진단에 대해 이러한 궤적이 시사하는 바가 매우 클 텐데도 말이다. 빅히트라는 핵심 모델을 중심으로 이번 연구를 수행하였지만, 이 밖에도 다른 회복궤적의 상대적 중요성, 결정인자 등에 관한 경험적 연구가 절실하다.

세계보건기구(WHO)의 국제기능장애건강분류(ICF)는 중증질환이 신체적 기능에 어떠한 영향을 미치는지, 신체적 기능의 변화가 어떻게 개인에게 직접적으로 영향을 미칠 수 있는지, 중증 치료 서비스가 신체적 기능과 중증질환 생존자의 장기적 궤적에 미치는 영향을 어떻게 최적화할 수 있는지에 대해 통일된 틀을 제공한다. 여기에서는 '인간의 기능과 장애를 다양한 건강상태와 환경, 개인의 전후관계 요인 사이의 역동적인 상호작용의 산물'이라고 기술하였다. 국제기능장애건강분류에서는 (1) 조직손상, 즉 '중대한 변형과 손실 등 신체기능이나 구조의 문제'(예; 폐포구조의 변형과 폐기종의 기능적 역량), (2) 활동제약, 즉 물건을 들어올릴 수 없는 등 '인간이 활동을 할 때 겪게 되는 어려움' (3) 참여제한, 즉 '실생활의 활동 참여 시 경험하게 되는 어려움

'(예; 개인생활관리나 사회적 참여가 어렵다) 등 3개의 주요 영역으로 구분하였다. 이러한 개념적 접근법에 대해 미국의학연구소는 (4) 삶의 질로 자연스럽게 확장된다고 하였다.[11-13] 국제기능장애건강분류에서는 개인적 요인(예; 연령, 성별, 인종)과 환경적 요인(예; 지역사회의 태도, 환자-의료기관의 상호작용) 등의 맥락상의 요소가 영역 내 영역간의 관계를 조율한다고 하였다.

여기에서는 국제기능장애건강분류의 세 가지 영역과 시간의 경과에 따른 이러한 영역의 변화에 대해 논의하고자 한다. 급성호흡곤란증후군은 중증질환 중에서도 많은 정보가 존재하는 질환이다. 이에 대해서는 많은 연구가 수행되었다. 본 장에서는 그간 수행된 수많은 우수한 논문을 종합적으로 살펴보는 대신 주요점을 설명하는데 도움이 될만한 내용을 선별적으로 살펴보도록 한다.

조직손상

폐

급성호흡곤란증후군은 가스교환의 심각한 급성변화로 정의할 수 있다. 미만성폐포손상이 일어나는 병태생리에 대해서는 다른 문헌에 자세히 설명되어 있다.[14,15] 그렇다면 급성호흡곤란증후군에서 급성폐기능 저하의 정도는 중증질환 중 발생하는 조직손상의 본질적인 무엇이라기보다는 증후군 정의의 결과라고 볼 수 있다. 실제로 가스교환 장애는 중환자실 입원에 필연적인 장기부전 중 하나이며, 따라서 가장 일반적인 정의에서 중증질환의 상태가 되는 것이다.

하지만 급성호흡곤란증후군의 회복은 정의에서 규정되어 있지 않다. 급성호흡곤란증후군 생존자는 비의존 폐구역(non-dependent lung zone)의 국소적 변화, 인공호흡기로 인한 폐손상과 연관이 있다고 볼 수 있는 섬유화변화 등 영상의학적 이상이 발생하기도 한다.[9] 급성호흡곤란증후군의 장기후유증은 비가역적인 폐섬유화증과 관련이 있는 것으로 추정된다. 폐의 조직과 기능의 변화로 인해 일산화탄소의 확산능력이 지속적으로 저하될 수 있다. 하지만 폐기능 이상의 대부분은 1년 안에 정상화된다.[16,17] 이후 남게 되는 폐의 변화가 신체기능과 삶의 질을 장기적으로 변화시키는 정도에 대해서는 논의가 진행되고 있다. 다만 생존자에게 폐의 문제가 핵심적인 문제가 아니라는 것은 분명하다.[18-20] 이를 통해 몇 가지 주요사항을 설명할 수 있다. 첫째, 중환자실과 중환자실 퇴원 직후 가장 눈에 띄는 손상이 충분히 오랜 기간 추적조사를 수행할 경우 회복이 가능한 정도를 제대로 예측해내지는 못한다. 둘째, 급성기에 즉각적으로 나타나는 손상이 장기적 문제를 야기하는 주요 원인이 아닐 수 있다. 셋째, 기초적인 조직손상일지

그림 6-1. **중증질환 회복단계, 대안모델**

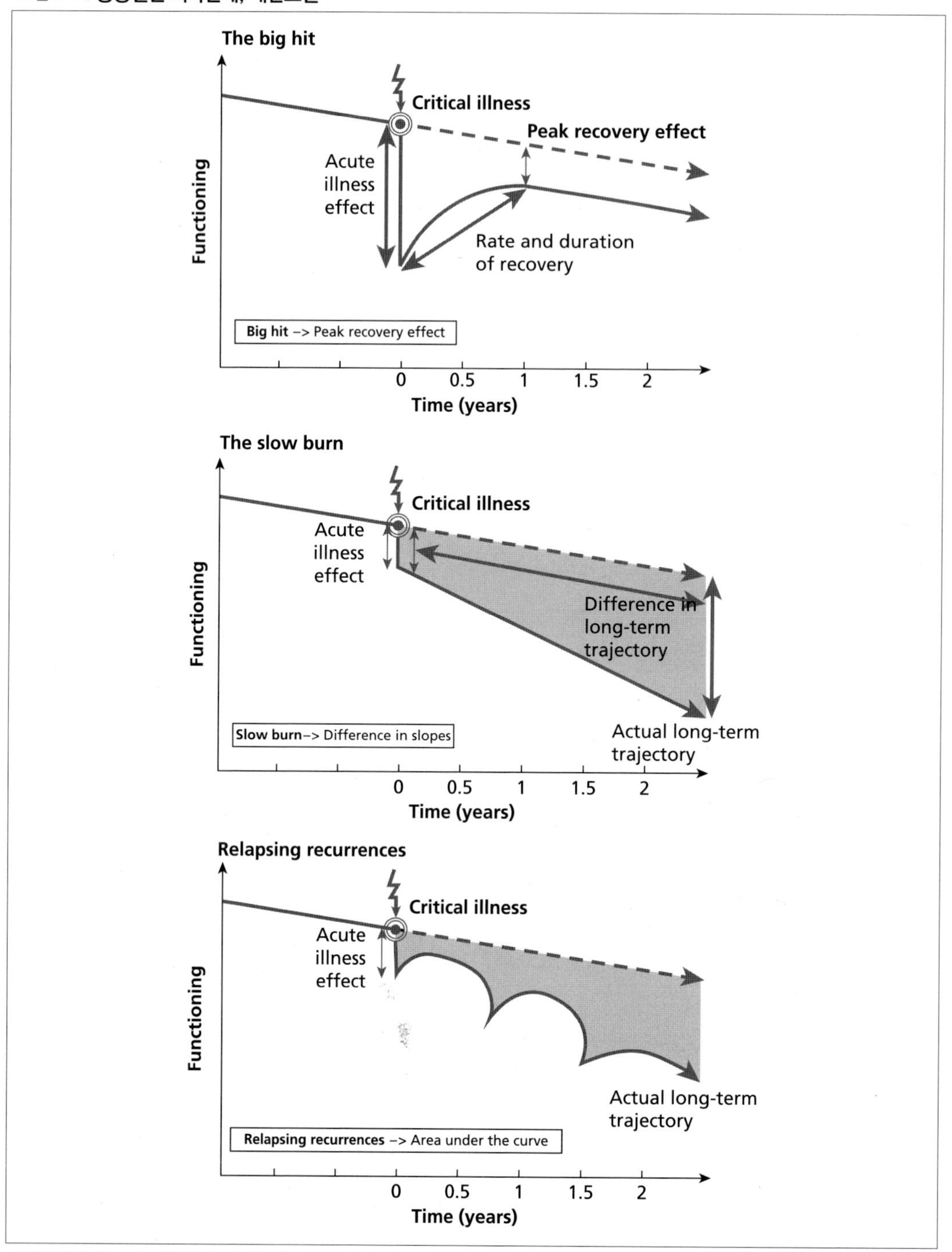

원형적 회복궤적. 중증질환에서 연장되어 있는 상단의 회색선은 환자에게 중증질환이 발생하지 않았을 경우 예상할 수 있는 기능의 궤적을 가정하여 표시한 것이다.

Iwashyna TJ의 Trajectories of recovery and dysfunction after acute illness, with implications for clinical trial design. American Journal of Respiratory Critical Care Medicine, 186(4): 302-304, copyright 2012를 미국흉부학회의 승인을 받아 수록.

라도 장기결과에 대한 연구를 수행할 경우 질병에 대한 인류의 이해를 완전히 뒤바꾸어놓을 예상 밖의 결과가 나올 수 있다. 조직손상의 장기결과에 대한 연구 결과 급성호흡곤란증후군의 장기결과에 대한 이해가 초기의 폐중심의 관점에서 신경근육으로 옮겨갔다.

신경근육손상

신경과 근육조직 손상에 관한 연구들은 급성호흡곤란증후군, 패혈증과 같은 질병을 겪고 있는 다양한 환자표본을 평가한다. 신경과 근육손상은 공존하는 경우가 많으나 논문에서 일관성 있는 정의를 찾기 어렵고, 임상적으로 구별하기가 힘들다. 이러한 점을 감안한다면 '중증질환'과 '신경근육손상'에 대해 논하지 않을 수 없다. 신경근육손상은 '중증 CIP와 CIM'으로 불리기도 한다.[21,22] 하지만 이러한 증상은 대체로 함께 나타나며, 따라서 일부에서는 보다 일반적인 용어가 필요하다며 다양한 대안이 제기되기도 한다.[23] 이는 일차적인 준거기준이 기저가 되는 조직손상의 신경생리학적 표현인지 아니면 임상적 발현인지에 대한 논란을 반영하고 있으며,[24] 평가에서 병력과 진찰 vs. 근전도검사, 신경전도검사, 근육생검의 적절한 역할에 관한 갈등과 일맥상통한다.

중환자의 신경손상과 근육손상은 중증질환 발병 직후 흔히 관찰된다고 본다.[25] 손상이 발생하면 인공호흡기 이탈이 어려워지고, 중증질환 발생 후 수일에서 수 주일 사이에 확인 가능한 다른 원인 없이 사지약화, 마비 등이 나타난다.[22] 1,421명의 중환자를 대상으로 실시한 24건의 연구를 체계적으로 분석한 결과 신경손상이나 근육손상(CINMA로 분류)의 유병률은 46%였다. 각각의 연구에 따라 CINMA 평가 시기는 달랐지만 대부분이 중환자실 입원이나 기계환기 시행 1-2주 사이였다. 대상 환자는 내과 중환자실, 외과 중환자실, 신경과 중환자실에 입원한 환자로 중증 패혈증이나 패혈성 쇼크, 다발성장기부전이 발생하였고, 기계환기를 시행하였다. 과거 신경근육 관련 병력이 있는 환자는 분석대상인 20건의 연구에서 배제되었다. 신경손상이나 근육손상이 나타난 46%의 환자 중 약 7.8%가 CIP, 7.5%가 CIM, 6.7%가 CIM/CIP가 발생했고, 77.6%는 미분류 신경근육 이상이 나타났다.[26] 이러한 분류는 각각의 연구에서 채택한 전기생리학 분석기준에 따른 것이다. 여기에서 유의해야 할 점은 각각의 연구마다 CINMA와 그 하위유형에 대해 다른 기준을 가지고 있다는 점이다.

환자마다 신경근육결과에 차이가 존재한다는 점에서 이러한 차이가 그 정의 때문인지, 환자의 진단명, 중환자실 치료 관행, 기타 자연적인 다양성 때문인지는 명확하지 않다. 신경조직과 근육조직 손상의 병리생리학을 설명하려는 노력은 지속되고 있다. 이러한 손상이 대사, 감염, 생체에너지의 교란 때문이라는 것이 일반적인 의견이다.[25] 이렇게 다양한 손상이 나타나는 것은 중환자실치료후증후군에서 손상의 기전이 다양한 것과 일치한다.

조직의 경우 폐와는 달리 신경근육구조 회복에 관한 자세한 정보는 알 수 없다. 중환자실 퇴원 후에는 정기적인 전기생리검사와 근육생검을 시행하지 않는다. 이러한 자료가 있는 연구의 경우 표본 사이즈가 상대적으로 작고 선택 편향(bias)이 존재하는 경우가 많다. 일반적으로는 CIP, CIM 관련 사지와 횡격막 약화가 수개월에서 수년간 지속될 수도 있다. CIP가 CIM에 비해 예후가 좋지 않다. Guarneri와 연구진은 이탈리아에서 중환자실 퇴원 당시 CIP나 CIM이 있었던 중증질환 생존자 15명에 대한 1년간의 전향적인 추적조사에서 CIM 환자 6명 중 5명이 3–6개월 사이에 완전히 회복(임상검사, 전기진단검사)하였지만, CIP나 CIP/CIM 환자는 7명 중 2명만이 1년 사이에 회복하였다고 보고하였다.[27] 토론토의 급성호흡곤란증후군 생존자 코호트 연구에서 환자 모두가 12개월에 기능저하가 있다고 응답하였고 일차적으로는 전신근육위축, 근위근육약화, 피로 때문이라고 보았다. Angel과 연구진은 해당 코호트에 대한 소규모 추적조사에서 생존자 16명의 신경근육 기능을 평가하였다. 이들 생존자는 중환자실 입원 중 명백한 마비가 나타나지는 않았지만 중환자실 퇴원 이후 6–24개월 사이 기능제약이 나타났고 비정상적인 운동검사소견이 있었다. 16명의 환자 중 7명에게는 압박성 단일신경병증이 나타났다(신경진단검사는 음성); 4명이 근육생검에 동의하였고 구조적으로 비특이적 변화를 보였다.[28] 이들 환자에서 회복의 시간경로에 관한 일정한 패턴을 찾을 수 없었다.

이러한 조직손상은 관심의 대상이기는 하나 생리적 손상이 활동제한이나 참여제약과 항상 상관관계에 있는 것은 아니다.[29] 예를 들어 환자의 심장박출계수가 환자의 운동능력이나 일상생활의 활동성에 영향을 미치기는 하나 이를 결정하지는 않는다. 따라서 다음에서는 중증질환 이후 장애 회복 패턴에 대해 다루고자 한다.

활동제약과 참여제한

중증질환에서 관찰되는 조직손상은 중환자실이라는 치료환경을 벗어나서도 분명히 영향을 끼친다. 최근 발표된 획기적인 연구활동의 결과를 살펴보면 중증질환과 활동제한, 참여제약 간에 일관된 연관성을 보여주고 있다. 이러한 종단연구의 상당수가 장기간 소수의 표본을 추적 조사하여 중환자가 상응하는 인구집단과 어떻게 다른지를 관찰하였다. 표본의 크기가 작다는 것 외에도 이러한 코호트 연구 대부분이 갖고 있는 가장 큰 제약은 중증질환 발병 이전 이들 중환자의 신체능력에 대한 자료가 존재하지 않거나 편파적이라는 점이다.[30,31] 실증적 사례라는 점에서 급성호흡곤란증후군과 패혈증 환자의 활동제약과 참여제한에 대한 연구논문을 살펴보고자 한다.

급성호흡곤란증후군

급성호흡곤란증후군은 특히 임상적으로 다양성을 확보하고 있고 다른 임상적 증상과 병인학적으로 중복된다는 점에서 중증질환의 장기 효과를 평가하는 전형으로 활용되어 왔다.[32,33] 급성호흡곤란증후군 발병 직후 일반적으로 활동 제약이 새로이 발생한다. Hopkins와 연구진은 급성호흡곤란증후군 생존자에 대한 코호트 연구에서, 퇴원 당시 SF-36 건강결과질문지로 측정한 신체기능과 신체역할이 연령과 성별이 같은 일반인구집단의 표준과 비교할 때 75% 이상 저하되었다고 하였다. Schweickert 등이 수행한 무작위시험에서 기계환기를 시행한 환자의 조기 재활에 대한 평가에서 65%가 퇴원 당시 독립적 기능(다섯 가지 일상생활능력의 독립성과 도움 없는 보행)을 회복하지 못했다. 연구대상 환자들은 모두 입원 당시에는 독립적 기능이 가능하였다.[34]

급성호흡곤란증후군 환자의 신체기능회복은 서서히 진행되고 완전하게 회복되지 않는다. Angus와 연구진은 폐 이외 장기기능장애나 패혈증이 나타나지 않은 급성호흡곤란증후군 환자에 대한 두 연구를 통해, 신체기능과 관련 증상에 대한 종합적인 측정(웰빙 점수) 결과 이들 환자의 추정치가 일반인구집단에 비해 상당히 낮고 6개월과 12개월 사이에 근소한 차이만이 존재한다는 점을 발견하였다.[35,36] 두 연구 중 하나에서 급성호흡곤란 증후군 환자군의 웰빙 점수가 낭포성섬유증 대조 환자군보다도 낮았다.[35] Dowdy와 연구진은 13건의 급성호흡곤란증후군 연구를 체계적으로 검토한 후 여러 연구결과를 통해, SF-36을 포함하여 다양한 건강측정도구를 활용하여 측정한 급성호흡곤란증후군 생존자의 신체기능이, 상응하는 인구대조군과 비교할 때 지속적으로 낮았다는 점을 발견하였다.[32] SF-36을 활용한 5건의 연구에서는 퇴원 이후 6개월부터 4년까지 생존자를 평가하면서 시기와 상관없이 만성울혈성심부전 준거집단과 유사한 정도로 신체기능점수가 저하되었다는 점을 보여주었다.[3,5,17,20,37,38] 각 연구의 표본이 상대적으로 작기는 했지만 미국, 독일, 캐나다에서 추출한 환자 모두에게 일관된 점수결과가 나왔다.

Herridge 등이 캐나다 토론토의 급성호흡곤란증후군 생존자를 대상으로 수행한 5년 코호트 분석에서 회복의 속도와 기간, 이들 환자의 장기 궤적에 대한 자세한 관찰결과를 확인할 수 있다. 연구대상 코호트는 상대적으로 젊었고(평균연령 44세), 주로 폐렴, 패혈증, 외상/화상으로 인해 급성호흡곤란증후군이 발병하기 전에는 만성질환 유병률이 낮았다. 논문의 저자는 SF-36의 자가보고 건강결과에 환자일지, 자세한 임상적 평가, 폐영상검사, 기능검사, 가족 면담, 치료기록 등의 정보를 보충하였다. 특히 관심이 집중되었던 사항은 폐기능이 6-12개월까지 대체로 회복되는 반면, 최소 5년간 6분간 보행 검사와 SF-36의 신체기능 영역을 포함한 신체기능 지수는 성별과 연령에 상응하는 기준치보다 매우 낮았다(각각의 기준보다 76%, 1-표준편차 낮았다).[4] 젊은 환자(52세 미만)와 보다 빨리 회복된 환자는 신체적 회복도 우수한 듯하였지만 예측된 연령 기준에 도달한 환자는 단 한 명도 없었다. 예상과는 달리 입원기간, 인공호흡기 의존일수, 근이완제 사용, 글루코코르티코이드 사용 등 입원치료의 특징이 신체기능 지수의 차이를 설명하지 못했다.

토론토의 급성호흡곤란증후군 코호트 연구는 신체활동제약과 사회참여 간의 연결고리를 설명하였다. 코호트의 신체기능 회복은 대부분 첫 2년 사이에 이루어졌고 이후에는 안정되었다. 병상에서의 근육강도검사에서 눈에 띌 만큼 부족한 결과를 보인 환자는 없었지만 거의 모든 환자가 급성호흡곤란증후군 발병 이전 수준의 신체활동을 하거나 격한 운동을 할 수는 없다고 하였다. 5년 후 응답자의 77%는 직장으로 복귀했고 이 중 94%는 원래의 직무로 복귀하였다. 과정은 점진적으로 이루어졌으며 고용주, 보험회사, 연구담당자의 지지가 필요했다. 다시 말해 이러한 연구결과는 사회적 장애(일자리를 유지할 능력 등)의 변화가 단순히 측정가능한 조직손상의 결과가 아니고, 이러한 조직의 손상과 환자가 살고 기능하는 (조절가능한) 사회간의 상호작용의 결과라는 점을 강조한다. Schelling과 연구진은 독일의 급성호흡곤란증후군 생존자 코호트에 대한 5년 간의 관찰연구에서 유사한 결과를 확인했다고 보고하였다.[20]

종단연구(longitudinal study)로 변화를 평가할 때 중요한 사항은 발병 이전의 개인의 궤적을 밝힐 수 있어야 한다는 것이다. 이러한 정보를 얻기 위해서는 때로 환자의 무작위표본에서 기능적 정보를 수집할 수 있어야 한다. 미국을 대표할만한, 장기적 변화를 관찰할 수 있는 메디케어 가입자 코호트의 자료(메디케어 가입자설문조사, MCBS)를 활용하여 Barnato와 연구진은 중증질환(기계환기의 시행여부로 중증질환 판단)이 노인 중증질환 생존자의 장애에 미치는 장기적인 영향을 평가하였다. 이들은 (1) 각 환자의 기계환기 시행 이전 신체기능과 인지기능의 기저치를 구할 수 있었고, (2) 기계환기를 시행하지 않은 일반 입원환자로 구성된 대조군을 마련할 수 있었다. 중증질환 발병 이전 기능의 궤적과 기타 임상적 공통변량을 통제하고 나니, 4년의 관찰기간 동안 기계환기 시행 환자의 경우 장애가 의미있는 증가를 보였다. 이 연구는 중증질환의 특정한 임상적 세부사항을 평가하거나 연구집단의 장애발생 증가의 기전을 평가하려고 수행된 것은 아니지만, 기계환기 이후 장애라는 효과는 단순히 이미 장애를 겪는 환자가 호흡부전이라는 '선택'을 한 결과가 아니라는 것을 보여주는 중요한 과학적 증거를 제공하였다.[39] 실제로 기계환기 생존자는 입원 전 기능장애와 활동성 점수에서 기계환기를 시행하지 않았던 입원환자 집단과 유사하였다. 회복기간을 도표화하기에는 시간척도가 지나치게 드문드문한 감이 있지만 회복 이후에도 결함이 지속된다는 것을 보여주기에는 충분하였다.

패혈증

패혈증은 급성호흡곤란증후군을 일으키는 주요 원인이지만 급성호흡곤란증후군보다 훨씬 더 빈번하게 발생한다. 최근 발표된 연구논문에서 중환자실 치료가 필요없는 중증 패혈증 환자일지라도 장기기능궤적의 변화 패러다임이 이들 환자들에게도 적용된다고 하였다. 급성기 환경에서 패혈증 환자는 전반적인 신체기능이 크게 저하되고, 회복에는 시간이 걸리며 최적으로 회복되지도 않는다. Hothuis와 연구진은[40] 네덜란드의 패혈증 환자의 장기 코호트 연구에서 입원 전(가족을 통해)과 퇴원 후 6개월 기간 동안 복수 시점에서 SF-36을 이용하여 자가보고된 건강척도를 평가하였다. 평균적으로 SF-36의 신체역할영역과 신체기능은 중환자실 퇴원 당시 기저치보다 낮았으며 그 이후 6개월 동안 다소 회복하였지만 여전히 기저치 아래에 머물렀다. 네덜란드의 일반인구 집단과 비교할 때 패혈증 생존자는 입원 전과 퇴원 후 6개월 시점 모두 SF-36 점수가 낮았고, 이는 장애가 있는 사람들이 패혈증에 걸릴 위험이 높다는 일반적인 임상적 직관과도 일맥상통한다. 저자는 발병 후 72시간 내에 보호자를 대상으로 조사를 실시함으로써 발생할 수 있는 측정오류를 해결하려고 하였다.[30,31,41] 측정과 관련된 문제가 없어지지는 않을지라도 엄중을 기하고자 했다.

전술한 연구와 기타 연구의 추적조사를 수행하면서 패혈증 문헌에서 뽑은 30건의 연구에 대한 체계적 검토를 통해 이들 인구집단의 회복 속도와 기간에 대한 정보를 얻을 수 있다. Winters와 연구진은 퇴원 3개월 이후 패혈증 생존자의 삶의 질 점수를 평가하였다. Hothuis 등의 연구와 마찬가지로 퇴원 6개월에 일반인구 집단의 기준과 비교할 때 신체기능과 신체역할영역에서 의미있는 저하가 관찰되었다.[42] 급성폐손상 등 중환자실에서 관찰되는 기타 동반질환에서 패혈증만의 효과를 가려내지는 못했다.

패혈증 생존자의 장기 궤적에 관한 정보가 계속 알려지고 있다. Iwashyna와 연구진은 대표적 노인인구 코호트(건강과 은퇴연구)에서 중증 패혈증 생존자의 장기 인지기능과 신체기능을 평가하였다. Barnato의 기계환기연구와 유사하게, 중증 패혈증 이전의 신체기능과 인지기능에 관한 예비 보고서를 포함시킴으로써 대리인에 의한 편향 또는 후향적 기능상태 보고의 편향이라는 문제를 해결하였다. 또한 패혈증 질환이 없는 일반 입원환자로 구성된 비교집단도 마련하였다. 상기 연구의 코호트는 중증 패혈증으로 인해 입원한 노인(평균연령 76.9세)이다. 패혈증 이전 기능의 기저치에 따라 보정하고 나니, 다양한 인구통계상의 임상적 특징과는 별개로 패혈증 생존자 사이에서 인지저하와 신체기능 제약의 발생률이 유의미하게 높게 나왔다. 발병 전 기능 제약이 없었던 환자는 일상생활수행능력(ADL)/수단적 일상생활수행능력(IADL)에 1.57의 새로운 신체적 제약이 발생하였고, 기저치에서 이미 제약이 있었던 환자는 평균 1.50의 새로운 제약이 발생하였다. 또한 패혈증 발병 전 기능제약이 있었던 환자는 중증 패혈증 이후의 궤적에서 통계적으로 유의미하고 임상적으로도 의미가 있는 악화를 경험했으며 추가 장애가 발생하는 비율도 증가하였다. 활동제약과 참여제한은 다양한 활동에서 발생하였고, 기계환기와 무관하였다. 마찬가지로 중등도 이상의 인지손상 발생도 증가하였다. 생존자 사이의 이러한 변화는 최소 8년간 지속되었고 다양한 민감도 분석에서 분명히 나타났다.[43]

신체기능 회복의 기전

신체기능손상이라는 문제가 중환자치료에만 존재하는 것은 아니다. 실제로 신체기능손상은 노인학과 뇌졸중 치료 관련 임상지식의 핵심적인 내용이다. 이러한 환자집단은 국제기능장애건강분류의 여러 영역 사이를 이동하는 정도나 속도가 매우 다양하였다. 관련 학문은 중증질환 관련 신체기능손상에 효과적으로 대처하는 데 많은 발전을 거둘 수 있었다. 이들 분야와 보건의료전달의 임상적 모델에 대한 연구에서는 급성기 치료환경에 재활을 도입함으로써 치료 과정과 임상적 결과를 개선할 수 있다고 한다. 초기 중환자실의 경험도 그러한 가능성을 보여준다.

노인학에서 긍정적 효과가 입증된 도구는 종합노인평가(the Comprehensive Geriatric Assessment, CGA)이다. 종합노인평가는 '통합된 치료계획을 수립하기 위해 쇠약한 노인의 의학적, 정신적, 기능적 능력을 평가하는 다차원적이고 다학제적 과정'이라고 정의한다.[44] 이러한 과정에는 (잠재적으로 복잡한) 환자를 위한 급성기 치료와 재활치료를 일관성 있게 수행할 수 있는 다학제치료팀의 구성, 전담 환자병동의 수립도 포함된다. 이러한 모델을 평가하기 위해 급성기 병원에서는 수많은 무작위시험이 수행되었다. 최근에는 Cochrane의 체계적 검토와 메타분석에서도 요약설명되었다.[45,46] 주요 결과를 살펴보면 종합노인평가 프로그램은 6개월과 12개월 추적조사(각각 NNT–17과 33)에서, 가정에서의 독립적 생활을 촉진하는 것으로 나타났다. 사망이나 기능악화(의존성 증가)를 종료시점(endpoint)으로 평가한 5건의 연구에서는 통계적으로 유의미한 장점이 있다고 하였다(NNT–17). 종합노인평가를 가장 쇠약한 환자집단에 적용한 연구에서는 독립적 생활의 결과에 가장 강력한 효과가 있는 것으로 나타났으며(NNT–6), 특히 중환자실에서 종합노인평가와 같은 개입을 하는 것도 바람직할 것이라는 결과가 나왔다. 종합노인평가가 급성기 치료를 위해 입원한 노인 환자에게 긍정적인 효과가 있다고는 하지만, 대상 환자 선정, 프로그램 개시 시점(급성기 vs. 급성기 이후), 외래환자 추적조사의 강도 등에 관한 의문점은 아직 해결되지 않았다. 복잡한 문제를 가진 환자를 평가하고 이에 개입하는 구조화된

다학제 접근법이 현재 중환자실 형태를 근본적으로 보완할 수 있을 것으로 보인다.

마찬가지로 뇌졸중 환자에 관한 무작위시험에서 얻은 근거자료를 살펴보면, 일반병동과 비교할 때 전문가의 지원을 받는 전문 뇌졸중 병동이 급성기와 재활단계 모두에서 과정 준수나 기능적 결과가 우수하였다.[47-49] 이러한 전문 병동은 충실도가 높은 기능평가가 가능하고, 다차원적으로 악화되는 것을 막기 위해 조기 개입을 할 수 있다는 장점을 가지고 있다. Indredavik과 연구진은 보행(mobilization)/재훈련까지의 기간 단축이 폐렴, 정맥 혈전색전증, 압박성 피부궤양, 기립성 저혈압 등 '병상 관련' 합병증을 줄이고 바람직한 심리적, 신체적 결과를 얻는 가장 중요한 변수라고 강조한다.[48]

오늘날 중환자치료 상황에서 환자를 위해 입증된 신체기능 평가도구의 적절한 사용이나 사용 시점에 관한 근거자료는 거의 존재하지 않는다.[50] 다만 이들 환자를 치료하는 의료기관에서는 합리적인 원칙과 경험에 입각하여 국제기능장애건강분류의 개념을 토대로 이러한 평가를 수행할 수 있을 것이다. 국제기능장애건강분류에서 중점적으로 강조하고 있는 바는 환자-환경의 상호작용, 특히 환자가 처한 환경이라는 관점에서 환자의 기능적 역량을 이해하자는 것이다. 일상생활수행능력, 수단적 일상생활수행능력(ADL에는 목욕하기, 옷 갈아입기, 식사하기, 앉기, 걷기, 화장실 이용하기 등이 있으며, IADL에는 일상용품 사러가기, 전화걸기, 버스 및 전철 타기, 가벼운 집안일 하기 등이 있다-역자주) 등 이러한 평가를 수행하기 위해서는 의사 이외의 물리치료사, 작업치료사의 도움이 필요하다. 이러한 집중평가와 적합한 교정계획의 수립은 전통적인 중환자치료 관행의 범위를 벗어나는 것으로 다학제팀 중심 치료, 복수 기관 간의 효율적인 의사소통, 다양한 보건의료 환경 간의 유기적이고 통합된 전달체계가 필요하다. 영국 국립보건임상연구원(NICE)은 최근 중환자실 환자의 재활을 위한 가이드라인에서 기능평가가 중환자치료 기간 중, 중환자실에서 퇴원 하기 전, 일반 병동으로 전실 이후, 병원 이외의 환경으로 퇴원 하기 전, 중환자치료 2-3개월 이후 등 다수의 시점에서 수행되어야 한다고 하였다.[50] 급성질환과 중증질환의 회복 과정에 관한 전술한 자료에 따르면 추적조사 기간을 늘리는 것도 합리적이다. 중환자실 보건의료 전달체계는 이러한 평가를 활성화하고, 통합장기추적조사체계(한국의 보건의료시스템에서는 구축되어 있지 않다-역자주)에 치료를 이관할 때 보완적인 관리계획을 이행할 수 있도록 설계되어야 한다.

실제로 바람직한 조치들이 취해졌다. 물리치료, 재활서비스를 일상적인 업무흐름에 통합시키는 등 중환자실의 조기활동프로그램에 초점을 맞추고자 하는 노력이 최근 경주되었다.[51-56] 이와 동시에 신경근육 및 인지적 합병증을 포함하여 중증질환의 신경학적 합병증과 진정제 사용의 부정적 효과에 대한 이해가 제고되었다.[57-59] 병원 의료진과 상호작용할 수 있고 기계환기가 필요함에도 불구하고 심폐기능이 안정된 일부 중환자실 환자에게 적용될 수 있다.

Scheweickert와 연구진은 무작위대조군연구를 수행하여 입원 전 기능적으로 독립적이었던 중증질환자 코호트에 대해 진정제 치료 중단 및 물리치료/작업치료의 효능을 평가하였다. 개입 환자는 진정제 치료는 중단하였으나 조기 물리치료/작업치료를 시행하지 않은 대조군 환자에 비해 퇴원 시 기능적으로 독립적일 확률이 높았고(59% vs. 35%, P=0.02), 28일째 추적조사에서 섬망발생 확률이 낮고 인공호흡기이탈기간(VFD)도 확인되었다.[34] 이러한 개입은 안전했고 환자도 잘 받아들였다. 전술한 물리치료/작업치료시행 환자 군에서 기관내삽관부터 첫 물리치료/작업치료까지의 기간은 1.5일이었고 대조군은 7.4일이었다. 개입군의 환자는 퇴원 당시 각각의 일상생활수행능력을 독립적으로 수행할 확률이 높았고, 평균적으로 대조 코호트에 비해 활동의 중요목표에 도달하기까지 소요된 시간도 약 50%가량 단축되었다. 혜택이 있음을 보여주는 증거를 독립적으로 입증한 연구도 수행되었다. 그 중에서도 Morris와 연구진은 중환자실 내 조기활동치료의 비무작위질개선연구에서 간호사와 물리치료사로 구성된 팀이 수행한 중환자실 활동 프로토콜을 시행할 경우 중환자실 환자의 물리치료에 대한 전반적인 수용도를 제고시키고, 병원 입원기간 단축, 퇴원 후 재입원률 하락과 관련이 있다는 결과를 발표하였다.

Schweickert의 연구에서는 병상에서의 근력측정이 두 집단에 부합한다는 점이 흥미롭다(MRC 근력검사, 손의 동력 측정). 두 집단의 차이가 국제기능장애건강분류의 손상영역보다는 활동제약 및 참여제한 영역에서 확인되었다. 이를 보면 환자가 초기 회복기 중환자실에서 재활을 하면 보다 빨리 회복의 궤적에 진입할 수 있다는 것을 알 수 있다. 초기 회복을 빨리 달성할 경우 장기적인 안정기로 이어질지 아니면 장기적으로는 어떠한 변화 없이 초기 회복의 역학만을 바꾸는지 여부를 판단할 수 있도록 장기적인 추적조사가 필요하다.[60,61]

중환자실에서 적합한 환자에게 조기 활동치료를 시행하는 것이 바람직하다는 증거와는 달리, 다기관 무작위대조군연구에서는 간호사가 이끄는 중환자치료 추적조사의 일환으로 환자주도의 물리치료 프로그램을 중환자실 퇴원 환자에게 권고하는 것이 '일반적인 치료'와 비교할 때 삶의 질, 효율성, 비용대비 효과 등에서 별다른 효용이 없는 것으로 보고되었다.[62] 물리치료의 최적기와 기간, 적응 중심의 작업치료 대비 활동성, 체력 중심의 물리치료의 중요성, 이들 프로그램이 향후 수개월, 수년 동안 신체기능과 기타 삶의 질 영역을 최적화할 것인지 여부 등을 가늠하기 위해서는 추가적인 연구가 필요하다. 현재로서는 재활적 개입은 이러한 개입을 해도 안전한 환자를 중심으로 중환자실에서부터 시작되는 것이 가장 바람직한 것으로 보인다.

결론

본 장에서는 중증질환 생존자에게 빈발하는 심각한 문제인 신체기능의 손상에 대해 살펴보았다. 급성호흡곤란증후군과 패혈증 등 중증질환과 관련된 신체지능의 저하와 회복의 패턴을 설명하기 위해, 시간경과라는 개념적 도구와 WHO의 국제기능장애건강분류를 활용하였다. 중증질환 생존자의 상당수가 짧게는 수개월부터 길게는 몇 년까지 지속되는 신체기능의 급격한 저하를 경험한다. 반면 회복은 더디고, 완전하게 회복되지 않으며, 개인의 행복과 사회참여에 지울 수 없는 흔적이 남기도 한다. 중증질환과 국제기능장애건강분류의 영역 사이에 인과관계가 있다는 것을 증명할 만한 정보가 부족하다고는 하나 중환자치료기관은 부정적인 기능결과를 개선하기 위한 노력을 게을리해서는 안될 것이다. 노인학과 뇌졸중에 관한 임상연구 결과와 최근 중환자치료 논문의 임상자료에 따르면 급성기 치료환경에 일찍부터 재활의 개념을 도입하는 것은 안전할 뿐만 아니라 이들 취약한 환자들의 신체기능을 효과적으로 개선할 수 있다.

참고문헌

1 Erickson SE, Martin GS, Davis JL, Matthay MA, Eisner MD. Recent trends in acute lung injury mortality: 1996-2005. Crit Care Med 2009;37:1574-9.

2 Iwashyna TJ. Survivorship will be the defining challenge of critical care in the 21st century. Ann Intern Med 2010;153:204-5.

3 Hopkins RO, Weaver LK, Collingridge D, Parkinson RB, Chan KJ, Orme JF, Jr. Two-year cognitive, emotional, and quality-of-life outcomes in acute respiratory distress syndrome. Am J Respir Crit Care Med 2005;171:340-7.

4 Herridge MS. Recovery and long-term outcome in acute respiratory distress syndrome. Crit Care Clin 2011;27:685-704.

5 Davidson TA. Reduced quality of life in survivors of acute respiratory distress syndrome compared with critically ill control patients. JAMA 1999;281:354-60.

6 Boyd CM, Landefeld CS, Counsell SR, et al. Recovery of activities of daily living in older adults after hospitalization for acute medical illness. J Am Geriatr Soc 2008;56:2171-9.

7 Boyd CM, Ricks M, Fried LP, et al. Functional decline and recovery of activities of daily living in hospitalized, disabled older women: the Women's Health and Aging Study I. J Am Geriatr Soc 2009;57:1757-66.

8 Sacanella E, Perez-Castejon JM, Nicolas JM, et al. Functional status and quality of life 12 months after discharge from a medical ICU in healthy elderly patients: a prospective observational study. Crit Care 2011;15:R105.

9 Herridge MS, Tansey CM, Matte A, et al. Functional disability 5 years after acute respiratory distress syndrome. N Engl J Med 2011;364:1293-304.

10 Woon FL, Dunn C, Hopkins RO. Predicting cognitive sequelae in survivors of critical illness with cognitive screening tests. Am J Respir Crit Care Med 2012;186:333-40.

11 Iwashyna TJ. Trajectories of recovery and dysfunction after acute illness, with implications for clinical trial design. Am J Respir Crit Care Med 2012;186:302-4.

12 Field MJ, Jette AM (eds). The future of disability in America. Washington, DC: National Academies Press (US); 2007.

13 Iezzoni LI, Freedman VA. Turning the disability tide: the importance of definitions. JAMA 2008;299:332-4.

14 Ware LB, Matthay MA. The acute respiratory distress syndrome. N Engl J Med 2000;342:1334-49.
15 Esteban A, Fernandez-Segoviano P, Frutos-Vivar F, et al. Comparison of clinical criteria for the acute respiratory distress syndrome with autopsy findings. Ann Intern Med 2004;141:440-5.
16 McHugh LG, Milberg JA, Whitcomb ME, Schoene RB, Maunder RJ, Hudson LD. Recovery of function in survivors of the acute respiratory distress syndrome. Am J Respir Crit Care Med 1994;150:90.
17 Herridge MS, Cheung AM, Tansey CM, et al. One-year outcomes in survivors of the acute respiratory distress syndrome. N Engl J Med 2003;348:683-93.
18 Heyland DK. Survivors of acute respiratory distress syndrome: relationship between pulmonary dysfunction and long-term health-related quality of life. Crit Care Med 2005;33:1549-56.
19 Orme J, Jr, Romney JS, Hopkins RO, et al. Pulmonary function and health-related quality of life in survivors of acute respiratory distress syndrome. Am J Respir Crit Care Med 2003;167:690-4.
20 Schelling G. Pulmonary function and health-related quality of life in a sample of long-term survivors of the acute respiratory distress syndrome. Intensive Care Med 2000;26:1304-11.
21 Latronico N, Fenzi F, Recupero D, et al. Critical illness myopathy and neuropathy. Lancet 1996;347:1579-82.
22 Latronico N, Bolton CF. Critical illness polyneuropathy and myopathy: a major cause of muscle weakness and paralysis. Lancet Neurol 2011;10:931-41.
23 Stevens RD, Marshall SA, Cornblath DR, et al. A framework for diagnosing and classifying intensive care unit-acquired weakness. Crit Care Med 2009;37(10 Suppl):S299-308.
24 Schweickert WD, Hall J. ICU-acquired weakness. Chest 2007;131:1541-9.
25 Hermans G, De Jonghe B, Bruyninckx F, Van den Berghe G. Clinical review: critical illness polyneuropathy and myopathy. Crit Care 2008;12:238.
26 Stevens RD, Dowdy DW, Michaels RK, Mendez-Tellez PA, Pronovost PJ, Needham DM. Neuromuscular dysfunction acquired in critical illness: a systematic review. Intensive Care Med 2007;33:1876-91.
27 Guarneri B, Bertolini G, Latronico N. Long-term outcome in patients with critical illness myopathy or neuropathy: the Italian multicentre CRIMYNE study. J Neurol Neurosurg Psychiatry 2008;79:838-41.
28 Angel MJ, Bril V, Shannon P, Herridge MS. Neuromuscular function in survivors of the acute respiratory distress syndrome. Can J Neurol Sci 2007;34:427-32.
29 Guyatt GH, Feeny DH, Patrick DL. Measuring health-related quality of life. Ann Intern Med 1993;118:622-9.
30 Scales DC. Difference in reported pre-morbid health-related quality of life between ARDS survivors and their substitute decision makers. Intensive Care Med 2006;32:1826-31.
31 Gifford JM, Husain N, Dinglas VD, Colantuoni E, Needham DM. Baseline quality of life before intensive care: a comparison of patient versus proxy responses. Crit Care Med 2010;38:855-60.
32 Dowdy DW, Eid MP, Dennison CR, et al. Quality of life after acute respiratory distress syndrome: a meta-analysis. Intensive Care Med 2006;32:1115-24.
33 Herridge MS, Angus DC. Acute lung injury-affecting many lives. N Engl J Med 2005;353:1736-8.
34 Schweickert WD, Pohlman MC, Pohlman AS, et al. Early physical and occupational therapy in mechanically ventilated, critically ill patients: a randomised controlled trial. Lancet 2009;373:1874-82.
35 Angus DC, Musthafa AA, Clermont G, et al. Quality-adjusted survival in the first year after the acute respiratory distress syndrome. Am J Respir Crit Care Med 2001;163:1389-94.
36 Angus DC, Clermont G, Linde-Zwirble WT, et al. Healthcare costs and long-term outcomes after acute respiratory distress syndrome: a phase III trial of inhaled nitric oxide. Crit Care Med 2006;34:2883-90.
37 McHorney CA, Ware JE, Jr, Raczek AE. The MOS 36-Item Short-Form Health Survey (SF-36): II. Psychometric and clinical tests of validity in measuring physical and mental health constructs. Med Care 1993;31:247-63.
38 Weinert CR. Health-related quality of life after acute lung injury. Am J Respir Crit Care Med 1997;156:1120-8.
39 Barnato AE, Albert SM, Angus DC, Lave JR, Degenholtz HB. Disability among elderly survivors of mechanical ventilation. Am J Respir Crit Care Med 2011;183:1037-42.
40 Hofhuis JGM, Spronk PE, van Stel HF, Schrijvers AJP, Rommes JH, Bakker J. The impact of severe sepsis on health-related quality of life: a long-term follow-up study. Anesth Analg 2008;107:1957.
41 Hofhuis JG, Spronk PE, van Stel HF, Schrijvers GJ, Rommes JH, Bakker J. The impact of critical illness on

perceived health-related quality of life during ICU treatment, hospital stay, and after hospital discharge: a long-term follow-up study. Chest 2008;133:377-85.

42 Winters BD, Eberlein M, Leung J, Needham DM, Pronovost PJ, Sevransky JE. Long-term mortality and quality of life in sepsis: a systematic review. Crit Care Med 2010;38:1276-83.

43 Iwashyna TJ, Ely EW, Smith DM, Langa KM. Long-term cognitive impairment and functional disability among survivors of severe sepsis. JAMA 2010;304:1787-94.

44 Rubenstein LZ, Stuck AE, Siu AL, Wieland D. Impacts of geriatric evaluation and management programs on defined outcomes: overview of the evidence. J Am Geriatr Soc 1991;39:8S-16S; discussion 17S-18S.

45 Ellis G, Whitehead MA, O'Neill D, Langhorne P, Robinson D. Comprehensive geriatric assessment for older adults admitted to hospital. Cochrane Database Syst Rev 2011;7:CD006211.

46 Ellis G, Whitehead MA, Robinson D, O'Neill D, Langhorne P. Comprehensive geriatric assessment for older adults admitted to hospital: meta-analysis of randomised controlled trials. BMJ 2011;343:d6553.

47 Evans A, Perez I, Harraf F, et al. Can differences in management processes explain different outcomes between stroke unit and stroke-team care? Lancet 2001;358:1586-92.

48 Indredavik B, Bakke F, Slordahl SA, Rokseth R, Haheim LL. Treatment in a combined acute and rehabilitation stroke unit: which aspects are most important? Stroke 1999;30:917-23.

49 Langhorne P, Bernhardt J, Kwakkel G. Stroke rehabilitation. Lancet 2011;377:1693-702.

50 Tan T, Brett SJ, Stokes T. Rehabilitation after critical illness: summary of NICE guidance. BMJ 2009;338:b822.

51 Needham DM, Korupolu R, Zanni JM, et al. Early physical medicine and rehabilitation for patients with acute respiratory failure: a quality improvement project. Arch Phys Med Rehabil 2010;91:536-42.

52 Needham DM, Korupolu R. Rehabilitation quality improvement in an intensive care unit setting: implementation of a quality improvement model. Top Stroke Rehabil 2010;17:271-81.

53 Gosselink R, Bott J, Johnson M, et al. Physiotherapy for adult patients with critical illness: recommendations of the European Respiratory Society and European Society of Intensive Care Medicine Task Force on Physiotherapy for Critically Ill Patients. Intensive Care Med 2008;34:1188-99.

54 Hopkins RO, Spuhler VJ, Thomsen GE. Transforming ICU culture to facilitate early mobility. Crit Care Clin 2007;23:81-96.

55 Bailey P, Thomsen GE, Spuhler VJ, et al. Early activity is feasible and safe in respiratory failure patients. Crit Care Med 2007;35:139-45.

56 Needham DM. Mobilizing patients in the intensive care unit: improving neuromuscular weakness and physical function. JAMA 2008;300:1685-90.

57 Kress JP, Pohlman AS, O'Connor MF, Hall JB. Daily interruption of sedative infusions in critically ill patients undergoing mechanical ventilation. N Engl J Med 2000;342:1471-7.

58 Ely EW, Truman B, Shintani A, et al. Monitoring sedation status over time in ICU patients: reliability and validity of the Richmond Agitation-Sedation Scale (RASS). JAMA 2003;289:2983-91.

59 Ely EW, Shintani A, Truman B, et al. Delirium as a predictor of mortality in mechanically ventilated patients in the intensive care unit. JAMA 2004;291:1753-62.

60 Morris PE, Goad A, Thompson C, et al. Early intensive care unit mobility therapy in the treatment of acute respiratory failure. Crit Care Med 2008;36:2238-43.

61 Morris PE, Griffin L, Berry M, et al. Receiving early mobility during an intensive care unit admission is a predictor of improved outcomes in acute respiratory failure. Am J Med Sci 2011;341:373-7.

62 Cuthbertson BH, Rattray J, Campbell MK, et al. The PRaCTICaL study of nurse led, intensive care follow-up programmes for improving long term outcomes from critical illness: a pragmatic randomised controlled trial. BMJ 2009;339:b3723.

63 Herridge MS, Cheung AM, Tansey CM, et al. One-year outcomes in survivors of the acute respiratory distress syndrome. N Engl J Med 2003;348:683-93.

64 Hopkins RO, Weaver LK, Pope D, Orme JF, Bigler ED, Larson LV. Neuropsychological sequelae and impaired health status in survivors of severe acute respiratory distress syndrome. Am J Respir Crit Care Med 1999;160:50-6.

Chapter 07

중증질환 이후 삶의 질

호세 G.M. 호피우스, 피터 E. 스프론크
(José G.M. Hofhuis and Peter E. Spronk)

서론

건강 관련 삶의 질(HRQoL)은 중환자실 입원환자에게 의미있는 치료 결과 중 하나이다. 이들 환자의 신체 및 정신적 요인, 기능적 상태, 사회적 상호작용의 장기적 결과는 환자 자신뿐만 아니라 가족, 의사, 간호사 모두에게 그 중요성이 더욱 커지고 있다.[1,2] 의사와 간호사는 '합리적인' 삶의 질이 환자에게 어떤 의미인지를 알고자 한다. 삶의 질은 '독특한 개인적인 인식'이라고[3] 설명할 수 있으며, 사회, 정신, 문화, 가족, 관계, 개인적 변수의 영향을 받는다. 건강 관련 삶의 질 연구에서 중환자뿐만 아니라 일반환자에게도 건강 관련 삶의 질을 명확하게 설명하는 정의가 부족하다. 삶의 질 중에서 건강 관련 삶의 질은 질병이나 질병치료의 영향을 받는 부분에 치중한다. 심장병 환자와 같이 중환자실의 특정 인구집단을 연구한다면 질병별 도구를 사용하여 비교를 할 수 있을 것이다. 그러나 중환자실에 입원하는 환자의 경우 질병별 도구뿐 아니라 외상 중환자나 내과계 중환자 모두에게 적용될 수 있는 일반적인 결과가 필요하다.[4] 중환자의 건강 관련 삶의 질 연구를 수행하는 주요 이유는 중환자실로 입원하는 환자의 건강 관련 삶의 질 결과에 관한 지식이 부족하기 때문이다.

본 장에서는 중환자의 건강 관련 삶의 질을 왜 측정하는가, 건강 관련 삶의 질이란 어떤 의미인가, 사용하고 있는 건강 관련 삶의 질 도구는 무엇인가, 중환자실 입원 전 건강 관련 삶의 질 점수를 어떻게 매길 것인가, 중증질환이 특히 노인의 건강 관련 삶의 질에는 어떠한 영향을 미치는가 등 여러 주제에 대해 다루어보고자 한다. 건강 관련 삶의 질에 대한 인식과 관련하여 중증질환 생존자가 보이는 반응에 대해서도 살펴보고자 한다.

왜 중환자의 건강 관련 삶의 질을 측정하는가

지난 10년간 중환자실 관련 의학기술의 발전은 빠르게 성장하였다. 이러한 기술 덕분에 중환자실 의료진은 사망의 위험에 놓인 중환자의 생명을 살리고 유지할 수 있게 되었다. 과거에는 생존 자체만으로도 모든 중재술이 정당화되었지만 치솟는 비용 때문에 삶의 질 측정의 중요성에 대한 중환자실 의료진의 인식이 제고되고 있다.[5] 중환자치료 비용은 높지만, 많은 경우 비용의 상당부분이 예후가 좋지 않고 사망 가능성이 높은 환자에게 쓰여지고 있다. 중환자실 자원 활용에 대한 지침을 마련하기 위해 비용 대비 효과, 비용효용의 측면을 살펴볼 필요가 있다.[6,7] 그렇다면 중환자실 환자는 어떻게 느끼고 기능하는가? 이러한 정보는 병상에서 의사결정을 내릴 때도 중요하지만, 중환자실에서 행해지는 중재술의 유효성과 효율성을 평가할 때도 중요하다.[8] 중환자의 건강 관련 삶의 질 연구는 장기 예후에 관한 이러한 질문에 답을 제시해 줄 것이다.[8]

건강 관련 삶의 질의 정의 및 영역

중환자뿐 아니라 일반 환자에 대한 연구에도 건강 관련 삶의 질을 규정하고 설명하는 명확한 틀이 존재하지 않는다. 건강 관련 삶의 질 연구 과정에서 겪는 어려움 중 하나는 건강 관련 삶의 질이 의미하는 바를 정의하는 것이다. 하지만 보편적으로 인정되는 정의가 존재하지 않는다. 관련 문헌에서는 삶의 질, 건강상태, 기능적 상태, 건강 관련 삶의 질을 유사한 의미로 사용한다.[9] 그러나 각각의 용어는 개인의 안녕 중 서로 다른 측면을 반영한다(그림 7-1 참조).[8] 그렇기 때문에 상이한 측정 접근법이 활용되고 따라서 전혀 다른 결과를 낳게 된다. 건강 관련 삶의 질을 측정하는 것은 본질적으로 개인의 정신건강상태, 신체건강상태, 개인이 느끼는 안녕을 평가하는 것이다.[10] 세계보건기구(WHO)는 건강을 단순히 질병이 없거나 허약하지 않은 상태일 뿐 아니라 신체적, 정신적, 사회적으로 안녕한 상태라고 정의한다.[11] 이러한 정의를 차용하여 건강 관련 삶의 질을 신체적, 정신적, 사회적 기능을 포함하는 몇 가지 차원으로 구분하여 정의할 수 있다. 신체 영역에는 환자의 신체적 능력과 목욕하기, 옷 입기, 걷기, 계단 오르기, 청소기 사용하기, 자전거 타기, 장바구니 나르기, 통증 느끼기와 같은 활동을 할 때 환자가 느끼는 신체적 불편을 설명하는 요소가 들어있다. 정신적 영역에는 우울감, 불안감, 만족감 같은

그림 7-1. **삶의 질은 무엇인가?**

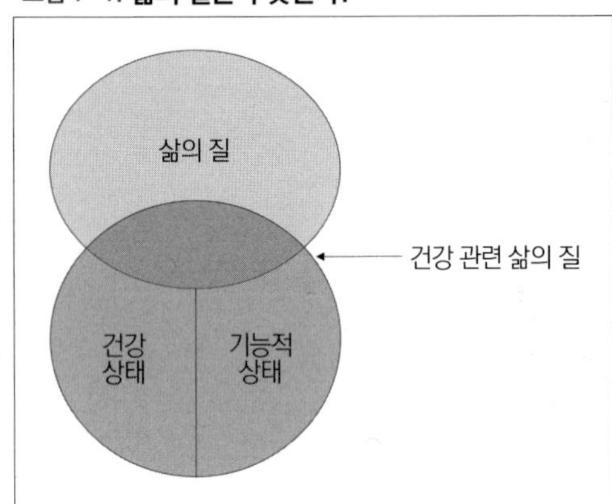

상단의 원은 환자의 안녕 또는 삶의 질에 영향을 미치기 때문에 환자에게 의미가 있는 측면 또는 영역을 의미한다. 하단의 원은 건강상태척도를 의미한다. 두 원이 겹치는 부분, 즉 건강 관련 삶의 질은 일반인에게 의미가 있는 건강상태의 척도를 의미한다.

Heyland DK, Guyatt G, Cook DJ, Meade M, Juniper E, Cronin L, Gafni A의 'frequency and methodologic rigor of qualityof-life assessments in the critical care literature', Critical Care Medicine, 26(3):591-8, Copyright 1998을 Wolters Kluwer and the Society of Critical Care Medicine의 승인을 얻어 수록

긍정적 감정, 활기가 넘친다는 감정, 행복감 등 정신적 불편을 설명하는 요소가 들어 있다. 사회적 영역에는 질병이 가족, 친구, 이웃, 소속집단과의 일상적인 사회활동에 어느 정도 영향을 미치는가를 설명하는 요소가 들어 있다. 또한 이 세 가지 영역에 대해 환자가 전반적인 의견을 제시할 수도 있다. 이러한 의견은 질병과 관련 치료가 환자의 현재 건강상태에 어떠한 영향을 미치는지를 보여준다.[11]

중환자의 건강 관련 삶의 질과 효용척도

중환자실에서 시행하는 치료는 비용이 매우 높다. 임상적, 윤리적, 경제적 근거에 입각하여 이러한 중환자치료의 정당성에 대해 의구심이 제기되어 왔다.[6,12] 건강 관련 삶의 질을 측정하는 도구(일반적인 삶의 질 설문조사)는 연구자가 질병과 치료가 환자에게 미치는 영향에 대해, 시간의 경과에 따른 환자의 건강상태 변화에 대해 이해하고자 할 때 사용될 수 있다. 생존의 질과 기간의 차이점을 통합하여 '질보정수명(QALY)'라는 개념이 도입되었다.[13] 일례로 환자가 치료로 10년의 수명을 얻었지만 삶의 질이 일반인의 60%라면 이 환자의 질보정수명은 6년이다. 이렇게 함으로써 질병이환만을 초래하는 질환과 사망을 초래하는 질환을 비교할 수 있게 되었다. EQ 5D,[14] 건강효용지수,[15] SF-6D와[16] 같은 효용척도는 사망 또는 최악의 건강상태를 의미하는 0부터 최적의 건강상태를 나타내는 1까지 단일값을 부여한다. 이러한 효용값과 생존자료를 결합할 경우 질보정수명을 추정할 수 있다.[13] 질보정수명 관련 결과에 대한 지식은 중환자치료의 유효성을 평가하는데 활용될 수 있다. 질을 보정한 생존의 개념에는 수명 연장, 삶의 질 제고(提高)라는 두 가지 가장 기본적이고 중요한 환자중심, 사회중심의 목표가 통합되어 있다. 이러한 관점에서 보자면 생존자의 삶의 질을 개선하는 치료는 사망률을 낮추는 치료만큼이나 가치가 있다.[17]

중환자에게 사용되는 측정도구의 방법론과 설명

중환자의 건강 관련 삶의 질 척도는 특정한 건강 또는 질병의 차원에서, 또는 경제적 효용에서, 아니면 일반적인 건강이라는 영역에 초점을 맞추어 장기적으로도 또는 단면적으로도 만들 수 있다.[18] 평가 도구는 환자의 건강 관련 삶의 질의 장기변화를 평가하는 데 적합하다. 우수한 척도는 유효하고 신뢰할만하다. 다시 말해 측정하고자 하는 바를 측정해내는 것이다. 척도는 일관성을 가지며, 무작위오류를 최소화하고, 기준은 영역의 변화를 반영한다.[4] 중환자의 건강 관련 삶의 질을 측정하는 도구는 일반, 질환별, 영역별 설문지 등 세 가지로 나눌 수 있다. 일반적 도구는 임상적 진단과는 별개로 개인에 관련된 건강 관련 삶의 질을 측정한다. 여기에는 신체, 정신, 사회적 영역이 포함되어 있으며 진단명, 질병단계, 치료과정이 상이한 환자에게 모두 사용될 수 있다. 임상집단간 비교를 하거나 일반인구집단과의 비교를 할 때 용이하다. 영역별 도구는 건강의 부분적 결과를 측정한다. 대부분 일반적 도구와 질환별 도구에 보완적으로 사용된다. 2002년 있었던 원탁회의에서 향후 집중치료 연구를 위해 가장 적합한 도구로 SF-36과 EQ-5D를 추천하였다.[20-22] 실제로 이 두 척도가 중환자를 위해 가장 일반적으로 사용되고 있다.

중환자에게 바람직한 건강 관련 삶의 질 도구는 무엇인가?

중환자실 입원환자와 퇴원환자의 건강 관련 삶의 질을 측정하는 도구는 몇 가지가 있다. 보다 포괄적이거나 일반적인 도구를 사용할 수도 있지만 그럴 경우 특정 조건의 변화에 민감하게 반응할 수 없다.[8] 중환자실 환자의 진단이 각자 다르기 때문에 증상별은 물론이고 내과계 중환자와 외상중환자 모두에게 사용될 수 있는 일반적인 결과 척도가 필요하다.[4] 중환자실 환자를 위한 가장 바람직한 일반적 도구는 수행하기 쉬워야 하고, 환자에게 지나치게 부담이 되지 않아야 하지만, 삶의 질 변화를 민감하게 반영할 수 있어야 한다.[23] 최근 들어서는 EQ-5D와 SF-36가 중환자실 환경에 가장 적합하다며 둘 중 하나를 중환자치료결과 연구를 위해 사용하라고 권고한다.[20] SF-36은 신체기능, 사회적 기능, 신체적 문제로 인한 역할 제약, 감정 문제로 인한 역할 제약, 일반적인 정신건강, 활력/생기, 신체의 통증, 일반적인 건강에 대한 인식 등 8개 차원의 36개 문항으로 구성된 설문지이다.[23-26] 신체건강지수(PCS)는 신체적 기능, 신체적 역할, 통증, 일반적인 건강 등을 반영한다. 정신건강지수(MCS)는 활기, 사회적 기능, 감정적 역할, 정신건강을 반영한다.[27] SF-36의 축약판인 SF-12는 신체건강지수와 정신건강지수만을 제공한다.[28] SF-12는 중환자를 대상으로 수행할 경우 효율성은 높이고 비용은 낮춘다. 다만 SF-12는 SF-36과 비교할 때 정확한 점수가 산출되지 않는다. 또 다른 일반적인 설문지는 유럽에서 개발된 EQ-5D로 건강결과를 측정하기 위해 마련되어 현재 중환자에게 사용되고 있다.[29] EQ-5D는 간단하며 두 부문으로 나뉘어져 있다. EQ-5D 자가분류지는 활동성, 자기관리, 일상활동, 통증/불편감, 불안/우울감 등 5개의 차원에 따라 환자가 자신의 건강문제에 관해 스스로 기술한다. EQ-VAS는 자신의 건강상태에 스스로 등급을 매기는 것으로, 시각아날로그척도(VAS)를 이용하여 참여자가 자신의 현재 전반적인 건강상태에 대해 스스로 인식하고 있는 바를 기록한다.[30] EQ-5D는 SF-36과 비교하면 작성하는 데 훨씬 적은 시간이 소요된다. SF-36은 훨씬 많은 영역을 다루고 보다 정확하다. 연구주제와 측정하고자 하는 개념의 정의, 도구(건강 관련 삶의 질)나 도구의 조합(건강 관련 삶의 질과 질환별), 중환자의 특정 문제와 건강 관련 삶의 질을 다루는 특별한 도구가 필요한지 여부에 따라 취사선택해야 한다.

중환자실 입원 전 건강 관련 삶의 질을 어떻게 점수화할 것인가?

중증질환과 치료가 건강 관련 삶의 질에 미치는 효과를 평가하기 위해서는 중환자실에 입원할 때 건강 관련 삶의 질을 측정해야 한다. 하지만 입원할 때 환자는 대부분 설문지를 작성할 수 없는 상태이기 때문에 이는 거의 불가능하다. 그렇다해도 입원 시 건강 관련 삶의 질에 대한 평가는 중환자실 전담전문의가 입원과 치료정책에 관한 결정을 내릴 때 도움이 될 것이다. 많은 경우 대리인을 활용해야 한다. 그러나 대리인이 환자의 건강 관련 삶의 질에 관해 유용한 정보를 제공할 수 있을까? 환자가 작성한 건강 관련 삶의 질 평가와 중환자실 입원 직전 가족이나 친척이 작성한 내용이 일치하는지를 연구한 문헌에는 확실한 답이 없다. 일부 연구에서는 환자 개인과 대리인 의견 일치가 중간 또는 우수한 수준이지만 정신기능이나 신체기능에 대해서는 일치 수준이 다소 낮을 수 있다고 하였다.[31,32] 또 다른 연구에서는 질병의 중증도가 높은 환자집단의 경우 대리인이 건강 관련 삶의 질을 추정하는 것에 대해 우려를 제기하였다.[33] Gifford 등은 퇴원 전 급성폐손상환자의 경우 대리인의 평가와 환자 본인의 평가는 보통에서 중간 정도만 일치한다고 하였다.[34]

다만 환자의 삶의 질을 평가하기 위해 대리인을 활용하는 경우 환자의 삶의 질과 대리인의 평가 사이에 유의미하고 임상적으로 연관성이 있는 상관관계가 발견되었다. 본 연구진이 수행한 연구에서 SF-36 설문지나 ALDS를 사용할 경우 대리인은 집중치료실 입원 당시 환자의 삶의 질을 적절하게 반영하였다.[35,36] 그러나 특정 차원, 특히 정신적 안녕(정신적 문제로 인한 역할 제약)에 있어서는 환자와 대리인 간에 중간 정도의 일치를 보였다. 다른 연구에서도 유사한 결과를 발견할 수 있다.[31,32,37-39] 결국 가족의 의견은 중환자실 환자의 정신적 특징보다는 신체적 특징 평가에 보다 적합하다.[35]

중증질환이 환자의 건강 관련 삶의 질에 미치는 영향 평가

중증질환 회복기 환자의 경우 장기부전이 지속되고, 그로 인해 기능이 손상되고 건강 관련 삶의 질도 하락할 수 있다. 일반적인 중환자실 환자, 패혈증 환자, 급성호흡곤란증후군 환자의 건강 관련 삶의 질에 대해 많은 연구가 수행되어, 입원 전과 추적조사에서 상응하는 일반인구집단에 비해 생존자의 건강 관련 삶의 질이 하락하였다는 점이 밝혀졌다.[40-43] 중환자의 건강 관련 삶의 질 평가는 복잡하며, 중환자실 퇴원 이후에나 측정이 가능하다. 몇 가지 변수를 살펴볼 때 환자의 삶의 질 평가가 중요하다.[44-46] 첫째, 입원 당시 삶의 질이 낮은 중환자실 환자는 원내사망률이 높고 퇴원 후 삶의 질도 악화된다. Cuthbertson 등은[47] 중환자실 입원 전 신체건강지수(PCS)가 생존자에 비해 비생존자에게서 크게 낮았다는 점을 밝혀냈다. Wehler 등은[48] SF-36 설문지를 이용한 연구에서 다발성장기부전으로 진행된 환자는 그렇지 않은 환자보다 입원 당시 신체건강지수가 낮다고 하였다. 추적조사에서도 다발성장기부전 환자는 다른 환자에 비해 대부분의 신체건강영역에서 낮은 점수를 기록하였지만 정신건강영역에서는 양 집단 간의 차이를 찾아볼 수 없었다. 이러한 자료는 삶의 질 도구로 평가한 신체건강이 중증질환을 이겨내는 데 중요하다는 것을 보여준다. 따라서 삶의 질에 제약을 받던 환자가 중환자실로 입원할 경우 중환자실 치료를 통해 얻을 수 있는 혜택도 제한적일 수 있다. 둘째, 퇴원 시 예상되는 삶의 질에 대해 이해하는 것은 가족, 의사, 간호사가 추가적인 개입의 적절성과 추가 치료의 적정성을 평가하는 데 중요하다. 다른 연구와[47,49] 마찬가지로 연구진이 진행한 연구에서도 퇴원 시 건강 관련 삶의 질이 저하되어 추적조사 기간 중 점진적으로 개선되는데, 일부의 경우 입원 전 수준까지 회복되기도 하고, 회복의 중요 부분은 퇴원 당시 이미 종료되었다는 점을 밝혀냈다.[50,51] 또한 내적 기준, 가치, 건강 관련 삶의 질의 개념 등의 변화(반응변화)로 인해 병원 입원기간 동안 건강 관련 삶의 질[52]이 개선되었을 수도 있다. 이는 환자가 본인의 질환에 적응이 되어서, 또는 건강 관련 삶의 질에 대한 환자의 기대수준이 변하였기 때문일 수 있다. 이러한 기전을 밝혀내기 위해서는 추가연구가 필요할 것이다. 몇몇 연구에서는 생존자가 중환자실로 입원하기 전에 건강 관련 삶의 질이 이미 저하되어 있었다고 한다.[1,26,48,50] 그러나 Cuthbertson 등은[47] 중환자실 입원 전 신체건강지수만이 건강한 집단보다 낮고 정신건강지수는 유사하다고 하였다. 연구포함기준, 환자구성, 중환자실 입원 전 건강상태, 동반질환, 사회적 특성, 각 지역별로 개인의 대응능력, 중환자실 입원 전 건강 관련 삶의 질 평가(전향적 vs. 후향적)의 차이가 이러한 차이를 설명할 수 있을 것이다.[53,54] Graf 등은 24시간 이상 중환자실 치료를 받은 환자에게 SF-36을 실시하여 중환자실 퇴원 1개월 후 신체 및 역할감정 지수는 악화되었으나 9개월 이후에 기저치로 회복했다는 것을 보여주었다. 또한 간단정신심리지수는 조사기간 동안 변하지 않았다고 하였다.[1] Wehler 등은 다발성장기부전 환자를 조사하여 생존자의 83-90%가 중환자실 퇴원 6개월 후 건강 관련 삶의 질을 회복하였으나 신체건강영역은 지속적으로 저하되었다는 점을 발견하였다.[48,55] Herridge 등은 급성호흡곤란증후군 환자는 중환자실 퇴원 1년 후에도 기능적 제약이 지속되었다고 하였다. 그 밖의 연구에서도 추적조사에서 건강 관련 삶의 질이 크게 저하되었다고 하였다.[56] Rivera-Fernandez는 만성폐쇄성폐질환 환자의 중환자실 입원 6년 후 추적조사에서 중환자실 입원 전과 비교할 때 생존자의 건강 관련 삶의 질이 하락하였다고 하였다.[57] 이와는 대조적으로 중환자실 퇴원 9개월 후 모든 측면에서 건강이 중환자실 입원 전 수준으로 완벽하게 회복되었고, 치료 후 6개월 시점에 환자의 73%가 자신의 건강 관련 삶의 질이 입원 전 안정기와 동일하거나 개선되었다고 평가한다는 연구도 발표되었다.[58] 하지만 최근 발표된 한 연구에서 중환자실 퇴원 1년 후에도 환자들이 신체적 활동에서 큰 제약을 받는 것으로 나타났다.[59] Orwelius 등은 중증질환 이후 장기적 건강 관련 삶의 질에 영향을 주는 가장 중요한 변수는 기저 질환이라고 하였다.[60] 최근 Stricker 등은 중환자실 치료 9년 후 일부 환자의 경우 삶의 질이 악화되기도 하지만 생존자 대부분의 전반적인 삶의 질은 만족할만한 수준이고 오히려 개선되기도 한다고 하였다.[61]

중증질환이 80대 노인의 건강 관련 삶의 질에 미치는 영향

서구사회에서는 노인 인구가 증가하고 있다. 따라서 중환자실로 입원하는 노인 환자의 비중도 지속적으로 증가한다. 결과적으로 80대 노인에게 중환자실 입원이 적합한가 하는 문제는, 질환 부담과 기대수명 사이의 균형과 관련하여 중환자실 전담전문의에게 갈수록 의미가 커지고 있다.[62] Bloumendil 등은 노인의 증례를 토대로 중환자실 입원 권고안을 마련하는 것은 불가능하다고 하면서 건강 관련 삶의 질을 다루는 추가 연구를 권고하였다.[63] 사망률을 넘어서 건강 관련 삶의 질은 노인 환자나 그들을 돌보는 수발자에게 모두 중요하다. 노인의 장기적인 건강 관련 삶의 질이 우수하다는 여러 연구가 발표되긴 하였지만, 최종결과 대비 질환의 부담이라는 측면에서 보자면 노인 환자의 치료가 환자에게 항상 바람직한 것은 아니라는 주장도 가능할 것이다.[45, 64-69] 하지만 질환의 부담을 반영하는, 중환자실 입원기간 동안 건강 관련 삶의 질의 변화에 대해 연구한 자료는 없다.[70,71] 게다가 80세 이상 환자의 경우 나이가 건강 관련 삶의 질에 강력한 영향을 미치는지 여부는 알려져 있지 않다. 노인 환자, 특히 80세 이상 노인 환자의 중환자실 입원은 임상적 상태와 중환자실 입원으로 얻을 수 있는 이익에 대한 평가를 통해 결정된다.[72,73] Garrougar-Orgeas 등은 단일센터 연구에서 80세 이상 환자의 2/3 이상에게 중환자실 입원이 거부되었다고 하였다.[62] 따라서 환자에게 심폐소생술을 시행하지 말라는 지시를 내릴 때 해당 환자가 노인 환자, 특히 75세 이상 노인 환자라면 예후와 무관하게 이러한 서면 지시 결정이 빠르게 이루어진다. 이러한 접근법을 뒷받침하는 자료를 보면 흥미로운 점을 발견할 수 있다. 최근 연구에서 입원 전 심리적 손상과 질환이 나이보다는 예후에 상대적으로 더 큰 영향을 미친다는 점을 밝혀냈다.[75] 80세 이상 환자의 원내사망률은 기존에 가지고 있던 질환, 질환의 중증도, 의원성 감염, 장기부전, 중환자실 퇴원 이후 돌봄의 질 등과 밀접하게 연관되어 있다.[76] 이러한 질환의 부담은 장기적인 장점과 균형을 이루어야 한다. Bloumendil과 의료진은[63] 노인 환자의 중환자실 입원 기회를 검토하는 연구를 수행하여 그간 행해진 대다수의 연구에서 노인 환자가 인식하는 그들의 건강 관련 삶의 질은 젊은 환자와 크게 다르지 않으며,[65,69] 시간이 경과하면서 일상생활 수행능력은 감퇴함에도 불구하고[67] 건강 관련 삶의 질에 대한 인식은 증가한다는[65] 점을 밝혀냈다. 환자 중 대다수가 그들의 건강 관련 삶의 질이 변한 게 없거나 오히려 개선되었다고 응답하였다.[77] 일반인구집단과 비교하자면 고립감, 정신건강, 활동성, 신체기능과 관련된 건강 관련 삶의 질은 떨어졌다.[78] 하지만 병원 입원 치료 이후 그들의 일상생활 수행능력은 기저치와 비교할 때 변화하지 않았다.[64,65] 중증질환을 앓고 있는 80세 이상 노인 환자의 건강 관련 삶의 질을 다룬 연구 논문은 많지 않다. 중증질환을 겪는 동안 건강 관련 삶의 질이 하락하다가 이후 점진적으로 개선되는 것은 중환자에 관한 기존의 연구결과와 일치한다.[1,50,51] Hennessy와 연구진은 노인 환자의 중환자실 퇴원 이후 결과에 대한 여러 논문을 검토하였다.[79] 몇몇 연구에서는 건강 관련 삶의 질과 기능적 상태가 개선되거나 변하지 않았다고 하였다. 이러한 연구 중 대다수는 중환자실 퇴원 이후 건강 관련 삶의 질과 기능적 상태가 우수하다고 보고하고 있다. 다만 중증질환 이후 건강 관련 삶의 질에 대한 개념 자체에 변화가 있을 수 있다고 하였다.[79] Ridley와 Wallace는 중환자실 입원 전과 후 노인 환자의 건강 관련 삶의 질을 평가하였다. 그러나 검증되지 않은 설문지를 사용하였고 후향적 기저치 평가를 시행함으로써 다른 연구와의 비교가 불가능하다. Eddleston과 연구진은 65세 이상 환자는 젊은 환자보다 사회적 기능과 정서적 역할 제약의 수준이 높다고 하였다.[80] 다양한 분류의 노인 환자에 대한 비교에서도 비슷한 결과가 나왔다. Chelleri 등은 65–74세의 환자와 75세 이상 환자를 비교하여 두 노인 집단 간의 일상생활 수행능력, 건강 관련 삶의 질에 대한 인식, 우울증 등에 차이가 존재하지 않는다는 점을 밝혀냈다.[64] 이와는 대조적으로 건강 관련 삶의 질과 기능적 상태가 저하되었음을 보여주는 연구도 있다.[45,67,69] Mon-tuclard 등은 중환자실 입원기간이 30일 이상인 환자는 일상생활 수행능력의 독립성이 중환자실 입원 이후 크게 떨어졌다고 하였다. 다만 중환자실 입원기간이 30일 이상인 환자만을 포함시킴으로써 연구결과에 대한 해석에 제약을 받았다.[67] Linko 등은 기준값과 비교할 때 건강 관련 삶의 질이 낮음에도 불구하고 병원 생존자 1인당 비용과 평생 비용-효용은 연령, 질환의 중증도, 기계환기 의존의 형태나 기간과 상관없이 합리적인 수준임을 밝혀냈다.[81] 또한 최근 전향적 연구에서는 중환자실 입원 이후 생존한 80대 노인이 퇴원 이후 6개월에 양호한 회복 상태를 보였다는 점을 밝혀냈다. 또한 네덜란드의 일반인구와 비교해 보니 중환자실 입원 이전 80대 노인의 건강 관련 삶의 질이 크게 낮지 않았다. 중환자실에서 퇴원한 환자는 기저치까지 지속적으로 회복하였다.[82]

중환자의 반응변화

환자는 자신의 질병에 적응한다. 이러한 적응 과정의 중요한 기전은 내부적인 기준, 가치, 건강 관련 삶의 질에 대한 개념 등의 '반응변화(Response shift)'이다. 반응변화는 내적가치기준, 건강 관련 삶의 질의 개념과 인식 변화이다.[52] 이는 환자가 자신의 질환이나 만성질환에 적응이 되어서이거나 건강 관련 삶의 질에 대한 기대수준이 변화하기 때문이다. Cohen은 적응이 삶의 질을 위한 중요한 변수이고, 환자의 적응능력이 삶의 질과 상당히 긍정적인 상관관계를 갖는다고 하였다.[83,84] 최근에는 치료결과연구와 건강 관련 삶의 질에 대한 장기관찰연구에 반응변화의 존재와 중요성이 기록되기도 하였다. 다수 논문에서 암환자,[85,86] 다발성경화증 환자,[87] 췌장-신장이식 환자[88] 등이 치료 중 상당한 반응변화를 겪는다고 했다. 중환자의 반응변화를 조사한 연구는 아직 수행되지 않은 것으로 알고 있다. 문제는 중환자의 반응변화를 측정할 수 있는지 여부이다. 반응변화는 건강 관련 삶의 질의 장기관찰뿐 아니라 치료와 관련한 의사결정에도 중요하다. Lenert 등은 선호도와 건강상태 간의 상호작용을 조사하는 비용효과분석에서 일반적으로 차용되는 선호도 평가방법을 사용하였다. 이를 통해 건강상태가 좋지 않은 환자는 중간 정도의 건강상태를 거의 정상 수준만큼 가치 있게 평가한다는 점을 밝혀냈다. 반대로 건강상태가 좋았던 환자는 중간 정도의 건강상태를 나쁜 건강상태로 평가하였다. 신체 및 정신 건강이 좋지 않은 환자는 건강상태를 평가하는 기준을 재조정하여 현재 가지고 있는 문제를 과소평가하는 경향을 보였으며, 건강한 사람보다는 건강에 문제가 있었던 사람이 조금의 차도도 중요하게 여기는 것으로 나타났다.[89] 반응변화를 측정하기 위해 몇몇 연구원은 당시검사(then-test)를 활용하였다. 당시검사는 후향적 기저치 측정을 전통적인 기저치 측정과 비교함으로써 기준값의 변화를 측정하고자 하는 방법이다.[86] 당시검사는 추적조사에서 수행하는 것으로 환자에게 과거 기저치 측정 당시 자신의 건강 관련 삶의 질을 새롭게 평가하도록 한다. 이러한 당시검사와 동시에 추적조사평가가 완성되면 두 평가에 대해 동일한 기준값이 사용된 것으로 가정한다. 당시검사와 추적조사평가의 비교방법은 기준값의 변화 없이 시간 경과에 따른 건강 관련 삶의 질의 변화를 평가하는 방법이다.[86] 결론적으로 반응변화는 중환자에게 중요하고 분명히 존재하지만 그간 연구되지 않은 분야이다.

예후인자로서 건강 관련 삶의 질

중환자가 집중치료 이후 생존할 것인지를 예측하는 것은 의사에게 결코 쉬운 일이 아니다. 중환자실 입원환자의 사망률은 높다.[90] 중환자실에서 사망하는 환자의 수는 점차 증가하고 있다.[91] 결과적으로 중환자실 의사는 그들의 임상적 경험에 입각하여 의사결정을 내려야 한다. 이런 점에서 임상경험의 예측적 가치는 제한적이다.[92] 개별환자의 사망률을 예측하는 것은 어렵다. 연령, 성별, 급성생리적 악화, 기왕의 질환 등 많은 변수가 중증질환을 극복하고 생존하는 것에 영향을 미치기 때문이다. 이러한 변수를 통합시켜 사망률을 예측하는 지수화방법이 개발되기도 했다. APACHE II과 APACHE III 지수,[93,94] 사망확률모델,[95] 단순급성생리지수(SAPS)[96] 등이 그 예이다. 하지만 이러한 지수는 중환자실 입원 24시간 이후에나 사용할 수 있고, 특이도는 높지만(생존예측가능(특이도 90%)) 민감도는 높지 않다(사망예측의 정확성은 부족하다(민감도 50–70%)).[92] 입원 전 건강 관련 삶의 질을 사망률을 예측하는 도구로 사용할 때의 장점은 환자나 가까운 가족에게 물어보면 쉽게 얻을 수 있다는 점이다.

건강 관련 삶의 질을 최종결과의 지표로 활용할 수 있을까? 이러한 의문점을 풀기 위해 신장투석환자,[97-99] 관상동맥우회로 수술환자,[100] 만성심부전 환자,[101] 진행성 대장직장암 환자를[102] 대상으로 여러 연구가 진행되었다. Welsh와 연구진은[103] 수발자가 평가한 환자의 기준기능상태가 중환자실 퇴원 이후 사망률과 상관관계가 있음을 밝혀냈다. 다만 상기 연구에는 몇 가지 결함이 있다. 중환자실 입원 예상기간이 48시간 이상인 환자도 대상에 포함시키긴 했지만 전체 중환자실 환자의 9%만을 포함시켜 선택 편향(selection bias)이 존재한다는 것을 알 수 있다. 또한 다변량분석으로 인한 혼란을 보정하고자 하는 노력 없이 건강 관련 삶의 질 지수와 APACHE II 지수를 직접 연결지은 점은 의구심을 남긴다. 입원기간 중 사망도 분석에 포함시키지 않았기 때문에 중증질환 당시 또는 이후의 사망률과 중환자실 입원 이전 건강 관련 삶의 질 간의 관계를 이해하기 어렵다. 최근에는 Iribarren–Diarasarri 등이 중환자실 입원 전 환자의 건강상태를 환자의 중

장기 예후 평가를 위한 예후 인자로 활용할 수 있음을 보여주었고 입원 중 사망률과 1년 사망률에 두 배 이상 높은 위험이 존재함도 밝혀냈다.[104] 우리 연구진의 연구에서는 일반적인 건강질문이나 SF-36으로 측정한 입원 당시 건강 관련 삶의 질이 APACHE II 지수만큼이나 중환자실 환자의 생존/사망을 예측하는데 유효한 것으로 나타났다.[105] Rivera-Fernandez와 연구진은 다기관연구에서 중환자실 입원 전 건강 관련 삶의 질은 중환자실 사망률과 관련이 있지만, APACHE III 예측모델의 식별능력에는 거의 영향을 미치지 않고, 중환자실 입원기간이나 치료적 중재술에서도 알 수 있듯이 중환자실 자원의 활용에도 거의 영향을 미치지 않는다고 하였다. 하지만 이 연구에서 외과계 환자는 24%에 불과하였다. 게다가 자체개발한 건강 관련 삶의 질 설문지와 연계하여 APACHE III 지수가 사용되었다. 기존 연구와 우리 연구진의 연구결과[105] 사이에 다른 점이 존재하기도 하나 대체로는 일치한다고 할 수 있다. 중환자를 치료하는 의료진은 중환자실 입원 전 건강 관련 삶의 질 평가에 더욱 관심을 기울여야 할 것이다.

권고사항

건강 관련 삶의 질과 관련한 인류의 지식에는 여전히 많은 여백이 존재한다. 이러한 여백을 메우기 위해 앞으로도 많은 연구가 수행되어야 한다. 건강 관련 삶의 질 설문지의 타당성과 환자 관련 변수를 모두 완벽하게 다루는 것 사이에서 어떻게 균형을 잡아야 할지에 대한 연구가 수행되어야 할 것이다. 또한 대체로 중환자의 장기 건강 관련 삶의 질 관련 설문지는 지역이나 종교를 고려하지 않거나 특정 질환에 국한되어 있고, 표준화되지 않은 일반적 변수도 포함되어 있다. 따라서 이러한 변수를 포함하여 건강 관련 삶의 질 설문지 수정판을 개발하고 활용하기 위한 추적조사연구가 수행되어야 할 것이다. 중환자의 건강 관련 삶의 질에 대한 지식과 이해를 넓히기 위해 다기관 비교연구에 활용될 수 있는 표준화된 데이터베이스를 구축할 것을 제안한다.

결론

집중치료에 대한 수요는 증가추세에 있고 앞으로 극적으로 성장할 것으로 예상된다. 미국뿐아니라 대부분의 선진국에서 병원에 입원하는 노인의 비중이 증가하기 때문이다. 중환자의학 분야의 발전으로 인해 중환자실로 입원하는 환자의 생존 가능성이 현저히 증가하였다. 결과적으로 단기사망률 감소라는 중환자실 의사와 간호사의 전통적인 목표는 도전에 직면하게 되었다. 건강 관련 삶의 질 평가를 통해 향후 전망에 관해 환자와 가족이 질문할 경우 중환자실 전담전문의와 간호사가 줄 수 있는 답에도 질적인 변화가 가능할 것이다. 중증질환 치료가 건강 관련 삶의 질에 미치는 영향이라는 문제를 이해하려면 입원기간, 사망률 등 단기적 결과뿐 아니라 신체적, 정신적 변수, 기능적 상태, 사회적 상호작용 등 건강 관련 삶의 질을 이용해 측정한 장기적 결과도 포함시켜야 한다. 퇴원 이후 중환자실 환자를 평가하는 중증치료후클리닉는 중증질환 회복의 질과 속도를 개선시킬 수 있을지 모른다.

참고문헌

1 Graf J, Koch M, Dujardin R, Kersten A, Janssens U. Health-related quality of life before, 1 month after, and 9 months after intensive care in medical cardiovascular and pulmonary patients. Crit Care Med 2003;31:2163-9.

2 Wu A, Gao F. Long-term outcomes in survivors from critical illness. Anaesthesia 2004;59:1049-52.

3 Gill TM, Feinstein AR. A critical appraisal of the quality of quality-of-life measurements. JAMA 1994;272:619-26.

4 Black NA, Jenkinson C, Hayes JA, et al. Review of outcome measures used in adult critical care. Crit Care Med 2001;29:2119-24.

5 Guyatt GH, Feeny DH, Patrick DL. Measuring health-related quality of life. Ann Intern Med 1993;118:622-9.

6 Cullen DJ. Results and costs of intensive care. Anesthesiology 1977;47:203-16.

7 Cullen DJ, Keene R, Waternaux C, Kunsman JM, Caldera DL, Peterson H. Results, charges, and benefits of intensive care for critically ill patients: update 1983. Crit Care Med 1984;12:102-6.

8 Heyland DK, Kutsogiannis DJ. Quality of life following critical care: moving beyond survival. Intensive Care Med 2000;26:1172-5.

9 Patrick DL, Bergner M. Measurement of health status in the 1990s. Annu Rev Public Health 1990;11:165-83.

10 Tian ZM, Miranda DR. Quality of life after intensive care with the sickness impact profile. Intensive Care Med 1995;21:422-8.

11 World Health Organization. The first ten years of the World Health Organization. Geneva: World Health Organization; 1958.

12 Weil MH, Weil CJ, Rackow EC. Guide to ethical decision-making for the critically ill: the three R's and Q.C. Crit Care Med 1988;16:636-41.

13 Kerridge RK, Glasziou PP, Hillman KM. The use of 'quality-adjusted life years' (QALYs) to evaluate treatment in intensive care. Anaesth Intensive Care 1995;23:322-31.

14 Brooks R. EuroQol: the current state of play. Health Policy 1996;37:53-72.

15 Feeny D, Furlong W, Boyle M, Torrance GW. Multi-attribute health status classification systems. Health Utilities Index. Pharmacoeconomics 1995;7:490-502.

16 Ware JE, Jr, Sherbourne CD. The MOS 36-item short-form health survey (SF-36). I. Conceptual framework and item selection. Med Care 1992;30:473-83.

17 Angus DC, Musthafa AA, Clermont G, et al. Quality-adjusted survival in the first year after the acute respiratory distress syndrome. Am J Respir Crit Care Med 2001;163:1389-94.

18 Garratt A, Schmidt L, Mackintosh A, Fitzpatrick R. Quality of life measurement: bibliographic study of patient assessed health outcome measures. BMJ 2002;324:1417.

19 Higginson IJ, Carr AJ. Measuring quality of life: using quality of life measures in the clinical setting. BMJ 2001;322:1297-300.

20 Angus DC, Carlet J. Surviving intensive care: a report from the 2002 Brussels Roundtable. Intensive Care Med 2003;29:368-77.

21 Ware JE. Health survey manual and interpretation guide. Boston: Medical Outcomes Trust; 1993.

22 Brazier J, Jones N, Kind P. Testing the validity of the Euroqol and comparing it with the SF-36 health survey questionnaire. Qual Life Res 1993;2:169-80.

23 Chrispin PS, Scotton H, Rogers J, Lloyd D, Ridley SA. Short Form 36 in the intensive care unit: assessment of acceptability, reliability and validity of the questionnaire. Anaesthesia 1997;52:15-23.

24 Heyland DK, Hopman W, Coo H, Tranmer J, McColl MA. Long-term health-related quality of life in survivors of sepsis. Short Form 36: a valid and reliable measure of health-related quality of life. Crit Care Med 2000;28:3599-605.

25 Khoudri I, Ali ZA, Abidi K, Madani N, Abouqal R. Measurement properties of the short form 36 and health-related quality of life after intensive care in Morocco. Acta Anaesthesiol Scand 2007;51:189-97.

26 Ridley SA, Chrispin PS, Scotton H, Rogers J, Lloyd D. Changes in quality of life after intensive care: comparison with normal data. Anaesthesia 1997;52:195-202.

27 Ware JE, Jr, Kosinski M, Bayliss MS, McHorney CA, Rogers WH, Raczek A. Comparison of methods for the scoring and statistical analysis of SF-36 health profile and summary measures: summary of results from the Medical Outcomes Study. Med Care 1995;33(4 Suppl):AS264-79.

28 Ware J Jr, Kosinski M, Keller SD. A 12-Item Short-Form Health Survey: construction of scales and preliminary tests of reliability and validity. Med Care 1996;34:220-33.

29 The EuroQol Group. EuroQol-a new facility for the measurement of health-related quality of life. Health Policy 1990;16:199-208.

30 Brooks R, Rabin RE, de Charro FT. The measurement and validation of health status using EQ-5D: a European perspective. Dordrecht: Kluwers Academic Publishers; 2003.

31 Capuzzo M, Grasselli C, Carrer S, Gritti G, Alvisi R. Quality of life before intensive care admission: agreement between patient and relative assessment. Intensive Care Med 2000;26:1288-95.

32 Rogers J, Ridley S, Chrispin P, Scotton H, Lloyd D. Reliability of the next of kins' estimates of critically ill patients' quality of life. Anaesthesia 1997;52:1137-43.

33 Scales DC, Tansey CM, Matte A, Herridge MS. Difference in reported pre-morbid health-related quality of life between ARDS survivors and their substitute decision makers. Intensive Care Med 2006;32:1826-31.

34 Gifford JM, Husain N, Dinglas VD, Colantuoni E, Needham DM. Baseline quality of life before intensive care: a comparison of patient versus proxy responses. Crit Care Med 2010;38:855-60.

35 Hofhuis J, Hautvast JL, Schrijvers AJ, Bakker J. Quality of life on admission to the intensive care: can we query the relatives? Intensive Care Med 2003;29:974-9.

36 Hofhuis JG, Dijkgraaf MG, Hovingh A, et al. The Academic Medical Center Linear Disability Score for evaluation of physical reserve on admission to the ICU: can we query the relatives? Crit Care 2011;15:R212.

37 Badia X, Diaz-Prieto A, Rue M, Patrick DL. Measuring health and health state preferences among critically ill patients. Intensive Care Med 1996;22:1379-84.

38 Rothman ML, Hedrick SC, Bulcroft KA, Hickam DH, Rubenstein LZ. The validity of proxy-generated scores as measures of patient health status. Med Care 1991;29:115-24.

39 Sprangers MA, Aaronson NK. The role of health care providers and significant others in evaluating the quality of life of patients with chronic disease: a review. J Clin Epidemiol 1992;45:743-60.

40 Dowdy DW, Eid MP, Sedrakyan A, et al. Quality of life in adult survivors of critical illness: a systematic review of the literature. Intensive Care Med 2005;31:611-20.

41 Winters BD, Eberlein M, Leung J, Needham DM, Pronovost PJ, Sevransky JE. Long-term mortality and quality of life in sepsis: a systematic review. Crit Care Med 2010;38:1276-83.

42 Dowdy DW, Eid MP, Dennison CR, et al. Quality of life after acute respiratory distress syndrome: a meta-analysis. Intensive Care Med 2006;32:1115-24.

43 Oeyen SG, Vandijck DM, Benoit DD, Annemans L, Decruyenaere JM. Quality of life after intensive care: a systematic review of the literature. Crit Care Med 2010;38:2386-400.

44 Goldstein RL, Campion EW, Thibault GE, Mulley AG, Skinner E. Functional outcomes following medical intensive care. Crit Care Med 1986;14:783-8.

45 Vazquez MG, Rivera FR, Gonzalez CA, et al. Factors related to quality of life 12 months after discharge from

an intensive care unit. Crit Care Med 1992;20:1257-62.

46 Yinnon A, Zimran A, Hershko C. Quality of life and survival following intensive medical care. Q J Med 1989;71:347-57.

47 Cuthbertson BH, Scott J, Strachan M, Kilonzo M, Vale L. Quality of life before and after intensive care. Anaesthesia 2005;60:332-9.

48 Wehler M, Geise A, Hadzionerovic D, et al. Health-related quality of life of patients with multiple organ dysfunction: individual changes and comparison with normative population. Crit Care Med 2003;31:1094-101.

49 Wehler M, Martus P, Geise A, et al. Changes in quality of life after medical intensive care. Intensive Care Med 2001;27:154-9.

50 Hofhuis JG, Spronk PE, van Stel HF, Schrijvers GJ, Rommes JH, Bakker J. The impact of critical illness on perceived health-related quality of life during ICU treatment, hospital stay, and after hospital discharge: a long-term follow-up study. Chest 2008;133:377-85.

51 Hofhuis JG, Spronk PE, van Stel HF, Schrijvers AJ, Rommes JH, Bakker J. The impact of severe sepsis on health-related quality of life: a long-term follow-up study. Anesth Analg 2008;107:1957-64.

52 Sprangers MA, Schwartz CE. Integrating response shift into health-related quality of life research: a theoretical model. Soc Sci Med 1999;48:1507-15.

53 Capuzzo M, Moreno RP, Jordan B, Bauer P, Alvisi R, Metnitz PG. Predictors of early recovery of health status after intensive care. Intensive Care Med 2006;32:1832-8.

54 Hurel D, Loirat P, Saulnier F, Nicolas F, Brivet F. Quality of life 6 months after intensive care: results of a prospective multicenter study using a generic health status scale and a satisfaction scale. Intensive Care Med 1997;23:331-7.

55 Herridge MS, Cheung AM, Tansey CM, et al. One-year outcomes in survivors of the acute respiratory distress syndrome. N Engl J Med 2003;348:683-93.

56 Flaatten H, Kvale R. Survival and quality of life 12 years after ICU. A comparison with the general Norwegian population. Intensive Care Med 2001;27:1005-11.

57 Rivera-Fernandez R, Navarrete-Navarro P, Fernandez-Mondejar E, Rodriguez-Elvira M, Guerrero-Lopez F, Vazquez-Mata G. Six-year mortality and quality of life in critically ill patients with chronic obstructive pulmonary disease. Crit Care Med 2006;34:2317-24.

58 Wildman MJ, Sanderson CF, Groves J, et al. Survival and quality of life for patients with COPD or asthma admitted to intensive care in a UK multicentre cohort: the COPD and Asthma Outcome Study (CAOS). Thorax 2009;64:128-32.

59 van der Schaff M, Beelen A, Dongelmans DA, Vroom MB, Nollet F. Functional status after intensive care: a challenge for rehabilitation professionals to improve outcome. J Rehabil Med 2009;41:360-6.

60 Orwelius L, Nordlund A, Edell-Gustafsson U, et al. Role of preexisting disease in patients' perceptions of health-related quality of life after intensive care. Crit Care Med 2005;33:1557-64.

61 Stricker KH, Sailer S, Uehlinger DE, Rothen HU, Zuercher Zenklusen RM, Frick S. Quality of life 9 years after an intensive care unit stay: a long-term outcome study. J Crit Care 2011;26:379-87.

62 Garrouste-Org M, Timsit JF, Montuclard L, et al. Decision-making process, outcome, and 1-year quality of life of octogenarians referred for intensive care unit admission. Intensive Care Med 2006;32:1045-51.

63 Boumendil A, Somme D, Garrouste-Org M, Guidet B. Should elderly patients be admitted to the intensive care unit? Intensive Care Med 2007;33:1252-62.

64 Chelluri L, Pinsky MR, Grenvik AN. Outcome of intensive care of the 'oldest-old' critically ill patients. Crit Care Med 1992;20:757-61.

65 Chelluri L, Pinsky MR, Donahoe MP, Grenvik A. Long-term outcome of critically ill elderly patients requiring intensive care. JAMA 1993;269:3119-23.

66 Konopad E, Noseworthy TW, Johnston R, Shustack A, Grace M. Quality of life measures before and one year after admission to an intensive care unit. Crit Care Med 1995;23:1653-9.

67 Montuclard L, Garrouste-Org M, Timsit JF, Misset B, De Jonghe B, Carlet J. Outcome, functional autonomy, and quality of life of elderly patients with a long-term intensive care unit stay. Crit Care Med 2000;28:3389-95.

68 Ridley SA, Wallace PG. Quality of life after intensive care. Anaesthesia 1990;45:808-13.

69 Udekwu P, Gurkin B, Oller D, Lapio L, Bourbina J. Quality of life and functional level in elderly patients surviving surgical intensive care. J Am Coll Surg 2001;193:245-9.

70 de Rooij SE, Abu-Hanna A, Levi M, de Jonge E. Factors that predict outcome of intensive care treatment in very elderly patients: a review. Crit Care 2005;9:R307-14.

71 Solomon MZ, O'Donnell L, Jennings B, et al. Decisions near the end of life: professional views on lifesustaining treatments. Am J Public Health 1993;83:14-23.

72 Bayer AJ, Chadha JS, Farag RR, Pathy MS. Changing presentation of myocardial infarction with increasing old age. J Am Geriatr Soc 1986;34:263-6.

73 Chelluri L, Grenvik A, Silverman M. Intensive care for critically ill elderly: mortality, costs, and quality of life. Review of the literature. Arch Intern Med 1995;155:1013-22.

74 Hakim RB, Teno JM, Harrell FE Jr, et al. Factors associated with do-not-resuscitate orders: patients' preferences, prognoses, and physicians' judgments. SUPPORT Investigators. Study to Understand Prognoses and Preferences for Outcomes and Risks of Treatment. Ann Intern Med 1996;125:284-93.

75 Hamel MB, Davis RB, Teno JM, et al. Older age, aggressiveness of care, and survival for seriously ill, hospitalized adults. SUPPORT Investigators. Study to Understand Prognoses and Preferences for Outcomes and Risks of Treatments. Ann Intern Med 1999;131:721-8.

76 Castillo-Lorente E, Rivera-Fernandez R, Vazquez-Mata G. Limitation of therapeutic activity in elderly critically ill patients. Project for the epidemiological analysis of critical care patients. Crit Care Med 1997;25: 1643-8.

77 Mahul P, Perrot D, Tempelhoff G, et al. Short- and long-term prognosis, functional outcome following ICU for elderly. Intensive Care Med 1991;17:7-10.

78 Sjogren J, Thulin LI. Quality of life in the very elderly after cardiac surgery: a comparison of SF-36 between long-term survivors and an age-matched population. Gerontology 2004;50:407-10.

79 Hennessy D, Juzwishin K, Yergens D, Noseworthy T, Doig C. Outcomes of elderly survivors of intensive care: a review of the literature. Chest 2005;127:1764-74.

80 Eddleston JM, White P, Guthrie E. Survival, morbidity, and quality of life after discharge from intensive care. Crit Care Med 2000;28:2293-9.

81 Linko R, Suojaranta-Ylinen R, Karlsson S, Ruokonen E, Varpula T, Pettila V. One-year mortality, quality of life and predicted life-time cost-utility in critically ill patients with acute respiratory failure. Crit Care 2010;14:R60.

82 Hofhuis JG, van Stel HF, Schrijvers AJ, Rommes JH, Spronk PE. Changes of health-related quality of life in critically ill octogenarians: a follow-up study. Chest 2011;140:1473-83.

83 Cohen C. On the quality of life: some philosophical reflections. Circulation 1982;66(Suppl. III):29-33.

84 Fok SK, Chair SY, Lopez V. Sense of coherence, coping and quality of life following a critical illness. J Adv Nurs 2005;49:173-81.

85 Hagedoorn M, Sneeuw KC, Aaronson NK. Changes in physical functioning and quality of life in patients with cancer: response shift and relative evaluation of one's condition. J Clin Epidemiol 2002;55:176-83.

86 Sprangers MA, Van Dam FS, Broersen J, et al. Revealing response shift in longitudinal research on fatigue the use of the thentest approach. Acta Oncol 1999;38:709-18.

87 Schwartz CE, Coulthard-Morris L, Cole B, Vollmer T. The quality-of-life effects of interferon beta-1b in multiple sclerosis. An extended Q-TWiST analysis. Arch Neurol 1997;54:1475-80.

88 Adang EM, Kootstra G, Engel GL, van Hooff JP, Merckelbach HL. Do retrospective and prospective quality of life assessments differ for pancreas-kidney transplant recipients? Transpl Int 1998;11:11-5.

89 Lenert LA, Treadwell JR, Schwartz CE. Associations between health status and utilities implications for policy. Med Care 1999;37:479-89.

90 Knaus WA, Wagner DP, Zimmerman JE, Draper EA. Variations in mortality and length of stay in intensive care units. Ann Intern Med 1993;118:753-61.

91 Angus D, Ishizaka A, Matthay M, Lemaire F, Macnee W, Abraham E. Critical care in AJRCCM 2004. Am J Respir Crit Care Med 2005;171:537-44.

92 Consensus conference organised by the ESICM and the SRLF. Predicting outcome in ICU patients. Intensive

Care Med 1994;20:390-7.

93 Knaus WA, Draper EA, Wagner DP, Zimmerman JE. APACHE II: a severity of disease classification system. Crit Care Med 1985;13:818-29.

94 Knaus WA, Wagner DP, Draper EA, et al. The APACHE III prognostic system. Risk prediction of hospital mortality for critically ill hospitalized adults. Chest 1991;100:1619-36.

95 Lemeshow S, Teres D, Klar J, Avrunin JS, Gehlbach SH, Rapoport J. Mortality Probability Models (MPM II) based on an international cohort of intensive care unit patients. JAMA 1993;270:2478-86.

96 Le Gall JR, Lemeshow S, Saulnier F. A new Simplified Acute Physiology Score (SAPS II) based on a European/North American multicenter study. JAMA 1993;270:2957-63.

97 Deoreo PB. Hemodialysis patient-assessed functional health status predicts continued survival, hospitalization, and dialysis-attendance compliance. Am J Kidney Dis 1997;30:204-12.

98 Kalantar-Zadeh K, Kopple JD, Block G, Humphreys MH. Association among SF36 quality of life measures and nutrition, hospitalization, and mortality in hemodialysis. J Am Soc Nephrol 2001;12:2797-806.

99 Lowrie EG, Curtin RB, LePain N, Schatell D. Medical outcomes study short form-36: a consistent and powerful predictor of morbidity and mortality in dialysis patients. Am J Kidney Dis 2003;41:1286-92.

100 Rumsfeld JS, MaWhinney S, McCarthy M Jr, et al. Health-related quality of life as a predictor of mortality following coronary artery bypass graft surgery. Participants of the Department of Veterans Affairs Cooperative Study Group on Processes, Structures, and Outcomes of Care in Cardiac Surgery. JAMA 1999;281:1298-303.

101 Konstam V, Salem D, Pouleur H, et al. Baseline quality of life as a predictor of mortality and hospitalization in 5,025 patients with congestive heart failure. SOLVD Investigations. Studies of Left Ventricular Dysfunction Investigators. Am J Cardiol 1996;78:890-5.

102 Maisey NR, Norman A, Watson M, Allen MJ, Hill ME, Cunningham D. Baseline quality of life predicts survival in patients with advanced colorectal cancer. Eur J Cancer 2002;38:1351-7.

103 Welsh CH, Thompson K, Long-Krug S. Evaluation of patient-perceived health status using the Medical Outcomes Survey Short-Form 36 in an intensive care unit population. Crit Care Med 1999;27:1466-71.

104 Iribarren-Diarasarri S, Izpuru-Barandiaran F, Munoz-Martinez T, et al. Health-related quality of life as a prognostic factor of survival in critically ill patients. Intensive Care Med 2009;35:833-9.

105 Hofhuis JG, Spronk PE, van Stel HF, Schrijvers AJ, Bakker J. Quality of life before intensive care unit admission is a predictor of survival. Crit Care 2007;11:R78.

106 Rivera-Fernandez R, Sanchez-Cruz JJ, Abizanda-Campos R, Vazquez-Mata G. Quality of life before intensive care unit admission and its influence on resource utilization and mortality rate. Crit Care Med 2001;29:1701-9.

107 Heyland DK, Guyatt G, Cook DJ, Meade M, Juniper E, Cronin L, Gafni A. Frequency and methodologic rigor of quality-of-life assessments in the critical care literature. Crit Care Med 1998;26:591-8.

Chapter 08

장기간 지속되는 중증질환의 비용 및 자원활용

크리스토퍼 E. 콕스(Christopher E. Cox)

서론

본 서의 여러 곳에서 언급한 바와 같이 중증질환은 보건의료체계에서 중요하고도 독특한 위치에 있다. 일반적으로 말하자면 중환자의 상당수가 생존하고, 기존의 기능적 능력을 대부분 회복한다. 다만 의료인들이 주지하는 바와 같이 중증질환과 관련하여 전혀 다른 경험을 하며 장기입원하는 환자도 존재한다. 이러한 환자집단은 장기기계환기, 만성중증질환, 장기보조장치 등의 용어로 분류되었다.[1] 이러한 상황에 대해 짧게는 기계환기 2일부터 길게는 기계환기 21일 등 다양하게 규정하고 있다.[2]

중환자치료를 위해서는 의료인력, 기술, 약제비용 등 엄청난 규모의 자원 배정이 필요하다. 장기 중증질환은 장기입원, 급성기 이후 치료시설 등 고비용의 치료가 필요하다. 본 장에서는 장기치료 환자의 비용과 자원활용을 환자중심에서, 그리고 보건정책의 틀에서 논의하도록 한다.

장기 중증질환의 역학

장기 중증질환의 경제적 중요성을 보다 폭넓게 이해하기 위해서는 먼저 역학적 차원에서 이러한 현상을 탐구해볼 필요가 있다.

전체 기계환기환자의 약 7-10%, 미국의 경우 약 250,000명이 장기 중증질환으로 분류될 수 있다.[2] 중증질환 발병률은 인구 노령화로 인해 크게 증가할 것으로 예상되었다.[3] 장기생명보조장치를 시행한 환자는 노령인 경우가 많기 때문에 같은 맥락에서 이러한 환자의 수가 증가할 것으로 예상할 수 있다. 미국의 각 주에서 집계되는 퇴원 데이터베이스를 통해 주민 1,000명당 기관절개술 시행 건수는 65-84세에서 가장 높게 나타났다는 연구결과도 있다.[4] 전미 입원환자표본/보건의료활용프로젝트 데이터셋에 기존 연간증가율 5.5%와 예상되는 연령별 인구 변화를 통합적으로 산출하여 장기기계환기환자의 수가 2005-2020년 사이 두 배 이상 증가하여 600,000명이 될 것으로 전망하였다.[5] 흥미롭게도 또 다른 연구에서는 1990년대 중반 이후 장기기계환기 시행건수가 전체 기계환기장치의 제공과 비교할 때 큰 폭으로 증가하였다고 보고하였다.[6]

장기 중증질환의 결과

일반적으로 장기간 생명보조장치에 의존한 환자는 장단기사망률이 높고, 상당한 기능적 장애를 겪으며, 삶의 질도 하락하였다.[1,7,8] 이전의 건강상태로 회복된 경우는 많지 않았다. 예외적이라고 할 만한 사례는 상대적으로 젊고, 만성동반질환이 거의 없는 외상환자이다.[8,9] 특히나 결과가 좋지 않은 환자는 노인 환자, 쇼크가 있었거나 투석이 필요한 환자, 기계환기 시행 2주 후 혈소판 수치가 낮은 환자들이다.[9,10]

이들 인구집단에서 관찰된 흥미로운 현상으로는, 장기호흡부전으로 기관절개술을 시행한 환자의 원내사망률은 전체 기계환기 시행 환자의 원내사망률과 유사하거나 오히려 낮았다. 물론 장기기계환기 사망률을 추출한 분모에는 치료 과정에서 조기 사망한, 상태가 가장 위중한 환자는 포함되어 있지 않다. 또한 생존가능성이 상대적으로 높은 환자에게만 기관절제술을 시행하도록 의뢰하고 기계환기 이탈을 위한 노력을 경주하는 등 의사의 판단에 따른 선택 편향도 존재한다.

대부분의 코호트에서 원내사망률은 일반적으로 20-35%(중환자실 전담전문의가 합리적이라고 보는 수준)이지만 장기생존율은 이보다 훨씬 낮다. 다양한 코호트에서 1년 생존율은 40-50%이다.[1] 하지만 사망률과 장애는 특히나 상대적으로 퇴원 초기에 나타나는 경향이 있다. 첫째, 사망의 위험은 여전히 높고 퇴원 후에는 증가할 수도 있다. 시간변화, 불연속상수, 비례생존모델을 사용하여 장기기계환기 환자의 사망위험은 다른 기계환기 환자에 비해 퇴원 후 60-

100일에 큰 폭으로 증가한다는 사실을 밝힌 연구도 있다.[11] 둘째, 퇴원 후 3개월 내에 재입원하는 경우가 대단히 많다. 퇴원 후 5년 이내 재입원 건수의 65%가 퇴원 후 60–100일 사이에 발생했다는 연구결과도 있다.[8] 장기기계환기를 시행한 전체 병원 생존자의 거의 70%가 결국 재입원하기 때문에 상당한 규모의 자원이 활용되게 된다. 셋째, 3개월 내에 기능적 의존성을 해결한 환자는 상대적으로 매우 적은 것으로 관찰되었다. 3개월째에도 기능장애가 중간에서 높은 수준인 환자의 경우 향후 완전하게 자립할 정도로 회복하는 것은 불가능하다.[8] 이러한 관찰결과는 향후 비용과 자원활용에 관한 논의에 중요한 정보가 된다.

장기 중증질환의 비용

보건의료의 경제적 논의에서 비용은 종종 '직접비용'과 '간접비용'으로 나뉜다. 직접비용은 일반적으로 치료에 기인하고, 간접비용은 질환으로 인한 생산성이나 안녕의 손실과 연관이 있다.

급성기 치료

병원이나 중환자실 비용은 입원기간과 밀접한 관련이 있는 바[12] 장기간 지속되는 중증질환에 대한 치료는 다른 입원환자에 비해 비용이 매우 높다. 실제로 이들 환자의 병원 입원기간이 대체로 30–50일이고 중환자실 수준의 치료는 전체 입원기간 중 2/3에 달한다.[1,8] 결과적으로 평균병원비용은 100,000–250,000달러였다.[2,8,13,14]

전술한 바와 같이 최초 퇴원 이후 다시 급성기병원으로 재입원하는 경우도 매우 흔하다. 실제로 이들의 재입원율은 메디케어가 부담한 전체 기계환기 생존자보다 50%가량 높았다.[15] 재입원하는 주요 이유는 패혈증으로, 추가적인 중환자치료나 그보다 낮은 단계(step-down)의 치료가 필요하다. 따라서 누적자원활용을 가중시키는 고비용치료가 필요한 사례인 것이다. 코호트 연구 중 재입원이 전체 비용에서 차지하는 평균 비중을 산출한 연구가 있다. 해당 논문의 저자에 따르면 평균재입원비용은 55,000달러 또는 지표 입원비용의 약 25%에 달하였다.[8] 각각의 비용 산출에 상이한 방법론이 적용되었고 따라서 퇴원 후 비용을 과소평가하는 결과를 낳을 수 있다는 점을 주목해야 한다. 이들 인구집단의 재입원 위험인자는 설명되지 않았다.

제도적 관점에서 보면 장기간 지속되는 중증질환의 치료에는 관련 기회비용이 존재한다. 중환자실이 풀가동되고 있다고 가정해보자. 이러한 만성중증환자의 수가 늘어나면 급성중환자나 수술 후 환자의 중환자실 입원이 막힐 수 있다. 스텝다운 자원이 한정되어 있는 일부 병원의 경우, 중환자실에서 퇴원할 수는 있지만 일반병동에서 하는 치료 이상을 요하는 의료보험 미가입환자나 불충분 가입 환자의 치료에 어려움을 겪는다. 청구의 어려움 때문에 급성기후 치료시설에서는 이들 환자를 수용하지 않는다. 관련 비용을 정량화하기란 어렵다.

급성기후 치료(Post-acute care)

장기기계환기나 만성중증질환의 공통점은 급성기후 치료시설에서의 관리가 필요하다는 점이다. 장기 중증질환의 생존자 중 50–80%가 퇴원 후 급성기후 치료시설로 이송되었다.[2,8] 주요시설 유형에는 장기급성기병원(LTACs), 전문요양시설(SNFs), 전통적인 요양시설(Nursing homes), 입원재활시설(IRFs) 등이 있다. 집으로 퇴원한 환자의 5–10%는 유료재택간호서비스가 필요하다. 우려스러울 정도로 복잡하게 보일 수도 있다. 사실 다양한 시설 유형별로 입실 기준, 수요평가, 질 지표, 지급제도 등이 일관성도 없고, 불분명하며, 이해하기도 어렵다. 이들 환자의 질환별 평균비용은 시설 유형에 따라 현저한 차이를 보이며, 이는 질환의 중증도, 제공되는 서비스, 실제 지급구조 등이 상이하기 때문이다.[14]

아마 가장 관심이 가는 시설 유형은 장기급성기병원으로, 여기에서는 장기기계환기가 가장 흔한 입원 진단명이다. 장기급성기병원은 미국 내 의료기관 중 제공되는 서비스나 치료받는 특정 환자 유형에 따라 규정되는 것이 아니라, 평균 입원기간에 따라 규정되는 유일한 시설 유형이다. 장기병원의 전향적 지급제도에 따라 메디케어 정책에서 급성기병원에 적용되는 것보다 낮은 고정손실 인정지급 기준이 정해져 있고, 장기급성기병원이 동일진단명집단의 평균 입원기간보다 빨리 환자를 퇴원시키려 할 경우 불이익을 준다.[16] 지난 20년 사이 이들 시설은 두 배 가까이 증가하였고, 급성기후 치료환자에게 투입되는 관련 비용만도 13.5억 달러를 넘는다.[17] 장기급성기병원의 수익률은 2009년 5.7%로, 지난 몇 년간 다른 시설의 수익률을 상회하였다.[18] 2005년도 적자축소법에서 메디케어와 메디케이드 서비스센터는 급성기후 치료시설에 대한 지급을 개혁하라는 명령을 받았다.[19] 장기급성기병원은 수익이 높은데다가 환자의 결과 개선에 효과적이라는 근거자료도 없고, 양질의 자료 발표를 게을리한다는 점 때문에 비난을 받아왔다. 성향점수와 다중회귀모델을 이용한 최근 연구에서는 유사한 상태의 환자가 급성기병원보다 장기급성기병원에서 치료받을 때 비용이 더 높은 것으로 나타났다. 다만 기계환기시행 환자의 경우 다른 진단명에 비해 차이가 크지 않았다.[20] 한편 장기급성기병원은 현재 급성기병원이 당면한 필요를 충족시켜주고 있다. 바로 비용이 높은 만성중증질환을 가진 장기입원환자를 이송시킬 수 있는 시설인 것이다. 장기급성기병원과 그 외 다른 후급성기 치료시설이 이들 환자의 치료에서 담당하는 바람직한 역할에 대해 이해하기 위해서는 보다 많은 연구가 수행되어야 할 것이다.

치료의 장기궤적

전체 시설에서 받은 치료의 누적비용을 검토할 수 있다면 유용할 것이다. 단일의료기관의 환자 코호트를 1년 동안 추적조사한 연구에 따르면 환자가 경험한 경로는 복잡하였다. 또한 장기기계환기 생존자는 퇴원 후 치료시설이 평균 4번 바뀌었고, 생존기간 중 75%를 시설에서 보내거나 어떠한 형태로든 유료의료서비스를 받은 것으로 나타났다.[8] 치료 첫 해의 총비용은 평균 300,000달러를 초과하였다.

비공식적 수발자와 가족의 경제적 부담

중증질환이 환자, 가족, 사회에 미치는 경제적 효과는 아마도 가장 설명이 부족하고 잘 알려지지 않은 부분일 것이다. 첫째, 경제활동을 하던 환자는 수개월씩 직장에 나갈 수 없다. 급성폐손상과 같은 인구집단에서는 코호트에 속한 환자의 78%가 12개월 내에 직장에 복귀하였다. 이와는 대조적으로 장기기계환기 환자는 6%만이 12개월 내에 직장에 복귀하였다.[8,21] 시설에서 시간의 75%를 보내거나 아파서 일을 할 수 없는 환자가 1년에 250,000명이 있다고 가정하면 경제활동에 참여할 수 없는 손실일이 거의 5천만일이나 된다. 둘째, 가족과 친구도 일자리를 그만두거나 근본적인 일정 조율을 해야 환자가 필요한 무급의 비공식적 간병을 제공할 수 있다.[22] 가족과 친구는 수개월씩 병원에서 환자의 병상을 지킨다. 장기기계환기 환자의 70% 이상이 퇴원 1년 후에도 일상적인 간병을 필요로 했다.[23,24] 이러한 과정에서 가족의 연대에 부담으로 작용하기도 하고 스트레스, 불안, 우울감이 발생하기도 한다.[23,25,26] 전술한 측정기준을 사용한다면 환자의 가족도 환자와 유사한 수준의 생산성 손실을 경험한다고 추정할 수 있다. 중증질환을 겪는 동안 가족의 1/3이 평생 모은 저축을 모두 잃게 된다는 연구 결과도 있다.[27] 중증질환은 저소득층에서 더욱 빈발하기 때문에 경제적인 어려움에 대한 대비가 가장 취약하다. 중환자의 가족이 겪게 되는 어려움에 대해 더 많은 연구와 보건정책의 관심이 필요하다.

장기 중증질환의 경제 분석

임상치료나 연구는 보통 환자 중심이지만 장기 중증질환은 의료체계에서 엄청난 누적자원을 필요로 하기 때문에 사회적 측면에서 장기 중증질환의 사례를 생각해보는 것도 필요하다. 특히나 많은 환자가 메디케어 가입자이기 때문에 이들 환자집단에게는 특히 중요하다.

이러한 맥락에서 가장 직관적인 분석 고려사항은 장기생명유지치료의 제공이 사회에 가치가 있는지 여부이다. 주관성을 배제하기 위해 가치에 대한 정의를 내리는 것이 중요하다. 또한 비용효과분석을 활용할 수 있다. 간략하게만 설명하자면 비용효과분석에서는 두 치료 사이의 효과라는 측면에서 두 치료의 증분비용에 대한 증분혜택의 비율을 생각하면 된다. 효과는 일반적으로 수명년수(life year)나 해당 인구집단의 평균적인 삶의 질을 반영하기 위해 보정한 수명년수로 정량화한다. 이렇게 하면 비용효과 증분률 또는 상대적 가치 평가를 얻을 수 있다. 통상적으로 증분비용효과비가 질보정수명(QALY)당 50,000−100,000달러 미만인 경우 사회적으로 수용되는 수준이라고 볼 수 있다.[28]

장기 중증질환에 대해 수행된 비용효과연구는 거의 찾아볼 수 없다. 분석을 할 때 개념적 난제는 비교대상의 유효성이다. 인공호흡기를 제거하고 완화의료를 할 때와 비교할 때, 장기기계환기를 시행한 경우 QALY당 82,411달러가 소요되는 것으로 한 연구에서 밝혀졌다. 하지만 증분비용효과비는 68세 이상 환자의 경우 QALY당 100,000달러를 초과하였다.[13] 환자의 치료선호도 이해 연구(SUPPORT)의 데이터베이스를 활용한 연구에서는, 2개월 내 사망가능성이 50%를 넘는 급성호흡부전환자의 경우 증분비용효과비가 100,000달러를 초과하는 것으로 나타났다.[29] 한 연구진은 생존 한 명당 비용이라는 결과를 통해 중환자실 장기입원환자의 증분치료비용이 약 70,000달러라고 하였고 기계환기의 시행여부는 밝히지 않았다.[30] 또 다른 연구진들은 수술환자의 경우 생명을 구하기 위해 더 많은 비용이 소요된다는 점을 밝혀냈다.[31]

이 밖에도 특별한 측정기준으로는 잠재적으로 효과가 없는 치료(potentially ineffective care)라는 개념이 있다. 이는 중환자 중 상위 25백분위수에 해당하며, 퇴원 후 생존일수가 100일 미만일 경우 소요된 자원으로 정의한다.[32] 일개 의료기관 자료에서는 이러한 분류에 해당하는 중환자실 환자의 13%가 모든 자원의 32%를 사용하였다. 장기기계환기 환자 코호트에 적용해보니 기관절개술을 하고 최소 4일간 기계환기를 실시한 22%의 환자가 잠재적으로 효과가 없는 치료의 기준에 부합하였고, 이들 중 대부분이 65세 이상의 노인 환자였다.[11] 한편 21일 이상 기계환기를 시행한 환자의 41%가 이러한 정의에 부합하였다. 중환자에게 효과가 없는 치료를 제한하자는 것은 개념적으로는 설득력이 있지만 현실적으로는 그럴 경우 잠재적으로 효과가 있는 치료조차 제한하게 되는 결과를 낳을 수 있다는 위험이 존재한다.[33]

질개선과 비용감소를 위한 잠재적 목표

장기생명유지치료와 관련하여 비용은 높은데 결과는 부진하다는 점을 감안한다면 결과개선과 비용감소의 목표를 정확하게 이해하는 것이 중요하다. 향후 연구를 통해 개입이 필요한 주요 목표가 밝혀져야 할 것이다.

환자요인

한 연구에서 장기기계환기의 생리적, 사회인구적, 질환 관련 위험인자를 설명하였다. 최고의 효과를 기대할 수 있는 무엇보다 중요한 목표는 질 높은 중환자치료의 제공일 것이다. 빠른 의식의 회복, 유해성이 낮은 기계환기 전략 채택, 진정치료의 신중한 관리, 탈관준비도 평가, 조기 보행 등이 이에 포함된다.[34-37] 입원기간이 중요한 비용유발 환자요인이라는 점을 상기한다면 치료의 질을 강조하는 전략이 가장 높은 효과를 낳을 것이다. 한편 만성동반질환의 부가적 부담이나 중증질환의 급성도, 환자의 연령과 같이 조정이 불가능한 인자도 존재한다. 이러한 특징이 장기기계환기의 장기 경로를 어느 정도 설명할 수 있을지는 분명하지 않다.

가족 및 의사결정대리인 요인

가족은 이들 중증질환자를 대신해서 연명의료 등에 관한 의사결정을 해야 하는 어려운 상황에 놓이게 된다. 많은 의학 논문에서 사회문화적 특징, 언어장벽, 종교, 건강지식(health literacy), 건강수리력(health numeracy), 중증질환으로 인한 극도의 상황적 스트레스와 같은 요인이 환자중심의 의사결정을 적시에 내리는 것을 가로막는 장벽으로 작용한다고 하였다.[38-40] 의사결정대리인의 경우 중환자실에서 의사결정을 내릴 때 장기기계환기환자의 장기생존율, 기능적 독립성, 삶의 질을 지나치게 낙관적으로 평가한다.[22]

의사요인

의사는 환자 가족과의 의사소통이나 의사결정에 어려움을 겪는다. 의사들은 안타까운 소식을 전하기를 꺼려하거나 예후에 대해 설명할 때 준비가 되어 있지 않다고 느낀다고 응답한다.[41] 그 결과 환자 가족들은 중환자실에서 경험하는 의사소통의 질이 최적이라고는 평가하지 않는다.[39] 14일이나 21일간 기계환기를 시행한 환자에 대해 새로운 1년 생존율 예측 모델이 마련되면서 의사들이 임상에서 의사결정을 할 때 도움을 줄 수 있는 신뢰할만한 도구가 생겼다.[9] 이 밖에도 의사들이 효과적인 의사소통을 하고 의사결정을 환자 가족과 같이 할 수 있는 여러 방법이 필요하다.

의료제도의 절차

일반적인 장기기계환기 환자가 겪는 치료의 궤적을 살펴보면 급성기 및 급성기후 치료기관이 보다 적은 비용으로 최선의 결과를 달성하기 위해 긴밀히 협력해야 할 필요가 있다. 급성기와 급성기후 치료기관은 이들 환자집단의 장기 치료(및 비용)에 대한 책임을 공유해야 한다. 이러한 파트너십이 있을 때 보다 나은 치료행위가 가능할 것이다. 물론 이러한 파트너십의 문화를 가장 잘 구축할 수 있는 방법이 무엇인가는 향후 공동 연구를 통해 밝혀져야 할 것이다. 파트너십을 가로막는 장벽은 여러 차원에서 존재한다. 예를 들어 다른 기관이 갖고 있는 이들 환자의 전체 의료기록에 접근할 수 없다. 또한 현행 지급제도는 서둘러 환자를 급성기후 치료기관으로 이송시키도록 하고 있다. 시간이 경과하면서 단순히 환자의 질환 중증도가 증가하기 때문에 재입원율이 증가하는 것인지는 분명하지 않다. 또한 급성기 및 급성기후 치료기관에서 전반적으로 활용할 수 있는 질, 치료필요성, 환자중심의 결과를 측정하는 척도가 거의 존재하지 않는다. 전술한 바와 같이 다양한 기관별로 좀 더 정확한 입원 기준이 마련되어 치료기관이나 지급기관이 활용할 수 있어야 할 것이다. 장기급성기 치료병원 등 다양한 급성기후 치료기관의 효과에 대해서도 보다 많은 증거자료가 축적되어야 할 것이다.

결론

장기 중환자치료는 다른 입원환자에 비해 막대한 비용이 든다. 과거에는 이러한 비용이 과소평가되었을 수도 있다. 퇴원 후 자원활용을 장기 중환자치료비용에 포함시키지 않았기 때문이다. 사회인구적, 임상적 인자의 경우 자원활용 측면에서 조정이 불가능할 수도 있지만 그 밖의 환자, 가족, 의사, 의료체계 등 다양한 인자의 경우 비용감축을 위한 개입이 가능할 수도 있다.

참고문헌

1 Nelson JE, Cox CE, Hope AA, Carson SS. Chronic critical illness. Am J Respir Crit Care Med 2010;182:446-54.

2 Carson SS, Bach PB. The epidemiology and costs of chronic critical illness. Crit Care Clin 2002;18:461-76.

3 Angus DC, Kelley MA, Schmitz RJ, White A, Popovich J Jr. Current and projected workforce requirements for care of the critically ill and patients with pulmonary disease: can we meet the requirements of an aging population? JAMA 2000;284:2762-70.

4 Cox CE, Carson SS, Biddle AK. Cost-effectiveness of ultrasound in preventing femoral venous catheter-associated pulmonary embolism. Am J Respir Crit Care Med 2003;168:1481-7.

5 Zilberberg MD, de Wit M, Pirone JR, Shorr AF. Growth in adult prolonged acute mechanical ventilation: implications for healthcare delivery. Crit Care Med 2008;36:1451-5.

6 Cox CE, Carson SS, Holmes GM, Howard A, Carey TS. Increase in tracheostomy for prolonged mechanical ventilation in North Carolina, 1993-2002. Crit Care Med 2004;32:2219-26.

7 Carson SS, Bach PB, Brzozowski L, Leff A. Outcomes after long-term acute care. An analysis of 133 mechanically ventilated patients. Am J Respir Crit Care Med 1999;159:1568-73.

8 Unroe M, Kahn JM, Carson SS, et al. One-year trajectories of care and resource utilization for recipients of prolonged mechanical ventilation: a cohort study. Ann Intern Med 2010;153:167-75.

9 Carson SS, Kahn JM, Hough CL, et al. Development and validation of a mortality prediction model for

patients receiving at least 14 days of mechanical ventilation. Poster presentation at the American Thoracic Society International Meeting, Denver; 2011.

10 Carson SS, Garrett J, Hanson LC, et al. A prognostic model for one-year mortality in patients requiring prolonged mechanical ventilation. Crit Care Med 2008;36:2061-9.

11 Cox CE, Carson SS, Hoff-Linquist JA, Olsen MA, Govert JA, Chelluri L. Differences in one-year health outcomes and resource utilization by definition of prolonged mechanical ventilation. Crit Care 2007;11:R9.

12 Chaix C, Durand-Zaleski I, Alberti C, Brun-Buisson C. A model to compute the medical cost of patients in intensive care. Pharmacoeconomics 1999;15:573-82.

13 Cox CE, Carson SS, Govert JA, Chelluri L, Sanders GD. An economic evaluation of prolonged mechanical ventilation. Crit Care Med 2007;35:1918-27.

14 MacIntyre NR, Epstein SK, Carson S, Scheinhorn D, Christopher K, Muldoon S. Management of patients requiring prolonged mechanical ventilation: report of a NAMDRC consensus conference. Chest 2005;128: 3937-54.

15 Wunsch H, Guerra C, Barnato AE, Angus DC, Li G, Linde-Zwirble WT. Three-year outcomes for Medicare beneficiaries who survive intensive care. JAMA 2010;303:849-56.

16 Medpac. Long-term care hospitals payment system (2008). Available at: http://www.medpac.gov/documents/MedPAC_Payment_Basics_08_LTCH.pdf (accessed 6 July 2009).

17 Kahn JM, Benson NM, Appleby D, Carson SS, Iwashyna TJ. Long-term acute care hospital utilization after critical illness. JAMA 2010;303:2253-9.

18 Medpac. Long-term care hospital services (2011). Available at: http://www.medpac.gov/chapters/Mar11_Ch10.pdf.

19 Gage B. Long-term care hospital project approach: Phase I. (2005). Available at: http://www.cms.hhs.gov/LongTermCareHospitalPPS/Downloads/RTI_phaseI.pdf.

20 Kandilov AMG, Dalton K. Utilization and payment effects of medicare referrals to long-term care hospitals: final report for the Centers for Medicare and Medicaid Services. Research Triangle Park, NC; 2011.

21 Herridge MS, Cheung AM, Tansey CM, et al. One-year outcomes in survivors of the acute respiratory distress syndrome. N Engl J Med 2003;348:683-93.

22 Cox CE, Martinu T, Sathy SJ, et al. Expectations and outcomes of prolonged mechanical ventilation. Crit Care Med 2009;37:2888-94.

23 Van Pelt DC, Milbrandt EB, Qin L, et al. Informal caregiver burden among survivors of prolonged mechanical ventilation. Am J Respir Crit Care Med 2007;175:167-73.

24 Douglas SL, Daly BJ. Caregiving and long-term mechanical ventilation. Chest 2004;126:1387; author reply 1387-8.

25 Douglas SL, Daly BJ. Caregivers of long-term ventilator patients: physical and psychological outcomes. Chest 2003;123:1073-81.

26 Rossi Ferrario S, Zotti AM, Zaccaria S, Donner CF. Caregiver strain associated with tracheostomy in chronic respiratory failure. Chest 2001;119:1498-502.

27 Covinsky KE, Goldman L, Cook EF, et al. The impact of serious illness on patients' families. JAMA 1994;272: 1839-44.

28 Neumann PJ, Rosen AB, Weinstein MC. Medicare and cost-effectiveness analysis. N Engl J Med 2005;353: 1516-22.

29 Hamel MB, Phillips RS, Davis RB, et al. Are aggressive treatment strategies less cost-effective for older patients? The case of ventilator support and aggressive care for patients with acute respiratory failure. J Am Geriatr Soc 2001;49:382-90.

30 Heyland DK, Konopad E, Noseworthy TW, Johnston R, Gafni A. Is it 'worthwhile' to continue treating patients with a prolonged stay (>14 days) in the ICU? An economic evaluation. Chest 1998;114:192-8.

31 Fakhry SM, Kercher KW, Rutledge R. Survival, quality of life, and charges in critically III surgical patients requiring prolonged ICU stays. J Trauma 1996;41:999-1007.

32 Esserman L, Belkora J, Lenert L.Potentially ineffective care. A new outcome to assess the limits of critical care. JAMA 1995;274:1544-51.

33 Curtis JR, Rubenfeld GD. Aggressive medical care at the end of life. Does capitated reimbursement encourage the right care for the wrong reason? JAMA 1997;278:1025-6.

34 ARDS Network I. Ventilation with lower tidal volumes as compared with traditional tidal volumes for acute lung injury and the acute respiratory distress syndrome. The Acute Respiratory Distress Syndrome Network. N Engl J Med 2000;342:1301-8.

35 Girard TD, Kress JP, Fuchs BD, et al. Efficacy and safety of a paired sedation and ventilator weaning protocol for mechanically ventilated patients in intensive care (Awakening and Breathing Controlled trial): a randomised controlled trial. Lancet 2008;371:126-34.

36 Rivers E, Nguyen B, Havstad S, et al. Early goal-directed therapy in the treatment of severe sepsis and septic shock. N Engl J Med 2001;345:1368-77.

37 Schweickert WD, Pohlman MC, Pohlman AS, et al. Early physical and occupational therapy in mechanically ventilated, critically ill patients: a randomised controlled trial. Lancet 2009;373:1874-82.

38 White DB, Curtis JR, Wolf LE, et al. Life support for patients without a surrogate decision maker: who decides? Ann Intern Med 2007;147:34-40.

39 Curtis JR, White DB. Practical guidance for evidence-based ICU family conferences. Chest 2008;134:835-43.

40 Wendler D, Rid A. Systematic review: the effect on surrogates of making treatment decisions for others. Ann Intern Med 2011;154:336-46.

41 Christakis NA, Iwashyna TJ. Attitude and self-reported practice regarding prognostication in a national sample of internists. Arch Intern Med 1998;158:2389-95.

Chapter

중환자실 생존자 간호: 가족 간병의 부담

크리스토퍼 T. 어브, 마크 D. 시겔
(Christopher T. Erb and Mark D. Siegel)

서론

중환자실 생존자의 가족에게 보다 많은 관심을 기울여야 한다. 가족들은 외부의 도움 없이 생존자의 다양하고 필수적인 요구를 충족시켜주는 등 핵심적인 간병인으로서 역할을 담당한다. 간병이라는 역할이 보람을 줄 수는 있으나 많은 가족이 경제적, 신체적, 감정적인 어려움을 겪는다. 본 장에서는 간병의 부담에 대해 살펴보고 중환자실 생존자의 가족을 지원할 수 있는 방법을 모색해본다.

배경

미국에서 성인환자를 위한 비공식적(비전문적) 보조간병을 제공하는 사람은 4천 6백만 명(대체로 가족)에 달하지만 이러한 역할에 대해 훈련이나 급여가 제공되지 않는다.[1] 치매와 같은 만성질환 환자와 비교할 때 중환자실 생존자의 간병에 대해서는 많은 연구논문이 발표되지 않았다.[2] 중증질환을 경험한 환자의 대다수가 생존하지만, 기계환기를 시행한 경우에는 퇴원 후 곧바로 가정으로 돌아가지 못한다.[3-10] 기계환기를 4일 이상 시행한 환자를 대상으로 한 대규모 연구에서 15%만이 퇴원 후 곧바로 가정으로 돌아갔다. 또 다른 연구에서는 최소 2일간 기계환기를 시행한 후 2개월 시점에 생존한 환자의 75%가 간병 지원을 필요로 했다.[11] 급성호흡곤란증후군 생존자의 80%가 퇴원 2년 후에도 비공식적 돌봄과 간병이 필요했다.[12]

안타깝게도 비공식적 간병은 말할 것도 없이 생존자를 도울 수 있는 체계적인 계획이나 기반 시설도 부족한 형편이다.[13] 중환자실 생존자는 신체적, 정신적, 인지적 문제를 안고 있으며 그렇기 때문에 매일 관심과 간병이 필요하다.[11,12,14] 물론 친척이나 친구가 간병에 관여하기도 하지만 일반적으로 여성 배우자이다.[11,12,15,16] 간병은 가정, 재활시설, 다양한 의료시설에서 수주, 수개월, 수년 동안 지속된다.[11,14] 간병을 통해 보람을 느낄 수도 있지만, 쉴 새 없이 책임감이 요구되기 때문에 간병은 신체적, 금전적, 정신적 비용을 치러야 하는 버거운 업무로 변할 수도 있다.[17]

간병의 이점

간병을 하면서 보람을 느낄 수도 있다.[12,18-23] 기관절개술을 시행한 환자에게 필요한 복잡한 간호를 하면서 가족은 보람을 느낄 수도 있다.[22] 의미를 찾을 수 있다면 스트레스를 완화시킬 수 있을 것이다. 안타까운 점은 사랑하는 가족의 신체적, 정신적, 기술적 요구를 충족시키기 위한 준비가 제대로 되어 있지 않을 경우 이러한 이점이 줄어든다는 것이다.

보람을 느끼는 간병 경험과 상관관계가 높은 몇몇 요인이 있다. 암환자 간병인에 대한 연구에 따르면 종교활동, 사회적 지지, 낮은 교육수준 등이 관련이 있다. 긍정적인 정신적 적응과 상관관계가 높은 것은 수용, 긍정적인 자아관, 삶과 새로운 관계에 감사하는 능력, 우선순위를 다시 정할 필요가 없는 경우 등을 들 수 있다. 부정적인 적응은 수용을 못하거나 환자에 대한 지나친 동정, 자아관 변화, 우선순위를 다시 정해야 하는 경우 등을 들 수 있다. 저자는 환자의 가족이 자신의 상황을 받아들이고 주어진 역할에서 의미를 찾도록 하는 개입을 할 경우 간병인의 결과를 개선할 수 있다고 하였다.

간병의 부담

중환자실 생존자의 가족 간병인은 실직, 우울증, 불면증, 건강문제, 생활의 제약 등 수없이 많은 신체적, 금전적, 정신적 문제와 맞닥뜨리게 된다.[1,16,23,24] 생활의 제약은 알츠하이머 환자의 간병과 비슷하다.[14] 한 연구에 따르면 기계환기를 7일 동안 시행한 후 퇴원한 환자의 가족 간병인은 가정으로 돌아가지 못하거나 처음의 기능을 되찾지 못한 환자에 비해 제약이 더욱 흔한 것으로 나타났으며 이러한 제약에는 친구를 방문하고 취미나 여가생활을 할 수 없는 것 등이 포함되어 있다. 가족 간병의 20% 이상이 일상생활의 거의 모든 부분에서 중간 이상의 제약을 받는다고 응답하였다.[16] 6개월 후에는 20%가 수면장애와 섭식장애를 겪었다. 간병인은 환자의 통증, 불편감, 무력감, 불안, 슬픔, 우울증, 수면장애, 야간에 타인을 깨워야 하는 상황, 악몽, 위험한 행동, 시비를 거는 태도, 성마름, 불평 등으로 인해 고통을 받았다. 시간이 지나면 생활의 제약은 줄지만 문제행동과 간병의 스트레스는 줄지 않았다. 저자는 간병인의 적응을 돕고, 사회적 고립감을 줄이고, 환자의 기능적 상태를 개선함으로써 도울 수 있다고 하였다.

병원 입원기간 중 4일 이상 기계환기를 시행한 환자에 대해 6개월 후 간병인의 신체적, 정신적 결과에 대해 진행된 연구에서[5] 대체로 간병은 새로운 역할이고, 그 역할을 떠맡은 사람은 대부분 중년의 취업자인 여성 배우자나 자녀였다. 환자 중 30.1%만이 퇴원한 후 곧바로 가정으로 돌아갈 수 있었고 나머지는 요양시설(40.4%), 재활시설(26.5%), 다른 병원(3%)으로 갔다. 6개월째 생존한 환자 중 21.9%는 요양시설에서 지냈다. 간병인의 하루 간병 시간은 재택환자의 경우 4.9시간, 시설거주자의 경우 4.2시간이었다. 재택환자의 간병자 중 44%가 가족과 친구로부터 도움(평균 3시간)을 받은 반면 시설거주자 간병자 85.7%가 도움(3.7시간)을 받았다.

병원 입원 3개월 후 간병 가족 71명의 간병 부담을 조사한 연구에서[2] 72%가 주간 최대 40시간, 19.6%가 60시간 이상 환자에게 간병 서비스를 하고 있었다. 도움을 받는 경우는 흔치 않았다. 여성 배우자가 서비스 대부분을 제공하지만 남성 배우자의 경우 부담이 더 많고, 돌보는 과정에 어려움을 더 많이 느끼고 더 많은 지지가 필요한 것으로 나타났다. 간병 가족의 부담은 자식으로 느끼는 의무감과 상관관계가 높지만 사회적 지지와 자기효능감과는 상관관계가 높지 않았다.

환자요인, 간병인요인, 제도관련요인 등이 부담에 기여한다.[25] 중압감은 요구되는 책임과 관련이 있다. 일례로 만성호흡부전 환자를 돌본다면 석션하는 방법을 배워야 하고 인공호흡기관리의 기술적인 부분을 이해해야 한다. 간병 가족 40인을 대상으로 한 연구에서 모두가 1년 차에 중간 정도의 중압감(가족중압감설문조사)을 느끼는 것으로 나타났다.[23] 이에 기여한 요인으로는 여가시간 제한, 사회관계 제약 등이 있다. 여성간병인과 14개월 이내에 기관절개술을 받은 환자의 간병인은 가장 중압감을 많이 느꼈다. 일부 여성배우자는 남편과 신체적으로 가까워지면 혐오감을 느낀다고 답하였다. 간병 가족은 수개월 동안 간호간병을 담당한 이후라도 지속적인 교육을 원하였다. 간병인의 부담과 환자의 결과 사이의 관계는 쌍방향적이다. 즉 환자의 장애에 기여하는 요인은 부담을 가중시키고 부담을 초래하는 요인은 환자의 안녕을 저해한다.

급성질환 이후 수주에서 수개월 동안 인공호흡기에 의존하는 만성중증질환 환자에 대해 우려하는 목소리가 높아가고 있다.[26-28] 미국의 경우 만성중증질환 환자가 100,000명을 넘으며 꾸준히 증가하고 있다.[28] 만성중증질환 환자의 예후는 좋지 않다. 대부분이 장기간 또는 영구적으로 시설에서 지내고, 심각한 인지장애와 기능장애를 동반한다.[26-28] 48–68%가 1년 내에 사망하였고 12% 미만이 발병 1년 후 생존하여 독립적인 생활을 한다.[28] 한 연구에 따르면 1년 생존자의 61%가 일상적인 간병의 도움이 필요했다.[29] 49%의 간병인이 간병과 관련하여 '상당한' 또는 '심각한' 스트레스가 있다고 답하였다. 84%가 일자리를 그만두거나 업무일정을 변경하였다.[29] 환자의 가족은 환자가 만성중증질환에서 회복하여 생존하고 자가호흡과 기타 기능을 되찾고 가정으로 돌아갈 가능성을 과대평가한다.[26,28,29] 중환자실 의료진과 가족간의 의사소통오류가 오해를 키운다. 간병 가족은 기관절개술에 동의할 때 환자에게 필요한 도움의 정도를 과소평가한다. 부정적인 결과가 간병 가족의 안녕에 미치는 영향 등을 고려해볼 때 향후 보다 많은 연구가 필요하다.

신체적 부담

중환자실 환자가 아닌 일반환자집단의 자료를 살펴보면 간병인에게 면역기능장애, 심혈관질환, 감염, 상처치유지연, 암세포성장가속, 염색체의 노화, 자가면역질환, 당뇨병, 대사증후군, 비만, 고지혈증, 우울증, 조기사망 등의 건강위험이 발생한다.[5,20,30] 만성적 스트레스는 교감신경계와 시상하부 뇌하수체 부신축에 영향을 미친다.[20] 노인인구의 경우 상실, 지속적인 스트레스, 간병으로 발생하는 신체적 부담과 더불어 생물학적 취약성이 일정 역할을 할 것이다. 운동, 개인건강관리, 여가활동 등 예방적 활동을 하는 경향이 줄어든다는 것도 영향을 주었을 것이다.

간병인건강효과연구(Caregiver Health Effects Study)에서 배우자를 간병하는 노인 400여 명을 대조집단과 연령, 성별 등으로 매칭하였다.[30] 사회인구학적 요인, 동반 질환, 증상이 없는 심혈관 질환 등을 보정하고 나니 스트레스를 겪는 간병 가족에게서 4년 사망률이 63% 증가하였다.[30] 사망률은 동반 질환과 간병 스트레스가 있는 집단에서 가장 높아서 4년 추적조사기간 동안 32.7%가 사망하였다. 휴식이나 운동할 수 있는 시간이 부족한 것이 기전으로 제시되기도 했으나 표본크기가 제한적이기 때문에 다른 잠재적 요인을 분석할 수 없었다.

4일 이상 기계환기를 시행한 환자의 간병 가족에 대한 연구에서 6개월 사이 건강 악화를 경험했다고 답한 응답자는 36.1%에 달했다.[5] 건강 악화에 대한 인식은 우울증과 상관관계를 보였다. 암환자의 간병인에게서도 유사한 부담이 관찰되었다. 암환자 간병인은 자신보다도 환자의 요구를 중요시하는 경향이 있다. 암환자 간병인을 지원하는 다양한 자원이 존재하는 반면 중환자실 생존자의 간병인에게는 이러한 지원을 거의 찾아볼 수 없다.

경제적 부담

간호간병의 시간과 에너지를 명확히 금전화하기 어렵고 경제적 부담은 실제적인 금전지출보다는 임금손실이나 고용감소 등의 형태를 띠기 때문에 경제적 부담은 측정하기가 어렵다. 그렇지만 간병 가족은 분명히 경제적 어려움에 직면한다.[8,10,29] 이에 기여하는 요인으로는 간병비용, 저축자금 소진, 환자와 가족의 직장복귀 불가 등을 들 수 있다. 기계환기를 48시간 이상 시행해야 했던 생존자 연구에서 퇴원 2개월 후 간병 역할 이외에 일을 지속할 수 있었던 가족은 28.7%에 불과했고 30.3%는 간호 간병을 위해 유급 근무를 중단하거나 축소하였다.[11] 또 다른 연구에서 퇴원 1년 후 14%가 간병 때문에 일을 그만두었다고 응답하였다.[14] 또 다른 연구의 경우 연구를 등록할 당시 취업자의 절반가량이 간병 때문에 업무시간을 줄이거나 직장을 그만두거나 해고되었다.[31] 중증질환으로 병원에 입원한 성인 환자들에 관한 SUPPORT 연구에 따르면 가족의 31%가 저축자금을 대부분 또는 전부 사용했고, 29%는 주수입원이 없어졌다. 나이가 젊을수록, 소득이 낮을수록, 기능적 상태가 나쁠수록 저축자금 소진과 상관관계가 높았다. 간병 가족은 환자의 건강과 간접적으로 연관이 있고 건강의료보험으로 충당되지 않는 경제적 어려움을 겪을 위험에 놓인다.[32]

정신적 부담

슬픔에 빠진 중환자의 가족이 겪는 정신적 손상에 대해서는 많은 연구가 진행되었다.[33-35] 그러나 생존자의 가족도 유사한 어려움을 겪게 된다. 이들 가족들은 불안, 우울증, 외상후스트레스장애, 가족이 사망한 경우에는 복합비애 등 다양한 장애를 겪게 된다.[10,11,14,34-39] 중환자실에서 경험한 정신적 외상으로 인해 가족은 간병이라는 책임을 맡을 때 겪을 수 있는 어려움을 미리 경험하기도 한다.[34,40-43]

Kentish-Barners 등은 정신적 부담을 평가하는 도구를 설명하였다.[43] 특히 가족만족도 평가(중환자실가족요구조사), 중환자실 가족만족도 설문조사, 정신질환(병원불안우울척도), 사건영향척도 등이 있다. 병원불안우울척도는 불안과 우울 증상을 확인하는 수단으로 이미 수차례 검증을 받아 사용되고 있다. 사건영향척도 수정판의 경우 유선으로도 쉽게 시행할 수 있어 외상후스트레스장애 판별을 위해 사용되고 있다. 미국의사협회에서는 간병인이 자신의 스트레스 수준, 의사의 평가, 상호지원모임 소개, 사회복지서비스 등 개입의 필요성을 평가할 수 있는 손쉬운 자가평가방법을 마련하였다.[44] 중환자실 생존자 가족을 대상으로 검증과정을 거친 것은 아니지만 이러한 자가평가방법은 도움을 받아야 할 필요가 있는 간병인을 가려내는데 도움이 될 것이다.[44,45]

정신 증상은 삶의 질을 낮추고 사회적 고립감, 가정불화, 실직, 건강문제 등을 유발할 수 있다.[46] 심리적 질병이환은 간병인인 환자를 돌볼 수 있는 능력을 저해하고 환자의 회복에도 영향을 미친다.[8,18,40,41,47,48] 가족의 복지를 걱정하는 간병인의 경우 지나치게 보호적으로 변할 수도 있다.[48] 또한 가족 간병의 경우 환자는 기억하지 못하는 중환자실의 경험을 기억하기 때문에 스트레스가 더욱 악화되기도 한다.[48]

Davidson과 연구진은 최근 급성스트레스장애, 외상후스트레스장애, 우울증, 복합비애 등 중환자실치료 이후 가족에게 영향을 미치는 심리적 질병이환을 설명하는 가족 집중치료후증후군(PTSD-F)의 개념을 소개하였다. 가족 집중치료후증후군은 수년간 지속되기도 한다. 이에 영향을 미치는 복합적인 위험인자가 존재한다. 안타깝게도 현실은 이러한 가족 집중치료후증후군을 예방하기에는 역부족이다.

유병률 및 위험인자

중환자실에 입원해 있는 동안 환자 가족에게서 정신 증상이 많이 나타나고, 이는 일반인구집단을 크게 웃도는 수준이며, 이러한 현상은 퇴원까지 지속된다.[11,34,35,49] 가족의 80%가 환자의 중증질환으로 인해 불안, 우울, 혼란, 스트레스, 좌절, 죄책감, 외상후스트레스장애 등 적어도 한 가지 이상의 부정적인 영향을 받는다.[43] 환자의 장애와 간병인의 건강과의 상호 관계를 밝히고, 정신질환 이환의 위험인자를 파악하기 위해 보다 많은 표본을 대상으로 더 정확한 진단기법을 이용한 많은 연구가 진행되어야 할 것이다.[10,14] 정신 질병이환을 중환자실 입원과 이후 간병에 연계하고자 하는 노력은 기저치를 삼을만한 연구가 부족하고 장기적 자료가 부족한 탓에 혼란을 겪고 있다.[12,14,24,41]

중환자실 퇴원이나 사망 시 가족의 73.4%가 불안증상을 보이며 35.3%가 우울증상을 보인다.

배우자가 이러한 증상을 보일 확률이 높다(75.5% vs. 82.9%). 환자가 사망하면 우울증상이 더욱 많이 나타나긴 하지만(48.3%), 생존자의 가족에게도 그만큼 많이 나타난다(32.7%). 불안의 위험인자는 단순급성생리지수II(SAPS II)가 높거나, 환자의 연령이 낮거나, 배우자인 경우이다. 우울의 위험인자는 단순급성생리지수II가 높거나, 환자가 사망하거나, 환자의 연령이 낮거나, 1인 병실 구조가 아닌 중환자실에 입원한 경우이다. 배우자는 의사결정자로서의 역할도 해야 하고, 의료진에게 정보도 제공해야 하며, 다른 가족과 정보도 공유해야 하기 때문에 특히 위험한 상태에 놓일 수 있다.

연구 대상이었던 가족들의 49%가 중환자실 치료 6개월 후에도 외상후스트레스장애 증상을 보였다.[24] 가족의 정신적 고통은 환자의 고통과 상관관계가 있으며 가족이 환자의 요구에 대응하지 못할 정도로 정신적 충격을 받을 수 있다는 우려가 제기되었다. 프랑스의 21개 중환자실에서 치료받은 284명의 환자 가족을 대상으로 한 연구에서 퇴원이나 사망 후 90일에 외상후스트레스장애의 유병률과 위험인자를 기술하였다.[34] 33%가 외상후스트레스장애 증상을 가지고 있었다. 중환자실에서 제공된 정보가 불완전했다고 답한 가족(48.4%), 의사결정과정에 참여한 가족(47.8%), 중환자실에서 환자가 사망한 가족(50%), 연명치료결정 이후 환자가 사망한 가족(60%), 연명의료 유보중단 결정에 참여한 가족(81.8%)의 경우는 더욱 그러하다. 이 밖에도 위험인자로 여성, 환자의 자녀, 암환자, 중증급성질환 등이 있다. 심각한 외상후스트레스는 불안, 우울의 증가와 삶의 질 저하와 연관이 깊다. 안타깝게도 외상후스트레스 반응을 보인 가족의 25%만이 추적조사에서 치료를 받았다. 재택돌봄과 관련된 스트레스의 요소는 다뤄지지 않았다.

급성호흡곤란증후군 생존자를 대상으로 한 연구에서 간병인의 31.9%가 감정적 고통을 느꼈으며 이는 미국 여성 표본에서 확인된 것보다 높은 수준이었다.[12] 감정적 고통은 환자의 우울증상 발생률이 높은 것과는 상관관계가 있지만 기능적 상태와는 상관관계가 존재하지 않았다. 그 밖의 요인으로는 개인의 생활양식 변화, 낮은 통제수준(자신의 삶을 통제할 수 있다는 느낌 등) 등을 들 수 있다. 정신적 안녕, 행복과 관련이 있는 요인으로는 내면의 힘을 인지, 삶에 대한 통제가 가능하다고 느낄 때, 사회적 지지 등이 있다.

최근 간병 가족의 정신적 증상의 궤적에 관한 논문 발표가 줄을 잇고 있다. 50명의 가족을 대상으로 한 연구에서는 중환자실 입원 당시, 1개월 후, 6개월 후 각각 42%, 21%, 15%의 가족이 불안을 느낀 것으로 나타났다.[36] 우울은 각각 16%, 8%, 6%에서 나타났다. 6개월 후에는 35%에게서 외상후스트레스가 관찰되었다. 다른 연구와는 달리 환자가 사망한 가족이나 그렇지 않은 경우에서 차이를 발견할 수 없었고 의사결정과정에서의 역할 선호도, 중환자실에서의 불안 우울과도 관련이 없었다. 정신적 증상은 몇 년이나 지속되기도 한다. 급성호흡곤란증후군 발병 5년 후에도 가족의 27%에게서 우울, 불안, 외상후스트레스 등의 정신건강 문제가 관찰되었다.[8]

시간이 경과함에 따라 우울증상은 줄어든다. 한 연구에 따르면 퇴원 시 우울감이 없었던 간병인 중 78.6%가 6개월 후에도 그 상태를 유지했다. 가벼운 정도에서 중간 정도의 우울감을 느끼는 간병인 중 62.5%와 57.9%가 6개월 후 개선되었다. 다만 퇴원 시 심한 우울증상이 있었던 경우는 28.6%만이 개선되었다. 또 다른 연구에서는 환자가 집이 아니라 시설로 전원하는 경우 우울과 돌봄의 부담이 가장 높은 것으로 나타났다.[15] 시설로의 수용은 간병 가족의 일정 변경이 불가피하고 적절한 가족의 지원을 받을 수 없고 건강이 악화되기 때문에 간병의 부담 증가로 이어질 수 있다. 부담과 우울지수 사이에는 상관관계가 존재한다. 시간이 지나면 우울증상은 개선된다. 하지만 퇴원 시 우울증상이 있었던 경우 절반 이상 2개월 후에도 우울감을 느꼈다. 여기서 주목해야 할 점은 환자의 변수보다는 간병인의 변수가 퇴원 후 우울증상의 가장 좋은 예측인자라는 점이다. 동일연구진이 수행한 연구에서 우울증상은 퇴원 시 발생했다가(75.5%), 2개월 후에는 감소하지만 여전히 일정 수준을 유지하는 것으로 나타났다(43.3%). 2개월 후에도 시설에 수용된 환자의 간병가족은 가정에서 환자를 돌보는 간병가족보다 우울증상을 느낄 가능성이 높다(승산비(OR) 2.75).

기계환기를 받았던 환자들에서 2개월, 6개월, 12개월 후 간병가족의 우울증상 위험은 33.9%, 30.8%, 22.8%였다.[14] 시간경과에 따른 우울증상의 감소는 미미하였고 환자의 중환자실 입원 전 기능적 상태는 위험에 영향을 미치지 않았다. 최근 연구에서는 최소 4일간 기계환기가 시행된 환자의 간병인 중 90%가 입원 당시, 73%가 퇴원 시에, 61%가 2개월 후에 우울증상이 있었다.[41] 논문저자는 두 개의 궤적을 발견하였다. 하나는 중환자실 입원 당시 높은 우울증상을 보이고 2개월 후에도 여전히 높은 수준의 우울증상을 보인 경우이고 다른 하나는 처음에도 낮았지만 시간이 지날수록 감소한 경우이다. 높은 궤적을 보인 집단은 젊고, 여성이고, 환자의 성년자녀이고, 경제적 어려움을 겪고 있고, 건강 관련 위험행동을 한다고 응답하였다. 낮은 궤적을 보인 집단은 일반적으로 종교를 가지고 있다고 응답하였다.

한 연구에서는 준 구조화된 정성적 면접을 통해 급성호흡곤란증후군 발병 이후 1년 동안 간병가족의 경험을 연구하였다.[50] 대상자들은 돌봄 관련 상당한 중압감을 느낀다고 하였고, 환자가 증상을 과소평가한다고 답하였다. 또한 환자의 새로운 인지장애나 인지기능의 기복, 퇴원 이후 지원결여, 육아 및 업무와의 균형, 자녀에게 문제에 대해 설명하기, 관계소원, 관계스트레스, 압도당하는 듯한 느낌 등이 힘들다고 했다. 가족은 환자가 겪는 제약을 보면서 준비가 되어 있지 않다고 느꼈고, 환자의 정신적 고통은 가족의 삶을 송두리째 바꾸어 놓을 정도로 가정생활에 타격을 가했다.

최근 연구에서는 병전 자료를 활용함으로써 중증질환이 결과에 미치는 영향 평가의 신뢰성이 높아졌다. 미국 노인을 대상으로 한 연구에서 Davydow 등은 배우자의 패혈증 이후 사망, 장애, 발병 전 우울감, 성별, 기타 요인이 우울증상의 위험에 미치는 영향을 조사하였다.[47] 아내의 경우 우울증상이 패혈증 발병 평균 1.1년 전에 20%에서 발발 1년 후 34%로 증가하였고 남편은 17%에서 25%로 증가하였다. 로지스틱 회귀분석에서 우울증상 발생의 승산비(OR)는 아내의 경우 3.74였으나 남편에게는 독립적인 위험이 존재하지 않았다. 다만 저자는 남편의 경우 표본 크기가 상대적으로 작다는 점과 남자는 증상을 알리기를 꺼릴 수 있다는 점을 감안하여 남편에게 유의미한 영향이 있음을 완전히 배제할 수는 없다고 하였다. 아내의 경우 우울증상은 일상생활 수행능력의 제약 증가와 연관이 있었다.

간병가족의 심리적 질병이환이 발생하는 정도는 환자의 심리적 질병이환과 상관관계가 있다.[19,24,46,51] 외상후스트레스장애 증상은 환자의 증상과 상관관계가 있다.[37] 가족은 환자가 시설에 수용되는 경우 가정에 있는 것보다 우울증상을 느끼거나 과중한 업무부담(돌봄에 대한 부정적 태도나 감정적 반응으로 규정)을 느낄 가능성이 높다.[5]

기능적 의존성과 간병인의 심리적 질병이환 간의 관계에 대한 증거는 서로 상충하기도 한다. 비록 인과관계는 분명하지 않지만 우울위험은 일상생활 수행능력과 기능적 일상생활 수행능력을 보조하며 가정에서 보낸 시간과 상관관계가 있다.[11] 퇴원 시 의존성과 기능적 능력은 간병인의 우울증상을 일관되게 예측하지 못한다.[41] 환자 나이가 많거나 가정에서 유급 도우미를 두는 경우는 우울증과 상관관계가 있지만 기능적 의존성과 동거는 별다른 상관관계가 없다.[14] 하지만 추후 수행된 연구에서는 기능적 의존성과 정신적 결과 사이에 어떠한 관계도 없다고 하였고, 다만 간병가족의 우울증상과 환자가 남성인 경우, 기관절개술을 시행한 경우에는 연관성이 있다고 하였다.[1]

기저의 심리적 질병이환 여부가 외상후스트레스장애, 우울, 불안의 위험에 영향을 미치는 것으로 보인다. 한 연구에 따르면 불안(trait anxiety)은 다변량분석에서 가장 중요한 우울반응 예측자이자, 유일한 외상후스트레스장애 증상의 예측자였다.[52] 여성과 배우자는 정신적 고통 위험이 가장 높은 요인으로 나타났다. 또 다른 연구에서는 최소 3일 이상 기계환기 시행 환자의 간병인의 우울위험에 인구통계학적 변수가 미치는 영향을 분석하기 위해 퇴원 2개월 후 간병 가족을 대상으로 면담을 실시하였다.[31] 인종은 어떠한 영향도 미치지 않았다. 환자가 가정으로 돌아가지 못하고 시설로 수용된 경우 우울증상이 가장 흔하였고 정도도 심하였다. 여성간병자와 건강상태가 좋지 않은 간병 가족은 우울증에 걸릴 가능성이 높았다. 저자는 시설에 수용된 환자의 사망률 증가, 기능적 상태 악화 등이 간병 가족의 우울, 외상후스트레스장애에 기여할 수 있다고 하였다. 또한 사용한 CES-D 기법이 상대적으로 민감성이 떨어져서 우울증상의 발병률을 과소평가하는 결과를 낳을 수 있었다는 점도 지적되었다.[5,31]

가족 간병 부담의 치료와 예방

자료가 부족하기 때문에 간병인 지원을 위한 최선의 접근법을 권고하기란 쉽지 않다.[1,11,25,36,37,53,54] 간병인의 부담에 기여하는 요인을 보다 잘 이해할 수 있다면 효과적인 중재법을 마련하는 데 도움이 될 것이다. 다학제적 지원 네트워크가 필요하다.[39] 중환자실 입원기간뿐 아니라 일차적 간호 환경에서 이러한 증상에 대해 감지할 필요가 있다.[36,47] 환자의 복지는 가족의 안녕에 의해 좌우된다.[40] 안타깝게도 심리적 질병이환은 제대로 인지되지 못하는 경우가 있어 많은 환자와 가족이 혼자 해결하도록 방치되고 있다.[37]

간병 부담을 경감할 수 있는 방안으로 제안되는 것은 교육, 환자와 간병인의 적응과 회복 촉진, 환자의 정신장애 관리의 지원, 임시간호 및 재택간호의 가용성 확대, 사회적 지원의 접근성 개선 등이 있다.[12] 환자의 질환에 대해 완벽하게 이해하게 된다면 부담을 줄일 수 있다.[25] Jones 등은 환자와 가족을 대상으로 하는 병원의 정보제공 프로그램이 환자와 간병 가족의 스트레스를 줄일 수 있는지를 평가하였다.[24] 사용자 매뉴얼을 중환자실 입실 1주 후부터 6주간 사용하도록 하였다. 사용자 매뉴얼에는 중증질환의 회복에 관한 정보, 심리관련 정보, 실질적 조언 등이 수록되어 있다. 안타깝게도 이러한 시도는 가족의 우울, 불안, 외상후스트레스장애와 관련된 증상을 개선하는 데는 별다른 효과가 없었다. 또 다른 연구에서는 질병관리 프로그램이 보호자의 신체 및 심리적 결과에 긍정적인 영향을 주는지 살펴보았다. 이러한 시도가 비록 성공으로 이어지지는 않았지만 프로그램을 장기적으로 시행할 필요가 있다는 점이 지적되었다. 이밖에도 조기에 개입을 하는 것이 도움이 될 것이라는 지적도 있었다.[14]

중환자실에서 이루어지는 의사결정, 관행, 중재가 심리적 문제를 예방하거나 완화시킬 수 있다.[40,55] 중환자실에서 간병 가족의 증상을 완화하는 것이 이후 심리적 문제에 영향을 주는지 아직 정확히 알 수 없다.[56] 의사소통 개선, 가족의 비전문적 병상 간호 참여 등 가족을 위한 여러 전략이 제안되었다.[18] 정보책자, 양질의 가족상담, 가족의 요구와 걱정에 초점을 맞춘 다학제 지원 등이 도움이 될 수 있을 것이다.[34,57,58]

정신심리적 문제와 의료진과의 상호작용, 중환자실 환경 간의 관계에 대한 자료는 상충된 결론을 담고 있다.[34,36,49,57-59] 노르웨이의 연구에서는 퇴원 6주 후 심리적 고통과 친구, 가족, 중환자실 의료진과의 의사소통이나 지원에 대한 만족감 사이에는 어떠한 관계도 없다고 하였다.[59] 그러나 실직, '환경에서 오는 긴장(소음, 다른 환자나 가족과 마주치면서 생기는 스트레스)'이 큰 경우, 나아질 거라는 희망이 없을 경우에는 높은 스트레스와 연관되어 있었다. 다만 전술한 연구는 의사소통과 지원에 대한 만족감이 높고, 친지와의 긴장감이 낮은 환경에서 수행되었다.

몇몇 주요 연구에 따르면 의사소통을 개선하려는 노력을 경주하는 경우 특히 사랑하는 사람의 죽음을 앞두고 있는 가족의 이후 질병이환률을 낮출 수 있다.[34,58] 일례로 Lautrette 등은 사별에 관한 교육책자와 가족상담 시 구조화된 접근법을 통해 집중적인 의사소통전략에 관한 무작위 대조연구를 수행하였다. 개입을 한 가족집단에서 만족감이 증가하였고 불안, 우울, 외상후스트레스장애의 증상도 줄어든 것으로 나타났다.[58]

환자의 결과와 상관없이, 의사소통을 개선하고 가족에 대한 지원을 확대하여 얻을 수 있는 이점으로 판단할 때 중환자실에서의 경험과 가족이 맡게 되는 새로운 역할에 대해 지속적인 연구가 필요하며, 지원모임, 중환자실퇴원후클리닉 등과 같은 개입에 대해서도 지속적인 연구가 필요하다. 이외에도 도움이 될만한 중환자실에서의 실질적인 개입에는 스트레스의 감별, 적절한 소개 및 의뢰, 돌봄에 대한 시범보이기 등이 있다.[60]

간호사는 가족과 끊임없이 만나기 때문에 개입을 하기에 매우 유리한 입장에 있다.[61] '상황파악촉진'이라고 하는 접근법에서는 환자가 중환자실에 입원해 있는 동안 가족을 지원하는 다양한 접근법을 시도하였다. 의사소통이 적절하게 이루어지지 않기 때문에 준비가 미흡한 상태에서는 보호사가 새로운 역할을 떠맡게 되고, 앞으로 환자에게 벌어질 일에 대해 오해할 수 있다는 것이 기본 바탕이다.[61,62] 이러한 접근법에서는 가족이 환자의 상태와 임상적 과정에 대해 파악하고, 그들이 맡게 될 새로운 역할에 적응할 수 있도록 간호자가 지원한다. 구체적인 개입방안으로 가족의 정보요구를 파악하고 충족시키기, 가족이 본인의 요구를 파악하고 충족시키는 방법을 찾도록 코칭하기, 지지하기, 병상에서 의미있는 활동을 할 수 있도록 가족에게 기회를 제공하기 등이 있다. 시범연구에서 가족 편의표본은 이러한 접근법에 만족감을 표현했으나 그 가치를 정확하게 평가하기 위해서는 보다 많은 연구가 수행되어야 할 것이다.[61,62]

환자와 가족의 외상후스트레스를 예방하거나 경감시키기 위해 중환자실 일기를 활용하는 방안에 대한 관심이 증가하고 있다.[46,51,63,64] 일기는 환자와 가족이 중환자실에서의 경험을 이해하는데 도움이 될 수 있다.[51] 일반적으로 중환자실 일기는 간호사가 작성하지만, 그 밖에도 다른 의료진이나 가족이 작성하기도 하며 환자의 질환, 중환자실 입원에 대한 정보를 일상적이고 공감하는 언어로 작성한다. 중환자실, 장비, 발병 전 환자와 가족의 사진 등을 붙이기도 한다. 탐색연구에서 중환자실 입원 3개월 후 가족의 외상후스트레스 증상 유발률이 낮은 것과 일기가 관련이 있었다.[46] 저자는 일기를 통해 가족과 환자 사이의 대화가 활성화되어 환자는 자신의 질환과 치료방안에 대해 이해하고, 가족은 감정을 표현할 수 있게 된다고 하였다. 환자의 정서적 건강이 개선되면 간병 가족에게도 도움이 된다.[24,46]

또 다른 연구에서는 일기가 퇴원 12개월 후 외상후스트레스 관련 회피와 침해 증상을 줄일 수 있는 것으로 파악되었다.[63] 일기를 작성하기 전(80%)이나 후(67.6%)보다 일기를 작성하는 당시(31.7%)에 심각한 외상후스트레스 증상을 보이는 가족이 크게 줄었다. 저자는 일기를 작성하면서 정보에 대한 이해부족, 의사와의 면담 시간에 대한 아쉬움, 의료진이 가족의 말에 귀 기울이지 않는다는 우려 등에 대한 균형을 이룰 수 있게 된다고 하였다.

최근 수행된 근거이론 평가에서는 가족이 환자와 본인의 회복을 돕기 위해 일기를 활용한다고 하였다.[64] 여성은 남성에 비해 일기를 더욱 가치있는 것으로 평가하는 반면, 남성은 환자의 질환을 과거의 일로 치부하고자 한다. 저자는 중환자실에 머무는 동안 환자에게 일반적으로 나타나는 기억상실, 분절화, 망상에서 벗어나 환자 스스로 질환에 대해 사실에 입각하여 이야기를 구성하기 위해 일기를 활용할 수 있다고 하였다.

간호 간병에 대처할 수 있는 능력은 간병 부담의 정도만큼이나 중요하다.[16,21,54] Johansson 등은 기계환기를 시행했고 집으로 옮긴지 최소 3개월이 지난 중환자실 생존자를 돌보는 보호자가 수용한 대응방법을 연구하였다.[42] 이를 통해 '자발성'(가족구성원을 돕는 것은 '자연스러운' 일이다), 상황수용(인정상 책임수행), '상황조절'(간병의 부담 일부를 지역사회에 맡김), '희생'(본인 혼자만의 시간이나 휴식이 필요함에도 불구하고 환자 돌보기를 선택) 등 4가지의 주요 대응전략이 파악되었다. 환자의 심리적 취약성, 가족의 신체 및 심리적 기능, 과거 중환자실 경험 등이 전략 선택에 영향을 미쳤다. 생존자의 가족이 선택한 대응방안에 대한 이해를 제고하기 위해 앞으로 많은 연구가 수행되어야 할 것이다.

환자의 신체적 장애, 활동성 감소, 경제적 스트레스 등과 같은 여러 장애물로 인해 가족이 대응을 하는데 더욱 큰 어려움을 느낄 수 있다. 전화를 활용한 새로운 접근법으로 대응을 촉진할 수 있는 새로운 방안이 제시되었다.[54] 탐색연구에서 급성폐손상 생존자와 간병 가족의 대응방법을 연구하고 급성폐손상에 맞는 대처기술 훈련 프로그램을 개발하였다. 프로그램 참가자에게 급성폐손상 관련 정서적 고통과 신체적 증상을 관리하는 전략을 가르치고, 간병하는 보호자를 교육하여 환자가 대처기술을 습득할 수 있도록 했다.

연구시작 전 환자와 보호자의 대처능력이 취약한 것으로 나타났다. 대처능력이 취약할 경우 우울증상, 불안, 외상후스트레스장애와 연관이 있었다. 14명 참가자 모두 프로그램을 완수하였고, 이러한 개입이 가치가 있다고 평가하였다. 특히 환자의 HADS와 PTSS 지수가 크게 개선되었고 환자와 보호자의 평균 자기효능감지수도 개선되었다. HADS와 PTSS 지수 개선은 자기효능감 향상, 대응방식의 적응성 강화와 연관이 있었다. 대응능력의 적응성 저하에 기여하는 요인을 파악하고, 비용도 적고, 실현가능하며, 참가자의 반응도 좋은 개입방안을 확대 적용할 수 있을지를 판단하기 위해 추후 연구가 지속되어야 할 것이다.

결론

지난 10년간 수행된 연구를 통해 중환자실 생존자는 감당하기 어려운 신체, 심리, 인지 관련 난관에 부딪힌다는 점이 밝혀졌다. 생존자는 그들의 안녕과 회복을 위해 가족 구성원이 제공하는 비공식적 돌봄에 의존하게 된다. 중환자실 생존자를 돌본다는 것은 가족에게 보람을 줄 수도 있지만 그 부담은 어마어마하다. 이들을 돌본다는 것은 생존자 가족의 삶을 송두리째 바꾸어 놓을 만큼 신체적, 경제적, 심리적 난관이 크다. 이에 대한 인식이 확대되면서 중환자치료 의료진은 위험에 처한 보호자를 파악하고, 중환자실의 안과 밖에서 효과적인 치료를 마련하고 제공해야 한다.

비공식적 간병 가족에게 제공되는 지원의 양과 깊이를 개선하기 위해 지속적인 연구가 필요하다. 과도한 부담으로 고통받고 있는 간병 가족을 알 수 있는 방법이 개발되고 개선되어야 할 것이다. 효과적인 대응과 회복력에 기여하는 요인을 보다 자세히 이해한다면 위험에 처한 가족을 위해 적절한 개입이 마련될 수 있을 것이다. 또한 생존자의 장애 중 구체적으로 어떤 부분이 간병 가족에게 영향을 미치는지를 심도 있게 이해할 수 있다면 적절한 지원을 위한 계획을 세울 수 있을 것이다. 마지막으로 가족을 위한 임시간호와 재정적 지원 제공이 간병 보호자가 감당해야 하는 부담을 줄일 수 있을지 판단할 수 있도록 보다 많은 연구가 수행되어야 한다.

참고문헌

1 Van Pelt DC, Schulz R, Chelluri L, Pinsky MR. Patient-specific, time-varying predictors of post-ICU informal caregiver burden: the caregiver outcomes after ICU discharge project. Chest 2010;137:88-94.

2 Foster M, Chaboyer W. Family carers of ICU survivors: a survey of the burden they experience. Scand J Caring Sci 2003;17:205-14.

3 Herridge MS, Cheung AM, Tansey CM, et al. One-year outcomes in survivors of the acute respiratory distress syndrome. N Engl J Med 2003;348:683-93.

4 Zilberberg MD, Luippold RS, Sulsky S, Shorr AF. Prolonged acute mechanical ventilation, hospital resource utilization, and mortality in the United States. Crit Care Med 2008;36:724-30.

5 Douglas SL, Daly BJ. Caregivers of long-term ventilator patients. Chest 2003;123:1073-81.

6 Barnato AE, Albert SM, Angus DC, Lave JR, Degenholtz HB. Disability among elderly survivors of mechanical ventilation. Am J Respir Crit Care Med 2011;183:1037-42.

7 Iwashyna TJ. Survivorship will be the defining challenge of critical care in the 21st century. Ann Intern Med 2010;153:204-5.

8 Herridge MS, Tansey CM, Matte A, et al. Functional disability 5 years after acute respiratory distress syndrome. N Engl J Med 2011;364:1293-304.

9 Herridge MS. Long-term outcomes after critical illness: past, present, future. Curr Opin Crit Care 2007;13:473-5.

10 Wilcox ME, Herridge MS. Long-term outcomes in patients surviving acute respiratory distress syndrome. Semin Respir Crit Care Med 2010;31:55-65.

11 Im K, Belle SH, Schulz R, Mendelsohn AB, Chelluri L. Prevalence and outcomes of caregiving after prolonged (≥48 hours) mechanical ventilation in the ICU. Chest 2004;125:597-606.

12 Cameron JI, Herridge MS, Tansey CM, McAndrews MP, Cheung AM. Well-being in informal caregivers of survivors of acute respiratory distress syndrome. Crit Care Med 2006;34:81-6.

13 Kahn JM, Angus DC. Health policy and future planning for survivors of critical illness. Curr Opin Crit Care 2007;13:514-18.

14 Van Pelt DC, Milbrandt EB, Qin L, et al. Informal caregiver burden among survivors of prolonged mechanical ventilation. Am J Respir Crit Care Med 2007;175:167-73.

15 Douglas SL, Daly BJ, Kelley CG, O'Toole E, Montenegro H. Impact of a disease management program upon caregivers of chronically critically ill patients. Chest 2005;128:3925-36.

16 Choi J, Donahoe MP, Zullo TG, Hoffman LA. Caregivers of the chronically critically ill after discharge from the intensive care unit: six months' experience. Am J Crit Care 2011;20:12-23.

17 Rabow MW, Hauser JM, Adams J. Supporting family caregivers at the end of life. JAMA 2004;291:483-91.

18 Davidson JE, Jones C, Bienvenu OJ. Family response to critical illness: postintensive care syndrome-family. Crit Care Med 2012;40:618-24.

19 Kleinpell R. Focusing on caregivers of the critically ill: beyond illness into recovery. Crit Care Med 2006;34:243-4.

20 Bevans M, Sternberg EM. Caregiving burden, stress, and health effects among family caregivers of adult cancer patients. JAMA 2012;307:398-403.

21 Kim Y, Schulz R, Carver CS. Benefit finding in the cancer caregiving experience. Psychosom Med 2007;69:

283-91.

22 Scott LD, Arslanian-Engoren C. Caring for survivors of prolonged mechanical ventilation. Home Health Care Management & Practice 2002;14:122-8.

23 Rossi Ferrario S, Zotti AM, Zaccaria S, Donner CF. Caregiver strain associated with tracheostomy in chronic respiratory failure. Chest 2001;119:1498-502.

24 Jones C, Skirrow P, Griffiths RD, et al. Post-traumatic stress disorder-related symptoms in relatives of patients following intensive care. Intensive Care Med 2004;30:456-60.

25 Van Pelt D, Chelluri L, Schultz R, Pinsky M. Response. Chest 2010;138:1024-5.

26 Unroe M, Kahn JM, Carson SS, et al. One-year trajectories of care and resource utilization for recipients of prolonged mechanical ventilation: a cohort study. Ann Intern Med 2010;153:167-75.

27 Nelson JE, Tandon N, Mercado AF, Camhi SL, Ely EW, Morrison RS. Brain dysfunction: another burden for the chronically critically ill. Arch Intern Med 2006;166:1993-9.

28 Nelson JE, Cox CE, Hope AA, Carson SS. Chronic critical illness. Am J Respir Crit Care Med 2010;182: 446-54.

29 Cox CE, Martinu T, Sathy SJ, et al. Expectations and outcomes of prolonged mechanical ventilation. Crit Care Med 2009;37:2888-94.

30 Schulz R, Beach SR. Caregiving as a risk factor for mortality. JAMA 1999;282:2215-19.

31 Douglas SL, Daly BJ, O'Toole E, Hickman RL. Depression among white and nonwhite caregivers of the chronically critically ill. J Crit Care 2010;25:364.e11-e19.

32 Covinsky KE, Goldman L, Cook EF, et al. The impact of serious illness on patients' families. JAMA 1994;272: 1839-44.

33 Siegel MD, Hayes E, Vanderwerker LC, Loseth DB, Prigerson HG. Psychiatric illness in the next of kin of patients who die in the intensive care unit. Crit Care Med 2008;36:1722-8.

34 Azoulay E, Pochard F, Kentish-Barnes N, et al. Risk of post-traumatic stress symptoms in family members of intensive care unit patients. Am J Respir Crit Care Med 2005;171:987-94.

35 Pochard F, Darmon M, Fassier T, et al. Symptoms of anxiety and depression in family members of intensive care unit patients before discharge or death. A prospective multicenter study. J Crit Care 2005;20:90-6.

36 Anderson WG, Arnold RM, Angus DC, Bryce CL. Posttraumatic stress and complicated grief in family members of patients in the intensive care unit. J Gen Intern Med 2008:23:1871-6.

37 Jones C, Griffiths RD. Patient and caregiver counselling after the intensive care unit: what are the needs and how should they be met? Curr Opin Crit Care 2007;13:503-7.

38 Needham DM, Davidson JD, Cohen HP, et al. Improving long-term outcomes after discharge from intensive care unit: report from a stakeholders' conference. Crit Care Med 2012:40:502-9.

39 Harvey MA. The truth about consequences-post-intensive care syndrome in intensive care unit survivors and their families. Crit Care Med 2012;40:2506-7.

40 Griffiths RD. Rehabilitating the critically ill: a cultural shift in intensive care unit care. Crit Care Med 2012; 40:681-2.

41 Choi J, Sherwood PR, Schulz R, et al. Patterns of depressive symptoms in caregivers of mechanically ventilated critically ill adults from intensive care unit admission to 2 months postintensive care unit discharge: a pilot study. Crit Care Med 2012;40:1546-53.

42 Johansson I, Fridlund B, Hildingh C. Coping strategies of relatives when an adult next-of-kin is recovering at home following critical illness. Intensive Crit Care Nurs 2004;20:281-91.

43 Kentish-Barnes N, Lemiale V, Chaize M, Pochard F, Azoulay E. Assessing burden in families of critical care patients. Crit Care Med 2009;37(10 Suppl):S448-56.

44 American Medical Association. Caregiver self-assessment (2012). Available at: http://www.ama-assn. org/ama/pub/physician-resources/public-health/promoting-healthy-lifestyles/geriatric-health/caregiver-health/caregiver-self-assessment.page?.

45 Epstein-Lubow G, Gaudiano BA, Hinckley M, Salloway S, Miller IW. Evidence for the validity of the American Medical Association's caregiver self-assessment questionnaire as a screening measure for depression. J Am Geriatr Soc 2010;58:387-8.

46 Jones C, Backman C, Griffiths RD. Intensive care diaries and relatives' symptoms of posttraumatic stress disorder after critical illness: a pilot study. Am J Crit Care 2012;21:172-6.

47 Davydow DS, Hough CL, Langa KM, Iwashyna TJ. Depressive symptoms in spouses of older patients with severe sepsis. Crit Care Med 2012;40:2335-41.

48 Griffiths RD, Jones C. Seven lessons from 20 years of follow-up of intensive care unit survivors. Curr Opin Crit Care 2007;13:508-13.

49 Stevenson JE, Dowdy DW. Thinking outside the box: Intensive care unit diaries to improve psychological outcomes in family members. Crit Care Med 2012;40:2231-2.

50 Cox CE, Docherty SL, Brandon DH, et al. Surviving critical illness: acute respiratory distress syndrome as experienced by patients and their caregivers. Crit Care Med 2009;37:2702-8.

51 Jones C, Backman C, Capuzzo M, et al. Intensive care diaries reduce new onset post traumatic stress disorder following critical illness: a randomised, controlled trial. Crit Care 2010;14:R168.

52 Paparrigopoulos T, Melissaki A, Efthymiou A, et al. Short-term psychological impact on family members of intensive care unit patients. J Psychosom Res 2006;61:719-22.

53 Kulkarni HS. Less-obvious predictors of post-ICU informal caregiver burden. Chest 2010;138:1024.

54 Cox CE, Porter LS, Hough CL, et al. Development and preliminary evaluation of a telephone-based coping skills training intervention for survivors of acute lung injury and their informal caregivers. Intensive Care Med 2012;38:1289-97.

55 Herridge M, Cox C. Linking ICU practice to long-term outcome. Am J Respir Crit Care Med 2012;186:299-300.

56 McAdam JL, Dracup KA, White DB, Fontaine DK, Puntillo KA. Symptom experiences of family members of intensive care unit patients at high risk for dying. Crit Care Med 2010;38:1078-85.

57 Lautrette A, Ciroldi M, Ksibi H, Azoulay E. End-of-life family conferences: rooted in the evidence. Crit Care Med 2006;34(11 Suppl):S364-72.

58 Lautrette A, Darmon M, Megarbane B, et al. A communication strategy and brochure for relatives of patients dying in the ICU. N Engl J Med 2007;356:469-78.

59 Myhren H, Ekeberg O, Stokland O. Satisfaction with communication in ICU patients and relatives: Comparisons with medical staffs' expectations and the relationship with psychological distress. Patient Educ Couns 2011;85:237-44.

60 Davidson JE. Time for a formal assessment, treatment, and referral structure for families of intensive care unit patients. Crit Care Med 2012;40:1675-6.

61 Davidson JE, Daly BJ, Agan D, Brady NR, Higgins PA. Facilitated sensemaking: a feasibility study for the provision of a family support program in the intensive care unit. Crit Care Nurs Q 2010;33:177-89.

62 Davidson JE. Facilitated sensemaking: a strategy and new middle-range theory to support families of intensive care unit patients. Crit Care Nurse 2010;30:28-39.

63 Garrouste-Orgeas M, Coquet I, Périer A, et al. Impact of an intensive care unit diary on psychological distress in patients and relatives. Crit Care Med 2012;40:2033-40.

64 Egerod I, Christensen D, Schwartz-Nielsen KH, Agard AS. Constructing the illness narrative: a grounded theory exploring patients' and relatives' use of intensive care diaries. Crit Care Med 2011;39:1922-8.

Chapter 10

생존과 회복: 환자의 관점

셰릴 미삭(Cheryl Misak)

서론

나는 1998년 중증 급성호흡곤란증후군과 침습성 A그룹 연쇄상구균 감염, 다발성장기부전으로 중환자실에 한 달 가까이 입원하였다.

불운이 겹쳐 병원에 가기까지 적지 않은 시간이 소요되었다. 발통증으로 일반의 진료를 받았다. 몇 주 후 관절 마디마디의 격한 통증으로 한밤중에 깨는 일이 생기자 그 일반의는 관절염이 아닌가 추측하였다. 대학병원의 류마티스과에 진료예약을 하였다. 그 다음날 6세 아이에게서 지독한 감기가 전염되어 나(와 그 일반의)는 엎친 데 덮친 격으로 이중고를 겪는다고만 생각하고 끙끙 앓았다. 하지만 류마티스과 진료예약을 기다리는 동안 상황은 급격히 악화되었다. 진작에 상황이 좋지 않다는 것을 깨달았어야 했다. 예를 들자면 신장이 제대로 기능하지 않는다는 것을 알아차렸어야 했다. 돌이켜 생각해보면 인지능력도 떨어지고 있었던 것이다.

내가 류마티스과의 진료실에 들어서자 의사는 나를 한 번 쳐다보고 혈압측정기를 팔에 둘러보더니 혈압이 거의 잡히지 않는다고 하였다. 곧바로 앰뷸런스를 불러 나를 응급실로 데려갔다. 의료진은 정맥로를 잡는데도 애를 먹었다. 폐도 제 기능을 하지 않았고 속수무책으로 광범위한 다발성장기부전으로 빠져들었다. 남편은 두 번이나 내가 그 날 밤을 넘기지 못할 것이라는 말을 들었다. 그야말로 롤러코스터 같은 나날이 이어졌지만 결국 회복하였다. 이는 모두 생명을 살리기 위해 밤낮으로 일한 중환자실 의사 덕분이다.

본 장에서는 생존 이후에는 어떠한 일이 일어나는가, 즉 중환자실 전문의가 할 일을 다 한 후 환자가 중환자실에서 퇴실한 뒤에 일어나는 일들에 주로 초점을 맞출 것이다. 이는 중환자실 전문의들에게 매우 중요한 논제가 될 것이다. 예를 들어 환자가 살아 중환자실 문을 나서는데까지는 성공했지만 그 중 환자가 수주 사이에 사망하거나 향후 수년간 삶의 질이 급격하게 저하한다면 이를 성공으로 여길까? 하지만 결과척도라는 것이 많지도 않고 이해하기도 어렵다. 본서의 내용과 같은 조직적인 시도가 이제야 착수되었다는 점이 안타까울 뿐이다.

살아남기

중환자는 커다란 어려움을 겪는다. 통증, 기계환기로 인한 심한 불편감, 극도의 쇠약 등 신체적인 것도 있고 정신적인 것도 있다. 중환자실 섬망은 중환자에게 흔히 나타나는 현상이다. 이러한 섬망은 '괴기스럽고 지극히 무서운 악몽', 환각, 편집증적 과대망상이라고 설명(개인적으로 정확한 표현이라고 생각함)하는데, 일반적으로 간호사나 의사가 환자에게 강간, 살인, 그 밖의 위해행위를 하려 한다는 내용이다.[1] 이러한 현상이 특히나 무섭고 끔직한 이유는 일반적인 악몽과는 다르게, 그리고 오히려 편집증적 과대망상에 가깝게도 섬망이 실시간 발생하고 외부 현실과 교차하여 발생한다는 점이다.[2] 환자 중에는 중환자실의 의사나 간호사를 붙들고 폭력적인 음모설을 만들어내고 이러한 음모가 실제 대화나 치료 중에 일어나는 것처럼 행동하기도 한다. 지극히 혼란스럽고 뒤죽박죽인 끔직한 허구와 현실이 하나로 합쳐지는 것이다. 진실과 거짓이 하나의 경험 속에 섞여 버리기 때문에 환자는 말 그대로 무엇이 진실하고 무엇이 거짓인지를 분간하지 못하게 된다.

내가 겪었던 최악의 망상에 대해 최근 흥미로운 외부의 의견을 들을 기회가 있었다. 테니스장에서 무릎을 다친 후 재건수술을 받으러 찾아간 병원이 과거 중환자실로 입원했던 바로 그 병원이었다. 무릎 통증으로 괴로워하니 마취과 의사가 척수차단술을 해주었다. 수술준비실에서 기다릴 때 두툼한 병원 파일 하나가 침대 옆에 놓여있었고 나는 마취과의사에게 읽어봐도 되는지 물었다. 그 파일에는 중환자실 입원 당시가 상세하게 기록되어 있었고, 가장 관심이 갔던 부분은 내가 파일기록상 '계획에 없는 발관'을 하려 한 일이었다.

일지만 봐도 상황이 좋지 않았다는 것을 알 수 있었다. 정신병적 상태였고, 생체징후는 급격히 떨어지고 있었다. 몇 주 만에 처음으로 집에 다니러 간 남편이 호출되었다. 남동생은 크게 '동요'되었다. 글씨는 갈수록 긴박함을 더해갔고 공황상태를 그대로 전해주었다. 항정신병약이 투여되었지만 상황은 더욱 악화되었다. 상황의 긴박성을 다음 문장이 그대로 보여주었다. "환자에게 관을 뽑으면 죽을 것이라고 말했다. 환자가 스스로 발관하려는 시도를 멈추었다."

당시의 일을 나는 이렇게 기억하고 있다. 의사는 크리스마스를 맞아 술판(당시는 4월이었다)을 벌이고 있었고, 환자 중에서 가장 취약한 환자를 골라 끔찍하게 학대하였다. 환자를 벌거벗긴 채 다양한 기계에 매달아 언어, 신체, 성적 폭력을 가하고 있었다. 나는 도망치려 했다.

나의 행동을 좀 더 설명하자면 중환자실 환자로 지낸다는 것은 매우 어려운 일이다. 사실 상대적으로 명쾌한 생각을 하기 시작한 것은 의식이 완전이 회복되었을 때였고 다음과 같은 생각이 뇌리를 스쳤다. 죽는다는 것이 참 쉬운 거구나. 회복한다는 것은 상상 외로 어려운 일이다. 이러한 경험을 다시 겪는 것은 거의 불가능할 거라는 것을 분명히 깨닫게 되면서 다행이라는 생각이 들었다. 언제일지는 모르지만 다시 한번 죽음을 마주하는 날을 피할 수는 없을 것이다. 하지만 그때도 회복과정을 반복하게 된다면 끔찍하게 '재수없어'야 할 것이다.

중환자실 나오기

나는 인공호흡기를 떼고 싶어서, 또 인공호흡기를 떼고 나서는 중환자실을 벗어나고 싶어서 안달이 났다. 정신적 스트레스와 참혹한 정신병적 단계가 번갈아 나타나는 것에 대처하고자 무던히 노력했다. 그 때까지도 간호사와 의사가 나를 도우려 했는지 아니면 살해하려 했는지 분명하지 않았다. 그러니 상상 속 범죄가 자행되는 장소에서 벗어나고자 한 것은 놀랄 일이 아니다. 설득 끝에 담당의사가 바람직하다고 보는 것보다 훨씬 빨리 인공호흡기를 떼었고 중환자실에서 나왔다.

하지만 병동으로 옮겨지니 중환자실이라는 오아시스에 되돌아가고 싶었다. 나의 중환자실 담당 의사는 이후에 밀려들어오는 환자를 죽음의 늪에서 건져내느라 바빴다. 중환자실 전문간호사가 가끔 방문하는 것을 빼고는 나만의 생각이지만 위험한 듯한 상태로 있었다. 같은 병실을 쓰는 환자와 그녀를 방문한 폭주족 친구는 정말 시끄러웠고 병동간호사는 너무 바빠서 내가 한밤중에 화장실을 가야 할 때도 도움을 줄 수 없었다. 사실 병동간호사들은 내가 언제 화장실을 가야하는지 그 필요를 정확하게 알지 못한다는 점 때문에 짜증스러워했다. 배뇨관을 한 달 동안이나 꽂고 있었다면 정상적인 반응이 돌아오기까지는 한참이 걸린다.

사람이 이러한 문제를 겪고 나면 얼마나 쇠약해지는지를 설명하기란 어렵다. 의식을 회복하고 나서 나를 병상에 묶어두는 것은 인공호흡기 때문이라고 확신했고, 일단 인공호흡기로부터 자유로워지기만 하면 당장 일어나서 일상생활을 해나갈 수 있을 줄 알았다. 하지만 막상 인공호흡기를 이탈하고 나자 할 수 있는 것이 정말 하나도 없었다. 나는 쇠약할 대로 쇠약해져 있었다. 손과 발을 모두 받쳐놓아도 의자에 단 몇 분 앉아 있는 것도 거의 불가능했다. 나는 사람의 아래쪽 다리 근육이 얼마나 열심히 일하는지, 심지어 발을 발받침에 올려놓아도 끊임없이 일한다는 것을 발견하고 그것을 되새기며 시간을 보냈다. 사람 몸을 똑바로 세우기 위해 몸이 얼마나 많은 일을 해야 하는지를 새롭게 깨닫게 되었다.

나는 병동으로 옮긴 지 며칠 만에 병동에서 퇴원하기 위한 설득에 들어갔다. 물론 이 또한 현명한 생각이 아니라고들 했다. 너무나 집에 가고 싶었는데, 나의 병동담당주치의는 병상에서 문까지 걸어갈 수 있어야만 퇴원할 수 있다고 했다. 그 말을 들자마자 그 자리에서 걸어 보이겠다고 했고, 방이 기울어지고 빙글빙글 돌아도 3명의 부축을 받으며 끝내 문까지 걸어갔다. 끝까지 가고 나니 에베레스트산에라도 오른 듯 하였다.

퇴원허락을 받았다. 두말할 것도 없이 나는 제멋대로이고 고집 센 환자였다. 중환자치료에서 환자의 자율성이라는 개념을 수용하는 것이 얼마나 문제가 많은지에 대해 다른 곳에 글을 기고한 적이 있다.[2,3] 모르긴 해도 나의 강력한 바람은 무시되었어야 했다. 여하튼 나는 집으로 퇴원했다.

남편은 몇 시간에 한번씩 내 체온을 측정하고 체온이 일정 수준을 넘거나 알려준 몇 가지 상황 중 하나가 발생하게 되면 앰뷸런스를 부르라는 지시를 받았다. 이러한 지시만 받고 퇴원하였고, 젊고 경험이 부족한 일반의의 손에 넘겨졌다. 이상하게도 퇴원 후 몇 주 만에 관절이 많이, 그리고 대칭적으로 아파오기 시작했다. 이론상으로는 (일반인의 용어로 바꾸어 설명하자면) 나의 면역체계가 오랫동안 '높게' 유지되면서 완전하게 회복되지 않았다는 것이다. 진료실에서 쓰러져 죽어가는 나를 살린 류마티스과 의사에게 전화를 했고, 그 의사는 나의 건강을 매우 효과적으로 관리해주는 매니저가 되었다. 만일 이 의사와 다시 연락이 닿지 않았다면 나는 수없이 많은 문제에 당면하여 표류했을 것이고 그 중에는 심각하고 끔찍한 문제도 있었다.

회복하기

물론 중환자실 환자마다 프로파일이 다르겠지만 중증질환을 겪은 환자에게 공통적으로 나타나는 문제에 관한 연구가 쏟아져 나오고 있다. 어떤 문제는 마음에 관한 것이다. 전술한 바와 같은 중환자실 망상은 마취를 하고 수술을 받던 중 깨어난 것만큼이나 감정적으로 타격이 크다고들 한다.[1] 두 상황 모두 퇴원 이후 수주에서 길게는 몇 년까지도 외상후스트레스장애, 우울증 증가와 관련이 있다.[4] 다행스럽게도 나는 외상후스트레스증후군의 냄새만 맡고 지나갔다. 앰뷸런스가 지나갈 때마다 미약한 생명 하나를 구하겠다고 저 노력을 다하는구나 하는 이상한 느낌이 들곤 했다. 또한 퇴원 후 1년간 수면장애를 겪었다. 밤마다 반쯤은 자고 반쯤은 깬 상태에서 중환자실로 다시 돌아간냥 불안해했다. 악몽도 아니었고 괴롭지도 않았다. 다만 빠져나올 수 없는 강박적 수렁에 빠진 듯 할 뿐이었다.

퇴원할 때 이러한 현상에 대해 경고를 해주지도 않았고 추후관리도 없었다. 하지만 나에게만 그랬던 건 아닌 듯 하였다. 중환자실에서 퇴원한 환자들이 보내는 절망적인 내용의 이메일이 끊임없이 도착하였고(내가 작성한 글이 웨슬리 밴더빌트 중환자실 섬망 웹사이트에 게재되어 있고 해당 주제를 인터넷에 검색하면 찾아 볼 수 있다), 이를 통해 전 세계 곳곳에서 수많은 중증질환 생존자가 필요한 상담을 받지 못하고 있음을 알 수 있었다. 나의 감정적, 심리적 여파는 1년 넘게 지속되다가 완전히 사라졌다. 아마도 중환자실 망상에 대해 글을 쓰고 이야기를 하기 시작한 것이 도움이 된 듯 하다. 다른 중환자실 퇴원 환자들이 모두 나처럼 운이 좋은 것은 아니다.

조금 다르지만 정신적인 문제들이 또 있다. 지난 10년간 중증질환 이후 상당한 인지장애가 장기간 지속된다는 것을 밝힌 연구가 쏟아져 나왔다. 전신성 쇠약, 우울증, 외상후스트레스장애 등이 복합적으로 작용할 수 있기 때문에 이들 환자 집단에서 인지장애를 측정하기란 매우 어렵다는 것이 나의 주장이다. 또한 이들 환자 집단에게 인지장애가 발생했다는 것을 알려 부정적인 피드백 반응을 일으키지 않도록 주의해야 한다고도 말했다.[5] 그렇지만 두뇌도 장기이다. 따라서 다발성장기부전이 두뇌만을 건드리지 않았다면 그것 또한 의외의 일일 것이다. 나도 상당기간 '멍하다'는 것을 느꼈다. 물론 이러한 멍한 상태와 당시 내가 겪었던 다른 고통들을 따로 뗄 수는 없었다. 이러한 문제도 1년 후에는 사라졌다.

다분히 신체적인 문제들도 있다. 기계환기를 시행한 중환자에게 전신성 근육손상이 발견된다는 자료가 발표되었다.[6-8] 중환자실에서 일어나는 근육약화(ICUAW)는 오랜 기간 지속된다. 설상가

상 운동을 할 수 없게 되면 신경인지결과에 부정적인 영향을 미칠 수 있다는 자료도 있다.[9,10]

통증도 상당히 느낀다. 재차 강조하지만 환자마다 프로파일이 다르다. 나의 경우에는 상체운동을 할 때마다 가슴 쪽에 묵직한 통증이 느껴졌다. 심장에 카테터를 꽂으면서 생긴 반흔조직 때문일 거라고 생각했다. 하지만 통증이 바로 심장에서 발생하는 듯 하였고 과거에는 경험하지 못한 통증인지라 걱정이 되었다. 폐에도 심각한 통증이 있었고, 폐의 통증 또한 정상적으로 경험할 수 있는 범주를 벗어난 감각이었다. 또한 지독한 신경장애도 겪었다. 열이 조금만 느껴져도, 조금만 무리했다 싶어도 온 몸에 불이 붙은 듯하여 얼음을 갖다 대야지만 가라앉곤 하였다.

중환자실 퇴원 환자는 참으로 많은 문제를 겪게 된다.

재활과 재활의 장애물

재활을 대하는 나의 자세는 지극히 진지하였다. 일반의가 소개한 물리치료사의 노력은 거부하였다. 물리치료사는 재활을 맡기에 적합하지 않아 보였다. 일례로 그들은 경피전기신경자극기가 나를 괴롭히던 신경장애를 수주일 안에 고칠 수 있을 것으로 생각했다. 또한 그들이 제안한 운동이라는 것이 충분해 보이지 않았다. 가벼운 가동범위운동으로 소실된 근육이 만들어질 리 만무했다. 나는 대학 육상선수로 뛰었고 테니스 선수로 코칭도 많이 했기 때문에 체력을 기르기 위해 어떠한 고통을 견뎌야 하고 견딜 수 있는지를 잘 알고 있었다. 나는 올림픽 경기를 준비하듯 운동을 시작했다. 경피전기신경자극기를 휘두르는 물리치료사는 놔두고 체육관에 가서 개인트레이너와 함께 운동했고 신경장애가 오면 얼음물 샤워를 했다.

재활을 하는 데는 헤아릴 수 없이 많은 장애물이 존재한다. 다양한 부정적인 결과가 쌓여 촘촘하게 꼬아놓은 인과관계의 새끼줄처럼 되어 제 궤도를 회복하기 위해 반드시 해야 할 일을 방해하는 요소로 작용한다. 어떤 환자는 완벽히 회복하지 못하기도 한다.[11] 나는 이러한 방해요소와 장애물을 집중 조명하기 위해 내가 걸어온 회복의 길을 적어보고자 한다. 퇴원 후 몇 주 지나지 않아 다시 일을 시작했고, 적어도 외부인의 눈에는 제 기능을 회복한 것처럼 보였다. 하지만 사실 앞에 놓인 길은 멀고 험했다. 실제로 현재 나는 누가 평가하든 완벽하게 회복하였지만 아직까지도 나이든 운동선수가 일반적으로 겪는 것보다 훨씬 심한 급성건염 등을 끊임없이 겪는다. 이러한 것도 후유증일 것이다.

운동할 때 신경장애가 현실적으로 큰 장애물이었다. 신경장애를 완화시키기 위해 처방받은 약을 복용하면 졸음이 쏟아졌다. 신체활동을 하는데는 도움이 되지 않았다. 신경장애 약을 복용하지 않고 통증을 참는 법을 배웠다. 그 과정은 더뎠고 나아지기 보다는 내리막길의 연속이었다. 차가운 물에서 운동할 기회가 있으면 마다하지 않았다. 예를 들어 퇴원 2개월 후부터 메인주 앞바다의 물 속에서 달리기를 하였다.

또한 조금만 무리를 해도 폐에 통증을 느낀다. 중거리 달리기에서 개인 신기록이 나올 만큼 달리고 나면 폐가 터질 것 같은 느낌이 들 때가 있는데 그런 통증과 유사하다. 나는 육상경기를 했던 경험을 반추하여 이 정도는 견뎌도 될 만한 통증이라고 판단했다. 하지만 심각한 급성호흡곤란증후군을 겪고 몇 주 동안 끊임없이 생각할 수도 없는 속도로 심장이 뛰고 난 후라면 어떤 게 위험한 것이고 어떤 게 그렇지 않은지 확신이 없어진다. 다시 말해 재활을 가로막는 것은 단순히 통증만이 아니었다. 내가 하고 있는 것이 이미 손상될 만큼 손상된 몸을 더욱 망치는 것은 아닌지 하는 우려도 한 몫 했다. 장기가 심각하게 약화되고, 가슴 엑스레이와 CT 촬영으로 엄청난 양의 방사선이 조사되어 그로 인한 영구적인 영향이 있지는 않을까 하는 불안과 근심으로 가득했다.

전신성 쇠약과 피로도 재활의 길을 가로막는다. 퇴원 8개월 후 영국 캠브리지에서 안식년 휴가를 보내면서 옛날에 하던 운동인 진짜 테니스–고대에 즐겼던 매우 격한 운동으로 근대적 테니스로 발전함–를 해보려 했다. 당시에는 이미 회복의 길로 들어섰고 정규 테니스장에서 운동을 하기도 했다. 하지만 조금 더 고된 운동으로 바꾸고 나니 심각한 피로감을 느꼈다. 운동을 마치고 집에 돌아오면 아무것도 할 수 없었고 거실에 앉아 있노라면 벽이 조여오는 듯 하였다. 피로감은 감당할 수 없는 수준이었다. 영국인 일반의는 내가 몸이 보내는 신호에 귀를 기울이지 않는다고 타박하였다. 하지만 중증질환을 겪고 나면 내 몸이 내가 알아듣고, 해석하고, 이해할 수 있는 신호를 보내지 않는다.

정리하자면, 전술한 인지적, 감정적, 정신적 문제가 발생하기 때문에 소파를 박차고 일어나 신체재활을 위해 고통스러울 정도로 힘든 일을 견디고자 하는 마음가짐이 생기지 않는다. 자신의 일상적인 삶이 중환자실에서 보낸 비정상적인 반쪽짜리 삶과 비교하여 생기 넘치거나 나아보이지 않는다면 활력과 활동이 자연스레 따라올 리 만무하다.

퇴원 후 치료 전략

조기 보행, 진정제 중단전략 등 회복에 도움이 될만한 중환자실 중재술에 관한 탁월한 연구들이 현재 진행 중이다.[12,13] 퇴원 후 중재와 치료전략도 중요하며 이에 대한 증거자료가 좀 더 누적되어야 할 것이다. 사실 이 점이 내가 가장 강조하고 싶은 요지이다; 중환자가 진정한 의미의 완전한 회복을 하려면 중환자실을 나와서도 다양한 지원과 개입이 있어야 한다. 환자는 정보와 격려가 필요하고 전문가를 만날 수 있어야 한다.

중환자실 전담전문의는 재활의 필요성, 안전하게 재활하는 방법, 특정 상황에서 맞닥뜨릴 수 있는 장애물에 대해 환자에게 알려줘야 한다. 중환자실을 떠나게 되면 재활을 독려하는 소리를 듣기 어렵다. 내가 만난 유럽과 미국의 우수한 대학병원 전문의, 일반의는 나에게 그간 겪은 일의 심각성을 이해하지 못하고 있다며 회복이 어느 정도 가능한지에 대해 기대수준을 낮추라는 말을 수도 없이 했다. 물론 큰 충격을 준 심각한 일을 겪은 후니 쉬어야 하고, 또 그런 일을 겪은 사람을 보호하려고 하는 것은 당연할 것이다. 하지만 이런 태도가 잘못된 것이라는 것을 입증하는 자료가 점차 증가하고 있다. '조금만 더'라고 하지 않아도 되는 이유를 수도 없이 댈 수 있는 상황에서 스스로를 조금 더 밀어부치도록 환자를 격려해야 한다.

환자의 앞날에 무슨 일이 벌어질지를 걱정하는 훌륭한 중환자실 전담전문의에게는 항상 긴장감이 감도는 것 같다. 환자들은 다양한 동반질환, 쇠약, 죽음을 목도한 경험, 불확실한 미래에 대한 걱정을 안고 중환자실 문을 나선다. 중환자실 전담전문의가 환자에게 가능하다고 보이는 것의 경계를 뛰어넘도록 격려는 하되 실패에 빠뜨리지 않도록 할 수 있을까? 이에 대해 쉽게 대답할 수는 없다. 다만 환자 개개인에게 적합한 접근법을 생각해본다면 가능할 수도 있을 것이다. 다시 말해 중환자실 의사는 환자가 겪는 바를 아는 유일한 사람으로서, 또한 환자가 겪은 특정 중증질환의 결과가 어떨지를 알고 있는 유일한 사람으로서 환자 개개인과 이러한 내용의 대화를 시작해야 할 의무가 있다.

또한 퇴원한 중환자실 환자에게도 지원이 제공되어야 할 것이다. 무릎재건수술을 받았을 때는 곧바로 밀착감독을 받는 사전, 사후 재활프로그램을 받았다. 무릎수술 환자를 위한 재활지원이 그보다 훨씬 힘든 중환자실에서 일어나는 근육약화와 다른 심각한 중증질환 문제를 겪는 환자를 위한 재활지원보다 낫다는 것이 이상했다. 정형외과 의사에게 배울 점이 있을 듯 하다. 필요한 것이 무엇인지를 잘 알고 경험이 많은 물리치료사와 트레이너의 명부를 환자에게 제공해야 한다. 환자에게 곧바로 이러한 재활지원계획을 세우라고 해야 한다. 신체 및 정신적 재활이 똑같이 중요하고 절대적으로 필요하다고 말해주어야 한다.

하지만 이럴 경우 중환자실 전담전문의에게 또 다른 어려운 과제를 안겨주는 격이 된다. 이들 의사는 생사의 갈림길에 있는 환자의 생명을 구하는 일에 집중해야 한다. 퇴원 이후 다양하고, 다소 관심도가 낮은 문제를 겪고 있는 환자를 추적 진료해야 한다면 너무 지나친 부담을 주는 것일 수도 있다. 그러나 중환자실에서 일어나는 근육약화와 같은 문제를 인식하고 이에 대한 지식을 가지고 있는 주체는 중환자치료 분야라는 것이 부정할 수 없는 현실이다. 중환자실 퇴원 환자도 중환자치료 의료진과 그 전문성에 접근할 수 있어야 할 것이다.

퇴원한 지 몇 년이 지났지만 (매우 격렬한) 운동을 할 때면 아직도 숨이 가쁘고 헐떡거렸다. 호흡기내과 전문의를 찾아가봤지만 의사는 CT 촬영과 폐기능시험 후 회복될 대로 회복된 상태이니 운동을 너무 많이 하려고도, 목표를 너무 높이 잡지도 말라고 하였다. 그 방에 있던 레지던트가 다른 호흡기내과 전문의의 이메일주소가 적힌 쪽지를 건네었다. 중환자실 결과연구의 선구자적 역할을 하던 의사였다. 그 의사는 중환자실 환자가 겪는 전신성 근육손상에 대해 알려주었고, 내 상태에 대해 아마도 횡경막 근육이 약화되어 그런 것 같다고 했다(이후 장기간의 기계환기는 횡경막 위축과 수축성 기능장애를 초래할 수 있다는 것이 밝혀졌다).[14,15]

우수한 트레이너를 찾아가 횡경막호흡법을 가르쳐달라고 했고 트레드밀을 달리고 또 달렸다. 결과는 빠르게 축적되기 시작했다. 집중훈련을 한지 몇 주가 지나자 차이가 느껴졌고 12주 프로그램이 끝나갈 즈음이 되자 문제가 완전히 해결되었다. 마술 같았다. 하지만 이는 중환자실 결과에 대해 잘 알고 있는 중환자실 전담전문의가 가진 전문적인 정보를 전달받은 결과였다.

결론

나는 운이 좋았다. 미국에서 가장 실력있는 중환자실에 입원하여 최고 수준의 의료진의 극진한 치료를 받았다. 또한 건강, 운동, 체력, 교육 등이 수십 년간 몸에 배어있었다. 다시 말해 중환자실에 입원할 당시 생리적, 인지적 예비능을 어느 정도 가지고 있었던 것이다. 이러한 예비능이 결과를 결정짓는 주요 요소라는 주장이 조금씩 자리를 잡아가고 있다(28장 참조).

이러한 주장은 흥미롭기도 하고 동시에 고민스럽기도 한 문제를 제기한다. 먼저 예비능을 측정하는 역량은 아직 걸음마 단계이고 앞으로도 오랫동안 걸음마 단계를 벗어나지 못할 것이다. 하지만 예비능을 측정할 수 있게 되고 이러한 측정값을 토대로 결과를 예측할 수 있게 된다면 이러한 지식의 활용에는 신중을 기해야 한다. 환자의 질병 중증도와는 무관하게, 의사가 환자의 결과에 대해 예측하는 바가 생명유지장치의 제공 또는 제거와 상관관계에 있다는 것은 이미 잘 알려진 바이다. 그렇다면 예비능에 근거한 예측과 관련하여 도덕적 문제가 발생할 수 있다고 생각하기란 그리 어렵지 않다. 교육수준이 낮은 사람은 교육수준이 높은 사람보다 생명유지를 위한 도움을 덜 받아야 하는가? 생리적 예비능이 풍부한 사람은 특별 대우를 받아야 하는가?

개개인이 적정 수준의 생리적, 인지적 예비능을 확보하도록 하는 방안은 공공정책에서 논의되어야 할 것이다. 부족한 중환자실 자원을 어떻게 배분할 것인가도 마찬가지이다. 중환자실 의사는 중환자실 자원 배분에 관한 공공정책 토론에도 참여해야 한다. 하지만 의사의 일차적 업무는 환자를 돌보는 것이고, 환자가 예비능을 확보하고 있건 아니면 부족하건 간에 환자 개개인에게 최적의 결과를 이끌어내야 할 것이다. 환자가 달성할 수 있는 최상의 상태로 재활하도록 지원하는 체계와 프로그램을 마련하는 것도 이에 포함된다.

큰 병을 치르고 나서 진정한 의미의 완전한 회복이라는 것이 가능하다는 사실이 놀랍고 또 자신감도 생긴다. 환자가 진정한 의미의 완전한 회복을 할 수 있도록 돕는 것이 중환자의학의 임상적 노력에서 핵심이 되어야 할 것이다.

참고문헌

1 Schelling G, Stoll C, Haller M, et al. Health-related quality of life and post-traumatic stress disorder in survivors of the acute respiratory distress syndrome. Crit Care Med 1998;26:651-9.

2 Misak C. ICU psychosis and patient autonomy: some thoughts from the inside. J Med Philos 2005;30:411-30.

3 Misak C. The critical care experience: a patient's view. Am J Respir Crit Care Med 2004;170:357-9.

4 Jones C, Griffiths R, Humphris G, Skirrow P. Memory, delusions, and the development of acute posttraumatic stress disorder-related symptoms after intensive care. Crit Care Med 2001;29:573-80.

5 Misak C. Cognitive dysfunction after critical illness: measurement, rehabilitation, and disclosure, Crit Care 2009;13:312.

6 Herridge M, Cheung A, Tansey C, et al. One-year outcomes in survivors of the acute respiratory distress syndrome N Engl J Med 2003;348:683-93.

7 Schweickert WD, Hall J. ICU acquired weakness. Chest 2007;131:1541-9.

8 Stevens RD, Dowdy DW, Michaels RK, et al. Neuromuscular dysfunction acquired in critical illness: a systematic review. Int Care Med 2007;31:157-61.

9 Kramer AF, Colcombe SJ, McAuley E, Scalf PE, Erickson KI. Fitness, aging, and neurocognitive function. Neurobiol Again 2005;26(Suppl 1):124-7.

10 Colcombe SJ, Kramer AF, McAuley E, Ericson KI, Scalf P. Neurocognitive aging and cardiovascular fitness:

recent findings and future directions. J Mol Neurosci 2004;24:9-14.

11 Barnato AE, Albert SM, Angus DC, Lave JR, Degenholtz HB. Disability among elderly survivors of mechanical ventilation. Am J Respir Crit Care Med 2011;183:1037-42.

12 Schweickert WD, Pohlman M, Pohlman AS, et al. Early physical and occupational therapy in mechanically ventilated, critically ill patients: a randomized controlled trial. Lancet 2009;373:1874-82.

13 Hough CL, Needham DM. The role of future longitudinal studies in ICU survivors: understanding determinants and pathophysiology of weakness and muscular dysfunction. Curr Opn Crit Care 2007;13:489-96.

14 Petrof BJ, Jaber S, Matecki S. Ventilator-induced diaphragmatic dysfunction. Curr Opin Crit Care 2010;16:19-25.

15 Powers SK, Kavazis AN, Levine S. Prolonged mechanical ventilation alters diaphragmatic structure and function. Crit Care Med 2009;37:347-53.

16 Stern Y. Cognitive reserve in ageing and Alzheimer's disease. Lancet Neurol 2012;11:1006-12.

17 Rocker G, Cook D, Sjokvist P, et al. Clinician predictions of intensive care unit mortality. Crit Care Med 2004;32:1149-54.

Chapter

가족의 관점에서 중증질환이 남긴 유산

데이비드 다이젠호스(David Dyzenhaus)

서론

본 장에서는 중증질환이 남긴 유산을 가족의 관점에서 그려보고자 한다. 그런 점에서 개인의 경험이 실제 질환의 경험과 뗄 수 없는 관계에 있기 때문에 나의 경험을 중점적으로 기술하고자 한다.

우리 가족의 이야기

1998년 4월 1일 아내(셰럴 미삭)는 패혈성 쇼크와 다발성장기부전으로 토론토의 성마이클 병원 중환자실에 입원하였다. 그 당시 38살이었다. 아내를 만난 지는 14년이 되었다. 아내는 신체적으로나 정신적으로 매우 건강한 사람이었다. 아내가 아프기 시작하자 우리는 지독한 감기에 걸렸다고만 생각했다. 일주일 전쯤에 7살 아들이 A그룹 연쇄상구균에 감염되었는데 나중에 알고 보니 아내는 A그룹 연쇄상구균 중에서도 치명적인 균에 감염되었다.

분명히 몸이 꽤 좋지 않았을 텐데도 별말 없이 침대에 누워있거나 무언가를 먹어보려 할 뿐이었다. 중환자실에 입원하던 날 아내는 대학병원의 류마티스과 전문의와 진료예약이 되어 있었다. '감기' 기운이 있기 전 관절에 심한 통증이 있었기 때문이었다. 그날 아침 나는 감기 이외에 무언가 다른 문제가 있다는 것을 직감했지만 아내는 회의에 참석하기 위해 그날 저녁 미국행

비행기를 탈 수 있다고 고집을 피웠다.

가족주치의에게 전화해서 앰뷸런스를 불러 아내를 응급실에 데려가야 할지 물었다. 가족주치의는 젊고 경험이 많지 않은 의사였다. 주치의는 주초에 아내를 진료했고 아내가 너무 약해져서 혼자 걷기도 힘들어 하는 모습을 보았다. 하지만 그냥 류마티스과 전문의의 진료예약에 가보라고만 했다. 내가 걱정하는 것이 오히려 아내를 걱정시킬까하여 아내에게는 말도 못하고, 그렇지만 누군가에게는 말을 해야 했기에 그날 아침 느즈막이 남아프리카공화국에 살고 있는 여동생에게 전화를 하여 아내가 죽을 것 같다고 말했다. 여동생과 통화를 하는데 병원에 가기 위해 부른 택시가 도착하는 소리가 났고 나는 서둘러 전화를 끊었다. 아내는 벌써 집을 나가 현관 계단을 내려가고 있었다.

다행히도 류마티스과 전문의는 아내를 신속하게 검사한 후 앰뷸런스를 불러 성마이클 병원의 응급실로 이송했다. 응급실은 당혹스러운 공간이다. 끊임없는 소음 속에 의료진이 분주하게 움직이며 거동하거나 말할 수 없는 환자부터, 약물에 쩔어 큰소리로 떠들어대거나 음주로 인한 광란으로 묶어두어야 하는 사람까지 다양한 환자를 처치하고 있었다. 이런 상황에서 정보를 얻기란 쉽지 않았다. 다만 이제 아내가 곧 도움을 받을 수 있으리라는 생각이 들었다. 나는 토론토에 살고 있는 처남과 친구들에게 연락을 취하기 시작했다.

당시 5세, 7세였던 아이들은 학교와 어린이집에 있었다. 류마티스 전문의가 아내가 '매우 아프다'며 절대 병원을 떠나지 말라고 조언을 해주었기에 아이들을 돌봐줄 사람을 구하였고 다행히 처남이 아이들을 돌봐주러 우리 집에 와서 며칠 지내기로 했다. 알버타에 사시는 장인장모에게도 전화를 하여 토론토에 와서 도와달라는 부탁을 드릴 수도 있겠다고 양해를 구하였다.

중환자실 입원

아내의 중환자실 입원이 결정되자 나는 한결 마음이 가벼워졌다. 중환자실도 그 나름 당황스럽기는 매한가지지만 응급실과 비교하자면 조용했다. 중환자실은 쉴 새 없이 돌아가고 있었지만 응급상황이 발생하여 해당 환자에게 무언가 조치를 할 때를 제외하면 훨씬 차분하였다.

그날 밤 나는 잠을 이룰 수 없었다. 자주 아내를 들여다보았다. 아내는 기운이 없었지만 기분은 좋아 보였다. 하지만 아내가 점점 더 약해지는 것만은 분명했다. 다음날 아침 일찍 의사는 폐허탈이 나타났고, 신장은 멈춰 섰고, 혈압은 경고수준까지 떨어져서 마취와 삽관치료를 해야 한다고 말했다. 예후에 대해 의사한테 보다 많은 정보를 듣고 싶었지만 의사는 앞날을 예측하는 것을 꺼려했다.

하지만 상황이 심각할 대로 심각하다는 것을 알 수 있었다. 중환자실 대기실에서 나이든 아버지의 중환자치료를 기다리고 있던 한 여자가 나를 껴안고 울음을 터트리자 모든 것은 더욱 분명해졌다. 그녀는 자기를 간호사라고 소개했고, 아버지의 삶이 이제 몇 시간밖에 남지 않아 너무나 슬프지만, 젊은 아내가 자기 아버지와 똑같은 상황이니 내가 더 가엾다는 말을 하였다. 그제야 중환자실의 간호사가 나한테는 말하지 않은 내용을 그 간호사에게는 알려줬다는 것을 깨달았다.

한편으로는 의사와 간호사가 유능하고 친절했기 때문에 평정심을 유지할 수 있었다. 올라가기보다는 자꾸 떨어지기만 하는 것 같은 롤러코스터의 시간을 보내던 3주 동안에도 이러한 병을 이겨낼 사람이 있다면 그건 아내 쉐럴이라는 믿음이 있었다. 나는 아내의 몸이 퉁퉁 부어서 눈을 빼놓고는 전혀 알아 볼 수 없는 상황이 되었을 때도 이러한 믿음을 잃지 않았다.

그 3주 동안 이러한 상황에서 가능할 법한 모든 도움을 얻을 수 있었다. 장인장모가 도착하였고, 남아프리카공화국과 영국에서 살던 두 여동생도 귀국하였다. 토론토에 사는 친구와 친지, 이웃들도 여러모로 도움을 주었다. 어떻게든 도움을 주려 했던 수많은 사람들과 학교(우리 부부는 토론토대학에서 교수로 재직 중)에게 전적으로 의지할 수 없었다면 어떻게 그 때와 그 이후를 견딜 수 있었을까 스스로 생각해본다. 당시 아내에게 무슨 일이 일어나는지에 대해서는 분명히 알지 못하였다. 응급실에 비해서는 대체로 훨씬 안정적인 분위기였지만 의사들은 몹시 바빴다. 중환자실 밖 대기실에서 불안에 떠는 가족친지의 요구를 돌볼 시간은 없었다. 정보를 구하거나 위안을 찾을 수 있는 가장 좋은 대상은 아내를 담당하는 간호사였다. 하지만 의사나 간호사에게 꼬치꼬치 캐물어봐야 별다른 정보를 얻어낼 수 없었다. 그들도 답을 모르고 있을 때도 있었고, 답을 가지고 있다 해도 내가 그 답을 듣는 것이 별로 도움이 되지 않을 것이라고 생각하는 때도 있었다. 말도 안 되는 희망을 품었기 때문에 그 당시를 견뎌낼 수 있었다는 점을 감안해보면 그들이 옳았을 수도 있다.

마침내 아내가 서서히 회복되기 시작하자 나는 아내가 완벽하게 회복될 것이라고 믿었다. 의사들은 상황이 하루아침에 바뀔 수도 있다고 넌지시 암시하기도 했지만, 그들은 아내를 잘 모른다. 아내가 인생의 장애물을 맞닥뜨리면 신속하고 결단력 있게 해결책을 내놓아야 할 사항이라고 본다는 것도 모른다. 다만 그 해결책이라는 것이 무엇인지는 알 수 없었고, 내 기억으로는 이를 어떻게 해결해야 할지에 대한 실마리도 구할 수 없었다.

중환자실 퇴원

아내가 충분히 회복되어 인공호흡기를 떼고 며칠간 일반병동에서 지내다가 드디어 집에 돌아오자 나는 그제야 안도의 숨을 내쉬었다. 하지만 동시에 어찌할 바를 몰랐다. 통통했던 아내는 최악의 상황을 겪으면서 쇠약하다 못해 황폐해진 근육, 제대로 작동하지 않는 폐가 달린 꼬챙이처럼 마른 사람으로 변하였다. 아내는 너무 약해져서 멀지 않아 무슨 일이 생겨 병원으로 돌아가야 할지도 모른다는 생각이 들었다. 아내에게 열이 오르면 응급실로 가야 한다는 조언만은 확실히 들었다.

아내가 중환자실에 입원한 3주는 뚜렷하게 기억하지만 집으로 돌아온 후 약 6주간 무슨 일이 있었는지는 안개 속에 있다. 모든 일을 접고 도움의 손길을 내밀었던 이들이 각자 생활로 돌아가자 세상에서 돌보기 가장 쉬운 사람은 아니었던 아내를 돌보는 일도, 아이들을 돌보는 일도 모두 내가 맡아야 했다.

돌이켜보면 아내는 그럴 능력이 생기기 전부터도 조금씩 신체적으로나 인지적으로 회복의 길에 들어서도록 스스로를 다그치기 시작했다. 아내를 돌보기 힘들다고 말한 바 있는데 그럴만한 이유가 있다. 아내는 무력감을 싫어한다. 따라서 사람이 실제로 무력할 때 받게 되는 관심을 좋아하지 않는다. 나는 바로 이런 성격 때문에 아내가 지금 수준까지 회복되었다고 굳게 믿는다. 아내는 마라톤 선수처럼 회복에 임하였다. 훈련계획을 세우고, 진전을 가로막는 다양한 '장벽'을 극복할 준비를 하였다. 아내가 해야 할 일이었지만 아무도 그렇게 하라고 알려주지 않은 일을 정확하게 해냈다는 것을 우리는 나중에야 깨닫게 되었다.

병원에서 퇴원할 때 아내가 해야 할 것이 무엇인지를 누군가 말해주었더라면, 회복과정에서 지속적으로 모니터링과 조언을 구할 수 있었다면 훨씬 나았을 것이다. 하지만 지지해주는 가족과 친구 없이 어떻게 가능할까 생각하는 것처럼, 이런 정보와 도움을 받았다 해도 극복하기 어려울 듯한 장애물을 극복하도록 하는 성격이 아니었다면 이런 정보와 도움이 무슨 의미가 있을까 하는 생각을 하곤 한다. 여하튼 이러한 정보와 도움을 반드시 제공받을 수 있어야 한다. 헌신적인 의사와 간호사가 최선을 다해 한 사람의 생명을 구하고, 그 환자가 중환자실을 떠난 이후 이러한 성공을 적극 활용하기 위해 무언가를 더 하지 않는다면 정말 분별없는 짓일 것이다.

결론

우리의 이야기는 해피엔딩으로 끝났다. 류마티스 관절염을 앓고 있다는 점을 제외하면 아내는 완벽하게 회복되었다. 아이들은 당시를 거의 기억하지 못한다. 장인장모는 지금까지도 놀란 가슴을 쓸어 내린다. 캐나다 이 끝에서 저 끝으로 와서 도와달라고 부탁했을 때만해도 부모가 자식의 죽음을 생각하는 것만으로도 얼마나 끔찍했을지를 잘 몰랐다.

아내가 아팠을 당시 병원, 질병, 죽음이 나에게 그리 낯선 것은 아니었다. 이미 부모님을 여의였기 때문이다. 어머니는 3살부터 만성관절염을 앓으셨고, 관절염과 합병증으로 55세에 돌아가실 때까지 늘 중환자실과 병원을 들락날락하셨다. 아버지는 67세에 폐암으로 돌아가셨다. 하지만 아내를 잃을 뻔한 경험은 부모님의 사망을 접했을 때와는 또 다르게 마음을 온통 뒤흔들었다. 나는 지금도 아내가 나 없이 비행기 여행 등을 할 때면 공황상태에 빠진다. 어떻게 보면 그로 인해 우리 가족은 더 가까워졌다. 삶이 그렇게 쉽게 깨질 수도 있다는 것을 깨닫는 것은 건강하게 지낼 때는 나쁜 일도 아닐 것이다. 하지만 그런 경험을 해서 감사하다고 할 수는 없을 것이다.

아내가 아프던 당시 꽤 친하게 지내던 이웃의 여동생이 10대인 아들을 아내와 동일한 감염으로 잃었다. 이웃의 여동생에게는 철저한 절망이라는 흔적이 남았다. 우리 가족의 해피엔딩과 철저한 절망 사이에 수많은 단계가 존재할 것이다.

PART

중증질환 이후 만성장기기능장애

Chapter

중증질환 이후 만성장기기능장애

그리트 허만(Greet Hermans)

지난 10년간 중환자실 관리와 치료(organ support treatment) 기술이 극적으로 진보하였다. 그 결과 중환자실 입원기간 중 중증질환과 더불어 다발성장기부전의 경우에도 생존율이 증가하였다. 중증질환을 이겨낸 환자의 수가 증가하였지만 중환자실 퇴원 이후 장기 회복이 쉽지 않다는 논문발표가 이어지면서 처음에 느꼈던 흥분은 많이 가라앉았다.

삽관과 기계환기는 중환자실에서 일상적으로 이루어지는 조치 중 일부이다. 급성호흡곤란증후군을 겪은 환자라면 이후 1년까지도 폐기능장애를 겪을 수 있다. 기계환기 치료를 적용한 환자의 대다수는 인공호흡기를 이탈하는 과정이 순조롭게 이행되지만 일부는 어려움을 겪고 장기간 기계환기에 의존하기도 한다. 이 경우 기관 절개술이 흔히 시행된다. 일부 환자는 인공호흡기 의존성으로 인해 장기요양시설로 옮겨지기도 한다. 이들 집단의 경우 사망률이 상당히 높고 기관절개술이나 기관내관 제거로 국소합병증이 발생할 수도 있다. 이러한 합병증에는 기관협착증, 성대기능장애 등이 있다. 목에는 보기 흉한 상처가 남기도 한다. 적은 수이지만 인공호흡기에 의존하는 환자의 경우 가정 내에서도 기계환기가 필요하다. 이러할 경우 광범위하고 지지적인 재택간호가 필요하기 때문에 쉬운 결정은 아니다.

급성심근손상 이후 재관류전략, 기계장치를 이용한 장기기능보조(Organ support), 약물요법 등이 생존율을 끌어올렸다. 그러나 생존자들에게는 향후 심장혈관 질환이 발생하거나 만성심부전의 위험이 증가한다. 일부는 이식을 받기도 하지만 대다수는 기능손상으로 인해 장기생존이 위협을 받기도 한다. 급성신손상을 겪은 경우에도 장기사망률 증가와 관련이 있다. 이들이 인과관계가 있는지 여부는 분명하지 않다. 이들 환자는 만성신질환, 말기 신부전의 발병률 증가 등을 안고 산다. 화상 환자에게는 기능 손실과 장애를 유발할 수 있는 흉터가 남기도 한다. 고질적 통증과 감각손실도 동반된다. 또한 외모의 변화로 정신적 문제를 겪기도 한다.

환자가 고질적인 장기기능장애의 단계로 이행하게 되면 기능적 역량이나 삶의 질도 저하될 수 있으므로 환자의 신체 및 정신적 건강에 커다란 영향을 미칠 수 있다. 환자의 가족들도 적지 않은 부담을 겪는다. 장기사망률 위험 증가와도 관련이 있다. 의료자원의 활용, 비용 등으로 인해, 생존자의 경제활동 재편입에 영향을 줌으로써 경제적 부담이 되기도 한다. 고질적인 장기기능장애의 발생과 영향, 위험요소 등을 이해하는 것이 환자를 위한 예방 전략을 수립하고 최적의 치료를 준비하는 첫 걸음일 것이다. 다음 장에서는 이와 관련된 측면이 논의될 것이다.

Chapter 13

만성다발성장기기능장애

케빈 M. 피셔, 셰논 S. 카슨
(Kevin M. Fischer and Shannon S. Carson)

서론

중환자치료가 발전함에 따라 중증질환의 초기 단계는 극복했으나 집중치료를 중단할 수 없는 환자의 수가 증가하였다. 이들 환자는 급성질환이나 급성손상으로 인해 단일 장기기능장애나 다발성장기기능장애를 겪는다. 이러한 장기기능장애 외에도 기존의 만성질환은 그대로 존재한다. 수주일에서 수개월간 기계환기, 신대체요법, 승압제, 강심제, 경장/경정맥 영양공급(enteral/parenteral feeding), 정맥항생제 등의 생명유지치료에 의존할 수도 있다. 이러한 만성적 다발성장기기능장애를 흔히 만성중증질환(Chronic critical illness, CCI)이라 한다. 이는 단순히 급성질환의 지속이 아니라 별개의 생리학적 비정상과 대사기능장애로 보아야 한다.[1] 급성질환이나 급성손상을 이겨내기 위한 생리적 적응이 장기적 중증질환에는 맞지 않는 것이다.[2] 이러한 교란은 만성중증질환의 회복을 지연시키거나 방해한다.[3]

만성중증질환 환자의 수는 증가 추세에 있다. 미국에서만 100,000명의 환자가 있는 것으로 추산되며 연간 비용은 200억 달러에 달한다.[4,5] 인구노령화와 기계환기 증가율을 감안한다면 이러한 수치는 앞으로도 증가할 것으로 예상된다. 기계환기가 필요한 전체 중환자실 환자 중 5–10%가 만성중증질환으로 발전한다.[6-8] 모든 연령의 환자가 만성중증질환으로 진행될 수 있지만 그 가능성이 가장 높은 환자는 복수의 동반질환을 겪는 노인 환자이다. 서로 다른 지역에 위치한 3차 진료기관의 중환자실 5곳에 입원하여 21일 이상 기계환기를 받은 260명의 환자를 대상으로 수행된 연구에서 환자의 평균연령은 55±17세였다. 41%가 하나 이상의 동반질환이 있는 여성이었고 진단명은 다양하였다.[9] 급성중증질환이 만성중증질환으로 진행하는 위험인자로는 급성호흡곤란증후군, 패혈증, 쇼크, 다발성장기부전 등이 있다.[10] 급성폐손상, 말기 만성폐쇄성폐질환, 말기 만성심부전 등으로 인해 장기기계환기로 이어지기도 하나 만성다발성장기기능장애나 만성중증질환으로의 진행은 일반적으로 심각한 전신성 염증 증상과 연관이 있다. 만성중증질환의 임상적 특징은 생명유지치료에 대한 의존성, 극도의 쇠약, 뚜렷한 내분비계의 변화, 감염 취약성 증가, 뇌기능장애, 피부손상, 영양결핍, 심각한 증상부담 등을 들 수 있다.[1] 이들 환자는 지속적인 다발성장기기능장애로 인해 장기적으로 기능 및 인지에 상당한 제약을 받게 되고, 비공식적 가족간병인의 도움이 필요하며, 사망률이 높다.[11-16] 본 장에서는 만성다발성장기기능장애의 임상적 특징에 대해 정리해보고, 이러한 임상적 특징이 환자의 결과에 어떠한 연관이 있는지 살펴보도록 한다. 급성폐손상에 대해서는 다른 장에서 논의되는 바 본 장에서는 이를 제외한 장기기능장애에 대해 중점적으로 논의한다.

만성다발성장기기능장애의 임상적 특징

신경내분비계의 변화

신경내분비계의 스트레스 반응은 중증질환의 급성단계와 만성단계에서 특징적으로 나타나며 다수의 호르몬 변화를 동반하는 역학적 과정이다.[17-19] 급성중증질환의 신경내분비계 변화는 생명유지에 필요한 장기기능과 급성염증을 위해, 에너지와 자원을 동화작용에서 이화작용으로 바꾼다.[20] 중증질환이 장기간 지속될 경우 내분비계 호르몬 수치가 감소하고, 해당 장기기능이 저하되며, 이화작용 장기화, 동화작용의 손상 등으로 이어진다. 이화작용의 상태가 뚜렷해지면서 근육수축, Lean body mass (LBM)의 소실, 지방과다, 전신부종 등이 나타나며 이러한 증상들은 중증질환의 회복을 방해한다.[21]

중증질환이 발생하면 부신피질자극호르몬 방출호르몬, 싸이토카인과 노르아드레날린시스템의 영향을 받아 부신피질자극호르몬 방출이 증가하면서 코르티솔 수치가 증가한다. 고코르티솔증은 탄수화물, 지방, 단백질의 대사를 급격하게 변화시켜 생명유지에 필요한 장기에 에너지가 공급되고 동화작용을 지연시킨다.[17] 만성중증질환의 경우 부신피질자극호르몬의 수치가 하락하지만 대부분의 환자에게 코르티솔이 높게 유지되어 이화작용이 지속되고 회복이 저해된다. 부신피질자극호르몬 수치가 낮아도 코르티솔이 높게 유지되는 것은 알려지지 않은 호르몬 방출 기전이 작용하기 때문이다. 코르티솔과 안드로겐의 전구물질인 프레그네놀론(Pregnenolone) 코르티솔 생산으로 전용되어 안드로겐 결핍과 근육약화, 동화작용 저해, 상처치유 지연을 일으킨다.[20] 하지만 중증질환이 진행되면서 부신고갈이라는 증상이 나타나면 코르티솔의 수치는 하락한다.[22] 그 결과 만성중증질환의 상대적 저코르티솔증이 발생하여 거의 모든 장기와 계통에 영향을 미치며 질병이환률과 사망률을 높인다. 여러 논문에서 부신결핍이 나타나면 부신피질 스테로이드 투여를 권고하지만 그 시기와 시험결과의 해석, 필요한 치료요법에 대해서는 논의가 진행 중이다.[23,24]

급성중증질환이 발생하면 말초 갑상선호르몬 대사와 이용에 변화가 생긴다. T4에서 T3로의 전환이 저해되어 T3 수치가 낮아진다. T3 수치가 떨어져도 갑상선자극호르몬이 적절하게 증가하지 않는다. 이는 중증질환이 발생할 때에는 시상하부–뇌하수체–갑상선축의 피드백에 장애가 생긴다는 점을 시사한다. 갑상선자극호르몬이 감소하면 초기에는 갑상선호르몬의 활동이 더욱 감소하게 되며, 이는 급성질환에서 살아남기 위해 필요한 에너지와 자원을 보존하기 위해서이다.[20] 만성중증질환으로 진행되면 갑상선자극호르몬의 박동성 분비가 사라지면서 갑상선기능저하증이 지속된다. 만성갑상선기능저하증은 신경정신적 변화, 체액저류, 부종, 상대적 저체온증, 호흡욕구감소, 위장관의 운동성 저하, 빈혈, 포도당불내성, 흡수불량 등을 일으킨다.[20] 중증질환에서 갑상선호르몬 대체를 언제, 어떻게 해야 하는지에 대해서는 논의가 진행 중이다.[25]

중증질환이 발생하면 박동성, 박동사이(interpulsatile) 성장호르몬 수치가 처음에는 증가한다. 또한 성장호르몬에 대한 말초저항의 기능으로 IGF–1 수치가 낮아진다.[17] IGF–1의 감소와 성장호르몬의 증가는 성장호르몬의 지방분해 효과와 인슐린 중화효과를 증폭시키고 IGF–1의 동화효과를 억제한다.[26] 급성중증질환이 7–10일경 장기중증질환으로 진행되면 박동성과 박동사이(interpulsatile) 성장호르몬 수치가 현저히 하락하여 IGF–1 수치를 더욱 떨어뜨린다. 이러한 변화가 지속되면서 만성중증질환의 이화상태가 더욱 악화된다. 중증질환이 지속되면서 나타나는 성장호르몬 분비 저하는 남성과 여성 모두에게 관찰된다. 다만 박동성 성장호르몬 수치는 테스토스테론 수치 하락과 함께 남성에게 더욱 불규칙한 것으로 확인되었다.[27] 이러한 내분비계의 비정상이 생존자의 성기능에 어떠한 영향을 미치는지는 알려지지 않았다. 중증질환 생존자의 44%가 성기능장애가 있다고 보고된 바 있지만 기저가 되는 동반질환, 혈관이상, 약물투여, 사회심리적 문제 등 다른 문제에서 내분비계의 이상을 분리하기란 쉽지 않다.[28,29] 소규모 연구에서 생존자의 성기능이 연령, 성별, 중환자실 입원기간이 아니라 외상후스트레스장애와 연관이 있다고 하였다.[30]

중증질환은 뼈 대사에도 심각한 영향을 미친다. 중증질환 발병 24시간 내에 골교체(bone turnover)가 현저하게 증가한다.[31] 또한 중증질환 발병 중에는 골형성이 크게 저해된다.[32] 따라서 중증질환 발병 중 골흡수는 가속화되고 골격수복기전은 억제된다.[33] 중환자실 관련 대상성 골질환의 원인은 다양하며 중증질환의 스트레스가 사라질 때까지는 골교체 증가로 인한 골손실은 낮출 수 없다. 중증질환 발병 중 골질환에 관련된 요인에는 특정 사이토킨의 효과, 장기간 운동불가, 이화호르몬 과다, 중환자실에서 사용되는 약물, 비타민 D 결핍 등이 있다.[33] 골손실 가속과 골수복 억제가 복합적으로 작용하여 중증질환 생존자의 골절 위험성이 증가한다. 일부 연구를 통해 비스포스포네이트(bisphosphonate)의 정맥투여로 골흡수 표지자(marker)를 낮출 수 있는 것으로 밝혀졌지만 이것이 골절 위험의 감소로 이어지는지는 불분명하다.[34-36]

신경근육의 변화

중환자실에서 일어나는 근육약화는 다수의 중환자실 입원환자에게 영향을 미친다.[37] 이러한 근육약화는 패혈성 쇼크 발생 3일 이내, 전신염증반응증후군 발생 10일 이내에 발생할 수 있다.[38-40] 근병증, 신경장애, 신경근 전달장애 또는 이들이 복합적으로 나타나기도 한다. 이러한 근육약화는 사지와 호흡근육에 영향을 미치기 때문에 근육약화가 발생하면 기계환기 이탈이 지연되고, 신체재활이 저해된다.[41] 중환자실에서 일어나는 근육약화를 유발하는 위험인자로는 패혈증, 전신염증반응증후군, 신대체, 고혈당증, 다발성장기부전 등이 있고, 코르티코스테로이드, 신경근차단제(NMBA), 벤조디아제핀 등의 역할은 확실하지 않다.[42] 급성호흡곤란장애 환자의 60%, 전신염증반응증후군 환자의 70%, 전신염증반응증후군과 다발성장기기능장애 환자의 100%에서 이러한 근육약화가 발생하였다.[41] 진단을 위해 근전도검사, 근육생검이 시행되지만 이들 검사의 임상적 효용은 알려지지 않았다. MRC 합계점수라는 임상지수가 연구용으로 주로 사용되나 다소 비특이적이다.[43]

중환자실에서 일어나는 근육약화에는 중증질환관련 신경병증(CIP)와 중증질환관련 근육병증(CIM)이 있고, 두 증상이 복합적으로 나타나는 CINM이 있다.[44] CIP는 말초운동신경축삭기능장애이다. CIP 환자의 부검연구에서 사지와 호흡계의 운동신경과 감각신경은 퇴화되어 있었다.[45] CIP의 병리생리학이 명확히 소명되지는 않았다. 다만 염증성 사이토킨, 고혈당증, 부종으로 인한 패혈증 관련 미세순환계 장애, 사이토킨으로 인한 직접적인 말초신경손상 가능성 등 여러 가설이 제시되었다.[41] CIM은 급성주요근병증으로 그 범위는 정상조직구조에 단순한 기능장애가 발생한 경우부터 위축, 괴사까지 광범위하다.[46] CIM의 병리생리하은 대사성, 염증성, 생체에너지 변화 등 복잡하다.[41] 장기 예후는 CIP 환자보다는 CIM 환자의 경우가 좋다.[47]

중환자실 획득 쇠약(ICUAW)의 예방과 치료는 최근까지만 해도 보조적이었다. 예방을 위한 새로운 접근법을 뒷받침하는 연구결과들이 있다. 기계환기 시행 72시간 내에 물리치료와 작업치료를 받은 환자를 대상으로 한 연구에서 기계환기를 시행한 환자의 조기 보행이 근육약화를 예방하고 근육소모의 정도를 제한할 수 있는 것으로 밝혀졌다.[48] 그 외에도 두 건의 연구에서 기계환기를 시행한 환자의 조기 보행이 입원기간의 감소와 연관이 있는 것으로 나타났다.[49,50] 최근 중환자실 환자를 대상으로 수행된 연구에서 목표 혈당 범위가 80-110 mg/dL인 인슐린 집중치료는 CIP/CIM 발병을 억제하는 것으로 나타났다.[51,52] 중환자실에서 일어나는 근육약화에서 코르티코스테로이드와 신경근육차단제의 역할에 대해서는 아직 논의 중이다. 초기 연구에서는 두 가지가 모두 위험인자라고 했으나 최근 연구에서 이에 대해 의구심이 제기되었다.[53] 코르티코스테로이드의 영향은 고혈당증을 통해 확인할 수 있다. 이는 인슐린요법을 통해 당을 조절함으로써 조절될 수 있다.[54] 신경근육차단제는 저용량, 단기간 사용할수록 위험성이 낮다.[55,56] ABCDE bundle 묶음치료 접근법은 중환자실에서 일어나는 근육약화를 예방하는 최선의 방법이다. ABCED 묶음에는 체계적이고, 자발적인 각성, 호흡협응(coordination), 진정제 선택 시 주의, 섬망 모니터링, 조기 활동 및 운동 등이 포함된다.[57] 마지막으로 전기근육자극은 중환자의 근육량을 보존한다.[58,59]

ICUAW가 장기 중증질환 생존자에게 미치는 영향은 환자 개인의 기저치가 되는 기능적 능력과 예비능의 정도에 달려있다. 연령이 ICUAW의 독립적인 위험인자라는 결론이 나지는 않았지만 회복에는 영향을 미칠 수 있다.[42,43] 질환 발병 전 건강상태가 좋았고 기능적으로 우수했던 젊은 환자는 기능적 예비능이나 재활역량이 더 많을 수 있다.[60] 노인 환자나 중증의 만성동반질환이 있는 환자는 합병증 발생이나 재입원의 가능성이 크기 때문에 재활잠재력이 크지 않다.[61] 중증질환을 겪은 노인 환자의 신체기능에 대한 장기연구에서 중증질환 이후 신체기능장애의 정도가 큰 환자는 급성질환 이전 기능약화의 궤적을 보였다. 영구적인 신체기능장애가 생존자의 삶의 질에 어떻게 영향을 주는지 살펴보는 것도 중요하다. 기저 신체기능에 제약이 있었던 환자보다 기존의 기능이 우수했던 환자일수록 급격한 변화 이후 적응하는데 심리적인 어려움이 많았다.

면역변화와 감염

감염은 만성중증질환 환자 사망의 주요 원인이며 질병이환률 증가에 크게 기여한다.[62] 감염이 생기면 발열과 대사과다증으로 인공호흡기가 더욱 필요하기 때문에 감염은 인공호흡기 이탈의 어려움과 연관이 있다.[63] 패혈증 증상도 횡경막근육의 미토콘드리아기능장애를 유발하여 인공호흡기 이탈을 더욱 어렵게 한다.[64,65] 급성 및 만성중증환자치료를 시행한 환자는 유치 카테터와 피부 박탈 등 피부 보호막의 손상, 다약제내성 병원체에 노출, 중증질환과 동반질환으로 인한 '면역소진(immune exhaustion)' 증상 등 삼중의 감염위험에 시달린다.[62]

보호막의 붕괴는 중증질환에서 흔하다. 만성중증질환 환자의 경우 상처치유가 쉽지 않고 영양상태가 좋지 않기 때문에, 욕창궤양이 발생하는 경우 이는 치료가 어렵다. 의원성 보호막 붕괴가 흔히 발생하며 IV 카테터, 배뇨카테터, 비강영양공급튜브, 기관절개창 등이 이에 속한다. IV 카테터, 배뇨카테터에 세균이 집락화되면 병원체가 침입할 수 있다. 비강영양공급튜브는 부비강염과 관련이 있으며 흡인과 관련이 있을 수 있다.[62,66] 장기기계환기 환자에게는 분비물 증가, 하기도의 집락화, 기관내 감염, 성문점막감염, 점액섬모청소기능 손상이 발생하고, 이는 감염 위험을 증가시킬 수 있다.[67]

만성중증질환 환자는 급성기 치료시설과 장기치료시설에서 다약제내성균에 노출되고 집락화를 겪는다. 메티실린 내성 황색포도상구균, 반코마이신 내성 장구균, 그람 음성 장간균, 칸디다균, 클로스트리듐 디피실(Clostridium Difficile) 등이 자주 관찰된다.[10,63,68] 이러한 유기체는 환자에서 환자로, 간병인에서 환자로 전염될 수 있다. 일단 집락화가 발생하면 병원성 세균이 정상적인 세균총을 대체하고 유치장치를 오염시켜 박멸이 어려워진다.

중증질환과 동반질환의 누적 효과로 숙주방어기전이 손상되기도 한다. 패혈증이 생기고 첫 며칠 동안 '사이토킨 폭풍(Cytokine storm)'이 생긴 후에는 면역억제반응이 생겨 장기 중증질환 환자가 새로운 감염에 취약해지는 위험이 증가한다.[69] 또한 장기 중증질환을 앓는 동안 환자는 '면역소진'을 겪기도 한다. 면역고갈이란 병원균에 대한 방어체계를 손상시키는 면역자원의 고갈, 기능장애, 억제로 인한 잠재적인 장애효과를 설명하기 위해 제안된 용어이다.[62] 중증질환이 장기화되면 영양 결핍, 미량영양소 결핍, 단백질 감소, 미토콘드리아 기능장애 등 감염에 대한 면역반응을 방해하는 기타 쇠약요인이 누적된다. 패혈증의 염증반응을 막기 위해 현재 사용되는 전략들은 뚜렷한 효과를 보여주지 못했다.[70-72] 감염에 대한 지나친 면역반응이 주원인인지 아니면 나중에 패혈증으로 인한 면역억제가 문제였는지는 확실하지 않다. 전염증반응 중재술(targed pro-inflammatory interventions)이 패혈증에 효과가 있으며 패혈증의 항염증치료의 패러다임을 바꿀 것으로 일부에서는 보고 있다.[69]

급성 및 만성중증환자치료에서 감염의 예방과 치료에 대해 많은 연구가 수행되었다. 카테터 관련 혈류감염, 인공호흡기 관련 폐렴, 약제내성을 보이는 유기체 전염, 클로스트리듐 디피실, 카테터 관련 요로감염 등의 발병을 줄일 수 있는 방법이 여러 연구를 통해 밝혀졌으며 성공을 거두었다.[73-82] 손 위생, 격리, 불필요한 유치장치의 제거, 항생제의 신중한 사용, 피부통합성 유지를 위한 모범사례 등 핵심적인 예방법 채택을 극대화하기 위해 치료 절차를 시스템화해야 한다. 실제로 감염예방을 위한 가이드라인이 발표되었다.[84-89] 감염이 의심된다면 원인 규명과 통제를 위해 먼저 감염의 과반수를 차지하는 라인 관련 패혈증(line sepsis), 폐렴, 클로스트리듐 디피실 등을 중점적으로 살펴보아야 한다.[62]

신경인지지능장애 및 정신기능장애

중증질환 발병 중과 그 이후에도 신경인지기능장애 발생이 빈번하게 관찰되었다.[13,90-94] 이러한 기능장애는 수개월에서 수년까지 지속되기도 하고 영구적이기도 하다. 삶의 질, 업무로의 복귀 가능성, 전반적인 기능적 능력에 영향을 미친다.[95] 급성 및 만성중증질환에 섬망과 혼수가 흔히 나타나지만 실행기능, 기억력, 주의력 등 확연하게 드러나지 않는 기능장애도 빈번하게 관찰된다. 섬망이 없는 중환자실 환자의 경우에도 급성질환과 회복 과정에서 신경인지기능장애가 흔히 나타난다. 기계환기 시행 6일이 지난 후 진정치료를 하지 않고 섬망이 없는 환자 30인을 대상으로 한 연구에서 환자의 100%가 실행 기능 손상, 67%가 기억력 손상을 보였고, 2개월 후 추후관리에서는 50%가 실행기능 손상, 31%가 기억력 손상을 보였다.[91] 신경인지손상의 기전에 대해 완벽하게 밝혀지지는 않았지만 섬망의 반복, 저산소증, 저혈압, 포도당 대사이상, 대사교란, 염증, 진정제 및 마약의 효과 등이 포함될 수 있다.[95-97] 이러한 요인은 경증의 인지기능장애, 치매, 과거 외상성 뇌손상 등 기왕의 취약성이 있는 환자에게 보다 많이 영향을 미칠 수 있다.[95] 발병 전 인지기능장애만으로는 중환자실 퇴원 이후 인지기능장애의 발생률 증가를 설명할 수 없다. 최근 발병 전 인지평가와 중환자실 퇴원 이후 인지평가에 대해 수행된 두 건의 대규모 전향적 코호트연구에서 발병 전 인지기능을 보정하여 분석하면 중증질환이 치매나 기타 인지기능장애의 독립 위험인자인 것으로 나타났다.[93,94]

중증질환 이후 우울, 불안, 외상후스트레스장애 등 심리적 장애가 빈번하게 발생한다. 중증질환 생존자의 25–58%에서 우울감이 보고된 바 있다.[98,99] 발병 전과 중환자실 퇴원 이후 우울감 평가를 수행한 코호트 연구에서 중증질환은 우울감의 독립 위험인자인 것으로 밝혀졌다.[100] 불안은 중환자실 생존자의 23–41%에서 보고되었다.[101,102] 외상후스트레스장애는 중환자실 생존자의 5–63%에서 나타났다. 우울이나 불안 발생과 관련된 위험인자로는 중환자실 입원기간, 기계환기 시행기간, 발병 전 정신질환, 높은 체질량지수(BMI), 외과 중환자실 입원, 최대장기부전지수, 평균 벤조디아제핀 투여량을 들 수 있다.[96] 외상후스트레스장애의 위험인자에는 망상기억, 진정제의 사용 등이 있다.[105] 중환자실 생존자가 겪는 정신질환의 잠재적 기전으로는 장기기능장애, 투약, 통증, 수면부족, 싸이토카인 증가, 시상하부–뇌하수체축의 스트레스 관련 활성화, 저산소혈증, 뇌손상에 의한 신경전달물질 기능장애 등이 있다.[96]

중환자실 생존자의 신경인지 및 신경정신기능장애의 예방과 치료에 대해 알려진 바가 없다.

한 연구에서 진정치료를 매일 일시중단한 환자의 경우 우울, 불안, 외상후스트레스장애가 모두 감소한 것으로 나타났다.[102] 벤조디아제핀을 투여하지 않을 경우 급성 중환자실 환자에게 섬망 발생이 줄어든다. 하지만 뇌기능장애의 발생이나 지속기간이 줄어드는지는 아직 알려지지 않았다. 다른 연구에서는 퇴원 1개월 후 중환자실 입원 일지를 보여준 환자의 경우 외상후스트레스장애의 발생이 줄어들었다.[106] 해당 논문에서는 중환자실 입원에 관한 완전한 기억, 사실적 기억이 없다는 것이 외상후스트레스장애 발병에 중요하다고 가정하고 이러한 사실을 제공함으로써 환자의 외상후스트레스장애 발병 가능성을 줄일 수 있다고 하였다.

증상부담

만성중증질환 환자에게 신체적 증상과 심리적 증상이 흔히 발생한다. Nelson과 연구진은 인공호흡기 이탈에 실패하여 기관절개술을 시행한 50명의 환자 코호트를 대상으로 설문조사를 실시하였다.[15] 이들 환자는 노인(평균나이 73세)이었고 다양한 인종이 섞여 있었다. 대부분이 입원 전 집에서 거주하였고(86%), 복수의 동반질환이 있었다. 호흡치료 중환자실 입원 이전 평균 입원기간은 15일이었다. 조사대상 환자 중 28%가 신체장애나 인지장애로 인해 설문조사에 응할 수 없어 그들의 증상부담에 대해서는 추정할 수밖에 없었다. 설문조사에 응답할 수 있는 환자의 경우 증상부담이 높았다. 90%가 증상이 있다고 하였고, 환자 1명당 평균 8.6개의 증상이 있다고 답하였다. 44%가 가장 높은 수준의 통증을 호소하였다. 60%의 환자가 슬픔, 걱정, 불안 등과 같이 높은 수준의 심리적 증상이 있다고 하였다. 90%는 의사소통의 어려움으로 인해 높은 수준의 고통을 받고 있다고 하였다. 이 밖에도 갈증, 메스꺼움, 불면증, 호흡곤란, 피로, 배고픔, 구강건조, 식욕부진 등이 일반적으로 나타났다.

만성중증질환 환자의 증상치료에 관한, 또는 증상치료가 결과에 영향을 미치는지 여부에 관한 체계적인 증거자료는 거의 없다. Nelson과 연구진은 다른 환자집단에서 증상부담이 클 경우 사망률 증가와 연관이 있는 것으로 나타나는 등, 증상 경험이 중요 결과의 독립 예측인자라고 주장하였다.[15] 증상부담을 줄일 경우 생리적 안정, 효율적인 자원활용 등 바람직한 결과를 기대할 수 있다.

결과

만성중증질환 환자에게 다발성장기기능장애가 한꺼번에 나타나면서 이들 환자는 새로운 합병증에 취약해지고 회복이 지연된다. 1년 사망률은 50−60%이며[6,9,11,61,107] 연령과 장기기능장애의 가짓수가 장기사망률의 강력한 독립 위험인자다.[9] 기능적 결과와 삶의 질도 열악하다.[6,12,61,108,109] 한 연구에 따르면 환자 대부분이 장기기계환기 이후 심각한 인지기능장애를 겪는다.[13] 만성중증질환에 동반되는 심각한 신체 및 인지기능장애로 인해 생존자는 시설에 장기간 수용된다.[61] 환자들은 병원에서 퇴원 후 1년간 평균 4곳의 시설을 옮겨 다닌다.

환자(와 대리인)의 의사결정 자율성이 증가하면 의료진은 치료 목표와 환자의 가치를 조율하기 위해 만성중증질환의 예후와 치료 방안에 대한 의사소통 과정을 개선할 필요가 있다. 질적 연구에서 의사결정대리인이 장기 예후에 대한 보다 많은 정보를 원하는 것으로 나타났다. 하지만 이러한 정보는 일반적으로 제공되지 않는다.[13] 최근 검증된 사망율 예측 모델[9]은 의료진이 장기생존을 추정할 때 도움이 될 것이다. 하지만 이러한 정보의 의사소통을 개선하기 위해서는 특별한 개입이 필요하다. 완화의료 전문의 등 의사소통에 관한 훈련을 받은 의료진의 도움을 받거나 전자결정보조(electronic decision aids)와 같은 혁신적 제품을 활용하는 것도 도움이 될 것이다. 현재 만성중증질환 환자를 대상으로 이러한 혁신적인 제품의 연구가 진행되고 있다.

결론

만성다발성장기기능장애는 단순히 급성질환의 연속선이 아니라 다양한 생리적 비정상과 대사기능장애가 만들어내는 특징적 증상이다. 병원들의 인식이 제고되었고 이를 예방하고 치료하고자 하는 노력이 일부 성공을 거두기도 하였다. 하지만 본질적으로 복잡하기 때문에 하나의 개입만으로 이를 모두 예방하고 치료할 수는 없다. 만성다발성장기기능장애의 발생을 줄이고 이를 치료하기 위해 묶음화된 모범 중재개입을 시행하는 등 종합적이고 체계적인 프로그램을 설계하고 시행하여야 할 것이다.

참고문헌

1 Nelson JE, Cox CE, Hope AA, Carson SS. Chronic critical illness. Am J Respir Crit Care Med 2010;182:446-54.
2 Cooper Z, Bernacki RE, Divo M. Chronic critical illness: a review for surgeons. Curr Probl Surg 2011;48:12-57.
3 Nierman DM, Nelson DE. Chronic critical illness. Crit Care Clin 2002;18:xi-xii.
4 Cox CE, Carson SS, Holmes GM, Howard A, Carey TS. Increase in tracheostomy for prolonged mechanical ventilation in North Carolina, 1993-2002. Crit Care Med 2004;32:2219-26.
5 Zilberberg MD, de Wit M, Pirone JR, Shorr AF. Growth in adult prolonged acute mechanical ventilation: implications for healthcare delivery. Crit Care Med 2008;36:1451-5.
6 Engoren M, Arslanian-Engoren C, Fenn-Buderer N. Hospital and long-term outcome after tracheostomy for respiratory failure. Chest 2004;125:220-7.

7 Seneff MG, Zimmerman JE, Knaus WA, Wagner DP, Draper EA. Predicting the duration of mechanical ventilation. The importance of disease and patient characteristics. Chest 1996;110:469-79.

8 Wagner DP. Economics of prolonged mechanical ventilation. Am Rev Respir Dis 1989;140:S14-18.

9 Carson SS, Kahn JM, Hough CL, et al. A multicenter mortality prediction model for patients receiving prolonged mechanical ventilation. Crit Care Med 2011;40:171-6.

10 Estenssoro E, Reina R, Canales HS, et al. The distinct clinical profile of chronically critically ill patients: a cohort study. Crit Care 2006;10:R89.

11 Cox CE, Carson SS, Lindquist JH, Olsen MK, Govert JA, Chelluri L. Differences in one-year health outcomes and resource utilization by definition of prolonged mechanical ventilation: a prospective cohort study. Crit Care 2007;11:R9.

12 Combes A, Costa MA, Trouillet JL, et al. Morbidity, mortality, and quality-of-life outcomes of patients requiring >or = 14 days of mechanical ventilation. Crit Care Med 2003;31:1373-81.

13 Nelson JE, Tandon N, Mercado AF, Camhi SL, Ely EW, Morrison RS. Brain dysfunction: another burden for the chronically critically ill. Arch Intern Med 2006;166:1993-9.

14 Hope AA, Morrison RS, Du Q, Nelson J. Predictors of long-term brain dysfunction after chronic critical illness. Am J Respir Crit Care Med 2010;181:A6713.

15 Nelson JE, Meier DE, Litke A, Natale DA, Siegel RE, Morrison RS. The symptom burden of chronic critical illness. Crit Care Med 2004;32:1527-34.

16 Van Pelt DC, Milbrandt EB, Qin L, et al. Informal caregiver burden among survivors of prolonged mechanical ventilation. Am J Respir Crit Care Med 2007;175:167-73.

17 Van den Berghe G. Neuroendocrine pathobiology of chronic critical illness. Crit Care Clin 2002;18:509-28.

18 Vanhorebeek I, Langouche L, Van den Berghe G. Endocrine aspects of acute and prolonged critical illness. Nat Clin Pract Endocrinol Metab 2006;2:20-31.

19 Van den Berghe G, de Zegher F, Bouillon R. Clinical review 95: acute and prolonged critical illness as different neuroendocrine paradigms. J Clin Endocrinol Metab 1998;83:1827-34.

20 Mechanick JI, Brett EM. Endocrine and metabolic issues in the management of the chronically critically ill patient. Crit Care Clin 2002;18:619-41.

21 Hollander JM, Mechanick JI. Nutrition support and the chronic critical illness syndrome. Nutr Clin Pract 2006;21:587-604.

22 Zaloga GP, Marik P. Hypothalamic-pituitary-adrenal insufficiency. Crit Care Clin 2001;17:25-41.

23 Cooper MS, Stewart PM. Adrenal insufficiency in critical illness. J Intensive Care Med 2007;22:348-62.

24 Patel GP, Balk RA. Systemic steroids in severe sepsis and septic shock. Am J Respir Crit Care Med 2011;185:133-9.

25 Farwell AP. Thyroid hormone therapy is not indicated in the majority of patients with the sick euthyroid syndrome. Endocr Pract 2008;14:1180-7.

26 Vanhorebeek I, Van den Berghe G. The neuroendocrine response to critical illness is a dynamic process. Crit Care Clin 2006;22:1-15.

27 Van den Berghe G, Baxter RC, Weekers F, Wouters P, Bowers CY, Veldhuis JD. A paradoxical gender dissociation within the growth hormone/insulin-like growth factor I axis during protracted critical illness. J Clin Endocrinol Metab 2000;85:183-92.

28 Griffiths J, Waldmann C, Quinlan J. Sexual dysfunction in intensive care survivors. Br J Hosp Med (Lond) 2007;68:470-3.

29 Somers KJ, Philbrick KL. Sexual dysfunction in the medically ill. Curr Psychiatry Rep 2007;9:247-54.

30 Griffiths J, Gager M, Alder N, Fawcett D, Waldmann C, Quinlan J. A self-report-based study of the incidence and associations of sexual dysfunction in survivors of intensive care treatment. Intensive Care Med 2006; 32:445-51.

31 Shapses SA, Weissman C, Seibel MJ, Chowdhury HA. Urinary pyridinium cross-link excretion is increased in critically ill surgical patients. Crit Care Med 1997;25:85-90.

32 Van den Berghe G, Van Roosbroeck D, Vanhove P, Wouters PJ, De Pourcq L, Bouillon R. Bone turnover in prolonged critical illness: effect of vitamin D. J Clin Endocrinol Metab 2003;88:4623-32.

33 Hollander JM, Mechanick JI. Bisphosphonates and metabolic bone disease in the ICU. Curr Opin Clin Nutr Metab Care 2009;12:190-5.

34 Via MA, Potenza MV, Hollander J, et al. Intravenous ibandronate acutely reduces bone hyperresorption in chronic critical illness. J Intensive Care Med 2012;27:312-18.

35 Klein GL, Wimalawansa SJ, Kulkarni G, Sherrard DJ, Sanford AP, Herndon DN. The efficacy of acute administration of pamidronate on the conservation of bone mass following severe burn injury in children: a double-blind, randomized, controlled study. Osteoporos Int 2005;16:631-5.

36 Nierman DM, Mechanick JI. Biochemical response to treatment of bone hyperresorption in chronically critically ill patients. Chest 2000;118:761-6.

37 Lorin S, Nierman DM. Critical illness neuromuscular abnormalities. Crit Care Clin 2002;18:553-68.

38 Tepper M, Rakic S, Haas JA, Woittiez AJ. Incidence and onset of critical illness polyneuropathy in patients with septic shock. Neth J Med 2000;56:211-14.

39 Garnacho-Montero J, Madrazo-Osuna J, Garcia-Garmendia JL, et al. Critical illness polyneuropathy: risk factors and clinical consequences. A cohort study in septic patients. Intensive Care Med 2001;27:1288-96.

40 Tennila A, Salmi T, Pettila V, Roine RO, Varpula T, Takkunen O. Early signs of critical illness polyneuropathy in ICU patients with systemic inflammatory response syndrome or sepsis. Intensive Care Med 2000;26:1360-3.

41 Hermans G, De Jonghe B, Bruyninckx F, Van den Berghe G. Clinical review: critical illness polyneuropathy and myopathy. Crit Care 2008;12:238.

42 Stevens RD, Dowdy DW, Michaels RK, Mendez-Tellez PA, Pronovost PJ, Needham DM. Neuromuscular dysfunction acquired in critical illness: a systematic review. Intensive Care Med 2007;33:1876-91.

43 De Jonghe B, Sharshar T, Lefaucheur JP, et al. Paresis acquired in the intensive care unit: a prospective multicenter study. JAMA 2002;288:2859-67.

44 Stevens RD, Marshall SA, Cornblath DR, et al. A framework for diagnosing and classifying intensive care unit-acquired weakness. Crit Care Med 2009;37(10 Suppl):S299-308.

45 Zochodne DW, Bolton CF, Wells GA, et al. Critical illness polyneuropathy. A complication of sepsis and multiple organ failure. Brain 1987;110:819-41.

46 Latronico N, Shehu I, Seghelini E. Neuromuscular sequelae of critical illness. Curr Opin Crit Care 2005;11:381-90.

47 Guarneri B, Bertolini G, Latronico N. Long-term outcome in patients with critical illness myopathy or neuropathy: the Italian multicentre CRIMYNE study. J Neurol Neurosurg Psychiatry 2008;79:838-41.

48 Schweickert WD, Pohlman MC, Pohlman AS, et al. Early physical and occupational therapy in mechanically ventilated, critically ill patients: a randomised controlled trial. Lancet 2009;373:1874-82.

49 Morris PE, Goad A, Thompson C, et al. Early intensive care unit mobility therapy in the treatment of acute respiratory failure. Crit Care Med 2008;36:2238-43.

50 Needham DM, Korupolu R, Zanni JM, et al. Early physical medicine and rehabilitation for patients with acute respiratory failure: a quality improvement project. Arch Phys Med Rehabil 2010;91:536-42.

51 Van den Berghe G, Schoonheydt K, Becx P, Bruyninckx F, Wouters PJ. Insulin therapy protects the central and peripheral nervous system of intensive care patients. Neurology 2005;64:1348-53.

52 Hermans G, Wilmer A, Meersseman W, et al. Impact of intensive insulin therapy on neuromuscular complications and ventilator dependency in the medical intensive care unit. Am J Respir Crit Care Med 2007;175:480-9.

53 Stevens RD, Dowdy DW, Michaels RK, Mendez-Tellez PA, Pronovost PJ, Needham DM. Neuromuscular dysfunction acquired in critical illness: a systematic review. Intensive Care Med 2007;33:1876-91.

54 Hermans G, Wilmer A, Meersseman W, et al. Impact of intensive insulin therapy on neuromuscular complications and ventilator dependency in the medical intensive care unit. Am J Respir Crit Care Med 2007;175:480-9.

55 Hermans G, De Jonghe B, Bruyninckx F, Van den Berghe G. Interventions for preventing critical illness polyneuropathy and critical illness myopathy. Cochrane Database Syst Rev 2009;1:CD006832.

56 Papazian L, Forel JM, Gacouin A, et al. Neuromuscular blockers in early acute respiratory distress syndrome.

N Engl J Med 2010;363:1107-16.

57 Morandi A, Brummel NE, Ely EW. Sedation, delirium and mechanical ventilation: the 'ABCDE' approach. Curr Opin Crit Care 2011;17:43-9.

58 Gerovasili V, Stefanidis K, Vitzilaios K, et al. Electrical muscle stimulation preserves the muscle mass of critically ill patients: a randomized study. Crit Care 2009;13:R161.

59 Gerovasili V, Tripodaki E, Karatzanos E, et al. Short-term systemic effect of electrical muscle stimulation in critically ill patients. Chest 2009;136:1249-56.

60 Kress JP, Herridge MS. Medical and economic implications of physical disability of survivorship. Semin Respir Crit Care Med 2012;33:339-47.

61 Unroe M, Kahn JM, Carson SS, et al. One-year trajectories of care and resource utilization for recipients of prolonged mechanical ventilation: a cohort study. Ann Intern Med 2010;153:167-75.

62 Kalb TH, Lorin S. Infection in the chronically critically ill: unique risk profile in a newly defined population. Crit Care Clin 2002;18:529-52.

63 Scheinhorn DJ, Hassenpflug MS, Votto JJ, et al. Ventilator-dependent survivors of catastrophic illness transferred to 23 long-term care hospitals for weaning from prolonged mechanical ventilation. Chest 2007;131:76-84.

64 Callahan LA, Supinski GS. Sepsis induces diaphragm electron transport chain dysfunction and protein depletion. Am J Respir Crit Care Med 2005;172:861-8.

65 Galley HF. Oxidative stress and mitochondrial dysfunction in sepsis. Br J Anaesth 2011;107:57-64.

66 Desmond P, Raman R, Idikula J. Effect of nasogastric tubes on the nose and maxillary sinus. Crit Care Med 1991;19:509-11.

67 Ahmed QA, Niederman MS. Respiratory infection in the chronically critically ill patient. Ventilatorassociated pneumonia and tracheobronchitis. Clin Chest Med 2001;22:71-85.

68 Poutsiaka DD. Antimicrobial resistance in the chronically critically ill patient. Clin Chest Med. Mar 2001;22:87-103, viii.

69 Boomer JS, To K, Chang KC, et al. Immunosuppression in patients who die of sepsis and multiple organ failure. JAMA 2011;306:2594-605.

70 Annane D, Bellissant E, Bollaert PE, et al. Corticosteroids in the treatment of severe sepsis and septic shock in adults: a systematic review. JAMA 2009;301:2362-75.

71 Mullard A. Drug withdrawal sends critical care specialists back to basics. Lancet 2011;378:1769.

72 Angus DC. The search for effective therapy for sepsis: back to the drawing board? JAMA 2011;306:2614-15.

73 Pronovost P, Needham D, Berenholtz S, et al. An intervention to decrease catheter-related bloodstream infections in the ICU. N Engl J Med 2006;355:2725-32.

74 Bouadma L, Deslandes E, Lolom I, et al. Long-term impact of a multifaceted prevention program on ventilator-associated pneumonia in a medical intensive care unit. Clin Infect Dis 2010;51:1115-22.

75 Berenholtz SM, Pham JC, Thompson DA, et al. Collaborative cohort study of an intervention to reduce ventilator-associated pneumonia in the intensive care unit. Infect Control Hosp Epidemiol 2011;32:305-14.

76 Munoz-Price LS, De La Cuesta C, Adams S, et al. Successful eradication of a monoclonal strain of Klebsiella pneumoniae during a K. pneumoniae carbapenemase-producing K. pneumoniae outbreak in a surgical intensive care unit in Miami, Florida. Infect Control Hosp Epidemiol 2010;31:1074-7.

77 Munoz-Price LS, Hayden MK, Lolans K, et al. Successful control of an outbreak of Klebsiella pneumoniae carbapenemase-producing K. pneumoniae at a long-term acute care hospital. Infect Control Hosp Epidemiol 2010;31:341-7.

78 Ray A, Perez F, Beltramini AM, et al. Use of vaporized hydrogen peroxide decontamination during an outbreak of multidrug-resistant Acinetobacter baumannii infection at a long-term acute care hospital. Infect Control Hosp Epidemiol 2010;31:1236-41.

79 Climo MW, Sepkowitz KA, Zuccotti G, et al. The effect of daily bathing with chlorhexidine on the acquisition of methicillin-resistant Staphylococcus aureus, vancomycin-resistant Enterococcus, and healthcare-associated bloodstream infections: results of a quasi-experimental multicenter trial. Crit Care Med 2009;37:1858-65.

80 Ratnayake L, McEwen J, Henderson N, et al. Control of an outbreak of diarrhoea in a vascular surgery unit caused by a high-level clindamycin-resistant Clostridium difficile PCR ribotype 106. J Hosp Infect 2011;79:242-7.

81 Titsworth WL, Hester J, Correia T, et al. Reduction of catheter-associated urinary tract infections among patients in a neurological intensive care unit: a single institution's success. J Neurosurg 2012;116:911-20.

82 Nerandzic MM, Cadnum JL, Pultz MJ, Donskey CJ. Evaluation of an automated ultraviolet radiation device for decontamination of Clostridium difficile and other healthcare-associated pathogens in hospital rooms. BMC Infect Dis 2010;10:197.

83 Carasa M, Polycarpe M. Caring for the chronically critically ill patient: establishing a wound- healing program in a respiratory care unit. Am J Surg 2004;188(1A Suppl):18-21.

84 Cohen SH, Gerding DN, Johnson S, et al. Clinical practice guidelines for Clostridium difficile infection in adults: 2010 update by the Society for Healthcare Epidemiology of America (SHEA) and the infectious Diseases Society of America (IDSA). Infect Control Hosp Epidemiol 2010;31:431-55.

85 Smith PW, Bennett G, Bradley S, et al. SHEA/APIC Guideline: infection prevention and control in the long-term care facility. Am J Infect Control 2008;36:504-35.

86 O'Grady NP, Alexander M, Burns LA, et al. Guidelines for the prevention of intravascular catheterrelated infections. Am J Infect Control 2011;39(4 Suppl 1):S1-34.

87 Gould CV, Umscheid CA, Agarwal RK, Kuntz G, Pegues DA. Guideline for prevention of catheterassociated urinary tract infections 2009. Infect Control Hosp Epidemiol 2010;31:319-26.

88 Siegel JD, Rhinehart E, Jackson M, Chiarello L. Guideline for isolation precautions: preventing transmission of infectious agents in health care settings. Am J Infect Control 2007;35(10 Suppl 2):S65-164.

89 Coffin SE, Klompas M, Classen D, et al. Strategies to prevent ventilator-associated pneumonia in acute care hospitals. Infect Control Hosp Epidemiol 2008;29(Suppl 1):S31-40.

90 Ely EW, Inouye SK, Bernard GR, et al. Delirium in mechanically ventilated patients: validity and reliability of the confusion assessment method for the intensive care unit (CAM-ICU). JAMA 2001;286:2703-10.

91 Jones C, Griffiths RD, Slater T, Benjamin KS, Wilson S. Significant cognitive dysfunction in nondelirious patients identified during and persisting following critical illness. Intensive Care Med 2006;32:923-6.

92 Jackson JC, Hart RP, Gordon SM, et al. Six-month neuropsychological outcome of medical intensive care unit patients. Crit Care Med 2003;31:1226-34.

93 Ehlenbach WJ, Hough CL, Crane PK, et al. Association between acute care and critical illness hospitalization and cognitive function in older adults. JAMA 2010;303:763-70.

94 Iwashyna TJ, Ely EW, Smith DM, Langa KM. Long-term cognitive impairment and functional disability among survivors of severe sepsis. JAMA 2010;304:1787-94.

95 Hopkins RO, Jackson JC. Long-term neurocognitive function after critical illness. Chest 2006;130:869-78.

96 Jackson JC, Mitchell N, Hopkins RO. Cognitive functioning, mental health, and quality of life in ICU survivors: an overview. Crit Care Clin 2009;25:615-28.

97 Hopkins RO, Suchyta MR, Snow GL, Jephson A, Weaver LK, Orme JF. Blood glucose dysregulation and cognitive outcome in ARDS survivors. Brain Inj 2010;24:1478-84.

98 Hopkins RO, Weaver LK, Collingridge D, Parkinson RB, Chan KJ, Orme JF, Jr. Two-year cognitive, emotional, and quality-of-life outcomes in acute respiratory distress syndrome. Am J Respir Crit Care Med 2005;171:340-7.

99 Cheung AM, Tansey CM, Tomlinson G, et al. Two-year outcomes, health care use, and costs of survivors of acute respiratory distress syndrome. Am J Respir Crit Care Med 2006;174:538-44.

100 Davydow DS, Russo JE, Ludman E, et al. The association of comorbid depression with intensive care unit admission in patients with diabetes: a prospective cohort study. Psychosomatics 2011;52:117-26.

101 Kapfhammer HP, Rothenhausler HB, Krauseneck T, Stoll C, Schelling G. Posttraumatic stress disorder and health-related quality of life in long-term survivors of acute respiratory distress syndrome. Am J Psychiatry 2004;161:45-52.

102 Kress JP, Gehlbach B, Lacy M, Pliskin N, Pohlman AS, Hall JB. The long-term psychological effects of daily sedative interruption on critically ill patients. Am J Respir Crit Care Med 2003;168:1457-61.

103 Griffiths J, Fortune G, Barber V, Young JD. The prevalence of post traumatic stress disorder in survivors of ICU treatment: a systematic review. Intensive Care Med 2007;33:1506-18.

104 Myhren H, Ekeberg O, Stokland O. Health-related quality of life and return to work after critical illness in general intensive care unit patients: a 1-year follow-up study. Crit Care Med 2010;38:1554-61.

105 Jones C, Griffiths RD, Humphris G, Skirrow PM. Memory, delusions, and the development of acute post-traumatic stress disorder-related symptoms after intensive care. Crit Care Med 2001;29:573-80.

106 Jones C, Backman C, Capuzzo M, et al. Intensive care diaries reduce new onset post traumatic stress disorder following critical illness: a randomised, controlled trial. Crit Care 2010;14:R168.

107 Carson SS, Garrett J, Hanson LC, et al. A prognostic model for one-year mortality in patients requiring prolonged mechanical ventilation. Crit Care Med 2008;36:2061-9.

108 Douglas SL, Daly BJ, Gordon N, Brennan PF. Survival and quality of life: short-term versus long-term ventilator patients. Crit Care Med 2002;30:2655-62.

109 Chelluri L, Im KA, Belle SH, et al. Long-term mortality and quality of life after prolonged mechanical ventilation. Crit Care Med 2004;32:61-9.

Chapter 14

중환자실의 장기호흡부전 및 인공호흡기 의존증

가탄 베두노, 존-크리스프 M. 리차드, 로렌트 브로차드
(Gaëtan Beduneau, Jean-Chrisophe M. Richard, and Laurent Brochard)

서론

기계환기를 중단하고자 하는 시도는 기계환기 이탈 과정의 일부이며 이러한 과정은 기계환기를 시행한 전체 시간의 약 40%를 차지한다.[1] 지난 20년 동안 이에 관한 수많은 논문이 발표되어 이탈과 발관의 어려움을 초래하는 병리생리학적 문제에 대한 이해가 제고되었다.[2] 환자가 자가호흡을 할 준비가 되어있는지 매일 체계적인 평가를 할 경우 이탈 기간을 줄일 수 있다. 인공호흡기 보조시간을 점진적으로, 체계적으로 줄여나갈 필요도 없다.[3-5] 자가호흡의 준비도를 검사하기 위한 전략이 무엇이든지 진정치료의 관리가 중요한 고려사항이 되었다. 진정치료는 체내 약물축적이 빈번하고 진정제나 진통제 사용을 중지한 후에도 진정작용이 지속되기 때문에 이탈 과정에 직간접적으로 지장을 초래한다.[6-9] 이러한 맥락에서 특정 진정치료를 할 경우와 그렇지 않을 경우를 나누어 체계적인 호흡시도를 해봄으로써 이탈 전략이나 프로토콜의 효능을 평가하는 여러 연구가 수행되었다.[10-12] 의료진이 말하는 프로토콜이란 보편적으로 규정된 것은 아니다. 다만 프로토콜의 다양한 결과만이 보고되었을 뿐이다. 관찰연구 결과에 따르면 대다수 환자(50–80%)가 최초의 자발호흡시도 이후 인공호흡기로부터 이탈할 수 있었다.[4,5] 하지만 최초의 자발호흡시도에서 성공하지 못한 환자의 비율도 상당하다는 것이 밝혀졌다. 이러한 환자들을 돕기 위해 이탈실패의 원인을 진단하고 치료하는 목표연구가 수행되어야 할 것이다. 마지막으로 심각한 병에서 회복된 환자나 심각한 동반질환이 있는 환자는 그 수가 적긴 하지만 중환자실이나 전문요양시설에서 인공호흡기 이탈까지 많은 시간이 필요하다. 이들 환자집단의 결과는 대체로 좋지 않다.[13,14]

새로운 인공호흡기 이탈 분류

이러한 관찰결과를 토대로 최근 국제컨센서스회의에서는 이탈과정의 환자를 이탈과정의 속도와 기간에 따라 세 집단으로 분류하자고 제안하였다.[15] 이러한 분류는 임의적이기는 하나 기존의 이탈과정에 의문을 제기한다.

단순 이탈

최초 자발호흡시도 이후 인공호흡기를 성공적으로 이탈(하고 일반적으로 발관)한 환자는 '단순 이탈' 집단에 해당한다. 기계환기를 시행하고 이탈과정을 겪은 전체 환자 중 50–80%가량이 이에 해당된다. 이들 집단에 대한 임상적 과제는 가능한 조기에, 또한 자발적 호흡을 유지할 수 있는 가장 이른 시기에 자발호흡시도를 실시함으로써 인공호흡기 제거의 준비도를 평가하는 것이다. 따라서 스스로 호흡할 수 있는 능력을 감별해내는 것이 관건이며 이런 관점에서 Rapid Shallow Breathing Index와[16] 같은 감별 지표가 필요하다.[17] 자발호흡시도(SBT)는 호기말양압(PEEP)없이 7–8 cmH_2O의 압력보조환기(PSV)에서도 시행될 수 있고, T–piece를 통해 자발호흡을 할 때에도 시행될 수 있다.[18,19] 근거에 따르면 PSV의 경우 성공률이 높았다.[18,20,21] 따라서 T–piece시험이 이탈 준비도를 다소 과소평가하거나, 반대로 PSV 시도가 환자의 재삽관 위험을 증가시킨다는 것을 의미한다. 일부 환자에게는 압력보조가 발관위험도를 과소평가하게끔 할 수도 있다. 완벽하게 증명된 것은 아니지만, 이것이 시사하는 바는 어떠한 방법을 선택하느냐가 시험대상 환자에게 영향을 미칠 수 있다는 것이다. 어느 경우라도 T–piece를 통한 호흡은 PSV를 사용하는 것보다 힘들고,[21] 환자가 발관 이후 최초 몇 시간 동안은 유지해야 하는 호흡운동량(Work of Breathing)을 PSV는 확실히 줄여줄 수 있기 때문이다.[22] 진정치료를 보류하거나 가능한 경우 중지하고 SBT를 하는 접근법은 이러한 환자집단을 관리하는데 효율적인 전략일 수 있다. 논문에서 설명한 다른 접근법은 NeoGanesh라 불리던 특수자동화시스템인 SmartCare®를 활용하는 것이다. SmartCare®은 자동환기와 이탈기법으로 개발되었다. 자발호흡의 준비도를 자동적으로 감지하고 이를 의료진에게 통지하도록 설계되었다.[23-25] SmartCare®는 간호사–환자 비율이 높은 상황에서 적용할 경우에도 공식적인 임상적 이탈프로토콜만큼 혹은 그 이상의 수행능력을 가진 것으로 임상시험을 통해 밝혀졌다.[26-28] 통상 관행과 비교하자면 SmartCare®는 기계환기 시행기간을 크게 줄이고 환자의 호흡패턴을 안정된 범위에서 유지시킬 수 있다. 자동화시스템의 결과가 상대적으로 우수한 것은 하루 24시간 365일 작동할 수 있기 때문이다.

어려운 이탈

최초 SBT에서 실패하고 이후 최대 3회 또는 최초 시도 이후 7일 동안 SBT를 하여 발관에 성공한 환자는 '어려운 이탈' 집단에 속한다. 이들 환자 집단을 대상으로 이탈실패의 원인 중 결과를 바꿀 수 있을만한 것이 있는지 찾아봐야 한다. 흔히 심부전이나 체액과부하가 어려운 이탈의 사유로 파악된다. 일부 연구를 통해 심기능의 보상부전(decompensation)이 이탈실패를 초래하고 이를 설명할 수 있는 것으로 밝혀졌으며,[29,30] 체액과부하가 인공호흡기나 발관 실패에 기여하는 것으로 밝혀졌다.[31,32] 그렇기 때문에 최근 들어서는 심기능 관련 생체표지자(biomarker)를 이탈실패의 예측인자로 활용하는 것에 대한 관심이 확대되고 있다.[33-35] 최근 수행된 무작위 대조군연구에서 이뇨제투여를 돕기 위해 SBT 직전 측정한 뇌나트륨이뇨펩타이드(BNP) 수치를 토대로 한 전략이 SBT에 성공한 환자수를 크게 증가시키고 이탈시간을 크게 줄이는 것으로 나타났다.[35] '어려운 이탈' 집단의 환자에 대해 통상적인 기계환기를 실시하는 대신 비침습환기 이후 체계적인 발관을 실시하는 전략도 제안되었다. 다만 이러한 접근법은 만성폐쇄성폐질환 및 고탄산증 환자에게 가장 바람직한 것으로 보인다.[37,38] 하지만 이에 관한 여러 연구에서 서로 상충된 결과가 나온 바[39] 이러한 상황에서 비침습환기를 적극적으로 권고할 수는 없다.

이탈장기화(지연 이탈)

세 번째 집단은 '이탈장기화' 집단으로, 인공호흡기 제거까지 세 번 이상의 이탈 시도 또는 7일 이상이 소요된 소규모 환자 집단이 이에 속한다. 이탈장기화 단계에서는 대다수의 환자에게 전반적인 관리와 인공호흡 관리를 위해 기관절개술이 시행된다. 지난 10년간 코호트 연구를 통해 소개된 만성중증질환 환자의 개념이 이들 환자에게 적용될 수 있을 것이다.[40] 이들 환자 집단의 경우 일반적으로 기계환기의 적용기간이 길다. 이 때문에 전문이탈치료실이 등장하였다.[41]

이탈 분류에 따른 병리학적 자료

최근 연구에서는 전술한 세 개 집단의 결과가 어느 정도 상이한지가 임상적으로 중요한 주제로 다뤄지고 있다. 오스트리아 비엔나의 의료센터에서 Funk 등은 250명 이상의 내과 및 외상 환자를 대상으로 이탈 분류의 분포와 이러한 분류에 해당하는 결과를 설명하는 최초의 전향적 연구를 실시하였다.[42] 기계호흡 시행 이후 단순 이탈, 어려운 이탈, 이탈장기화의 환자분포는 각각 59%, 26%, 14%였다. 이탈장기화 환자군이 단순 이탈, 어려운 이탈 환자군과 비교할 때 사망률이 가장 높았다. 이러한 연구결과는 이후 실시된 다른 관찰연구에서도 확인되었다.

Sellares 등은 스페인 호흡중환자실의 각 이탈집단의 결과를 관찰하고 이탈장기화의 위험 증가와 관련된 예측인자를 확인하고자 했다.[43] 단순 이탈 40%, 어려운 이탈 40%, 이탈장기화 20%로 분류된 약 200명의 환자를 전향적으로 등록하였다. SBT시 심박증가, $PaCO_2$ 증가가 이탈장기화에 독립적으로 연관이 있었고, 반면 SBT 중에 고탄산증을 보이고 재삽관이 필요한 경우 90일 생존율이 하락한다고 예측하였다. 해당 연구에 등록된 환자는 대체로 만성호흡질환으로 기계환기가 시행된 경우로, 비전문 중환자실과 비교할 때 기계환기의 기대결과가 다를 수 있음을 유의해야 한다. 오스트리아의 연구에서도 관찰된 바와 같이 단순 이탈, 어려운 이탈과 비교할 때 이탈장기화 집단의 사망률이 상당히 높았다. 마찬가지로 기계환기 시행기간도 길었다. 다만 서론에서도 설명한 바와 같이 이러한 결과는 정의에 따라 예측가능한 것이다.[44] Tonnelier 등의 관찰연구에서는 이탈장기화 집단이 환자의 30%를 차지하며 높은 사망률과 연관이 있다고 하였다.[45] 이러한 연구결과는 Penuelas 등이 발표한 역대 최대 규모의 코호트연구를 통해 확인되었다.[46] 연구진에 따르면 이탈장기화는 전체 기계환기 환자의 6%만을 차지한다. 여기에서도 이탈장기화 집단의 사망률이 높았다. 다만 어려운 이탈과 단순 이탈 집단 간의 결과는 거의 차이가 없었다. 전술한 4건의 연구결과로 단순 이탈과 어려운 이탈 간의 사망률 차이가 없다는 것이 확인되었다. 그렇다면 두 집단이 중첩되는 부분이 꽤 크다는 것을 의미한다. 단순 이탈과 어려운 이탈의 정의에 해당하는 환자는 사실은 하나의 집단에 속하는 것이고, 최소 SBT가 실시된 시기와 자발 호흡이 가능한 정도를 보는 준비도 평가에 사용된 방법론에 따라 좌우된다. 마지막 연구에서 SBT는 PEEP과 압력보조와 함께 실시되거나 인공호흡기를 떼고 실행되었고, 25% 이상의 환자에게 동기성 간헐적 강제환기 방식(SIMV)으로 환기를 시행하였다. 이러한 불규칙성이 이탈의 정의와 기간에 혼선을 주었을 수도 있다. 마지막으로 새로운 정의와 관련하여 중요한 우려사항은 진정치료 중단 시기가 정확하게 정해져 있지 않아 자발호흡 준비도 평가 결과가 이에 따라 크게 달라질 수 있다는 점이다.

근육약화 및 이탈장기화

전신근육약화 및 호흡근육약화는 중환자실 환자에게 흔히 나타나는 문제이다. 이처럼 쇠약해진 환자에게 인공호흡기를 제거하는 가장 바람직한 접근법을 중점적으로 탐구하는 연구는 아직 수행되지 않았다. 이들 환자는 어려운 이탈과 이탈장기화 집단에 해당될 가능성이 높다. 진정치료를 중단하고 의식이 깨어난 다음 중환자실에서 발생하는 쇠약은 장기기계환기 환자의 30%에서 발생하는 것으로 보인다.[47] 정확한 자료는 부족하지만, 호흡근육에 영향을 미쳐 잠재적으로 기계환기 이탈이 어려워지는 것으로 보인다. 중환자실 획득 쇠약(ICUAW)은 이탈장기화와 연관이 있는 것으로 밝혀지고 있다.[48] De Jonghe와 연구진은 중환자실 5곳에서 7일 이상 기계환기를 하였던 전향적 코호트 연구에 등록된 95명의 환자를 대상으로 중환자실 획득 쇠약의 위험인자 연구를 재분석하였다.[47] 이탈장기화의 기간과 연관된 변수를 검토하였다. 인공호흡기 이탈 기간에 영향을 미치는 독립변수를 파악하기 위해 다변수 콕스비례위험모형에 변수를 대입하였다. ICUAW와 만성폐쇄성폐질환 존재가 이탈장기화의 독립 예측인자로 나타났다. 각성 이후 기계환기를 유지할 가능성은 쇠약 환자(95% 신뢰구간 1.4-4.2)의 경우 2.4배 높았고 만성폐쇄성폐질환 환자(95% 신뢰구간 1.6-4.5)는 2.7배 높았다. 쇠약은 있고 만성폐쇄성폐질환은 없는 환자의 평균이탈기간은, 두 증상이 모두 없는 환자보다 3.5일 길었다. 최근 동일 연구진이 수행한 연구에서 최대 흡기압과 호기압, 폐활량을 호흡근육기능의 표지자로 삼아 호흡근육과 사지근육의 강도가 기계환기 시행 1주일이면 변한다는 것을 밝혀냈다.[49] 호흡근육약화는 발관 지연, 기계환기 장기화와 연관이 있고 패혈성 쇼크는 호흡약화에 기여한다. 이 밖에도 과거 스테로이드 단독 투여나 근육이완제와 동시 투여(급성호흡곤란증후군, 중증급성천식발작) 등이 위험인자로 나타났다.

Laghi와 연구진은[50] 만성폐쇄성폐질환 환자의 이탈실패의 사유로 횡격막 피로를 연구하면서 인공호흡기 이탈 시도 환자 16명에 대해 횡격신경자극에 대한 횡격막의 수축반응을 측정하였다. 실패한 9명의 환자는 성공한 7명의 환자보다 호흡부하가 컸고 횡격막의 부하(effort)도 컸다. 그러나 횡격신경자극으로 인하여 피로도를 보여주는 횡격막 사이 연축압력(transdiaphragmatic twitch pressure)이 감소하지는 않았다. 9명의 이탈실패 환자 중 7명이 호흡근육의 장력-시간계수가 실패와 피로로 이어지는 것으로 보고된 한계점 이상으로 나타났다.[51] 아마도 의사는 피로가 발생하기 전에 기계환기를 재시행했을 것이고 그래서 관찰되지 않았던 것으로 보인다. 환자는 피로가 발생하기 전 상당 시간 동안 임상적으로 호흡장애를 겪고 의사는 피로가 발생하기 전에 기계환기를 재시행한다. 다만 모든 환자에게 횡격신경자극 하에서 측정한 횡격막 사이 압력 연축은 예측했던 것보다 훨씬 낮은 것으로 관찰되었고, 이는 휴식 상태의 중증 만성폐쇄성폐질환 환자와 비교할 때도 마찬가지였다. 즉, 근육약화가 적어도 만성폐쇄성폐질환 환자에게 흔히 발생하며 이로 인해 이탈의 어려움이 가중되는 것으로 보인다.

심장수술로 인해 이차적으로 나타나는 횡격신경손상으로 인해 심각한 횡격막기능장애가 초래될 수 있으며 이러한 심각한 횡격막기능장애로 인해 기계환기 시행기간 장기화, 인공호흡기 관련 합병증, 어려운 이탈 등이 발생할 수 있다.[52,53]

전술한 3건의 연구 결과 근육약화, 특히 호흡근육약화를 겪는 환자는 어려운 이탈이나 이탈장기화의 분류에 속하는 경우가 많은 것으로 나타났다.

기계환기 시행 중 근육약화 예방

근육약화가 기계환기 기간과 이탈에 커다란 영향을 미칠 수 있다는 점에서 호흡근육의 근손실과 근위축을 방지하기 위해 모든 노력을 기울여야 한다.[54] 중환자실에서 일어나는 다발성신경병증은 예방이 쉽지 않다. 다만 일부 인자에 변화를 줄 수는 있을 것이다. 여기에는 감염의 조기 인지와 치료, 스테로이드의 제한적 사용,[47] 신경근차단제,[55] 인슐린 투여를 통한 혈당조절,[56] 조기재활[57,58] 등이 있다.

Levine과 연구진은[59] 최근 기계환기 시행환자가 호흡근육약화–근위축의 또 다른 기전에 취약할 수 있음을 설명하는 자료를 발표하였다. 14명의 뇌사 장기기증자로부터 늑골횡격막의 조직표본을 얻었다. 장기기증자는 횡격막의 활동이 정지되어 18–69시간 동안 기계환기가 시행되던 환자들이었다. 또한 폐암치료를 위해 흉부수술을 받은 대조환자 8명의 횡격막 시료도 수술 중에 채취하였다. 그 결과 조직학 검사를 통해 뇌사환자에게 현격한 횡격막 위축이 있음을 알게 되었다. 대조집단과 비교하자면 근섬유의 평균단면은 50% 이상 축소되었고, 기계환기의 영향을 받지 않는 근육인 대흉근의 단면은 두 집단에서 유사하였다. 따라서 뇌사환자가 겪은 횡격막 위축은 일반적인 근손실장애의 일부라 할 수 없다. 생화학 및 유전자 발현 연구에서는 이러한 근위축이 산화스트레스로 인한 것이며 그로 인해 근육단백질 변성이 왔다고 했다. 18–69시간 동안 완벽하게 횡격막 활동이 정지되고 기계환기를 시행하면서 산화스트레스의 증가로 현격한 횡격막 위축이 발생했고, 단백질 변성이 활성화된 것이다. 이러한 연구결과는 최근 기계환기가 횡격막 위축을 유발한다는 것을 증명한 또 다른 연구를 통해 확인되었다.[60]

이들 자료를 통해 그동안 수행된 다양한 동물 실험의 결과를 환자에게서도 확인할 수 있었다.[61-65] Sasson과 연구진은 보조조절환기법(Assist–Control Ventilation)을 채택할 경우 토끼에게 3일동안 기계환기를 시행하여 발생하는 비사용 횡격막 위축을 부분적으로 방지할 수 있다고 하였다.[66] 기계환기를 시행하는 동안 횡격막의 수축작용을 보존할 경우 완전한 활동정지로 인해 발생하는 힘의 소실을 줄일 수 있다고 하였다. 이는 3일간 기계환기를 시행한 대형 동물시험모델에서도 증명되었다.[67] 이러한 결과는 기계환기 시행 시 보조모드를 선택하여 기계환기 초반이나 언제든 가능한 때에 어느 정도의 자발호흡이 가능하도록 해야 한다는 주장을 뒷받침한다.

인공호흡기 의존 환자

중환자실에서 인공호흡기 의존성이 생긴 환자는 새로운 분류에 속한다. 이들 환자는 심각한 병을 겪은 이후 중환자실에 입원하여 생존했지만 기계환기에서 완전히 이탈하지 못하였다.

미국의 경우 이러한 분류에 해당하는 환자가 해마다 100,000명 이상 발생하며, 중환자치료의 진보, 환자 프로파일의 변화(입원환자 중 노인 환자 수 증가, 동반질환 증가)로 인해 이러한 수치는 계속 증가할 것으로 보인다. 이들 환자는 전체 중환자실 환자의 10%에 불과하지만 중환자실 입원기간은 길어 중환자실 지출의 40%를 차지한다. 중환자실 입원기간이나 기계환기 시행기간을 줄일 수 있다면 발생하는 비용을 크게 줄일 수 있을 것이다.[68-70]

최근 연구에 따르면 이탈장기화가 사망률 증가, 중환자실 입원기간 증가, 기계환기 시행기간 증가와 연관이 있는 것으로 밝혀졌다.[46] 무엇보다도 중환자실에는 이탈장기화 환자 치료에 필요한 조직이나 전문인력이 부족하다.[41]

지난 30년 동안 전통적인 중환자실에서는 이러한 환자로 인해 높은 비용이 발생하였고, 반면 치료의 진척은 부진했기 때문에 전문이탈센터가 만들어졌다.[41,71,72] 전문이탈센터에서는 이들 환자의 필요에 부합하는 보다 맞춤화된 치료를 제공할 수 있게 되었을 뿐만 아니라 간호사 대 환자의 비율을 낮추고, 모니터링, 전문 장비를 줄임으로써 비용절감을 꾀할 수 있었다. 또한 급성기 중환자실 병상의 가용성을 높임으로써 임상치료자원의 보다 효율적인 활용을 촉진하였다. 일반적으로 전문이탈센터는 이탈장기화 관련 전문성을 갖추고 있으며, 의사, 물리치료사, 간호사, 영양사, 심리치료사로 구성된 전문적인 다학제팀을 이루고 있다. 전문이탈센터는 표준화된 치료사 주도의 프로토콜 도입, 수면의 양과 질을 중요시하는 환경, 재활을 위한 자원, 기능적 자립을 회복하기 위한 특정 프로그램 등을 갖추고 있다.[73]

Scheinhorn 등은[13,14] 미국의 23개 전문이탈센터에 1년간 입원한 인공호흡기 의존환자 1,419명에 관한 자료를 발표하였다. 이들 환자의 특징, 발병 전 진단명, 전문이탈센터 입원 중 시행된 절차 등에 대해 자세하게 설명하였다. 환자의 평균연령은 72세이며, 전문이탈센터 입원 전 중환자실에서 기계환기를 시행한 평균기간은 25일, 전문이탈센터에 입원한 평균기간은 40일이었다. 발병 전 주요 질환의 가짓수는 환자 당 2.6건(환자의 47%가 고혈압, 42%가 만성폐쇄성폐질환)이었고, 61%가 질환으로 인해 기계환기에 대한 의존성이 생겼다. 전문이탈병동에서 치료한 합병증 중 가장 빈도가 높은 것은 감염이었다. 또한 대부분의 환자가 물리치료(85%)를 받았다. 전반적으로 이들 환자는 상당한 수준의 의료적 중재와 치료를 필요로 한다.

거의 모든 환자가 전문이탈병원 입원 평균 2주 전에 기관절개술을 받았다. 최근 연구에 따르면[74-76] 기관절개술을 시행한다 하더라도 사망률이나 기계환기 시행기간 등 결과에 영향을 미치지는 않는 것으로 나타났다. 다만 인공호흡기 의존성이 생긴 환자에 대해 기관절개술을 시행할 경우 호흡일(WOB)이 줄어들고, 활동성, 간호, 경구섭취, 발성 등이 훨씬 수월해진다는 것은 일반적으로 인정되고 있다.[77,78]

전술한 연구에서 Scheinhorn 등은 이탈까지의 평균기간이 15일이고,[13] 환자의 54%가 이탈에 성공했으며, 21%는 인공호흡기에 대한 의존성이 지속되었고, 25%는 사망했다고 보고하였다. 생존하여 전문이탈센터에서 퇴원한 환자들은 집으로 돌아간 경우가 29%, 급성기병원에 입원 19%, 재활시설이나 노인요양시설(extended-care facility)에 수용이 49%이었다. 환자의 30%가 1년 후에도 생존하였다. 이러한 코호트 연구를 통해 이탈장기화 환자에게 필요한 인적자원과 기술적 자원이 무엇인지를 알 수 있다. 이탈리아의 호흡치료전문 중환자실 5곳에 대한 최근 연구에서 Polverino 등은[79] 지난 15년간 결과가 점진적으로 악화되었다고 보았다. 이탈성공률이 87%에서 66%로 감소하였다. 이는 이들 시설에 보다 중증인 환자가 입원했기 때문이라고 설명할 수 있을 것이다. 인공호흡기 관리가 중요하기는 하지만, 이들 환자집단에게 다른 전략에 비해 우수한 결과를 이끌어 낼 수 있는 프로토콜을 확인할 수는 없었다.[80] 흥미로운 점은 캐눌라 제거 프로토콜에 대해 많은 관심을 기울일 필요가 있다는 것이다. 일례로 캐눌라 제거 과정은 환자의 WOB에 크게 개입할 수 있으며,[81] 캐눌라를 제거할 적절한 시점을 찾기 위해 기다리는 것은 중요하다. 기관절개를 시행한 환자의 이탈을 위해 단계별로 임상 흐름도를 그려놓은 논문은 단 한 건 있었다.[82]

결론

이탈센터로 옮겨지는 환자에 대한 선별이 매우 중요하다. 환자 대부분이 주로 호흡부전을 겪지만 중환자실 입원기간이 길어지면서(북아메리카 모델에서는 21일 이상) 신부전, 피부질환, 자립성 상실, 우울증 등과 같은 중요한 후유증이 발생하기도 한다.[83,84] 만성폐쇄성폐질환 환자를 포함한 연구도 많이 있고,[79] 광범위한 의학적 또는 수술적 진단에 따라 기계환기 의존성이 발생한 환자를 포함시킨 연구도 있었다. 중환자실에서 일어나는 근육약화에 대한 내용은 거의 찾아볼 수 없었다. 재활프로그램에 적극적으로 참여할 수 있을 정도의 의식수준이나 역량은 물리치료를 받는데 필수요건으로, 근육손상, 근육불용에서 기능회복을 가속화, 최적화할 수 있다.[73] 최근 연구 문헌에 따르면 기관절개술을 시행하고 어려운 이탈을 겪고 있는 만성폐쇄성폐질환 환자에게 자발호흡의 T-piece 시도기간을 늘리거나 압력보조 레벨을 낮추는 것이 동일한 효과가 있는 듯 보인다.[80] 지금은 상당수의 만성중증환자가 심각한 질환을 극복하고 생존하기 때문에 임상 결과가 만족스럽지 않다. 그 중에서 이탈의 어려움은 해결해야 할 많은 과제 중 하나일 뿐이다. 어려운 이탈 환자는 장기(organ)의 예비능이 저하된다는 점을 감안할 때 입원 당시 목표, 수단, 조직을 명확히 규정해야 하며, 이러한 자원이 회복이나 재활 가능성이 있는 환자를 위해 쓰일 수 있도록 해야 할 것이다. 일례로 Carpene[85] 등은 호흡 전문 중환자실과 이탈실패 환자를 위한 이탈센터 등 2단계로 구성된 조직모델을 제안하였다.

우울장애나 외상후스트레스증후군과 기계환기 이탈장기화 사이에 강력한 연관성이 존재한다는 점이 최근 밝혀졌다.[83,84] 이에 대한 치료를 우선시해야 한다. 전문이탈센터의 경우 보다 인간적이고 친밀한 환경에서 치료를 할 수 있다는 점에서 전문이탈센터에서 이러한 치료를 하는 것이 보다 수월할 수 있다.

전문이탈센터 관련 잠재적인 위험도 존재한다. 이탈을 전담하는 센터가 있을 경우 환자가 이탈전문센터로 이송을 기다리는 동안 의사는 환자에 대한 이탈 노력을 소홀히 할 수 있다. 또한 예후나 연명치료에 관한 문제를 다루려 하지 않을 수도 있다. 그렇게 되면 모순되게도 전체 비용이 증가할 수도 있다.[86]

전문이탈센터의 위험과 장점을 이해하기 위해서는 향후 추가 연구가 절실히 필요하다. 환자중심의 장단기 결과를 포함시킴으로써 이러한 전문요양기관의 혜택을 받을 수 있는 환자 집단의 특징을 밝혀야 할 것이다.

참고문헌

1 Esteban A, Ferguson ND, Meade MO, et al. Evolution of mechanical ventilation in response to clinical research. Am J Respir Crit Care Med 2008;177:170-7.

2 Tobin MJ. Remembrance of weaning past: the seminal papers. Intensive Care Med 2006;32:1485-93.

3 Ely EW, Baker AM, Dunagan DP, et al. Effect on the duration of mechanical ventilation of identifying patients capable of breathing spontaneously. N Engl J Med 1996;335:1864-9.

4 Brochard L, Rauss A, Benito S, et al. Comparison of three methods of gradual withdrawal from ventilatory support during weaning from mechanical ventilation. Am J Respir Crit Care Med 1994;150:896-903.

5 Esteban A, Frutos F, Tobin MJ, et al. A comparison of four methods of weaning patients from mechanical ventilation. Spanish Lung Failure Collaborative Group. N Engl J Med 1995;332:345-50.

6 Heffner JE. A wake-up call in the intensive care unit. N Engl J Med 2000;342:1520-2.

7 Kress JP, Pohlman AS, O'Connor MF, Hall JB. Daily interruption of sedative infusions in critically ill patients undergoing mechanical ventilation. N Engl J Med 2000;342:1471-7.

8 Strøm T, Martinussen T, Toft P. A protocol of no sedation for critically ill patients receiving mechanical ventilation: a prospective randomised trial. Lancet 2010;375:475-80.

9 Brochard L. Sedation in the intensive-care unit: good and bad? Lancet 2008;371:95-7.

10 Kollef MH, Shapiro SD, Silver P, et al. A randomized, controllet trial of protocol-directed versus physician-directed weaning from mechanical ventilation. Crit Care Med 1997;25:567-74.

11 Krishnan JA, Moore D, Robeson C, Rand CS, Fessler HE. A prospective, controlled trial of a protocolbased strategy to discontinue mechanical ventilation. Am J Respir Crit Care Med 2004;169:673-8.

12 Girard TD, Kress JP, Fuchs BD, et al. Efficacy and safety of a paired sedation and ventilator weaning protocol for mechanically ventilated patients in intensive care (Awakening and Breathing Controlled trial): a randomised controlled trial. Lancet 2008;371:126-34.

13 Scheinhorn DJ, Hassenpflug MS, Votto JJ, et al. Post-ICU mechanical ventilation at 23 long-term care hospitals: a multicenter outcomes study. Chest 2007;131:85-93.

14 Scheinhorn DJ, Hassenpflug MS, Votto JJ, et al. Ventilator-dependent survivors of catastrophic illness transferred to 23 long-term care hospitals for weaning from prolonged mechanical ventilation. Chest 2007;131:76-84.

15 Boles JM, Bion J, Connors A, et al. Weaning from mechanical ventilation. Eur Respir J 2007;29:1033-56.

16 Yang KL, Tobin MJ. A prospective study of indexes predicting the outcome of trials of weaning from mechanical ventilation. N Engl J Med 1991;324:1445-50.

17 Tobin MJ, Jubran A. Variable performance of weaning-predictor tests: role of Bayes' theorem and spectrum and test-referral bias. Intensive Care Med 2006;32:2002-12.

18 Esteban A, Alia I, Tobin MJ, et al. Effect of spontaneous breathing trial duration on outcome of attempts to discontinue mechanical ventilation. Spanish Lung Failure Collaborative Group. Am J Respir Crit Care Med 1999;159:512-8.

19 Foronda FK, Troster EJ, Farias JA, et al. The impact of daily evaluation and spontaneous breathing test on the duration of pediatric mechanical ventilation: a randomized controlled trial. Crit Care Med 2011;39:2526-33.

20 Ezingeard E, Diconne E, Guyomarc'h S, et al. Weaning from mechanical ventilation with pressure support in patients failing a T-tube trial of spontaneous breathing. Intensive Care Med 2006;32:165-9.

21 Cabello B, Thille AW, Roche-Campo F, Brochard L, Gomez FJ, Mancebo J. Physiological comparison of three spontaneous breathing trials in difficult-to-wean patients. Intensive Care Med 2010;36:1171-9.

22 Straus C, Louis B, Isabey D, Lemaire F, Harf A, Brochard L. Contribution of the endotracheal tube and the upper airway to breathing workload. Am J Respir Crit Care Med 1998;157:23-30.

23 Dojat M, Brochard L, Lemaire F, Harf A. A knowledge-based system for assisted ventilation of patients in intensive care units. Int J Clin Monit Comput 1992;9:239-50.

24 Dojat M, Harf A, Touchard D, Laforest M, Lemaire F, Brochard L. Evaluation of a knowledge-based system providing ventilatory management and decision for extubation. Am J Respir Crit Care Med 1996;153:997-1004.

25 Dojat M, Harf A, Touchard D, Lemaire F, Brochard L. Clinical evaluation of a computer-controlled pressure support mode. Am J Respir Crit Care Med 2000;161:1161-6.

26 Lellouche F, Mancebo J, Jolliet P, et al. A multicenter randomized trial of computer-driven protocolized weaning from mechanical ventilation. Am J Respir Crit Care Med 2006;174:894-900.

27 Rose L, Presneill JJ, Johnston L, Cade JF. A randomised, controlled trial of conventional versus automated weaning from mechanical ventilation using SmartCare/PS. Intensive Care Med 2008;34:1788-95.

28 Schadler D, Engel C, Elke G, et al. Automatic control of pressure support for ventilator weaning in surgical intensive care patients. Am J Respir Crit Care Med 2012;185:637-44.

29 Jubran A, Mathru M, Dries D, Tobin MJ. Continuous recordings of mixed venous oxygen saturation during weaning from mechanical ventilation and the ramifications thereof. Am J Respir Crit Care Med 1998;158:1763-9.

30 Lemaire F, Teboul JL, Cinotti L, et al. Acute left ventricular dysfunction during unsuccessful weaning from mechanical ventilation. Anesthesiology 1988;69:171-9.

31 Khamiees M, Raju P, DeGirolamo A, Amoateng-Adjepong Y, Manthous CA. Predictors of extubation outcome in patients who have successfully completed a spontaneous breathing trial. Chest 2001;120:1262-70.

32 Frutos-Vivar F, Ferguson ND, Esteban A, et al. Risk factors for extubation failure in patients following a successful spontaneous breathing trial. Chest 2006;130:1664-71.

33 Chien JY, Lin MS, Huang YC, Chien YF, Yu CJ, Yang PC. Changes in B-type natriuretic peptide improve weaning outcome predicted by spontaneous breathing trial. Crit Care Med 2008;36:1421-6.

34 Grasso S, Leone A, De Michele M, et al. Use of N-terminal pro-brain natriuretic peptide to detect acute cardiac dysfunction during weaning failure in difficult-to-wean patients with chronic obstructive pulmonary disease. Crit Care Med 2007;35:96-105.

35 Mekontso-Dessap A, de Prost N, Girou E, et al. B-type natriuretic peptide and weaning from mechanical ventilation. Intensive Care Med 2006;32:1529-36.

36 Mekontso Dessap A, Roche-Campo F, Kouatchet A, et al. Natriuretic peptide-driven fluid management during ventilator weaning: a randomized controlled trial. Am J Respir Crit Care Med 2012;186:1256-63.

37 Nava S, Ambrosino N, Clini E, et al. Noninvasive mechanical ventilation in the weaning of patients with respiratory failure due to chronic obstructive pulmonary disease. A randomized, controlled trial. Ann Intern Med 1998;128:721-8.

38 Ferrer M, Esquinas A, Arancibia F, et al. Noninvasive ventilation during persistent weaning failure: a randomized controlled trial. Am J Respir Crit Care Med 2003;168:70-6.

39 Girault C, Bubenheim M, Abroug F, et al. Noninvasive ventilation and weaning in patients with chronic hypercapnic respiratory failure: a randomized multicenter trial. Am J Respir Crit Care Med 2011;184:672-9.

40 Nelson JE, Cox CE, Hope AA, Carson SS. Chronic critical illness. Am J Respir Crit Care Med 2010;182:446-54.

41 Scheinhorn DJ, Chao DC, Stearn-Hassenpflug M, LaBree LD, Heltsley DJ. Post-ICU mechanical ventilation: treatment of 1,123 patients at a regional weaning center. Chest 1997;111:1654-9.

42 Funk GC, Anders S, Breyer MK, et al. Incidence and outcome of weaning from mechanical ventilation according to new categories. Eur Respir J 2010;35:88-94.

43 Sellares J, Ferrer M, Cano E, Loureiro H, Valencia M, Torres A. Predictors of prolonged weaning and survival during ventilator weaning in a respiratory ICU. Intensive Care Med 2011;37:775-84.

44 Laghi F. Stratification of difficulty in weaning. Intensive Care Med 2011;37:732-4.

45 Tonnelier A, Tonnelier JM, Nowak E, et al. Clinical relevance of classification according to weaning difficulty. Respir Care 2011;56:583-90.

46 Penuelas O, Frutos-Vivar F, Fernandez C, et al. Characteristics and outcomes of ventilated patients according to time to liberation from mechanical ventilation. Am J Respir Crit Care Med 2011;184:430-7.

47 De Jonghe B, Sharshar T, Lefaucheur JP, et al. Paresis acquired in the intensive care unit: a prospective multicenter study. JAMA 2002;288:2859-67.

48 De Jonghe B, Bastuji-Garin S, Sharshar T, Outin H, Brochard L. Does ICU-acquired paresis lengthen weaning from mechanical ventilation? Intensive Care Med 2004;30:1117-21.

49 De Jonghe B, Bastuji-Garin S, Durand MC, et al. Respiratory weakness is associated with limb weakness and delayed weaning in critical illness. Crit Care Med 2007;35:2007-15.

50 Laghi F, Cattapan SE, Jubran A, et al. Is weaning failure caused by low-frequency fatigue of the diaphragm? Am J Respir Crit Care Med 2003;167:120-7.

51 Bellemare F, Grassino A. Effect of pressure and timing of contraction on human diaphragm fatigue. J Appl Physiol 1982;53:1190-5.

52 Diehl JL, Lofaso F, Deleuze P, Similowski T, Lemaire F, Brochard L. Clinically relevant diaphragmatic dysfunction after cardiac operations. J Thoracic Cardiovasc Surg 1994;107:487-98.

53 Lerolle N, Guerot E, Dimassi S, et al. Ultrasonographic diagnostic criterion for severe diaphragmatic dysfunction after cardiac surgery. Chest 2009;135:401-7.

54 Hermans G, De Jonghe B, Bruyninckx F, Van den Berghe G. Interventions for preventing critical illness polyneuropathy and critical illness myopathy. Cochrane Database Syst Rev 2009;1:CD006832.

55 Segredo V, Caldwell JE, Matthay MA, Sharma ML, Gruenke LD, Miller RD. Persistent paralysis in critically ill patients after long-term administration of vecuronium. N Engl J Med 1992;327:524-8.

56 van den Berghe G, Wouters P, Weekers F, et al. Intensive insulin therapy in the critically ill patients. N Engl J Med 2001;345:1359-67.

57 Needham DM. Mobilizing patients in the intensive care unit: improving neuromuscular weakness and physical function. JAMA 2008;300:1685-90.

58 Schweickert WD, Pohlman MC, Pohlman AS, et al. Early physical and occupational therapy in mechanically

ventilated, critically ill patients: a randomised controlled trial. Lancet 2009;373:1874-82.

59 Levine S, Nguyen T, Taylor N, et al. Rapid disuse atrophy of diaphragm fibers in mechanically ventilated humans. N Engl J Med 2008;358:1327-35.

60 Hussain SN, Mofarrahi M, Sigala I, et al. Mechanical ventilation-induced diaphragm disuse in humans triggers autophagy. Am J Respir Crit Care Med 2010;182:1377-86.

61 Decramer M, Gayan-Ramirez G. Ventilator-induced diaphragmatic dysfunction: toward a better treatment? Am J Respir Crit Care Med 2004;170:1141-2.

62 Gayan-Ramirez G, Testelmans D, Maes K, et al. Intermittent spontaneous breathing protects the rat diaphragm from mechanical ventilation effects. Crit Care Med 2005;33:2804-9.

63 Le Bourdelles G, Viires N, Boczkowski J, Seta N, Pavlovic D, Aubier M. Effects of mechanical ventilation on diaphragmatiq contractile properties in rats. Am J Respir Crit Care Med 1994;149:1539-44.

64 Jaber S, Sebbane M, Koechlin C, et al. Effects of short vs. prolonged mechanical ventilation on antioxidant systems in piglet diaphragm. Intensive Care Med 2005;31:1427-33.

65 Sassoon CS, Caiozzo VJ, Manka A, Sieck GC. Altered diaphragm contractile properties with controlled mechanical ventilation. J Appl Physiol 2002;92:2585-95.

66 Sassoon CS, Zhu E, Caiozzo VJ. Assist-control mechanical ventilation attenuates ventilator-induced diaphragmatic dysfunction. Am J Respir Crit Care Med 2004;170:626-32.

67 Jung B, Constantin JM, Rossel N, et al. Adaptive support ventilation prevents ventilator-induced diaphragmatic dysfunction in piglet: an in vivo and in vitro study. Anesthesiology 2010;112:1435-43.

68 Dasta JF, McLaughlin TP, Mody SH, Piech CT. Daily cost of an intensive care unit day: the contribution of mechanical ventilation. Crit Care Med 2005;33:1266-71.

69 Kahn JM. The evolving role of dedicated weaning facilities in critical care. Intensive Care Med 2010;36:8-10.

70 Gracey DR, Hardy DC, Koenig GE. The chronic ventilator-dependent unit: a lower-cost alternative to intensive care. Mayo Clin Proc 2000;75:445-9.

71 Gracey DR, Naessens JM, Viggiano RW, Koenig GE, Silverstein MD, Hubmayr RD. Outcome of patients cared for in a ventilator-dependent unit in a general hospital. Chest 1995;107:494-9.

72 Gracey DR, Viggiano RW, Naessens JM, Hubmayr RD, Silverstein MD, Koenig GE. Outcomes of patients admitted to a chronic ventilator-dependent unit in an acute-care hospital. Mayo Clin Proc 1992;67:131-6.

73 Ambrosino N, Venturelli E, Vagheggini G, Clini E., Rehabilitation weaning and physical therapy strategies in chronic critically ill patients. Eur Respir J 2012;39:487-92.

74 Blot F, Similowski T, Trouillet JL, et al. Early tracheotomy versus prolonged endotracheal intubation in unselected severely ill ICU patients. Intensive Care Med 2008;34:1779-87.

75 Terragni PP, Antonelli M, Fumagalli R, et al. Early vs. late tracheotomy for prevention of pneumonia in mechanically ventilated adult ICU patients: a randomized controlled trial. JAMA 2010;303:1483-9.

76 Trouillet JL, Luyt CE, Guiguet M, et al. Early percutaneous tracheotomy versus prolonged intubation of mechanically ventilated patients after cardiac surgery: a randomized trial. Ann Intern Med 2011;154:373-83.

77 Diehl JL, El Atrous S, Touchard D, Lemaire F, Brochard L. Changes in the work of breathing induced by tracheotomy of ventilator-dependent patients. Am J Respir Crit Care Med 1999;159:383-8.

78 Nieszkowska A, Combes A, Luyt CE, et al. Impact of tracheotomy on sedative administration, sedation level, and comfort of mechanically ventilated intensive care unit patients. Crit Care Med 2005;33:2527-33.

79 Polverino E, Nava S, Ferrer M, et al. Patients' characterization, hospital course and clinical outcomes in five Italian respiratory intensive care units. Intensive Care Med 2010;36:137-42.

80 Vitacca M, Vianello A, Colombo D, et al. Comparison of two methods for weaning patients with chronic obstructive pulmonary disease requiring mechanical ventilation for more than 15 days. Am J Respir Crit Care Med 2001;164:225-30.

81 Chadda K, Louis B, Benaissa L, et al. Physiological effects of decannulation in tracheostomized patients. Intensive Care Med 2002;28:1761-7.

82 Ceriana P, Carlucci A, Navalesi P, et al. Weaning from tracheotomy in long-term mechanically ventilated patients: feasibility of a decisional flowchart and clinical outcome. Intensive Care Med 2003;29:845-8.

83 Jubran A, Lawm G, Duffner LA, et al. Post-traumatic stress disorder after weaning from prolonged mechanical ventilation. Intensive Care Med 2010;36:2030-7.

84 Jubran A, Lawm G, Kelly J, et al. Depressive disorders during weaning from prolonged mechanical ventilation. Intensive Care Med 2010;36:828-35.

85 Carpene N, Vagheggini G, Panait E, Gabbrielli L, Ambrosino N. A proposal of a new model for longterm weaning: respiratory intensive care unit and weaning center. Respir Med 2010;104:1505-11.

86 Subbe CP, Criner GJ, Baudouin SV. Weaning units: lessons from North America? Anaesthesia 2007;62:374-80.

Chapter

급성신손상의 장기적 결과

론 왈드, 지브 하렐(Ron Wald and Ziv Harel)

서론

급성신부전은 중증질환에서 흔히 나타나는 합병증으로 단기 질병이환률과 사망률에도 많은 영향을 미친다. 병기분류시스템을 활용한 최근 연구에서 중증치료 기간 중 22-67%에서 급성신손상 합병증이 발생하였다.[1-4] 가장 경증인 급성신부전(혈청 크레아티닌 증가가 1리터당 27마이크로몰 또는 기저치의 50% 수준인 경우)이라 해도 원내사망률 상승과 연관이 있다. 응급 투석이 필요한 급성신부전 환자의 60일 사망률은 50%가 넘는다.[5] 뿐만 아니라 급성신부전을 예방할 수 있는 신뢰할만한 치료법이 존재하지도 않고, 일단 발병한 경우 신장회복을 가속화하거나 생존율을 변화시킬만한 치료방법이 존재하지도 않는다.

상대적으로 급성신손상 생존자의 결과에 대해 알려진 바가 거의 없다. 과거에는 급성신손상으로 악화된 급성질환에서 회복한 후에는 일반적으로 신기능이 급성질환 이전의 기능수준으로 회복된다고 생각하였다. 그러나 최근 연구에서 급성신손상과 새로 발병한 만성신질환, 기왕의 진행성 만성신질환 사이에 강력한 관계가 존재한다는 점을 밝혀냈다. 또한 급성신손상 생존자는 심장혈관의 문세가 발생할 확률이 높고 사망률도 높다. 이러한 병리학적 연구결과가 급성신손상과 임상 결과 사이의 인과관계를 보여주는 것인지는 아직 분명하지 않다.

급성신손상이 미치는 부정적 영향에 대한 과학적 논거

동물연구를 통해 급성신손상의 장기 영향에 대한 중요한 역학이 밝혀졌다. Basile과 연구진은 양측 신동맥 결찰을 통해 쥐에게 급성신손상을 유발시켰고 대조집단의 쥐에게는 허위처치법을 시행하였다.[6] 신동맥 결찰을 한 쥐의 경우 혈청 크레아티닌 수치가 초반에 현저하게 증가하였으나 1주차 말이 되자 혈청 크레아티닌의 수치는 기저치로 회복되었고 허위처치를 받은 쥐의 수치와 유사해졌다. 이렇듯 신기능이 분명히 회복되었음에도 불구하고 급성신손상을 겪은 쥐의 경우 그렇지 않은 쥐와 비교했을 때 실험시작 16주차에 단백뇨 발생이 크게 증가하였다. 신동맥 결찰 40주차에는 급성신손상을 겪은 쥐에서 미세혈관밀도가 감소하고 요세관섬유증이 증가하였다. 이후 연구에서 싸이토카인 TGF-β가 이러한 과정에서 중요한 역할을 하는 것으로 나타났다.[7]

이후에도 추가 연구가 실시되어 급성신손상이 장기적으로 심장혈관 기능장애에 기여한다는 점이 밝혀졌다. Kelly 등은 세포자멸사와 심장초음파검사에서 확인된 심장기능장애가 일과성신허혈 재관류손상 쥐에게 발생한다는 것을 증명하였다.[8] 게다가 허혈재관류손상 이후 신기능을 회복한 쥐의 경우 이러한 손상이 발생한 지 수주일 후 내피기능장애와 염분 과민성 고혈압이 나타났다.[9,10]

요약하자면 동물실험을 통해 신기능이 명백히 회복되었음에도 불구하고 왜 급성신손상이 중증 질환 회복 이후 수개월에서 수년까지도 영향을 미치는지에 대한 강력한 논거가 마련된 것이다.

급성신손상의 장기적 결과에 관한 역학

급성신손상과 진행성 만성신질환

급성신손상 생존자의 신기능을 연구하는 초기 연구에서는 표본 사이즈가 상대적으로 작고 급성신손상 환자가 아닌 비교 코호트를 구할 수 없다는 어려움이 있었다.[11] 게다가 급성신손상의 생존에 대한 정의나 추후관리의 기간이 제각각이었다. 집단 전체의 입원 자료에 접근할 수 있게 되면서 급성신손상으로 입원한 대규모 코호트 연구가 가능해졌다. 말기신질환 기록과 혈액검사결과를 이용하여 최초 손상 이후 장기간 신장의 중요결과를 확인할 수 있게 되었다.

1994-1995년 사이 심근경색으로 입원한 환자에 대한 의료질 개선을 목적으로 했던 심혈관 프

로젝트 조합(Cooperative Cardiovascular Project)의 자료를 활용하여 Newsome 등은 90,000명에 달하는 환자의 퇴원 후 경과를 추적하였다.[12] 최대 추적연구기간 10년(중위값 4.1년) 동안 1.6%의 환자에게 말기신질환이 발병하였다. 주요 임상 및 인구통계학적 변수로 보정하고 나니 입원기간 중 혈청 크레아티닌 상승(0.6–3.0 mg/dL)의 최고 사분위수 환자의 경우 말기신질환의 위험이 3배(보정위험비 3.26 (95% 신뢰구간 2.73–3.71)) 증가하였다.

이후 연구에서는 보다 광범위한 입원환자 코호트를 대상으로 급성신손상과 진행성 만성신질환의 연관성을 평가하였다. Ishani 등은 2000년도 이후 미국의 메디케어 자료를 활용하여 급성신손상을 겪은 입원 생존자의 경우 말기신질환 발병률이 1,000인년당 5.3이라는 것을 보여주었다.[13] 제한적인 공변량으로 보정한 후에는 만성신질환이 없었던 급성신손상 생존자는 급성신손상도 만성신질환도 없었던 대조군과 비교할 때 말기신질환의 위험(위험비 13.0, 95% 신뢰구간 10.6–16.0)이 13배나 높았다. 만성신질환을 앓던 급성신손상 생존자의 말기신질환 위험은 더욱 높았다(위험비 41.2, 95% 신뢰구간 34.6–49.1).

카이저그룹(Kaiser Permanente of Northern California)의 데이터베이스를 활용한 두 건의 코호트 연구에서, 투석이 필요한 급성신손상이 신장의 장기기능에 미치는 영향을 연구하였다. 두 연구 모두 급성신손상 생존자는 말기신질환의 발병없이 퇴원 후 30일에 생존한 환자이다. 기존의 만성신질환(입원 전 사구체 추정 여과율(eGFR)<45 mL/min/1.73 m²)이 있었고 급성신손상으로 인해 투석이 필요한 입원환자는 급성신손상을 겪지 않은 환자와 비교했을 때 말기신질환의 위험이 상당히 높았다(보정 위험비 1.30, 95% 신뢰구간 1.004–1.64).[14] 유사한 연구에서 기저선에서 상대적으로 신기능(eGFR>45 mL/min/1.73 m²)이 잘 보존되었고, 급성신손상으로 투석이 필요한 환자를 집중 연구하였다.[15] 투석을 요하는 급성신손상을 겪은 이후 4기 이상의 만성신질환 위험(eGFR<30 mL/min/1.73 m²)은 급성신손상을 겪지 않은 집단과 비교할 때 28배(보정 위험비 28.1, 95% 신뢰구간 21.1–37.6) 증가하였다.

한 연구에서는 캐나다 온타리오주의 행정자료를 활용하여 진단명과 청구코드로 확인할 수 있는 투석을 요하는 급성신손상과 이후 말기신질환 사이의 연관성을 보여주었다.[16] 정부가 재정지원을 하는 단일보험제도로 인해 지역의 모든 의료 현황을 살펴볼 수 있었다. 1996년과 2006년 사이 투석을 요하는 급성신손상으로 입원치료를 하고 퇴원 후 최소 30일간 투석이나 재입원 없이 생존한 환자 집단이 확인되었다. 급성신손상으로 인한 투석위험에 대한 성향점수를 이용하여 환자를 매칭시키고 동시기에 급성신손상이나 투석없이 입원한 비교집단도 마련하였다. 투석을 요하는 급성신손상 생존자의 말기신질환(90일 이상 장기 투석이 필요한 경우로 정의) 발병률은 100인년당 2.63이었고, 이들 생존자는 대조집단과 비교했을 때 평균 추적기간 3년 동안 말기신질환의 위험이 3배(보정 위험비 3.23, 95% 신뢰구간 2.70–3.86) 높았다. 급성신질환으로 병원에 입원하였으나 급성 투석(n=41,327)이 필요하지는 않았던 환자의 대규모 코호트에서 급성신손상 생존자의 말기신질환 발병률은 100인년당 1.78로 상당히 낮았다. 하지만 급성신손상을 겪지 않은 입원환자의 성향점수매칭 코호트와 비교하면, 말기신질환 발병의 상대적 위험은 투석을 요하는 급성신손상에서 관찰되는 것과 유사한 수준이었다(보정 위험비 2.70, 95% 신뢰구간 2.42–3.00).[17]

James 등은 실험실 자료와 연계가 가능한 캐나다 앨버타주 전체에 대한 데이터셋을 이용하여 eGFR과 단백뇨의 정도를 연구함으로써 급성신손상 이전 신기능을 정확하게 규정하였다.[18] 평균추적조사기간 35개월 동안 급성신손상이 장기투석 시작, 혈청 크레아티닌 2배 증가로 규정되는 신질환의 진행과 독립적인 연관성을 가지고 있기는 하나, 이러한 연관성은 발병 전 eGFR이 낮거나 심한 단백뇨 환자의 경우 크게 낮았다. 이러한 연구결과에 따르면 상당한 기왕의 신장질환이 있는 경우 신장의 예후는 급성신손상보다는 만성신질환이 중요하게 작용한다. 급성신손상의 실질적인 영향은 발병 전 신기능이 보전되었던 상황에서 더욱 두드러졌다.

급성신손상과 장기사망률

앞서 인용한 연구결과를 살펴보면 급성신손상과 장기사망률 위험 증가가 일관성있게 연결되어 있음을 알 수 있다. 급성신손상은 보정사망위험과 연관이 있으며 보정사망위험은 메디케어 의료보험가입자의 경우 2배 증가하였다. 카이저사의 코호트에서는 신기능이 보전되거나 손상된 상태였는지와는 무관하게 투석을 요하는 급성신손상은 퇴원 후 30일에 생존한 환자의 사망위험 증가와 연관이 있다.[14,15]

입원 이후 90일에 생존한 800,000명이 넘는 미국 퇴역군인 코호트를 대상으로 투석이 필요 없는 급성신손상이 장기생존율에 미치는 영향에 대해 평가하였다.[19] 평균추적조사 기간 2.3년 동안 급성신손상 생존자의 사망률은 30%였고 급성신손상을 겪지 않은 경우에는 16%였다. 퇴원 후 잔여 신기능 등 다양한 공변량에 대해 보정을 실시하고 나니 급성신손상은 40%의 사망위험 증가(보정위험비 1.41, 95% 신뢰구간 1.39–1.43)와 연관되어 있었다. 중요한 점은 지표입원기간 중 급성신손상의 중증도는 장기사망률 위험의 단계별 증가와 연관이 있다는 것이다.

캐나다 온타리오주에서 퇴원 후 30일에 생존한 급성신손상 생존자에서도 장기사망률 증가가 관찰되었다.[16,17] 투석을 요하는 급성신손상, 투석이 필요 없는 급성신손상을 겪은 이후 수년 동안의 사망률은 각각 35%와 41%였다. 하지만 급성신손상을 겪지 않은 성향매칭 코호트와 비교하면 투석을 요하는 급성신손상은 사망과 독립적으로 연관되어 있지 않다(보정 위험비 0.95, 95% 신뢰구간 0.89–1.02).[16] 상대적 사망위험은 투석이 필요 없는 급성신손상 생존자의 경우 소폭 증가하였다(보정 위험비 1.10, 95% 신뢰구간 1.07–1.13).[17]

요약하자면 급성신손상 이후 수개월에서 수년간 생존자의 사망위험은 증가하지만 급성신손상의 독립적인 영향에 대해서는 논란이 지속되고 있다. 교란요인을 설명하기 위해 각기 다른 접근법을 활용한 연구에서 제각각의 효과추정을 하는 것을 감안하면 급성신손상과 사망률 사이의 관계는 인과관계가 아닐지도 모른다.

급성신손상이 심장혈관에 미치는 장기적 영향

전술한 바와 같이, 기초과학 연구결과에 따르면 급성신손상은 심혈관의 독성을 유발하고 이러한 독성은 발병 이후에도 상당기간 지속되는 것으로 보인다. ST 분절 상승 심근경색증을 경험한 2,000여 명의 환자 코호트에서 지표병원에서 퇴원할 때까지도 완전히 해결되지 않은 중간형/중증 급성신손상을 겪은 환자는 평균 추적기간 36개월 이후 심부전 위험이 두 배 증가하였다.[20] 좌심실수축부전을 보이는 심근경색증 환자에 대해 캅토프릴의 역할을 평가하기 위한 2차 분석에서 급성신손상(혈청크레아티닌 수치가 입원 시 0.3 mg/dL 이상으로 규정)이 이후 36개월의 추적조사 기간 동안 심혈관계 질환에 의한 사망, 심근경색증 재발, 심부전 등 복합적인 최종결과지표의 위험 증가(위험비 1.32, 95% 신뢰구간, 1.03–1.70)와 연관이 있는 것으로 나타났다.[21]

급성신손상 생존자의 병리학적 연구 관련 제한점

청구기록 데이터베이스에 기반한 연구는 통계를 확인하기에 유리하고 대규모 다양한 인구집단에게 일반화할 수도 있다는 장점이 있지만 이 역시 중요한 제약을 가지고 있다. 급성신손상을 확인하는 진단코드는 특히 투석을 실시하지 않은 경우 민감성이 떨어지고 분류오류에 빠질 수 있다.[22,23] 하지만 급성신손상의 진단코드와 투석 청구를 결합시킬 경우 신뢰도가 상승한다. 말기신부전이나 사망과 같은 결과는 데이터자료에서 식별해낼 수 있는 반면 많은 연구에서 사용되는 혈액검사 자료와는 연계시킬 수 없기 때문에 신규 만성신질환이나 이의 진행을 식별하기에는 제약이 있다. 하지만 검사 자료와 연결이 가능한 경우라도 일정한 간격의 혈액검사가 가능하지 않다(퇴원 후 6개월 등). 마지막으로 급성신손상과 부정적 결과를 설명하는 병리학적 자료가 증가하면서 존재하지 않거나 측정불가능한 공변량으로 인한 잔류교란(residual confounding)에 빠질 수 있다. 가장 중요한 것은 발병 전 신기능이나 급성신손상이 일어나기 전까지의 신기능 저하 속도에 관한 자료가 존재하지 않기 때문에 급성신손상이 신기능의 장기적인 궤적에 미치는 실제적인 효과를 구축하기가 어렵다는 사실이다(그림 15-1 참조).[24] 다시 말해, 급성신손상으로 인한 부정적인 결과는 중증 동반질환을 단순히 대리해주는 질환으로 급성신손상을 보여주는 것인가? 아니면, 급성신손상이 진행성 신질환과 사망의 직접적인 중재자인가? 이러한 문제는 급성신손상의 1차적 예방에 관한 추후 시험에 장기적 추적조사의 요소를 포함시켜 급성신손상의 예방이 진행성 만성신질환과 사망을 막을 수 있을지, 그 여부를 확인할 수 있을 때에야 비로소 확실한 답을 얻을 수 있을 것이다.

그림 15-1. **급성신손상이 신기능에 미치는 장기적 영향**

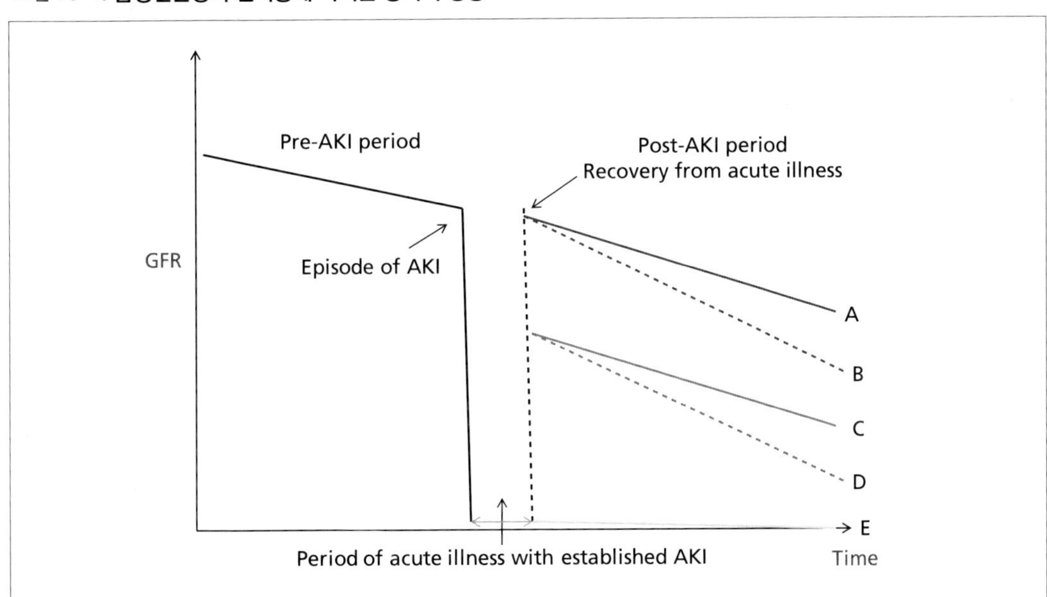

그림은 본래의 신기능이 사실상 중단(사구체여과율로 표시)되는 중증 급성신손상 이후 발생할 수 있는 가상적 시나리오를 5가지로 나누어 표현하였다. 급성신손상 발병 이전 사구체여과율이 일정한 속도로 하락하였다. 급성질환 발병 후 신대체요법 등 치료를 받고 생존한 환자는 점선의 수직선으로 표시된 이후 기간인 회복기간으로 들어선다. A시나리오와 B시나리오에서 신기능은 중증질환 이전에 표시된 사구체여과율보다 다소 낮은 지점까지 회복된다. A시나리오에서는 이후 신기능이 동일한 속도로 저하되지만 B시나리오에서는 신기능 저하의 속도가 급성신손상 이후 가속된다.

A시나리오에서는 급성신손상이 신기능 저하의 과정을 유의미하게 변화시키지 않지만 B시나리오에서는 유의미한 변화가 발생한다. C시나리오와 D시나리오에서 신기능은 급성신손상 이전의 신기능보다 현격히 낮은 수준으로 회복된다. C시나리오에서 급성질환 이전과 동일한 속도로 신기능저하가 진행되지만, 급성신손상 이후 신기능이 훨씬 낮은 수준에서 리셋되기 때문에 환자는 장기투석이 필요한 수준으로 진행될 가능성이 훨씬 높다. D시나리오에서 신기능은 급성질환 이후 저하된 수준으로 회복되고 이후 신기능 저하의 속도는 가속된다. E시나리오에서 급성신질환 이후 신기능이 별달리 회복되지 않기 때문에 환자는 신대체요법에 의존한다. 급성신손상과 이후 신기능 간의 관계에 대한 심도있는 이해는 급성신손상 이전 신기능의 경로에 대해 얼마나 파악하고 있느냐에 따라 크게 좌우된다. 예를 들어 A시나리오에서 급성신손상 이전 신기능의 궤적에 대해 가지고 있는 정보가 제한적이라면, 급성질환 이후 관찰되는 사구체여과율을 급성신손상에 의한 사구체여과율 하락으로 설명하려 할 것이다. 하지만 실제로는 환자의 신기능은 급성신손상 전이나 후에 모두 동일한 기능저하의 궤적을 밟고 있다.

Liu KD, Lo L, Hsu CY, 'Some methodological issues in studying the long-term renal sequelae of acute kidney injury', Current Opinion in Nephrology and Hypertension, 18,3, pp 241-245, Copyright 2009을 Wolters Kluwer의 승인을 얻어 수록

급성신손상 생존자의 결과를 어떻게 개선할 수 있을까?

급성신손상 이후 부정적인 임상적 결과 예측

급성신손상과 추후 부정적인 결과간의 연관고리를 뒷받침하는 병리학적 자료가 누적되었다고는 하나 이러한 정보를 어떻게 임상에서 해석하고 적용할 수 있는가에 대한 자료는 제한적이다. 급성신손상으로 입원한 후 2–5년 동안 일부 생존자가 사망하고 그보다 적은 수는 진행성 신질환을 겪지만, 급성신손상 생존자의 대다수는 신기능을 회복하게 된다. 급성질환으로 입원한 후 합병증으로 급성신손상이 발생하는 경우가 빈번하다는 점을 감안한다면, 모든 급성신손상 생존자에 대해 밀착하여 추후관리를 하거나 추정적 예방요법을 시행하는 것은 비효율적일 수도 있다. 결과적으로 '고위험' 급성신손상 생존자를 조기 식별해낼 수 있다면, 가장 큰 혜택을 얻을 수 있는 환자를 대상으로 하는 잠재적 예방전략을 세우는 데 도움이 될 것이다.

Chawla와 연구진은 진행성 만성신질환 예측인자를 확인하고자 급성신손상으로 입원 후 퇴원한 환자 5,351명에 관한 결과를 추적하였다.[25] 환자들은 1999년 10월과 2005년 12월 사이 보훈병원에 입원하였고, 입원 전 기저 신기능(eGFR>60 mL/min/1.73 m^2)을 유지하고 있었다. 1차적으로 4기 만성신질환(eGFR<30 mL/min/1.73 m^2)이 728명의 환자(14%)에게 발생하였다. 자료의 가용성에 따라 임상적 적용가능성을 극대화하기 위해 세 가지의 예측모형을 마련하였다. 각 모형은 4기 만성신질환(c-통계범위 0.77–0.82)의 진행을 식별해낸다. 고령, 입원기간 중 평균 혈청 크레아티닌 수치, 급성신손상의 중증도, 급성 투석시행 등은 모두 만성신질환 진행과 밀접한 연관이 있고 혈청 알부민 수치와 흑인은 만성신질환 진행과 역의 관계에 있었다.

발병 전 eGFR수치가 60 mL/min/1.73 m^2보다 높고 입원 중 급성신손상을 겪은 1,610명의 환자에 대한 연구에서, 평균 3.3년의 추적조사기간 중 841명(52.2%)의 환자에게 만성신질환이 발생하였다. 고령, 기왕의 심부전 및 고혈압, 낮은 사구체여과율 기저치, 동반질환(만성중증질환로 정량화), 급성신손상의 중증도는 새로운 만성신질환의 발병과 연관이 있다.[26]

캐나다 알버타주에서 수행된 연구에서는, 급성신손상 이후 신기능의 단기적 회복이 장기 결과에 미치는 중요성에 대해 집중 조명하였다. 급성신손상 이후 90일에 생존한 급성신손상 환자 3,231명 중 70%가 신기능의 조기회복을 경험하였다. 여기에서 신기능의 조기회복이라 함은 급성신손상 이전 30–150일 이내 혈청 크레아티닌 수치 25% 범위 이내의 수준으로 회복된 것이다. 평균 2.8년의 추적조사기간 동안 사망률은 회복하지 못한 환자의 경우 훨씬 높았다(위험비 1.26, 95% 신뢰구간 1.10–1.43). 신기능 회복실패는 혈청 크레아티닌 수치가 2배 증가할 위험이 4배 증가하거나 만성신대체요법의 필요(위험비 4.13, 95% 신뢰구간 3.38–5.04)와 연관이 있다.[27]

이러한 연구결과를 광범위하게 적용할 수 있기까지는 다양한 인구집단에 대한 검증이 필요하지만 이러한 연구는 급성신손상 생존자의 위험계층화를 위한 문을 열어 준 셈이라 할 수 있다. 또한 보다 세심하게 퇴원 후 추후관리를 할 경우 의학적 득이 있을 인구집단도 확인할 수 있었다.

급성신손상 이후 합병증 축소 전략

급성신손상과 부정적인 임상상황 간의 인과관계가 확정된 것은 아니지만 급성신손상 발생이 만성신질환으로의 진행, 전반적인 생존 관련 예후에 암운을 드리운다는 것만은 분명하다. 이러한 환자에게 부정적인 임상상황 발생의 가능성이 높다는 것은 결과를 바꿀 수 있는 새로운 전략이 시급히 필요하다는 것을 시사한다. 현재까지 급성신손상 생존자를 대상으로 치료 전략을 시험하기 위한 임상실험이 수행된 바가 없으며, 따라서 이러한 취약인구집단에 대한 관리를 지도할 만한 양질의 증거자료도 존재하지 않는다.

관찰연구를 통해 급성신손상 생존자의 장기결과 개선에 유용한 전략에 관한 가설을 수립하는데 필요한 자료를 얻을 수 있다. 신대체요법이 필요한 중증 급성신손상환자에게 지속적 신대체요법(CRRT)을 시행할 경우 저속초여과 및 용질제거가 가능하고 그럼으로써 혈류역학의 변화(perturbation)를 최소화하는 등 이론적으로 장점이 존재한다. 이러한 추정되는 장점이 무작위실험에서 간헐적 요법과 비교할 때 단기생존에서 우월하다고 확인되지는 않았지만,[28-29] 초기 중증질환 생존자 사이에 지속적 신대체요법으로 인한 혈류역학의 안정이 손상된 신장의 허혈을 최소화하고 신기능회복의 가능성을 개선할 수도 있다.[30] 스웨덴의 다기관 연구에서 Bell 등은 급성신손상의 초기 대응으로 지속적 신대체요법을 시행한 환자는 투석시행 후 90일에 투석에 의존하지 않을 가능성이 보다 높다고 하였다. 10년 동안 추적조사를 실시한 결과 지속적 신대체요법을 시행한 환자가 간헐적 혈류투석을 시행한 환자에 비해 장기투석을 하지 않을 확률이 높은 것으로 나타났다.[31]

HMG–CoA 환원효소 억제제는 항염작용로 인해 다양한 상황에서 심혈관계 결과를 감소시키는 것으로 나타났다. 이탈리아의 한 의료센터에서 경피적 관상동맥 중재술을 시행한 434명의 환자에 대한 코호트 연구에서 중재술 전에 HMG–CoA 환원효소 억제제를 투여한 환자는 중재술 시행 이후 조영제로 인한 급성신손상 위험이 낮은 것으로 나타났다(3% vs. 억제제 비투여 환자 27%).[32] 모든 환자에 대해 퇴원 당시 HMG–CoA 환원효소 억제제를 투여하였다. 4년 간의 추적

조사 동안 조영제로 인한 급성신손상이 부정적인 이벤트(심인성 사망, 심근경색, 동맥혈관재생술 반복시행 등의 복합적 발생)의 강력한 예측인자였으나 시술 전 HMG-CoA 환원효소 억제제를 투여할 경우 장기적으로 보호가 되는 듯 보였다. 급성신손상을 겪은 환자 중 HMG-CoA 환원효소 억제제의 조기 투여는 향후 심혈관계 위험 감소와 연관이 있었다.

급성신손상 이후 치료과정

최근 급성신손상 이후 환자에게 시행하는 치료의 성격을 규명하는 연구가 수행되었다.[33] 먼저 2003–2008년 사이 5개 보훈병원에서 퇴원 후 30일째 생존한 급성신손상 생존자를 파악하였다. 대상 환자는 신기능이 일정 수준 손상(eGFR<60 mL/min/1.73 m^2)되어 일반적으로 신장내과의 진찰이나 공동관리가 권고되는 환자이다. 12개월간의 추적조사 중 사망, 투석시작, 신기능 개선 등 여러 위험이 공존하였고 환자의 8.5%만이 신장전문의에게 진료 의뢰되었다. 신장전문의 진료 의뢰율은 최초 급성신손상의 중증도에 따라 크게 다르지 않았다.

투석이 필요한 급성신손상 생존자는 진행성 만성신질환 발병에 특히 취약하고 사망위험도 높다. 캐나다 온타리오주에서 입원 중 투석이 필요한 급성신손상 합병증이 발생한 후 퇴원한 지 90일째에 생존한 환자 3,877명의 코호트연구에서 Harel 등은 온타리오주의 청구자료를 토대로 퇴원 후 90일 동안 신장전문의의 진료(early visit, 조기 진료)를 받은 환자가 1,583명(41%)이라고 하였다.[34] 성향점수로 매칭한, 신장전문의 조기 진료기록이 없는 급성신손상 생존자와 비교하면 향후 2년간 사망률은 상당히 낮았다(100인년당 8.4 vs. 조기에 신장전문의 진료를 받지 않은 환자의 경우 10.6; 보정 위험비 0.76, 95% 신뢰구간 0.62–0.93). 말기신질환의 발병률은 조기에 신장전문의 진료를 받은 환자의 경우 훨씬 높았다(100인년당 7.0 vs. 조기에 신장전문의 진료를 받지 않은 환자의 경우 2.7; 보정 위험비 2.71, 95% 신뢰구간 1.76–4.19). 연구를 위해 활용된 데이터셋에서는 신장전문의가 시행한 구체적인 중재술에 대해서는 평가할 수 없었다. 이러한 자료가 존재한다면 전술한 관계를 규명할 수 있을 것이다. 다만 퇴원 후 신장전문의의 치료를 받을 경우 사망위험을 낮추는 등 여러 장점이 존재한다는 것만은 추측할 수 있다. 신장전문의는 최적의 만성신질환 치료에 필요한 전문적인 지식을 갖추고 있고, 다양한 만성신질환 관련 합병증을 해결하기에 가장 적절하며, 적기에 장기투석에 대한 대비를 할 수 있도록 한다. 비교적 늦은 시기에 또는 간헐적으로만 신장전문의의 진료를 받는 만성신질환 환자는 장기투석이 시작된 이후 사망률이 높다.[35] 특히 신장전문의의 조기진료와 향후 말기신질환 발생위험 간의 연관성은 입원기간이 끝날 즈음 잔여 신기능이 저조하여 신장질환으로 진행될 가능성이 보다 높은 것으로 간주되는 환자에 대해 주로 신장전문의의 진료를 의뢰한다는 것을 의미한다.

시사점과 향후 연구를 위한 제언

급성신손상 생존자에게는 말기신질환, 사망 등 심각한 부정적 결과가 발생할 수 있다. 이러한 위험은 급성신손상에 대한 치료를 받고 퇴원한 후에도 몇 년 동안 지속된다. 급성신손상에 대한 동물 실험에서 얻은 기초자료에 따르면, 외관상으로는 신기능을 회복했음에도 불구하고 처음 발병 이후 오랫동안 회복불가능한 신장반흔과 혈관비정상이 존재한다. 이러한 자료를 통해 급성신손상과 진행성 신질환, 심혈관계 사건, 사망률을 연결시켰던 그간의 병리학적 자료를 설명할만한 기전이 마련되었다. 그럼에도 불구하고 급성신손상이 부정적 결과에 직접적인 중재자인지 아니면 이러한 관계가 사실은 환자의 인구통계학적 측면과 동반질환, 거기에 무엇보다도 중요한 입원 전 만성신질환의 정도 등으로 인해 혼란이 빚어진 것이었는지는 명확하게 규명되지 못하였다. 결국 진정한 의미의 급성신손상의 장기적 영향은 급성신손상 예방 실험에 등록된 환자를 수년간 추적조사하여 급성신손상 위험의 초기 감소가 장기간의 결과개선으로 이어질지를 확인할 때에야 밝혀질 수 있을 것이다.

급성신손상의 생물학적 중요성과 무관하게, 급성신손상 생존자는 고위험군 환자이지만 이들을 위한 임상적 결정에 도움이 될 양질의 증거자료는 존재하지 않는다. 급성신손상 발생이 증가한다는 점을 감안한다면 급성신손상 생존자에 대한 최적의 관리가 공중보건과도 밀접한 관련이 있다.[36] 무작위대조시험이 시급하다. 단일중재술에 대한 평가보다는 다양한 치료법을 통합한 다중의 실질적인 전략이, 성공확률이 가장 높을 것이다. 이러한 연구가 마무리될 때까지는 투석을 시행한 급성신손상 환자, 급성질환 이후 만성신질환(eGFR < 60 mL/min/1.73 m^2) 환자의 추후관리를 신장전문의가 맡아서 해야 할 것이다. 신기능과 단백뇨에 대한 면밀한 모니터링, 혈압조절, 심혈관계 위험인자 조절 등이 필요하다.

참고문헌

1 Hoste EA, Clermont G, Kersten A, et al. RIFLE criteria for acute kidney injury are associated with hospital mortality in critically ill patients: a cohort analysis. Crit Care 2006;10:R73.

2 Thakar CV, Christianson A, Freyberg R, Almenoff P, Render ML. Incidence and outcomes of acute kidney injury in intensive care units: a Veterans Administration study. Crit Care Med 2009;37:2552-8.

3 Mandelbaum T, Scott DJ, Lee J, et al. Outcome of critically ill patients with acute kidney injury using the Acute Kidney Injury Network criteria. Crit Care Med 2011;39:2659-64.

4 Nisula S, Kaukonen KM, Vaara ST, et al. Incidence, risk factors and 90-day mortality of patients with acute kidney injury in Finnish intensive care units: the FINNAKI study. Intensive Care Med 2013;39:420-8.

5 Palevsky PM, Zhang JH, O'Connor TZ, et al. Intensity of renal support in critically ill patients with acute kidney injury. N Engl J Med 2008;359:7-20.

6 Basile DP, Donohoe D, Roethe K, Osborn JL. Renal ischemic injury results in permanent damage to peritu-

bular capillaries and influences long-term function. Am J Physiol Renal Physiol 2001;281:F887-99.

7 Spurgeon KR, Donohoe DL, Basile DP. Transforming growth factor-beta in acute renal failure: receptor expression, effects on proliferation, cellularity, and vascularization after recovery from injury. Am J Physiol Renal Physiol 2005;288:F568-77.

8 Kelly KJ. Distant effects of experimental renal ischemia/reperfusion injury. J Am Soc Nephrol 2003;14:1549-58.

9 Phillips SA, Pechman KR, Leonard EC, et al. Increased ANG II sensitivity following recovery from acute kidney injury: role of oxidant stress in skeletal muscle resistance arteries. Am J Physiol Regul Integr Comp Physiol 2010;298:R1682-91.

10 Spurgeon-Pechman KR, Donohoe DL, Mattson DL, Lund H, James L, Basile DP. Recovery from acute renal failure predisposes hypertension and secondary renal disease in response to elevated sodium. Am J Physiol Renal Physiol 2007;293:F269-78.

11 Coca SG, Yusuf B, Shlipak MG, Garg AX, Parikh CR. Long-term risk of mortality and other adverse outcomes after acute kidney injury: a systematic review and meta-analysis. Am J Kidney Dis 2009;53:961-73.

12 Newsome BB, Warnock DG, McClellan WM, et al. Long-term risk of mortality and end-stage renal disease among the elderly after small increases in serum creatinine level during hospitalization for acute myocardial infarction. Arch Intern Med 2008;168:609-16.

13 Ishani A, Xue JL, Himmelfarb J, et al. Acute kidney injury increases risk of ESRD among elderly. J Am Soc Nephrol 2009;20:223-8.

14 Hsu CY, Chertow GM, McCulloch CE, Fan D, Ordonez JD, Go AS. Nonrecovery of kidney function and death after acute on chronic renal failure. Clin J Am Soc Nephrol 2009;4:891-8.

15 Lo LJ, Go AS, Chertow GM, et al. Dialysis-requiring acute renal failure increases the risk of progressive chronic kidney disease. Kidney Int 2009;76:893-9.

16 Wald R, Quinn RR, Luo J, et al. Chronic dialysis and death among survivors of acute kidney injury requiring dialysis. JAMA 2009;302:1179-85.

17 Wald R, Quinn RR, Adhikari NK, et al. Risk of chronic dialysis and death following acute kidney injury. Am J Med 2012;125:585-93.

18 James MT, Hemmelgarn BR, Wiebe N, et al. Glomerular filtration rate, proteinuria, and the incidence and consequences of acute kidney injury: a cohort study. Lancet 2010;376:2096-103.

19 Lafrance JP, Miller DR. Acute kidney injury associates with increased long-term mortality. J Am Soc Nephrol 2010;21:345-52.

20 Goldberg A, Kogan E, Hammerman H, Markiewicz W, Aronson D. The impact of transient and persistent acute kidney injury on long-term outcomes after acute myocardial infarction. Kidney Int 2009;76:900-6.

21 Jose P, Skali H, Anavekar N, et al. Increase in creatinine and cardiovascular risk in patients with systolic dysfunction after myocardial infarction. J Am Soc Nephrol 2006;17:2886-91.

22 Waikar SS, Wald R, Chertow GM, et al. Validity of International Classification of Diseases, Ninth Revision, Clinical Modification Codes for Acute Renal Failure. J Am Soc Nephrol 2006;17:1688-94.

23 Hwang YJ, Shariff SZ, Gandhi S, et al. Validity of the International Classification of Diseases, Tenth Revision code for acute kidney injury in elderly patients at presentation to the emergency department and at hospital admission. BMJ Open 2012;2:pii:e001821.

24 Liu KD, Lo L, Hsu CY. Some methodological issues in studying the long-term renal sequelae of acute kidney injury. Curr Opin Nephrol Hypertens 2009;18:241-5.

25 Chawla LS, Amdur RL, Amodeo S, Kimmel PL, Palant CE. The severity of acute kidney injury predicts progression to chronic kidney disease. Kidney Int 2011;79:1361-9.

26 Bucaloiu ID, Kirchner HL, Norfolk ER, Hartle JE, 2nd, Perkins RM. Increased risk of death and de novo chronic kidney disease following reversible acute kidney injury. Kidney Int 2012;81:477-85.

27 Pannu N, James M, Hemmelgarn B, Klarenbach S. Association between AKI, recovery of renal function, and long-term outcomes after hospital discharge. Clin J Am Soc Nephrol 2013;8:194-202.

28 Vinsonneau C, Camus C, Combes A, et al. Continuous venovenous haemodiafiltration versus intermittent haemodialysis for acute renal failure in patients with multiple-organ dysfunction syndrome: a multicentre randomised trial. Lancet 2006;368:379-85.

29 Bagshaw SM, Berthiaume LR, Delaney A, Bellomo R. Continuous versus intermittent renal replacement therapy for critically ill patients with acute kidney injury: a meta-analysis. Crit Care Med 2008;36:610-17.

30 Schneider AG, Bellomo R, Bagshaw SM, et al. Choice of renal replacement therapy modality and dialysis dependence after acute kidney injury: a systematic review and meta-analysis. Intensive Care Med 2013;39:987-97.

31 Bell M, Granath F, Schon S, Ekbom A, Martling CR. Continuous renal replacement therapy is associated with less chronic renal failure than intermittent haemodialysis after acute renal failure. Intensive Care Med 2007;33:773-80.

32 Patti G, Nusca A, Chello M, et al. Usefulness of statin pretreatment to prevent contrast-induced nephropathy and to improve long-term outcome in patients undergoing percutaneous coronary intervention. Am J Cardiol 2008;101:279-85.

33 Siew ED, Peterson JF, Eden SK, et al. Outpatient nephrology referral rates after acute kidney injury. J Am Soc Nephrol 2012;23:305-12.

34 Harel Z, Wald R, Bargman JM, et al. Nephrologist follow-up improves all-cause mortality of severe acute kidney injury survivors. Kidney Int 2013;83:901-08.

35 Winkelmayer WC, Owen WF, Jr, Levin R, Avorn J. A propensity analysis of late versus early nephrologist referral and mortality on dialysis. J Am Soc Nephrol 2003;14:486-92.

36 Hsu CY. Where is the epidemic in kidney disease? J Am Soc Nephrol 2010;21:1607-11.

Chapter 16

중증 화상과 장기적 영향

에바 C. 디에즈, 셀레스테 C. 피너티, 데이비드 N. 헌돈
(Eva C. Diaz, Celeste C. Finnerty, and David N. Herndon)

서론

화상은 다른 중증질환과 비교할 때 중증도가 장기화되고 기간도 긴 특징이 있다. 화상은 심각한 스트레스 반응을 일으켜 면역계와 내분비계 장애, 인슐린 저항성 증가, 근소모, 현저한 과대사 등을 발생시킨다.[1]

급성기 치료의 진보로 중증 화상환자의 생존율이 크게 개선되었다. 40년 전 LD50(생존율 50%를 초래하는 치사량)은 화상면적이 전체 체표면적(TBSA-B)의 약 40%인 경우였다. 현재는 LD50이 TBSA-B의 80%에 육박하고 있으며 흡입화상만 없다면 화상면적이 80-90%가 넘는 아동이라도 대개는 생존한다.[2] 그러나 이들 생존자는 심각한 장애와 결함을 갖게 되며 이러한 장애와 결함이 화상환자 관리를 더욱 어렵게 한다.[3] 흉터, 기능제약, 정신적 문제가 가장 큰 후유증이지만 화상 이후 발생하는 복잡한 대사변화도 화상 발생 이후 수년 간 지속되어 신체의 모든 계통에 영향을 주고 회복과 재활을 지연시킨다.[2,4]

약물, 비약물적 중재술이 시행되어 화상에서 기인한 과대사 반응을 완화시키고 화상 환자의 대사에 도움을 주었다. 화상 치료의 목적은 단순히 환자의 생존이 아니라 화상 반응과 연관된 병리학적 문제들을 조절하고 장기결과를 개선하는 것이다.[5]

본 장에서는 중증화상과 연관된 장기적 대사 및 호르몬 변화를 검토하고 근육 대사, 성장 지

연, 골소모에 미치는 영향을 살펴보고자 한다. 또한 흉터를 화상의 중요한 후유증으로 간주하여 화상 회복 단계에서 가능한 치료적 중재술도 다룬다.

화상 후 과대사반응

중증 열화상은 TBSA-B의 40%를 넘는 화상범위로 규정되며 외상 중 가장 심각한 과대사이상과 과이화반응을 일으킨다.[6,7] 중증화상을 입은 직후 산소소비량, 당부하, 심장박출량이 모두 낮아진다. 이러한 소위 '썰물기'는 화상 발생 후 3일 사이에 발생한다. 그 후에는 과역동 순환, 대사율의 점진적, 증분적 증가, 당분해, 단백질 분해, 지방분해 증가, 체온상승, 무익한 악순환(futile substrate cycling) 등과 더불어 '밀물기'가 온다.[4,7,8]

이러한 밀물기는 과거에 생각했던 것과는 달리 상처치료와 급성입원기 이후에도 지속된다.[9] 과대사성 생리작용은 화상이 발생한 후 몇 년이 지나도 계속되는 극적인 내분비계와 면역계 반응과 관련이 있고, 이는 장기적인 결과에 부정적인 영향을 미친다.

과대사반응의 정도

화상에 대한 과대사반응의 정도는 TBSA-B 대비 화상면적의 비율과 화상 발생 후 경과한 시간에 의해 결정된다. 따라서 TBSA-B가 10% 이하인 환자는 휴식기에너지소모량(REE)의 변화가 크지 않지만 TBSA-B가 40%를 넘는 환자의 휴식기에너지소모량은 화상을 입지 않은 정상환자의 2배가 넘는다.[10] 중증화상 이후 중성점온도(33°C)에서 휴식기대사율은 기초대사율의 180%에 달하고, 화상의 상처가 모두 나은 후에는 150%, 화상 후 6개월에는 140%, 화상 후 9개월에는 120%, 화상 후 12개월에는 110% 정도 된다.[9,10]

대규모 전향적 연구에서[11] 화상 발생 후 3년 동안 화상과 연관된 병리학적 사건을 평가해보았다. 화상 발생 3년 후에도 화상 생존자의 스트레스 호르몬, 염증지표, 휴식기에너지소모량이 정상 범주보다 상승해 있었고, 이는 과대사반응이 장기적으로 지속되고 있음을 의미한다.

과대사반응의 중개자

코르티코스테로이드, 친염증성 싸이토카인, 카테콜라민은 열화상 이후 발생하는 일련의 과정을 조절하는 화상 이후 과대사반응의 주요 중개자이다.[6]

카테콜라민의 혈장수치는 화상 직후 크게 상승한 후 9개월 동안 유지된다. 요중 노르에피네프린은 10배 증가하여 18개월 동안 유지된다. 카테콜라민은 대사장애를 유도할 뿐 아니라 화상 이후 심장의 스트레스를 유발하고 이후 심근억제를 유발한다. 교감신경계 반응이 이렇게 유지되기 때문에 화상 이후 6개월 동안 CO, 심장박출계수와 같은 심장매개변수가 장기적으로 상승하고, 화상 이후 최소 36개월 동안 급격한 심계항진(예상심박수의 120–180%)이 발생하는 것이라고 설명할 수 있다.[11,12]

카테콜라민과 유사하게 요중 코르티솔과 혈청 코르티솔도 화상 직후 증가하고 이후 3년간 증가된 상태를 유지한다. 코르티솔은 화상 이후 대사반응과 면역반응에 영향을 미친다. 구체적으로는 휴식기 에너지소모량, 급성기 단백질합성, 단백질분해, 지방분해, 포도당신생합성의 증가와 골형성의 감소를 유도한다.[12]

직접적인 열화상으로 인한 세포손상과 허혈–재관류손상의 중개자에 의한 세포손상으로 싸이토카인 급증 등의 특징을 보이는 급성염증반응(immediate inflammatory response)이 촉진된다.[14] 싸이토카인의 과다생성으로 면역계, 단백질 대사, 인슐린 감수성, 복수의 장기계통에 변화가 초래된다.[11,15,16] 화상 직후 IL–6, IL–8, MCP–1은 2,000배가 넘게 치솟고, IL–2, GM–CSF, IFN–γ, TNF–α는 화상 발생 이후 3년간 상당히 증가된 상태로 유지된다.[8,11]

장기인슐린저항성

전술한 대사변화는 에너지 기질대사에 중요한 변화를 초래한다.[17] 카테콜라민, 코르티솔, 글루카곤은 당뇨유발호르몬으로, 간에서의 당 생산, 근육의 아미노산 배출, 지방의 지방산 및 글리세롤 배출 등을 자극한다.[6,18] 이러한 변화는 모두 고혈당증을 초래하며, 인슐린 및 공복혈당 증가, 포도당제거 감소 등을 통해서도 알 수 있듯이 인슐린 후과정의 인슐린저항성과 관련 있는 인슐린 감수성 손상을 초래한다.[6]

고혈당증과 인슐린저항성은 부정적인 결과를 초래한다. 구체적으로 이식손실 증가, 상처치료 방해, 단백질이화작용 증가, 면역체계 손상, 감염위험 증가, 사망 등과 연관이 있는 것으로 알려져 있다.[19,20]

Gauglitz 등[8]은 췌장 베타세포가 정상기능을 할 때에도 혈당 수치는 화상 발생 6개월 동안 높게 유지되었다고 하였다. 결국 정상혈당증(euglycaemia)에 도달하긴 하지만 화상 후 3년 동안 인슐린과 C–펩타이드의 혈청수치는 높게 유지되었고 이는 장기간 인슐린저항성이 지속된다는 것을 의미한다.

만성인슐린저항성의 기전

화상 후 인슐린저항성의 분자생물학적 메커니즘은 복잡하다. 카테콜라민과 IL-6, MCP-1, TNF와 같은 싸이토카인이 IRS-1의 신호전달 특성을 변화시켜 인슐린 작용을 억제하고 GLUT-4의 이동을 억제한다.[16,17,21]

정상적으로는 IRS-1의 인산화가 간세포, 골격근, 지방조직내의 당 이동을 촉진하는 중요한 역할을 하는 PI3K/AKT의 경로를 활성화한다. PI3K/AKT의 경로는 단백질키나제 mTOR를 활성화하여 단백질 합성을 촉진한다.[17]

인슐린저항성은 사립체(mitochondria)의 기능장애에 기인한다. 화상 이후 사립체의 기능장애는 간의 당 생성에 대한 인슐린의 억제작용을 약화시키고 근육의 포도당 산화를 감소시켜 고혈당증과 말초인슐린저항성에 기여한다. 게다가 인슐린이 유도하는 포도당 흡수의 70-80%가 골격근에서 발생하기 때문에 화상의 급성기와 회복기에 근육량이 크게 줄어드는 것도 인슐린저항성에 기여할 수 있다.[17,21]

근육이화작용과 화상

의도하지 않게 근육량이 5-10% 소실되는 근소모는 화상 후 과대사반응의 대표적인 특징이다. 이로 인해 면역계 손상, 체력감소, 성장지연, 완전한 재활 실패, 삶의 질 저하 등이 초래된다.[6,8,22] 화상 이후 단백질 합성과 단백질 분해가 모두 증가한다. 하지만 근육단백질의 분해는 근육단백질의 합성보다 빠른 속도로 이루어져 음의 단백질 균형이 초래된다.[7] LBM의 소모가 일정 수준에 이르면 중요한 구조적, 기능적 단백질의 손실이 야기되고 그럴 경우 질병이환율과 사망률이 증가하게 된다.[23] 일례로 총 체질량의 10%가 없어질 경우 면역계의 기능장애와 연관이 있다. 20%가 없어지면 상처치료가 늦어진다. 30%가 없어질 경우 폐렴과 욕창의 위험이 증가한다. 40%가 없어지면 사망에 이를 수 있다.[6]

화상의 급성기에서 생존하였더라도 합병증의 위험에서 자유로운 것은 아니다. 사실 사망률의 주요 결정인자는 이화상태의 정도와 기간이다.[24]

열손상 후 근육이화작용

Hart 등은[9] 페닐알라닌 균형을 측정하여 화상으로 인한 근육이화작용의 정도를 연구하였다. 이를 통해 화상 발생 후 9개월에 음의 단백질 균형이 발생하고, 12개월에 단백질 균형이 다소 개선되지만 여전히 양의 균형이 이루어지지는 않는다는 것이 밝혀졌다. 이렇게 개선을 보인 것은 순전히 단백질 분해속도가 감소하기 때문이다. 동일한 연구에서 화상 발생 후 12개월에 LBM의 증가가 관찰되었다. 이처럼 LBM의 변화는 단백질 동역학의 변화를 그대로 반영한다. 흥미롭게도 소아화상환자의 경우 화상 이후 2년 혹은 3년까지도 정상적인 LBM값을 회복하지 못하는 것으로 추후 연구를 통해 밝혀졌다.[11,24] 중증질환을 앓는 성인과 마찬가지로 소아화상환자는 체중은 회복할지 몰라도 LBM은 회복되지 않는다.

이러한 근육 단백질 동역학이 장기적으로 변화하는 것은 중증화상 이후 관찰되는 대사항상성에 장기적인 교란이 발생하는 것과 상관관계가 있다. 대규모 표본을 통해 화상 1년 후 단백질 합성과 단백질 분해의 균형을 규명하는 연구가 진행되어야 할 것이다.

장기적인 근육단백질 소모와 연관된 생물학적 기전

생리학적 조건에서 IGF-1은 근아세포의 확산과 분화를 자극하기 때문에 골격근에 특별한 역할을 한다.[25] 다만 중증화상 직후에는 IGF-1과 IGFBP-3의 혈청수치가 감소하고 이후 최소 3년간 낮게 유지된다.[3,11] IGF-1과 인슐린은 mTOR의 활성화를 통해 단백질 합성을 촉진하기 때문에 근육량을 결정하는 중요인자이다. 중증열화상은 IGF-1 수치를 감소시키고, GC, TNF-α, 기타 사이토킨의 수치를 증가시킴으로써 인슐린 신호전달 경로를 방해한다. 이러한 변화로 인해 FOX-O 전사인자의 인산화를 감소시킨다. 그렇게 되면 유비퀴틴 프로테아좀 시스템(Atrogin-1과 MuRF1) 발현이 증가되는데 이는 단백질 분해와 근육위축에 관여한다.[22,26]

성장지연

선형성장과 체중증가는 아동의 건강상태를 반영하는 역동적인 과정이며,[27] 영양섭취, 뇌하수체호르몬과 갑상선호르몬 분비, 열량소비, 사회심리적 환경 등 여러 가지 요인에 의해 좌우된다.[28] 중증 열화상은 심각한 질환으로, 이로 인한 장기입원, GH-뇌하수체-IGF-1-IGFBP-3 축의 장기적 변화, 대규모 근소모, 고영양식 필요, 과대사증 등이 아동의 성장을 억제하는 것으로 보인다.[8,17,29] Rutan과 Herndon은 열화상이 최장 3년까지 체중, 신장, 성장의 속도를 저하시킨다고 하였다. 화상 발생 후 18개월에 키와 체중의 백분율 증가가 크게 변화하기 시작하지만[24] 3년 후에도 매칭 대조집단과 비교했을 때 화상아동의 체중과 신장이 훨씬 작았다.[11]

화상이 성장지연에 미치는 영향은 화상이 발생한 당시 아동의 발달단계에 따라 차이를 보이는 듯 하다. 기존 연구에 따르면 급성장기인 아동기(6-8세)와 청소년기(여아의 경우 10.5-

13세, 남아의 경우 12.5–15세)에는 GH의 생리적 증가로 인해 중증화상 이후에도 정상적인 성장이 유지될 수 있다고 하였다. 반면 급성장기가 아닌 시기에 화상을 입은 아동은 성장지연을 겪는다.[30]

중증 열화상 이후 rhGH 치료는 선형성장, 체중증가, 체성분을 현저히 개선시킬 수 있다.[31] 무작위 대조시험을 통해 퇴원부터 화상 발생 후 12개월까지 rhGH 치료를 시행한 소아환자는 12개월과 치료 중단 1년 후에 평균 신장의 50분위수에 도달할 수 있었다. 이와는 대조적으로 rhGH 치료를 시행하지 않은 소아환자는 성장억제가 나타났다. 12개월과 24개월 평균 신장 백분위수가 퇴원 당시와 별 차이가 없었다.[32]

화상환자가 아닌 성인 중증환자에게 rhGH를 고용량 투여 시 질병이환율과 사망률 증가와 연관이 있지만,[33] 소아 중증화상환자에게는 rhGH를 단기, 또는 장기 투여한다고 해도 이러한 합병증과 연관이 없었다.[32]

골 소모

중증화상은 칼슘과 골대사에 부정적인 영향을 미친다. 성인의 경우 장골능선 뼈생검에서 화상 후 3주차에 골형성이 감소한 것으로 나타났다.[13] TBSA–B가 50% 미만인 성인의 경우 골개조가 분리되어 나타났다. 예를 들어 골형성이 감소하지만 이와 동시에 재흡수도 감소하지는 않는다. 다만 골손상이 성인인구의 골밀도에 미치는 장기적인 영향은 아직 알려진 바가 없다.[34] 아동의 경우 열화상이 골교체에 미치는 영향은 더 심하고 장기적이다. 골조직형태측정분석을 통해 화상 후 26±10일에 골형성이 거의 없었다. 이는 소주골에서의 독시사이클린 흡수가 거의 없는 것으로 확인할 수 있다.[34] Klein 등은[35] 단면조사연구를 통해 조사대상의 60%에서 화상 발생 5년 후에 골질량이 감소하였다고 밝혔다. 소아환자의 경우 이렇게 지속적이고 광범위한 골손실로 인해 연간골절발생율이 남아의 경우 2배, 여아의 경우 1/3배 증가하였다. 연령에 적합한 신체활동을 할 때 축성골절과 사지골절이 보고되기도 했다.[13,35]

급성 및 장기 골소모의 생물학적 기전

골감소증은 중증화상 이후 급격히 발생하며 다중의 상호작용 기전이 작용하는 장기 현상이다. 염증유발(pro–inflammatory) 싸이토카인 IL–Iβ와 IL–6가 골아세포를 자극하여 RNAKL 핵전사 활성화 수용체 리간드(ligand) 생산이 촉진되고, 이는 파골세포의 분화를 자극하여 골흡수를 촉진한다. 둘째, 코르티솔이 RANKL의 골아세포 생성을 자극하여 골소모를 부추긴다. 셋째, 화상 직후 부갑상선호르몬이 8배 감소하고 부갑상선호르몬 수치는 이후 최소 3년간 낮게 유지된다. 부갑상선기능저하증, 부갑상선호르몬 저항, 저칼슘혈증, 고칼슘뇨증 등이 화상 이후 발생하는 특징적 변화이다. 부갑상선기능저하증은 칼슘감지수용체가 높게 발현됨으로써 더욱 악화된다. 칼슘감지수용체가 높이 발현되게 되면 칼슘이 부갑상선호르몬분비를 자극하도록 정해진 지점이 낮아진다. 소변을 통한 칼슘 배설 증가와 골아세포의 활동 감소는 뼈내 칼슘 축적을 방해할 수 있다.[13]

골질환에 기여하는 또 다른 요인은 화상으로 인해 연조직이 손상되면서 생체역학에 변화가 발생하기 때문이다. 근육위축과 화상 전의 신체활동 수준으로 돌아가지 못하는 것도 뼈의 무기질화 감소에 기여한다.[37]

마지막으로 화상환자는 피부의 생화학적 이상으로 인해 비타민 D 결핍이 진행될 수 있다. 화상흉터와 주변의 정상피부는 7-DHC 기질량이 줄어들기 때문에 비타민 D 전구체인 7-DHC를 pre-vitamin D3로 전환시킬 수 있는 역량이 감소한다. 기존 연구를 통해 25 (OH) Vitamin D 감소와 BMD 사이에 상관관계가 존재한다고 밝혀졌기 때문에 비타민 D 보조제 섭취를 권고하고 있다.[13,38]

관리

입원과 동시에 재활을 위한 노력과 부정적인 결과를 막아보고자 하는 노력이 병행된다. 골위축을 예방할 수는 없지만 조기 활동을 통해 완화시킬 수는 있다. 체중 지지가 구간골격, 골반, 다리 뼈에 긴장을 주는 가장 효율적인 전략이라는 점에서 기립이 가장 중요한 척도이다. 또한 뼈를 긴장시키고 근육긴장과 근육량을 유지하기 위해 근육의 등척성 수축도 이용될 수 있다.[37]

과대사반응을 조절하고 결과를 개선시키기 위해 rhGH와 옥산드롤론과 같은 동화작용제가 사용되었다. rhGH가 골무기질성분(BMC)에 미치는 영향은 투여량과 관계가 있다. 퇴원부터 화상 발생 후 12개월까지 rhGH를 1일 0.05 mg/kg 투여하고 의약투여와 비교한 결과 rhGH를 투여한 집단의 화상 발생 후 12개월과 24개월의 BMC가 크게 개선되었다. 하지만 rhGH를 1일 0.2 mg/kg 투여한 결과 화상 발생 후 9개월과 12개월에 BMC가 크게 감소하였다.

소아 중증화상환자에 대한 전향적 대조연구에서 옥산드롤론을 퇴원부터 화상 발생 후 12개월까지 투여한 뒤 옥산드롤론 투여를 중단하고 12개월 동안 환자를 관찰하였다. 옥산드롤론의 투여량이 0.1 mg/kg/bd인 경우 12개월에 BMC가 크게 개선되었으나 18개월과 24개월에는 그렇지 않았다. 반면 체성분, 체중, 신장, 체력이 크게 향상되었으며 이런 결과가 유지되었다.[39]

동화작용제 투여 이후 골소모가 감소한 것은 근골격계의 질량이 증가하여 골격의 하중이 증가한 것이 간접적으로 작용하였을 수 있다.[36]

마지막으로 소아 중증화상환자에게 화상 발생 10일 내에 비스포스포네이트계의 파미드로네이트(1.5 mg/kg/day)를 정맥주사로 투여하고 1주일 뒤에 두 번째 투여한 결과 입원부터 퇴원까지 요추의 BMC가 보존된 것으로 밝혀졌다. 파미드로네이트로 급성기 치료를 받은 환자는 의약투여 집단과 비교할 때 화상 후 6개월과 24개월에 요추 BMC가 우수하였다.[40]

화상흉터

반흔조직은 부상이나 질병 이후 파괴된 정상조직을 대체하는 섬유조직이다. 부상 이후 상처가 적절하게 관리되지 않으면 비후성반흔이 형성될 수 있다.[41] 비후성반흔은 피부의 섬유증이 심하게 발생한 것으로 활동을 제약하고 피부의 미적 외관과 기능을 저해한다.[42] 통증, 가려움, 경축(contractures)을 유발하여 신체적으로나 정신적으로 환자의 삶의 질에 큰 영향을 미친다.[43]

비후성반흔은 깊은 피부 손상 이후 발생하고 콜라겐의 과다생성이라는 특징이 있다.[44] 과도한 반응 형성에 기여하는 요인으로는 상처 감염, 유전적 요인, 면역요인, 이식피부의 반복적 채취, 연령, 만성염증, 손상부위, 장력 등이 있다.[41]

화상흉터의 경축은 화상 생존자에게 장애를 유발하는 가장 흔한 요인이다. 수축으로 인해 피부가 부족해지고, 피부 아래에 있는 관절뿐 아니라 주변 관절의 운동도 줄어든다. 상처의 경축이 심해지면 미용과 기능성이 달성될 때까지 수차례의 수술이 필요하기도 한다. 또한 반흔조직은 약하다. 따라서 만성궤양에 취약하다. 땀샘의 기능 소실, 모발성장 소실, 색소 형성 변화, 냉온민감성 등이 화상흉터와 연관이 있는 비정상적 현상이다.[2]

화상흉터의 병리생리학

정상적인 상처치료는 염증기, 증식기, 성숙기 등의 3단계로 일어난다. 염증기의 혈소판 탈과립화는 EGF, IGF−1, PDGF, TGF−β와 같은 강력한 사이토킨을 방출시키고 이러한 사이토킨은 염증세포를 보강하는 화학주성제로 작용한다. 초기 화상 발생 후 48–72시간 내에 두 번째 단계로의 전환이 일어나며 3–6주간 지속된다. 이때 섬유아세포는 ECM이라는 수복조직의 비계(scaffold)를 합성하는데, ECM은 상처를 연결하는 구조적 치료의 틀을 형성하고 혈관내증식을 가능하게 한다. 최종 성숙기로의 전환은 상처가 아물면 시작되어 수개월간 지속되기도 한다. 풍부했던 ECM은 분해되고 초기상처의 미성숙형태인 제3형의 콜라겐이 성숙형태인 제1형 콜라겐으로 변화된다.[45] ECM 단백질의 축적과 분해 사이의 미묘한 균형에 변화가 생기면 비정상적인 흉터가 남는다. 성장인자 수용체가 많은 섬유아세포의 표현형 변화와 염증은 비정상적인 섬유증 반응을 일으킨다.[43]

화상흉터관리

화상의 비후성반흔과 켈로이드의 예방 및 치료를 위해 일반적으로 사용되는 전통적인 접근법은 압박치료였다.[43] 화상흉터의 경축은 초기단계에서 부목과 압박치료를 통해 교정될 수 있다.[2] 압력치료 방법으로는 압박의류, 삽입물, 보조기구에 의한 기능회복훈련법 등이 있다.[41] 압박치료 작용의 기전은 잘 알려지지 않았지만, 상처조직에 혈액, 산소, 영양 공급 제약에 기인한 세포자멸사 증가, 콜라겐합성 감소 등을 생각해 볼 수 있다.[45]

중증화상 이후 약물, 비약물 전략과 장기결과

화상으로 인해 스트레스 반응과 심각한 대사, 호르몬, 면역계의 변화가 초래되어 화상 발생 이후 최소 3년 간 지속된다는 과학적 증거가 제시되면서, 급성 및 만성과대사반응을 조절하는 최적의 약물 개입이 필요하다는 주장이 힘을 얻고 있다.

휴식기 에너지 소모량이 장기간 높게 유지되고, 근육량, 체력, 성장이 모두 저하되면서 회복과 사회로의 복귀가 상당히 지연된다.[39] 여기에서는 열화상 이후 관찰되는 장기간의 과대사반응, 이화작용과 관련하여 질병이환율과 사망률을 낮추고, 회복과 재활을 촉진하기 위해 급성기를 대상으로 연구조사한 약물적, 비약물적 중재술을 간략히 소개하고자 한다.

옥산드롤론

옥산드롤론(oxandrolone)은 테스토스테론 유사물로 남성화효과는 테스토스테론의 약 5% 수준이다. 단백질 합성을 강화하여 근단백질 소모를 약화시키고, 체중감소를 줄이며, 병원입원기간을 줄이고, 급성기입원기간 중 피부이식 제공부위 상처치료를 가속화한다.[46] 또한 옥산드롤론을 장기투여할 경우 긍정적인 효과를 기대할 수 있는 것으로 보고되었다.

전향적 무작위시험에서 61명의 소아화상환자에게 퇴원 시부터 화상 발생 12개월까지 옥산드롤론을 1일 0.1 mg/kg 투여하거나 위약을 투여하였다. 퇴원 시, 화상 발생 6개월, 12개월, 18개월 24개월에 각각 이들 환자를 평가한 결과 치료기간 중 옥사드롤론 투여 환자의 LBM, BMD, 체력이 개선되었다. 또한 치료 중단 후 두 집단의 체중, 신장에서도 상당한 차이가 관찰되었다. 흥미로운 점은 12개월과 18개월에 옥산드롤론 투여 환자에게 혈청 IGF-1 수치가 상당히 증가한 것으로 나타났다. 또한 옥산드롤론이 흉터평가나 예상 휴식기에너지소모량에는 별다른 차이를 초래하지 않았다.[39]

운동과 옥산드롤론 병행

운동과 옥산드롤론 사이에 시너지 효과가 있는 것으로 보고되었다. 한 실험에서 51명의 소아중증화상환자에게 옥산드롤론(OX), 옥산드롤론과 운동병행(OXEX), 위약과 운동하지 않음(PL), 위약과 운동(PLEX) 처방을 하였다. 퇴원 후부터 화상 발생 후 12개월까지 OX를 투여하였다. OXEX 집단은 다른 세 집단에 비해 체중과 LBM의 백분율 변화가 보다 많이 개선된 것으로 나타났다. OX와 PLEX 집단의 LBM 변화는 PL 집단의 변화보다 우수하였다. 근육강도는 PL 집단보다 OXEX, OX, PLEX 집단에서 상당히 우수하였다. 하지만 OXEX 집단이 OX와 PLEX 집단보다 우수하지는 않았다. 흥미로운 점은 rhGH만으로는 효과가 없었던 근육강도 개선이 OX로는 가능하였다(그림 16-1 참조).[47]

인체성장호르몬

rhGH는 면역기능과 상처치유를 강화하고 과대사반응을 감소시킨다. 또한 rhGH는 급성화상환자의 단백질 이화작용을 완화시키고 단백질 합성을 촉진한다.[3]

TBSA-B가 40%인 소아화상환자 205명에 대해 rhGH의 장기효능을 평가하는 전향적 무작위시험을 수행하였다. 환자는 퇴원부터 화상 발생 12개월까지 위약치료를 받거나 rhGh 장기치료(1일 0.05, 0.1, 0.2 mg/kg)를 받았다. 퇴원 시, 화상 발생 후 6개월, 9개월, 12개월, 18개월, 24개월에 각각 평가를 실시하였다. 위약과 비교할 때 rhGH가 화상 후 6-12개월 사이에 LBM을 크게 개선하였다. LBM이 가장 많이 개선된 집단은 1일 0.2 mg/kg을 투여한 집단으로, 전체 연구기간 동안 이러한 개선효과가 유지되었다.

12개월과 18개월 전체 rhGH 집단에서 CO가 감소하였고, 24개월을 제외한 모든 시점에서 휴식

그림 16-1. **rhGH 요법이 소아 중증화상환자의 신체조직에 미치는 효과**

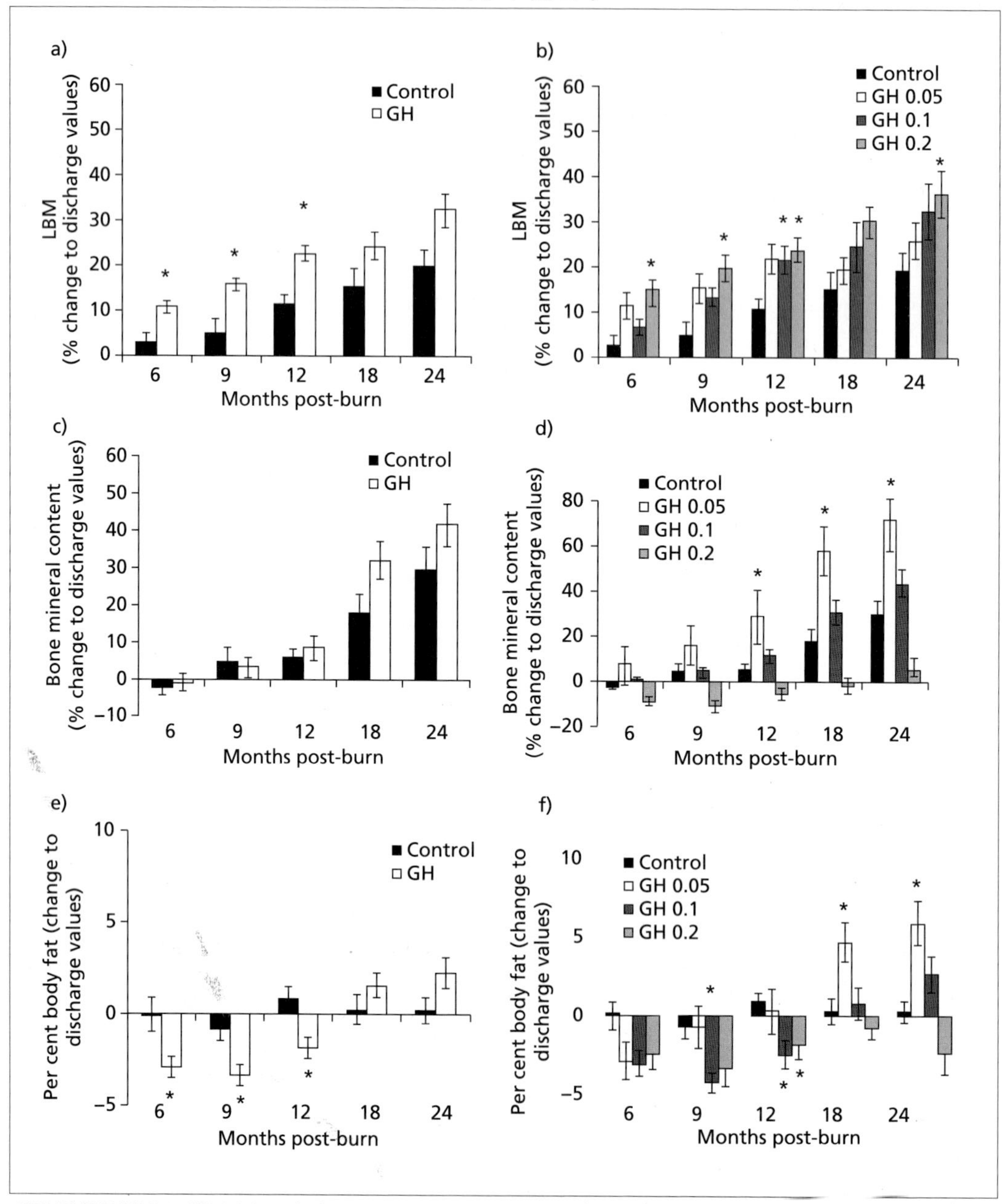

퇴원부터 화상 발생 후 24개월까지의 LBM(a,b), 골무기질 함량(c,d), 체시방비율(e,f) 변화를 백분율로 표시. 평균±SEM. *p<0.05 vs.대조집단

Branski et al., 'Randomized Controlled Trial to Determine the Effect of Long-Term Growth Hormone Treatment in Severely Burned Children', Annals of Surgery, 250, 4, pp514-523, copyright 2009을 Wolters Kluwer의 승인을 얻어 수록.

기에너지소모량이 크게 감소하였다. 휴식기에너지소모량이 가장 많이 감소한 집단은 1일 0.1 mg/kg의 rhGH를 투여한 집단이다. 심장 스트레스와 과대사가 개선된 것은 rhGh 치료 이후 코르티솔 수치가 감소한 것과 관련이 있을 수 있다. rhGH를 1일 0.1 mg/kg이나 0.2 mg/kg 투여했을 경우 IGF-1/IGFBP-3, 내인성 GH 수치가 증가한다는 점을 통해서 확인할 수 있듯이 rhGH 치료는 호르몬 패널 개선과도 연관이 있었다. 이번 연구에서 혈당 수치의 별다른 변화는 보고되지 않았다. 하지만 rhGH를 1일 0.1 mg/kg이나 0.2 mg/kg 투여한 집단에서 12개월에 흉터지수가 개선(흉터감소를 의미)된 것으로 나타났다.

요약하자면 rhGH 장기투여는 용량마다 조금씩 다르지만 성장과 LBM 개선, 과대사 감소, IGF-1/IGFBP-3 혈청수치 증가, 심장 스트레스 감소, 흉터완화 등과 같은 효과가 있다.

운동

치료적 운동은 증상을 완화시키거나 기능을 개선하기 위해 신체나 신체부위를 움직이는 것을 뜻한다. 치료적 운동은 조기에 시작하여, 치료를 하는 수개월 내내 지속된다. 치료적 운동을 하는 목적은 부종과 부동(immobilization)의 효과를 줄이고, 기능상 관절의 움직임과 근육강도를 유지하고, 반흔조직을 펴줌으로써 환자가 최적의 기능을 되찾도록 하기 위해서이다.[41]

운동훈련은 대사치료에 필수적인 것이다. Celis 등은[48] 화상 이후 6개월에 전문가의 지도에 따라 운동프로그램을 시작할 경우, 화상 9개월에 기능을 위한 수술치료의 횟수가 줄어들며 24개월에는 그 횟수가 더욱 줄어든다는 점을 밝혔다.

일반적인 병원의 재활프로그램에 12주간의 저항운동과 유산소운동 프로그램을 가미할 경우 총 LBM, 강도, 전반적인 심폐기능이 개선되는 것으로 나타났다.[49] Suman 등은 저항운동과 유산소운동을 병행한 환자와 일반적인 병원 재활프로그램만을 받은 환자 사이의 LBM 평균증가율이 20배가 넘는 차이를 보였다고 하였다. 같은 연구에서 LBM의 변화와 더불어 근육강도, 전체 작업, 체력도 같이 개선되었다.

중증 열화상 환자는 퇴원 후 가능한 빠른 시기에 구조화된 운동프로그램을 시작해야 한다. 이러한 운동프로그램은 개인별 맞춤화되어야 하고 점진적으로 운동의 강도를 늘려가야 한다. 이렇게 운동 관련 결과가 개선되면 환자는 정상적인 일상생활로 복귀할 수 있는 역량도 커지고, 신체적인 독립을 얻는데도 도움이 된다.[41,49]

결론

중증 열화상은 대사와 호르몬의 장애가 장기간 지속되는 심각한 상태이며, 이러한 장애로 인해 처음 외상이 발생하고 나서 수년간 회복과 재활이 지연된다. 장기적 결과는 화상 후 스트레스반응에 따라 달라진다. 따라서 구조적, 기능적인 회복을 꾀하고자 한다면 과대사반응을 조절할 필요가 있다. 운동은 화상환자에게 도움이 된다. 또한 옥산드롤론과 rhGH 치료전략은 퇴원 후 과대사반응을 완화시키고 장기결과를 개선시키는 데 효과적이다. 그러나 중증열화상 생존자를 위한 최적의 약물요법을 결정하기 위해서는 앞으로도 지속적인 연구가 필요하다.

참고문헌

1 Mann EA, Mora AG, Pidcoke HF, Wolf SE, Wade CE. Glycemic control in the burn intensive care unit: focus on the role of anemia in glucose measurement. J Diabetes Sci Technol 2009;3:1319-29.

2 Warden GD, Warner P. Functional sequelae and disability assessment. In: Herndon DN (ed.) Total burn care. 2nd ed. London: WB Saunders; 2002. p. xv, p. 817, 4p. of plates.

3 Jeschke MG, Chinkes DL, Finnerty CC, et al. Pathophysiologic response to severe burn injury. Ann Surg 2008;248:387-401.

4 Herndon DN, Tompkins RG. Support of the metabolic response to burn injury. Lancet 2004;363:1895-902.

5 Desai SV, Law TJ, Needham DM. Long-term complications of critical care. Crit Care Med 2011;39:371-9.

6 Williams FN, Jeschke MG, Chinkes DL, Suman OE, Branski LK, Herndon DN. Modulation of the hypermetabolic response to trauma: temperature, nutrition, and drugs. J Am Coll Surg 2009;208:489-502.

7 Williams FN, Herndon DN, Jeschke MG. The hypermetabolic response to burn injury and interventions to modify this response. Clin Plast Surg 2009;36:583-96.

8 Gauglitz GG, Herndon DN, Kulp GA, Meyer WJ 3rd, Jeschke MG. Abnormal insulin sensitivity persists up to three years in pediatric patients post-burn. J Clin Endocrinol Metab 2009;94:1656-64.

9 Hart DW, Wolf SE, Mlcak R, et al. Persistence of muscle catabolism after severe burn. Surgery 2000;128:312-19.

10 Pereira CT, Jeschke MG, Herndon DN. Beta-blockade in burns. Novartis Found Symp 2007;280:238-48;discussion 248-51.

11 Jeschke MG, Gauglitz GG, Kulp GA, et al. Long-term persistance of the pathophysiologic response to severe burn injury. PLoS One 2011;6:e21245.

12 Jones SB ea. Significance of the adrean and sympathetic response to burn injury. In: Herndon DN (ed.) Total burn care. 2nd ed. London: WB Saunders; 2002. p. xv, p. 817, 4p. of plates.

13 Klein GL. Burn-induced bone loss: importance, mechanisms, and management. J Burns Wounds 2006;5:e5.

14 Sherwood ER. The systemic inflammatory response syndrome. In: Herndon DN (ed.) Total burn care. 2nd ed. London: WB Saunders; 2002. p. xv, p. 817, 4p. of plates.

15 Finnerty CC, Herndon DN, Przkora R, et al. Cytokine expression profile over time in severely burned pediatric patients. Shock 2006;26:13-19.

16 Sell H, Dietze-Schroeder D, Kaiser U, Eckel J. Monocyte chemotactic protein-1 is a potential player in the negative cross-talk between adipose tissue and skeletal muscle. Endocrinology 2006;147:2458-67.

17 Gauglitz GG, Herndon DN, Jeschke MG. Insulin resistance postburn: underlying mechanisms and current therapeutic strategies. J Burn Care Res 2008;29:683-94.

18 Cochran A, Saffle JR, Caran G. Nutritional support of the burned patient. In: Herndon DN (ed.) Total burn

care. 2nd ed. London: WB Saunders; 2002. p. xv, p. 817, 4p. of plates.
19 Gore DC, Chinkes DL, Hart DW, Wolf SE, Herndon DN, Sanford AP. Hyperglycemia exacerbates muscle protein catabolism in burn-injured patients. Crit Care Med 2002;30:2438-42.
20 Gore DC, Chinkes D, Heggers J, Herndon DN, Wolf SE, Desai M. Association of hyperglycemia with increased mortality after severe burn injury. J Trauma 2001;51:540-4.
21 Padfield KE, Astrakas LG, Zhang Q, et al. Burn injury causes mitochondrial dysfunction in skeletal muscle. Proc Natl Acad Sci USA 2005;102:5368-73.
22 Heszele MF, Price SR. Insulin-like growth factor I: the yin and yang of muscle atrophy. Endocrinology 2004;145:4803-5.
23 Chang DW, DeSanti L, Demling RH. Anticatabolic and anabolic strategies in critical illness: a review of current treatment modalities. Shock 1998;10:155-60.
24 Przkora R, Barrow RE, Jeschke MG, et al. Body composition changes with time in pediatric burn patients. J Trauma 2006;60:968-71; discussion 971.
25 Roberts CT, Rosenfeld RG. The IGF system: molecular biology, physiology, and clinical applications. In: Contemporary endocrinology. Totowa, NJ: Humana Press; 1999. p. xii, p. 787.
26 Norbury WB. Modulation of the hypermetabolic response after burn injury. In: Herndon DN (ed.) Total burn care. 2nd ed. London: WB Saunders; 2002. p. xv, p. 817, 4p. of plates.
27 Rogol AD, Clark PA, Roemmich JN. Growth and pubertal development in children and adolescents: effects of diet and physical activity. Am J Clin Nutr 2000;72(2 Suppl):521S-8S.
28 Rutan RL, Herndon DN. Growth delay in postburn pediatric patients. Arch Surg 1990;125:392-5.
29 Suman OE. Mitigation of the burn induced hypermetabolic response during convalescence. In: Herndon DN (ed.) Total burn care. 2nd ed. London: WB Saunders; 2002. p. xv, p. 817, 4p. of plates.
30 Low JF, Herndon DN, Barrow RE. Effect of growth hormone on growth delay in burned children: a 3-year follow-up study. Lancet 1999;354:1789.
31 Przkora R, Herndon DN, Suman OE, et al. Beneficial effects of extended growth hormone treatment after hospital discharge in pediatric burn patients. Ann Surg 2006;243:796-801; discussion 801-3.
32 Branski LK, Herndon DN, Barrow RE, et al. Randomized controlled trial to determine the efficacy of long-term growth hormone treatment in severely burned children. Ann Surg 2009;250:514-23.
33 Takala J, Ruokonen E, Webster NR, et al. Increased mortality associated with growth hormone treatment in critically ill adults. N Engl J Med 1999;341:785-92.
34 Klein GL, Herndon DN, Goodman WG, et al. Histomorphometric and biochemical characterization of bone following acute severe burns in children. Bone 1995;17:455-60.
35 Klein GL, Herndon DN, Langman CB, et al. Long-term reduction in bone mass after severe burn injury in children. J Pediatr 1995;126:252-6.
36 Klein G. Effects of burn injury on bone and mineral metabolism. In: Herndon DN (ed.) Total burn care. 2nd ed. London: WB Saunders; 2002. p. xv, p. 817, 4p. of plates.
37 Evans E. Musculoskeletal changes secondary to thermal burns. In: Herndon DN (ed.) Total burn care. 2nd ed. London: WB Saunders; 2002. p. xv, p. 817, 4p. of plates.
38 Klein GL, Langman CB, Herndon DN. Vitamin D depletion following burn injury in children: a possible factor in post-burn osteopenia. J Trauma 2002;52:346-50.
39 Przkora R, Jeschke MG, Barrow RE, et al. Metabolic and hormonal changes of severely burned children receiving long-term oxandrolone treatment. Ann Surg 2005;242:384-9, discussion 390-1.
40 Przkora R, Herndon DN, Sherrard DJ, Chinkes DL, Klein GL. Pamidronate preserves bone mass for at least 2 years following acute administration for pediatric burn injury. Bone 2007;41:297-302.
41 Serghiou MA. Comprehensive rehabilitation of the burn patient. In: Herndon DN (ed.) Total burn care. 2nd ed. London: WB Saunders; 2002. p. xv, p. 817, 4p. of plates.
42 Tredget EE, Yang L, Delehanty M, Shankowsky H, Scott PG. Polarized Th2 cytokine production in patients with hypertrophic scar following thermal injury. J Interferon Cytokine Res 2006;26:179-89.
43 Gauglitz GG, Korting HC, Pavicic T, Ruzicka T, Jeschke MG. Hypertrophic scarring and keloids: pathomechanisms and current and emerging treatment strategies. Mol Med 2011;17:113-25.

44 Oliveira GV, Hawkins HK, Chinkes D, et al. Hypertrophic versus non hypertrophic scars compared by immunohistochemistry and laser confocal microscopy: type I and III collagens. Int Wound J 2009;6:445-52.

45 Slemp AE, Kirschner RE. Keloids and scars: a review of keloids and scars, their pathogenesis, risk factors, and management. Curr Opin Pediatr 2006;18:396-402.

46 Jeschke MG, Finnerty CC, Suman OE, Kulp G, Mlcak RP, Herndon DN. The effect of oxandrolone on the endocrinologic, inflammatory, and hypermetabolic responses during the acute phase postburn. Ann Surg 2007;246:351-60; discussion 360-2.

47 Przkora R, Herndon DN, Suman OE. The effects of oxandrolone and exercise on muscle mass and function in children with severe burns. Pediatrics 2007;119:e109-16.

48 Celis MM, Suman OE, Huang TT, Yen P, Herndon DN. Effect of a supervised exercise and physiotherapy program on surgical interventions in children with thermal injury. J Burn Care Rehabil 2003;24:57-61; discussion 56.

49 Suman OE, Spies RJ, Celis MM, Mlcak RP, Herndon DN. Effects of a 12-wk resistance exercise program on skeletal muscle strength in children with burn injuries. J Appl Physiol 2001;91:1168-75.

Chapter 17

기관내삽관과 기관절개술의 결과

버드 숀호퍼, 스테판 크루거
(Berd Schönhofer and Stefan Kluge)

배경 및 역사

전 세계적으로 기계환기 시행건수는 증가하고 있다. 기관내삽관과 기관절개술은 중환자실에서 기도 확보를 위해 행해지는 주요 치료법이다. 하지만 이는 기도손상부터 병원성 하기도 감염증까지 다양한 합병증과 연관이 있다. 본 장에서는 성인환자의 기관내삽관과 기관절개술로 인한 급성기 및 후기 합병증에 대해 개략적으로 살펴보고자 한다. 과거에는 삽관 이후 흉터가 기관의 절제 및 재건이 있었음을 알 수 있는 가장 일반적인 표시였다. 다행히도 최근 기관내튜브와 기관조루술 튜브의 설계와 관리가 크게 진보하면서 이러한 합병증의 발생은 감소하였다.[1]

역사적으로 기관삽관술을 시행했다는 최초의 기록은 BC 2,000년 고대 인도의 필사본에서 찾아볼 수 있다. 17세기에 물에 빠진 사람을 살리기 위해 최초로 기관내삽관을 시행했다는 기록도 있다. 1833년 Trousseau는 디프테리아를 치료하는 과정에서 200건의 호흡부전 사례에 관한 경험을 기록하였다.[2] 이후 1880년에는 Macewan이 환자 4명에게 최대 35시간 동안 기관내삽관을 시행한 내용을 소개하는 최초의 학술논문을 발표하였다. 논문에서는 기침, 불편감, 기관점막충혈, 성대비후증 등 기관내삽관의 합병증에 대해서도 거론되었다.[3] 기관내삽관이 임상적으로 보다 광범위하게 시행되기 시작한 지역은 스칸디나비아였다. Nilsson은 바비츄레이트(barbiturate) 중독으로 인한 호흡부전 환자에 대한 기관절개술의 대안으로, Ibsen은 소아마비로 인한 호흡부전 치료방법으로 기관내삽관을 활용하기 시작했다.[4,5]

삽관 및 기관절개술의 합병증은 흔히 응급삽관, 부적절한 위치, 시술자의 미숙, 비정상적인 해부학적 구조 등 다수의 요인에 의해 초래된다. 또한 기관내관튜브(ETT)의 크기, 모양, 압박, 움직임 등 튜브 및/또는 커프의 기계적 특징도 병리학적 변화에 기여하는 요인이다. 또한 윤상피열관절(cricoarytenoid joint)에 관여하는 류마티스 관절염 등 환자의 기저질환과 침습적 기계환기 시행기간 등도 합병증의 가능성을 높인다.

기관내삽관과 기관절개술의 장기합병증은 서로 유사하고 중첩되어 있다. 합병증의 예방과 조기평가는 장기 질병이환의 위험을 최소화하기 위해 중요하다.

기관내삽관과 기관절개술로 인해 기관후두에 발생하는 합병증은 삽관시도와 관련 있는 조기합병증과 발관 이후 수주 내지 수개월 사이에 발생하는 합병증으로 나뉠 수 있다.

기관내삽관

합병증

기관내튜브 삽입 중 발생한 합병증은 대체로 환자에게 삽관을 시행한 의사가 미숙한 경우 또는 어려운 기도(Difficult Airway)의 경우에 발생한다. 마취를 하고 삽관을 하는 경우와 비교하면 응급으로 기도를 확보하는 경우에 손상의 연관성이 높다. 하지만 이러한 손상의 대다수는 일시적인 것이고 자연치유과정을 통해 완벽하게 되돌릴 수 있다.

1981년 두 곳의 대학병원에서 수행된 전향적 연구에서 Stauffer 등은 226건의 삽관 시행 사례 중 62%에서 기관내삽관의 초기 합병증이 발생했다고 하였다.[6] 발생빈도의 순으로 나열하자면 과도한 커프압력, 자가 발관(환자 스스로 삽관한 튜브를 잡아 빼는 경우), 삽관 후 공기 유출, 우측 주기관지 삽관, 흡인 등의 손상이 있었다. 3,400건이 넘는 응급 삽관에 대한 최근 연구에서는 환자의 4.2%에서 흡인(2.8%), 식도삽관(1.3%), 치아손상(0.2%), 기흉(0.1%) 등의 급성합병증이 발생하였다.[7] 합병증에 대한 독립적 예측인자로는 3회 이상의 삽관시도, Grade 3 또는 4의 불확실한 시야 확보, 일반 병실에서 시행하는 경우, 응급실 등이 있다. 여기에서 어려운 삽관 발생률은 10.3%였다.

폐외 손상

삽관 중 매우 다양한 폐외손상(혈류역학 불안정 등)이 발생할 수 있지만 이들 중 일부만이 심각하고, 중환자실 이후의 삶에 영향을 미친다. 그 대표적인 예가 성인 중환자의 삽관 합병증의 1%를 차지하는 식도삽관이다.[6] 식도삽관은 식도천공 및 심정지와 같은 심각한 국지 및 전신 합병증과 연관이 있다.[8,9]

구강비강손상

구강의 경우 기관내튜브의 삽입 중에, 또한 기관내삽관이 성공적으로 이루어진 후에 치아손상이 상대적으로 흔하다. 전신마취를 시행한 598,904명의 환자를 분석한 결과 기관삽관을 시행한 환자의 치아손상은 2,805건 중 1건 꼴로 발생하였다.[10] 기관내삽관 중 치아손상은 마취관련 의료소송에서 가장 중요한 사유 중 하나이다. 입술과 구강인두 구조에 압력으로 인한 궤양도 기관내튜브로 인해 발생할 수 있는 중요한 후유증 중 하나이다.

부비동염

비강기관내삽관 및 비강튜브와 더불어 부비동염의 위험인자로 두부외상, 스테로이드 사용력, 기왕의 항생제 치료 등이 있다.

비강튜브는 부비동의 점액 누적과 부비동염의 발생을 초래하는 상악동공 폐색의 단점이 있다. 16명의 환자에 대한 전향적 연구에서 코-기관 삽관 시행 후 8일차에 CT 이미지 촬영을 한 결과 환자의 87%가 상악동과 접형동에 각각 감염이 발생하였고, 점액누적, 혼탁화, 점막비후 등 사골부비동(50%), 전두동(12.5%) 감염 순이었다.[11] 또한 일부 연구에서는 장기 비강기관내삽관으로 인해 2차적으로 발생한 부비동염을 패혈증의 원인으로 지목하였다.[12,13] Holzapfel 등은 비강기관내삽관이 인공호흡기 관련 폐렴과 2개월 사망률 증가와 상당한 연관이 있다는 점을 밝혔다.[14] 이러한 자료를 토대로 현재 대부분의 의사가 선호하는 삽관의 경로는 경구기관(orotracheal)이다.

인두후두손상

기관내튜브 삽입 중 비인두, 입인두, 아랫인두 등 인두손상이 발생하여 열상, 출혈, 타박상, 점막밑출혈, 부종 등이 발생할 수 있다. 후인두벽 천공, 아랫인두 천공, 피열연골(arytenoid cartilage)의 부전탈구 및 탈구 등 윤상피열관절(cricoarytenoid joint)의 외상 등은 드물지만 심각한 합병증이다.

삽관을 4일 이상 시행한 거의 모든 환자에게 후두부종과 점막궤양이 발생한다.[15] 최근 연구에 따르면 평균 삽관시행기간이 3일인 136명의 환자에 대해 발관 후 6시간 내에 후두에 대한 섬유광학내시경검사를 시행하였다. 환자의 73%에서 후두손상이 발생하였고 이는 삽관기간과 삽관 시 근육이완제 미사용과 연관이 있었다.[16] 마취 후 삽관한 1,000명의 환자 중 6%에서 후두의 심각한 손상이 발견되었다.[17]

기관내삽관으로 인한 후두열상은 일반적으로 대칭적이고, 성대의 후측과 내측, 반지연골판의 피열연골 및 후측부에 발생한다.[18] 기관내삽관으로 인한 후두열상은 발관까지는 임상적으로 나타나지 않을 수도 있다. 기관내삽관의 50% 이상에서 성대와 피열연골의 열상이 발생하였다.[6]

Colice 등은 4일 이상 기관내삽관을 시행한 82명의 환자를 전향적으로 추적조사하였다.[19] 발관 시와 발관 2주 후에 이들 환자에 대해 직접 후두경검사를 시행하였다. 후두손상의 일반적인 형태 중 하나는 성대의 후측과 내측을 따라 생긴 점막궤양이었고, 이는 환자 대다수에서 4주 내에 치유되었다. Thomas 등은 24시간 이상 기계환기를 시행한 환자에 대한 전향적 연구를 통해 삽관 후 후두에 발생하는 후유증에 대해 연구하였다.[20] 발관 직후 환자의 87.6%(n=131)가 뚜렷한 후두병변을 보였으며 동일 표본의 8.6%는 장기간 후유증을 겪었다.

기관손상

삽관 중 기관천공, 열상, 파열 등은 흔히 발생하지 않는 합병증이고 대체로 강제적인 삽관, 기관후막 열상, 커프의 과도한 공기주입 등에 의해 발생한다. 이러한 맥락에서 삽관 이후 흔히 발생하지 않지만 심각한 합병증인 기관기관지열상에 대한 언급이 반드시 있어야 할 것이다.

폐손상

주기관지 삽관은 보통 우측 주기관지로 발생한다. 합병증으로는 우측폐의 과도한 과팽창, 우측 기흉, 무기폐, 좌측 폐의 허탈 등이 있다.

기관내삽관 삽입 시도 중 발생하는 폐의 합병증으로는 폐흡인이 있으며, 이는 성인환자에 대해 마취하지 않고 시행한 삽관의 8–19%에서 보고되었다.[6,21] 또한 폐의 압력손상과 용적손상도 기관내삽관 삽입 중 발생하는 손상이다. 기관내삽관과 기관절개술의 장기 결과로서 잔류폐손상은 상대적으로 거의 발생하지 않으며 이러한 손상이 대부분 가역적이기 때문이다.

삼킴장애

발관 후 일시적인 삼킴장애가 환자 2명 중 1명 꼴로 발생한다. 하지만 임상적으로 중요한 흡인은 그보다 발생빈도가 낮다. 최근 연구에서 외상환자 41%가 평균 9.2일의 삽관 시행 후 삼킴장애를 겪은 것으로 나타났다. 발관 후 삼킴장애의 독립적인 위험인자는 55세 이상의 환자연령과 기관내삽관 기간이다.[22]

기관내삽관의 후기합병증

후기합병증은 발관 후 수주에서 수개월 사이에 발생한다. 기관내삽관이 장기화될 경우 일반적으로 팽창된 커프가 닿는 부위, 기관튜브의 끝 부분, 흡입 카테터의 모서리(tip)에 의한 기관벽 점막 손상이 발생한다. 이러한 손상이 발생하는 주요 병리생리학적 기전은 기관내튜브 커프의 높은 압력이다. 점막의 모세혈관 관류압력을 초과하는 커프압력의 증가로 인해 점막의 허혈, 염증, 괴사, 궤양 등이 발생한다. 섬유증이나 육아종 형성이 동반된 비정상적 상처치유가 기관내삽관의 가장 중요한 후기합병증의 원인이 된다. 심각한 후기합병증으로는 기관내 육아종 형성, 기관협착, 기관연골 파괴, 식도 등 인접기관의 확장 및 누공 등이 있다. 그 밖에도 기관내삽관 이후 발생하는 심각한 합병증인 기관연화는 기관허혈로 발생한다. 기관허혈의 결과로 발생하는 연골염으로 인해 기관기관지연골의 파괴와 괴사가 발생한다. 고용적 저압 커프가 사용되면서 커프로 인한 손상은 현저하게 감소하였다.

후두손상

중요한 후기합병증은 육아종의 형성으로, 주로 후두에 영향을 미친다. 육아종형성 비율은 연구마다 크게 차이가 나서 3%, 7%, 27% 등 큰 격차를 보였다.[6,19,23] 후두협착은 성문과 성문밑 부위에 단독으로 또는 복합적으로 발생한다. 성인의 경우 삽관 후 발생하는 협착의 대다수는 후측성문 부위이다.[6]

기관협착

기관협착은 일반적으로 흡기성 천명, 숨가쁨이 나타난다. 기계환기 이후 이러한 증상이 있는 환자에게 기관협착을 확인할 필요가 있다. 하지만 휴식을 취할 때는 일반적으로 이런 증상이 나타나지 않다가 기관 내강이 50–75% 감소할 때 발생한다. 전향적 연구 결과를[6,19,24-26] 모두 모아보면 발관 후 환자의 3%에서 후두협착이 관찰되었다. 발생빈도는 기계환기의 기간에 의해 좌우된다. 장기기계환기를 시행한 환자(11일 이상)의 14%에서 후두협착이 관찰되었다.[26] Elliott 등은 급성호흡곤란증후군 환자의 기관내삽관이 미치는 장기적인 부정적 영향에 대해 평가하면서 퇴원 후 4–12개월에 환자의 10% (3/30)에서 후두기관협착으로 인한 상기도 폐쇄의 징후가 관찰되었다고 하였다. 주로 호흡곤란을 겪었으며, 어려운 삽관과 기관내삽관 커프의 고압 등이 위험인자이다.

기관식도루

기관식도루는 기관내삽관이나 기관절개술 이후 드물게 발생하지만 잠재적으로 생명을 위협하는 합병증이다. 최근 저압 커프가 달린 튜브를 사용하고 커프 압력을 면밀히 모니터링하면서 기관식도루는 좀처럼 발생하지 않는다.

합병증 예방

영국의 기도관리 관련 주요 합병증에 관한 기록을 보면 위험환자 인지 실패, 불완전한 계획, 이러한 사건을 성공적으로 관리할 수 있는 숙련된 인력과 장비의 부족, 사건 인지 지연, 호기말 이산화탄소 감시(Capnography)의 이해 부족이나 실패 등에서 중요한 격차가 존재하는 것으로 파악된다.[28] 전술한 합병증을 예방할 수 있는 중요한 방법은 교육프로그램을 실행하고, 어려운 기도 관리를 강조하는 삽관 시행법에 관한 적정한 알고리즘을 채택하는 것이다.

중환자실의 기관내삽관에 대해 묶음 치료 전략을 시행할 경우 삽관과 관련된 즉각적이고, 심각한, 생명을 위협하는 합병증이 감소되는 것으로 여러 연구를 통해 밝혀졌다.[29] 다만 이것이 장기적인 기도 관련 합병증의 발생에 영향을 주는지는 분명하지 않다. 기관내튜브(ETT)의 크기가 합병증의 발생률에 영향을 줄 수 있다. 튜브크기가 8인 경우는 장기기계환기 환자의 부정적인 기도 후유증의 상당한 위험인자인 것으로 밝혀졌다.[30] 커프 압력과 튜브 안정성을 면밀히 모니터링할 필요가 있다, 커프압력이 20–30 cmH_2O 이상일 경우는 점막허혈과 기관손상를 초래하는 것으로 보인다.[31] 저용량 고압 저유순도(low compliance) 커프와 비교할 때 고용량 저압 고유순도(일명 소프트커프)를 사용한 인공기도에 의한 손상이 적게 나타났다.[31,32] 비강튜브로 인한 부비강염을 예방하는 최선의 예방법은 비강삽관을 하지 않는 것이다.

진단적 접근법

기관내삽관 중 초래되는 후두손상 및 기관손상은 정확한 진단적 접근법이 불가능하기 때문에 대체로 잘 알려지지 않았다. 간혹 기관손상은 커프를 수축시키고 관을 위쪽으로 움직인 후에 섬유광학 기관지경을 통해 발견되기도 한다. 이러한 기법은 표준화되지 않았기 때문에 권고하기는 어렵다.

유량용적곡선으로 고정된 기도폐쇄가 확인되기도 한다. 신체검사와 폐기능검사는 기관내삽관과 기계환기의 합병증을 진단하는 기본적인 수단이다. 발관 후 손상은 직간접적인 후두경, 섬유광학 기관지경, 경부 CT, MRI로 평가한다. 또한 피열연골탈구와 성대마비, 신경손상을 구별할 때 후두의 근전도가 요긴할 수도 있다.

장기기계환기를 시행하고 인공호흡기 제거에 어려움을 겪은 후에 기관협착이 뒤늦게 발견되기도 한다. 전술한 바와 같이 기도가 50-60% 줄어들 때 협착으로 인한 증상이 나타난다. 이를 고려하여 퇴원 후 4주와 4개월에 이들 환자에 대한 면밀한 추후관찰을 할 것을 권고한다. 임상적으로 기관협착에 대한 의심소견이 있다면 전술한 진단적 접근법을 취해야 한다. 특히 삽관으로 인한 기관기관지손상을 교정하기 위해 흉부수술을 한 환자에게는 기관협착을 찾기 위한 추후관찰이 필요하다.

기관절개술

기관절개술은 중환자실에서 빈번히 시행되는 수술과정으로 지난 수십 년 사이 많은 변화를 겪었다. 전술한 기관내삽관의 합병증이 장기 기도관리를 위해 기관절개술이 시행되는 주요 이유이다. 기관절개술 시행이 필요함을 보여주는 주요 징후는 장기기계환기의 필요이다. 다만 최적기가 언제인지에 대해서는 현재도 논의가 진행되고 있다. 조기 기관절개술이 장기적 임상결과를 개선한다는 증거가 아직 제시되지 않았기 때문이다.[33] 그러나 경피적 기법이 중환자실에서 보급되어 널리 시행된 이후 기관절개술을 받는 중환자의 수가 증가했으며 비교적 중환자실 입원 초기에 이러한 시술이 시행되고 있다. 많은 연구에서 환자의 안락감이 개선되고 구강위생이 개선되었으며 진정치료의 필요가 감소하는 등의 장점을 조명하였다. 또한 기관절개술을 시행할 경우 호흡일(WOB)이 줄어들고 사강환기(Dead Space Ventilation)가 감소하기 때문에 기계환기의 기간을 줄일 수 있다. 하지만 기관절개술은 여러 중증합병증과 연관이 있을 수 있다. 여기에서는 후기 합병증에 초점을 두어 기관절개술 관련 합병증을 살펴보기로 한다.

술기

경피적 기관절개술이 중환자실에서 널리 시행되고 있으며 지난 몇 년 사이 여섯 가지의 경피적 기관절개술 기법이 개발되었다. 최근 논문에서 경피적 기관절개술의 잠재적 장점이 몇 가지 소개된 바 있으며 중환자실의 전문의들은 경피적 기법을 기관절개술이 필요한 중환자들에게 적합한 방법으로 보고 있다. 경피적 기법과 수술적 기법을 비교하는 메타분석에서 상처감염이나 흉터 등과 관련하여서는 경피적 기법을 실시한 집단에서 훨씬 합병증이 적게 발생한 것으로 나타났다. 하지만 전체적인 합병증과 사망률 등을 비교했을 때 두 기법 사이에 큰 차이는 없었다. 또한 경피적 기관절개술이 비용 대비 효과가 우수하고 병상 활용과 수술 등의 측면에서 실행가능성이 높다.[34] 단일과정의 확장(Single-Step Dilation)이나 Modified Ciaglia 기법이 경피적 기관절개술로 가장 많이 활용되고 있으며 안전이나 성공률로 평가할 때 가장 신뢰할 만한 기법이다.[35-36] 수술적 기관절개술은 경피적 기법의 금기증이 있는 환자에게만 일반적으로 시행된다.

기관절개술의 초기 합병증

대규모 사례연구에서 초기 합병증(시술 중 또는 시술 직후) 유병률은 3%였다.[37] 합병증은 다음과 같다.

- 출혈이 가장 흔한 합병증으로 보고되었다. 다만 출혈량은 많지 않고 생명을 위협하거나 치명적인 경우는 거의 없다. 경피적 방법은 개구부가 적어 혈관을 효과적으로 막기 때문에 수술 중 출혈이나 개구부의 출혈이 적은 것과 연관이 있다.
- 기관절개에서 캐뉼라가 빠지는 사고나 관폐쇄는 경피적 기법의 주요 문제점이다. 중환자실에서 빈번하게 발생하는 기도관리의 문제로 질병이환이나 사망으로 이어질 수 있다.[28] 개방기법(open technique)을 사용할 경우 기관절개술 튜브 삽입이 보다 용이해진다.
- 피하기종과 기흉은 경피적 기관절개술과 연관이 있지만 드문 합병증으로 각각 환자의 1.4%와 0.8%에 발생한다.[37]
- 수술적 또는 경피적 기관절개술 시행 이후 환자의 1% 이내에서 발생하는 기관후벽 손상은 수술적 교정이 필요한 중증 합병증이다.
- 상처감염은 수술적 기관절개술 이후 흔하게 발생한다. 경피적 기관절개술은 피부절개부위가 적고 따라서 상처도 작기 때문에 수술적 방법보다는 상처감염의 빈도가 낮다.

일부 연구에 따르면 중환자실 퇴원 후에도 기관절개술을 유지해야 하는 경우는 중환자실 이후 사망률 증가와 연관이 있다.[37] 최근 자료에서는 중환자실에서 퇴원하여 병동으로 옮길 당시 기관절개술 튜브를 유지하는 환자가 전담 다학제적 팀의 추후관리(일반 관리와 비교하여)를 받는다면 캐뉼라 제거까지의 시간, 입원기간, 부정적 사건 등을 모두 줄일 수 있는 것으로 나타났다.[38]

후기 합병증

초기 합병증과 비교할 때 후기 합병증은 정량화하기가 어렵다. 그 이유는 중환자실 생존자에 대한 장기적인 추적관찰이 어렵고 합병증이 기관절개술에 부차적으로 발생한 것인지 아니면 기관내삽관에 의한 것인지 아니면 이 둘이 복합적으로 작용한 것인지를 판단하기가 어렵기 때문이다. 여기에서는 최근 자료를 통해 지난 수십 년 사이 기관절개술 합병증 발생의 변화를 살펴보도록 한다.

육아조직(granulation tissue)

기관절개술 이후 빈번하게 나타나는 현상으로 육아조직 발생을 꼽을 수 있으며 많은 환자가 기관창 부위에 기관이 어느 정도 좁아지는 것을 경험한다. 이러한 합병증은 대체로 증상이 없지만 기도폐색, 기관협착으로 이어질 수도 있다.[39]

기관협착

기관협착은 기관절개술 이후 가장 흔하게 발생하는 후기 기도 합병증이라 할 수 있다. 기관협착의 관련 위험인자로는 패혈증, 기관창의 감염, 과도한 커프 압력으로 인한 점막허혈, 고령, 전신성 코르티코스테로이드 노출, 관 삽입 장기화 등이 있다.[39] 창의 위치가 높고 윤상연골의 손상을 입었을 경우도 기관협착의 위험 증가와 관련이 있다. 고용량 저압 기관내 커프의 사용으로 중증(>50%) 기관협착 유병률은 감소하였다. 최근 연구에서 임상적으로 중요한 기관협착 발병률은 1.7–5.9% 사이인 것으로 나타났다.[40,41] 비만인 경우 기관절개술 이후 합병증이 보다 많이 발생한다. Halum 등은 미국내 기관절개술 합병증을 조사하기 위해 기관절개술이 시행된 1,175개의 차트를 검토하여 기도협착발생과 BMI>30 사이에 유의미한 관련성이 있다는 것을 밝혀냈다.[40]

응급실에서 경피적 기관절개술이 시행된 환자에서 증상이 없는 기관협착이 자주 발생한다. 하지만 협착의 정도는 일반적으로 심하지 않다. Morwood 등은 경피적 기관절개술이 시행된 환자에 대해 30개월간 기관 CT 등의 추적조사를 시행하여 48명 중 15명(31%)에게서 10%의 기관협착을 발견하였다. 하지만 이들 환자 중 단 한 명만이 50% 이상의 기도강 협착이 관찰되었다. 한 명의 환자를 제외하면 모든 협착은 스토마(Stoma)에서 발생하였다.[42]

기관내삽관과 기관절개술은 각각 기관협착을 초래할 수 있기 때문에 기존의 기관내삽관과 기관절개술의 효과를 구분하기는 상당히 어렵다. 다만 기관절개술 이후 기관협착과 기관내삽관 이후 기관협착은 다르다. 기관절개술 시행 이후 발생하는 기관협착은 일반적으로 기관 스토마 부위에 과도한 육아세포 형성을 동반한 비정상적인 상처 치유에서 초래된다.[43] 과도한 육아세포는 골절연골에서도 발생할 수 있는데 이러한 골절연골은 기관절개술 중에 발생할 수 있다. 하지만 기관연골고리 골절이 진정으로 향후 기관협착과 연관이 있는지 여부에 대해 의문이 제기되었다. 기관연골고리 골절이 발생한 환자 16명에 대해 이비인후과 전문의가 추적관찰을 시행하였고 기관에는 비내시경검사를 시행하였다. 해당 연구에서 추적관찰 동안 기관협착으로

보고된 사례는 없었다.[44]

경피술이 기관협착으로 이어지는 빈도가 높은지는 논란이 되고 있다. 현재까지의 근거 자료에서는 기관협착은 두 기법 모두에서 동일한 정도로 발생한다.[45] Silvester 등은 경피적 기관절개술(Ciaglia 기법)과 수술적 기관절제술을 비교하는 전향적 무작위대조연구를 실시하였다. 경피적 기관절개술을 실시한 29명의 환자와 수술적 기관절제술을 실시한 42명의 환자에 대해 장기 후유증을 평가하기 위해 평균 20개월에 추적조사를 실시한 결과 두 집단에서 기관협착이 관찰된 환자는 아무도 없었다.[46]

흉터형성

중환자실 환자에서 기관절개술과 같은 중재술로 흉터가 남을 수 있다. 경피적 기관절개술의 절개창은 작기 때문에 조직손상이 적고 미관상 문제되지 않는 흉터만 남게 된다. Badia와 연구진은 중환자실에서 시행된 중재술로 인한 피부 상처를 확인하기 위해 중환자실 퇴원 후 12개월에 189명의 환자를 검사하였다. 전체 189명의 환자에 대해 면담이 진행되었고 그 중 93명(49%)의 환자가 12개월 후에도 피부 상처가 있다고 응답하였다. 수술적 기관절개술이 시행된 모든 환자가 흉터가 있다고 답하였으나 경피적 기관절개술이 시행된 24명의 환자 중 4명은 전혀 흉터가 남지 않았다고 하였다. Sylverster 등은 평균 20개월에 기관절개술로 인한 피부흉터를 평가하여 수술적 기관절개술의 경우 흉터의 길이가 더 길었고, 비정상적인 색소침착, 주름, 비대가 관찰되었고, 눈에 띄거나 보기 흉한 상처가 남는 경향이 있었다.[46]

변성

전술한 Norwood 등에 의한 연구에서 경피기관절개술을 시행한 100명의 환자에 대해 면담이 진행되었다. 27%가 목소리가 변하였다고 하였고 2%는 쉰 목소리가 심했다.[42] 캐뉼라 제거 후 16개월에 66명의 환자를 평가한 연구에서 21%의 환자에게서 경증의 변성이 관찰되었다.[48] Antonelli 등은 장기기계환기 생존자 31명을 대상으로 기관절개술 실시 1년 후에 면담과 검사를 실시하였다. 경피기관절개술 집단의 13명 중 5명(38%), 수술적 기관절개술 집단의 18명 중 6명(33%)이 주관적으로 느끼는 음성이나 호흡에 문제가 있다고 답하였으며, 그 증상을 가볍거나 중간 정도로 기술하였다.[45]

삼킴장애

기관튜브가 삽입되어 있을 경우 흡인이 유발되거나 증가하는 것으로 밝혀졌다. 이를 설명할 수 있는 기전으로는 후두의 당김, 상기도의 둔감화, 성대폐쇄반사장애, 후두근육 미사용에 의한 위축, 커프 팽창에 의한 식도압박, 삼킴 시 성문하기압 소실 등이 있다.[49] Romero 등은 기관절개를 실시한 비신경계 중증질환자 40명에 대해 기계환기 중단 후 3–5일째 섬유광학내시경을 통해 삼킴기능 평가를 실시하였다. 이들 중 38%가 삼킴장애가 발생한 것으로 나타났다. 삼킴장애가 발생한 환자 중 73% (11/15)는 무증상 흡인 양상을 보였다.[50] 주의할 점은 삼킴장애 발병률이 높은 것으로 알려진 신경계장애를 가진 환자는 이번 연구에서는 제외되었다는 점이다. 삼킴장애가 있는 환자는 기관 캐뉼라 제거과정이 상당히 지연되었다. 이러한 연구결과에 관련하여 캐뉼라를 제거하기 전에 정기적으로 삼킴기능에 대한 평가를 실시할 것을 권고한다.

누공

기관식도루는 환자의 1% 미만에서 발생하는 상대적으로 드문 합병증으로, 일반적으로 기관후벽에 발생한 의인성 손상이 원인이다. 기관절개술 시행 이후 발생하는 드물지만(<1%) 치명적인 합병증은 대량의 출혈을 동반하는 기관동맥루이다. 이러한 누공의 대다수가 기관조루관 삽입 이후 3일에서 6주 사이에 발생한다. 위험인자로는 높은 커프 압력으로 인한 압력괴사, 캐뉼라 팁의 위치가 올바르지 않아 발생하는 점막외상, 기관하단 절개, 과도한 목 움직임 등이 있다. 즉각적으로 치료를 시행하지 않을 경우 치명적이다.

기관연화

드물게 발생하는 후기 합병증으로는 기관연화도 있다. 압력괴사, 혈류장애, 감염재발과 더불어 지지연골의 파괴 등으로 인해 발생한다. 이렇게 기도가 약화되면 호기시 기도폐쇄가 초래될 수 있다.[39]

기관절개술 이후 장기결과

Engoren 등은 1999년과 2000년 사이 호흡부전으로 기관절개술을 시행한 429명의 환자를 대상으로 퇴원 후 생존과 기능상의 결과를 연구하였다.[52] 원내사망률은 19%였으며, 생존자는 젊은 연령으로 퇴원 후 재활치료를 많이 받은 수술환자인 경우가 많았다. 생존자 중 57%만이 기계환기에서 벗어났다. 병원 생존자의 36%가 퇴원 1년 후 사망하였다. 기관튜브 없이 퇴원한 환자의 1년 생존율이 가장 우수하였고(92%), 인공호흡기에 의존한 환자의 사망률이 가장 높았다(57%). 66명의 환자가 기능적 상태에 관한 SF–36을 작성하였다. 추적관찰에서 응답자 대부분이 정서적 건강은 우수하였으나 신체적 제약이 있는 상황이었다. 캐뉼라를 제거한 환자의 사회적 기능이 부분적으로 또는 전적으로 인공호흡기에 의존하는 상태에서 퇴원한 환자에 비해 양호하였다.[52]

Antonelli 등이 수행한 추적관찰 평가에서 각 집단 별로 면담한 생존자 중 절반 이상이 자신의 신체건강을 중등도 이상으로 나빠졌다고 하였으며 정서건강은 이보다도 낮게 평가하였다. 기공이 개방된 환자의 평가는 폐쇄된 환자에 비해 상당히 낮았다. 기관절개술의 기법(경피 vs. 수술)은 측정된 결과에 유의미한 영향을 주지 않았다.[45]

합병증 예방

다른 침습적 수술과 마찬가지로 합병증 발생률은 집도의의 경험, 환자의 해부학적 특징에 따라 달라진다.[48,53] 따라서 경피적 기관절개술 금기증(목구조의 변화, 회복불가능한 응고장애 등)을 알게 된다면 합병증을 피할 수 있다. 다만 금기증 대부분이 상대적인 것이고 집도의의 숙련도에 의해 좌우된다.

비디오기관지경의 유도 하에 기관절개술을 수행할 것을 권고한다. 비디오기관지경을 사용하면 집도의가 기관지경의 과정을 볼 수 있게 되므로 수술 중 합병증을 최소화할 수 있다. 바늘, 유도철사, 확장기, 기관조루 캐뉼라의 정확한 위치를 확인할 수 있다. 또한 기관후벽의 병원성 손상을 예방할 수 있다. 다만 환기부전, 이산화탄소 이상정체, 비용증가, 시술 시간 연장 등이 기관지경의 단점이다. 수술 중 초음파를 통해 혈관이상을 발견할 수 있고 후두마스크(LMA)의 사용은 섬유광학내시경으로 시행한 경피 기관절개술 중에 기관과 후두의 시야를 개선한다는 연구 결과가 발표되었다. 이는 모두 안정성 개선에 기여할 것이다. 다만 이러한 접근법의 일상적 활용을 권고하기 위해서는 보다 많은 연구가 선행되어야 할 것이다. 기관협착을 방지하려면 과다팽창을 막기 위해 커프 압력에 대한 세심한 모니터링을 시행할 것을 권고한다. 기관절개 후 튜브를 고정하기 위해 외부플랜지 봉합을 할 경우 합병증을 감소시키는 것으로 보인다.[40] 결론적으로 기관절개술을 시행한 환자에 대한 치료를 표준화한 전략을 시행하고 가이드라인을 마련할 경우 합병증 발병률을 감소시킬 수 있다.[54]

합병증 치료

후두 육아종은 수술이나 내시경에 의한 중재술을 고려하기 전에 최우선적으로 흡입 스테로이드로 치료할 수 있다.[55] 후두협착은 레이저 치료, 확장, 스텐팅 등 보다 침습적인 중재술이 필요하다. 윤상피열관절 섬유증과 같이 복잡한 병리를 치료하기 위해서는 복원수술이 필요하다. 기관협착의 치료전략은 증상과 중증도에 따라 달라진다. 경증 협착(기도직경의 25% 미만)이 발생했고 증상이 없는 환자는 치료 없이 관찰을 한다. 중증 협착 환자를 위한 중재술에는 풍선확장술, 레이저 절제술, 냉동요법(cryotherapy), 스텐트 삽입, 협착부위의 기관절제 및 재문합 등 수술적, 비수술적 방법이 있다. 4 cm 이상인 협착은 일반적으로 기관의 소매식 절제술(tracheal sleeve resection)로 관리한다. 중간 정도의 협착이 서서히 진행되는 환자는 굴곡성이나 경직성 기관경으로 기계적 확장을 한 후 레이저 중재술 및/또는 스텐트 삽입을 하면 된다. Rahman은 기관내삽관을 실시한 76명의 환자와 기관절개술을 실시한 30명의 환자에게 관찰된 기관협착 치료를 위해 실시한 굴곡성 기관경 관리를 평가하였다.[56] 환자 대다수에게 스텐트 삽입과 근접치료(brachytherapy)보다는 풍선확장술과 레이저 치료를 실시하였다. 환자 집단의 연령이 높아 동반질환의 부담이 상당히 컸음에도 불구하고 굴곡성 기관경 치료방식 이후 평균 추후관리기간 51개월에 평가한 성공률은 거의 90%에 달하였다. Nouraei는 성인환자의 삽관 후 기관협착에 대한 내시경 치료결과를 평가하였다.[57] 전체 62명의 환자 중 53명에 대해 기관절개술이 실시되었고 삽관 기간은 26±28일이었다. 삽관과 중재술 실시 사이의 잠복기간은 29±47개월이었다. 풍선확장술, 레이저 치료, 스텐트 삽입뿐만 아니라 소염작용을 위해 미토마이신 C나 스테로이드를 국지적으로 투여하였다.[58] 확장술과 스텐트 삽입 치료가 성공적으로 끝난 후 거의 모든 환자(14/15명 환자)가 발관과 캐뉼라 제거가 가능했다.

기관열상의 정도와 위치에 따라 비수술적 전략과 수술적 전략이 모두 시행될 수 있다.[59,60] 응급 기관내삽관 중 발생한 기관파열은 수술적 전략이 필요하다.[61]

기관내삽관 이후 발생한 기관협착의 관리에서는 마취를 한 후 경직성 기관경과 굴곡성 기관경의 병행 적용을 추천하고, 특히 스텐트 삽입을 위해 마취를 해야 한다.

기관협착 치료를 위한 스텐트 삽입의 성공률은 상처부위의 위치, 성문과의 거리, 협착의 잔여정도, 스텐트의 유형에 따라 달라진다. 기관 내에 스텐트를 고정시키는 것이 가장 큰 난관이다. 치료 과정에서 확장과 레이저 중재술의 효과를 안정화시키기 위해 스텐트를 사용하였다면 수주에서 수개월 이후에 이를 제거할 수 있다.

기관연화증의 치료는 그 정도에 따라 달라진다. 경증 기관연화증이라면 보수적인 전략을 취할 수 있다. 중증 기관연화증의 관리를 위해서는 스텐트 삽입, 기관절제와 함께 단단문합(end-to-end anastomosis)이나 기관성혈술 시행이 필요하다.

참고문헌

1 Wain JC, Jr Postintubation tracheal stenosis. Semin Thorac Cardiovasc Surg 2009;21:284-9.

2 Frost EA. Tracing the tracheostomy. Ann Otol Rhinol Laryngol 1976;85:618-24.

3 Macewen W. Clinical observations on the introduction of tracheal tubes by the mouth, instead of performing tracheotomy or laryngotomy. Br Med J 1880;2:163-5.

4 Nilsson E. On treatment of barbiturate poisoning; a modified clinical aspect. Acta Med Scand Suppl 1951; 253:1-127.

5 Ibsen B. The anaesthetist's viewpoint on the treatment of respiratory complications in poliomyelitis during the epidemic in Copenhagen, 1952. Proc R Soc Med 1954;47:72-4.

6 Stauffer JL, Olson DE, Petty TL. Complications and consequences of endotracheal intubation and tracheotomy. A prospective study of 150 critically ill adult patients. Am J Med 1981;70:65-76.

7 Martin LD, Mhyre JM, Shanks AM, Tremper KK, Kheterpal S. 3,423 emergency tracheal intubations at a university hospital: airway outcomes and complications. Anesthesiology 2011;114:42-8.

8 Phillips LG, Jr, Cunningham J. Esophageal perforation. Radiol Clin North Am 1984;22:607-13.

9 Keenan RL, Boyan CP. Cardiac arrest due to anesthesia. A study of incidence and causes. JAMA 1985; 253:2373-7.

10 Warner ME, Benenfeld SM, Warner MA, Schroeder DR, Maxson PM. Perianesthetic dental injuries: frequency, outcomes, and risk factors. Anesthesiology 1999;90:1302-5.

11 Fassoulaki A, Pamouktsoglou P. Prolonged nasotracheal intubation and its association with inflammation of paranasal sinuses. Anesth Analg 1989;69:50-2.

12 O'Reilly MJ, Reddick EJ, Black W, et al. Sepsis from sinusitis in nasotracheally intubated patients. A diagnostic dilemma. Am J Surg 1984;147:601-4.

13 Deutschman CS, Wilton P, Sinow J, Dibbell D, Jr, Konstantinides FN, Cerra FB. Paranasal sinusitis associated with nasotracheal intubation: a frequently unrecognized and treatable source of sepsis. Crit Care Med 1986;14:111-14.

14 Holzapfel L, Chastang C, Demingeon G, Bohe J, Piralla B, Coupry A. A randomized study assessing the systematic search for maxillary sinusitis in nasotracheally mechanically ventilated patients. Influence of nosocomial maxillary sinusitis on the occurrence of ventilator-associated pneumonia. Am J Respir Crit Care Med 1999;159:695-701.

15 Wittekamp BH, van Mook WN, Tjan DH, Zwaveling JH, Bergmans DC. Clinical review: postextubation laryngeal edema and extubation failure in critically ill adult patients. Crit Care 2009;13:233.

16 Tadie JM, Behm E, Lecuyer L, et al. Post-intubation laryngeal injuries and extubation failure: a fiberoptic endoscopic study. Intensive Care Med 2010;36:991-8.

17 Kambic V, Radsel Z. Intubation lesions of the larynx. Br J Anaesth 1978;50:587-90.

18 Burns HP, Dayal VS, Scott A, van Nostrand AW, Bryce DP. Laryngotracheal trauma: observations on its pathogenesis and its prevention following prolonged orotracheal intubation in the adult. Laryngoscope 1979;89:1316-25.

19 Colice GL, Stukel TA, Dain B. Laryngeal complications of prolonged intubation. Chest 1989;96:877-84.

20 Thomas R, Kumar EV, Kameswaran M, et al. Post intubation laryngeal sequelae in an intensive care unit. J Laryngol Otol 1995;109:313-16.

21 Taryle DA, Chandler JE, Good JT, Jr, Potts DE, Sahn SA. Emergency room intubations-complications and survival. Chest 1979;75:541-3.

22 Bordon A, Bokhari R, Sperry J, Testa D, Feinstein A, Ghaemmaghami V. Swallowing dysfunction after prolonged intubation: analysis of risk factors in trauma patients. Am J Surg 2011;202:679-82.

23 Santos PM, Afrassiabi A, Weymuller EA, Jr Prospective studies evaluating the standard endotracheal tube and a prototype endotracheal tube. Ann Otol Rhinol Laryngol 1989;98:935-40.

24 Pecora DV, Seinige U. Prolonged endotracheal intubation. Chest 1982;82:130.

25 Kastanos N, Estopa MR, Marin PA, Xaubet MA, Agusti-Vidal A. Laryngotracheal injury due to endotracheal intubation: incidence, evolution, and predisposing factors. A prospective long-term study. Crit Care Med 1983;11:362-7.

26 Whited RE. A prospective study of laryngotracheal sequelae in long-term intubation. Laryngoscope 1984;94:367-77.

27 Elliott CG, Rasmusson BY, Crapo RO. Upper airway obstruction following adult respiratory distress syndrome. An analysis of 30 survivors. Chest 1988;94:526-30.

28 Cook TM, Woodall N, Harper J, Benger J. Major complications of airway management in the UK: results of the Fourth National Audit Project of the Royal College of Anaesthetists and the Difficult Airway Society. Part 2: intensive care and emergency departments. Br J Anaesth 2011;106:632-42.

29 Jaber S, Jung B, Corne P, et al. An intervention to decrease complications related to endotracheal intubation in the intensive care unit: a prospective, multiple-center study. Intensive Care Med 2010;36:248-55.

30 Santos PM, Afrassiabi A, Weymuller EA, Jr Risk factors associated with prolonged intubation and laryngeal injury. Otolaryngol Head Neck Surg 1994;111:453-9.

31 Tu HN, Saidi N, Leiutaud T, Bensaid S, Menival V, Duvaldestin P. Nitrous oxide increases endotracheal cuff pressure and the incidence of tracheal lesions in anesthetized patients. Anesth Analg 1999;89:187-90.

32 Grillo HC, Cooper JD, Geffin B, Pontoppidan H. A low-pressure cuff for tracheostomy tubes to minimize tracheal injury. A comparative clinical trial. J Thorac Cardiovasc Surg 1971;62:898-907.

33 Wang F, Wu Y, Bo L, et al. The timing of tracheotomy in critically ill patients undergoing mechanical ventilation: a systematic review and meta-analysis of randomized controlled trials. Chest 2011;140:1456-65.

34 Higgins KM, Punthakee X. Meta-analysis comparison of open versus percutaneous tracheostomy. Laryngoscope 2007;117:447-54.

35 Kluge S, Baumann HJ, Maier C, et al. Tracheostomy in the intensive care unit: a nationwide survey. Anesth Analg 2008;107:1639-43.

36 Cabrini L, Monti G, Landoni G, et al. Percutaneous tracheostomy, a systematic review. Acta Anaesthesiol Scand 2012;56:270-81.

37 Fikkers BG, van Veen JA, Kooloos JG, et al. Emphysema and pneumothorax after percutaneous tracheostomy: case reports and an anatomic study. Chest 2004;125:1805-14.

38 Garrubba M, Turner T, Grieveson C. Multidisciplinary care for tracheostomy patients: a systematic review. Crit Care 2009;13:R177.

39 Epstein SK. Late complications of tracheostomy. Respir Care 2005;50:542-9.

40 Halum SL, Ting JY, Plowman EK, et al. A multi-institutional analysis of tracheotomy complications. Laryngoscope 2012;122:38-45.

41 Fikkers BG, Staatsen M, van den Hoogen FJ, van der Hoeven JG. Early and late outcome after single step dilatational tracheostomy versus the guide wire dilating forceps technique: a prospective randomized clinical trial. Intensive Care Med 2011;37:1103-9.

42 Norwood S, Vallina VL, Short K, Saigusa M, Fernandez LG, McLarty JW. Incidence of tracheal stenosis and other late complications after percutaneous tracheostomy. Ann Surg 2000;232:233-41.

43 Zias N, Chroneou A, Tabba MK, et al. Post tracheostomy and post intubation tracheal stenosis: report of 31 cases and review of the literature. BMC Pulm Med 2008;8:18.

44 Higgins D, Bunker N, Kinnear J. Follow-up of patients with tracheal ring fractures secondary to antegrade percutaneous dilational tracheostomy. Eur J Anaesthesiol 2009;26:147-9.

45 Antonelli M, Michetti V, Di PA, et al. Percutaneous translaryngeal versus surgical tracheostomy: a randomized trial with 1-yr double-blind follow-up. Crit Care Med 2005;33:1015-20.

46 Silvester W, Goldsmith D, Uchino S, et al. Percutaneous versus surgical tracheostomy: a randomized controlled study with long-term follow-up. Crit Care Med 2006;34:2145-52.

47 Badia M, Trujillano J, Servia L, March J, Rodriguez-Pozo A. Skin lesions after intensive care procedures: results of a prospective study. J Crit Care 2008;23:525-31.

48 van Heurn LW, Goei R, de P, I, Ramsay G, Brink PR. Late complications of percutaneous dilatational tracheotomy. Chest 1996;110:1572-6.

49 Prigent H, Lejaille M, Terzi N, et al. Effect of a tracheostomy speaking valve on breathing-swallowing interaction. Intensive Care Med 2012;38:85-90.

50 Romero CM, Marambio A, Larrondo J, et al. Swallowing dysfunction in nonneurologic critically ill patients

who require percutaneous dilatational tracheostomy. Chest 2010;137:1278-82.

51 Grant CA, Dempsey G, Harrison J, Jones T. Tracheo-innominate artery fistula after percutaneous tracheostomy: three case reports and a clinical review. Br J Anaesth 2006;96:127-31.

52 Engoren M, Arslanian-Engoren C, Fenn-Buderer N. Hospital and long-term outcome after tracheostomy for respiratory failure. Chest 2004;125:220-7.

53 Diaz-Reganon G, Minambres E, Ruiz A, Gonzalez-Herrera S, Holanda-Pena M, Lopez-Espadas F. Safety and complications of percutaneous tracheostomy in a cohort of 800 mixed ICU patients. Anaesthesia 2008; 63:1198-203.

54 Cosgrove JE, Sweenie A, Raftery G, et al. Locally developed guidelines reduce immediate complications from percutaneous dilatational tracheostomy using the Ciaglia Blue Rhino technique: a report on 200 procedures. Anaesth Intensive Care 2006;34:782-6.

55 Roh HJ, Goh EK, Chon KM, Wang SG. Topical inhalant steroid (budesonide, Pulmicort nasal) therapy in intubation granuloma. J Laryngol Otol 1999;113:427-32.

56 Rahman NA, Fruchter O, Shitrit D, Fox BD, Kramer MR. Flexible bronchoscopic management of benign tracheal stenosis: long term follow-up of 115 patients. J Cardiothorac Surg 2010;5:2.

57 Nouraei SA, Ghufoor K, Patel A, Ferguson T, Howard DJ, Sandhu GS. Outcome of endoscopic treatment of adult postintubation tracheal stenosis. Laryngoscope 2007;117:1073-9.

58 Noppen M, Stratakos G, Amjadi K, et al. Stenting allows weaning and extubation in ventilator- or tracheostomy dependency secondary to benign airway disease. Respir Med 2007;101:139-45.

59 Carbognani P, Bobbio A, Cattelani L, Internullo E, Caporale D, Rusca M. Management of postintubation membranous tracheal rupture. Ann Thorac Surg 2004;77:406-9.

60 Massard G, Rouge C, Dabbagh A, et al. Tracheobronchial lacerations after intubation and tracheostomy. Ann Thorac Surg 1996;61:1483-7.

61 Fan CM, Ko PC, Tsai KC, et al. Tracheal rupture complicating emergent endotracheal intubation. Am J Emerg Med 2004;22:289-93.

PART

중증질환 이후에 발생하는 인지장애와 행동장애

Chapter 18

중증질환 이후에 발생하는 인지장애와 행동장애

E. 웨슬리 일라이(E. Wesley Ely)

중환자실에 입원하는 것은 일반인들이나 의료 전문가들 모두에게 비극적이다. 비록 중환자실에서 생존한 환자들이 중증질환 이후에도 수개월, 수년 동안 후유증과 행동 장애를 겪게 된다는 것을 알고 있지만, 그래도 이들에게 중환자실의 기억은 끔찍하다. 지난 십여 년 동안, 연구자들은 이차적인 또는 악화된 뇌 손상들이 우리 환자의 삶을 파괴시키고 정상적인 삶으로의 회복을 심각하게 지연시킨다는 확실한 데이터를 발표해왔다. 이러한 장애 중 가장 중요한 것은 삶을 변화시키는, '치매와 같은' 인지손상(cognitive impairment)이다(19장 참조). 인지손상은 중환자실 생존자의 60–80%에서 발생하며 대부분 기억력과 집행 기능 장애로 특징된다. 이러한 문제는 환자가 일하고 주차장에서 그들의 차를 찾고, 쇼핑을 하고 계산하는 능력이 손상되기 때문에 실생활에 실질적인 영향을 준다. 그리고 대부분의 환자들은 잘 알고 있던 사람의 이름을 기억할 수는 있지만 새로운 사건, 사실, 일정을 기억하는데 어려움을 겪는다. 이러한 매우 고질적인 신경심리결손은 주요한 우울증(20장 참조), 외상후스트레스증후군(PTSD)(21장 참조)과 같은 기분 장애들로 인해 혼동될 수 있다. 중환자실 생존자들에게서 이 두 진단(우울증과 PTSD)의 발생률이 각각 25–30%와 10–20%임에도 불구하고 종종 주목받지 못한다. 전문가들은, 중환자실 치료 자체가 이러한 '새로 얻어진' 그리고/또는 '기존보다 악화된' 인지기능 저하의 위험인자임을 인식하기 시작하고 있다.

우리는 의료 전문가로서 이러한 문제를 어떻게 우리 일상진료활동에 받아 들일 수 있을까? 이를 위해서 당신은 환자가 폐렴, 담낭염과 같은 심각한 질병으로 병상에 누워있는 것을 마음 속에 그려보는 것이 중요하다. 그리고 당신이 치료를 하는 동안 이 환자는 문자 그대로 '목 위'와

'목 아래(뇌/중추신경계와 신경근/신경골격)'에 새로운 질병을 얻게 될 것이다. 의료진들은 이러한 두 가지 질환들이나 이로 인해 새로 발생하는 문제들에 주의를 기울일 필요가 있다. 그리고 두 카테고리가 불가분하게 연결되어 있다는 것을 인식하는 것이 중요하다. 이러한 문제를 예방하고 치료하기 위한 중재방법을 찾기 위해서, 우리는 환자가 중환자실에서 지내고 회복하는 동안 수정 가능한 위험 요소(modifiable risk factor)의 관리에 집중해야 한다(예를 들어 정신작용 약물에 대한 노출, 섬망의 기간, 수면장애(27장 참조), 그리고 부동의 기간). 이 책을 통해서 이와 같은 문제를 포함한 치료의 여러 측면들을 설명하고자 한다.

Chapter 19

중증질환에 따른 인지손상

라모나 홉킨스, 제임스 잭슨
(Ramona O. Hopkins and James C. Jackson)

서론

중증질환 치료의 발전으로 사망률의 감소를 가져왔고 생존 환자도 증가하였지만, 그들 중 많은 사람들이 상당한 육체적, 인지적, 심리적 문제를 겪는다.[1] 어느 사설에서는 중증질환에서 생존하는 것은 중환자의학의 주요 도전이라고 말했다.[2] 미국중환자의학회(SCCM)가 후원한 '중환자실 퇴원 후 결과를 향상시키기 위한' 회의에서 중증질환 후 발생한 육체, 인지, 정신 문제들을 한데 묶어 'post-intensive care syndrome (PICS)'이라고 명명하였다.[3] 이러한 질병들은 생존자들의 기능적 상태, 일터로 복귀하는 능력 그리고 삶의 질에 유해한 영향을 주며 의료 비용 증가와 관련이 있었다.[2] 이 장에서는 중증질환 후 얻게 되는 인지장애의 잠재적 메커니즘, 인지손상의 위험 요소들, 인지손상의 회복과 재활에 대해 중점적으로 다룰 것이다.

인지손상

중증질환 생존자들은 상당히 심각한 인지장애를 가지고 있으며, 유병률이 높고, 다양한 인지영역(기억력, 실행 기능, 주의, 의식의 처리속도)에 걸쳐 손상이 있고, 이러한 인지손상은 몇 년 또는 평생 지속 될 수 있다는 연구가 보고되었다.[4] 인지장애의 유병률은 퇴원 후 1년이 지났을 때 9–70%에 달했다.[5,6] 퇴원 시에 인지손상을 평가하였을 때 더 높은 유병률을 보였으며(78–100%)[7,8] 퇴원 후 2년이 지났을 때 45% 정도로 남아있었다.[7] 일부 사람들에게서 인지손상은 퇴원 후 6-12개월에 회복되며, TBI와 같은 뇌 손상 후 겪게 되는 회복과정과 비슷한 과정을 겪게 된다. 사실상 인지손상은 종종 심각하기도 하며, 많은 환자들이 중환자실 퇴원 후 수년 동안 상당한 인지손상을 경험한다. 나이와 같은 요소들이 인지손상률에 영향을 미치며 특히, 65세 이상일 때 인지손상 발생의 위험이 증가한다. Girard와 동료들은 대부분 연구에서 보고되었던 것 보다 높은 비율을 보고하였다. 61세 이상의 중환자실 생존자들에서, 중환자실 생존자의 80%가 퇴원 3개월에 인지손상을 가지고 있었으며 70%가 12개월에 인지손상을 가지고 있다는 것을 확인하였다.[6] 만성중증질환을 가진 환자들 중, PMV를 시행 중에 있는 126명의 환자를 대상으로 한 전향적 연구에서 단지 56%만이 1년까지 생존하였고 생존자 중 65%가 심각한 인지손상을 가지고 있다는 걸 발견하였다.[9] 심각한 인지손상만이 연구에서 평가되었기 때문에 많은 다른 생존자들은 가벼운 정도에서 중등도 인지장애를 가지고 있었을 확률이 크다. 생존자 중 82%가 나쁜 결과(기능적으로 완전한 의존)를 보였고, 26%가 중등도의 결과를(중등도 의존), 9%가 좋은 결과를 보였다(완전한 독립).[9] 이 데이터는 중증질환 후 인지장애가 공통적이지는 않으나 종종 심각할 수 있으며, 기능적 결과에 영향을 끼치며, 영구적일 수 있다는 것을 보여준다.

중증질환-후천적 뇌 손상

최근 신경영상 데이터들은 중증질환이 새로운 불특정 후천적 뇌 손상과 연관 있다고 제시하고 있다.[4,10,11] 후천적 뇌 손상은 급성 발생을 가지고 있고, 어느 나이에서나 발병할 수 있으며, 외적 환경이나 내적 문제때문일 수도 있으며 그대로 남아있거나 시간이 지남에 따라 향상되고 (감소하지 않음) 재활을 통해 개선될 수도 있다.

중대질병의 경우 저산소증, 싸이토카인의 활성화된 면역체계 불균형, 저혈압, 혈당의 불균형, 약물의 신경 독성효과(진정제), 섬망(생물학적 메커니즘)은 뇌 손상과 연관돼 있다.

후천적 뇌 손상의 필요조건 중 하나는 급성 발생이다. 최근 연구들은 중증질환-후천적 뇌 손상과 중증질환 후 관련된 인지손상 발병은 급성기에 발생한다고 제시한다. 최근 인구 기반으로 한 세 개의 연구는 새로운 후천적 인지손상이 중증질환의 한 사건, 패혈증, 입원기간 후에 발생한다는 것을 증명한다.[12-14] 인지적으로 건강한 노인을 대상으로 한 장기간 코호트 연구에서, 인지 기능을 매 2년마다 평가하였는데 중증질환을 경험하지 않은 환자와 비교하여 중증질병을 겪은 사람이 훨씬 큰 인지감소를 보인다는 것을 발견하였다.[12] 두 번째로 건강한 노인

1,194명을 대상으로 한 장기간 코호트 연구에서 심각한 패혈증은 새로운 인지장애의 발생과 관련이 있다고 하였다.[14] 마지막으로, 노인 1,870명을 대상으로 한 장기간 코호트 연구에서는 3년마다 인지기능을 평가하였는데, 나이, 질병의 심각성, 입원 전 인지손상을 감안해도, 입원 기간 중 노인 환자(단지 3%만 중환자실 입원하였었음에도 불구하고)의 인지감소 속도는 퇴원 이후 일 년 동안의 인지감소속도와 비교해 2.4배 높았다.[13] 기억력은 3.3배, 실행 기능은 1.7배 빠르게 감소하였다.[13] 이 데이터들은 일반적으로 패혈증, 중대질병, 입원기간이 이전에 인지장애가 없었던 건강한 노인 인구들에게도 갑작스런 인지손상을 새롭게 유발할 수 있다는 것을 보여준다.

인지손상의 병인학

후천적 뇌 손상의 또 다른 필요조건은 외적 환경이나 내적 문제의 결과이다. 인지손상 여부는 급성호흡곤란증후군(ARDS), 기계환기 후 패혈증, 수술, 두개내출혈이 없는 외상 환자 등 다양한 중환자실 환자를 대상으로 평가되었다. 특정 중증질환을 이용해 인지손상률을 직접적으로 비교한 연구가 없다; 그러나, 인지손상의 유병률은[16] 수술,[17] ARDS,[7] 패혈증[14] 등 다양한 중환자실 환자들에게서[15] 꾸준히 높게 나타나고 있다. 중환자실 생활을 6개월 했을 때, 일반적으로 내과계 중환자실 환자의 약 3분의 1이 인지손상을 가지고 있다. 내과계 중환자실 환자들 중 노인들은 중환자실 치료 후 12개월에 70%가 인지손상을 가지고 있는데 이것은 최고로 높게 보고된 것 중 하나이다, 그리고 이것은 질병의 원인뿐만 아니라, 고령과 같은 특성이 결과에 영향을 줄 수 있다는 것을 제시한다.[6] 이러한 고령 중증 환자 중에서, ARDS 환자는 장기적 인지손상의 유병률이 특히 높다: 퇴원 시 74%, 1-2년 후 약 46%이다.[7] 최근 한 다기관 연구에서 ARDS 환자의 인지 기능을 평가하였는데 55% 환자가 인지손상을 가지고 있고 13% 환자가 기억력 손상을 가지고 있고, 16%가 말의 유창성 손상을 가지고 있고, 49%가 집행 기능 손상을 가지고 있는 것을 발견하였다.[19] 당연히, 외상 환자는 낮은 인지 기능을 가지고 있는 것으로 나타났으며, 중증 외상 환자(두개내출혈 없음)의 57%가 중등도에서 심각한 인지손상을 가지고 있고, 두개골 골절이나 뇌진탕 있는 환자는 인지손상이 두 배 정도 높았다.[20] 외과계 중환자실 환자(두개내출혈 없음)를 대상으로 한 두 번째 전향적 연구는 환자의 55%가 중등도에서 심각한 인지손상을 가지고 있었으며, 인지손상을 가진 비율은 심각한 손상을 가진 환자(손상 심각 점수>25)와 비교해서 중등도 손상을 가진 환자(손상 심각 점수 >15, <25)도 다르지 않았다.[21] 이미 말했듯이, 만성중증질환자(CCI)의 65%가 인지손상을 가지고 있다.[9] 이 자료는 중대질병의 발병 원인자체는 중대질병을 가졌다는 것 또는 관련된 치료를

받았다는 것보다는, 인지손상발생에 덜 영향을 준다는 것을 보여준다. 발병원인에 따른 인지장애의 위험성을 구분하기 어려운 점은 대부분의 연구가 공통된 질병을 대상으로만 이루어진 코호트를 대상으로 이루어졌기 때문이다. 따라서 관찰된 인지손상에 대한 원인도 공통 기전으로 나타날 수밖에 없었다.

생물학적 기전

중증질환 환자의 인지손상 기전은 여러 요인이 있고, 서로 연관이 있다. 중증질환에 의한 인지손상 기전에 대한 연구는 제한적이지만 점차 증가하고 있다. 최근 자료들은 좋지 않은 인지후유증의 병태생리학적 기전으로 저산소혈증,[7] 저혈압,[22] 혈당 불균형,[23] 염증, 싸이토카인에 의한 면역 시스템 불균형을 제시하고 있다.[24]

저산소혈증

저산소혈증은 심폐질환 등 다양한 환자들의 인지손상과 관련이 있다. 인공호흡기를 사용하는 ARDS 환자를 대상으로 한 전향적 코호트 연구에서 인공호흡기 사용 기간과 저산소혈증 심각도와 인지 기능사이의 관계를 평가하였는데, 저산소혈증의 기간이 인지후유증에 상당한 영향을 미친다는 것을 증명하였다.[7] 이전 연구와 일관되게, 최근에 발표된 추가 연구에서 저산소혈증은 장기 인지손상 발생의 잠재적 위험인자로 발견되었다.[19]

연구기간동안의 저산소혈증, 전통적인 수액치료 전략, 그리고 낮은 중심정맥압은 각각 악화된 집행 기능과 연관이 있었다. 공변량을 감안해, 저산소혈증과 전통적인 수액치료 전략 12개월 후 인지손상과 독립적인 연관이 있었다.[19] 저산소증은 생화학적으로 뇌에 손상을 준다. (1) 아데노신 삼인산의 감소[25] (2) 젖산 산증[26] (3) 흥분성 신경전달 물질의 과도한 분비로 인한 독성[27] (4) 칼슘 이온의 세포 유입 증가와 이온펌프부전으로[28] 인한 세포 내 칼슘 축적 (5) 재관류 손상[29] (6) 괴사와 세포자멸사를[30] 포함한다. 저산소증으로 유도된 뇌 손상의 메커니즘을 복습하기 위해서 참고문헌 31번을 추천한다.[31]

저혈압

일부의 데이터는 저혈압이 인지손상과 관련이 있다고 보여주고 있다. ARDS 연구에서 저혈압 기간이 퇴원 시에는 기억손상과 관련이 있으나 1-2년 후에는 관련이 없다는 것이 발견하였다.[7] 이전에 언급하였듯이, 낮은 중심정맥압은 악화된 집행 기능과 인지손상과 관련이 있었다는 것이 발견되었다.[19] 그러나 이 연구에서는 감소된 뇌 관류, 낮은 심장 지수, 낮은 수축기 혈압과 같은 직접적인 증거가 없었다. 중증환자의 저혈압이 인지손상 발달의 위험요소인지를 확인하기 위해 추가적인 연구가 필요하다.

혈당 불균형

혈당 불균형은 1년 후 ARDS 환자 인지와 연관이 있다.[23] 혈당이 153 mg/dL(중등도 고혈당증)보다 높을 때 인지에 유해하다. 그러나 그 효과는 혈당이 증가한 만큼 나타나진 않는다.

더하여 혈당의 변동성(혈당 표준편차>15.9) 또한 인지후유증의 위험을 증가시킨다.[23] 두 번째 연구는 저혈당증을 가지고 있는 외과계 중증질환 환자를 저혈당증이 없는 중증환자와 비교하여 평가하였다.[17] 각 군의 환자들은 집중, 집행 기능, 작업 기억, 기억력, 시공간적 기술의 영역에서 인지손상을 보였다. 중증질환으로 생긴 인지손상은 혈당 불균형 영향이 아닌 저혈당증으로 악화되며, 고혈당증과 혈당의 변동성 또한 인지후유증에 유해하게 작용한다.[17]

중환자실에서 사망한 환자를 대상으로 한 최근 연구에서 정상혈당과 중등도 고혈당증, 고혈당증에 따른 신경병태학적 변화를 평가하였다.[32] 고혈당증이 있었던 환자는 미세아교세포의 활성도가 증가되었고, 별아교세포의 수와 활성도가 감소하였고, 신경세포사멸이 증가하고 해마와 전두엽 신경학적 손상이 증가되었다. 정상혈당은 손상을 방지하였고, 중등도 고혈당증은 신경병태학적 변화를 약화시켰다.[32] 고혈당증은 뇌혈류량(CBF)을[33] 감소시키고 혈관내피세포층을[34] 손상시키고 혈액뇌장벽(BBB) 삼투성을[35] 증가시키고, 차후 신경 세포사와 함께 신경전달물질의 흥분성을 증가시킨다.[36] 고혈당증으로 인한 뇌 손상의 기전은 젖산 산증의 증가와 인의 대사 손상,[37] 세포내 칼슘 유리 증가와 유입, 카테콜아민 분비 증가,[38] 신경괴사를 포함한다.[39] 또한 고혈당증은 자유산소 라디칼(free oxygen radical) 형성, 세포융해 단백질분해효소 형성(cytolytic protease)과 염증 유발 싸이토카인(pro-inflammatory cytokine)의 분비를 통해 신경세포손상의 결과를 낳는다.[40]

인지손상의 위험 요소

섬망

인공호흡기를 사용하는 중환자실 환자의 80%까지 섬망이 생길 수 있고 이것은 장기입원, 사망률 증가와 관련이 있다.[41] 섬망은 흔한 급성신경학적 기능 손상이고 이것은 중증질환자에게서 인지손상과 관련이 있다. 입원한 노인 환자를 대상으로 한 연구들은 섬망이 인지손상의 발달에 독립적인 위험요소라는 것을 보고하였다. 그러나 섬망과 인지손상의 관계는 완전히 알지 못한 채로 남아 있다.[42]

섬망은 중증질환 생존자의 신경학적 손상과 인지손상의 위험 요소일 수 있다. 한 연구에서 중증환자의 섬망과 인지에 대한 관계를 평가하였는데, 섬망 기간은 2일이었고 인지손상의 유병률이 3개월과 12개월에 70% 이내였다. 이 때 섬망 기간은 중증질환 생존자의 3개월, 12개월 인지손상을 독립적으로 예측하였다.[6] 전향적 코호트 연구는 확산텐서영상(DTI)를 사용하여 중증질환자의 섬망, 백질온전성(white matter integrity), 인지손상 사이의 관계를 평가하였다.[43] 장기간의 섬망은 뇌량(corpus callosum)의 백질 손상(white matter impairment)과 내포(internal capsule)의 앞부분(anterior limb)과 관련이 있었으며, 백질의 손상은 3개월, 12개월에 인지손상 여부와 관련이 있었다.[43] MRI 연구에서는 섬망을 가지고 있는 패혈증 환자는 여기저기 퍼져 있는 국소 병변을 포함하여, 특히 centrum semiovale에 병변이 있다는 것을 발견했다.[44]

섬망의 병태생리학적 기전은 복잡한 것으로 알려져 있다. 이는 도파민(dopamine)의 과다분비, 아세틸콜린(acetylcholine)의 고갈과[45] 같은 신경전달물질(neurotransmitter)의 합성, 분비 및 비활성화의 불균형과 관련 있다고 생각되며, 세로토닌(serotonin) 불균형과 증가된 노르아드레린(noradrenaline) 활성 또한 섬망과 관련이 있다.[46] 섬망의 다른 기전으로는 내독소(endotoxin)와 싸이토카인의 분비로 인한 염증반응,[47] 뇌 혈액공급의 감소,[48] 대사기능 부전(metabolic derangement),[49] 사상하부–뇌하수체 호르몬 축(hypothalamic–pituitary axis)의 활성화 등이 있다.[50]

진정제/진통제

당연히 중환자실에서 관례적으로 주는 약물은 신경전달물질에 영향을 준다(예를 들어 아세틸콜린, 도파민, 세로토닌, gama–amino butyric acid (GABA), glutamate, NE). 예를 들어, 삼환계 항우울제 (TCA), H2차단제, 아편제, 푸로세미드와 벤조디아제핀은 중추신경계에 콜린 억제성 효과를 가진다.[51] 과도한 도파민은 섬망 발달에 위험 요소이며[52] GABA 이상도 섬망을 유발할 수 있다.[53]

진정제(sedatives), 수면제(narcotics), 마비유도약물(paralytics)도 섬망 발생에[54] 영향을 미친다. 그러나 그것들이 인지 기능에 영향을 미치는 지에 대해선 많이 알려져 있지 않다. 최근 한 연구에서 SBTs와 진정제를 중단하고 줄이는 'a wake up–and–breathe protocol'을 받는 환자의 인지 결과를, 투약 중단없이 SBTs만 시행한 환자와 비교하여 평가하였다.[55] 인지손상은 흔하게 나타났다. 3개월에 79%에서 인지손상이 있었고, 12개월에 71% 환자에서 있었다. 진정제 노출을 줄인 환자에게서 3개월에 인지손상이 더 적었다. 하지만 12개월에는 그렇지 않았다. 이것은 진정제의 효과가 단지 단기간 결과에만 영향을 준다는 것을 제시한다.[55]

회복과 재활

회복

많은 연구들이 비록 중증질환 환자가 일반적으로 경험하는 회복이 부분적이거나 완전하지 않지만, 그들 사이에서 일어나는 자연적 회복 곡선이 있다는 것을 증명하고 있다.[6,7] 자발적 회복 기간은 몇 달에서 몇 년에 걸쳐서 일어나며, 회복률은 환자에 따라 다양하게 나타날 것이며 시간이 어느 정도 지났을 때 나타날 것이다. 모든 환자가 회복한다고 생각하는 것은 지나치게 단순화한 것이다. 중증질환 생존자들은 다양한 회복곡선을 가지고 있다. 그 곡선에는 질병 전의 기준치 기능으로 회복하는 사람, 인지기능이 감소하는 사람, 인지기능에 변화가 없거나 시간이 지나도 고정된 상태로 남아 있는 사람을 포함한다.

시간이 지나도 고정된 상태로 남아있는 그룹에는 두 개의 하위 집단이 있다. 중증질환 전 정상 인지 기능을 가지고 있는 사람과 중증질환 후 정상인 상태로 남아있는 사람 그리고 중환자실 퇴원 시 인지손상을 가지고 있고 시간이 지나도 손상된 상태로 남아 있는 사람(회복 없음)이다.

중증질환 발병 후 가설 결과들은 새로운 인지손상들을 포괄하고 있다. 즉 인지손상들은 시간이 지남에 따라 개인의 이전 인지 기능으로 회복하거나(자발적 회복), 감퇴하여 부분적으로 회복하거나, 회복하지 못하고 새로운 인지수행능력치로 감소 또는 중증질환 후 감소와 노화와 함께 계속 감소하는 것을 의미한다. 감소 후 향상과 같은 다른 결과 궤적들도 가능하다. 신경가소성을 통한 자발적 회복은 적어도 일부 환자에게서 나타난다. 하지만, 자발적 회복의 경우 인지재활의 혜택은 없을 것이다. 그리고 최상의 결과를 만들어내는데 효과적인 회복과 재활을 위한 만능 접근법은 없을 것이다.

재활

우리가 이전에 관찰하였듯이, 중환자실 집중치료는 인지손상의 원인이 되는 많은 위험 요소를 가지고 있다. 그 중 일부는 확실히 조정불가능하며, 반면에 다른 일부 위험 요소들은 조정이 가능할 수 있다. 이러한 위험 요소들이 줄어들거나 제거될 수 있을 때까지, 중환자실 생존자의 인지기능을 향상시키기 위한 주요한 방법은 인지재활일 것이다. 인지재활은 후천적 뇌 손상의 여러가지 원인들을 가진 환자들에게 적용되고 있다.[56] 외상이나 신경학적 문제로 중환자실 치료를 받는 환자들에 대한 접근(이들은 인지손상이 주된 증상으로 나타남)과 달리, 인지재활은 일반내과나 일반 외과계의 중환자실 생존자에게는 거의 사용되지 않는다.[57] 왜냐하면 그들의 문제는 뇌 손상에 대해 일반적으로 이해되는 패러다임과 맞지 않고, 자금 부족, 그리고 급성 입원 재활을 위한 규제사항(재활치료병원은 적어도 허가된 진단 목록 중 하나의 진단을 가진 환자의 60%가 최소로 요구됨, 미국상황 임) 때문이다.[3] 그럼에도 불구하고 인지재활은 중환자실 집중 치료 후의 환자를 위해 적절하고 효과적일 것이다.

인지재활은 여러 가지로 정의되고 있는데, Cicerone과 동료들이 제시한 정의에 따르면, '인지재활은 치료적 활동의 체계적이고 기능적인 서비스로 이는 그 환자가 가지고 있는 뇌의 문제와 기능장애에 기초한다.'라고 정의된다. 인지재활은 두 가지 기본원칙에 기초하는데: (1) 뇌는 손상으로부터 회복할 능력을 가지고 있다(더 크거나 더 작은 정도). 그리고 (2) 개인은 뇌 손상으로 인한 문제들에 대해 더 효과적인 대처를 하면서 이를 조정하고 적응할 잠재력이 있다.[59] 신경가소성의 '가능성'과 자발적 회복은 일부 뇌 손상된 개인들에게 긍정적인 이유를 제공하는 반면, 이것은 명백하게 일부 특수한 환경에서 좀 더 명확하게 들어맞고 환자의 나이와 재활의 시기와 같은 많은 요소들에 의존한다.[60] 뇌 가소성은 많은 설치류 실험연구에 반영된 것처럼 나이의 영향을 강하게 받는데, 이에 대한 연구들은 어린 동물들이 행동스트레스에 뉴런의 상당한 변화를 보이나 대조적으로 늙은 동물의 뇌는 변화 없는 상태로 남아 있다는 것을 증명한다.[61] 유사하게 가소성은 시간-의존적이다. 왜냐하면 뇌 손상 후 처음 몇 주, 몇 달 이내에 상대적으로 큰 변화가 일어나며 그 변화는 시간이 지남에 따라 점진적으로 소멸된다.[60] 이러한 사실을 바탕으로 볼 때 중환자실 집중 치료 후 회복 가능성이 가장 큰 사람은 젊고 뇌 손상 후 인지재활을 짧은 시간 안에 받은 사람이다.

인지 기능이 인지재활을 통해 향상될 수 있는 반면, '뇌가 손상된 사람(중환자실 생존자 포함)은 기본적인 신경가소성이 없더라도 보상 전략 사용을 통해서 더 기능적으로 될 수 있다'는 보고도 있다.[62] 보상 전략은 이론상으로 뇌 손상 후 어느 시점에서나 적용될 수 있으며 가소성에 영향을 주는 시간-의존적 요소들과 상관없다. 보상 전략은 개인이 가지고 있는 기술과 능력을 이용하여, 뇌 손상 후 생긴 인지손상의 영향을 '상쇄'시키는 새로운 것을 개발하는 것과 같은 접근을 말한다. 예를 들어, 손상된 기억력을 대신해서 memory book이나 daily planner, smart phone(스케줄과 알람)을 이용하는 것이다. 또 다른 예로, 보상(compensation)은 목표(goal)나 욕구(desire)를 조정해서, 환자가 손상 이후 잔존하는 자신의 기능에 맞추어 살 수 있도록 한다.[63] 뇌에 손상을 입은 한 젊은 중환자실 생존자에게 그(녀)가 대학에서 추구하던 기계 엔지니어링 프로그램은 실행능력 저하로 계획과 결정에 어려움을 겪게 될 관점에서 보면 더 이상 가능하지 않다. 보상 전략은 상대적으로 영향을 적게 받은 사려 깊은 대인관계 기술을 활용하는 것일 수 있다. 이런 것들을 이용하면 성공적으로 판매와 마케팅 공부를 할 수 있으며 상대적으로 더 많은 사회적 지원을 찾아낼 수도 있다. 물론 이러한 변화는 쉽게 성취되지 않으며, 환자들은 우울증이나 주변에 대한 걱정과 자신의 상실된 능력을 슬퍼하기 때문에, 상당한 정신 건강 관리가 요구된다. 실제로, 재활의 중심 목표는 비통해하는 개인을 도와주고 그들의 손상 후의 능력에 더 정확하게 부합하는 새로운 자아를 개발해주는 것일지도 모른다.[64]

중환자실 환자를 위한 조기 인지재활의 영향은 잘 연구되지 않으나 만약 가능하다면, 인지 결과를 향상시킬 용도로 발전할 가능성을 갖고 있다. 지금까지 하나의 단일 연구–The RETURN Trial–는 집행 기능장애에 대한 재활치료의 효과에 대해 집중했다. Jackson 등은 무작위배정연구를 통해 일반 내과계와 외과계 중환자실 환자에 초점을 맞춰 '재활 목표 관리 훈련'이라는 프로토콜을 적용하였다.[57] 중재 전, 신경심리학적 실험결과는 군간 차이를 보이지 않았다. 하지만 3개월 추적하였을 때 중재 그룹 환자들은 Tower Test (P<0.01)에서 상당히 향상된 집행 기능을 보여 주었다. The RETURN Trial은 명확한 제한을 가지고 있는 작은 탐색 연구였지만, 중환자실 생존자의 집행 기능에 대한 재활치료는 성취될 것이라는 것을 증명하고 있다. 그러나 그 효과가 시간이 지나도 지속될 수 있을지 확인하기 위해서는 대규모 집단을 대상으로 하는 추가 연구가 필요하다.

결론

중환자실 생존자의 인지손상에 대한 연구가 지난 십오년 동안 증가하였다. 중요한 지식들이 생겨났고 점점 더 많은 증거들이 중환자실 생존자들이 중증질환 후 뚜렷한 인지결함을 나타내는 것을 가리킨다. 거의 20개 연구가 공통적으로 인지 문제들은 퇴원 후 3분의 2 이상의 개인에게서 발생하며 수년 동안 지속되었는데, 이들 중 상당수는 병전 인지장애가 없었다고 보고되었다. 하지만, 시간이 지남에 따른 회복곡선, 중환자실 생존자가 계속적인 인지감소를 겪는지, 그리고 인지손상이 소위 이른바 현실 세계에서의 결과들과 어떤 관련이 있는지를 포함하는 많은 핵심 질문들이 남아있다. 시간에 따른 변화의 측면에서, 다른 환자군을 대상으로는 널리 연구되었으나 중환자실 치료 이후에서는 제한된 추적기간 때문에 연구가 드물다(대개 특정 기간 한 번). 중증질환 후 지속적인 인지감소가 일어나는 정도와 무엇에 의해 인지감소가 가속화되는지를 더 충분하게 평가하기 위한 연구들이 필요하다. 특히 노인 집단 연구가 필요하며, 결과의 뚜렷한 패턴에 기여하는 차등 위험 요소 연구가 필요하다. 비록 추측에 의한 것이고 증명되어야 하는 것으로 남아있지만, 노인성 치매의 증가하는 비율은 부분적으로 중증질환의 효과와 그 치료에 의한 것일 수 있다.[4,10,11]

중환자실 생존자에게 일반적인 인지손상의 기능적이거나 실제생활에서 나타나는 효과들에 대해서는 중요한 질문들이 남아있다. 불행히도 여기에 대한 관심이 매우 적다. 이러한 결과들은 운전, 약 복용, 금융 활동, 식료품 쇼핑, 지도 읽기 등을 포함한다. 기능적 결과는 측정하기 쉽지 않으며, 종종 전문화된 시설과 더 많은 훈련을 요구한다. 게다가 약 관리와 같은 과제에 대한 규범적인 자료는 존재하지 않거나 제한적이다. 이 연구들이 우리가 중환자실 치료 후 인지손상의 기능적 결과를 이해하는 것을 도와줄 것이기 때문에 이러한 장애물들이 인지 결함의 영향을 결정하는데 열정을 흐리게 해서는 안 된다.

중환자실 생존자의 인지손상은 공공 보건 문제로 남아있다. 최근 몇 년간, 이러한 현상에 대해 임상과 연구 환경, 대중 매체에서 더 많은 주의를 기울이고 있다. 중환자실 치료 후 질병을 향상시키기 위한 현재 노력은 유망하며, 집중 관리 후 재활 효과에 대한 연구들은 연구 분야 중 특히 흥미로운 부분이다. 여전히 알아야 할 것이 많다. 앞으로의 노력은 인지 결과들의 평가에서 증가하는 교양과 입상을 반영하여야 하며 이 장에서 설명된 주요한 질문들을 설명해야 한다. 결국, 이러한 노력들은 삶의 질과 중환자실 생존자의 복지에 직접적으로 기여할 것이며 궁극적으로 공중 보건을 향상시킬 것이다.

참고문헌

1 Adhikari NK, Fowler RA, Bhagwanjee S, Rubenfeld GD. Critical care and the global burden of critical illness in adults. Lancet 2010;376:1339-46.

2 Iwashyna TJ. Survivorship will be the defining challenge of critical care in the 21st century. Ann Intern Med 2010;153:204-5.

3 Needham DM, Davidson J, Cohen H, et al. Improving long-term outcomes after discharge from intensive care unit: report from a stakeholders' conference. Crit Care Med 2012;40:502-9.

4 Hopkins RO, Jackson JC. Long-term neurocognitive function after critical illness. Chest 2006;130:869-78.

5 Kapfhammer HP, Rothenhausler HB, Krauseneck T, Stoll C, Schelling G. Posttraumatic stress disorder and health-related quality of life in long-term survivors of acute respiratory distress syndrome. Am J Psychiatry 2004;161:45-52.

6 Girard TD, Jackson JC, Pandharipande PP, et al. Delirium as a predictor of long-term cognitive impairment in survivors of critical illness. Crit Care Med 2010;38:1513-20.

7 Hopkins RO, Weaver LK, Collingridge D, Parkinson RB, Chan KJ, Orme JF, Jr. Two-year cognitive, emotional, and quality-of-life outcomes in acute respiratory distress syndrome. Am J Respir Crit Care Med

2005;171:340-7.

8 Jones C, Griffiths RD, Slater T, Benjamin KS, Wilson S. Significant cognitive dysfunction in non-delirious patients identified during and persisting following critical illness. Intensive Care Med 2006;32:923-6.

9 Unroe M, Kahn JM, Carson SS, et al. One-year trajectories of care and resource utilization for recipients of prolonged mechanical ventilation: a cohort study. Ann Intern Med 2010;153:167-75.

10 Hopkins RO, Gale SD, Weaver LK. Brain atrophy and cognitive impairment in survivors of acute respiratory distress syndrome. Brain Inj 2006;20:263-71.

11 Suchyta MR, Jephson A, Hopkins RO. Neurologic changes during critical illness: brain imaging findings and neurobehavioral outcomes. Brain Imaging Behav 2010;4:22-34.

12 Ehlenbach WJ, Hough CL, Crane PK, et al. Association between acute care and critical illness hospitalization and cognitive function in older adults. JAMA 2010;303:763-70.

13 Wilson RS, Hebert LE, Scherr PA, Dong X, Leurgens SE, Evans DA. Cognitive decline after hospitalization in a community population of older persons. Neurology 2012;78:950-6.

14 Iwashyna TJ, Ely EW, Smith DM, Langa KM. Long-term cognitive impairment and functional disability among survivors of severe sepsis. JAMA 2010;304:1787-94.

15 Hopkins RO, Jackson JC. Short- and long-term cognitive outcomes in intensive care unit survivors. Clin Chest Med 2009;30:143-53.

16 Sukantarat KT, Burgess PW, Williamson RC, Brett SJ. Prolonged cognitive dysfunction in survivors of critical illness. Anaesthesia 2005;60:847-53.

17 Duning T, van den Heuvel I, Dickmann A, et al. Hypoglycemia aggravates critical illness-induced neurocognitive dysfunction. Diabetes Care 2010;33:639-44.

18 Jackson JC, Hart RP, Gordon SM, et al. Six-month neuropsychological outcome of medical intensive care unit patients. Crit Care Med 2003;31:1226-34.

19 Mikkelsen ME, Christie JD, Lanken PN, et al. The adult respiratory distress syndrome cognitive outcomes study: Long-term neuropsychological function in survivors of acute lung injury. Am J Respir Crit Care Med 2012;185:1307-15.

20 Jackson JC, Obremskey W, Bauer R, et al. Long-term cognitive, emotional, and functional outcomes in trauma intensive care unit survivors without intracranial hemorrhage. J Trauma 2007;62:80-8.

21 Jackson JC, Archer KR, Bauer R, et al. A prospective investigation of long-term cognitive impairment and psychological distress in moderately versus severely injured trauma intensive care unit survivors without intracranial hemorrhage. J Trauma 2011;71:860-6.

22 Hopkins RO, Weaver LK, Chan KJ, Orme JF, Jr. Quality of life, emotional, and cognitive function following acute respiratory distress syndrome. J Int Neuropsychol Soc 2004;10:1005-17.

23 Hopkins RO, Suchyta MR, Snow GL, Jephson A, Weaver LK, Orme JF. Blood glucose dysregulation and cognitive outcome in ards survivors. Brain Inj 2010;24:1478-84.

24 Elenkov IJ, Iezzoni DG, Daly A, Harris AG, Chrousos GP. Cytokine dysregulation, inflammation and well-being. Neuroimmunomodulation 2005;12:255-69.

25 Lutz PL, Nilsson GE. The brain without oxygen: causes of failure–physiological and molecular mechanisms for survival. Austin, TX: RG Landes Co; 1994.

26 Michenfelder JD, Sundt TM, Jr. Cerebral ATP and lactate levels in the squirrel monkey following occlusion of the middle cerebral artery. Stroke 1971;2:319-26.

27 Siesjo BK, Bengtsson F, Grampp W, Theander S. Calcium, excitotoxins, and neuronal death in the brain. Ann N Y Acad Sci 1989;568:234-51.

28 Schurr A, Lipton P, West CA, Rigor BM. The role of energy in metabolism and divalent cations in the neurotoxicity of excitatory amino acids in vitro. In: Krieglstein J (ed.) Pharmacology of cerebral ischemia. Boca Raton, FL: CRC Press LLC; 1990. pp. 217-26.

29 Biagas K. Hypoxic-ischemic brain injury: advancements in the understanding of mechanisms and potential avenues for therapy. Curr Opin Pediatr 1999;11:223-8.

30 Floyd RA. Role of oxygen free radicals in carcinogenesis and brain ischemia. FASEB J 1990;4:2587-97.

31 Johnston MV, Nakajima W, Hagberg H. Mechanisms of hypoxic neurodegeneration in the developing brain.

Neuroscientist 2002;8:212-20.

32 Sonneville R, den Hertog HM, Guiza F, et al. Impact of hyperglycemia on neuropathological alterations during critical illness. J Clin Endocrinol Metab 2012;97:2113-23.

33 Katsura K, Kristian T, Smith ML, Siesjo BK. Acidosis induced by hypercapnia exaggerates ischemic brain damage. J Cereb Blood Flow Metab 1994;14:243-50.

34 Nabeshima T, Katoh A, Ishimaru H, et al. Carbon monoxide induced delayed amnesia, delayed neuronal death and change in acetylcholine concentration in mice. J Pharmacol Exp Ther 1991;256:378-84.

35 Dietrich WD, Alonso O, Busto R. Moderate hyperglycemia worsens acute blood-brain barrier injury after forebrain ischemia in rats. Stroke 1993;24:111-16.

36 McCall AL. The impact of diabetes on the CNS. Diabetes 1992;41:557-70.

37 Levine SR, Welch KM, Helpern JA, et al. Prolonged deterioration of ischemic brain energy metabolism and acidosis associated with hyperglycemia: human cerebral infarction studied by serial 31p NMR spectroscopy. Ann Neurol 1988;23:416-18.

38 Rosner MJ, Newsome HH, Becker DP. Mechanical brain injury: the sympathoadrenal response. J Neurosurg 1984;61:76-86.

39 Siesjo BK, Siesjo P. Mechanisms of secondary brain injury. Eur J Anaesthesiol 1996;13:247-68.

40 Feuerstein GZ, Liu T, Barone FC. Cytokines, inflammation, and brain injury: Role of tumor necrosis factor-alpha. Cerebrovasc Brain Metab Rev 1994;6:341-60.

41 Ely EW, Shintani A, Truman B, et al. Delirium as a predictor of mortality in mechanically ventilated patients in the intensive care unit. JAMA 2004;291:1753-62.

42 Jackson JC, Gordon SM, Hart RP, Hopkins RO, Ely EW. The association between delirium and cognitive decline: A review of the empirical literature. Neuropsychol Rev 2004;14:87-98.

43 Morandi A, Rogers BP, Gunther ML, et al. The relationship between delirium duration, white matter integrity, and cognitive impairment in intensive care unit survivors as determined by diffusion tensor imaging: The visions prospective cohort magnetic resonance imaging study. Crit Care Med 2012;40:2182-9.

44 Sharshar T, Carlier R, Bernard F, et al. Brain lesions in septic shock: a magnetic resonance imaging study. Intensive Care Med 2007;33:798-806.

45 Trzepacz PT. Is there a final common neural pathway in delirium? Focus on acetylcholine and dopamine. Semin Clin Neuropsychiatry 2000;5:132-48.

46 Meagher DJ, Trzepacz PT. Motoric subtypes of delirium. Semin Clin Neuropsychiatry 2000;5:75-85.

47 Arvin B, Neville LF, Barone FC, Feuerstein GZ. Brain injury and inflammation. A putative role of TNF alpha. Ann N Y Acad Sci 1995;765:62-71; discussion 98-9.

48 Bellingan GJ. The pulmonary physician in critical care: the pathogenesis of ALI/ARDS. Thorax 2002;57:540-6.

49 Francis J, Martin D, Kapoor WN. A prospective study of delirium in hospitalized elderly. JAMA 1990;263:1097-101.

50 De Kloet ER, Vreugdenhil E, Oitzl MS, Joels M. Brain corticosteroid receptor balance in health and disease. Endocr Rev 1998;19:269-301.

51 Milbrandt EB, Angus DC. Potential mechanisms and markers of critical illness-associated cognitive dysfunction. Curr Opin Crit Care 2005;11:355-9.

52 Sommer BR, Wise LC, Kraemer HC. Is dopamine administration possibly a risk factor for delirium? Crit Care Med 2002;30:1508-11.

53 Fischer JE, Rosen HM, Ebeid AM, James JH, Keane JM, Soeters PB. The effect of normalization of plasma amino acids on hepatic encephalopathy in man. Surgery 1976;80:77-91.

54 Morrison RS, Magaziner J, Gilbert M, et al. Relationship between pain and opioid analgesics on the development of delirium following hip fracture. J Gerontol 2003;58:76-81.

55 Jackson JC, Girard TD, Gordon SM, et al. Long-term cognitive and psychological outcomes in the awakening and breathing controlled trial. Am J Respir Crit Care Med 2010;182:183-91.

56 Stuss DT, Winocur G, Robertson IH (eds.). Cognitive neurorehabilitation: evidence and applications. 2nd ed. Cambridge: Cambridge University Press; 2010.

57 Jackson JC, Ely EW, Morey MC, et al. Cognitive and physical rehabilitation of intensive care unit survivors:

results of the return randomized controlled pilot investigation. Crit Care Med 2012;40:1088-97.

58 Cicerone KD, Dahlberg C, Kalmar K, et al. Evidence-based cognitive rehabilitation: recommendations for clinical practice. Arch Phys Med Rehabil 2000;81:1596-615.

59 Winocur G. Introduction to principles of cognitive rehabilitation. In: Stuss DT, Winocur G, Robertson IH (eds.) Cognitive neurorehabilitation: evidence and application. 2nd ed. Cambridge: Cambridge University Press; 2010. pp. 3-5.

60 Kleim JA, Jones TA. Principles of experience-dependent neural plasticity: Implications for rehabilitation after brain damage. J Speech Lang Hear Res 2008;51:S225-39.

61 Bloss EB, Janssen WG, Ohm DT, et al. Evidence for reduced experience-dependent dendritic spine plasticity in the aging prefrontal cortex. J Neurosci 2011;31:7831-9.

62 Dixon RA, Garrett DD, Blackman L. Principles of compensation in cognitive neuroscience and neurorehabilitation. In: Stuss DT, Winocur G, Robertson IH (eds.) Cognitive neurorehabilitation: evidence and application. 2nd ed. Cambridge: Cambridge University Press; 2010. pp. 22-38.

63 Backman L, Dixon RA. Psychological compensation: a theoretical framework. Psychol Bull 1992;112:259-83.

64 Gracey F, Evans JJ, Malley D. Capturing process and outcome in complex rehabilitation interventions: a 'y-shaped' model. Neuropsychol Rehabil 2009;19:867-90.

65 Mikkelsen ME, Shull WH, Biester RC, et al. Cognitive, mood and quality of life impairments in a select population of ards survivors. Respirology 2009;14:76-82.

66 Rothenhausler HB, Ehrentraut S, Stoll C, Schelling G, Kapfhammer HP. The relationship between cognitive performance and employment and health status in long-term survivors of the acute respiratory distress syndrome: results of an exploratory study. Gen Hosp Psychiatry 2001;23:90-6.

67 Torgersen J, Hole JF, Kvale R, Wentzel-Larsen T, Flaatten H. Cognitive impairments after critical illness. Acta Anaesthesiol Scand 2011;55:1044-51.

Chapter 20

중환자실 치료에 따르는 우울 감정

O. 요세프 빈베누(O. Joseph Bienvenu)

서론

중환자실에서 치료받는 환자는 자신의 질환, 물리적 환경 그리고 치료를 위한 시술로 인한 여러 가지 심한 신체적, 정신적 스트레스에 직면한다. 특히 중증환자들은 종종 호흡부전, 기관 내관 흡인, 침습적인 처치, 염증 연쇄반응의 활성화, 시상하부-뇌하수체-부신축의 긴장, 내인성, 외인성 카테콜라민의 증가, 그리고 정신적 경험과 관련된 섬망, 제한된 의사소통 능력과 자율성의 감소를 경험한다. 중환자실에서 생존한다 해도 재정적인 부담, 재입원에 대한 필요, 그리고 그 외의 여러 스트레스뿐만 아니라[4,5] 손상된 인지능력과 근육 약화의 후유증이 남게 된다.[1-3] 이러한 스트레스들은 실제적으로 기분장애의 위험을 높이게 된다.

중요한 것은, 우울한 증상 및 증후군들이 중환자실 생존자들의 전신상태의 회복을 지연시킬 수 있다는 것이다.[6] 첫째, 우울 증상으로 인해 신체적인 활동에 대한 동기부여와 그것으로 얻게 될 이득이 감소할 수 있다.[7] 이것은 임상 경험과 일치하는데, 종종 우울한 환자들은 신체 기능의 회복에 중요한 역할을 하는 물리치료(PT)에 참여하는데 어려움을 겪는다.[8] 둘째, 우울한 증상들은 내과적 질환의 증상들을 강화하고,[9] 신체증상의 부담증가는 신체의 기능에 부정적인 영향을 미치게 된다. 셋째, 우울한 증상들은 환자들이 약물치료요법에 집착하도록 하며, 그것은 결국 질병 과정을 악화시킨다.[10] 넷째, 우울한 증상들은 신경 내분비계 및 염증기전을 포함하는 직접적인 신경생물학적 경로를 통해 신체의 기능에 영향을 미칠 수 있다.[11] 중요한 것은, 우울한 상태를 치료하면 노인 우울 환자의 신체적 기능이 향상된다는 것이다.[12,13] 이번 장에서는 중환자실 생존자들의 우울 감정 상태에 대해 알려진 내용들을 검토하고, 우리의 지식 기반과의 격차를 지적하며 앞으로의 연구 의제를 토의해 보고자 한다.

정의 및 고찰

독자들은 왜 우리가 이 장의 제목으로 우울 감정 상태라는 용어를 선택했는지 궁금할 것이다. 주된 이유는 우울 감정 상태는 주요 우울 질환, 기분저하장애, 최근 우울 삽화를 동반한 양극성 장애, 우울 기분을 동반하는 적응 장애, 달리 분류되지 않는 우울 장애, 물질에 의해 유도된 기분장애, 일반적인 질병 상태로 인해 발생하는 기분장애와 같은 정신과적 진단과 반대되는 개념으로서 중환자와 중환자실 장기 체류 결과에 관한 연구들에서 전형적으로 사용되는 척도이기 때문이다. 혹자는 내가 정신과 의사로서 정신과적 진단들에 더 가치를 두고, 그다지 가치가 없어 보이는 증상들을 무시해야 한다고 가정할 수도 있지만, 다음의 두 가지 이유로 그렇지가 않다. 첫째, 정신과 진단들이 상황에 따라 비교적 신뢰할 수 있도록 만들어 졌음에도 불구하고, 주요 우울 장애와 같은 진단들은 각 개인의 고유하고 특정한 질병과정에 부합한다.[14,15] 주요 우울장애는 비교적 이질적인 상태(heterogeneous condition)에서 나타나며 때로는 더 '원발적(primary)인 혹은 '질병과 같은(disease-like)' 형태(즉, 진짜 '병적인' 기분)로 나타나거나 다양한 취약점을 가진 사람들의 환경에 대한 반응으로 나타나기도 한다.[16-18] 두 번째 이유는 주요 우울 장애를 포함한 많은 정신 질환들은 현상의 본질 보다는 그 정도를 반영한다. 예를 들어, 상실이나 좌절을 경험한 사람들은 때로는 가볍게, 때로는 심한 정도로 다양한 수준의 정신적 고통과 기능장애를 갖게 되는데 'caseness'를 구분하는 명확한 경계는 없다.[19] 우리의 의견으로는, 설문지를 통해 얻은 자료들은 내재된 가치를 갖게 되고, 임상 인터뷰를 사용해서 획득한 자료를 보완해 준다.

유병률과 자연경과

이전의 체계적 고찰

몇 년 전, 우리 그룹은 급성폐손상/급성호흡곤란증후군(ALI/ARDS) 생존자의 우울 증상 및 증후군에 대한 정보를 얻기 위해 중증질환 치료 결과를 체계적으로 검토하였다.[20] 전체 277명의 환자를 대상으로 설문지를 통해 규명한 결과 ALI/ARDS 이후 처음 2년동안의 실제적인 우울 증상 유병율은 17–43%(연구 중앙값은 28%)로 나타났다.[21-24] 설문에 사용한 도구는 Beck Depression Inventory (BDI)[21,23,25] CES-D scale[22,26] 그리고 Zung Depres-sion Rating Scale (ZDRS)[24,27] 등이다. 이 연구들 중 하나에서 ALI를 최근에 경험한 환자일수록 더 많은 우울 증상을 나타내는가를 측정하였는데, 결과는 바로 그 경우에 해당하였다.[22] 또 다른 연구에서는 46명의 환자를 대상으로 DSM-Ⅵ의 구조화된 임상 면담(SCID)에 참여했던 임상의사(특히, 정신과의사)를 고용하여 연구를 진행하였다.[28,29] 이 연구에서 ARDS 생존자의 단 4%만이 주요 우울 장애(major depressive disorder)의 기준에 부합했는데, 이 환자들은 ARDS를 경험한지 평균 8년이 된 환자들이었다.[29] 주목할 만한 것은, 이 연구에서는 이전에 정신질환(psychiatric disorder)이 있었던 환자들과[29] 정신장애(psychotic disorder)가 있었던 환자들을 대상에서 제외시켰다는 것이다.[21,26] 그러므로 ALI/ARDS 생존자들에게서 나타나는 실제적인 우울 증상의 유병률은 우리가 보고한 범위보다 높을 것으로 추측할 수 있다.

일반적인 중환자실 생존자를 대상으로 한 우울 증상과 증후군에 관한 한 체계적 고찰에서 1,213명의 환자에게 설문지를 통해 규명한 결과 그들이 중증질환을 겪은 후 첫 해에 걸쳐 나타난 실제적인 우울 증상의 유병률은 8-61%(연구 중앙값은 28%)였다.[30] 임상의사가 진단한 우울 장애(depressive disorder)의 시점유병률(point prevalence)은 더 높았으나(SCID로 면담한 134명의 환자들 중의 33%), 주요우울증(major depression)의 유병률은 낮았다(13%의 환자가 주요 우울 장애 혹은 양극성 우울증을 가지고 있었다). 우울 증상 측정에 가장 많이 쓰인 도구는 HADS 우울 하부척도였고,[31-39] 두 개의 연구를 제외한 모든 연구들은 실제적인 우울 증상을 정의하기 위해 8점 이상의 역치를 사용하였다(두 개의 연구는 좀 더 엄격하게 11점 이상의 역치를 사용하였다). 4개의 연구는 CES-D 척도를,[40-43] 한 개의 연구는 Geriatric Depression Rating Scale-Short Form,[44,45] 나머지 한 개의 연구는 BDI-Ⅱ를 사용하였다.[46,47] 14개의 연구 중 5개의 연구는 이미 정신질환(주요 혹은 달리 분류되지 않는 정신질환, 정신장애, 혹은 자살 시도 후에 입원)이 있는 환자들을 연구 대상에서 제외시켰다.[32,33,35,36,45] 그러므로 중증질환 생존자들에게 나타나는 실제적인 우울 증상의 유병률은 우리가 제시한 범위의 상한선에 이를 것이다. 또한 다섯 개의 연구는 시간에 따른 우울 증상의 변화를 명확하게 연구하였다. 이 중 세 개의 연구에서 중증질환을 경험한 후 첫 2-12개월에 걸쳐 우울 증상은 주목할만한 감소를 보였다.

최근의 연구들

중환자실 생존자들의 우울 증상 및 증후군에 관해 보고한 18개의 최근 연구들(13개의 단독 코호트, 총 n=1,652)의 특성을 살펴보고자 한다;[6,48-64] 동일 환자 코호트를 보고한 연구들은 함께 그룹화하였다. 대부분의 연구들은 전향적인 코호트 설계였고, 6개의 연구는 통제실험이었다.[49,52,59-62]

도구

일반적인 중환자실 생존자의 우울 증상에 관한 이전의 체계적 고찰에서, 우울 증상을 측정하는 데 가장 많이 쓰인 도구는 HADS 우울 하부척도(전체 17개 중에서 11개의 연구가 질문 척도를 사용하였다.)였다. 실제적인 우울 증상의 시점유병률(point prevalence)을 측정하는데 있어서, 연구자들은 HADS 우울 하부척도 역치에 따라 달랐는데, 비교적 낮은 역치(≥7)를 사용한 연구가 한 개,[50] 8점 이상의 역치만 사용한 연구가 한 개,[6] 11점 이상의 역치만 사용한 연구는 두 개,[51,53] 그리고 8점 이상과 11점 이상의 역치를 모두 사용한 연구는 4개였다.[49,54,56,57] 그 다음으로 많이 사용된 도구는 BDI-Ⅱ 인데, 네 개의 연구에서 사용하였다.[59,62-64]

연구자들은 BDI-Ⅱ의 역치 선택에 따라 달랐는데, 두 개의 연구는 11점 이상의 그리고 나머지 두 개의 연구는 20점 이상의 역치를 사용하였다. 한 개의 연구에서는 ZDRS를[61] 그리고 다른 연구에서는 Depression Anxiety Stress Scale (DASS-21)을 도구로 사용하였다.[52]

결과

과거 우리의 체계적 고찰과 유사하게,[20,30] 설문조사결과 실제적인 우울 증상의 시점유병률은 중증질환을 경험한 후 첫 5년간 15%[49]-61%[59](표 20-2), 유병률의 중앙값은 27%(총 n=1,316)였다. 주목할 만한 것은, 12개의 연구/그룹 연구 중 단 3개의 연구에서만 이전에 정신 질환을 앓고 있는 환자들을 대상에서 제외시켰고,[49,53-55,63,64] 그 중에서도 2개의 연구에서는 약물 과다복용[49] 혹은 이전의 정신질환을 가진 사람들만을[53-55] 제외시켰다. LTAC (Long-term acute care) 시설에서 기관절개를 한 환자들의 DSM-Ⅳ 우울 장애의 시점유병률은 42%(n=336)였던 반면 이들 중 16%만이 주요 우울 장애 혹은 기분저하증으로 진단받았고, 다수의 환자들은 달리 분류되지 않는 우울 장애를 나타내었다.[48] 시간에 따른 우울 증상의 감소에 대한 증거들은 우리의 이전의 체계적 고찰보다는 더 혼합되어 있었다.[20,30] 동일 환자의 시간에 따른 변화를 사정한 다섯 개의 연구에서[6,51,53-59] 중증질환을 경험한 처음 1-2년의 시점 유병률 혹은 증상 수준은 비교적 일정하게 나타난 반면, 오직 두 개의 연구에서만 시간에 따른 시점 유병률 혹은 증상의 수준이 감소한 것으로 나타났다.[49,52] 그럼에도 불구하고, ARDS 이후 2-5년 사이의 실제적인 우울 증상의 유병률의 감소는 명확하였다.[63,64]

결론

우울 감정 상태는 중증질환 이후 생존자들에게(중증질환 이후 첫 해에 초점을 맞춘 대다수의 연구에서) 대략 28%의 유병률(median point prevalence)을 보일 정도로 대단히 흔하다. 몇몇 연구들은 중증질환을 경험한 이후 적어도 처음 1년 정도는 우울 기분이 지속된다고 제시한다. 우울 장애 진단은 중환 생존자들에게 있어서 임상적으로 뚜렷한 우울 증상만큼이나 보편적인 것으로 보인다; 그러나, 심한 우울 상태(예를 들면 주요 우울 삽화)는 경도 우울 상태보다는 덜 흔하다. 그러므로, 임상의사들은 중환자실에서 생존한 자신의 환자들의 1/4−1/3은 회복기간 동안 실제적인 우울 증상을 보일 수 있으며 이렇게 보편적인 부정적 결과에 대한 감시와 치료가 필요하다는 것을 인식해야 한다.

위험요인들과 상관관계

이전의 체계적 고찰

ALI/ARDS 생존자들

불행히도, 이전에는 ALI/ARDS 생존자들의 우울 증상에 대한 위험요인들을 연구한 연구자들이 거의 없었다.[20] 한 그룹의 연구자들은 진정 일수, 인공호흡기 사용 일수 그리고 중환자실 재원 일수가 우울 증상의 정도와 긍정적인 상관관계가 있다는 것을 발견하였다.[65]

일반 중환자실 생존자들

일반 중환자실 생존자들을 연구한 임상 연구자들은 중증질환 생존자들에게 더 많은 위험요인이 있는지 조사해왔다. 우리는 중환자실 입실 전 위험요인(기준), 중증질환/중환자실 위험요인/상관관계, 그리고 중환자실 이후의 요인들/상관관계로 나누어 결과를 요약하였다.

중환자실 입실 전 위험요인들

인구학적 요인을 조사한 세 연구 중 한 연구에서, 여성이 우울 증상과 관련이 더 많았으나 세 연구 모두에서 나이는 우울 증상과 관련이 없는 것으로 나타났다.[31,38,42] 한 연구에서 이전의 우울증 및 신체적 기능 상태가 중환자실 이후 우울의 전조 요인으로 나타났다: 중환자실 입실 한 달 전에 신체 기능이 좋지 않았거나 대리인들이 보고한 우울증이 있는 환자의 경우 중환자실 퇴실 후 우울 증상을 나타냈으나, 중환자실 입실 6개월 전에 항우울제를 복용한 경우는 그렇지 않았다.[42]

중증질환/중환자실 위험요인들

한 연구에서, 조사자들은 중환자실 퇴실 시 우울 증상의 잠재적 위험요인으로 중환자실 입원 시 진단명을 조사하였으나 상관관계는 명확하지 않았다.[33] 세 연구에서 중환자실 재원기간과 중환자실 퇴실 후 우울 증상의 관계에 대하여 조사하였으나, 아무런 관계도 찾을 수 없었다.[33,34,37] 이와 유사한 것으로, 이 세 연구 중 그 어느 것에서도 중환자실 입원 시 APACHE Ⅱ 점수가 후기 우울 증상을 예측하지는 못했다.[33,34,37] 중환자실 내에서의 진정 치료 기간[33] 및 지속적 투약의 주기적 중단(매일)[47] 역시 중환자실 퇴실 후의 우울 증상과 연관이 없었다.

중증질환/중환자실 상관성

한 연구에서, 퇴원 시 중환자실에서의 끔찍한 악몽의 기억뿐만 아니라 중환자실에서 경험했던 일들을 회상하지 못하는 경우, 6개월의 추적관찰에서 우울 증상을 예측할 수 있었다.[34] 그러나 또 다른 연구에서, 중환자실 퇴실 5일 후 조사한 중환자실 입원 당시 악몽과 같은 극도의 스트레스나 두려움에 대한 기억은 중환자실 퇴실 후 2달째의 우울 증상을 예측할 수 있었다.[34] 결론적으로 중환자실 재원 시의 정신병적/악몽과 같은 경험에 대한 기억은 중환자실 퇴실 후 14번째 횡단연구에서 더 심한 우울 증상과 연관이 있다는 것이다.[33]

중환자실 퇴실 후의 위험요인들/상관성

퇴원 시와 그 이후의 신경정신학적 증상들은 다섯 개의 연구 모두에서 중환자실 퇴실 후의 전향적인 예측인자 혹은 횡단적 상관관계를 가지는 것으로 나타났다.[32,34,37,12,45] 특히, 한 연구에서 퇴원 당시의 우울 증상은 6개월 그리고 12개월의 추적 조사에서 우울 증상에 강한 예측인자였고,[34] 또 다른 연구에서 2개월 추적조사 시의 우울 증상은 6개월 추적조사 시 우울 증상에 대한 강력한 예측인자였다.[42] PTSD의 중환자실 퇴실 후의 증상들은 이러한 주제를 조사했던 두 연구에서 중환자실 퇴실 후의 우울 증상과 횡단면 연구에서 강한 상관관계를 보여주었다.[32,37] 이와 유사한 것으로, 한 연구에서는 중환자실 퇴실 후의 불특정한 불안 증상들이 중환자실 퇴실 후의 우울 증상과 강한 연관성을 보였다.[42] 마지막으로, 한 연구에서 6개월 추적조사 시의 인지장애는 우울 증상과 횡단적으로 연관이 있음을 나타내었다.[45]

중환자실 퇴실 후의 신체적 기능과 우울 증상과의 관계를 조사한 두 개의 연구가 있었다.[37,42] 첫 번째 연구에서는, 신체 기능의 향상은 퇴원 이후 2개월에서 6개월 사이의 추적조사에서 우울증상의 향상을 동반하는 것과 관련이 있었으나 퇴원 직후부터 2개월 사이의 추적조사에서는 관련이 없었다.[42] 두 번째 연구에서, 신체 증상으로 인해 부담이 증가한 것은 3개월과 9개월 두 번의 추적조사에서 우울 증상과 횡단적으로(cross-sectionally) 상관이 있었다.[37]

최근의 연구들

중증질환/중환자실 생존자들의 우울 증상 및 증후군에 대한 가장 최근의 연구들을 통해 위험요인들과 정보들을 알 수 있다.[6,48,51-57,63,64,66] 우리는 그 결과들을 중환자실 입실 전 위험요인들, 중증질환/중환자실 위험요인들/상관관계, 그리고 중환자실 퇴실 후의 위험요인들/상관관계로 다시 정리하였다.

중환자실 입실 전 위험요인들

우울증상에 대한 인구학적 위험요인들로는 두 개의 연구에서 여성,[52,66] 한 개의 연구에서는 젊은 나이,[66] 두 개의 독립적인 코호트 연구에서는 낮은 교육 수준,[6,53,57] 그리고 두 개의 연구에서는 실직/장애가 포함되었다.[6,53] 두 개의 연구에서 병전 내과적 동반질환 이환율은 우울 질환/증후군의 위험요인이었다.[6,48] 병전 기능 의존성은 후기 우울 질환/증후군과 관련된 것으로 한 개의 연구에서는 나타났으나[48] 나머지 연구에서는 그렇지 않았다.[57] 한 그룹의 연구에서는 병적 비만이 우울증후군의 위험요인으로 나타났다.[56,57] 퇴원 4주에서 6주 사이에 시행한 추적검사에서 측정한 기질적인 비관론이 우울증후군과 연관이 있음을 밝힌 연구도 있다.[53,54] 퇴원 전에 후향적으로 조사한 중환자실 입실 전 우울/불안은 후기 우울증후군과 연관이 있는 것으로 한 연구에서 나타났다.[56,57] 두 개의 요인을 동시에 측정한 한 연구에서는 이전의 정신 병력이 우울 질환과 관련이 있었다.[48] 마지막으로, 한 개의 연구에서 이전의 알코올 의존도는 후기 우울증후군과 관련이 있었다.[66]

중증질환(critical illness)/중환자실 위험요인들

두 개의 연구에서 수술 혹은 외과계 중환자실 입원이 우울 증상들과 관련이 있었다.[54,57] 한 일련의 연구에서는 중환자실 내에서의 저혈당은 초기 우울 증상의 위험요인이었다.[6,56,57] ALI/ARDS 생존자들을 대상으로 한 두 개의 연구에서 심각한 장기 부전 혹은 장기 기능의 느린 회복은 후기 우울증후군과 관련이 있었다.[57,64] 끝으로, ARDS 생존자를 대상으로 한 연구에서는 MV의 사용기간 및 중환자실 재원 기간의 더 길수록 더 심한 우울 증상과 관련이 있는 것으로 나타났다.[64]

중증질환/중환자실 상관관계

일련의 한 연구에서 중환자실 내에서 높은 용량의 benzodiazepine를 투여받은 환자가 더 심한 우울 증상을 나타내었다.[56,57] 퇴원 시의 우울 증상을 조사한 한 단면 연구에서는 중환자실 재원 당시에 대한 기억이 거의 없고, 공포스러운 경험을 더 많이 기억하며, 치료에 대한 만족이 낮은 환자들이 더 심한 우울 증상을 나타내었다.[51] 중환자실 재원 당시 자신의 필요를 표현할 수 없었다는 것을 기억하는 환자들이 더 많은 우울 증상을 나타내는 것으로 하나의 횡단연구에서 나타났다.[53] 한 연구에서는 적응 대처 방법을 거의 사용할 수 없었던 환자들이 더 많은 우울 증상을 나타냈다. 흥미롭게도, LATC 병원에서 우울 질환이 있는 환자들은 기계환기 사용기간이 더 길고, 이탈 실패의 빈도가 높으며, 더 높은 사망률을 나타내었다.[48]

중환자실 퇴실 후 위험요인들/상관관계

두 개의 연구에서 중환자실 퇴실 후 이른 시기에 나타나는 우울 증상들은 후기 우울증후군의 잠재적인 위험요인으로 나타났다.[64,66] 두 개의 연구에서 우울 증상이 업무에 복귀할 수 없도록 하는 것과 관련이 있었는데,[55,63] 한 연구에서는 수면의 질이 나쁘기 때문에,[52] 그리고 다른 연구에서는 기억력이 나빠지기 때문인 것으로 나타났다.[63,64] 한 연구에서는 후기 추적 조사 및 횡단연구에서 ARDS 이후 1년 시의 인지후유증이 우울 증상들과 관련이 있는 것으로 나타났다.[66] 끝으로, 한 연구에서 추적 조사 당시의 우울은 후기 신체 기능의 손상(IADL의 감소)과 연관이 있었다.[6]

결론

중증질환 생존자들의 우울 감정 상태의 원인 및 결과에 대한 이론적 모델에서는 가능한 원인들도 있지만 인과관계가 불명확한 원인들도 있다. 우울 증상 및 증후군의 많은 잠재적인 위험요인들, 예를 들면, 불안/우울에 대한 가족/유전적인 위험요인들, 유년기의 환경적 장애, 유년기에 경험한 성적 학대, 유년기에 부모를 잃은 것, 광범위한 인격 특성신경증(부정적인 감정을 선호하는 것), 낮은 자존감, 조기 불안 혹은 행동 장애, 생애 전반에 걸친 정신적 외상, 불충분한 사회적 지지, 결혼 문제, 그리고 다른 스트레스가 심한 인생의 여러 사건들은 측정하지 못하였다.[67-69]

주어진 정보를 통해, 임상의사들과 연구자들은 예방 및 조기 중재 시행하여 환자들이 겪는 고통을 감소시키고자하는 노력을 할 수 있다. 수정불가하거나 수정이 가능한 원인들 모두 관련이 되어 있다. 특히, 이전의 정신병력과 같은 수정 불가능한 원인이 있다면, 임상 의사는 지속적인 감시를 제공하고 필요 시 조기에 정신과에 의뢰하도록 한다. 또한 중환자실 재원 시 섬망 및 진정제의 분별있는 사용을 통해 관련된 공포스러운 경험을 최소화시키는 것도 예방 효과가 있다. 마지막으로, 임상의사들이 초기의 고통을 인식하고 그것이 장기적인 고통의 강한 예측인자가 된다는 것을 아는 것이 중요하다.

삶의 질과의 연관성

우울 증상들은 HRQoL에 상당히 부정적인 영향을 미치는 것으로 나타난다. ALI/ARDS 생존자들을 대상으로 한 연구에서, 한 그룹은 BDI로 측정한 우울 증상들이 Medical Outcome Study SF-36 도구의 정신 건강 및 신체 영역에 부정적으로 상관관계가 있었는데[70] 특히 정신 건강 영역에서 나타났다. 구체적인 상관관계는 다음과 같았다: 신체기능=-0.29, 역할 건강진단=-0.46, 신체적 통증=-0.56, 일반적인 건강=-0.59, 활력=-0.57, 사회적 기능=-0.56, 역할 감정=-0.65 그리고 정신 건강=-0.76. 또 다른 그룹에서는 CES-D 우울 증상들과 SF-36 MCS 점수(r=-0.94) 사이의 특별히 강한 상관관계를 보였다; 그 연구에서, 우울 증상들은 SF-36 PCS 점수(r=-0.17)와 의미있는 상관관계는 없었다.[22]

일반 중환자실 생존자들을 대상으로 한 연구에서, 한 그룹의 연구자들은 흔한 우울 장애(주요 우울 장애 혹은 달리 분류되지 않는 우울 장애)는 낮은 SF-36 신체 기능 영역 점수(T-score=14 반면 흔한 우울 장애가 없는 환자들의 경우 T-score=43)와 연관이 있다는 것을 밝혀냈다.[42] 또 다른 그룹은 HADS 우울 하부척도는 EuroQoL Visual Analogue Scale[71]를 사용하여 3개월(r=0.63)과 9개월(r=-0.67)에 측정한 것에서 부정적인 상관관계가 있다는 것을 발견하였다; 유사한 것으로, HADS 우울 하부척도는 SF-36 PCS 및 MCS 점수(각각 3개월 시의 r=-0.44 그리고 r=-0.48, 9개월의 r=-0.44 그리고 r=-0.62)와 부정적으로 관련이 있었다.[37] 마지막으로, 최근의 연구에서 BDI-Ⅱ 우울 증상들은 SF-36 정신 건강 영역(Spearman coefficients:-0.5~-0.82)과 부정적인 상관관계가 있었다.[64]

예방 및 치료

비록 중증질환 이후의 우울 상태의 예방 및 치료에 대한 안내를 해줄 만한 자료가 거의 없다고 하더라도, 일반적인 우울 상태의 치료에 관한 정보는 충분하고, 이러한 정보들을 중증질환 생존자의 치료에 일반화시켜서는 안될 이유들이, 현재, 거의 없다. 그러므로 중증질환 이후의 회복을 돕기 위해 시도하는 여러 광범위한 중재들을 재고할 가치가 있다.

중환자실 재원 시 중재

주요 외상 환자에 대한 최근의 연구에서,[73] Peris와 그의 동료들은 중환자실 재원시의 정신심리학적인 중재 규정 전후에 치료한 환자의 결과를 조사하였다. 연구자들은 HADS를 사용하여 중환자실에서 퇴원한 후 12개월의 우울 증상을 측정하였다. 비록 통계적인 유의성은 없었지만, 중재 전 코호트(13%)에서 보다 중재 코호트(6.5%)가 낮은 유병률(우울 하부척도에서 기준점이 11보다 높은 것)을 보였다. 흥미로운 것은, 12개월 추적조사에서 중재 코호트의 환자들이 중재 전 코호트의 환자들보다 정신신경과 약물의 사용의 시점유병률이 현저하게 낮았다는 것이다(각각 8.1%, 42%, $P < 0.0001$).

중환자실 진정 방법

4개의 무작위 연구에서 중증 환자의 진정 방법들을 번갈아 하는 것에 대한 장기간의 정신 심리학적 영향에 대하여 조사하였다. 이러한 연구들의 동기는 benzodiazepine 감소 및 타진정제의 사용이 정신적인 결과들을 악화시키지 않는다는 것을 확인하기 위한 것이었다. 첫째, 이전에 언급한 대로, Kress와 그의 동료들은[47] DIS는 6개월 이후의 추적조사에서 우울 증상과 관련이 없다는 것을 알아냈다. 둘째, Teggari와 그의 연구진들은[49] 무작위로 깊은 진정을 시킨 환자들에 비해 가벼운 진정을 시킨 환자들이 4주의 추적조사에서 우울 증상을 나타내지 않는다는 것을 밝혀냈다. 세 번째로, Jackson 및 그의 동료들은[59] 무작위로 자발적 각성 시도(spontaneous awakening trials)를 한 환자들이 대조군들에 비해 3개월과 12개월의 추적조사에서 더 이상의 우울 증상이 없다는 것을 알아냈다. 마지막으로 Strom과 동료들은[62] 2년 후의 추적조사에서 morphine만을 사용해서 진정 치료를 받은 환자들이 propofol/midazolam으로 치료받은 환자들에 비해 더 이상의 우울 증상이 없다는 것을 보고하였다.

재활 전략

Jones와 그의 동료들은 중증질환 생존자의 신체적 정신적 회복을 돕기 위해 고안된 6주간의 스스로 하는 재활 입문을 받을 환자와 그렇지 않은 환자를 무작위로 선정하였다.[35] 연구자들은 8주 후의 추적조사에서 HADS 우울 점수 11점 이상이 대조군(25%)에 비해 실험군(12%)에서 더 낮은 유병율을 보이는 경향이 있음을 알아냈다. 항우울제는 중재의 효과를 끌어올려주는 것으로 나타났다.

Elliot과 그의 동료들은 8주간의 가정에서 시행하며 개인별로 맞춤화된 신체 재활 프로그램을 사용할 환자와 일반적인 치료를 받을 환자를 무작위로 선정하였는데[74] 이들은 이러한 중재가 신체적, 정신 심리적 회복에 영향을 줄 것이라고 가정하였다. 그러나, 안타깝게도 실험군과 대조군 사이의 우울 증상의 차이는 없었다.[52]

간호사 주도 중환자 추적 프로그램

Cuthbertson과 동료들은 간호사가 주도하는 중환자 추적 프로그램과 일반적인 치료를 받을 중증질환 생존자들을 무작위로 선정하였다.[60] 실험군의 환자들은 지침서를 기본으로 해서, 자기 주도적이며, 병원 재원 시 시작하여 물리치료사에 의해 진행되는 신체 재활 프로그램을 소개

받고, 퇴원 후 3개월 동안 지속하였다. 이러한 환자들은 입문서에 근거한 치료에 성실히 임하고 발전해 가는 것을 스스로 감시하였고, 퇴원 후 3개월과 9개월에 간호사가 운영하는 클리닉에서 평가받았다. 만약 간호사가 정신적인 문제들이나 신체의 허약함에 대해 문제를 느낀다면, 환자를 정신 건강 전문가 혹은 물리치료사에게 의뢰하거나 필요시 중환자실을 방문하도록 하였으며, 그 환자들이 현재의 약물 치료에 대해 재고할 수 있도록 의뢰하였다. 간호사들은 또한 환자 상태의 진행에 대하여 그 환자의 주치의에게 서신을 보냈다. 안타깝게도, 1년 후의 추적 조사에서 실험군과 대조군 사이의 우울 증상의 차이는 없었다.

결론

그러므로, 우울 기분 상태의 예방 혹은 조기 중재를 위해 가장 기대할만한 중재는 신체적, 정신적 회복에 초점을 맞춘 중환자실 정신적 중재와 자가 재활 지침서이다. 비록 초기의 연구에서 중환자실에서 고용량의 benzodiazepine의 사용이 후기 우울 감정 상태와 관련이 있다는 것을 보여주었지만, 최근의 무작위 연구들은 benzodiazepine의 사용량을 감소시키는 것이 큰 이득이 없음을 보여주고 있다. 그러나 기록한 대로, 이것은 아직 초기의 분야이므로, 큰 진보를 이룰 큰 기회가 있을 것이다.

위험요인들에 대한 정보를 활용하는 것은 장기간의 우울 증상의 높은 위험성을 가진 환자들을 대상으로 하는 중재들의 효과를 가장 크게 강화시킬 수 있었다. 과거의 불안 및 우울 장애를 가진 환자 및 초기 중환자실 퇴실 후 고통을 경험하는 환자들을 대상으로 조기에 항우울제 및 정신 치료학적인 중재를 하는 것은 그 효과를 극대화할 수 있다.

참고문헌

1 Herridge MS, Cheung AM, Tansey CM, et al. One-year outcomes in survivors of the acute respiratory distress syndrome. N Engl J Med 2003;348:683-93.

2 Herridge MS, Tansey CM, Matté A, et al. Functional disability 5 years after acute respiratory distress syndrome. N Engl J Med 2011;364:1293-304.

3 Needham DM, Davidson J, Cohen H, et al. Improving long-term outcomes after discharge from intensive care unit: report from a stakeholders' conference. Crit Care Med 2012;40:502-9.

4 Cheung AM, Tansey CM, Tomlinson G, et al. Two-year outcomes, health care use, and costs of survivors of acute respiratory distress syndrome. Am J Respir Crit Care Med 2006;174:538-44.

5 Unroe M, Kahn JM, Carson SS, et al. One-year trajectories of care and resource utilization for recipients of prolonged mechanical ventilation: a cohort study. Ann Intern Med 2010;153:167-75.

6 Bienvenu OJ, Colantuoni E, Mendez-Tellez PA, et al. Depressive symptoms and impaired physical function

after acute lung injury: a 2-year longitudinal study. Am J Respir Crit Care Med 2012;185:517-24.
7 Roshanaei-Moghaddam B, Katon WJ, Russo J. The longitudinal effects of depression on physical activity. Gen Hosp Psychiatry 2009;31:306-15.
8 Desai SD, Law TJ, Needham DM. Long-term complications of critical care. Crit Care Med 2011;39:371-9.
9 Katon W, Lin EHB, Kroenke K. The association of depression and anxiety with medical symptom burden in patients with chronic medical illness. Gen Hosp Psychiatry 2007;29:147-55.
10 DiMatteo MR, Lepper HS, Croghan TW. Depression is a risk factor for noncompliance with medical treatment: meta-analysis of the effects of anxiety and depression on patient adherence. Arch Intern Med 2000;160:2101-7.
11 Tsigos C, Chrousos GP. Hypothalamic-pituitary-adrenal axis, neuroendocrine factors and stress. J Psychosom Res 2002;53:865-71.
12 Oslin DW, Streim J, Katz IR, Edell WS, TenHave T. Change in disability follows inpatient treatment for late life depression. J Am Geriatr Soc 2000;48:357-62.
13 Callahan CM, Kroenke K, Counsell SR, et al. Treatment of depression improves physical functioning in older adults. J Am Geriatr Soc 2005;53:367-73.
14 Shorter E. Before Prozac: the troubled history of mood disorders in psychiatry. New York, NY: Oxford University Press; 2009.
15 Roth M. Unitary or binary nature of classification of depressive illness and its implications for the scope of manic depressive disorder. J Affect Disord 2001;64:1-18.
16 McHugh PR, Slavney PR. The perspectives of psychiatry. 2nd ed. Baltimore, MD: Johns Hopkins University Press; 1998.
17 McHugh PR. Striving for coherence: psychiatry's efforts over classification. JAMA 2005;293:2526-8.
18 Bienvenu OJ, Davydow DS, Kendler KS. Psychiatric 'diseases' versus behavioral disorders and degree of genetic influence. Psychol Med 2010;41:33-40.
19 Andrews G, Brugha T, Thase ME, Duffy FF, Rucci P, Slade T. Dimensionality and the category of major depressive episode. Int J Methods Psychiatr Res 2007;16(Suppl 1):541-51.
20 Davydow DS, Desai SV, Needham DM, Bienvenu OJ. Psychiatric morbidity in survivors of the acute respiratory distress syndrome: a systematic review. Psychosom Med 2008;70:512-19.
21 Hopkins RO, Weaver LK, Chan KJ, Orme JF, Jr. Quality of life, emotional, and cognitive function following acute respiratory distress syndrome. J Int Neuropsychol Soc 2004;10:1005-17.
22 Weinert CR, Gross CR, Kangas JR, Bury CL, Marinelli WA. Health-related quality of life after acute lung injury. Am J Respir Crit Care Med 1997;156:1120-8.
23 Hopkins RO, Weaver LK, Collingridge D, Parkinson RB, Chan KJ, Orme JF, Jr. Two-year cognitive, emotional, and quality-of-life outcomes in acute respiratory distress syndrome. Am J Respir Crit Care Med 2005;171:340-7.
24 Christie JD, Biester RC, Taichman DB, et al. Formation and validation of a telephone battery to assess cognitive function in acute respiratory distress syndrome survivors. J Crit Care 2006;21:125-32.
25 Beck AT. Beck Depression Inventory: manual. San Antonio, TX: Psychology Corporation; 1987.
26 Radloff LS. The CES-D scale: a self-report depression scale for research in the general population. Appl Psychol Meas 1977;1:385-401.
27 Zung WWK. A self-rating depression scale. Arch Gen Psychiatry 1965;12:63-70.
28 First MB, Spitzer RL, Gibbon M, Williams JBW. Structured clinical interview for DSM-IV axis I disorders, clinician version (SCID-CV). Washington, DC: American Psychiatric Press, Inc; 1996.
29 Kapfhammer HP, Rothenhausler HB, Krauseneck T, Stoll C, Schelling G. Posttraumatic stress disorder and health-related quality of life in long-term survivors of acute respiratory distress syndrome. Am J Psychiatry 2004;161:45-52.
30 Davydow DS, Gifford JM, Desai SV, Bienvenu OJ, Needham DM. Depression in general intensive care unit survivors: a systematic review. Intensive Care Med 2009;35:796-809.
31 Zigmond AS, Snaith RP. The Hospital Anxiety and Depression Scale. Acta Psychiatr Scand 1983;67:361-70.
32 Samuelson KAM, Lundberg D, Fridlund B. Stressful memories and psychological distress in adult mechanically

ventilated intensive care patients: a 2-month follow-up study. Acta Anaesthesiol Scand 2007;51:671-8.
33 Jones C, Griffiths RD, Humphris G, Skirrow PM. Memory, delusions, and the development of acute post-traumatic stress disorder-related symptoms after intensive care. Crit Care Med 2001;29:573-80.
34 Rattray JE, Johnston M, Wildsmith JA. Predictors of emotional outcomes of intensive care. Anaesthesia 2005;60:1085-92.
35 Jones C, Skirrow P, Griffiths RD, et al. Rehabilitation after critical illness: a randomized, controlled trial. Crit Care Med 2003;31:2456-61.
36 Young E, Eddleston J, Ingleby S, et al. Returning home after intensive care: a comparison of symptoms of anxiety and depression in ICU and elective cardiac surgery patients and their relatives. Intensive Care Med 2005;31:86-91.
37 Sukantarat K, Greer S, Brett S, Williamson R. Physical and psychological sequelae of critical illness. Br J Health Psychol 2007;12:65-74.
38 Eddleston JM, White P, Guthrie E. Survival, morbidity, and quality of life after discharge from intensive care. Crit Care Med 2000;28:2293-9.
39 Scragg P, Jones A, Fauvel N. Psychological problems following ICU treatment. Anaesthesia 2001;56:9-14.
40 Boyle M, Murgo M, Adamson H, Gill J, Elliott D, Crawford M. The effect of chronic pain on health related quality of life amongst intensive care survivors. Aust Crit Care 2004;17:108-13.
41 Guentner K, Hoffman LA, Happ MB, et al. Preferences for mechanical ventilation among survivors of prolonged mechanical ventilation and tracheostomy. Am J Crit Care 2006;15:65-77.
42 Weinert C, Meller W. Epidemiology of depression and antidepressant therapy after acute respiratory failure. Psychosomatics 2006;47:399-407.
43 Chelluri L, Im KA, Belle SH, et al. Long-term mortality and quality of life after prolonged mechanical ventilation. Crit Care Med 2004;32:61-9.
44 Sheikh JL, Yesavage JA. Geriatric Depression Scale (GDS): Recent evidence and development of a shorter version. Clin Gerontol 1986;5:165-73.
45 Jackson JC, Hart RP, Gordon SM, et al. Six-month neuropsychological outcome of medical intensive care unit patients. Crit Care Med 2003;31:1226-34.
46 Beck AT, Steer RA, Brown GK. Beck Depression Inventory: second edition manual. San Antonio, TX: Psychological Corporation, Harcourt, Brace; 1980.
47 Kress JP, Gehlbach B, Lacy M, Pliskin N, Pohlman AS, Hall JB. The long-term psychological effects of daily sedative interruption on critically ill patients. Am J Respir Crit Care Med 2003;168:1457-61.
48 Jubran A, Lawm G, Kelly J, et al. Depressive disorders during weaning from prolonged mechanical ventilation. Intensive Care Med 2010;36:828-35.
49 Treggiari MM, Romand JA, Yanez ND, et al. Randomized trial of light versus deep sedation on mental health after critical illness. Crit Care Med 2009;37:2527-34.
50 Cox CE, Porter LS, Hough CL, et al. Development and preliminary evaluation of a telephone-based coping skills training intervention for survivors of acute lung injury and their informal caregivers. Intensive Care Med 2012;38:1289-97.
51 Rattray J, Crocker C, Jones M, Connaghan J. Patients' perceptions of and emotional outcome after intensive care: results from a multicentre study. Nurs Crit Care 2010;15:86-93.
52 McKinley S, Aitken LM, Alison JA, et al. Sleep and other factors associated with mental health and psychological distress after intensive care for critical illness. Intensive Care Med 2012;38:627-33.
53 Myhren H, Tøien K, Ekeberg O, Karlsson S, Sandvik L, Stokland O. Patients' memory and psychological distress after ICU stay compared with expectations of the relatives. Intensive Care Med 2009;35:2078-86.
54 Myhren H, Ekeberg O, Tøien K, Karlsson S, Stokland O. Posttraumatic stress, anxiety and depression symptoms in patients during the first year post intensive care unit discharge. Crit Care 2010;14:R14.
55 Myhren H, Ekeberg Ø, Stokland O. Health-related quality of life and return to work after critical illness in general intensive care unit patients: a 1-year follow-up study. Crit Care Med 2010;38:1554-61.
56 Dowdy DW, Dinglas V, Mendez-Tellez PA, et al. Intensive care unit hypoglycemia predicts depression during early recovery from acute lung injury. Crit Care Med 2008;36:2726-33.

57 Dowdy DW, Bienvenu OJ, Dinglas VD, et al. Are intensive care factors associated with depressive symptoms 6 months after acute lung injury? Crit Care Med 2009;37:1702-7.

58 Schandl AR, Brattström OR, Svensson-Raskh A, Hellgren EM, Falkenhav MD, Sackey PV. Screening and treatment of problems after intensive care: a descriptive study of multidisciplinary follow-up. Intensive Crit Care Nurs 2011;27:94-101.

59 Jackson JC, Girard TD, Gordon SM, et al. Long-term cognitive and psychological outcomes in the awakening and breathing controlled trial. Am J Respir Crit Care Med 2010;182:183-91.

60 Cuthbertson BH, Rattray J, Campbell MK, et al. The PRaCTICaL study of nurse led, intensive care follow-up programmes for improving long term outcomes from critical illness: a pragmatic randomised controlled trial. BMJ 2009;339:b3723.

61 Mikkelsen ME, Christie JD, Lanken PN, et al. The adult respiratory distress syndrome cognitive outcomes study: long-term neuropsychological function in survivors of acute lung injury. Am J Respir Crit Care Med 2012;185:1307-15.

62 Strøm T, Stylsvig M, Toft P. Long term psychological effects of a no sedation protocol in critically ill patients. Crit Care 2011;15:R293.

63 Adhikari NK, McAndrews MP, Tansey CM, et al. Self-reported symptoms of depression and memory dysfunction in survivors of ARDS. Chest 2009;135:678-87.

64 Adhikari NK, Tansey CM, McAndrews MP, et al. Self-reported depressive symptoms and memory complaints in survivors five years after ARDS. Chest 2011;140:1484-93.

65 Nelson BJ, Weinert CR, Bury CL, Marinelli WA, Gross CR. Intensive care unit drug use and subsequent quality of life in acute lung injury patients. Crit Care Med 2000;28:3626-30.

66 Hopkins RO, Key CW, Suchyta MR, Weaver LK, Orme JF, Jr. Risk factors for depression and anxiety in survivors of acute respiratory distress syndrome. Gen Hosp Psychiatry 2010;32:147-55.

67 Kendler KS, Gardner CO, Prescott CA. Toward a comprehensive developmental model for major depression in women. Am J Psychiatry 2002;159:1133-45.

68 Kendler KS, Gardner CO, Prescott CA. Toward a comprehensive developmental model for major depression in men. Am J Psychiatry 2006;163:115-24.

69 Kendler KS, Gardner CO. A longitudinal etiologic model for symptoms of anxiety and depression in women. Psychol Med 2011;41:2035-45.

70 Ware JE. SF-36 health survey manual and interpretation guide. Boston, MA: The Health Institute, New England Medical Center; 1993.

71 Nord E. EuroQol: health-related quality of life measurement. Valuations of health states by the general public in Norway. Health Policy 1991;18:25-36.

72 American Psychiatric Association. Practice guideline for the treatment of patients with major depressive disorder (revision). Am J Psychiatry 2000;157(4 Suppl):1-45.

73 Peris A, Bonizzoli M, Iozzelli D, et al. Early intra-intensive care unit psychological intervention promotes recovery from post traumatic stress disorders, anxiety and depression symptoms in critically ill patients. Crit Care 2011;15:R41.

74 Elliott D, McKinley S, Alison JA, Aitken LM, King MT. Study protocol: home-based physical rehabilitation for survivors of a critical illness. Crit Care 2006;10:R90.

Chapter 21

중증질환 후 외상후스트레스장애

크리스티나 존스, 리차드 D. 그리피스
(Christina Jones and Richard D. Griffiths)

서론

외상후스트레스장애란 무엇인가?

외상후스트레스장애(PTSD)는 일종의 불안 장애로서 성폭력, 전쟁 또는 지진과 같은 천재지변처럼 매우 끔찍한 일을 겪은 뒤 발생할 수 있다. 증상은 세 가지로 구분할 수 있다.

1. 회피 – 외상과 관련한 기억을 피하려고 하는 시도
2. 재경험 – 외상과 관련한 일부분을 재경험하는 경우; 마치 그 경험이 다시 일어나는 것처럼 느끼는 회상이나 반복되는 악몽으로 나타나기도 한다.
3. 각성 – 예를 들어 집중하기 어렵거나, 과장되게 놀라는 것, 불면증

PTSD의 경우 증상은 외상 후 1개월가량 지속되고, 만성외상후장애는 3개월 이상 지속된다.[1] 최종 진단이 속하는 범주는 일상생활에서 개인의 기능에 미치는 증상의 범주가 된다. PTSD는 환자들이 그들의 정상적인 삶과 안녕으로 돌아가는 능력을 저해하는 핵심 요소이기 때문에 중대한 문제이다. 증상과 증상에 대한 환자의 반응은 삶의 모든 측면에 영향을 줄 수 있으며, 이 때문에 가정에서 그들이 고립될 수도 있다; 또한 괴로움에 대처하기 위해, 그들은 알코올이나 약물에 의존하게 될 수도 있다.

PTSD의 발생을 설명하는 여러 모델이 있지만, PTSD 증상이 주로 외상에 관한 독특한 기억과

그 기억을 본인의 기억으로 통합하지 못하기 때문이라는 핵심 가정에 있어서는 모두 같다. 과거의 사고 중에 경험하였던 무력감이 PTSD를 유발할 수 있다는 주장도 있다.[2] Ehler와 Clark의 PTSD 모델은[3] 사고 중 인식을 처리하는 개인의 능력이 만성PTSD 발생과 관련이 있다는 가설을 제기한다. 사고 상황 중에 혼란과 당황스러움을 경험하는 사람들이 만성PTSD로 이어질 가능성이 더 높다고 설명한다. 중환자실에서 PTSD가 어떻게 발생하게 되는지를 이해하는 핵심은 중환자가 중증질환(섬망과 기억상실이 나타날 수 있다), 수면 박탈, 진정, 부가적으로 기여하는 마약성 진통제로 인한 급성뇌기능 감소로 정보를 처리하는 능력에 장애가 생기는 것을 보면 된다. 즉 급성뇌기능장애로 중환자는 그들에게 발생하는 일의 의미를 올바로 처리할 수 없다는 뜻이다.

중증질환 이후 발생하는 PTSD

중환자실 입실이 필요한 중증질환 환자들이 PTSD를 경험할 수 있다는 것은 상당히 최근까지도 인정받지 못했다. 사실 중증질환에서 진정의 목적 중의 하나가 환자가 경험을 기억하지 않도록 하여, 끔찍한 기억을 갖지 않도록 하는 것이었다. 이러한 모델은 수술 중 깨어나는 것이 PTSD의 강력한 촉진제가 되는 외과 환자의 경험에서부터 비롯된 것이다.[4] 그러나 이것은 중환자에서는 똑같지 않았는데, 왜냐하면 실제 기억이 종종 환각, 악몽, 의료진이 그들을 살해하려고 한다는 피해망상이나 외계인에게 납치되었다는 등의 끔찍하고 실제 같은 망상으로 바뀌기 때문이다(그림 21-1).[5,6]

그림 21-1. **피해망상 형태의 끔찍한 중환자실의 기억에 관한 묘사**[41]

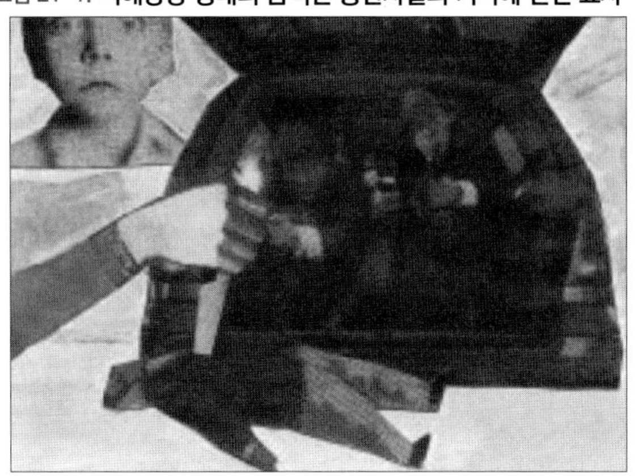

이는 실제 존재하는 사실에 대한 경험이 충격을 준다는 기존의 믿음과 반대된다. 또한 실제의 경험이 아닌 고통스런 망상적 경험을 겪은 환자들이 급성스트레스성 반응을 보일 위험도가 증가하였고 이것이 PTSD로 갈 수 있다는 것을 알게 되었다. 우리가 불쾌하고 고통스럽다고 생각되는 절차들은 기억되지 않는다. 또한 그것들은 고통으로 생각되지 않는다. 환자들에 의한 특정한 망상적 믿음이 완전한 허구라 하더라도 매우 강력하게 지속된다는 것이 중요하다. 조현병과 같은 정신과적 질병에서의 정신적 사건의 경험은 외상후스트레스를 유발시킬 수 있고 특히 환자가 무관심, 제어하기 힘든 상태를 겪거나 피해망상으로 무서움을 겪을 때 PTSD가 발생할 확률이 커진다.[7]

중환자실에 들어가기 전, 병원에 입원한 것을 포함한 중증질환의 치료기간 동안의 실제 기억의 손상은 병을 앓고 난 후의 신체상태에 대한 환자들의 생각에 영향을 직접적으로 미친다. 병에 대해 실제 경험을 해본 적이 없기 때문에 그들은 왜 약해지고 관절에 통증이 있는지 이해하지 못한다.[8] 게다가 중환자실에서의 망상적인 기억의 회상은 환자 삶의 질에 불리한 영향을 끼치고, 그 결과 설명이 안 되는 공황상태가 될 수 있고, PTSD 진행의 강력한 유발인자가 될 수 있다. 망상기억 회상에 영향을 끼치는 요소를 두 가지로 나눌 수 있다. 첫째, 심리학적인 문제의 과거력 같은 환자 요소이다. 둘째, 이런 기억들의 생성 위험을 증가시키는 깊고, 장기간의 진정의 깊이 같은 중환자실에서의 치료요소이다.[9] PTSD로 진행하는 수많은 예측인자들은 밝혀져 왔었고, 심리학적 문제의 병력, 중환자실에 있었을 때의 벤조다이아제핀계 약물(BDZ)을 고용량 사용한 것, 중증질환의 기간 동안 공포나 정신적 경험의 기억 등을 포함하는 수많은 일관된 예측인자들이 연구에서 밝혀졌다.[14] 급성호흡곤란증후군(ARDS) 환자들을 대상으로 한 연구는 PTSD의 일관된 예측인자들을 기계환기 기간, 중환자실 입원 기간, 진정이라고 보고하였다.[15] 또 다른 연구에서는 중환자실 입원 후에 환자가 겪었던 악몽, 불안, 호흡곤란, 통증같은 부적절한 기억들과 PTSD의 관계를 보고했다.[16]

질병 뒤 PTSD의 발병률은 8%에서 51%까지[6,13,28,32,42-59] 다양하다.[17] 여기에는 다양한 요소들이 관여하는 것으로 보인다; 첫째, 상당수의 연구들이 PTSD 관련 증상들을 평가하는 검진방식의 사용에 의존하고, PTSD를 진단하는데 커트라인 점수를 이용하는데 이는 발생률을 과대평가하게 된다. 둘째, case-mix나 중환자실 연구에서 진정작용은 발생률에 영향을 미친다.[9] 마지막으로, 대부분의 연구들은 정신적 외상의 기억으로 PTSD가 생기는 경우는 검사하지 않는다. 이는 아직 진단되지 않은 이미 존재한 정신적인 문제를 가진 환자들이 이 수치들에 포함되어 있음을 의미한다. 환자들에게 얼마나 오래 PTSD 증상이 있었는지 물어보거나, PDS같은 진단 방법을 사용함으로써 이를 쉽게 확인할 수 있다.[18] 여기서 PDS는 이전의 정신적 외상 사건들의 평가를 만들거나 이미 존재했던 PTSD를 아는데 도움이 된다. 진단을 하는데 있어서 가장 좋은 기준은 DSM-IV 기준을 사용하는 것이다.[1] 그러나, 이것은 임상 심리학자의 도움을 요구하고, 임상적인 부분에서 항상 실현이 가능한 것은 아니다. PTSS-14같은 검진방법의 사용은[19] PTSD 관련 증상들의 정도를 알게 해주고, 증상들이 환자들의 일상생활에 어떤 영향을 미쳤는지, 치료를 위한 적절한 전실(transfer)에 대해 확실한 정보를 준다.

다른 대안은 IES-R이다.[20] 원조인 IES는 1979년 Horowitz 외 여러 명에 의해 소개되었고, 이는 모든 PTSD 측정에 대해 가장 널리 쓰였고 측정 도구이며,[21] 그동안 중환자실 환자를 대상으로 사용되어왔다.[6] IES의 개정본은 과다각성의 증상을 설명할 수 있었지만, 신뢰성과 유효성에는 더 많은 정보가 여전히 요구된다. 하지만 쉽게 환자를 이해하는데 장점이 있고, 더 자세한 진단적 인터뷰를 하는 데에 부가적으로 큰 도움이 되는 도구이다.[22]

중환자실 환자들의 가족들이 PTSD를 경험하기도 한다. 이것은 가족치료가 필요하다는 것을 의미한다. 환자와 그 가족들이 동시에 PTSD를 겪을 수 있다.[23-24] 그리고 이것은 그들이 항상 서로를 지지하지 못하고 가족과 부부관계를 끊게 할 수도 있다는 것을 의미한다.[13,25] 환자의 망상기억들이 가족들 주위에서 맴돌아 비슷한 방식으로 해를 끼치면 관계문제들을 촉발시킨다. 우리 환자들 중 한 명은 병을 앓고 있는 중에 성폭행 당한 십대 딸을 본 것을 기억했다. 그녀는 이것을 생생하게 기억했고 엄청나게 큰 충격으로 잠을 들 수가 없을 정도였다. 그녀가 기억하고 있는 것을 저자 중 한 명인 CJ에게 말할 수 있도록 신뢰를 가지게 하는 데는 시간이 걸렸다. 그녀는 PTSD 치료가 필요했고, 그동안 그녀는 그녀의 곁에서 딸을 떨어지지 않게 하려고 하였다. PTSD가 딸과의 관계에 영향을 주었다. 상대적으로 보았을 때, PTSD에 관련이 있는 경우들은 외상이 있는 환자, 의료보험 환자, 심한 불안증세를 가진 환자, 중환자실에서 주는 정보가 불완전하다고 느끼고, 의사결정을 공유했었고, 삶의 마지막을 결정해본 경험이 있는 가족구성원들이 있는 환자의 경우이다.[24]

PTSD의 장기간 영향

교통사고 희생자 등 다른 환자 집단의 장기간 경과 연구는 PTSD가 사회관계와 레저활동 같은 일상생활로 돌아오는 것과 연관이 있다고 본다.[27] 게다가 PTSD는 의학적으로는 설명되지 않는 신체증상의 증가, 여성, 높은 의료기관 방문 등과 연관되어진다.[28] 최근 TBI의 경력이 있는 퇴역군인들을 대상으로 한 연구는 PTSD가 건강 및 일상적 기능을 해치는데 기여함을 강조한다.[29]

TBI가 건강의 많은 부분과 연관되어 있기는 하지만, PTSD나 우울증에 필수 요소는 아니다. 사실, 관련된 PTSD는 그들의 수많은 신경학적, 신체적 문제의 주요 원인이다.

환자들은 PTSD 발생 가능성뿐만 아니라 다른 정신과적 문제에 대한 정보를 필요로 한다. 최근, 저자 중 한 명은 ARDS와 폐쇄 세기관지 기질화 폐렴(Bronchiolitis Obliterans Organizing Pneumonia, BOOP) 때문에 중환자실에 있었던 미국의 환자로부터 이메일 연락을 받았다. 왜 밤마다 반복되는 악몽, 불안, 공황장애로 시달리는 지에 대한 이유를 모른 채 몇 년을 보낸 후로, 환자는 중환자실에서 망상적 기억, 육체적 억압과 PTSD에 관한 본 저자 중 한 명의 프리젠테이션을 인터넷에서 찾았고 그것이 바로 자신이 느꼈던 바임을 알았다. 그 이후로 그녀는 다른 환자들이 그들의 아픈 경험을 받아들이는 법을 배워 회복을 돕기 위해 ARDS 포럼에 참여해서 기여했을 뿐만 아니라 정신과 의사를 만나 치료를 시작했다.

PTSD는 환자와 가족들의 삶에 강력한 영향을 주고, 경제적인 곤란, 관계의 붕괴, 술과 약물 남용,[30] 만성통증, 설명되지 않는 의학적 문제, 건강관련 삶의 질(HRQoL) 저하,[14] 조기 사망과[19] 같은 결과를 초래하기도 한다. 치명적인 질병으로부터의 재활은 환자가 운동에 참여하고 근육을 다시 만들게 하게 위해 식사를 잘 할 것을 필요로 하듯이 PTSD의 존재는 이러한 회복을 위험에 처하게 하고 그러므로 PTSD는 회복기간 중 최우선으로 다뤄져야 할 필요가 있다. 일단 확립되면, 만성PTSD는 더 치료 저항성이 커지고 다른 종류의 치료방식이나 정신과적 재활이 필요할지도 모른다.[31] 그러므로 중증질환의 이러한 합병증을 예방하는 것이 중요하다.

PTSD 발생을 예방하고 치료하기

만성PTSD의 영향에 대한 환자의 이야기는 환자를 쇠약하게 만드는 이 질환의 발생 위험요인을 줄이고, 급성 증상이 고정되기 전에 조기 치료를 제공하는 것이 중증질환을 겪은 후, 환자가 가능한 정상의 삶으로 돌아오도록 하는데, 매우 중요하다는 사실을 보여준다. 환자가 중환자실에 있는 동안 보살피는데 간단한 변화로도 그들의 경험에 강력한 영향을 미친다. 예를 들면 환자기 좀 더 깨어 있게 하면서도 여전히 편안한 상태에 있을 수 있게 하려고, 또는 섬망의 어떤 기간에서의 인지와 치료로 진정제를 투여할 때 투여 방식을 변경하는 것은 환자가 퇴원 후에 기억하는 것에 영향을 줄 수 있고 PTSD 발생의 위험을 줄일 수도 있다.[32] 일반 병실에서 퇴원한 후에도 환자들은 반드시 망상적 기억이 얼마나 일반적이며 그들의 중환자실 경험이 정상적인지에 대한 정보를 제공받아야 한다. 매일 사진을 곁들여서 중환자실 일기를 작성하는 것은 환자들에게 중환자실에서 무슨 일이 일어났었는지에 대한 정보를 제공해 줄 수 있다. 가족들은 이 일기 작성에 참여할 수 있고 병원에서 무슨 일이 있었는지 뿐만 아니라 집에서 일어난 일에 대한 느낌이나 환자가 모르는 일에 대해서도 적을 수도 있다. 최근 중증질환 이후 새로이 발생한 PTSD의 발생률에 관한 중환자실 다이어리의 영향에 대해 살펴본 연구가 있다. 이 연구는 PTSD 발생 비율이 간단한 다이어리 제공만으로도 대조군의 13%에서 실험군의 5%까지 절반 이상 감소했다고 보고한다.[33] 추가적으로, 본 연구에 참여에 대해 질문을 받은 환자 가족의 비율과 참여율은 환자 가족들의 PTSD 증상의 감소와 연관이 있다.[34] 최근 발표된 연구는 환자와 가족 모두에서 이러한 발견을 지지해준다.[35] PTSD에 대한 영향과 더불어 중환자실 일기 제공은 환자의 불안 및 공포를 줄여준다.[36]

중증질환 노출 후 첫 한 달 간의 초기 정신적 고통은 어떤 치료 없이도 즉각적으로 해결될 수 있다. 그러나 매우 높은 수준의 초기 불안, 우울, PTSD 증상은 해결하기 위해서는 약간의 도움이 필요할 수 있다. 적절한 치료의 열쇠는 증상에 적응하지 못한 환자들과 가족들이 증상을 인지하게 하는 것과 불필요한 간섭을 배제하고 도움을 주는 것이다.[37] 심각한 질환 이후의 상담서비스가 심각한 걱정, 우울, PTSD 같은 경우에서 필요할 수 있고 환자와 그들의 가족 모두 정상적인 삶으로 복귀하도록 돕는데 효과적이라고 보여진다.[38] 인지행동치료나 안구운동 민감소실 및 재처리 기법(eye movement desensitization and reprocessing, EMDR) 같은 특별한 치료는 효과적이라고 판명되었다. 인지행동치료(cognitive behavioural therapy, CBT)는 환자의 현재 정신적인 문제에 대한 생각과 느낌을 변화시키기 위해 고안된 목표 지향적, 체계적인 수단을 사용한다.[39] EMDR은 성폭행과 같은 사건 이후에 환자의 고통스런 감정을 줄이기 위해 개발되었다.[40] 외상적인 경험을 할 때 개인의 정상적인 대처 메커니즘은 압도당할 수 있고 기억은 부적절하게 처리된다. EMDR은 이러한 고통스런 기억을 처리하고 더 적응력 있는 대처 메커니즘을 발전시키도록 한다. 중환자실 환자에 대해서 EMDR은 환자들이 망상적 기억을 처리하는데 도움을 주기 위해 사용될 수 있고 이런 기억이 반복적인 악몽이나 회상을 통해 다시 경험될 때 그들이 느끼는 고통의 강도를 줄이기 위해 사용될 수도 있다. 이런 기억에서 환자의 정신적 고통을 줄이는 것은 다시 고통스런 회상이 유발되는 것을 피하기 위해 외래 방문을 하지 않거나 경험을 이야기 하지 않는 것과 같은 환자 회피 행동을 줄이도록 한다. 환자들이 그들의 공포스러운 경험이 드러나서 고통이 유발되기 보다는 차라리 괜찮다고 말하는 것은 환자들의 (특히 만성이면) PTSD 인식을 어렵게 만들 수 있는 바로 이러한 회피 행동 때문이다. 이것은 왜 몇몇 중환자실 임상의사들이 그들의 환자가 PTSD를 겪지 않는다고 생각하는지에 대한 이유를 설명해준다.

결론

PTSD는 환자를 쇠약하게 하고 심각한 장애를 유발하며, 적절한 조치가 환자와 그 가족 둘 다에 제공될 때 발생률을 줄일 수 있다. 최상의 노력에도 불구하고 발생한다면, 환자들을 회복시키고 정상적인 삶으로 되돌려 보내는데 효과적이고 훌륭한 치료법이 있다. 임상가로서 우리는 누구도 알지 못하는 환자들의 경험에 대해 알고 있고, 우리가 제공한 치료가 문제를 발생시키고 그것의 치료도 도울 수 있다는 점을 환자에게 설명할 책임이 있다.

참고문헌

1 American Psychiatric Association. The diagnostic and statistical manual of mental disorders. 4th ed. Arlington, VA: American Psychiatric Publishing; 2000.

2 Van der Volk B, Greenberg M, Boyd J, Krystal J. Inescapable shock, neurotransmitters and addiction to trauma: towards a psychobiology of post traumatic stress. Biol Psychiatry 1985;20:314-25.

3 Ehlers A, Clark DM. A cognitive model of posttraumatic stress disorder. Behav Res Ther 2000;38:319-45.

4 Osterman JE, Hopper J, Heran WJ, van der Volk BA. Awareness under anaesthesia and the development of posttraumatic stress disorder Gen Hosp Psychiatry 2001;23:198-204.

5 Skirrow P. Delusional memories of ITU. In: Griffiths RD, Jones C (eds.) Intensive care aftercare. Oxford: Butterworth-Heinemann; 2002. pp. 28-35.

6 Jones C, Griffiths RD, Humphris GH, Skirrow PM. Memory, delusions, and the development of acute posttraumatic stress disorder-related symptoms after intensive care. Crit Care Med 2001;29:573-80.

7 Chisholm B, Freeman D, Cooke A. Identifying potential predictors of traumatic reactions to psychotic episodes. Br J Clin Psychol 2006;45:545-59.

8 Griffiths RD, Jones C, Macmillan RR. Where is the harm in not knowing? Care after intensive care. Clin Intensive Care 1996;7:144-5.

9 Granja C, Lopes A, Moreira S, et al. Patients' recollections of experiences in the intensive care unit may affect their quality of life. Crit Care 2005;9:R96-109.

10 Ringdal M, Plos K, Örtenwall P, Bergbom I. Memories and health-related quality of life after intensive care: a follow-up study. Crit Care Med 2010;38:38-44.

11 Ringdal M, Johansson L, Lundberg D, Bergbom I. Delusional memories from the intensive care unit—experienced by patients with physical trauma. Intensive Crit Care Nurs 2006;22:346-54.

12 Jones C, Skirrow P, Griffiths RD, et al. Rehabilitation after critical illness: a randomized, controlled trial. Crit Care Med 2003;31:2456-61.

13 Jones C, Backman C, Capuzzo M, Flaatten H, Rylander C, Griffiths RD. Precipitants of post-traumatic stress disorder following intensive care: a hypothesis generating study of diversity in care. Intensive Care Med 2007;33:978-85.

14 Davydow DS, Gifford JM, Desai SV, Needham DM, Bienvenu OJ. Posttraumatic stress disorder in general intensive care unit survivors: a systematic review. Gen Hosp Psychiatry 2008;30:421-34.

15 Davydow DS, Desai SV, Needham DM, Bienvenu OJ. Psychiatric morbidity in survivors of the acute respiratory distress syndrome: a systematic review Psychosom Med 2008;70:512-19.

16 Schelling G, Stoll C, Meier M, et al. Health-related quality of life and posttraumatic stress disorder in survivors of adult respiratory distress syndrome. Crit Care Med 1998;26:651-9.

17 Jubran A, Lawm G, Duffner LA, et al. Post traumatic stress disorder after weaning from prolonged mechanical ventilation. Intensive Care Med 2010;36:2030-7.

18 Foa EB, Cashman L, Jaycox L, Perry K. The validation of a self-reported measure of posttraumatic stress disorder: the Posttraumatic Diagnostic Scale. Psychological Assessment 1997;9:445-51.

19 Twigg E, Jones C, McDougall M, Griffiths RD, Humphris GH. Use of a screening questionnaire for posttraumatic stress disorder (PTSD) on a sample of UK ICU patients. Acta Anaesthesiol Scand 2008;52:202-8.

20 Weis DS, Marmar CR. The impact of event scale-revised. In: Wilson JP, Keane TM (eds.). Assessing psychological trauma and PTSD. New York: Guildford Press; 1997. pp. 399-428.

21 Horowitz M, Wilner N, Alvarez W. Impact of events scale: a measure of subjective stress. Psychosom Med 1979;41:209-18.

22 Keane TM, Weathers FW, Foa EB.Diagnosis and assessment. In: Foa EB, Keane TM, Friedman MJ (eds.) Effective treatments for PTSD. Practice guidelines from the International Society for Traumatic Stress. London: The Guildford Press; 2000. pp. 18-36.

23 Jones C, Skirrow P, Griffiths RD, et al. Post traumatic stress disorder-related symptoms in relatives of patients following intensive care. Intensive Care Med 2004;30:456-60

24 Azoulay E, Pouchard F, Kentish-Barnes N, et al. Risk of post traumatic stress symptoms in family members of intensive care unit patients' families. Am J Respir Crit Care Med 2005;163:135-9.

25 Neis LA, Erbes CR, Polusny MA, Compton JS. Intimate relationships among returning soldiers: the mediating and moderating roles of negative emotionality, PTSD symptoms, and alcohol problems. J Trauma Stress 2010:23:564-72.

26 Pillai L, Aigalikar S, Vishwasrao SM, Husainy SM. Can we predict intensive care relatives at risk for posttraumatic stress disorder? Indian J Crit Care Med 2010;14:83-7.

27 Barth J, Kopfmann S, Nyberg E, Angenendt J, Frommberger U. Posttraumatic stress disorders and extent of psychosocial impairments five years after a traffic accident. Psychosoc Med 2005;2:Doc09.

28 Walker EA, Katon W, Russo J, Ciechanowski P, Newman E, Wagner AW. Health care costs associated with posttraumatic stress disorder symptoms in women. Arch Gen Psychiatry 2003;60:369-74.

29 Hoge CW, McGurk D, Thomas JL, et al. Mild traumatic brain injury in US soldiers returning from Iraq. N Engl J Med 2008;358:453-63.

30 Foa EB, Keane TM, Friedman MJ (eds.) Introduction. In: Effective treatments for PTSD. New York: The Guilford Press; 2000. p. 8.

31 Foa EB, Keane TM, Friedman MJ (eds.) Effective treatments for PTSD. New York: The Guilford Press; 2000. p. 5.

32 Kress JP, Gehlbach B, Lacy M, Pliskin N, Pohlman AS, Hall JB. The long-term psychological effects of daily sedative interruption on critically ill patients Am J Respir Crit Care Med 2003;168:1457-61.

33 Jones C, Bäckman C, Capuzzo M, et al.; RACHEL group. Intensive care diaries reduce new onset PTSD following critical illness: a randomised, controlled trial. Crit Care 2012:14:R168.

34 Jones C, Bäckman C, Griffiths RD. Intensive care diaries reduce PTSD-related symptom levels in relatives following critical illness: a pilot study Am J Crit Care 2012:21:172-6.

35 Garrouste-Orgeas M, Coquet I, Perier A, et al. Impact of an intensive care unit diary on psychological distress in patients and relatives Crit Care Med 2012;40:2033-40.

36 Knowles RE, Tarrier N. Evaluation of the effect of prospective patient diaries on emotional well-being in intensive care unit survivors: a randomized controlled trial Crit Care Med 2009;37:184-91.

37 Jones C, Griffiths RD. Patient and caregiver counselling after the intensive care unit: what are the needs and how should they be met? Curr Opin Crit Care 2007;13:503-7.

38 Jones C, Hall S, Jackson S. Benchmarking a nurse-led ICU counselling initiative. Nurs Times 2008;104: 32-4.

39 Foa E, Rothbaum, B, Furr J. Augmenting exposure therapy with other CBT procedures. Psychiatric Ann 2011;33:47-56.

40 Shapiro F. EMDR as an integrative psychotherapy approach: experts of diverse orientations explore the paradigm prism. Washington, DC: American Psychological Association; 2002.

41 Griffiths RD, Jones C. ABC of intensive care: recovery from intensive care. BMJ 1999;319:427-9.

42 Schelling G, Stoll C, Haller M, et al. Health-related quality of life and post-traumatic stress disorder in survivors of adult respiratory distress syndrome. Crit Care Med 1998;25:651-9.

43 Schelling G, Stoll C, Kapfhammer HP, et al. The effect of stress doses of hydrocortisone during septic shock on posttraumatic stress disorder and health-related quality of life in survivors. Crit Care Med 1999;27:2678-83.

44 Stoll C, Kapfhammer HP, Rothenhäusler HB, et al. Sensitivity and specificity of a screening test to document traumatic experiences and to diagnose post-traumatic stress disorder in ARDS patients after intensive care treatment. Intensive Care Med 1999;25:697-704.

45 Nelson BJ, Weinert CR, Bury CL, Marinelli WA, Gross CR. Intensive care unit drug use and subsequent quality of life in acute lung injury patients. Crit Care Med 2000;28:3626-30.

46 Eddleston JM, White P, Guthrie E. Survival, morbidity, and quality of life after discharge from intensive care. Crit Care Med 2002;28:2293-9.

47 Shaw RS, Harvey JE, Nelson KL, Gunary R, Kruk H, Steiner H. Linguistic analysis to assess medically related posttraumatic stress symptoms. Psychosomatics 2001;41:35-40.

48 Schnyder U, Moergeli H, Klaghofer R, Buddeberg C. Incidence and prediction of posttraumatic stress disorder symptoms in severely injured accident victims incidence and prediction of posttraumatic stress disorder symptoms in severely injured accident victims. Am J Psychiatry 2001;158:594-9.

49 Scragg P, Jones A, Fauvel N. Psychological problems following ICU treatment. Anaesthesia 2001;56:9-14.

50 Kress JP, Gehlbach B, Lacy M, Pliskin N, Pohlman AS, Hall JB. The long-term psychological effects of daily sedative interruption on critically ill patients. Am J Respir Crit Care Med 2003;168:1457-61.

51 Cuthbertson BH, Hull A, Strachan M, Scott J. Post-traumatic stress disorder after critical illness requiring general intensive care. Intensive Care Med 2004;30:450-5.

52 Kapfhammer HP, Rothenhäusler HB, Krauseneck T, Stoll C, Schelling G. Posttraumatic stress disorder and health-related quality of life in long-term survivors of acute respiratory distress syndrome. Am J Psychiatry 2004;161:45-52.

53 Capuzzo M, Valpondi V, Cingolani E, et al. Post-traumatic stress disorder-related symptoms after intensive care. Minerva Anestesiol 2005;71:167-79.

54 Rattray JE, Johnston M, Wildsmith JA. Predictors of emotional outcomes of intensive care. Anaesthesia 2005;60:1085-92.

55 Deja M, Denke C, Weber-Carstens S, et al. Social support during intensive care unit stay might reduce the risk for the development of posttraumatic stress disorder and consequently improve health related quality of life in survivors of acute respiratory distress syndrome. Crit Care 2006;10:R157.

56 Girard TD, Shintani AK, Jackson JC, et al. Risk factors for post-traumatic stress disorder symptoms following critical illness requiring mechanical ventilation: a prospective cohort study. Crit Care 2007;11:R28.

57 Davydow DS, Zatzick DF, Rivara FP, et al. Predictors of posttraumatic stress disorder and return to usual major activity in traumatically injured intensive care survivors. Gen Hosp Psychiatry 2009;31:428-35.

58 Myhren H, Ekeberg O, Tøien K, Karlsson S, Stokland O. Post-traumatic stress, anxiety and depression symptoms in patients and relatives during the first year post intensive care discharge. Crit Care 2010;14:R14.

59 Jackson JC, Archer KR, Bauer R, et al. A prospective investigation of long-term cognitive impairment and psychological distress in moderately versus severely injured trauma intensive care unit survivors without intracranial hemorrhage. J Trauma 2011;71:860-6.

Chapter 22

중증질환에 기인한 수면장애와 회복

스콧 호프, 낸시 A. 콜롭(Scotte Hoff and Nancy A. Collop)

서론

중환자실은 양질의 수면이 제한되어 있는 혼란스러운 환경이다. 중환자실과 중증질환의 어떠한 요소들이 수면이나 중증질환의 회복에 영향을 주는지는 잘 알려져 있지 않다. 중증질환과 관련된 전기적, 생리적, 생체역학적 신호들은 중환자실에서의 수면에 대한 객관적인 평가와 수면과 중증질환 양상 사이의 상관관계에 관한 연구를 어렵게 한다. 이 장에서는 수면과 중증질환 사이 상호관계를 설명하고자 한다.

수면의 생리학

수면은 복잡하고, 역동적이지만 마음과 육체의 다면적인 회복을 이끄는 인지행동적인 구조적 상태이다. 수면은 N수면(non-rapid eye movement, NREM)과 R수면(rapid eye movement, REM)으로 분류된다. 최근의 명명법은 N수면을 N1, N2, 그리고 N3로 분류한다. N3수면은 역사적으로 3, 4단계수면, 델타수면, 혹은 서파수면(slow-wave sleep, SWS)으로 알려져 있으며 수면의 회복단계라고 여겨진다. R단계의 수면은 대다수의 경우에 서사적인 꿈과 매우 활동적인 인지 상태와 관련이 있다. 일반적으로 R수면은 중추에서 생산된 자율신경 활동과 연관된 호흡과 심혈관계의 불안정성이 특징이다.

수면 주기는 수면의 각 단계를 통해 계단식 변화를 이룬다. 성인의 경우 N1수면은 대개 과도기에 해당하며 보통의 경우 전체 수면에서 가장 적은 부분을 차지한다. N2단계는 일반적으로 전체 수면에서 가장 많은 부분을 차지하며 수면방추(Sleep spindle)와 K-복합체(K-complex)와 같은 특징적인 파형에 따라 구분된다. N3단계는 사람의 연령에 따라 전체 수면의 더 적은 부분을 차지하며 수면기간의 처음 절반 정도를 차지한다. N3수면의 뇌전도(EEG)는 델타 주파수(0.5-2 Hz)의 75 마이크로볼트에 의해 특징지어진다. R수면은 R단계의 기간과 수면기간이 진행되면서 발생하는 정상적인 체온저하와 연관관계를 형성하는 생체주기패턴을 갖는다. 전체수면시간(TST)의 20%는 대개 R수면이다. EEG 패턴에서 발생하는 최소 3초 이상의 갑작스러운 변화인 각성은 EEG의 연속을 방해하며 충분한 주파수가 발생될 때 과다한 낮잠의 원인이 될 수 있다. 일반적으로 수면주기는 약 90-110분 주기로 변화한다.

수면각성주기(wake-sleep)는 일반적으로 생물학적 일주기 리듬(circadian rhythm)과 항상성 욕구(homeostatic drive) 사이의 복합적인 상호작용으로 조절된다. 신체의 생물학적 리듬은 앞시상하부의 시각교차위핵(SCN)이 조율한다. 이러한 조절신호는 24시간보다 조금 더 길다. 망막시상하부경로를 통한 망막의 직접적인 입력은 빛이 SCN과 외부환경 사이에 동시에 발생하는 중요한 역할을 수행할 수 있게 한다. 수면항상성 욕구는 아데노신의 축적과 점진적인 불면 기간 동안 다른 물질들에 의해 결정된다.

생물학적 리듬, 리듬의 소실과 같은 몇몇 지배적인 신체적 리듬은 질병의 회복에 중요하다. 시상하부-뇌하수체-부신축은 이러한 신체적 리듬의 특징이다. 코티솔분비는 생물학적 주기 패턴을 따른다. 솔방울샘(pineal gland)에서 분비, 합성되는 멜라토닌 또한 생물학적 주기 패턴을 따르며 면역제어물질의 성격을 띤다.

중환자실에서의 수면

중환자실에서의 수면은 객관적 측정이 어렵다. 비디오 모니터, 정맥 주입 펌프, 인공호흡기와 같은 전기적 기계들로부터 오는 전기 신호들 때문에 중환자실에서 수면다원검사 결과를 얻는 것은 어렵다. 간호사들은 환자들의 수면을 평가하는데 있어 부정확한 평가자로 여겨져 왔으며 간호사들의 평가는 수술 후 중환자실의 환자들의 다원 측정에 비해 총수면시간(total sleep time, TST)을 과대평가하는 양상이 있다.[1]

중환자실에 있는 환자의 수면의 상대적인 질과 전체적인 양은 상충되는 결과를 나타낸다. 전통적 정의로 견주어 볼 때 중증질환을 앓는 환자의 수면 EEG는 분류하기 어려운 수면, 불면의 특징과 혼합되어 있는 요소와 일반적인 특징에 이르는 다양한 종류의 패턴으로 설명된다.[2] 비패혈증 환자들은 2단계, 3단계 그리고 R수면의 양 감소와 함께 1단계 수면을 선점하는 반면 패혈증 환자들은 특징적인 수면과 각성의 기간이 없는 뇌병변 EEG 특징이 나타난다.[3] 중환자실에 있는 수술후의 환자들은 SWS와 R수면의 감소와 함께 수면을 박탈된다.[1] 24시간 이상의 TST는 8.3시간 정도로 길지만 종종 그 기간은 15분 정도로 짧으며 하루동안 이루어지는 수면의 최고 54%에 해당한다.[3-7] 중증질환을 앓는 환자들의 비정상적인 수면패턴이 보통 사람들의 야간 통합 패턴과 같은 기능을 충족시켜주는지 여부는 아직 밝혀지지 않았다.

중환자실 환경이 수면에 미치는 영향

소음

중환자실은 다양한 원인들로 발생하는 지속적인 소음에 노출되어 있다. 1974년에 Environmental Protection Agency는 병원에서 소음의 강도가 낮 동안 45 dB, 밤 동안 35 dB을 초과하지 말 것을 권고하였다. 중환자실에서의 소음을 지속적으로 관찰한 연구는 소음의 가장 높은 단계를 66–86 dB로 규정했다. 자정부터 새벽 6시까지 80 dB을 초과하기도 하는 66–86 dB 소음에서 발생하는 150–200 sound peak으로 규정했다. 소음 최고 단계와 소리 최고 주파 수 모두 낮 시간의 소음 수준에 비해 밤 동안에 감소되었다.[3,5,8,9] 데시벨 척도가 로그지수라는 것을 이해하기 전까지 중환자실에서 소음의 수준이 제대로 평가되지 않았다; 결과적으로 소리 크기의 배수는 대략 10 dB의 변화를 나타낸다.

소음과 수면방해의 관계는 단순히 소음의 증가가 수면 중 깨어남을 촉진시키는 것보다 더 복잡하다. 각성과 깨어남 사이의 관계를 평가한 연구에서는 소음이 갑자기 11–12% 증가해도 각성을 유발할 수 있음을 밝혔다.[3,5] 굉장히 높은 절대 데시벨 수준에서 높은 데시벨이 발생함에도 불구하고, 각성 혹은 깨어남을 유도할 때 요구되는 역치값 변화가 있을 것이다.[10] 또한, 환자들은 각성과 깨어남을 유도하는데 더 큰 소리의 변화가 필요할 수 있기 때문에 소음에 적응해야 한다. 주변 소음의 강도와 소음 최고점의 잦은 빈도와 높은 강도에도 불구하고 환자들은 소음을 수면의 방해인자로 여기지 않았다. 환자들은 수면의 가장 큰 방해인자를 활력징후 측정과 정맥천자로 생각했고, 소음 또한 다른 요소들 만큼 수면을 방해하는 것으로 밝혀졌다. 치료진들의 대화, 원격측정의 알람 등 소음은 환자들의 수면을 가장 방해하는 환경적 요소이다.[5,11]

환자-치료 활동

투약, 인공호흡기 교체, 목욕, 위생활동과 같은 환자-간호 활동은 종종 밤 동안에 이루어진다. 중환자실 치료진들로 인한 수면의 방해는 한 시간에 한 번 이상 발생하며, 통합된 수면을 취할 기회를 박탈한다.[8] 이와 같은 방해가 자주 발생함에도 불구하고, 이러한 종류의 방해인자들은 그동안 수면 방해 요소로 여겨지지 않았다.[11]

빛

빛은 일주기 리듬을 조절하는데 필수적이다. 그러므로 중환자실에서의 빛은 수면 방해 인자일 것으로 짐작된다. 약 180 lx 정도의 일반적인 실내 조명 노출도 체온 조절의 내적 요소들은 크게 증가할 수 있다. 더불어, 100-150 lx 정도로 어두운 빛도 멜라토닌과 멜라토닌의 발생 분비를 감소시키는 것으로 나타났다.[12] 다양한 중환자실의 빛강도는 낮의 최대 강도(2,229-5,090 lx)와 밤의 최소 강도(190-1,445 lx) 값들의 증가된 평균값으로 낮-밤의 빛의 강도 변화를 설명한다.[8] 결과적으로, 수면방해는 빛 노출로 인한 일주기의 대체와 멜라토닌 억제 방지의 결과로 나타난다.

수면에 있어서 중증질환의 영향

중증질환은 수면에 다양한 영향을 미친다. 중증질환으로부터 기인하는 수면 구조의 지속적인 변화는 N수면의 증가와 R수면의 감소로 구성되어 있다. 이러한 변화들은 리노바이러스나 소량의 내독소를 접종한 건강한 지원자들이나 초기 HIV감염 단계의 환자들에게도 나타난다. 싸이토카인, TNF-알파와 IL-1베타는 급성기 반응물질로서 증가하며, 이들은 수면을 유도하는 성질을 갖는다. 체온주기와 시상하부-뇌하수체-부신 축을 포함하는 강력한 생물학적 주기 요소들을 갖춘 기관(organ system)의 장애는 수면을 방해한다.

멜라토닌의 효과

멜라토닌은 솔방울샘에서 분비된다. 멜라토닌의 분비는 새벽 1-3시에 절정에 이르며 주로 24시간 분비주기를 따른다. 멜라토닌은 하루주기 기간뿐만 아니라 수면 잠복기에도 영향을 끼친다. 최근에 멜라토닌은 면역조절효과가 있음이 밝혀졌다. 중증질환은 분비 패턴과 수면 생물학적 주기 패턴 유지를 잠재적으로 방해하는 멜라토닌의 최고 수준에 영향을 미친다. 패혈증 환자는 6-설페이톡시멜라토닌(멜라토닌 대사)의 생물학적 주기 패턴을 상실하여, 평균 수준에 비해 최고점이 낮으며, 건강한 대조군들과 비패혈증 환자들을 비교했을 때 최고점이 늦게 나타난다. 패혈증으로부터 회복되는 몇 주 동안 이러한 비정상성의 증가는 계속 된다.[13] 수면동작평가가 사용된 연구에서 중환자실에 있는 의식이 있는 환자들은 야간에 6-설페이톡시멜라토닌 분비 증가를 소실하며 일반병동 환자들과 비교했을 때 평균 분비 최고점이 더 낮았다.[6]

중환자실에서 수면을 증가시키는 멜라토닌은 잠재적으로 유익한 효과를 가지고 있다. 오후 9시에 멜라토닌(10 mg)을 MV에 있는 비진정된 환자에게 주는 간단한 실험에서 야간 수면의 양은 통계적으로 유의미한 개선이 나타나지 않았지만 이중분광지수(BIS)를 사용하여 수면 효율성 지수를 측정하였을 때는 수면의 질 향상 곡선 아래에 통계적으로 크게 낮은 이중분광지수를 보였다.[14] 호흡기 중환자실에서 호흡 실패를 겪은 환자들의 시도에 있어서 멜라토닌 투약(3 mg)은 TST 증가와 일반적인 의학 병동에 있는 안정되어 있는 COPD 환자과 비교 했을 때 수면이 강화되었다. 이때 위약(placebo)를 처방 받은 환자들 데이터는 제공되지 않았다.[15] 한 시간 동안 더 많은 멜라토닌(10 mg)으로 치료받은 패혈증 신생아들은 백혈구 세포, 절대 중성구 그리고 멜라토닌을 받기 24시간 후에 지질과산화의 표지가 대조군과 비교할 때 통계적으로 크게 유의한 증가를 보였다.[16]

EEG 변화

중환자들의 EEG 결과 범위는 별개의 수면 방해인자에서부터 전형적인 각성-수면 상태의 결정적 특징이 부족한 패턴에 이르기까지 다양하다. 기술적으로 해석 가능한 EEG를 기록한 환자 20명 중 12명의 환자는 관습적으로 규정된 수면을 나타내지 않았으나[2] 다른 연구에서는 22명 중 5명의 환자가 규정된 수면의 특징이 부족함을 EEGs를 통하여 밝혀냈다.[3] Hardin은 집단간에 통계적으로 크게 유의한 차이가 없음에도 간헐적인 진정, 지속적 진정 혹은 신경근육 차단으로 인한 지속적 진정 중 무작위로 선정된 중환자실 환자의 거의 3배의 델타수면이 증가함을 발견했다.[7] 벤조다이제핀과 아편제의 복용이 간헐적 진정 집단에서 크게 낮았지만 표본이 작아 약물 복용 정량과 수면의 어떠한 단계에서 상관관계가 있는지 밝힐 수 없었다. 지속적으로 진정되어 있지 않은 몇몇 패혈증 환자는 소위 패혈 뇌병증으로 불리는 쎄타, 델타파의 산재한 폭발들이 있는 다양한 진동수의 저주파로 특징지어지는 EEG 패턴이 증가함을 보였다.[3] 이러한 패턴은 종종 패혈증의 임상적 징후의 발현 최대 8시간 전에 선행하며 EEG 결핍의 각성-수면 상태를 구별짓게 하는 환자의 눈 감고 뜸과 함께 발생한다. Copper 등이 진행한 연구에서 20명 중에 12명은 전통적 정의에 따른 수면이 발생하지 않았으며 패혈증 여부와 비전형적 EEG 패턴의 실증 사이에 상관관계가 전혀 없었다. 다수의 환자들은 각성을 나타내는 EMG 활동 증가와 동반된 빠른 안구운동(saccadic eye movement) 같은 병적 각성 패턴을 보였고, 잦은 델타 EEG 활동으로 나타났다.[2]

질병의 중증도와 수면 박탈(sleep disruption) 사이에 연관성은 없다. 한 연구는 TST나 특정 수면 단계에서의 시간 소비는 전통적 정의에 따른 수면의 EEG가 환자의 중증도 점수와 연관성이 없음을 밝혔다.[3] 또 다른 연구는 수면구조의 전통적 특징을 보이는 집단이 그러한 특징이 부족한 혼합된 집단보다 낮은 급성 병증 점수와 높은 GCSs점수를 보인다고 하였다. 혼합된 비전형적 EEG와 혼수상태 집단은 벤조다이제핀과 마약성 진통제를 많이 복용하였다. 저자는 집단 간의 EEG 변화가 약물에 의해 유발된 것으로 추측하였다.[2] 세 번째 연구는 TST나 수면 단계의 특정 시점 그리고 APACHE II 점수 사이에 상관관계가 없음을 밝혔다. BIS측정법을 사용하여 측정한 야간 수면의 양과 진정되어 있지 않고 기계환기를 하고 있는 환자들의 APACHE II 점수 사이에 어떠한 상관관계도 보이지 않았으나 신뢰구간이 넓었다.[14]

치료 중재가 수면에 미치는 효과

다양한 치료적 중재들은 수면에 부정적인 효과를 끼친다. 여기에는 진정제, 진통제, 혈압상승제 그리고 인공호흡기(MV)를 포함된다. 장기간 복용 중인 약물의 갑작스러운 중단은 마약(recreational drug)을 중단했을 때처럼 수면에 부정적인 효과를 미친다. 체액 양의 변화와 약물 제거율에 영향을 주는 간 또는 신장 대사의 변화는 수면에 변화를 유발할 수 있다. 마약성 진통제, 선택적 세로토닌 재흡수억제제, 혈압상승제, 벤조디아제핀, 정신병치료제를 포함하는 다양한 종류의 인자들은 R수면의 양을 감소시키는 수면구조에 영향을 끼치는 것으로 알려져 왔다. 또한, 이러한 인자들의 갑작스러운 중단은 중환자들에게 심혈관, 호흡, 신경학적인 큰 효과를 야기하는 R단계 수면의 반동을 유발할 수 있다. 이러한 사실은 중환자를 대상으로 잘 연구되지 않았지만 환자가 중환자실에 입실할 때 다양한 잠재적 '수면 방해 인자'로 여겨져야 한다. 중환자실에서 또 다른 수면 방해 인자는 환자가 중환자실 입실 전에 겪었던 다른 경험, 질병 상태에서 겪는 수면장애가 있다.

진정제

진정은 중환자실 환자 치료에서 필수 요소이다. 진정제 사용은 기관 삽관 및 기계환기의 시작을 용이하게 하고, 중심정맥관 삽입 같은 침습적 시술을 하는 동안 환자의 불인을 진정시키고 편안함을 느끼게 한다. 자연스러운 수면과 진정제 사용의 생리학적 차이가 어떠한지는 밝혀지지 않았다. 중환자실에서 벤조디아제핀을 흔히 사용한다. 벤조디아제핀은 GABA-type A 수용체를 통하여 활성화된다. 벤조디아제핀은 수면 잠재기의 발생을 단기화하고 TST를 증가시키고 수면의 N3와 R단계를 감소시키는 동안 방추의 밀도(N2수면)를 증가시킨다. 투여량이 증가되면

EEG를 둔화시키고 결국에는 전반적 대뇌 기능 부전과 죽음까지 이르게 된다. EEG의 전체적인 둔화를 이끄는 미다졸람을 사용한 진정은 베타 주파수범위(12.5–20 Hz), 중간 주파수, 스펙트럼 경계(전체 파워스펙트럼의 95%)의 점진적인 소실로 인해 발생한다. 델타파워(1–3.5 Hz)는 진정의 모든 수준에서 가장 많은 부분을 차지하였다.[17] 이소프루란 투여로 진정이 된 수술 후의 환자들은 미다졸람이 투여된 환자들과 비교했을 때 24시간의 연구 기간동안 적절한 수준의 진정 깊이가 유진된 시간이 통계적으로 유의하게 높은 퍼센트를 기록하였고, 카테콜라민 수준은 낮았다.[18]

벤조다이제핀 사용의 가장 강력한 잠재적 결과는 섬망의 증가이다. 하루에 1.8 mg보다 더 많은 양의 로라제팜을 투여하면 단변량 분석에서 섬망 발생의 승산비(OR)가 3배를 넘는다.[19] 한 연구에서 중환자실에서 섬망이 발생한 환자들의 34%가 6개월 추적관찰 기간동안 사망한 반면, 섬망이 없었던 환자들은 15% 사망에 그쳤고, 병원 재원 기간은 중앙값 10일 이상 길었다.[20] 섬망이 있는 날이 증가할수록 30일 병원 사망률, 기관삽관 기간, 중환자실 재실기간의 상대위험도도 점진적으로 증가하였다.[21]

프로포폴은 A형 GABA 수용체 작용제로서 중환자실에서 일반적으로 사용되는 진정, 마취제이지만 벤조다이제핀와는 다른 결합부위에서 활성화된다. 프로포폴은 인체 대상 연구에서 N3 수면을 감소시키지만 R단계 수면에 영향을 미치거나 수면 박탈의 상태를 야기하지는 않는다.[22] 쥐를 대상으로 한 연구의 결과로 미루어 볼 때 프로포폴은 수면 회복기 특성과 상호작용하지 않았으며 자원자를 대상으로 한 연구에서 수면 잠복기는 습관적인 취침시간의 8시간 전에 1시간 동안 연속적으로 프로포폴을 투여 받은 후에 증가를 보였다.[23]

두 종류의 GABA–A 수용체 길항제를 비교한 연구에서, 미다졸람과 프로포폴은 기관삽관을 하지 않은, 야간 진정을 시행한 환자에서 유사한 수준의 불안과 우울을 보였고, 환자가 평가한 수면의 질은 통계적으로 차이를 보이지 않았다.[24]

덱스메데토미딘(dexmedetomidine)은 척수 뒤뿔 수용체에 작용하여 진통과 마취효과를 갖는 알파2–작용제이다. 중대한 호흡억제가 발생되지 않는 특징은 중환자에게 사용될 때 이론적으로 잠재적 가치가 있다. 벤조다이제핀과는 대조적으로 덱스메데토미딘은 N3수면을 증가시키고 청반(locus coeruleus)에서 NE 방출을 감소시킨다.[23]

길지만 덱스케메토미딘으로 인한 진정은 생리적 수면이 발생시키는 평균 방추 밀도, 진폭, 빈도와 유사하다.[25] 덱스메데토미딘을 투여하고 기계 호흡하는 환자는 로라제팜을 지속적으로 투여한 환자에 비해 섬망을 보이거나 혼수 상태가 되는 기간이 감소하였으며, 진정 목표수준에서 더 오랜 시간을 유지하였다.[26] 덱스메데토미딘을 사용한 환자들은 미다졸람을 사용한 환자들과 비교하여 진정 목표수준을 유지한 시간은 통계적으로 유사하였지만 3.7일(vs. 5.6일) 안에 삽관 튜브를 제거하였다. 또한 섬망 유병율은 54%인 반면 그렇지 않은 집단은 77%가 섬망을 나타냈다.[27] 한 연구는 심장 수술 환자들이 프로포폴이나 미다졸람을 투여받았을 때 보다 덱스메데토미딘을 투여했을 때 섬망 발생이 감소됨을 밝혔다.[28] 이러한 잠재적 이점에도 불구하고 덱스메데토미딘은 대화, 진통제, 불안 완화 혹은 프로포폴과 비교했을 때 수면과 휴식에서 환자가 인지할 만한 진전은 가져오지 못했다.[29]

특히, 진정은 기계환기가 요구되는 중환자에서 편안함과 안전을 위해 중요하지만 의도되지 않은 결과를 가져올 수 있다.[30,31] 지속적인 정맥 내 진정은 기계환기 사용기간의 증가, 중환자실 재원일수의 증가, 그리고 병원 입원 기간의 증가를 초래한다. 환자의 이환율, 사망률과 함께 섬망 발생 증가는 중환자실에서 진정을 선택할 때 고려되어야 한다.

진통제

마약성 진통제는 몇몇 수면 구조-변경 성질들을 억제한다. 아편제는 단편적 수면을 유도하는 중추성 수면무호흡증을 야기할 수 있다. 모르핀이나 메타돈의 단일 경구복용은 건강한 사람 30–50%에서 2단계 수면을 증가시키고, 3, 4단계 수면을 감소시킨다.[32] 수술 후 환자들과 부피바카인 펜타닐을 경막 외 주사로 투여한 환자를 비교한 연구에서 두 집단 모두 수술 후의 기간 동안 서파수면, R수면에서 심각한 수명방해가 발생함을 발견했다.[33] 두 집단의 통증 점수가 동일함에도 불구하고 펜타닐을 경막외 주사로 투여한 환자들의 SWS 양이 통계적으로 크게 유의한 감소를 나타냈다. 복부 수술 후 2–3일 동안 R단계 수면은 억제가 되고, 이어서 수술 후 4–5일 이후까지 수술전 수준을 넘어서는 R단계 수면의 증가가 관찰되었다. R단계 수면의 양은 수술 후 아편제 복용량과 연속적, 반비례 관계를 보였다.[34] 생생하고 고통스러운 꿈이 R단계 수면의 리바운드와 관련이 있다. R단계에서 심혈관 불안정성의 증가에 관한 언급처럼, 수술 후 R단계 수면양의 증가가 수술 후 심장 합병증에 어떻게 영향을 끼치는지 궁금해진다.

혈압상승제

NE는 청반(locus coeruleus)에서 강력한 신호 전달하는 신경전달물질이며 각성–촉진, 각성 방식 활성화 역할을 하는 것으로 생각되어져 왔다. 이러한 승압제로서, 또 아드레날린 신경 구조의 주된 구성 성분 중 하나로서의 역할은 중환자의 수면방해에 영향을 미친다.

기계환기

기계환기 적용과 관련한 많은 특징들이 수면을 방해할 것으로 예상되어 왔다. 기계환기를 받는 환자들의 47%가 두려움과 공포, 46%가 의사표현의 어려움, 35%가 수면의 어려움, 26%가 악몽을 불편함으로 꼽았다.[35] 기계환기를 하는 동안의 수면은 각성과 깸(arousal and awakening)이 시간당 22–79회 발생하며 수면 효율성이 43%로 낮고 매우 분절적이었다.[2,5,36,37] 기계환기 적용을 받는 사람의 수면을 비교할 적절한 대조군을 찾는 것은 진정제와 기관내 삽관 튜브처럼 기계환기 사용과 관련된 다양한 요소들이 있기 때문에 어렵다.[38]

수면동안 다양한 기계환기 모드의 효과는 큰 관심을 받지 못하였다. PSV는 ACV 보다 중추성 수면 무호흡증과 관련 있는 수면단절(sleep fragmentation)을 더 많이 유도한다. ACV (8 mL/kg)과 같은 일회호흡량을 전달하기 위해 계수가 설정되어 있는 동안 특히 심부전 환자에서 중추성 수면무호흡의 경향은 크다.[36] 하지만 PSV를 일회호흡량(6–8 mL/kg)을 낮추고 과도한 호흡 횟수(<35)를 제한하기 위해 설정하였을 때, 수면분절에 있어 다른 명백한 차이는 발생하지 않았다.[37] 한 사례 연구는 PSV를 사용하는 동안 압력에 큰 변화를 야기하는 수면분절을 보고했다.[39] 호흡 빈도의 범위는 각성 상태일 때보다 N수면 상태일 때 더 적다.[23] 과도한 호흡 횟수나 일회 호흡 용적(tidal volumes)을 설정하는 것은 과한 인공호흡기 사용, 중추성 수면 무호흡, 수면분절을 야기할 수 있다. 수면을 방해하는 기계환기의 몇몇 원인은 환자–환기기 동조를 야기하는 부적절한 환기기 설정과 관련이 있을 수 있다. PSV와 PAV 지표가 각 환자의 흡기능력 측정에 기초하여 설정되어 있다면 총수면시간(total sleep time, TST)에서 큰 차이는 없지만 저하된 각성, 깨어남 계수 그리고 증가된 N3, R수면에 비추어 볼 때 PAV에서 수면의 질은 향상되었다. 환자–환기기 비 동조는 각성계수와 R수면의 양과 상관 있으며 반비례한다. 그러므로 환기기 시점과 호흡패턴 사이의 동조는 환기기 압력과 환자가 생산하는 압력 사이의 균형과 마찬가지로 수면의 질에 영향을 끼친다.[40,41] 이러한 근거들은 환기기의 모드가 환자–환기기의 동조를 극대화시키는 노력보다 덜 중요함을 의미한다.

수면 박탈의 생리적 영향

중증질환으로 기인하는 수면 박탈의 효과는 아직 알려져 있지 않다. 건강한 대상자들에게 수면 박탈이 미치는 영향에 대한 문헌은 있으나 중환자에 관련된 근거는 부족하다. 게다가, 전체 수면 박탈(대상자가 관찰 기간동안 전혀 수면을 취하지 못하는 것), 부분적 수면 박탈(연이은 밤동안 TST가 감소되는 것), 그리고 수면 단계 박탈(대상자가 수면의 특정 단계에 제한을 보이는 것)과 같이 수면 박탈에는 적어도 세 가지 분류가 있다. 수면 박탈의 특정 종류가 방법론에 있어 효과가 있는지에 대한 연구는 전반적으로 증명되어야 한다.

건강한 사람에서 중환자에 이르기까지 수면 박탈로 인한 것으로 추정되는 생리학적 관찰의 타당성은 아직까지 설명된 것이 없다. 수면 박탈을 겪는 건강한 지원자들의 내분비 구조의 분비 방식의 차이는 중환자나 특히 글루코즈 대사와 카테콜아민 분비와 관련된 특징적인 생물학적 주기 패턴의 반사적 소실에서 관찰된다. 수면 박탈은 화학수용기 반응에 나타나지 않지만 호흡근의 지구력, 폐활량 측정 계수, 상부 기도 탄력(tone) 감소를 초래한다; 하지만 이러한 증상이 기계환기 제거로부터 기인하는지는 밝혀지지 않았다. 면역계의 다양한 요소들의 조절이 수면 박탈과 함께 발생된다고 설명되었으나 이러한 변화가 중증질환에 대한 반응, 회복을 의미하는지는 명확히 밝혀지지 않았다. 수면 박탈을 겪는 건강한 대상자들도 종종 섬망, 신경 인지 결함을 겪는 환자들과 공통된 증상을 나타냈다.

결론

중환자실에 있는 환자들의 총 수면시간이 정상이더라도 수면구조의 방해를 겪을 가능성이 높다. 이러한 변화의 몇 가지 요소는 질병과 관련되어 있지만 다른 요소들은 중환자실 환경이나 치료들과 관계가 있다. 건강한 대상자들의 수면 박탈에 관한 생리적 영향의 자료에도 불구하고 이러한 자료를 중환자에 적용시킬 수 있을지는 아직 알려지지 않았다. 전자기 신호에 둘러싸인 환경에서 수면을 측정하는 방법이 가능해지거나 중증질환에서 상호작용하는 내재 생물학적 인자를 조절하는 것이 가능해지기 전에는 중환자들의 수면을 특징짓는 것과 병의 심각성이나 병으로부터의 회복에 수면 방해가 어떠한 역할을 하는지 밝히기는 어려울 것이다.

중환자실 치료의 많은 측면들은 중환자들의 수면과 수면 연구를 위해 개선되어야 한다. 중환자실 문화는 수면과 일주기 리듬의 보존을 위해 더 발전되어야한다. 중환자실에서의 수면과 일주기 리듬을 강화, 통제하고 기저 질병을 조절하는 멜라토닌 같은 약리학 요소들의 잠재적인 효과에 관한 추가적인 연구는 치료 역량을 증가시킬 것이다. 더불어, 다른 종류의 진정제 같이 일반적으로 사용되는 약리학 물질의 유익하거나 해로운 정보에 대한 확실한 설명은 최선의 처치 방법을 더 명확히 하며 약물 발전에 기여할 것이다. 중환자들의 수면을 정확하게 규정, 관찰하는 방법론을 발전시키는 것은 모집단 차별론과 기술적 결핍으로 인한 한계 극복에 필수적이다. 기계환기의 여러 다른 모드들의 수면 박탈에 대한 영향을 연구한다면 중환자실에서 환자들의 기계환기 의존하는 시간을 줄이고, 불안과 섬망을 통제할 수 있는 전략을 얻게 될 지 모른다.

우리가 수면과 중증질환의 다면적인 상호관계 대한 추가적인 통찰을 얻음에 따라 수면 보존과 수면 박탈 회피는 중환자실 의료의 필수 요소가 될 것이다.

참고문헌

1 Aurell J, Elmqvist D. Sleep in the surgical intensive care unit: continuous polygraphic recording of sleep in nine patients receiving postoperative care. Br Med J 1985;290:1029-32.

2 Cooper AB. Sleep in critically ill patients requiring mechanical ventilation. Chest 2000;117:809-18.

3 Freedman NS, Gazendam J, Levan L, Pack AI, Schwab RJ. Abnormal sleep/wake cycles and the effect of environmental noise on sleep disruption in the intensive care unit. Am J Respir Crit Care Med 2001;163:451-7.

4 Friese RS, Diaz-Arrastia R, McBride D, Frankel H, Gentilello LM. Quantity and quality of sleep in the surgical intensive care unit: are our patients sleeping? J Trauma 2007;63:1210-14.

5 Gabor JY, Cooper AB, Crombach SA, et al. Contribution of the intensive care unit environment to sleep disruption in mechanically ventilated patients and healthy subjects. Am J Respir Crit Care Med 2003;167:708-15.

6 Shilo L, Dagan Y, Smorjik Y, et al. Patients in the intensive care unit suffer from severe lack of sleep associated with loss of normal melatonin secretion pattern. Am J Med Sci 1999;317:278-81.

7 Hardin KA, Seyal M, Stewart T, Bonekat HW. Sleep in critically ill chemically paralyzed patients requiring mechanical ventilation. Chest 2006;129:1468-77.

8 Meyer TJ, Eveloff SE, Bauer MS, Schwartz WA, Hill NS, Millman RP. Adverse environmental conditions in the respiratory and medical ICU settings. Chest 1994;105:1211-16.

9 Aaron JN, Carlisle CC, Carskadon MA, Meyer TJ, Hill NS, Millman RP. Environmental noise as a cause of sleep disruption in an intermediate respiratory care unit. Sleep 1996;19:707-10.

10 Stanchina ML, Abu-Hijleh M, Chaudhry BK, Carlisle CC, Millman RP. The influence of white noise on sleep in subjects exposed to ICU noise. Sleep Med 2005;6:423-8.

11 Freedman NS, Kotzer N, Schwab RJ. Patient perception of sleep quality and etiology of sleep disruption in the intensive care unit. Am J Respir Crit Care Med 1999;159:1155-62.

12 Boivin DB, Duffy JF, Kronauer RE, Czeisler CA. Dose-response relationships for resetting of human circadian clock by light. Nature 1996;379:540-2.

13 Mundigler G, Delle-Karth G, Koreny M, et al. Impaired circadian rhythm of melatonin secretion in sedated critically ill patients with severe sepsis. Crit Care Med 2002;30:536-40.

14 Bourne RS, Mills GH, Minelli C. Melatonin therapy to improve nocturnal sleep in critically ill patients: encouraging results from a small randomised controlled trial. Crit Care 2008;12:R52.

15 Shilo L, Dagan Y, Smorjik Y, et al. Effect of melatonin on sleep quality of COPD intensive care patients: a pilot study. Chronobiol Int 2000;17:71-6.

16 Gitto E, Karbownik M, Reiter RJ, et al. Effects of melatonin treatment in septic newborns. Pediatr Res 2001;50:756-60.

17 Veselis RA, Reinsel R, Marino P, Sommer S, Carlon GC. The effects of midazolam on the EEG during sedation of critically ill patients. Anaesthesia 1993;48:463-70.

18 Kong KL, Willatts SM, Prys-Roberts C, Harvey JT, Gorman S. Plasma catecholamine concentration during sedation in ventilated patients requiring intensive therapy. Intensive Care Med 1990;16:171-4.

19 Dubois MJ, Bergeron N, Dumont M, Dial S, Skrobik Y. Delirium in an intensive care unit: a study of risk factors. Intensive Care Med 2001;27:1297-304.

20 Ely EW, Shintani A, Truman B, et al. Delirium as a predictor of mortality in mechanically ventilated patients in the intensive care unit. JAMA 2004;291:1753-62.

21 Shehabi Y, Riker RR, Bokesch PM, et al. Delirium duration and mortality in lightly sedated, mechanically ventilated intensive care patients. Crit Care Med 2010;38:2311-18.

22 Weinhouse GL, Watson PL. Sedation and sleep disturbances in the ICU. Anesthesiol Clin 2011;29:675-85.

23 Weinhouse GL, Schwab RJ. Sleep in the critically ill patient. Sleep 2006;29:707-16.

24 Treggiari-Venzi, Borgeat A, Fuchs-Buder T, Gachoud JP, Suter PM. Overnight sedation with midazolam or propofol in the ICU: effects on sleep quality, anxiety and depression. Intensive Care Med 1996;22:1186-90.

25 Huupponen E, Maksimow A, Lapinlampi P, et al. Electroencephalogram spindle activity during dexmedetomidine sedation and physiological sleep. Acta Anaesthesiol Scand 2008;52:289-94.

26 Pandharipande PP, Pun BT, Herr DL, et al. Effect of sedation with dexmedetomidine vs. lorazepam on acute brain dysfunction in mechanically ventilated patients: the MENDS randomized controlled trial. JAMA 2007;298:2644-53.

27 Riker RR, Shenabi Y, Bokesch PM, et al. Dexmedetomidine vs. midazolam for sedation of critically ill patients: a randomized trial. JAMA 2009;301:489-99.

28 Maldonado JR, Wysong A, van der Starre PJ, Block T, Miller C, Reitz BA. Dexmedetomidine and the reduction of postoperative delirium after cardiac surgery. Psychosomatics 2009;50:206-17.

29 Corbett SM, Rebuck JA, Greene CM, et al. Dexmedetomidine does not improve patient satisfaction when compared with propofol during mechanical ventilation*. Crit Care Med 2005;33:940-5.

30 Kollef MH, Levy NT, Ahrens TS, Schaiff R, Prentice D, Sherman G. The use of continuous IV sedation is associated with prolongation of mechanical ventilation. Chest 1998;114:541-8.

31 Kress JP, Pohlman AS, O'Connor MF, Hall JB. Daily interruption of sedative infusions in critically ill patients undergoing mechanical ventilation. N Engl J Med 2000;342:1471-7.

32 Dimsdale JE, Norman D, DeJardin D, Wallace MS. The effect of opioids on sleep architecture. J Clin Sleep Med 2007;3:33-6.

33 Cronin AJ, Keifer JC, Davies MF, King TS, Bixler EO. Postoperative sleep disturbance: influences of opioids and pain in humans. Sleep 2001;24:39-44.

34 Knill RL, Moote CA, Skinner MI, Rose EA. Anesthesia with abdominal surgery leads to intense REM sleep during the first postoperative week. Anesthesiology 1990;73:52-61.

35 Bergbom-Engberg I, Haljamae H. Assessment of patients' experience of discomforts during respirator therapy. Crit Care Med 1989;17:1068-72.

36 Parthasarathy S, Tobin MJ. Effect of ventilator mode on sleep quality in critically ill patients. Am J Respir Crit Care Med 2002;166:1423-9.

37 Cabello B, Thille AW, Drouot X, et al. Sleep quality in mechanically ventilated patients: comparison of three ventilatory modes. Crit Care Med 2008;36:1749-55.

38 Parthasarathy S, Tobin MJ. Sleep in the intensive care unit. Intensive Care Med 2004;30:197-206.

39 Carlucci A, Fanfulla F, Mancini M, Nava S. Volume assured pressure support ventilation–induced arousals. Sleep Med 2012;13:767-8.

40 Bosma K, Ferreyra G, Ambrogio C, et al. Patient-ventilator interaction and sleep in mechanically ventilated patients: pressure support versus proportional assist ventilation. Crit Care Med 2007;35:1048-54.

41 Fanfulla F, Delmastro M, Berardinelli A, Lupo ND, Nava S. Effects of different ventilator settings on sleep and inspiratory effort in patients with neuromuscular disease. Am J Respir Crit Care Med 2005;172:619-24.

PART

중증질환 이후 발생하는 신경근과 근골격계 질환

Chapter 23

중증질환 이후 발생하는 신경근과 근골격계 질환

네임 A. 알리(Naeem A. Ali)

매년 세계적으로 1,300–2,000만 명의 사람들이 중환자실에서 생명 유지 장치 사용이 필요한 것으로 추정된다.[1] 미국에서만 연간 75만 명의 사람들이 기계환기(Mechanical ventilation, MV)가 필요하며,[2,3] 이들 중 30만 명이 지속적인 처치가 필요할 것으로 추정된다.[4-6] 경험의 축적은 그와 관련된 사람들에게 꽤 많은 영향을 주었다. 중환자실 환자들, 가족들 및 그와 관련된 종사자들 모두 이러한 경험의 영향을 받는 것으로 보인다.[7-9] 특히 중환자실 내 생존자들을 대상으로 하는 많은 연구들에서 생명 유지 장치가 필요한 질환이나 치료들이 그들의 회복과 관련된 다양한 측면에 지속적인 영향을 준다고 입증하였다. 우울 기분을 포함한 정신적 증상[7,10,11] 인지기능저하[12-14] 및 신체적 기능의 저하가[15-17] 전반적으로 관찰되는데, 이는 결국 환자들의 이환율과 사망률에 영향을 미칠 수 있다. 최근 학계는 환자와 보호자 모두에게 나타나는 이러한 문제들의 양상을 중환자실치료후증후군(Post–ICU syndrome, PICS)으로 구분할 것을 권고하였다.[19]

PICS는 인지적, 정신적, 신체적 회복 문제를 모두 포함하고 있지만, 회복기 환자의 신체적 기능에 대한 영향이 특히 주요한 것으로 보인다.[17,20-22] 삶의 질 측정에 관한 연구들에서 보고된 신체적 영역에서의 장애는 더 크고 지속적인 영향을 받는 것으로 보인다.[16,23] 이런 신체적 결손에 관한 인식의 원인은 명확하지 않으나, 급성기질환 후 생존자들에 관한 몇 가지 연구에서는 통증이 주요한 증상임을 밝히고 있다.[24,25] 통증은 급성기질환 동안 관절, 근육 및 신경손상의 결과로 나타나며, 이는 잠재적으로 억제된 활동에 의한 신체적 장애를 유발한다. 신체적 상처에 따른 통증 또한 근위축과 기능적 제한을 유발하는 부동에 기여한다. 신체적 장애가 더 저명함에도 불구하고, 중환자실 생존자들에 있어서 신체적, 인지적 및 감정적 영향이 크게 작용됨은 의심할 여지가 없다. 중환자실 환자들에게서 관찰되는 신체적 장애의 넓은 범위와 그들이 나타내는 증상의 회복이 얼마나 빨리 될지를 감안할 때,[26] 신체적 결손은 기계환기를 시작하는 시점부터 이러한 환자들에게 치료를 제공할 지에 대한 임상적 의사결정에 영향을 미칠 것으로 사료된다.

신체 쇠약에 대한 조기 치료를 결정하는 것은 어려울 수 있다. 신체적 임상양상은 환자의 일차적 질환에 의한 인지기능장애나 진정제 같은 치료에 의해 가려질 수 있다. 그러나 신체적 장애가 발생 이후에는 임상적 결정에 영향을 미칠 수 있다. 기계환기의 중단은 근력 저하가 동반된 환자에서 더 오래 걸리는 것으로 알려져 있는데,[20,27,28] 이는 생명 유지 장치를 어떻게 평가 또는 적용하느냐에 대한 결정에 영향을 미친다. 기계환기의 어느 정도 유지 시간이 근력 약화를 유발하는지, 그리고 근력 약화가 그 자체가 기계환기의 중단을 늦추는지에 대해서는 여전히 잘 알려져 있지 않다. 사지의 근력 약화는 호흡근 약화를 나타내는 저명한 소견이기 때문에,[29] 빠르고 얕은 호흡이 나타날 가능성은 분명히 증가될 것이다. 대부분의 연구들은 심한 전신쇠약이 있는 환자에서 각성(awakening) 기계환기의 유지 기간이 약 3–12일 정도 증가한다고 정의하였다.[17,20,28] 초기 근력 약화로 인한 이러한 지연에서 근력의 회복은 이 지연기간 중에 이루어져야 하고, 이는 대부분의 중환자실 획득 쇠약(ICUAW)에서 관찰되는 것과 다르다. 그러나, 중증질환 관련 쇠약의 자연적인 경과에 대해 여전히 상당 부분을 알지 못하기 때문에, 회복을 가속화할 수 있는 가능성 또한 남아 있다. 이런 식으로 기계환기의 지속 기간이 부동상태의 지속과 이에 의한 근손상의 주요한 인자로 인식하는 것이 자연스럽지만, 아직 이 문제는 명확히 해결되지 않았다.

공교롭게도, 기계환기의 중단 이후 근 약화가 동반된 환자는 사망에 대한 추가적인 위험을 지닌다. 주요한 근 약화를 동반한 환자는 중환자실에서 나가더라도, 중환자실로의 재입실 가능성, 반복적인 기계환기의 사용의 위험성이 증가하게 된다.[20] 이러한 이유는 명확하지 않지만, 근 약화와 흡인의 연관이 있을 것으로 보인다. 적어도 하나의 보고서에서는 ICUAW를 동반한 환자는 병원 내 폐렴의 위험성이 증가한다는 보고가 있다.[30] 이러한 중환자실 재입원의 필요성이 전적으로 발관 실패 혹은 새로운 감염, 호흡기 문제에 의해 유발되는지는 명확하지 않으나, 이러한 문제들에 대한 인식이 치료 계획이나 호흡 치료사들의 참여를 가능하게 하는 데 영향을 미칠 수 있다. 마지막으로, 병원을 떠날 준비가 된 환자에 대해서는 독립성을 유지하기 위해 충분한 지구력과 함께 전반적인 일상생활동작(ADL)을 수행할 수 있는 능력이 인식되어야 한다. 병원 재입원의 원인에 대한 관심이 늘어나는 반면에,[31] 의료 이용 및 관리 비용이 분명히 증가한다는 사실에도 불구하고[22] 그 원인에 대해 알려진 바가 거의 없다. 신체적 장애는 입원 후 자가 돌봄 또는 진료 예약을 하지 못하거나 추가적인 불용성 위축으로 인해 사망률을 증가시키는 원인이 될 수 있다. 따라서 새로 획득된 신체적 장애의 문제에 대한 인식은 주요 질환 환자의 회복의 모든 과정에서 주요하다.

이러한 질환을 인식할 필요성이 명백하지만 여러 요인들로 인해 쉽지 않다. 첫 번째로, 중환자실 처치 후 신체적 장애의 범위는 다양하다. 사실 이러한 신체적 장애의 범위를 포괄하는 단 하나의 용어는 없다.[19,32] 경미한 컨디션 저하, 국소적 말초 신경병증, 또는 다발성 근신경병증 모두 상황에 따라 일어날 수 있고, 이는 각 환자의 회복의 특성에 영향을 미칠 수 있다. 아마도 이러한 신체 이상의 범위와 지속성의 가장 강력한 증거는 명확한 ICUAW가 없는[15] 급성호흡곤란증후군(Acute respiratory distress syndrome, ARDS)의 생존자들로, 공통적으로 적어도 발병 후 5년간 저하된 신체적 기능과 6분 보행 거리를 보인다.[16] 심각한 신체적 결손이 있는 사람들에게서 이러한 증상들이 더 악화될 것이라는 것은 분명하다.

이러한 결손들이 저명한 근력 약화로 나타나는 경우,[32] 분명히 단기간 내 환자의 결과가 악화될 것이다.[20] 지속적 기계환기(Prolonged mechanical ventilation, PMV)가 필요한 약 25%의 환자들은 전반적이고 저명하며, 지속적인 근력 약화가 발생한다고 평가된다. 미국에서만 75만 명 이상의 사람이 기계환기를 받으며[2,3] 이 중 적어도 30만 명이 지속적인 처치가 필요하다.[4-6] 따라서 미국에서 7만 5천 명 이상, 그리고 전 세계적으로 약 100만 명의 환자들이 중증 질환을 앓는 동안 저명하고 전반적인 근력 약화의 임상적 증후군이 발생하는데 이를 ICUAW라고 한다.[17,32] 이러한 증후군을 치료하기 위한 확실한 치료법들이 실험되지 않았지만, 많은 예방적 접근 방법들이 치료 가능성이 보인다.[33-37] 중요한 것은, 급성뇌혈관질환 같은 신체적 질환을 가진 환자의 기능적 회복에 재활을 이용하는 패턴이 확립되어 있다는 점이다.[38-39] 중환자실 의료진들이 이러한 치료 방법을 적용할 수 있고 장기적인 임상결과에 책임있게 다가서기 위해서는, 이러한 문제들의 실제적 범위와 치료 필요성 및 치료 종류를 결정하는데 필요한 평가 도구들을 이해할 필요가 있다. 다음 단원에서 우리는 '조용한' 임상적 문제에 대한 이해에 앞서서 이러한 임상적 문제를 간략하게 설명할 계획이다.

참고문헌

1 Adhikari NK, Fowler RA, Bhagwanjee S, Rubenfeld GD. Critical care and the global burden of critical illness in adults. Lancet 2010;376:1339-46.

2 Kahn JM, Goss CH, Heagerty PJ, Kramer AA, O'Brien CR, Rubenfeld GD. Hospital volume and the outcomes of mechanical ventilation. N Engl J Med 2006;355:41-50.

3 Zilberberg MD, Luippold RS, Sulsky S, Shorr AF. Prolonged acute mechanical ventilation, hospital resource utilization, and mortality in the United States. Crit Care Med 2008;36:724-30.

4 Cox CE, Martinu T, Sathy SJ, et al. Expectations and outcomes of prolonged mechanical ventilation. Crit Care Med 2009;37:2888-94.

5 MacIntyre NR, Epstein SK, Carson S, Scheinhorn D, Christopher K, Muldoon S. Management of patients requiring prolonged mechanical ventilation: report of a NAMDRC consensus conference. Chest 2005;128: 3937-54.

6 Frutos-Vivar F, Esteban A, Apezteguia C, et al. Outcome of mechanically ventilated patients who require a tracheostomy. Crit Care Med 2005;33:290-8.

7 Adhikari NK, Tansey CM, McAndrews MP, et al. Self-reported depressive symptoms and memory complaints in survivors five years after ARDS. Chest 2011;140:1484-93.

8 Azoulay E, Pochard F, Kentish-Barnes N, et al. Risk of post-traumatic stress symptoms in family members of intensive care unit patients. Am J Respir Crit Care Med 2005;171:987-94.

9 Ali NA, Hammersley J, Hoffmann SP, et al. Continuity of care in intensive care units: a cluster randomized-trial of intensivist staffing. Am J Respir Crit Care Med 2008;70:512-19.

10 Davydow DS, Desai SV, Needham DM, Bienvenu OJ. Psychiatric morbidity in survivors of the acute respiratory distress syndrome: a systematic review. Psychosom Med 2008;70:512-9.

11 Bienvenu OJ, Colantuoni E, Mendez-Tellez PA, et al. Depressive symptoms and impaired physical function after acute lung injury: a 2-year longitudinal study. Am J Respir Crit Care Med 2011;185: 517-24.

12 Jackson JC, Obremskey W, Bauer R, et al. Long-term cognitive, emotional, and functional outcomes in trauma intensive care unit survivors without intracranial hemorrhage. J Trauma 2007;62:80-8.

13 Jackson JC, Girard TD, Gordon SM, et al. Long-term cognitive and psychological outcomes in the awakening and breathing controlled trial. Am J Respir Crit Care Med 2010;182:183-91.

14 Iwashyna TJ, Ely EW, Smith DM, Langa KM. Long-term cognitive impairment and functional disability among survivors of severe sepsis. JAMA 2010;304:1787-94.

15 Angel MJ, Bril V, Shannon P, Herridge MS. Neuromuscular function in survivors of the acute respiratory distress syndrome. Can J Neurol Sci 2007;34:427-32.

16 Herridge MS, CM Tansey, A Matte, et al. Functional disability 5 years after acute respiratory distress syndrome. N Engl J Med 2011;364:1293-304.

17 De Jonghe B, Sharshar T, Lefaucheur JP, et al. Paresis acquired in the intensive care unit: a prospective multicenter study. JAMA 2002;288:2859-67.

18 Wunsch H, Guerra C, Barnato AE, Angus DC, Li G, Linde-Zwirble WT. Three-year outcomes for Medicare beneficiaries who survive intensive care. JAMA 2010;303:849-56.

19 Needham DM, Davidson J, Cohen H, et al. Improving long-term outcomes after discharge from intensive care unit: report from a stakeholders' conference. Crit Care Med 2011;40:502-9.

20 Ali NA, J O'Brien, SP Hoffmann, et al. Acquired weakness, handgrip strength and mortality in critically ill patients. Am J Respir Crit Care Med 2008;178:261-8.

21 Herridge MS, Cheung AM, Tansey CM, et al. One-year outcomes in survivors of the acute respiratory distress syndrome. N Engl J Med 2003;348:683-93.

22 Cheung AM, Tansey CM, Tomlinson G, et al., and for the Canadian Critical Care Trials Group. Two-year outcomes, health care use, and costs of survivors of acute respiratory distress syndrome. Am J Respir Crit Care Med 2006;174: 538-44.

23 Orwelius L, Nordlund A, Nordlund P, et al. Pre-existing disease: the most important factor for health related quality of life long-term after critical illness: a prospective, longitudinal, multicentre trial. Crit Care 2010;14:R67.

24 Desbiens NA, Mueller-Rizner N, Connors AF, Jr, Wenger NS, Lynn J. The symptom burden of seriously ill hospitalized patients. SUPPORT Investigators. Study to Understand Prognoses and Preferences for Outcome and Risks of Treatment. J Pain Symptom Manage 1999;17:248-55.

25 Johansen KL, Smith MW, Unruh ML, Siroka AM, O'Connor TZ, Palevsky PM. Predictors of health utility among 60-day survivors of acute kidney injury in the Veterans Affairs/National Institutes of Health Acute Renal Failure Trial Network Study. Clin J Am Soc Nephrol 2010;5:1366-72.

26 Khan J, Harrison TB, Rich MM, Moss M. Early development of critical illness myopathy and neuropathy in patients with severe sepsis. Neurology 2006;67:1421-5.

27 De Jonghe B, Bastuji-Garin S, Sharshar T, Outin H, Brochard L. DoesICU-acquired paresis lengthen weaning from mechanical ventilation? Intensive Care Med 2004;30:1117-21.

28 Garnacho-Montero J, Amaya-Villar R, Garcia-Garmendia JL, Madrazo-Osuna J, Ortiz-Leyba C. Effect of critical illness polyneuropathy on the withdrawal from mechanical ventilation and the length of stay in septic patients. Crit Care Med 2005;33:349-54.

29 De Jonghe B, Bastuji-Garin S, Durand M, et al. Respiratory weakness is associated with limb weakness and delayed weaning in critical illness. Crit Care Med 2007;35:2007-15.

30 Garnacho-Montero J, Madrazo-Osuna J, Garcia-Garmendia JL, et al. Critical illness polyneuropathy: risk factors and clinical consequences. A cohort study in septic patients. Intensive Care Med 2001;27:1288-96.

31 Epstein AM, AK Jha, EJ Orav.The relationship between hospital admission rates and rehospitalizations. N Engl J Med 2011;365:2287-95.

32 Stevens RD, Marshall SA, Cornblath DR, et al. A framework for diagnosing and classifying intensive care unit-acquired weakness. Crit Care Med 2009;37:S299-308.

33 Van den Berghe G, Schoonheydt K, Becx P, Bruyninckx F, Wouters PJ. Insulin therapy protects the central and peripheral nervous system of intensive care patients. Neurology 2005;64:1348-53.

34 Burtin C, Clerckx B, Robbeets C, et al. Early exercise in critically ill patients enhances short-term functional recovery. Crit Care Med 2009;37:2499-505.

35 Hermans G, A Wilmer, W Meersseman, et al. Impact of intensive insulin therapy on neuromuscular complications and ventilator dependency in the medical intensive care unit. Am J Respir Crit Care Med 2007;175:480-9.

36 Schweickert WD, Pohlman MC, Pohlman AS, et al. Early physical and occupational therapy in mechanically ventilated, critically ill patients: a randomised controlled trial. Lancet 2009;373:1874-82.

37 Routsi C, Gerovasili V, Vasileiadis I, et al. Electrical muscle stimulation prevents critical illness polyneuromyopathy: a randomized parallel intervention trial. Crit Care 2010;14:R74.

38 Khadilkar A, Phillips K, Jean N, Lamothe C, Milne S, Sarnecka J. Ottawa panel evidence-based clinical practice guidelines for post-stroke rehabilitation. Top Stroke Rehabil 2006;13:1-269.

39 Gordon NF, Gulanick M, Costa F, et al. Physical activity and exercise recommendations for stroke survivors: an American Heart Association scientific statement from the Council on Clinical Cardiology, Subcommittee on Exercise, Cardiac Rehabilitation, and Prevention; the Council on Cardiovascular Nursing; the Council on Nutrition, Physical Activity, and Metabolism; and the Stroke Council. Circulation 2004;109:2031-41.

Chapter 24

중환자실 획득 쇠약(ICUAW)의 장기적 결과

니콜라 라트로니코, 시몬 피바, 빅토리아 맥크레디
(Nicola Latronico, Simone Piva, and Victoria McCredie)

서론

근육 위축, 즉 Osler에 의해 처음 기술된 근육 소실(Muscle wasting)은 근육의 빠른 소실을 의미하며, 급성질환 환자에서 흔하게 관찰된다.[1] 중환자의학의 발전과 더불어서, 세계 곳곳에서 중증질환자들의 생존률과 표준치료가 향상되면서, 근력약화 및 위축은 점점 더 흔하게 확인되고 있고, 중환자실 입실 기간 도중에 발생하는 흔하고, 심각한 합병증의 하나로 점차 인식되고 있다.

이 장에서는 중환자실 획득 쇠약(ICUAW)의 발병률(incidence), 위험인자(risk factors), 병리(pathology), 기전(mechanism), 임상양상(clinical presentation) 및 장기적인 결과에 대한 영향에 대해 기술할 예정이다.[2,3] 급성근력 약화는 이전에 진단받은 중추신경계질환 또는 신경근육질환에 의해 발생할 수 있다. 이런 컨디션은 이 장에서 다루지 않을 것이나, 급성호흡부전 및 중환자실 입실이 필요할 수 있는 질환 중에, 기존에 진단받지 못했던 상태를 감별진단하는 것은 어렵다.[4]

정의

ICUAW는 전신적이고, 넓은 범위의 근육 약화로서 중증질환 환자의 임상경과 중 나타나는 합병증이다. 이런 환자들은 다양한 급성질환에 의해 입실한 환자들이 있는, 중환자실에서 흔히 볼 수 있다. ICUAW라는 단어는 근육 약화의 존재 및 심각도를 나타내며, 임상적 진단이다. CIP, CIM, combined neuropathy and myopathy, disuse or cachectic myopathy의 용어들은 기저의 병리학적 진단, 전기진단검사, 근육생검검사 등이 필요하다.[5] ICUAW를 가진 모든 환자에서 CIP 또는 CIM이 발생하는 것은 아니다; 반대로 모든 환자들이 전기생리학적 검사에서 신경병증(neuropathy) 또는 근육병증(myopathy)으로 진단받은 모든 환자들이 ICUAW를 가진 것은 아니다. 다만, 발생할 위험률이 증가할 뿐이다.[6]

발생률 및 위험인자

ICUAW의 빈도는 환자들의 다양한 질환들, 검사의 시점, 사용된 진단 기준의 영향을 받는다. 중환자실 입실과 퇴실 정책이 매우 다르기 때문에, 통계적 추산은 일반화하기 어렵다.[7] 만약 도수근력 평가 또는 handgrip dynamometry를 이용할 경우[8] 기계환기(>5–7일)를 받은 중환자들의 4분의 1 정도는 ICUAW로 진단된다. 진단은 전기진단검사기준이나 근육생검 결과로 하고, 폐혈증, 다발성장기부전(MOF), 장기 인공 기계환기 환자들만을 선택적으로 보면, 빈도는 50–100%까지 상승한다.[9,10]

ICUAW 빈도에 대해 환자 모집단의 영향을 더 잘 이해하려면 피츠버그 대학병원의 데이터를 보는 것이 유익할 것이다; 단일 기관에서 5년간 6개의 중환자실에 입원한 모든 환자를 대상으로 할 때, ICUAW 빈도는 0.09% (44,000명의 환자 중 39명의 CIM이 있는 환자), 같은 기관에서 간 이식술을 받은 100명의 환자 중 7% 였다. 잘 설계된 단일 기관 전향적 연구에서 소아중환자 중 1.7%에서 전신 근육 약화를 보고한 바 있다.[11-13]

ICUAW의 위험은 가장 중증도가 높은 중환자들에서 증가되는 데,[14,15] SIRS, 패혈증(sepsis), MOF, 장기기계환기 등에서 증가한다. 위험은 또한 여성에서 증가한다.[2,10,16-19] NMBAs, corticosteroids, catecholamines, propofol과 같은 몇 가지 약제는 근육 손상을 초래하며, ICUAW의 유발가능한 원인이었다. 그러나 약들의 병태생리학적 역할은 진행되는 중증질환의 그것과 구분하기 어렵고, 아마도 priming factor로 작용할 것으로 생각된다(그림 24-1 참조).[21] 일반적인 원칙으로, ICUAW가 발생한 환자들은 단순히 약을 처방받는 환자들에 비해 입원 당시 중증질환을 가지고 있거나 치료기간 중 다발성 장기 부전이 발생한 환자들이라는 것을 잊어서는 안 된다.[22]

간기능 또는 신장기능이 저하된 환자에서 non-depolarizing NMBA을 장기간 투여한 경우 지속적인 신경근육전달의 차단을 관찰할 수 있다.[23] 근육 약화는 흔하게 수시간 동안 지속될 수 있다.[24] 신경근육차단제(NMBA) 주사를 받는 대다수의 환자들은 지속되는 급성호흡곤란증후군(ARDS), SIRS, MOF이기 때문에, 근육 약화가 수일간 지속되는 원인은 아마도 CIP와 CIM이 동반된 결과일 것이다.[25] ARDS에서 48시간 cisatracurinum besylate (NMBA) 주사요법은 ICUAW를 높이지 않으면서, 사망률을 줄이고, 인공호흡기 비의존기간(ventilator-free day), 장기부전 비발생 기간(organ failure- free days)이 늘어난다.[26]

만성스테로이드 주입은 근육병의 원인으로 오랫동안 인식되어 왔다.[27] 고용량 스테로이드와 근육 탈신경 실험적 쥐 모델에서 급성근육병이 나타났지만, 환자에서는 고농도 스테로이드 이후 급성근육병이 드물다.[28] 중환자에서 급성스테로이드 유발성 근육병의 직접적인 증거는 부족하다. NMBA와 같이 스테로이드 치료를 받는 중환자들은 또한 감염, SIRS, 또는 MOF 등을 가지고 있고, 따라서 질환과 치료가 동시에 이루어지는 상황에서 둘 사이의 상대적인 위험성을 구분하기는 쉽지 않다.[29] 또한, 내인성 corticosteroid는 catecholamine과 함께 스트레스 반응의 1차 대사 산물이며, 중증질환의 특징이다(그림 24-1 참조).[21] 고용량 스테로이드를 단기간 사용하는 것은 이득이 없고 해로울 수 있다. 척수손상에서 methylprednisolone의 대량투여(Mega-dose)는 이득을 보여주지 못했고, 특히, 환자에 주는 위험과 합병증을 치료하는데 필요한 비용을 상쇄하지 못하고 있다.[30] 패혈성 쇼크(septic shock) 환자에서 고용량 corticosteroid는 이차 감염, 신장 및 간부전, 사망의 위험이 증가하는 것과 관련된다.[31] 저용량 스테로이드는 패혈성 쇼크 환자에서 근소한 효과가 있고,[32] 혈압이 수액 공급 및 혈관수축제에 반응하지 않는 경우에만 추천된다.[33] 다른 질환에 의해 스테로이드를 투약 받았던 환자에게서 패혈성 쇼크가 발생했을 때는 스테로이드 치료가 합당하다는 의견이 일치한다. 스테로이드는 초기 급성폐손상(ALI)의 치료나 예방을 위해서는 추천되지 않으며, 이미 발생한 ALI의 치료 도중에 혈역학적 안정성과 가스교환 유지의 관점에서 초기 2주 이내에 일부 이득이 있을 수 있다.[34] 엄격한 혈당관리 및 집중적인 인슐린 치료를 시행하면서 스테로이드를 사용하면, 근육에 대해 보호 효과가 있을 것이다. 아마도 이는 고혈당과 인슐린 저항성에 의해 상쇄된 항염증성 효과 때문일 것이다.[35] ARDS 환자의 추적 연구에서 스테로이드는 3개월 시점에서 운동 능력 손상 저하의 주요 인자이나, 6개월에서는 이 효과는 없어졌다.[36] 요약하면, 스테로이드가 급성근육병과 중증질환에서 ICUAW에 기여한다는 의미있는 증거는 없다. 중환자실 재원기간 중에 스테로이드의 사용 여부를 결정할 때에는 위험과 이득에 대한 균형 있는 분석이 필요하다.

고혈당은 오래전부터 CIP의 위험인자로 인식되어 왔으며, 예방과 치료가 필요한 중요한 잠재

적 인자로 인식되어 왔다.[17]

벤조다이아제핀(benzodiazepine)과 진정제들(narcotics)은 편안함을 주고 통증과 불안을 줄여주지만, 과진정은 부동상태를 만들고 장기간의 인공호흡기 치료(PMV)와 연관되며, 중환자실 입실기간이 늘어난다.[37] 중환자실 섬망(중환자실 acquired delirium)은 벤조다이아제핀 사용 및 부동상태에서 발생위험이 증가할 수 있다(그림 24-1 참조).[37]

그림 24-1. **중환자실 AW를 유발하는 중증질환(선행 인자)과 약물(방아쇠 인자) 사이의 협동관계**

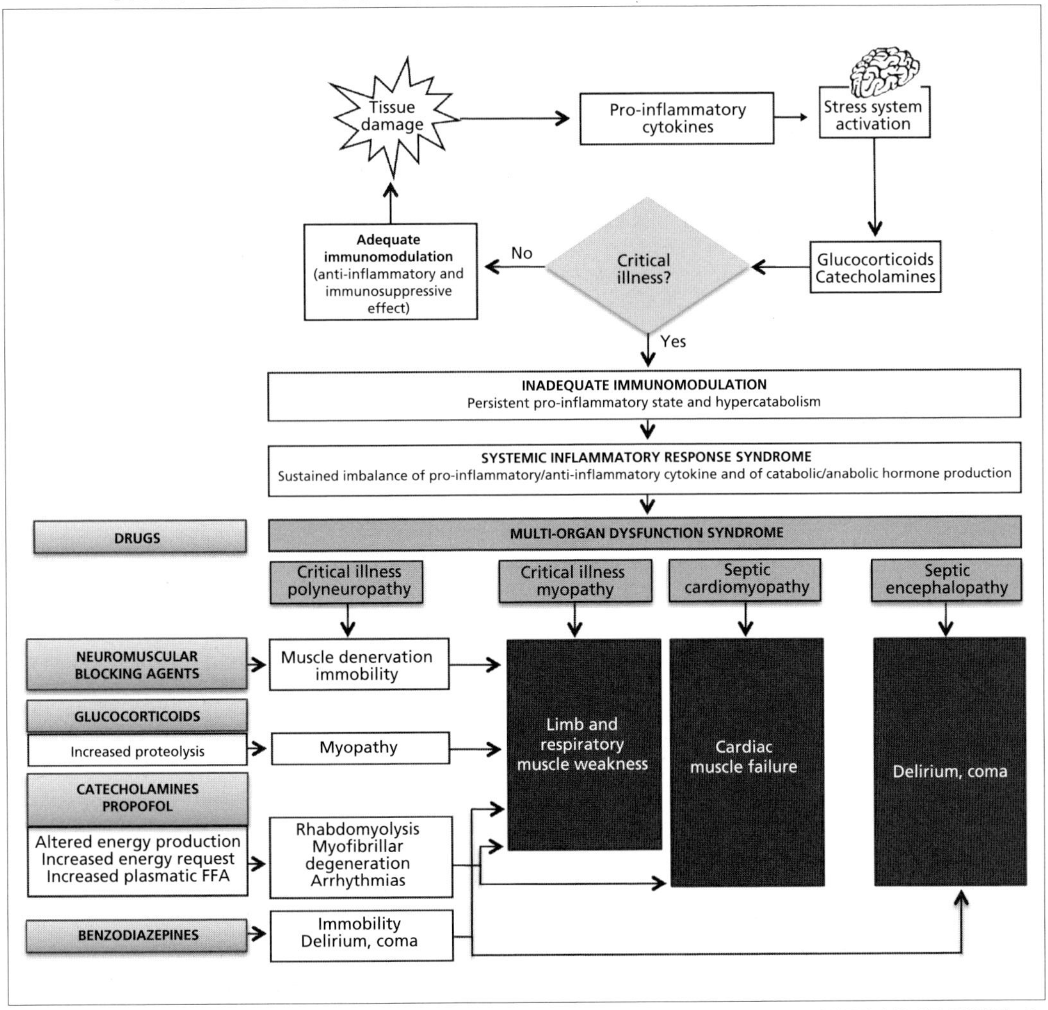

Tissue damage
Pro-inflammatory cytokines
Stress system activation
Glucocorticoids Catecholamines
Critical illness?
No
Adequate immunomodulation (anti-inflammatory and immunosuppressive effect)
Yes
INADEQUATE IMMUNOMODULATION
Persistent pro-inflammatory state and hypercatabolism
SYSTEMIC INFLAMMATORY RESPONSE SYNDROME
Sustained imbalance of pro-inflammatory/anti-inflammatory cytokine and of catabolic/anabolic hormone production
DRUGS
MULTI-ORGAN DYSFUNCTION SYNDROME
Critical illness polyneuropathy
Critical illness myopathy
Septic cardiomyopathy
Septic encephalopathy
NEUROMUSCULAR BLOCKING AGENTS
Muscle denervation immobility
GLUCOCORTICOIDS
Increased proteolysis
Myopathy
CATECHOLAMINES PROPOFOL
Altered energy production
Increased energy request
Increased plasmatic FFA
Rhabdomyolysis
Myofibrillar degeneration
Arrhythmias
BENZODIAZEPINES
Immobility
Delirium, coma
Limb and respiratory muscle weakness
Cardiac muscle failure
Delirium, coma

조직 손상부위에서 생산된, 전구 염증 싸이토카인들은 스트레스 시스템을 활성화시켜 글루코 코르티코이드와 카테콜아민 분비를 유발한다. 스트레스 반응은 보통 항염증성이고 면역억제 효과가 있다. 만약 이것이 충분치 않다면, 염증성 질환에 감수성이 증가한다. 지속적인 고이화반응(hypercatabolism)을 동반한 전구 염증 상태는 심장과 골격근 기능 부전을 포함하는 지속적인 장기 부전을 유발한다.

건강한 사람들에서 부동상태는 근육 감소와 근력 감소의 강력한 유발인자이다.[38] 중증질환 중에, 환자들은 근육량의 절반을 잃을 수 있고, 이는 심각한 육체적 장애를 유발할 수 있다.[39,40] 횡격막도 이러한 과정과 예외는 아니다. 기계환기(mechanical ventilation)의 기간은 ICUAW와 연관되며, 횡격막 기능 저하, 섬유소 퇴축과 손상은 controlled MV 시작 수시간 이내에 발생된다.[41]

병리

단독적으로 또는 동시에 발생한 CIP와 CIM은 ICUAW의 주요 원인이다. 부동상태와 근육 소실 또한 중요한 인자이다.

CIP는 말초 축삭성 다발성 신경병증으로 감각 및 운동신경 모두를 침범한다. 신경전도 검사는 감각신경활동전위 및 복합근육활동전위(CMAP)의 진폭이 감소되고, 신경전도속도는 경도의 감소 또는 정상이다.

CIM은 일차적인 근육병증으로 인공호흡기 이탈이 어렵거나 늘어진 사지, 감소된 심부건 반사 등 임상양상은 CIP와 같으나, 감각은 정상이다. CMAP 진폭의 감소, CMAP 기간의 증가, 정상 SNAP, 직접 자극 시 감소된 근육 활성도, 침 근전도에서 근육병성 운동 단위 전위(motor unit potential) 등이 주요 전기생리학적 특성이다. 근육 생검에서는 미오신 섬유의 선택적 소실, 다양한 정도의 근섬유 괴사, 근위축이 흔히 관찰된다. 횡문근 융해증은 골격근을 빠르게 붕괴하고, 근육 손상을 유발하는 어떤 조건에서도 발생할 수 있다. 횡문근 융해증에서 전기생리학, 근육생검 검사결과들은 정상 또는 거의 정상으로 빠르고 완벽하게 회복한다.[5] 중환자실에서 심부전, 심한 대사성산증, 신부전, 고중성지질혈증과 연관된 횡문 근융해증은 고용량 propofol을 지속적으로 정맥주입한 것이 원인일 수 있다.[21]

병태생리학

ICUAW의 병태생리는 복잡하고 아직도 완벽하게 이해되지 못하고 있다. CIP와 CIM은 구분되는 현상이 아니고, 오히려 MOF의 한 일종으로 신경근육계의 부전을 설명하는 것이다. 또한 MOF는 패혈증과 SIRS 중에 생성되는 염증 매개물질에 의해 발생한다.

근육의 허혈성 저산소증을 유발하는 것은 미세순환계의 변화가 주된 요인이며, 가로무늬근육(striated muscles)의 모세혈관의 순환이 균일하지 않게(heterogeneous) 감소하게 된다.[5] Calpain과 ubiquitin proteasome-mediated myofibrillar protein 파괴는 또 다른 중요한 현상이며, 특히 패혈증 동안에 단백질 변성은 근섬유 감소, 근육(sarcomere) 조직 붕괴 및 근육 퇴축을 유발하게 된다. 이런 근육단백분해(muscle protein breakdown, MPB)는 부동상태에 의해 점점 진행된다. 부동은 모든 중증질환환자에서 나타나며, 골격근 형태, slow and fast twitch muscle fibre의 비율, 수축력, 산소 대사능력, 근육단백형성(muscle protein synthesis, MPS)에 변화를 초래한다. 이들 모든 인자들은 다시 근육 수축력, 힘, 피로 저항성 감소를 초래한다. 근육 내 미토콘드리아의 기능 또한 변하며, 이에 따라 근육세포내 저산소 상황은 ATP 감소와 세포내 항산화효소 감소를 초래하며, 산화질소 산화물 증가를 유발한다. 결국, 근육은 신경차단 및 스테로이드 주사의 결과로 불활성화 될수 있다. 이들의 효과 중 일부는 근육 독성 혈청 요소(myotoxic serum factor)에 의해 나타날 수도 있다.[42]

말초신경의 혈관 내피세포 내에서 E-selectin의 발현이 증가된 결과로 신경내 공간에서 백혈구가 활성화되어 말초신경의 신경 미세순환이 방해 받았을 것이다.[43]

백혈구 활성화는 국소 싸이토카인 생산을 유발하고, 미세혈관 투과성을 높이게 되며, 신경 내 부종(endoneurial oedema)을 초래한다. 고당화혈증과 저알부민혈증도 미세순환을 방해하고 말초신경 영양공급을 방해하여, 허혈성 저산소증, 에너지 고갈, 축삭 퇴행을 초래한다. 신경막 탈분극은 신경내 고칼륨혈증, 저산소증 등과 연관된 신경막 탈분극은 중증질환 환자에서 지속적으로 보이고 있으나,[44] 신경 저산소증(nerve hypoxia) 인지 세포성 저산소증(cytopathic hypoxia)에 의한 것인지는 알지 못한다. Na^+ 채널 급속 비활성화(sodium channel fast inactiviation)로 인해 전압 의존성(voltage dependence)이 좀 더 음극으로 이동하거나, 기능을 하는 Na^+ 채널의 밀도가 감소하는 것이 신경 불활성화의 주된 기전으로 쥐를 이용한 동물실험을 통해 밝혀졌다.[45]

임상 증상 및 진단

저나트륨혈증, 저칼륨혈증, 저/고마그네슘혈증, 고칼슘혈증, 저인산혈증 같은 대사성, 전해질 질환도 급속한 근력 약화 및 마비를 초래할 수 있어서 CIP와 CIM을 고려하기 전에 전신상태를 조사해볼 필요가 있다. 비슷하게 처음부터 신경근육계 문제를 고려하기 전에, 심혈관, 호흡기, 간, 위장관, 혈액, 신장 기능과 영양상태를 평가해 보아야 한다.

급성기에는, ICUAW의 특징적인 양상은 전신적이고, 대칭적이고, 뻗뻗하지 않게 근력 약화가 나타나며, 사지와 호흡근을 침범하고, 얼굴근육은 침범하지 않는다.[5] 사지근력약화는 양측 근위부 및 원위부 근육을 전반적으로 침범하며, 급속한 근육 감소를 초래한다. 의식이 없는 환자에게, 의식 수준을 측정하기 위한 통증 자극을 주면 얼굴 표정을 일그러 뜨리지만, 사지 움직임은 감소하거나 없다.[5,10] 심부건반사는 보통 감소되어 있거나 소실되어 있다. 인공호흡기에서 벗어나기 어려운 점은 ICUAW의 중요한 징후이며, 보통 첫 번째 증상으로 발견된다. 사실상, ICUAW는 인공호흡기 탈출 곤란과 PMV의 독립적인 예측인자이다.[35,47,48]

의식이 있는 환자에서는 도수 근력 측정(Medical Research Council, MRC scale) 또는 우성 수부 근력측정기(dynamometry)를 이용하여 사지근력은 측정할 수 있다.[2,8] MRC 합계 점수는 12개의 근육 그룹들의 각각의 점수의 합으로써, 사지운동기능의 전반적인 측정을 할 수 있게 한다. MRC 점수가 48점 미만이거나, 성별에 따른 기준 이하의 수부 악력(남성<11 Kg−force; 여성 <7 Kg−force)을 가진 환자들은 기계환기 및 중환자실 입실기간의 증가와 관계있으며, 사망률 증가 및 중증질환 후 생존자의 삶의 질 감소와 연관된다.

호흡근육 근력도 최대 흡기압 및 최대 호기압, vital capacity를 측정하여 평가할 수 있다. 이들 측정에서 낮은 점수는 사지 근력 약화와 연관이 있고, 기도발관 지연, 인공호흡 장기 유지, 계획되지 않은 중환자실 재입원과 관계있다.[49] 이들 점수는 환자의 의식과 협조에 매우 의존적이고, 섬망, 수면, 의식불명, 손상 등에 의해 방해받을 수 있다.[50]

말초신경, 신경근육 전도, 근육 등에 대한 전기생리학적 검사뿐 아니라 근육 생검은 진단에 유용하게 기여할 수 있다. 단계화된 침상 근력 측정, 전기생리, 근육 생검 등의 순서로 구성되어 있는 몇 가지 알고리듬이 있다.[3,5,51]

결과

일상생활동작수행을 방해하는 물리적 장해는 중환자실 퇴실 직후에는 매우 흔하며, 단순히 감소된 근력으로 설명된다. 만약 환자가 중환자실 퇴실 후 첫 주에 평가를 받는다면, 대부분의 경우에서 기본적인 생명활동에서 타인의 도움이 필요하며, 도움없이 걸을 수 없고, 손을 잡는 근력이 감소되어 있을 뿐 아니라, MRC 스케일로 측정한 사지 근력도 감소되어 있다.[52] 기능적 독립성은 조기 중환자 재활 및 작업치료를 통해 증진시킬 수 있지만, 여전히 1/3의 환자들은 치료에도 불구하고 기능적 독립에 도달하지 못한다.[53] MRC 평가와 악력은 조기 재활치료로 의미있게 바꿀 수 없었다.[53] 삼킴 조절 및 기침 능력 감소는 기도 분비물의 폐흡인, 무기폐(atelectasis)의 위험성을 높이고, 폐렴은 급성호흡부전을 유발하여 중환자실 재입실을 초래한다.[54]

근육 감소 및 근력 약화를 다시 회복하고, 기능적 독립을 얻으려면 급성기 치료 병원 퇴원 이후에 수주, 수개월, 수년까지 걸린다.[55,56] 3분의 1의 환자는 중증질환 이전의 상태로 회복할 수 없을 것이다. 신체장해는 PICS의 중요한 유발 인자이다. PICS는 중증질환 치료 이후 또는 급성기 입원치료 이후에 지속되거나, 다시 나타나거나, 악화되는 신체적, 인지적, 정신적 건강 상태를 말한다.[57] 중환자실 퇴원 1개월 후에 일상생활동작의 기능적 독립을 회복하는 목표는 ARDS 생존자에서 아직까지 일부에서는 도달하지 못하고 있으며, 이들은 1년 시점에도 원래 건강했던 건강상태로 돌아가지 못하는 것 같다. 이 시점에 근육 소실과 위약은 중요한 양상이다.[39] 중증질환의 생존자 중 절반 이상이 보행능력의 제한을 여전히 호소하고 있다. 즉 보행속도가 느리고, 계단이나 언덕 그리고 오래 걷기에 어려움이 있다.[59] 시간이 지나면 대부분 좋아진다. ARDS 생존자 중 근육 소식 및 근력 약화는 5년 이후에는 더 이상 관찰되지 않는다.[36] 그럼에도 불구하고, 환자들은 보행능력, 운동능력의 감소를 지속적으로 호소하고, 신체적 삶의 질 감소를 지속적으로 가지고 있다.[36] 젊은 환자일수록 나이많은 사람들에 비해 빠르게, 잘 회복되는 경향이 있으나, 두 그룹 모두 5년 시점에 정상 예측 신체 기능수준(normal predicted levels of physical function)에 도달하는 것은 실패한다.[36]

말초신경, 근육, 관절, 뼈의 변화가 신체장애와 동반된다. CIP와 CIM은 중증질환 생존자의 장기적 장애의 주요한 원인이다.[56] 경도의 신체장애는 불안전한 보행, 감소되거나 소실된 심부건반사, 스타킹과 글러브 양상의 감각소실, 근육 위축, 통증이 동반된 과감각증, 족하수(foot drop) 등이 포함된다. 족하수는 보통 양측성이고, 비골신경 포착(entrapment)에 의한 족하수는 일측성이다; 그러나 지속적인 일측성 족하수도 CIP의 결과로 보고된바 있다.[56] 대부분의 심각한 경우에서 환자는 지속적인 사지마비 또는 사지위약과 인공호흡기에 의존하는 와상 상태일 수 있다.[56] 작은 섬유 신경병증에 의한 신경인성 통증은 장애를 유발할 수 있다.[60,61]

중환자실 생존자 중 다른 근골격계 합병증으로 척골 신경과 비골신경 포착으로 인한 신경병증, 관절구축, 골이형성증, 동결견, 사지 절단 등이 있으며, 여성에서는 사지 골절의 위험성이 증가한다.[6,39,39,62] 이들은 환자의 이동능력을 감소시키고, 효과적인 재활의 방해물이다. 근위약은 근력과 근육양이 병전으로 회복되더라도, 확실히 지속적으로 남아 있다.[63,64] 근위약은 정신적인 성격도 있으며, 피로와 겹쳐져서 나타나기도 한다.[65]

피로는 지침, 에너지 고갈, 모두 소모된 느낌 등이 압도적으로 느껴지는 것을 말하고, PICS의 일종인 불안, 우울증과 연관된다. 피로와 근육 위약은 구분하는 것이 중요하고, 피로는 좀 더 확실한 병인 기전을 알고 있고, 치료 가능성도 있다.[66]

중증질환 생존자들의 회복속도가 다양한 것은 잘 알려지지 않은 문제이다. 환자의 특성, 질환 특이적 패턴, 기저 신경근육 병리, 잘 구조화된 재활프로그램의 유무, 그리고 기존 연구들의 연구방법론적 차이 등에 의해 설명될 수 있다. 폐손상, 장기 기능 부전의 빠른 회복, 젊은 나이, 동반된 질환이 없는 것들은 ARDS 생존자의 신체 기능의 빠른 회복과 연관된다.[36] 그러나, 회복 패턴은 코마(coma), 중대한 손상, 심장 수술 환자들의 그것과 다를 수 있다.[67,68]

ICUAW 환자에서 기저 병리는 설명가능한 중요한 변수이다. CIM은 CIP보다 좋은 예후를 가진다.[69] 전기적 근육 비활성도 및 미오신 섬유의 선택적 소실은 근육 섬유 괴사보다 좋은 예후를 가진다.[5,45]

중환자실 첫 날부터 시작하는 조기 재활 및 작업치료가[53] 최근에 조금씩 연구되고 있다. 그리고, 아직은 장기적 이득에 대한 증거는 없다. 하지만, 잘 조화된 재활치료가 급성기병원에서부터 퇴원 시까지 잘 조화된 재활치료가 중환에게 적용되는 것은 회복 속도 및 장기적 치료 성적에 영향을 줄 수 있다.[70,71] 접근 가능한 증거들은 다양한 결과 측정 방식을 사용한 다양한 방법론적 질을 가진 연구(소규모 후향적 코호트 연구, 단면 연구, 케이스 시리즈)들을 통해 알 수 있다. 결과 자체도 다양하게 정의되는데, 근육 위약, 피로, 특별한 신체적 과제 수행 능력 등이다.

치료

집중적인 인슐린 치료(intensive insulin treatment, IIT)는 전기생리학적으로 증명된 CIP의 발병 및 유병기간을 줄이는 것으로 보고된 유일한 치료 전략이다.[72] 불행하게도, 최적의 혈당 목표는 정해지지 않았다. 정상 혈당을 유지하는 것을 목표로 하는 IIT 사망률을 증가시키기 때문이다.[73,74] 중환자실 입실 초기부터 재활치료를 포함한 지지 치료를 시작하는 것은 기능적 운동능력, 대퇴사두근 힘, 인지되는 기능수준뿐만 아니라, 환자의 단기적 기능 독립성을 증진시킨다. 다만, 장기적 효과는 입증되지 않았다. 중환자실 입실 중의 EMS (electrical muscle stimulation)와 퇴실 후의 재활치료는 ICUAW를 치료하는 방법으로 기대되나 아직 입증되지 않았다.

결론

중증질환자가 중환자실에 머무르는 동안 사지근육과 호흡근의 약화는 흔한 합병증이다. 환자가 의식이 있고, 협조가 되면 조기에 침상에서 진단을 할 수 있고, 필요하다면 언제든지 전기생리학적 검사 및 근육 생검을 통해 특별한 병리학적 진단을 할 수 있다. 지속적인 위험인자의 조절과 조기 재활은 급성기 치료 병원에서 퇴원 시 기능을 증진시킬 수 있는 효과적인 방법이나, 장기적인 효과는 연구가 필요하다.

근력과 기능정 독립성의 회복은 급성치료 병원을 퇴원한 이후에도 수일, 수주, 수개월, 혹은 수년이 걸릴 수 있다. 하지만, 이런 현상의 이유들은 완전히 알지 못한다.

근력의 회복과 기능적 독립성은 다른 결과물을 가질 수 있다. 즉, 일부 환자들은 근력 약화를 지속적으로 가지면서도, 기능적 독립성을 획득하는데, 이는 환자가 지속적인 장애에 적응하는 방법을 터득하였음을 말해준다. 결론적으로 위약은 환자들에게 인식되고 고통을 주지만, 객관적인 근육 약화와 다를 수 있고, PICS의 중요한 인자인 불안과 우울감과 연관이 있을 수 있다.

포괄적인 신체, 인지, 정신 평가를 포함하며, 중환자들의 대표적인 인구들을 대상으로 한 장기 추적 전향적 코호트 연구들이 필요하며, 이를 통해 중환자들의 예후를 명확히 하고 적절한 치료 성적을 정의할 수 있다.

향후 연구에서 적절한 치료 성적의 정의는 환자의 시각에 맞추어야 한다. 환자에게 중요한 결과를 임상의들과 연구자들은 간과할 수 있기 때문이다. 류마토이드 관절염의 치료를 연구하연 연구자들을 통해 배운 것은, 대부분의 류마토이드 환자들이 호소하는 주된 증상은 연구자들이 생각했던 통증이 아니라, 피로(fatigue)였다는 점이다.[76]

참고문헌

1 Osler W. The principles and practice of medicine. New York: D Appleton; 1892.

2 De Jonghe B, Sharshar T, Lefaucheur JP, et al. Paresis acquired in the intensive care unit: a prospective multicenter study. JAMA 2002;288:2859-67.

3 Stevens RD, Marshall SA, Cornblath DR, et al. A framework for diagnosing and classifying intensive care unit-acquired weakness. Crit Care Med 2009;37(Suppl):299-308.

4 Cabrera Serrano M, Rabinstein AA. Causes and outcomes of acute neuromuscular respiratory failure. Arch Neurol 2010;67:1089-94.

5 Latronico N, Bolton CF. Critical illness polyneuropathy and myopathy: a major cause of muscle weakness and paralysis. Lancet Neurol 2011;10:931-41.

6 Latronico N, Shehu I, Guarneri B. Use of electrophysiologic testing. Crit Care Med 2009;37:S316-20.

7 Latronico N, Rasulo FA. Presentation and management of ICU myopathy and neuropathy. Curr Opin Crit Care 2010;16:123-7.

8 Ali NA, O'Brien JM, Jr, Hoffmann SP, et al. Acquired weakness, handgrip strength, and mortality in critically ill patients. Am J Respir Crit Care Med 2008;178:261-8.

9 Stevens RD, Dowdy DW, Michaels RK, Mendez-Tellez PA, Pronovost PJ, Needham DM. Neuromuscular dysfunction acquired in critical illness: a systematic review. Intensive Care Med 2007;33:1876-91.

10 Latronico N, Fenzi F, Recupero D, et al. Critical illness myopathy and neuropathy. Lancet 1996;347:1579-82.

11 Lacomis D, Petrella JT, Giuliani MJ. Causes of neuromuscular weakness in the intensive care unit: a study of ninety-two patients. Muscle Nerve 1998;21:610-17.

12 Campellone JV, Lacomis D, Kramer DJ, Van Cott AC, Giuliani MJ. Acute myopathy after liver transplantation. Neurology 1998;50:46-53.

13 Banwell BL, Mildner RJ, Hassall AC, Becker LE, Vajsar J, Shemie SD. Muscle weakness in critically ill children. Neurology 2003;61:1779-82.

14 de Letter MA, Schmitz PI, Visser LH, et al. Risk factors for the development of polyneuropathy and myopathy in critically ill patients. Crit Care Med 2001;29:2281-6.

15 Nanas S, Kritikos K, Angelopoulos E, et al. Predisposing factors for critical illness polyneuromyopathy in a multidisciplinary intensive care unit. Acta Neurol Scand 2008;118:175-81.

16 Zochodne DW, Bolton CF, Wells GA, et al. Critical illness polyneuropathy. A complication of sepsis and multiple organ failure. Brain 1987;110 :819-41.

17 Witt NJ, Zochodne DW, Bolton CF, et al. Peripheral nerve function in sepsis and multiple organ failure. Chest 1991;99:176-84.

18 Bednarik J, Vondracek P, Dusek L, Moravcova E, Cundrle I. Risk factors for critical illness polyneuromyopathy. J Neurol 2005;252:343-51.

19 Latronico N, Bertolini G, Guarneri B, et al. Simplified electrophysiological evaluation of peripheral nerves in critically ill patients: the Italian multi-centre CRIMYNE study. Crit Care 2007;11:R11.

20 Hermans G, De Jonghe B, Bruyninckx F, Van den Berghe G. Clinical review: critical illness polyneuropathy and myopathy. Crit Care 2008;12:238.

21 Vasile B, Rasulo F, Candiani A, Latronico N. The pathophysiology of propofol infusion syndrome: a simple name for a complex syndrome. Intensive Care Med 2003;29:1417-25.

22 Latronico N. Acute myopathy of intensive care. Ann Neurol 1997;42:131-2.

23 Segredo V, Caldwell JE, Matthay MA, Sharma ML, Gruenke LD, Miller RD. Persistent paralysis in critically ill patients after long-term administration of vecuronium. N Engl J Med 1992;327:524-8.

24 Gorson KC. Approach to neuromuscular disorders in the intensive care unit. Neurocrit Care 2005;3:195-212.

25 Zohar M, Latronico N. Neuromuscular complications in intensive care patients. In: Biller J, Ferro JM (eds.) Handbook of clinical neurology, Volume 121 (3rd series). Neurological aspects of systemic disease Part III. Edinburgh: Elsevier; 2014. pp. 1-13.

26 Papazian L, Forel JM, Gacouin A, et al. Neuromuscular blockers in early acute respiratory distress syndrome. N Engl J Med 2010;363:1107-16.

27 Dubois EL. Triamcinolone in the treatment of systemic lupus erythematosus. JAMA 1958;167:1590-9.

28 Khan MA, Larson E. Acute myopathy secondary to oral steroid therapy in a 49-year-old man: a case report. J Med Case Reports 2011;5:82.

29 MacFarlane IA, Rosenthal FD. Severe myopathy after status asthmaticus. Lancet 1977;2:615.

30 Miller SM. Methylprednisolone in acute spinal cord injury: a tarnished standard. J Neurosurg Anesthesiol 2008;20:140-2.

31 Cronin L, Cook DJ, Carlet J, et al. Corticosteroid treatment for sepsis: a critical appraisal and metaanalysis of the literature. Crit Care Med 1995;23:1430-9.

32 Sprung CL, Annane D, Keh D, et al. Hydrocortisone therapy for patients with septic shock. N Engl J Med 2008;358:111-24.

33 Dellinger RP, Levy MM, Carlet JM, et al. Surviving Sepsis Campaign: international guidelines for management of severe sepsis and septic shock: 2008. Intensive Care Med 2008;34:17-60.

34 Steinberg KP, Hudson LD, Goodman RB, et al. Efficacy and safety of corticosteroids for persistent acute respiratory distress syndrome. N Engl J Med 2006;354:1671-84.

35 Hermans G, Wilmer A, Meersseman W, et al. Impact of intensive insulin therapy on neuromuscular complications and ventilator dependency in the medical intensive care unit. Am J Respir Crit Care Med 2007; 175:480-9.

36 Herridge MS, Tansey CM, Matte A, et al. Functional disability 5 years after acute respiratory distress syndrome. N Engl J Med 2011;364:1293-304.

37 Vasilevskis EE, Ely EW, Speroff T, Pun BT, Boehm L, Dittus RS. Reducing iatrogenic risks: ICU- acquired delirium and weakness—crossing the quality chasm. Chest 2010;138:1224-33.

38 Kortebein P, Ferrando A, Lombeida J, Wolfe R, Evans WJ. Effect of 10 days of bed rest on skeletal muscle in healthy older adults. JAMA 2007;297:1772-4.

39 Herridge MS, Cheung AM, Tansey CM, et al. One-year outcomes in survivors of the acute respiratory distress syndrome. N Engl J Med 2003;348:683-93.

40 Lightfoot A, McArdle A, Griffiths RD. Muscle in defense. Crit Care Med 2009;37:S384-90.

41 Jaber S, Petrof BJ, Jung B, et al. Rapidly progressive diaphragmatic weakness and injury during mechanical ventilation in humans. Am J Respir Crit Care Med 2011;183:364-71.

42 Friedrich O, Hund E, Weber C, Hacke W, Fink RH. Critical illness myopathy serum fractions affect membrane excitability and intracellular calcium release in mammalian skeletal muscle. J Neurol 2004;251:53-65.

43 Fenzi F, Latronico N, Boniotti C, et al. Critical illness polyneuropathy: nerve findings in 12 patients. Clin Neuropathol 1994;13:150-1.

44 Z'Graggen WJ, Lin CS, Howard RS, Beale RJ, Bostock H. Nerve excitability changes in critical illness polyneuropathy. Brain 2006;129:2461-70.

45 Novak KR, Nardelli P, Cope TC, et al. Inactivation of sodium channels underlies reversible neuropathy during critical illness in rats. J Clin Invest 2009;119:1150-8.

46 Bolton CF, Gilbert JJ, Hahn AF, Sibbald WJ. Polyneuropathy in critically ill patients. J Neurol Neurosurg Psychiatry 1984;47:1223-31.

47 De Jonghe B, Bastuji-Garin S, Sharshar T, Outin H, Brochard L. Does ICU-acquired paresis lengthen weaning from mechanical ventilation? Intensive Care Med 2004;30:1117-21.

48 Garnacho-Montero J, Amaya-Villar R, Garcia-Garmendia JL, Madrazo-Osuna J, Ortiz-Leyba C. Effect of critical illness polyneuropathy on the withdrawal from mechanical ventilation and the length of stay in septic patients. Crit Care Med 2005;33:349-54.

49 De Jonghe B, Bastuji-Garin S, Durand MC, et al. Respiratory weakness is associated with limb weakness and delayed weaning in critical illness. Crit Care Med 2007;35:2007-15.

50 Hough CL, Lieu BK, Caldwell ES. Manual muscle strength testing of critically ill patients: feasibility and interobserver agreement. Crit Care 2011;15:R43.

51 Schweickert WD, Hall J. ICU-acquired weakness. Chest 2007;131:1541-9.

52 van der Schaaf M, Dettling DS, Beelen A, Lucas C, Dongelmans DA, Nollet F. Poor functional status immediately after discharge from an intensive care unit. Disabil Rehabil 2008;30:1812-18.

53 Schweickert WD, Pohlman MC, Pohlman AS, et al. Early physical and occupational therapy in mechanically ventilated, critically ill patients: a randomised controlled trial. Lancet 2009;373: 1874-82.

54 Latronico N, Guarneri B, Alongi S, Bussi G, Candiani A. Acute neuromuscular respiratory failure after ICU discharge. Report of five patients. Intensive Care Med 1999;25:1302-6.

55 Fletcher SN, Kennedy DD, Ghosh IR, et al. Persistent neuromuscular and neurophysiologic abnormalities in long-term survivors of prolonged critical illness. Crit Care Med 2003;31:1012-16.

56 Latronico N, Shehu I, Seghelini E. Neuromuscular sequelae of critical illness. Curr Opin Crit Care 2005;11: 381-90.

57 Needham DM, Davidson J, Cohen H, et al. Improving long-term outcomes after discharge from intensive care unit: report from a stakeholders' conference. Crit Care Med 2011;40:502-9.

58 Angus DC, Clermont G, Linde-Zwirble WT, et al. Healthcare costs and long-term outcomes after acute respiratory distress syndrome: a phase III trial of inhaled nitric oxide. Crit Care Med 2006;34:2883-90.

59 van der Schaaf M, Beelen A, Dongelmans DA, Vroom MB, Nollet F. Functional status after intensive care: a challenge for rehabilitation professionals to improve outcome. J Rehabil Med 2009;41:360-6.

60 Angel MJ, Bril V, Shannon P, Herridge MS. Neuromuscular function in survivors of the acute respiratory distress syndrome. Can J Neurol Sci 2007;34:427-32.

61 Latronico N, Filosto M, Fagoni N, et al. Small nerve fiber pathology in critical illness. PLoS ONE 2013; 8(9):e75696.

62 Orford NR, Saunders K, Merriman E, et al. Skeletal morbidity among survivors of critical illness. Crit Care Med 2011;39:1295-300.

63 Iwashyna TJ. Survivorship will be the defining challenge of critical care in the 21st century. Ann Intern Med 2010;153:204-5.

64 van der Schaaf M, Beelen A, Dongelmans DA, Vroom MB, Nollet F. Poor functional recovery after a critical illness: a longitudinal study. J Rehabil Med 2009;41:1041-8.

65 Latronico N. Muscle weakness during critical illness. Eur Crit Care Emerg Med 2010;2:61-4.

66 Hagell P, Brundin L. Towards an understanding of fatigue in Parkinson disease. J Neurol Neurosurg Psychiatry 2009;80:489-92.

67 Livingston DH, Tripp T, Biggs C, Lavery RF. A fate worse than death? Long-term outcome of trauma patients admitted to the surgical intensive care unit. J Trauma 2009;67:341-8; discussion 8-9.

68 Skinner EH, Warrillow S, Denehy L. Health-related quality of life in Australian survivors of critical illness. Crit Care Med 2011;39:1896-905.

69 Guarneri B, Bertolini G, Latronico N. Long-term outcome in patients with critical illness myopathy or neuropathy: the Italian multicentre CRIMYNE study. J Neurol Neurosurg Psychiatry 2008;79:838-41.

70 Dennis DM, Hebden-Todd TK, Marsh LJ, Cipriano LJ, Parsons RW. How do Australian ICU survivors fare functionally 6 months after admission? Crit Care Resusc 2011;13:9-16.

71 Intiso D, Amoruso L, Zarrelli M, et al. Long-term functional outcome and health status of patients with critical illness polyneuromyopathy. Acta Neurol Scand 2011;123:211-19.

72 Van den Berghe G, Schoonheydt K, Becx P, Bruyninckx F, Wouters PJ. Insulin therapy protects the central and peripheral nervous system of intensive care patients. Neurology 2005;64:1348-53.

73 Finfer S, Chittock DR, Su SY, et al. Intensive versus conventional glucose control in critically ill patients. N Engl J Med 2009;360:1283-97.

74 Qaseem A, Humphrey LL, Chou R, Snow V, Shekelle P. Use of intensive insulin therapy for the management of glycemic control in hospitalized patients: a clinical practice guideline from the American College of Physicians. Ann Intern Med 2011;154:260-7.

75 Burtin C, Clerckx B, Robbeets C, et al. Early exercise in critically ill patients enhances short-term functional recovery. Crit Care Med 2009;37:2499-505.

76 Kirwan JR, Hewlett SE, Heiberg T, et al. Incorporating the patient perspective into outcome assessment in rheumatoid arthritis—progress at OMERACT 7. J Rheumatol 2005;32:2250-6.

Chapter 25

중증질환 후 뼈와 관절의 질병

아멜리아 배리, 가이 트루델(Amelia Barry and Guy Trudel)

서론

뼈와 관절의 질환은 중환자에게 심각한 장애를 초래할 수 있다. 급성기 단계 동안, 치료는 생존에 초점을 맞추고 있다. 뼈와 관절의 치료는 급성기 치료와 호흡치료의 다음 단계다. 하지만, 장기적으로, 뼈와 관절에 발생한 합병증으로 환자들은 입원 전 기능으로 돌아갈 수 없다. 이 장에서 중환자실 치료 후 환자들에게 나타나는 일반적인 뼈와 관절의 병리에 대해서 알아보고자 한다. 신체평가와 조기 이동을 의무적으로 하는 것이 환자의 관절구축과 칼슘혈증과 이소성골화증(Heterotrophic Osification, HO)을 방지하기 위한 근본적인 방안이다.

관절구축

정의

관절구축(contracture)은 관절의 수동관절 가동 범위(passive range of motion) 안에서 고정된 제한으로 정의한다. 이것은 뼈, 근육, 연부 조직 및 피부를 포함하여 관절주위 구조 변화의 결과로 발생한다(표 25-1 참조).[1,2,3] 관절구축은 중환자실 회복 후에 더 많은 장애, 자원 사용(경제적 비용) 그리고 장기적인 제한으로 환자를 힘들게 만들 수 있다. Clavet 등은 중환자실에서 2주 또는 그 이상 입원한 환자 150명을 대상으로 했던 연구를 보고하였다. 퇴원 후, 관절구축이 있는 환자들은 그렇지 않은 환자들에 비해 낮은 이동수준을 보였다.[4] 그들은 더 많은 재활 상담,

일반 병실 이동 후 입원 기간 연장, 더 많은 치료비용, 재활센터로의 더 많은 전원을 보였다.[4] 집중치료 후 평균 3년 동안 환자들을 지속 관찰한 결과, 구축이 있던 환자들에서 더 높은 비율로 사망하였거나 여전히 이동의 제한이 있었다고 보고되었다.

표 25-1. **관절구축의 분류**

Type	Example
Arthrogenic 뼈(bony)	
연골	관절 내 골절
낭	이단성골연골염, 박리뼈연골염, 해리성골연골연활막 연골증 이차적 고정, 유착관절낭염, 관절섬유증
그 외	반월판 파열, 관절와순파열
Myogenic	
근육	근섬유증, 변화된 신경학적 공급으로 인한 변화 호산성근막염
근막	
건	건교차(변화), 단축
피부	화상, 경피증
혼합(any combination)	화상, 유착성 관절낭염

This table was published in Essentials of Physical Medicine and Rehabilitation, Second Ed1t1on, Frontera WR et al., pp.651-655, Copyright Elsevier 2008.

위험요인

부동은 구축의 위험인자이다.[5-10] 중환자실에서 환자가 움직이지 못하는 것이 관절 구조의 변화를 유발한다.[11] 중환자실에서 입원기간이 증가하는 것은 관절구축의 위험요인으로 밝혀졌다, 예를 들어 중환자실에서 8주 이상 입원 환자들은 2-3주 동안 입원한 환자와 비교하여 관절구축 발생 위험이 7배 이상 높다.[11]

중환자의 다른 위험요인으로는 신경학적 손상, 부종, 좌상, 골절,[12-14] 사지절단이 있다.[15] 뇌손상, 척수손상, 뇌졸중과 같은 중추 신경계 질환과 더불어, 중증질환유발성 근육병증 또는 신경병증과 같은, 말초 신경계 조건들이 구축 발생의 요인이다.[16-18] 이러한 환자들은 이동이 불가능하고 경직과 마비가 주동근 · 길항근 사이에 균형을 손상시키고 이는 관절 가동 범위의 감소를 유발한다.[2,19-20] 다른 관절구축 위험요인으로는 화상, 류마티스, 나이, 혈우병 등이 있다.[21-24]

역학

중환자실에 2주 이상 입원했던 환자들 중 39%의 환자가 최소 한 개의 관절구축을 보였다. 이 중 34%의 환자들에서 심각한 구축이 있었다.[11] 대략 환자의 1/3에서 주관절에 구축이 있고 뒤

이어 족관절, 슬관절, 고관절, 견관절 순으로 나타났다.[11]

뇌손상 환자들의 한 연구에서는 뇌손상 환자 84%에서 모든 관절에 관절구축을 가지고 있었다. 다른 연구에서는 족관절(16%), 견관절(52%)에서 약간 낮은 비율의 구축을 보여주고 있었다.[18,25,26] 뇌졸중 환자의 절반은 빠르면 뇌졸중 후 2개월 후에 구축을 보여준다.[17] 재활 입원 시 약 15% 척수손상 환자들이 기능적으로 심각한 구축을 가지고 있었다.[27] 20세 이상 척수손상 환자들에서 구축 발생률이 30% 증가하고 있다.[24,28] 주관절구축은 하반신 마비 관절보다 사지마비에서 50% 발생률을 보인다.[28,29,30]

주관절 골절의 12%는 구축과 연관된다.[14] 화상 환자는 관절손상이나 관리의 관점에서 볼 때 관절구축발생률 50-95%에 달하는 고위험대상자들이다.[22]

병리적 변화

연부조직 변화로 발생되는 제한된 관절이 구축으로 이어진다. 관절의 제한이 올 때 기계적인 장력이 없을 수도 있다. 구축에 관한 동물연구에서 capsule의 단축으로 활막세포가 확산되는 비율이 감소했다. 추가증거로는 섬유증 그림과 일치하는 capsule(낭) 안에 type1 콜라겐 증가와 더 적은 type3 콜라겐을 보여준다. 이러한 변화는 capsular 강직으로 이어진다.[31] 연부조직의 이러한 변화는 관절에서 위치에 의존적이며 견인력이 없는 방향에서만 발생한다.[32] 동물실험은 불가동성으로 인한 관절구축에 대해 유전적 감수성이 있을 수 있다는 것을 제시한다.[3] 만약 장기간 고정은 연골세포가 자극되지 않으면 기계적인 힘을 잃을 수 있고 관절 퇴행과 ECM 파괴의 원인이 된다.[33] 관절유착증은 마지막 단계이다.

증상과 징후

관절구축은 통증이 없고 보통 증상이 없다. 중환자관리팀은 특히 진정제를 투여한 환자는 자세히 관찰해야 한다. 환자들은 손상된 관절의 뻣뻣함이나 통증, 손상 관절의 마지막 가동범위의 제한을 알릴 수 있다.[27,34] 통증과 뻣뻣함은 수면 패턴에 지장을 줄 수 있다.[34] 기능적으로 심각한 구축은 세부적인 과제들을 수행할 때 환자의 능력에 장애를 줄 수 있다. 환자들과 보호자들은 이동, 보행 또는 자기 돌봄과 같은 일상생활동작 수행에 어려움을 보고할 수 있다.[35,36] 구축은 앉은 자세를 포함한 환자들의 자세를 잡기에 어려움을 준다.[36]

근 · 골격계 신체검사는 구축평가를 가능한 포함되어야 한다. 구축 평가는 종종(흔히) 시행되지 않는데, 구축에 대한 평가는 모든 환자들에게 수행되어야 한다. 이 검사에서는 관절 변형을 알 수 있다. 관절의 부종 및 피부괴사를 넘어 특히 주의해야 할 것은 구축과 함께 압박궤양을 찾아볼 수 있다.[19] 고니오미터(각도계)를 이용해서 양쪽 능동, 수동, 양방향의 관절 가동범위를 검사해야 한다. 특수검사는 특정관절을 평가하기 위해 만들어졌다(고관절 굴곡 구축을 위한 토마스 검사).[1] 신경학적 검사는 종종 구축을 취약하게 하는 조건들을 의사가 진단하도록 한다. 그 예로 뇌손상, 척수손상, 뇌졸중과 같은 신경근 상태가 있다. 약화, 결핍 또는 증가된 반사 또는 긴장과 경직이 있을 때 이러한 진단이 나타날 것이다.[19]

연구

관절구축은 진단, 임상보고 그리고 신체검사에 근거를 둔다. 신경학적 이상과 같은 경련, 인대 또는 연골손상, 연부조직 병리학, 관절염, HO, 골절과 같은 뼈 병리학과 같은 감별 진단 등을 포함한다.

관리

조기 가동성

가능한 빠른 시기에 조기 가동성을 확보하는 것이 환자의 구축예방에 좋다. 중환자실 환자의 가동성 방법들은 다양하다. 조기 가동성 확보에 긍정적 반응을 보인다.[37] 조기 가동성 확보는 퇴원 환자의 기능상 독립적 상태에 이르기까지 높은 비율로 이어진다.[38] 위독한 환자의 조기 가동성이 여러 분야의 종합적인 팀에 의해 관리된다면 3일 정도의 집중 치료시기 감소로 이어질 것이다.[40]

스트레칭

스트레칭은 수동적 스트레칭, 자세, 정적과 동적 부목, 그리고 예방과 관절구축 치료를 위해 가장 먼저 사용된다. 아주 많은 요구에도 불구하고, 스트레칭의 예방과 치료의 이점에 대한 효과는 혼동된다. 매일 30분씩 스트레칭을 실시한 동물 연구에서는 사지 부동에 대한 근절의 감소를 막는 것으로 보인다.[41] 2010년 치료 적용이나 예방 연구 등의 문헌 고찰에서 스트레칭이 관절가동범위, 통증, 강직, 활동 제한, 참여 제약 또는 삶의 질 등에 유의한 효과를 미친다는 결과를 찾지 못했다.[42] 여기에는 수동 스트레칭, 자세, 부목, 지속적 석고 고정 등의 중재방법이 포함된 신경계, 비신경계의 병인학 연구들을 포함한다.[42] 이럼에도 불구하고 스트레칭은 관절구축 예방이나 치료에 가장 많이 사용되고 있다. 그러나 임상 하위그룹이나 각각의 관절에 대한 적용 시기, 특수 적용, 적용 양상, 빈도나 강도에 대해 명확히 정해진 것이 없다.[7,16,43]

수동 스트레칭

고위험군 환자의 비율이 높음에도 중환자실 환자의 14%에게만 수동관절 가동범위 운동을 적용시킨다는 임상연구가 보고되었다.[44] 통상적으로 매일 수동 스트레칭 30분 적용을 권장하고 있다. 척수손상환자를 대상으로 매일 30분씩 4주 동안 슬괵근과 발목관절에 수동 스트레칭을 적용한 결과 일반적 관리만 받은 환자에 비해 유의할만한 효과를 보지 못했다.[16,45,46] 연구에서 관절 스트레칭에 대한 환자군의 가장 큰 효과를 설명할 필요가 있지만 중환자실 관리 수립에 자세를 포함하여 표준화된 관절 스트레칭의 연습기준이 고려되어야 한다.

자세/보조기

자세, 정적 보조기, 지속적 석고고정, 동적 보조기 등을 통해 연속된 신장을 유지할 수 있다.[7,16] 치료사가 혼자 하는 것보다 이러한 도구들을 이용하는 것이 더 큰 신장력을 얻을 수 있다. 정적 보조기만 사용하는 것은 관절의 구축을 일으킬 위험이 있다. 연속적 중재치료를 위해 관절이 신장된 마지막 지점에서 석고 고정이나 정적 보조기를 적용한다. 2–3일 정도 유지한 후 제거한다. 신장된 관절의 최대 마지막 범위에서 다시 적용한다. 동적 보조기는 하나의 도구를 여러 각도에서 조정하면서 신장 효과를 얻을 수 있다는 장점이 있다. 단점은 도구가 비싸다는 것이다.

중환자는 발목관절처럼 구축이 진행될 수 있는 관절에서 정적 보조기를 통해 예방 효과를 얻을 수 있다.[2] 이는 일상적으로 많은 센터들에서 수행하고 있지만 집중케어환자들에게 적용하도록 할만한 근거는 없다.[44] 마찬가지로 자세유지도 관절구축 예방에 중요한 것이긴 하나 집중케어환자들에게 효과가 있다는 근거를 찾을 수 없다.[44] 예로 고관절이 신전된 상태로 엎드린 자세유지나 침대에 붙은 팔받침으로 견관절의 외회전 또는 외전 상태를 지속하는 자세유지를 들 수 있다.[47] 중환자실 연구에서 관리자들의 44%는 관절구축 예방을 위한 관절 자세를 각기 다른 방식들로 잡아준다. 그리고 관절 자세를 다시 잡아주는 것은 물리치료사들이 중환자실 환자에게 가장 많이 적용하는 방법 중 하나다.[44,48]

뇌졸중 환자는 발목관절구축 예방을 위해 주 7일 동안 야간 부목을 적용하거나 주 5회 30분씩 경사테이블을 적용한다.[49] 반대로, 상지의 손 부목은 두 연구들에서 구축감소에 효과적이지 못했다.[50-52] 그러나 뇌졸중 환자의 견관절 자세를 매일 30분씩 적용한 결과 평균 14일 후 환측의 구축 형성이 감소되는 다른 가능성이 보였다.[53]

뇌손상 환자는 2주간 매일 23시간 발 보조기를 착용하거나 지속적 석고 고정을 1–4주 착용한 결과 발목관절의 저측굴곡구축이 있는 환자에서 배측굴곡의 개선을 보였다.[25,54-56] 반대로 손

부목이나 지속적 석고 고정 둘다 장기간의 효과를 보지는 못했다.[51,57,58] 척수손상 환자는 정적 보조기의 착용이 엄지손가락의 구축 예방에 효과적이지 못했다.[59] 보행이 어려운 환자에게 3개월 동안 주 3회 30분씩 경사대를 세운 결과 발목 관절에서 4° 개선되었다.[60] Harvey 등은 보조기 착용과 함께 스트레칭을 매일 30분 이상, 3개월 이상 적용하도록 제안하였다.[61]

지속적 수동 운동(CPM)

CPM은 주로 정형외과 환자들의 골절, 인대 수술, 슬관절 전치환술 이후 도움을 주기 위해 사용한다.[20] 적용 방법은 수술 후 5일까지 매일 8-12시간 적용한다.[20] 안타깝게도 슬관절 전치환술 환자는 2°의 수동관절 가동범위와 3°의 능동관절 가동범위에 가까운 약간의 슬관절 굴곡 범위의 증가를 보인다.[61]

수술

수술로 심각한 관절구축이나 관절구축 장애를 바로 잡을 수 있다. 건 연장술, 건절술, 관절낭유리술, 관절재건술, 관절대체 등에 시행한다. 건 연장술은 근력 손상을 동반한 관절 가동범위의 개선을 예상할 수 있다.[62]

강직 관리

신경학적 상태에서 관절 가동성 관리에 강직은 중요한 역할을 한다. 이에는 강직을 악화시킬 수 있는 유해 자극을 제거하는 것도 포함된다. 강직이 심한 경우 관절의 가동성 촉진을 위해 바클로펜, 단트롤린, 타자니딘같은 물질을 사용하거나 보툴리늄균이나 페놀을 골격근 부위에 주사하거나 수막강내 바클로펜펌프를 사용한다.

약물

약물은 관절구축방지와 이미 형성된 구출을 치료하는데 효과적이진 않다. 동물실험에서 코티코스테로이드와 케토피펜은 긍정적인 결과를 보여준다. 그러나 이 약물들의 부작용에 대한 개요나 임상실험을 하지 못했다는 제한점이 있다.[63] 흥미롭게도 중환자실 환자들에게 스테로이드를 적용했을 경우 관절구축 진행에 감소를 보였다.[11]

움직이지 못하는 중환자 관리 그리고 신경학적으로 손상환자들의 중환자관리팀은 altenating limb positioning와 관절 스트레칭은 구축 예방에 중요하다. 게다가, 환자가 마취상태에서 관절구축 예방을 위한 다른 관절들을 고정해놓았다 하더라도 발목관절의 저측 굴곡 구축예방에 정적 그리고 동적 보조기를 적용한다(그림 25-1 참조). 가능한 즉시 초기 가동성이 이 방법에 추가

되어야 한다.

이소성 골화(HO)

정의

HO는 부드러운 조직이나 근육내부에 석회화층상뼈의 형성으로 정의된다.[64-67] HO는 중환자실에서 퇴원 후 환자의 기능을 장기간 손상시킬 수 있다. 그러므로 집중치료 팀은 HO를 확인하는 것이 중요하다.

위험 요소

HO는 여러 질병군에서 생길 수 있다. 신경학 또는 외상성 손상(또는 둘 다)이 중요한 위험요소이다. 뇌손상에서 경직, 부동 및 혼수 상태 HO를 초래할 수 있다.[65,66] 척수손상, 경직, 욕창 및 시간은 HO의 발전의 독립적인 위험요소이다.[68] 그러나 HO는 중환자들 중에서 신경학상 또는 외상성 병변의 부재에서 식별하여 찾을 수 있다. 이런 환자들은 일반적으로 기계적 통풍, 신경근 차단의 유무로 인해 거동할 수 없게 된다.[69-72]

병태 생리학

HO 형성의 초기 단계에서는 혈류 증가와 연조직에 염증 반응이 나타낸다.[73] 이것은 중간엽 줄기세포(mesenchymal stem cell, MSC) 때문이다; 그러나 이것의 기원은 알려져 있지 않으며 부분적 또는 먼 곳에서부터 왔을 수도 있다. 이 MSC의 일부는 조골 세포로 분화된다. 조골세포는 뼈의 조직 내에 있으면서, 무기화(mineralization)하여 이소성 뼈를 형성할 수 있다.[67,73]

증상 및 징후

HO의 가장 흔한 증상은 관절범위 감소이다.[64] 신체검사 시 환자는 이런 관절통 또는 일부 연부조직의 통증을 호소한다. 또 다른 조사에 따르면 부종, 홍반 및 관절에 열감을 통해 중환자실 환자들의 HO를 진단할 수 있다고 하였다.[68,70,72,74] HO는 주로 큰 관절을 대상으로 잘 발생되고 있다. 가장 영향을 흔히 받는 관절은 고관절, 어깨와 무릎 순이다.[69,70,72,74] 화상 환자는 팔꿈치 관절에 HO가 발생할 수 있다. 그 다음으로 고관절, 무릎, 손, 그리고 어깨관절 순으로 흔히 발생한다.[75,76]

HO의 진단시기는 중환자실 입실 후 평균 2개월로 보고되었지만, 개인에 따라 달라질 수 있다.[64] 외상성뇌손상 환자들은 일반적으로는 2–3주 후 HO가 나타난다. 그러나 일반적으로 손상 1–7개월 후에나 진단이 이뤄진다.[65,66] 척수환자에서 HO는 1개월 후에 골주사검사(bone scan)

로 확인되고 일반적으로 손상초기 2개월 후 임상적으로 확실해진다.[77,78] HO는 기계환기 환자에서 평균적으로 신경근육차단제 사용 48일 후, 신경근육차단제를 사용하지 않았을 경우 32일 뒤 진단되었다.[70,79]

정밀 검사

혈액 검사

혈청알칼리성인산가수분해효소(Alkaline phosphokinase, ALP)는 신경학적, 외상적, 중환자를 포함한 다양한 HO 환자에서 2주일 후 상승하기 시작하고 10주에 최고치에 도달한다.[70,80,81] 그러나 척수손상환자연구에서 ALP 수치와 HO 사이에 상관관계가 없다는 것을 보고한 바도 있다.[82] 혈청크레아틴키니아제(creatine kinase, CK)는 종종 척수환자에게서 HO와 질병의 증가 정도에 의해 상승된다.[82,83] ESR과 CRP를 포함한 비특이적 염증인자는 진단 시 증가된다. CRP는 질병 해상도에서 ESR보다 더 큰 특이성을 보여주었다.[84]

영상

HO의 임상 결과 조사시 골화가 아직 발생하지 않았기 때문에 초기 X-ray에서는 종종 나타나지 않는다. 삼상골주사(3phase bone scan)검사는 제1 및 제2단계에서 증가된 동맥혈액순환 및 모세혈관 내 혈액 풀링에 대응하는 방사성 동위원소 흡수를 감지한다.[67,81] 제3단계에서는 HO의 골화 발생 후 뼈에 흡수된 방사성 동위원소를 감지한다.[73] 골 주사검사는 X선 검사보다 4-6주 전에 빠르게 양성이 된다. HO 발생 6-18개월 후 삼상골주사의 제1단계와 2단계는 음성이 될 것이다. 뼈 스캔은 X선 검사보다 높은 민감도(sensitivity)를 가지고 있기 때문에 증가된 방사성 동위원소 흡수와 관계된, 근골격계 종양 및 연조직 감염 등 다른 원인을 배제해야 한다.[85] HO의 감별진단에는 혈전성 정맥염, 패혈성 관절염 및 심부정맥혈전증 등이 포함된다.

관리

예방

비스테로이드성 소염제(NSAIDs)

NSAIDs는 뼈 형성의 초기 단계를 억제함으로써 HO 형성을 방지하는 것으로 생각된다.[87] 소염제는 프로스타글란딘-H합성효소(PGHS)의 억제 하에 염증반응을 감소시킨다. NSAIDs는 또한 줄기세포의 염증 세포로의 분화 및 전구 세포의 이동을 방해하는 것으로 추정된다.[88] 추적연구에 의하면 NSAIDs는 고관절 치환술 후 1/2부터 2/3 사이의 HO의 위험을 감소시킬 수 있다.[89] 문헌의 리뷰에 따르면 엉치 골절에서는 25 mg의 인도메타신을 매일 3회, 6주 이상으로 경구 복용하여 HO를 예방할 것을 추천하였다.[90-92] 마찬가지로, 매일 인도메타신 75 mg로 3주 동안 치료한 척수손상 환자는 플라시보 환자에 비해, 삼상 골 스캔(초기부터 12개월까지 모두)에서 HO 진단의 발생확률이 낮았다.[78] 4주 동안 매일 25 mg의 Rofecoxib (PGHS-2 선택적 억제제)를 투여하여 지정되지 않은 기간에 임상과 골 스캔에서 HO 형성을 방지했다.[78,88,93] NSAIDs의 효능이 뇌손상 환자, 화상환자, 중환자 등을 포함한 기타 신경학적 집단의 HO 방지에 대해 입증되지 않았다.[70,75]

비스포스포네이트

비스포스포네이트(Bisphosphonates)는 화학적인 무기 초성인산염으로 이소성 골 형성을 방지하기 위해 사용되었다. 이는 하이드록시아파타이트 결정에 의해 비정질 인산 칼슘 여분을 억제하여 뼈 광물을 방지하는 것으로 생각된다.[87] 일부 비스포스포네이트는 또한 HO 형성을 방지하는 또 다른 메커니즘으로 조골세포의 수량을 감소시킨다.[73] 머리 부상 일주일 이내부터 지속하여 총 6개월 동안 에티드로네이트(Etidronate disodium)을 사용하여 HO 발생률을 감소시켰다.[94] 8-12주 동안 에티드로네이트 치료를 한 척수 상해 및 부정적인 X-ray를 거친 환자는 12주에서 HO 환자에 비해 발병률이 감소되었지만 1년에서는 비슷하게 보였다. 그것은 비스포스포네이트 치료가 중지될 때 뼈의 광화작용은 계속 진행될 수 있기 때문이다.[91] 본 연구에서는 초기관리(44일 이내)는 늦은 치료보다 더 도움이 되고 치료기간의 길고 짧음은 결과에 영향을 주지 않았다고 하였다.[95,96] 한 후향적 연구에서는 화상 환자 중 에티드로네이트 치료를 거친 환자의 HO 발생률이 높음을 발견하였다.[97] 고관절 전 치환술 후, 혼합된 결과와 장기추적관찰 결과가 부족하기 때문에 비스포스포네이트 예방의 일상적인 사용을 권장하지는 못 한다.[91]

방사선 치료

방사선은 조골중간엽 세포의 분화를 억제시킴으로써 HO의 발전을 정지시킨다. 단일용량 800 cGy 외부 빔 방사선은 선택된 사람들 중 이소성 골화의 형성을 방지하였다.[98] 메타 분석은 비록 고관절 전 치환술과 고관절 골절의 오픈 복구 등 수술그룹 모두에서 방사선과 NSAID 사용에서 차이가 있음을 찾지 못했지만[99] 수술에 따른 단일용량 방사선 800 cGy 조사 자체는 HO 예방에서 효과적이다. 인도메타신은 장골골절의 불유합으로 관련이 있기 때문에 한 체계적인 연구에서는 인도메타신을 통해 방사선을 선호하였지만[90,92], 12개월부터 14개월 동안의 추적조사에 따르면, 800 cGy의 지역 방사선은 관골구 골절에 대해 인도메타신처럼 HO 예방에 효과가 있다고 하였다.[100,101] 그러나 무작위 시험을 통해 방사선 치료 자체가 팔꿈치 골절의 불유합수술 후 복구의 속도를 증가하였음이 보고된 바 있다.[102]

약물 치료(Medical treatment)

HO 진단이 된 후 일부 예방에 사용된 약물은 그 관절가동범위 감소를 제한하기 위하여 투여되었다.

NSAIDs

2개의 중환자실 케이스 보고에서는 신경근육환자에게 HO의 인도메타신과 물리치료를 거친 후 향상된 기능을 언급했다.[69,70]

비스포스포네이트

에티드로네이트를 경구복용한 다음 에티드로네이트를 정맥주사하는 것은 척수 환자의 HO 때문에 생긴 부종을 감소시킬 수 있다.[103] 3개의 연구는 에티드로네이트가 HO의 발생의 진행을 제한한 증거를 보여주었다.[65,66,77,104,105] 한 환자보고연구는 이와 같은 이득을 표현하지 못했다.[65,66] 중환자실 환자 중 신경근육차단 HO 환자의 다양한 사례보고는 에티드로네이트와 물리치료가 온기와 부종을 감소시키고 관절운동범위를 개선한다는 것을 확인시켜 주었다.[69,70] 화상환자 중, 두 연구는 HO 설립에 대한 비스포스포네이트를 사용하여 애매한 결과를 보여주었고 이는 치료방법을 결정함에 있어서 불충분한 증거로 구성된다.[106,107]

방사선 치료

2–10 Gy 범위 내에서 단일 또는 여러 횟수 중에서 방사선 치료는 척수손상 환자의 발생한 HO의 진행을 제한한다.[108-110]

수술적 관리

수술을 통한 HO 절단은 모든 그룹의 HO 환자에 대한 치료의 옵션이다. 신경성 HO에서 이소성 골의 수술 절제는 TBI 환자의 이동, 보행, 통증정도 및 관절운동 범위를 개선시킨다.[111-119] 척수손상 환자도 이소성 골화된 큰 관절을 수술하여 절단한 결과 운동범위가 향상되었다.[120-121]

골절, 화상환자, 중환자를 포함한 외상 및 비외상, 비신경학적 원인으로 인한 이소성 골 절제술은 운동범위, 앉는 능력과 보행의 개선에 모두 이득이 있음을 보여주었다.[75,122-125]

절단의 최적시간은 재발 가능성에 근거하여 의견이 달랐다.[75,93,123,124] 후반 절제(12–18개월)의 지지자들은 성숙된 뼈의 스캔과 ALP 수치는 재발을 예측할 수 있다고 제안하였다. 그러나 일부 증거는 뼈 스캔과 ALP 수준으로는 재발의 가능성을 예측할 수 없으므로 초기 절제가 더 효

과있음을 증명하였다.[126]

수술절단 후 HO의 발생률은 외상 후보다 신경손상에 의한 마비에 의한 경우 더 높고[122] 척수손상 환자보다 뇌손상환자가 더 높다.[93,116,119,120,127] 뇌손상의 재발률은 절단의 시간보다 손상의 심각성에 더 관련 있었다.[128] 인도메타신의 유무 혹은 에티드로네이트 예방 후 수술절제를 거친 기계적 HO 환자의 사례들은 모두 재발이 나타나지 않았다.[70,72,74-124]

관리 요약

HO를 방지하기 위해 예방 치료는 중환자실에서 일상적으로 실시되지 않는다. NSAIDs와 방사선 치료는 초기 선택으로 선택적으로 사용할 수 있다. 중요한 기능적 이득(예; 좌석, 이동성, ADLs)이 이루어지거나 삶의 질을 향상(예; 향상된 통증)시킬 수 있는 경우에는 수술 옵션을 고려해야 한다. 의사들은 HO 환자에게 발생하는 장애 및 장애 정도에 근거하여 수술의 위험성과 수술시간을 비교 평가해야 한다.

변형된 골대사: 고칼슘혈증 및 골다공증

중환자들은 비정상적인 골대사의 위험이 증가된다. 골대사의 변화는 부동한 질병, 정지상태, 급성고칼슘혈증, 골다공증 및 취약성 골절과 관련된다. 1998년에 Nierman 등은 인공 호흡기를 시행한 중증환자의 92%가 step-down unit으로 전동될 경우 골흡수 표지자의 수치가 증가된 것을 발견하였다.[129] 748명의 퇴원한 중환자실 환자들을 3.7년의 추적관찰 중 60세 이상의 여성환자에서 골절의 위험이 1.65배 증가되는 것을 보여주었다.[130]

고칼슘혈증

정의

고칼슘혈증은 혈청 칼슘치 >2.6 mmol/L로 정의되고, 이는 알부민 수준 또는 1.4 mmol/L의 이온화 칼슘 수준에 의해 보정된다. 보정된 칼슘(mmol/L) 수치는 측정된 칼슘(mmol/L)+([40−알부민(g/L)] × 0.02)이다.[131]

병인

중환자에서 부동(immobilization) 및 마비는 척수손상 환자들의 고칼슘혈증의 발생 원인일 수 있다. 혈중 칼슘 증가의 다른 원인은 중환자실에서 암 관련(종양 또는 골재흡수로 인한) 또는 내분비 원인(부갑상선, 갑상선 기능항진증, 부신기능 부전, 말단 비대증 등)과 thiazide계 이뇨제, 리튬(lithium), 비타민 A 및 비타민 D 중독을 포함한 약물이 원인일 수 있다. 감별 진단에는 또한 milk alkalie syndrome, 파제트 병, 사르코이드증, 육아 종성 질환 및 신부전 등이 포함된다.[132-133]

임상 표현

고칼슘혈증의 증상 및 징후에는 근골격계통증, 무기력증, 피로, 구역질, 구토, 복통, 다뇨, 갈증, 변비 등이 있다. 또한 환자의 혼란과 정신적인 변화에도 표시될 수 있다. 고칼슘혈증 환자는 ECG에서 QT간격의 감소를 나타내고 더 심한 경우 넓은 T-파와 심실부정맥을 나타낸다.[132]

관리

기본 치료는 정맥 수분공급과 함께 소변을 통해 칼슘의 배설증가를 유도하고, 일반적으로 금기하지 않는 한 200-300 cc/h 생리식염수를 보충한다. 또한 치료는 루프이뇨제, 특히 furosemide를 포함할 수 있다. 비스포스포네이트는 일반적으로 전이된 암에 의한 골 파괴에 고칼슘혈증을 보조적으로 안정화시킬 수 있다. 다른 대체에는 calcitonin 또는 Glucocorticoid가 포함된다.[133] 급성칼슘 손실 및 뼈 조직의 손실은 골다공증으로 이어질 수 있다.

골다공증

정의 및 분류

골다공증은 성인 최고 골밀도의 2.5 표준편차 미만으로 정의되고, 취약성 골절 발생의 여부를 확인한다.[134] 골밀도 검사는 듀얼-에너지 X-ray 흡수법(DEXA) 스캔에 의해 수행된다.[135] 캐나다 가이드라인은 65세 이상의 환자 또는 다른 위험인자를 지닌 50세 이상의 환자에게 일상적인 검사를 권장한다. 골다공증은 1차 및 2차 형태로 분류된다. 1차성 골다공증은 여성이 폐경 후 첫 번째로 발생하고, 75세 이후의 남녀 모두에서 두 번째로 골다공증이 발생한다.[136-138] 2차성 골다공증은 내분비 또는 대사원인으로 인한 저혈압, 유전 콜라겐의 이상, 영양문제, 전신질환, 또는 중환자실에서의 감소된 움직임 또는 부동와 약물사용 때문에 초래될 수 있다.[137,138]

병태 생리학

중환자들의 비정상적인 골 대사는 여러 원인과 기전이 있다.[129,136,140,141,145,146] 일반인들과 관련되는 위험요소 이외에도 40세 이전의 취약성 골절, 부모의 고관절 골절, 척추 골절, 스테로이드의 사용 혹은 다른 약물, 흡연, 알코올 섭취, 저체중 또는 주요체중 감소, 류마티스관 절염 등이 포함되었는데 일부 위험인소는 중환자의 상황에 따라 다를 수 있다.[135]

관리

DEXA에 낮은 골밀도의 포스트 중환자실 환자는 특정 관리가 필요하다.

비타민 D

중환자에게 200 IU와 500 IU의 보충은 정상적인 비타민 D 수준에 이르기 충분하였다.[139] 목표는 25-hydroxyvitamin D>80 nmol/L의 수준(32 ng/mL)이다.[140] 현재의 권장 사항은 고칼슘혈증과 고칼슘뇨증으로 나타나지 않는 한 환자에게 매일 2,000 IU 에르고칼시페롤(비타민 D2)를 보충하는 것이다.[141] 비타민 D의 활성화된 형태는 활성형태의 칼시트리올로 에르고 칼시페롤의 변화에 필요한 1-alph hydroxilase를 억제하게 되어 신기능장애가 온 환자에게 추가적으로 필요할 수 있다.[140]

비스포스포네이트

비스포스포네이트는 골과다흡수를 늦추기 위해 중환자에게 사용된다. 그러나 골대사감소질환 환자에서는 사용하지 않는다. 골대사감소 질환은 골생성과 흡수회전율이 낮은 질환이다. 즉, 일반적인 뼈의 형성과정에서 조골세포와 파골세포의 숫자가 적을수록 더 소량의 뼈를 형성한다.[142,143] 낮은 수치의 PTH, 오스테오칼신 및 NTX(각각 조골세포와 파골세포의 활동의 감소를 의미)가 나타나는데[143] 그것은 CKD가 있는 혈액투석환자에서 가장 흔히 발생한다. 오스테오칼신과 NTX이 증가되어 있다면, 골대사감소질환의 가능성이 적은 것으로 나타났다.[141]

골흡수를 반영하는 CTX의 혈중농도가 증가되어있는 환자들은 단일 이반드로네이트 IV투여량 3 mg, 에르고칼시페롤 2,000 IU, 탄산 칼슘 1,250 mg과 0.25 microgram의 칼시트리올로 치료받았었다. 이런 치료는 골흡수와 파골세포의 활동 및 CTX의 수준을 6일 정도 감소시킨다.[144] 골흡수 증가를 보이는 중환자들은 정맥주사용 파미드로네이트 90 mg과 칼시트리올에 반응하여 18일 정도 골흡수 감소를 보인다. 이는 단독적인 칼시트리올 치료와 반대되는 결과(골흡수 표지자의 감소를 보이지 않았음)를 보였다.[145] 비스포스포네이트의 부작용은 감각이상, 근육경련, 심장부정맥, 죽음을 초래할 수 있는 저칼슘혈증이 포함되고 일반적으로 비타민 D 부족증에서 발생된다. 저칼슘혈증은 25-히드록시 비타민 D의 보충에 의해 방지할 수 있다.[146] 비스포스포네이트 투여 환자들은 신독성에 대해 확인을 해야하고, 용량 조절을 해야 한다. 이반드로네이트는 기타 비스포스포네이트에 비해 더 나은 신장 위험성을 보였다.[144] 비스포스포네이트의 다른 부작용에는 발열이나 독감 같은 증상, 심방세동의 희소한 증가, 턱뼈의 괴사증 그리고 골격취약성 등이 있다.[146]

결론

관절구축, HO와 골 대사이상은 중환자실 환자들의 뼈와 관절의 합병증이다. 뼈와 관절의 합병증은 중환자실 퇴원 후의 생존자들이 병원에서 퇴원 후에도 장시간동안 장애를 유발한다. 조기 발견과 치료는 이들의 장기간의 결과를 개선하여 줄 수 있다.

중환자실팀에 대한 다음 권장 사항을 중증질환 후 뼈와 관절의 합병증을 개선할 수 있다:

- 모든 중환자실 환자에서 근골격계 평가 수행할 것
- 환자의 조기 보행(Early mobilization)은 구축, 고칼슘혈증 및 HO의 예방을 위해 중요함.
- 관절구축에 대한 의심을 지속적으로 할 것. 관절구축은 증상이 없지만, 중증질환 이후에 지속적으로 장애를 유발하는 원인이다. 자세변경, 스트레칭, 보조기가 구축예방의 표준 행위로 되기 위해서는 더 많은 연구가 필요하다.
- HO는 유사한 증상을 나타내는 다양한 문제들이 있고, 부종, 열감, 통증이 있는 근골격 위치에 대해서는 의심할 필요가 있다. 조기 진단은 3상 골주사검사(3-phase bone scan)가 필요하다. NSAIDs나 방사선치료를 통한 예방이 가능하다. 기능장애가 심한 경우, 진행여부에 대한 결정 및 수술 절제의 시점을 내과 및 외과 팀에 의해 결정해야 한다.
- 골흡수 증가는 부동, 호르몬 변화, 발달된 염증성 상태, 약물 치료 및 비타민 D 결핍에 의해 발생할 수 있다. 혈액검사수치는 치료를 제시해 줄 수 있다. 고칼슘혈증은 수분공급과 이뇨제를 통해 관리된다. 그러나, 심한 경우는 비타민 D 및 비스포스포네이트 제제로 대응한다. 이러한 치료는 장기적으로 골다공증 및 취약골절을 예방할 수 있을 것이다.

참고문헌

1 Braddom RL, Chan L, Harrast M. Spinal cord injury. In: Braddom RL, Chan L, Harrast M, et al. (eds.) Physical medicine and rehabilitation. 4th ed. Philadelphia, PA: Saunders/Elsevier; 2011. pp. 1293-346.

2 Dittmer DK, Teasell R. Complications of immobilization and bed rest. Part 1: Musculoskeletal and cardiovascular complications. Can Fam Physician 1993;39:1428-32, 1435-7.

3 Laneuville O, Zhou J, Uhthoff HK, Trudel G. Genetic influences on joint contractures secondary to immobilization. Clin Orthop Relat Res 2007;456:36-41.

4 Clavet H, Hebert PC, Fergusson D, Doucette S, Trudel G. Joint Contractures in the Intensive Care Unit: Association with Resource Utilization and Ambulatory Status at Discharge. Disabil Rehabil 2011;33:105-12.

5 Akeson WH, Ameil D, Woo S. Immobility effects on synovial joints: The pathomechanics of joint contracture. Biorheology 1980;17:95-110.

6 Akeson WH, Ameil D, Abel MF, Garfin SR, Woo SL-Y. EO Effects of Immobilisation on Joints. Clin Orthop Relat Res 1987;219:28-37.

7 Farmer SE, James M. Contractures in orthopaedic and neurological conditions: a review of causes and treatment. Disabil Rehabil 2001;23:549-58.

8 Trudel G, Uhthoff HK, Brown M. Extent and direction of joint motion limitation after prolonged immobility: an experimental study in the rat. Arch Phys Med Rehabil 1999;80:1542-47.

9 Trudel G, Seki M, Uhthoff HK. Synovial adhesions are more important than pannus proliferation in the pathogenesis of knee joint contracture following immobilization: an experimental investigation in the rat. J Rheumatol 2000;27:351-7.

10 Woo SL, Matthews JV, Akeson WH, Amiel D, Convery FR. Connective tissue response to immobility. Correlative study of biomechanical and biochemical measurements of normal and immobilized rabbit knees. Arthritis Rheum 1975;18:257-64.

11 Clavet H, Hébert PC, Fergusson D, Doucette S, Trudel G. Joint contracture following prolonged stay in the intensive care unit. CMAJ 2008;178:691-7.

12 Cohen MS. Hastings 1H. Post-traumatic contracture of the elbow. J Bone Joint Surg Br 1998:80-B: 805-12.

13 Hildebrand KA, Sutherland C, Zhang Z. Rabbit knee model of posttraumatic joint contractures: the long-term natural history of motion loss and myofibroblasts. J Orthop Res 2004;22:313-20.

14 Myden C, Hildebrand K. Elbow joint contracture after traumatic injury. J Shoulder Elbow Surg 2011;20:39-44.

15 Esquenazi A, Meier RH 3rd. Rehabilitation in limb deficiency 4. Limb amputation. Arch Phys Med Rehabil 1996;77(3 Suppl):S18-28.

16 Harvey LA, Glinsky JA, Katalinic OM, Ben M. Contracture management for people with spinal cord injuries. NeuroRehabilitation 2011;28:17-20.

17 O'Dwyer NJ, Ada L, Neilson PD. Spasticity and muscle contracture following stroke. Brain 1996;119:1737-49.

18 Yarkony GM, Sahgal V. Contractures:a major complication of craniocerebral trauma. Clin Orthop Relat Res 1987;219:93-6.

19 Dalyan M, Sherman A and Cardenas DD. Factors associated with contractures in acute spinal cord injury. Spinal Cord 1998;36:405-8.

20 Frontera W. Joint contractures. In: Delisa's Physical medicine and rehabilitation: principles and practice. 5th ed. Philadelphia, PA: Wolters Kluwer/Lippincott Williams & Wilkins; 2010. pp. 1255-61.

21 Atkins RM, Henderson NJ, Duthie RB. Joint contractures in hemophilias. Clin Orthop Relat Res 1987; 219:97-1066.

22 Huang T, Blackwell SJ, Lewis SR. Ten years of experience in managing patients with burn contractures of axilla, elbow, wrist and knee joints. Plast Reconstr Surg 1978;61:70-6.

23 Karten I, Koatz AO, McEwen C. Treatment of contractures of the knee in rheumatoid arthritis. Bull N Y Acad Med 1968;44:763-73.

24 Krause JS. Aging after spinal cord injury: an exploratory study. Spinal Cord 2000;38:77-83.

25 Pohl M, Ruckriem S, Mehrholz J, Ritschel C, Strik H, Pause MR. Effectiveness of serial casting in patients with severe cerebral spasticity: a comparison study. Arch Phys Med Rehabil 2002;83:784-90.

26 Singer BJ, Jegasothy GM, Singer KP, Allison GT. Incidence of ankle contracture after moderate to severe acquired brain injury. Arch Phys Med Rehabil 2004;85:1465-9.

27 Yarkony GM, Bass LM, Keenan V and Meyer PR. Contractures complicating spinal cord injury: incidence and comparison between spinal cord centre and general hospital acute care. Paraplegia 1985;23:265-71.

28 Fergusson D, Hutton B, Drodge A. The epidemiology of major joint contractures: a systematic review of the literature. Clin Orthop Relat Res 2007;456:22-9.

29 Bryden AM, Kilgore KL, Lind BB, Yu DT. Triceps denervation as a predictor of elbow flexion contractures in C5 and C6 tetraplegia. Arch Phys Med Rehabil 2004;85:1880-5.

30 Vogel LC, Krajci JA, Anderson CJ. Adults with pediatric-onset spinal cord injury: Part 2: musculoskeletal and neurological complications. J Spinal Cord Med 2002;25:117-23.

31 Matsumoto F, Trudel G, Uhthoff H. High collagen type I and low collagen type III levels in knee joint contracture: an immunohistochemical study with histological correlate. Acta Orthop Scand 2002;73:335-43.

32 Trudel G, Jabi M, Uhthoff H. Localized and adaptive synoviocyte proliferation characteristics in rat knee joint contractures secondary to immobility. Arch Phys Med Rehabil 2003;84:1350-6.

33 Trudel G, Recklies A, Laneuville O. Increased Expression of Chitinase 3-like Protein 1 Secondary to Joint Immobility. Clin Orthop Relat Res 2007;456:92-7.

34 Scott JA, Donovan WH. The prevention of shoulder pain and contracture in the acute tetraplegia patient. Paraplegia 1981;19:313-19.

35 Grover J, Gellman H, Waters RL. The effect of a flexion contracture of the elbow on the ability to transfer in patients who have quadriplegia at the sixth cervical level. J Bone Joint Surg 1996;78A:1397-400.

36 Harvey LA, Herbert RD. Muscle stretching for treatment and prevention of contracture in people with spinal cord injury. Spinal Cord 2002;40:1-9.

37 Morris PE, Goad A, Thompson C, et al: Early intensive care unit mobility therapy in the treatment of acute respiratory failure. Crit Care Med 2008;36:2238-43.

38 Schweickert WD, Pohlman MC, Pohlman AS, et al. Early physical and occupational therapy in mechanically ventilated, critically ill patients: a randomized controlled trial. Lancet 2009;373:1874-82.

39 Garzon-Serrano J, Ryan C, Waak K, et al. Early mobilization in critically ill patients: patients' mobilization level depends on health care provider's profession. PM R 2011;3:307-13.

40 Hopkins RO, Spuhler VJ, Thomsen GE. Transforming ICU culture to facilitate early mobility. Crit Care Clin 2007;23:81-96.

41 Williams PE. Use of intermittent stretch in the prevention of serial sarcomere loss in immobilised muscle. Ann Rheum Dis 1990;49:316-17.

42 Katalinic OM, Harvey LA, Herbert RD. Effectiveness of stretch for the treatment and prevention of contractures in people with neurological conditions: a systematic review. Phys Ther 2011;91:11-24.

43 Stockley RC, Hughes J, Morrison J, Rooney J. An investigation of the use of passive movements in intensive care by UK physiotherapists. Physiotherapy 2010;96:228-33.

44 Wiles L, Stiller K. Passive limb movements for patients in an intensive care unit: a survey of physiotherapy practice in Australia. J Crit Care 2010;25:501-8.

45 Harvey LA, Byak AJ, Ostrovskaya M, Glinsky J, Katte L, Herbert RD. Randomised trial of the effects of four weeks of daily stretch on extensibility of hamstring muscles in people with spinal cord injuries. Aust J Physiother 2003;49:176-81.

46 Harvey, LA, Batty J, Crosbie J, Poulter S, Herbert RD. A randomized trial assessing the effects of 4 weeks of daily stretching on ankle mobility in patients with spinal cord injuries. Arch Phys Med Rehabil 2000;81:1340-7.

47 Dudek N, Trudel G. Joint contractures. In: Frontera WR, Silver JK, Rizzo TD (eds.) Essentials of physical medicine and rehabilitation. 2nd ed. Philadelphia: Saunders, Elsevier; 2008. pp. 651-5.

48 Thomas PJ, Paratz JD, Stanton WR, Deans R, Lipman J. Positioning practices for ventilated intensive care patients: current practice, indications and contraindications. Aust Crit Care 2006;19:122-6, 128, 130-2.

49 Robinson W, Smith R, Aung O, Ada L. No difference between wearing a night splint and standing on a tilt table in preventing ankle contracture early after stroke: a randomised trial. Aust J Physiother 2008;54:33-8.

50 Foley N, Teasell R, et al. Upper extremity interventions. Evidence based review of stroke rehabilitation. Available at: http://www.ebrsr.com/uploads/Module-10_upper-extremity_001.pdf (accessed 21 November 2011).

51 Lannin NA, Horsley SA, Herbert R, McCluskey A, Cusick A. Splinting the hand in the functional position after brain impairment: a randomized, controlled trial. Arch Phys Med Rehabil 2003;84: 297-302.

52 Lannin NA, Cusick A, McCluskey A, Herbert RD. Effects of Splinting on Wrist Contracture After Stroke: A Randomized Controlled Trial. Stroke 2007;38:111-16.

53 Ada L, Goddard E, McCully J, Stavrinos T, Bampton J. Thirty minutes of positioning reduces the development of shoulder external rotation contracture after stroke: a randomized controlled trial. Arch Phys Med Rehabil 2005;86:230-4.

54 Grissom SP, Blanton S. Treatment of upper motoneuron plantarflexion contractures by using an adjustable ankle-foot orthosis. ArchPhys Med Rehabil 2001;82:270-3.

55 Moseley AM. The effect of casting combined with stretching on passive ankle dorsiflexion in adults with traumatic head injuries. PhysTher 1997;77:240-7.

56 Verplancke D, Snape S, Salisbury CF, Jones PW, Ward AB. A randomized controlled trial of botulinum toxin on lower limb spasticity following acute acquired severe brain injury. Clin Rehabil, 2005;19;117-25.

57 Marshall S, Aubut J, Willems G, Teasell R, Lippert C. Motor & sensory impairment remediation post acquired brain injury. Evidence based review of moderate to severe acquired brain injury. Available at: http://www.abiebr.com/module/4-motor-sensory-impairment-remediation-post-acquired-brain-injury (accessed 21 November 2011).

58 Moseley AM, Hassett LM, Leung J, Clare JS, Herbert RD, Harvey LA. Serial casting versus positioning for the treatment of elbow contractures in adults with traumatic brain injury: a randomized controlled trial. Clin Rehabil 2008;22:406-17.

59 Harvey L, de Jong I, Goehl G, Marwedel S. Twelve weeks of nightly stretch does not reduce thumb web-space contractures in people with a neurological condition: a randomized controlled trial. Aust J Physiother 2006;52:251-8.

60 Ben M, Harvey L, Denis S, et al. Does 12 weeks of regular standing prevent loss of ankle mobility and bone mineral density in people with recent spinal cord injuries? Aust J Physiother 2005;51:251-6.

61 Harvey LA, Brosseau L, Herbert RD. Continuous passive motion following total knee arthroplasty in people with arthritis. Cochrane Database Syst Rev 2010;3:CD004260.

62 Delp SL, Statler K, Carroll NC. Preserving plantar flexion strength after surgical treatment for contracture of the triceps surae: a computer simulation study. J Orthop Res 1995;13:96-104.

63 Monument MJ, Hart DA, Befus AD, Salo PT, Zhang M, Hildebrand KA. The mast cell stabilizer ketotifen fumarate lessens contracture severity and myofibroblast hyperplasia: a study of a rabbit model of posttraumatic joint contractures. J Bone Joint Surg Am 2010;92:1468-77.

64 Garland DE. A clinical perspective on common forms of acquired heterotopic ossification. Clin Orthop 1991;263:13-29.

65 Teasell R, Aubut J, Marshall S, Cullen N. Heterotopic ossification and venous thromboembolism. Evidence based review of moderate to severe acquire brain injury. Available at: http://www.abiebr.com/module/11-heterotopic-ossification-venous-thromboembolism (accessed 21 November 2011).

66 Teasell R, Mehta S, Aubut J, et al. Heterotopic ossification. Spinal cord injury rehabilitation evidence. Available at: http://www.scireproject.com/rehabilitation-evidence/heterotopic-ossification. (accessed 21 November 2011).

67 Vanden Bossche L, Vanderstraeten G. Heterotopic ossification: a review. J Rehabil Med 2005;37:129-36.

68 Coelho CV, Beraldo PS. Risk factors of heterotopic ossification in traumatic spinal cord injury. Arq Neuropsiquiatr 2009;67:382-7.

69 Clements NC, Camili AE. Heterotopic ossification complicating critical illness. Chest 1993;104:1526-8.

70 Goodman TA, Merkel PA, Perlmutter G, Doyle MK, Krane SM, Polisson RP. Heterotopic ossification in the setting of neuromuscular blockade. Arthritis Rheum 1997;40:1619-27.

71 Herridge MS, Cheung AM, Tansey CM, et al. One-year outcomes in survivors of the acute respiratory distress syndrome. N Engl J Med 2003;348:683-93.

72 Jacobs JW, De Sonnaville PB, Hulsmans HM, van Rinsum AC, Bijlsma JW. Polyarticular heterotopic ossification complicating critical illness. Rheumatology (Oxford)1999;38:1145-9.

73 van Kuijk AA, Geurts AC, van Kuppevelt HJ. Neurogenic ossification in spinal cord injury. Spinal Cord 2002;40:313-26.

74 Sugita A, Hashimoto J, Maeda A, et al. Heterotopic ossification in bilateral knee and hip joints after long-term sedation. J Bone Miner Metab 2005;23:329-32.

75 Chen HC, Yang JY, Chuang SS, Huang CY, Yang SY. Heterotopic ossification in burns: our experience and literature reviews. Burns 2009;35:857-62.

76 Peterson SL, Mani MM, Crawford CM, et al. Postburn heterotopic ossification: insights for management decision making. J Trauma 1989;29:365-9.

77 Banovac K, Gonzalez F. Evaluation and management of heterotopic ossification in patients with spinal cord injury. Spinal Cord 1997;35:158-62.

78 Banovac K, Williams JM, Patrick LD, Haniff YM. Prevention of heterotopic ossification after spinal cord injury with indomethacin. Spinal Cord 2001;39:370-4.

79 Dellestable F, Voltz C, Mariot J, Perrier JF, Gaucher A. Heterotopic ossification complicating longterm sedation. Br J Rheumatol 1996;35:700-1.

80 Freed JH, Hahn H, Menter R, Dillon T. The use of the three-phase bone scan in the early diagnosis of heterotopic ossification (HO) and in the evaluation of didronel therapy. Paraplegia 1982;20:208-16.

81 Orzel JA, Rudd TG. Heterotopic bone formation: clinical, laboratory, and imaging correlation. J Nucl Med 1985;26:125-32.

82 Singh RS, Craig MC, Katholi CR, Jackson AB, Mountz JM. The predictive value of creatine phosphokinase and alkaline phosphatase in identification of heterotopic ossification in patients after spinal cord injury. Arch Phys Med Rehabil 2003;84:1584-8.

83 Sherman AL, Williams J, Patrick L, Banovac K. The value of serum creatine kinase in early diagnosis of heterotopic ossification. J Spinal Cord Med 2003;26:227-30.

84 Estrores IM, Harrington A, Banovac K. C-reactive protein and erythrocyte sedimentation rate in patients with heterotopic ossification after spinal cord injury. J Spinal Cord Med 2004;27:434-7.

85 Parikh J, Hyare H, Saifuddin A. The imaging features of post-traumatic myositis ossificans, with emphasis on MRI. Clin Radiol 2002;57:1058-66.

86 Argyropoulou MI, Kostandi E, Kosta P, et al. Heterotopic ossification of the knee joint in intensive care unit patients: early diagnosis with magnetic resonance imaging. Crit Care 2006;10:R152.

87 Cullen N, Perera J. Heterotopic ossification: pharmacologic options. J Head Trauma Rehabil 2009;24:69-71.

88 Banovac K, Williams JM, Patrick LD, Levi A. Prevention of heterotopic ossification after spinal cord injury with COX-2 selective inhibitor (rofecoxib). Spinal Cord 2004;42:707-10.

89 Fransen M, Neal B. Non-steroidal anti-inflammatory drugs for preventing heterotopic bone formation after hip arthroplasty. Cochrane Database Syst Rev 2004;3:CD001160.

90 Burd TA, Lowry KJ, Anglen JO. Indomethacin compared with localized irradiation for the prevention of heterotopic ossification following surgical treatment of acetabular fractures. J Bone Joint Surg Am 2001; 83A:1783-8.

91 Macfarlane RJ, Ng BH, Gamie Z, et al. Pharmacological treatment of heterotopic ossification following hip and acetabular surgery. Expert Opin Pharmacother 2008;9:767-86.

92 Moore KD, Goss K, Anglen JO. Indomethacin versus radiation therapy for prophylaxis against heterotopic ossification in acetabular fractures: a randomised, prospective study. J Bone Joint Surg Br 1998;80:259-63.

93 Aubut JA, Mehta S, Cullen N, Teasell RW; ERABI Group; Scire Research Team. A comparison of heterotopic ossification treatment within the traumatic brain and spinal cord injured population: An evidence based systematic review. NeuroRehabilitation 2011;28:151-60.

94 Spielman G, Gennarelli T, Rogers CR. Disodium etidronate: its role in preventing heterotopic ossification in severe head injury. Arch Phys Med Rehabil 1983;64:539-42.

95 Stover S. Disodium etidronate in the prevention of heterotopic ossification following spinal cord injury. Paraplegia 1976;4:146-56.

96 Stover SL. Didronel in the prevention of heterotopic ossification following spinal cord injury: Determination of an optimal treatment schedule. Rehabil R D Prog Rep 1987;25:110-1.

97 Shafer DM, Bay C, Caruso DM, Foster KN. The use of eidronate disodium in the prevention of heterotopic ossification in burn patients. Burns 2008;34:355-60.

98 Ayers DC, Pelligrini VD, Evarts CM. Prevention of heterotopic ossification in high-risk patients by radiation therapy. Clin Orthop 1991;263:87-93.

99 Vavken P, Castellani L, Sculco TP. Prophylaxis of heterotopic ossification of the hip: systematic review and meta-analysis. Clin Orthop Relat Res 2009;467:3283-9.

100 Blokhuis TJ, Frolke JP. Is radiation superior to indomethacin to prevent heterotopic ossification in acetabular fractures?: a systematic review. Clin Orthop Relat Res 2009;467:526-30.

101 Burd TA, Hughes MS, Anglen JO. Heterotopic ossification prophylaxis with indomethacin increases the risk of long-bone nonunion. J Bone Joint Surg Br 2003;85:700-5.

102 Hamid N. Radiation therapy for heterotopic ossification prophylaxis acutely after elbow trauma: a prospective randomized study. J Bone Joint Surg Am 2010;92:2032-8.

103 Banovac K, Gonzalez F, Wade N, Bowker JJ. Intravenous disodium etidronate therapy in spinal cord injury patients with heterotopic ossification. Paraplegia 1993;31:660-6.

104 Banovac K. The effect of etidronate on late development of heterotopic ossification after spinal cord injury. J Spinal Cord Med 2000;23:40-4.

105 Garland DE. Diphosphonate treatment for heterotopic ossification in spinal cord injury patients. Clin Orthop Relat Res 1983;176:197-200.

106 Lippin Y, Shvoron A, Faibel M, Tsur H. Vocal cords dysfunction resulting from heterotopic ossification in a patient with burns. J Burn Care Rehabil 1994;15:169-73.

107 Tepperman PS, Hilbert L, Peters WJ, et al. Heterotopic ossification in burns. J Burn Care Rehabil 1984;5:283-7.

108 Sautter-Bihl ML, Liebermeister E, Nanassy A. Radiotherapy as a local treatment option for heterotopic ossifications in patients with spinal cord injury. Spinal Cord 2000;38:33-6.

109 Sautter-Bihl ML, Hultenschmidt B, Liebermeister E, Nanassy A. Fractionated and single-dose radiotherapy for heterotopic bone formation in patients with spinal cord injury. A phase-I/II study. Strahlenther Onkol 2001;177:200-5.

110 Citak M, Backhaus M, Kalicke T, et al. Treatment of heterotopic ossification after spinal cord injury–clinical outcome after single-dose radiation therapy. Z Orthop Unfall 2011;149:90-3.

111 Charnley G, Judet T, Garreau DL, Mollaret O. Excision of heterotopic ossification around the knee following brain injury. Injury 1996;27:125-8.

112 de Palma L, Rapali S, Paladini P, Ventura A. Elbow heterotopic ossification in head-trauma patients: diagnosis and treatment. Orthopedics 2002;25:665-8.

113 Ippolito E, Formisano R, Caterini R, Farsetti P, Penta F. Operative treatment of heterotopic hip ossification in patients with coma after brain injury. Clin Orthop Relat Res 1999;365:130-8.

114 Ippolito E, Formisano R, Caterini R, Farsetti P, Penta F. Resection of elbow ossification and continuous passive motion in postcomatose patients. J Hand Surg Am 1999;24:546-53.

115 Fuller DA, Mark A, Keenan MA. Excision of heterotopic ossification from the knee: a functional outcome study. Clin Orthop Relat Res 2005;438:197-203.

116 Kolessar DJ, Katz SD, Keenan MA. Functional outcome following surgical resection of heterotopic ossification in patients with brain injury. J Head Trauma Rehabil 1996;11:78-87.

117 Lazarus MD, Guttmann D, Rich CE, Keenan MAE. Heterotopic ossification resection about the elbow. NeuroRehabilitation 1999;12:145-53.

118 Melamed E, Robinson D, Halperin N, Wallach N, Keren O, Groswasser Z. Brain injury-related heterotopic bone formation: treatment strategy and results. Am.J Phys. Med Rehabil 2002;81:670-4.

119 Moore TJ. Functional outcome following surgical excision of heterotopic ossification in patients with traumatic brain injury. J Orthop Trauma 1993;7:11-14.

120 Garland DE, Orwin JF. Resection of heterotopic ossification in patients with spinal cord injuries. Clin Or-

thop Relat Res 1989;242:169-276.
121 Meiners T, Abel R, Bohm V, Gerner HJ. Resection of heterotopic ossification of the hip in spinal cord injured patients. Spinal Cord 1997;35:443-5.
122 Baldwin K, Hosalkar HS, Donegan DJ, Rendon N, Ramsey M, Keenan MA. Surgical resection of heterotopic bone about the elbow: an institutional experience with traumatic and neurologic etiologies. J Hand Surg Am 2011;36:798-803.
123 Maender C, Sahajpal D, Wright TW. Treatment of heterotopic ossification of the elbow following burn injury: recommendations for surgical excision and perioperative prophylaxis using radiation therapy. J Shoulder Elbow Surg 2010;19:1269-75.
124 Mitsionis GI, Lykissas MG, Kalos N, et al. Functional outcome after excision of heterotopic ossification about the knee in ICU patients. Int Orthop 2009;33:1619-25.
125 Tsionos I, Leclercq C, Rochet JM. Heterotopic ossification of the elbow in patients with burns: results after early excision. J Bone J Surg Br 2004;86B:396 – 403.il Med 2005;37:129-36.
126 Freebourn TM. The treatment of immature heterotopic ossification in spinal cord injury with combination surgery, radiation therapy and NSAID. Spinal Cord 1999;37:50-3.
127 Ippolito E, Formisano R, Farsetti P, Caterini R, Penta F. Excision for the treatment of periartcullar ossification of the knee in patients who have a traumatic brain injury. J Bone Joint Surg Am 1999;81:783-9.
128 Chalidis B. Early excision and late excision of heterotopic ossification after traumatic brain injury are equivalent: a systematic review of the literature. J Neurotrauma 2007;24:1675-86.
129 Nierman DM, Mechanick JI. Bone hyperresorption is prevalent in chronically critically ill patients. Chest 1998;114:1122-8.
130 Orford NR, Saunders K, Merriman E, et al. Skeletal morbidity among survivors of critical illness. Crit Care Med 2011;39:1295-300.
131 Seccaricia D. Cancer related hypercalcemia. Can Fam Physician 2010;56:244-6.
132 Agus ZS. Disorders of calcium and magnesium homeostasis. Am J Med 1982;72:473-88.
133 Kraft MD, Btaiche IF, Sacks GS, Kudsk KA. Treatment of electrolyte disorders in adult patients in the intensive care unit. Am J Health Syst Pharm 2005;62:1663-82.
134 Woolf AD, Pfleger B. Burden of major musculoskeletal conditions. Bull World Health Organ 2003;81:646-56.
135 Pappaioannou A, Morin S, Cheung AM, et al. 2010 clinical practice guidelines for the diagnosis and management of osteoporosis in Canada: summary. CMAJ 2010;182:1864-73.
136 Griffith D. Bone loss during critical illness: a skeleton in the closet for the intensive care unit survivor? Crit Care Med 2011;39:1554-5.
137 South Paul J. Osteoporosis: Part 1. Am Fam Physician 2001;63:897-904, 908.
138 Templeton K. Secondary osteoporosis. J Am Acad Orthop Surg 2005;13:475-86.
139 Van den Berghe G, Van Roosbroeck, Wouters PJ, et al. Bone turnover in prolonged critical illness: effect of vitamin D. J Clin Endocrinol Metab 2003;88:4623-32.
140 Via MA, Gallagher EJ, Mechanick JI. Bone physiology and therapeutics in chronic critical illness. Ann N Y Acad Sci 2010;1211:85-94.
141 Hollander JM, Mechanick JI. Nutrition support and the chronic critical illness syndrome. Nutr Clin Pract 2006;21:587-604.
142 Frazao J. Adynamic bone disease: clinical and therapeutic implications. Curr Opin Nephrol Hypertens 2009;18:303-7.
143 National Kidney Foundation. K/DOQI clinical practice guidelines for bone metabolism and disease in chronic kidney disease. Am J Kidney Dis 2003;42(4 Suppl 3):S1-201.
144 Via MA. Intravenous ibandronate acutely reduces bone hyperresorption in chronic critical illness. J Intensive Care Med 2012;27:312-18.
145 Nierman DM, Mechanick JI. Biochemical response to treatment of bone hyperresorption in chronically critically ill patients. Chest 2000;118:761-6.
146 Hollander JM, Mechanick J. Bisphosphonates and metabolic bone disease in the 중환자실. Curr Opin Clin Nutr Metab Care 2009;12:190-5.

147 Garland DE, Blum CE, Waters RL. periartcullar heterotopic ossification in head-injured adults. Incidence and location. J Bone Joint Surg. Am 1980;62:1143-6.

148 Simonsen LL, Sonne-Holm S, Krasheninnikoff M, Engberg AW. Symptomatic heterotopic ossification after very severe traumatic brain injury in 114 patients: incidence and risk factors. Injury 2007;38:1146-50.

149 Larsen L, Wright HH. Para-articular ossification, a complication of anterior poliomyelitis; a case report. Radiology 1957;69:103-5.

150 Ohnmar H, Roohi SA, Naicker AS. Massive heterotopic ossification in Guillain-Barré syndrome: a rare case report. Clin Ter 2010;161:529-32.

151 Giannoudis PV, Grotz MR, Papakostidis C, Dinopoulos H. Operative treatment of displaced fractures of the acetabulum: a meta-analysis. J Bone Joint Surg Br 2005;87:2-9.

152 Brooker AF, Bowerman JW, Robinson RA, Riley RH Jr. Ectopic ossification following total hip replacement. Incidence and method of classification. J Bone Joint Surg Am 1973;55:1629-32.

153 Kocic M, Lazovic M, Mitkovic M, Djokic B. Clinical significance of the heterotopic ossification after total hip arthroplasty. Orthopedics 2010;33:16.

154 Sambrook PN, Chen CJ, March L, et al. High bone turnover is an independent predictor of mortality in the frail elderly. J Bone Miner Res 2006;21:549-55.

155 Ruml LA, Dubois SK, Roberts ML, Pak CY. Prevention of hypercalciuria and stone-forming propensity during prolonged bedrest by alendronate. J Bone Miner Res 1995;10:655-62.

156 Tsunashima Y. Hydrocortisone inhibits cellular proliferation by downregulating hepatocyte growth factor synthesis in human osteoblasts. Biol Pharm Bull 2011;34:700-3.

157 Rejnmark L. Loop diuretics increase bone turnover and decrease BMD in osteopenic postmenopausal women: results from a randomized controlled study with bumetanide. J Bone Miner Res 2006;21:163-70.

PART

손상과 회복의 생물학적 메커니즘

Chapter 26

손상과 회복의 메커니즘

로버트 스티븐(Robert D. Stevens)

이 장은 중증질환에 있어 조직의 기능 장애와 회복을 뒷받침하는 생물학적 기전에 중점을 두고 있다. 중환자의학에서 과거 수십 년간 연구들은 생리학적 변화의 특징과 조절에 중점을 두었고 최근에서야 생물학적 기전에 주목하기 시작하였다. 기초연구와 중개연구는 패혈증, 급성호흡곤란증후군(ARDS)와 같은 상태를 근본적으로 이해하고 중요한 새로운 치료 패러다임을 제시한다. 하지만 아직 중환자들을 위한 특정 세포/분자생물학적 과정을 겨냥한 효과적이고 안전한 치료법은 존재하지 않는다.

실험적 환경에서 도출된 기계론적 가설을 임상에 맞추어 해석하는 것은 어렵다. 최근 분석에서 중증질환의 동물 모델에 대한 가설은 근거가 충분하지 않다. 이러한 간격은 질병모델과 실험적 재평가로 줄일 수 있다. 이 책의 주제인 질병과 중증 손상이 진행되는 동안 조직과 장기의 회복 혹은 리모델링에 대한 이해는 중증질환 후 회복 과정에 대한 새로운 시각을 제공할 것이다.

급성질환에서 회복까지 병태생리학적 변화는 유전 민감성(genetic susceptibility) (27장), 인지수준(degree of cognitive) (29장), 생리적 능력(physiological reserve)이나 결핍(28장)과 같은 요소에 영향받는다. 최근에는 세포 재생능력과 ARDS, 급성신손상(AKI) 후 조직의 재편성(30장), 심근허혈(31장) 그리고 중증질환으로 인한 근육 손실(35장)들이 강조되고 있다. 이러한 연구들은 급증하고 있는 재생의학에 대한 연구와 더불어 회복기전에 초점을 맞추고 있고, 결국 이러한 연구결과들은 중환자의 치료에 중대한 영향을 미칠 것이다. 중증질환으로 인한 장기간의 부담과 후유증은 급성질환으로 인한 신경손상 또는 근골격의 손상으로 인해 발생한다. 이러한 손상기전은 차츰 밝혀지고 있고, 패혈증과 관련된 뇌병증(encephalopathy) (SAE) (32장), CIP (33장)와 중증질환이 골격근 구조에 미치는 영향(34장)에서 더 자세히 언급하였다.

참고문헌

1 Dyson A, Singer M. Animal models of sepsis: why does preclinical efficacy fail to translate to the clinical setting? Crit Care Med 2009;37:S30 – 7.

2 Seok J, Warren HS, Cuenca AG, et al. Genomic responses in mouse models poorly mimic human inflammatory diseases. Proc Natl Acad Sci USA 2013;110:3507 – 12.

3 Perel P, Roberts I, Sena E, et al. Comparison of treatment effects between animal experiments and clinical trials: systematic review. BMJ 2007;334:197.

4 Fisher M, Feuerstein G, Howells DW, et al. Update of the stroke therapy academic industry roundtable preclinical recommendations. Stroke 2009;40:2244 – 50.

5 Herridge MS, Tansey CM, Matte A, et al., and Canadian Critical Care Trials. Functional disability 5 years after acute respiratory distress syndrome. N Engl J Med 2011;364:1293 – 304.

6 Iwashyna TJ, Ely EW, Smith DM, Langa KM. Long-term cognitive impairment and functional disability among survivors of severe sepsis. JAMA 2010;304:1787 – 94.

Chapter 27

패혈증의 결과와 유전학적 결정요인

사친 엔디, 데릭 앵거스(Sachin Yende and Derek C. Angus)

서론

감염과 중증 패혈증(severe sepsis)은 병원과 중환자실(심장계 제외) 입원의 주요원인이다.[1] 비록 유전학이 겨우 몇몇 중증질환의 치료결과에 변화를 가져다 주었지만, 우리는 감염과 중증 패혈증에서 유전학의 역할을 이해하는 것에 초점을 둘 것이다. 이 장에서는 패혈증의 흔한 장기 후유증과 잠재적인 생물학적 기전들을 검토하고, 흔히 사용되는 용어의 광범위한 개념과 중환자치료에서 유전적 변이의 역할에 대한 연구 설계를 다룰 것이다. 유전학 덕분에 생물학 기전에 대한 이해와 중재(intervention)는 더 정확해질 수 있다. 모든 환자가 아닌 개개인의 유전 구성을 기초로 표적치료(약리유전학 또는 약물유전체학)를 하는 것이 더 효과적인 전략이다. 몇몇 연구에서 중증 패혈증의 후성유전학적 변화가 세포의 염증 환경 노출로 인해 발생한다고 하였기에[2] 본문에서도 후성유전학(epigenetics)의 역할을 조사할 것이다. 죽상동맥경화증이나[3] 암,[4] 또는 류마티스 관절염과[5] 같은 만성염증에서와 마찬가지로 패혈증 후 회복이 어려운 상태에서 후성유전학적 변화와 역할은 잘 알려져 있다. 즉 중증질환 후유증에서 후성유전학이 중요할 수 있음을 의미한다.

감염과 중증 패혈증의 흔한 후유증

사망률

통계마다 차이가 있지만 폐렴의 1년 사망률은 23–35%이다.[6-9] 사망률은 1년 후에도 높고 입원 후 7년까지 상승한다.[10] 높은 장기 사망률과 대조적으로 폐렴 후 28일 혹은 90일 단기 사망률과 병원 사망률은 10%보다 낮다. 그러므로 장기 사망률이 증가되는 기전을 이해하는 것이 중요하다.

높은 사망률이 급성질환 때문인지 아니면 폐렴이나 패혈증 전의 만성 건강 상태 때문인지 알기 어렵다. 패혈증 생존자의 장기 사망률을 비교하는 연구 대조군에 어떤 환자들이 포함되었는지도 명확하지 않다. 또한 단면 연구는 이전의 사건들에 대한 정보가 거의 없기 때문에 장기간 흐름에 영향을 줄 수 있다.

몇몇 연구들에서는 패혈증 때문에 장기 사망률이 증가한다고 하였다. 폐렴으로 입원한 환자들의 1년 사망률과 5년 사망률은 울혈성심부전 같은 만성질환으로 입원한 환자 또는 뇌혈관 질환이나 고관절 골절 같은 장기 후유증을 유발하는 급성질환으로 입원한 환자들의 사망률과 유사하다.[8] 환자들의 건강 행위, 만성질환, 영양지표를 보정해도 폐렴 생존자들의 사망률이 여전히 높다.[6,8,11] 폐렴과 패혈증이 종종 급성질환으로 인식되지만, 입원 환자들의 장기 사망률은 비슷한 만성 건강 상태를 가진 사람과 비교하면 더 높다.

폐렴과 패혈증에서 생존한 사람들에서 장기 사망률이 높은 원인(특히 퇴원 후)을 이해하는 것은 쉽지 않다. 사망진단서에 나와 있는 사인은 종종 신뢰할 수 없고, 집이나 장기요양시설에 있던 사람들의 사인은 알아내기 어렵다. 대안은 패혈증으로 입원했던 생존자들에서 입원의 원인을 조사하는 것이다. 허혈성 심장질환, 울혈성심부전을 포함한 심혈관 질환, 뇌졸중, 만성호흡기질환의 급성 악화, 반복되는 감염, 암은 사망과 반복적인 입원의 주요 원인이다. 이러한 결과들은 패혈증 생존자들이 높은 사망률을 보이는 것을 뒷받침한다. 하지만 사망의 원인은 일반인들과 유사하다.

유병률

많은 문헌에서 중증질환, 패혈증 또는 ARDS 후의 후유증에 대해 보고하고 있다. 신질환 악화, 심혈관 질환, 신체적 기능장애, 인지장애, 우울증, 삶의 질 저하 등은 병적 후유증에 포함된다.

장기 후유증의 기전

장기 후유증(long-term sequelae)의 기전은 여전히 잘 알려지지 않았다. 일반적으로 장기 후유증의 기전은 급성질환 발병 전 가지고 있던 만성질환과 노화가 급성감염에 의해 더 악화되고 감염 후 회복에 실패하는 경로를 보인다. 특정 기전들이 여러 후유증에 영향을 준다. 예를 들어 염증지표 수준이 노인이나 감염에 취약한 고위험군 환자에서 높아져 있기도 한다. 염증지표는 급성감염이 진행되는 동안 로그지수로 높아지고, 글루코코르티코이드(Glucocorticoid, GC) 치료와 같은 치료적 중재에 의해 변할 수 있으며 일부에서는 회복기가 되어도 지속될 수 있다. 이러한 지표 상승은 죽상동맥경화반의 불안정을 초래하고, 급성심혈관질환의 발생 위험이 증가하며 근력저하를 유발한다.

노화와 노년기

노화와 노년기에 관련한 경로들이 중증질환의 장기후유증에서 중요한 역할을 할 수도 있다. 산화스트레스가 노화, 중증패혈증, 심혈관질환과 같은 패혈증의 장기후유증에 영향을 주고 있음을 시사하는 여러 증거들이 있다. 예를 들면 p66의 과발현, 무성 정보 조절 단백질(Sir)들의 부재(포유류의 동일선상 개념이 Sirtuin이다), 호르몬 경로의 기능 손상(예; Insulin-like growth factor)은[12,13] 수명에 중요하다는 가설이 있다. p66유전자의 돌연변이는 실험쥐 수명을 대략 30%까지 연장한다.[14] 활성산소 노화 메커니즘을 설명하는 가설에서, 수명을 조절한 동물 모델들(C. elegans, Drosophilia, mice)은 산화 손상이 노화를 가속화하고 산화손상에 대한 저항이 수명을 연장시킴을 보여준다.[13] 세포 내에서 증가된 p66shc 발현이 활성산소의 부정적 영향을 강화하는 반면, p66의 돌연변이에 의한 세포들은 산화 스트레스에 대하여 저항한다.[15]

산화 스트레스는 중증 패혈증으로 인해 커지고 조직의 기능장애와도 관련 있다.[16] 활성 산소와 활성 질소들은 동맥 경화증과 내피에서 작용하여 심혈관계 질병에 관여한다. 예를 들면 저밀도 리포단백질(low density lipoprotein, LDL)의 산화는 탐식세포에 의한 포식에서 필수적이고, 용균반(plaque)의 형성에서 중요한 단계인 거품세포 형성은 필수적이다. 산화질소(NO)는 과산화질산염(peroxynitrate)을 형성하는 과산화물과 상호작용하여, 지질과산화와 산화질소부산물을 만들어 내피 기능을 악화시키고 용균반 파열의 위험을 높인다.[16,17] 또한 p66은 혈관의 노화를 가속화시킨다.

동물 실험에서 p66이 노화 의존성 내피의 기능장애에서 역할을 한다는 것과 p66shc가 제거된 실험쥐에서 동맥 경화증이 줄어든다는 것을 보여주고 있다.[15] 그러므로 노화 기전들은 심각한 패혈증이 일어나는 동안 가속화되고 환자들의 예후를 악화시킨다.

면역억제와 복구

중증 패혈증을 겪은 환자들 중 많은 수가 원내 감염으로 사망한다. 뿐만 아니라 보통 재입원과 폐렴으로 입원한 노인들에서 사망 원인은 재감염이다. 그러므로 감염으로 인한 면역반응이 중증 패혈증의 후유증에 영향을 미친다는 가설이 제기되어 왔다. 이러한 현상을 설명하기 위해 여러 용어들이 사용되어 왔는데, 면역마비(immunoparalysis), 지질다당류(LPS)의 내성(tolerance), 면역 리모델링(immune remodelling), 백혈구 불활성화(leukocyte deactivation) 그리고 패혈증 유도 면역억제(sepsis-induced immune suppression) 등이다. 최근의 한 연구는 중증 패혈증으로 사망하는 중환자실 환자의 비장과 폐의 항원세포에서 나오는 전구염증물질 싸이토카인의 발현력과 면역억제 지표를 연구하였다.[19] 결과는 말초혈액에서 면역억제 측정에 관한 이전의 관찰연구와 유사하였고, 이 중에 많은 환자들이 이차 감염의 위험이 높을 정도로 면역억제가 심각한 수준이었다. 환자들이 치명적인 질환에서 회복되고 퇴원하는 시점에 면역억제가 발생했는지 여부는 알려지지 않았다.

일부 전임상 연구는 감염에 대한 면역반응의 복구가 능동적이고 조직화된 과정이라는 것을 제시하고 있다.[20,21] 염증회복단계의 이상이 발생하면 염증은 지속되고 장기적 결과는 악화된다. 예를 들면 산화 스트레스 경로에서 중요한 매개체인 리폭신(lipoxins)은 감염회복에서 중요한 역할을 한다고 제시되었다.[20,22]

장기 후유증에서 유전학의 역할

장기 후유증의 기전을 이해하기 위해 유전학 연구가 동원되었다. 가령 종양괴사인자(TNF) 과분비성(hypersecretor) 유전자형은 회복하는 동안 지속적으로 높아지는 전염증성 상태와 관련 있다. 마찬가지로, 플라스미노젠 활성 억제제(PAI)-1 과분비성(hypersecretor) 유전자형은 폐렴의 높은 위험과 관련 있다. PAI-1 수치는 패혈증이 진행되는 동안 증가하며 과분비성 유전자형은 심장 혈관질환의 위험성과 관련 있다. PAI-1 유전자형과 결과 사이의 관계를 이해하면 곧 장기 후유증에서 PAI-1의 잠재적인 역할에 대해 이해할 수 있게 된다. 약물유전학(pharmacogenetic) 연구는 패혈증 치료를 위한 위험효용 양상(risk-benefit profile)을 확인하는데 도움이 된다. 예를 들면 GC 치료는 GC receptor을 갖는 유전적 변형과 GC 저항성과 관련된 유전적 변형을 갖는 사람들에게서 훨씬 더 유용하다. GC 치료는 이차 감염과 장기적 신체기능 감소와 같은 장, 단기 부작용이 있다. 맞춤형 GC 치료는 개인의 유전적 특징을 기초로 하여 GC 치료로 이득이 있을 것 같은 사람들에게 적용될 수 있다.

결과적으로 유전체수준 표지자 측정, 장기간의 병적인 후유증과 상관성을 결정짓는 것은 중증질환의 장기후유증을 조절하는 새로운 경로를 확인하기 위해 사용될 수 있다.

멘델 법칙에 의한 질병, 가령 겸상 적혈구 빈혈증(sickle cell disease)이나 낭포성 섬유증(cystic fibrosis)과 같은 질병은 하나의 유전자에 의해서 영향을 받는다. 반대로 대부분 중증질환들은 다양한 요소를 갖는 질병들이고 유전적 용어로 '복합특성(complex traits)'이라고 한다. 중증패혈증, 그에 따른 장기후유증은 복합특성의 예이다. 가령 패혈증 이후의 신체적 기능장애는 질병 전 근육의 강도, TNFs와 같은 염증 매개체를 가지고 있는 유전적 변이, 그리고 급성질환 치료 중에 투여된 GC 치료와 신경근 차단제 등의 영향을 받는다. 중증패혈증과 같은 복합요소에서 유전적 요소들의 상대적 기여도는 보통수준이다. 질병에서 유전적 변형에만 중점을 맞춘다면, 복합요소에 영향을 주는 유전적 변형의 정확한 패턴은 여전히 불확실하다. 그에 따라 몇몇 이론들이 제안되고 있다.[23] 흔한질병-희귀변이 모델(common disease-rare variant model)이라고 부르는 모델은 표현형은 여러 유전적 위치에서 다양한 희귀 유전적 변이에 의해 일어나고, 각각의 변이가 독립적으로 질병을 일으킬 수 있다고 설명한다. 비록 각각의 희귀 변이의 발생 빈도는 낮지만, 집단 전체에는 여러 유전적 변형들이 있을 수 있다.

반대로, 흔한질병-흔한변이 모델(common disease-common variant model)은 흔한변이는 복합요소의 원인일 수 있고 중증질환치료에서 더 흔할 수 있다고 설명한다. 이와 같은 변이는 동일한 유전적 변이라도 어떤 질병에는 방어적인 효과를 갖고 다른 경우에는 유해한 작용을 하는 균형 선택이 이루어지기 때문에 세대를 거쳐 유지된다. 중증질환은 종종 염증성 매개체의 발현 차이로 인해 발생하기 때문에 이러한 모델은 중증질환에서 특히 중요하다. TNF와 IL-6의 분비와 같은 강력한 염증유발반응으로 중증 패혈증 또는 ARDS의 합병증 위험은 높아진다. 그러나 이와 동일한 반응은 감염에 대한 적절한 숙주 반응에도 중요하다. 그러므로 전염증반응(pro-inflammatory response)과 관련된 유전적 변이는 유익할 수도 있고 유해할 수도 있다. 균형 선택의 예로 lymphotoxin alpha 유전자 내에 +250 위치에서 구아닌이 아데닌으로 치환되는 것이 있는데, 이 치환은 TNF발현 증가와 중증 패혈증과도 관련이 있지만 CABG 이후 장기간 기계환기의 위험성 감소와도 관련이 있다.[24,25] 복합요소는 희귀변이와 흔한변이의 조합 때문에도 발생할 수 있다. 결국 유전자 사이에서 발생하는 상호작용과 유전자와 환경 사이에서 발생하는 상호작용(gene-environment interactions) 모두 표현형에 영향을 줄 수 있다.

유전자 명명

다형성(Polymorphism), 돌연변이(mutation), 단일염기다형성(SNPs)

뉴클레오타이드는 DNA의 구성요소이고 4개의 염기 중 하나를 나타낸다. 4개의 염기는 아데닌(A), 티아민(T), 구아닌(G), 사이토신(C)이다. 다른 염기쌍으로 인해 4개의 염기쌍 중 하나의 대체가 일어나는 것을 단일염기다형성(SNP 또는 돌연변이)이라고 부른다. 예를 들면 SNP는 GATAA에서 GGTAA로 DNA 배열을 바꾼다. 다형성(polymorphism)과 돌연변이(mutation)는 DNA 배열의 유전적인(heritable) 변화들이다. 전형적으로 돌연변이의 빈도는 낮고(<1%), 이에 비해 다형성은 훨씬 더 빈번하게 발생한다. 연쇄반복(Variable number of tandem repeats, VNTR)은 특정 반복염기서열의 수가 개인마다 각기 다른, 다형성의 한 종류이다. 다섯 개, 여섯 개, 일곱 개 또는 여덟 개로 반복되는 대식세포 억제 유전자(MIF)에서 tetra-nucleotide (CATT)n 반복은 직렬반복(tandem repeat)의 예이다.[26]

인간 유전체의 유전자들은 전체 DNA의 매우 작은 조각들이 담당하고 있고 유전자 서열의 90% 이상은 암호화되지 않았다.[27] DNA 변형들은 흔하고, SNPs도 인간 유전체 안에서 매일 1,000 염기쌍이 발생하며 대부분의 SNPs는 단백질 구조와 분비를 변화시키지 않는다. SNPs가 아미노산 안에서 변화를 유발하는 현상을 미스센스(Missense 또는 Non-synonymous SNP)라 지칭한다. 암호화 영역에서 Non-synonymous SNP의 일부는 단백질 구조에 영향을 줄 수 있고 표현형의 대체를 유도할 수 있다. 그러한 예로는 응고기전(coagulation cascade)의 factor V 유전자 +1691에 위치한 G가 A로 치환되는 암호화 동질이상(coding polymorphism)이 있다.[28] 이러한 동질이상은 활성화 단백질 C (activated protein C)의 분할 영역 중 한 부분인 아미노산 506 위치에서 아르기닌을 글루타민으로 대체 유도한다. Factor V인자의 불활성화는 응고항진상태를 유도하게 된다.

전사(Promotor) 영역의 SNPs는 단백질 구조에 영향을 주지 않지만 전사요소의 구성에 영향을 주고 적절한 자극에 반응하는 단백질의 발현을 바꾼다. 예를 들어 4G/5G로 일컬어지는 삽입, 삭제 다형질이 PAI-1 유전자 전사(transcription) 시작 부위의 675 염기쌍에서 발견된다.[29,30] 대립형질 보두 전사 활성요소에 결합하더라도 5G 대립형질은 억제 단백질과 결합하여 전사를 줄임으로써 결국 PAI-1 농도는 낮아지게 된다.[31,32]

대부분의 SNPs는 표현형에 영향을 미치지 않는다. 왜냐하면 코딩이 이루어지지 않는 부분이거나 동일 SNP이기 때문이다. 코딩이 이루어지지 않는 부분의 SNP 중에서 5' 혹은 3' 비해독

(untranslated) 부위 SNP는 인트론(introns; 암호화되지 않은 DNA 염기서열 부위로 전사과정에서 RNA 복제에 사용되지만 최종 RNA 전사에서는 잘려 나가는 부위)에서의 SNP보다 중요하다. 이는 전령RNA (mRNAs)의 핵 바깥으로의 이동 조절과 단백질 안정화 등 유전자 발현의 전사 후 조절에서 결정적인 역할을 한다.[33] 원인이 되는 변이를 찾는 후보 유전자 분석에서 SNPs를 선택할 때 이들의 차이를 구분하는 것이 중요하다. 일반적으로 전사 영역과 비동일성 SNPs는 암호화되지 않는 부분보다 더 중요하다.

연관불균형과 반수체형 블록

SNP의 원인을 아는 것은 매우 어렵다. 특정 표현형과 관련된 대부분의 SNPs는 원인이 되는 변이라기보다는 단순한 '표지자'일 뿐이다. 이러한 표지자는 원인변이와 함께 유전된다. 왜냐하면 그것들도 동일한 DNA의 성향을 갖기 때문이다. 세대를 통해서 두 개의 유전적 변이가 함께 유전되는 현상을 '연관불균형(Linkage disequilibrium, LD)'이라 한다. 연관불균형을 측정하기 위해 여러 방법들이 사용될 수 있다. 가장 흔히 사용되는 두 가지 방법은 Lewontin D′와 R^2이다. 두 방법 모두는 상관성을 측정하는 것이고 0에서 1의 값을 가지며, 값이 클수록 더 큰 LD를 의미한다. 즉, 이러한 SNPs가 함께 유전될 경향이 더 높다는 것을 의미한다. LD의 측정들은 인구유전학에서의 통계평가방법이며 두 유전 위치의 거리를 의미하지는 않는다. 하나의 유전자에 의한 SNPs를 위한 LD 지도는 공개적으로 이용가능하며 유전자 분석을 위한 표지자 SNPs의 선택에서 중요한 요소이다. 감수분열 동안 모계와 부계의 DNA 조각들은 재조합을 통해 교환된다. 그러나 LD에 있는 표지자들은 단단히 결합되어 있고 반수체형블록(haplotype blocks)이라 불리는 DNA부분으로서 세대를 통해 전달된다. 표지자와 질병 사이에 상관성이 있는 것으로 확인되면, 원인이 되는 동질이상을 확인하기 위해 DNA의 '블록'에 초점을 맞춰 볼 수 있다. 블록은 하나 또는 그 이상의 동질이상으로 확인하거나 표시할 수 있다. 유전자 크기에 따라, 종종 유전자 전체 또는 반수체형 블록을 갖는 모든 변이들을 배열하여 암호화 변이들을 확인할 수 있다.

유전학 연구 디자인

질병으로 인한 유전적 변형의 역할을 평가하기 위해 두 가지 접근방식을 사용하곤 한다; 연관분석(linkage analysis)과 상관연구(association studies)이다. 연관분석은 질병과 유전적 변이의 동일분리분석을 위해 가계에 걸친 감수분열을 찾는다. 당뇨병과 같은 만성질환과는 대조적으로, 폐렴 후에 ARDS의 발생유무와 같은 과거 중증질환에 대한 정확한 가족력을 얻는 것은 어려운 일이다. 그러므로 이러한 접근은 급성질환에서는 별로 이용가치가 없고 중증질환환자에게는 널리 사용될 수 없다. 연관분석과 반대로 상관성 연구는 인구집단 안에서 유전적 변형과 질병 사이의 상관성을 발견하는 것이다. 대부분 상관성 연구는 가족에 근거한 연구(transmission disequilibrium test, TDT)가 아닌 집단에 근거하여 수행될 수 있다. 이러한 연구는 특정의 대립 유전자와 이질접합체(heterozygous) 부모들이 기대한 것보다 더 빈번하게 아이들에게 대립형질 유전자를 전달하는 것은 아닌지 아이들의 질병 사이에서의 상관성을 테스트하는 것이다.[34]

GWAS (genome wide association studies) 분석법

전체 연구디자인에 상관없이 어떠한 것은 유전적 변형을 조사하는 방법론을 결정하기 위해 필요하다. 두 가지 일반적인 접근방식이 있는데 GWAS와 후보 유전자 상관성 연구이다. GWAS는 탐구자가 감수성의 영역에 대한 선험적 생각을 갖는 것이 아니라 '질병'의 관심과 연관된 염색체 영역의 위치를 찾으려고 애쓰는 전체의 유전연관 분석과 유사하다.[3]

이 접근방식은 가설을 설정하고 결과가 적합하여야 한다. GWAS는 새로운 경로나 질병에 관해서 역할을 하는 단백질들을 확인하기 위해 사용될 수 있다. 현재 GWAS 칩은 700,000–5,000,000 SNP를 포함한다. LD를 사용하여 추가되는 유전자형은 이에 포함된다. 예를 들면 700,000 SNP를 갖는 칩은 Hapmap 데이터 또는 1,000 유전체 프로젝트의 데이터를 이용하여 2,000,000 SNP로 귀속시킬 수 있다. 점차 유전체 전체 배열을 이용할 수 있게 되면, 미래에는 이 기술을 일상적으로 사용할 수 있을 것이다. 기능적으로 더 높은 가능성이 내재된, 암호화된 SNPs만으로 만든 맞춤화된 칩이 가능하게 될 것이다.

후보 유전자 접근 방식

후보 유전자 접근 방식은 생물학적 경로에 연관된 하나 또는 그 이상의 유전자에서 유전적 변화의 역할을 조사하는 것이다. 후보 유전자를 확인하기 위해서는 생물학적 기전을 이해하여야 하고 흔히 이 접근 방식을 사용한다(기술적으로 비집약적이고 상대적으로 저렴하기 때문이다). 과거 대부분의 연구에서는 후보 유전자 접근 방식을 사용했다. 그러나 최근에는 인간 유전체 도처에 있는 공간에 유전적 변형을 확인하기 위해 GWAS를 하이브리드 접근으로 이용하고 있다. 뒤이어 관심영역의 유전자를 조사하려는 후보 유전자 접근 방식을 사용하고 있다. 예를 들면 GWAS는 결과와 관련된 유전자에서 SNPs를 거의 확인할 수 없다. 대부분의 SNPs는 기능이 없기 때문이다. 다른 반수체형 블록에 기인한 SNPs를 골라내어 유전자형과 그 결과가 관련이 있음을 확인할 수 있으면 추가적으로 후보 유전자 연구를 수행할 수 있다. 다른 방법으로는 잠재적인 원인 변형을 확인하기 위해 전체 유전자를 배열할 수도 있다.

통계 문제

영향력

연구 디자인과 관계없이 연관성을 찾기 위한 충분한 통계적 영향력(power)을 갖는 것은 중요하다. 각 위치에서 중증질환 발생의 상대적 위험도는 낮다(relative risk≤2). 일반적으로 상관분석연구는 연관분석보다 상대적으로 발생위험이 낮은 질병 유전자의 통계학적 증거를 제공할 수 있을 것이다.[36] 그러나 1.5배 수준의 상대 위험성을 알아내기 위해서는 대략 1,000개 증례와 1,000개 대조군이 필요하다.[37] 희귀 대립유전자(frequency<10%)를 찾으려면 더 큰 샘플 규모가 필요하다. 반면 상대 위험도가 높다면 샘플 규모는 작아질 수도 있다. 샘플 크기를 결정할 수 있는 여러 통계 도구들이 있다.

반복측정

반복측정 문제에 대한 쉬운 통계적 해결법은 없다. 현재의 접근법 중 하나는 연구자가 받아들일 수 있는 수준의 위양성(false positive)에 대한 진양성(true positive)의 비율을 결정하고 이에 근거하여 통계적 차이의 수준을 정한 뒤 모든 결과를 이 수준에 따라 검증하는 방법으로, 가설검정(false discovery rate, FDR) 통계법을 이용하는 것이다.[38] GWAS는 많은 수(최대 2백만)를 비교한다. 흔히 반복측정의 통계학적 유의성을 설명하기 위한 0.05×10^{-8} 미만의 P값을 역치값으로 사용한다. 10^{-6}과 같은 P값도 역치값이 입증된다면 사용될 수 있다.

특정변이나 후보 유전자가 특성과 관련되어 있고, 원인이 되거나 또는 원인 변이와 강하게 연관(LD)되어 있다는 가장 강력한 근거는 결과를 재현하는 것이다.[39] 재현(replication)은 편향을 피하기 위하여, 다른 모집단에서 다른 방법을 사용하여 분석을 시행하는 것을 의미한다.

개체군 혼합

모집단 내의 부분 집단은 다른 유전적 구조를 가질 수 있다. 모집단이 가지고 있는 유전적 변이 빈도의 차이는 위양성을 야기한다. 유전적 표지자(marker)와 질병 사이의 위양성 연관은 유전적 표지자 때문이라기 보다 하위집단과 질병 사이의 관련성 때문에 발생할 수 있다. 인종(Self-reported race)은 인종적 계층화를 피하기 위해 대상자 계층화에 사용된다. 개체군 혼합은 자신을 코카시안(Caucasian) 기원이라고 생각하는 계체군과 비교하여 아프리카계 미국인이라는 인종적 정체성을 가진 사람들 사이에서 더 흔하다.[40] 비록 개체군 혼합은 대부분 유전적 상관성 연구에서 발생하지만 이러한 결과들이 미치는 영향은 명백하지 않다. 관련 없는 표지자들을 분류해서 집단의 계층화를 확인, 정정하기 위한 기술들이 발전하고 있다.[41-43] 이러한 접

근이 충분한지는 아직까지도 논란이 많다.[44]

후성유전학(Epigenetics)

후성유전학은 DNA 서열에서 발생한 변화보다는 다른 기전으로 발생한 유전자 발현에서 유전되는 변화를 연구하는 학문이다. 그리스어원 'epi'는 '~을 넘어서' 또는 '~ 위에'라는 뜻이므로 후성유전학은 DNA 외부의 유전적 변화를 의미한다. 종종 이러한 변화들은 뉴클레오타이드 서열에서의 변화에 관여하지 않는다. 유전적인 변화에는 다양한 분자 수준의 기전들이 있는데 특히 두 가지 기전이 중요하다. 여기에는 CpG 잔여물의 DNA 메틸화(methylation)와 히스톤 3(Histone-3)의 아세틸화(acetylation)가 있다.[44,45] 이러한 변화는 DNA와 관련된 DNA와 히스톤 단백질의 복합체인 크로마틴(chromatin)의 재구성을 유발한다. 히스톤 단백질(Histone proteins)들은 DNA를 둘러싸는 작은 구형으로, 히스톤의 변형은 유전자 발현의 변화를 유발한다.

염증 환경에 세포가 노출됨으로써 중증 패혈증에서 후성유전학적 변화들이 발생한다는 증거가 누적되고 있다.[2] 죽상동맥경화증,[3] 암,[4] 그리고 류마티스성 관절염[5]과 같은 만성염증성 질환들처럼 패혈증 후 회복과정에 손상을 주는 몇몇 질환들에서 후성유전학적 변화의 역할이 밝혀졌다. 후성유전학은 중증패혈증 이후에 면역 반응 복원을 지연시킨다. 예를 들면, 말초혈액 백혈구는 패혈증 동안 활성화되고 후성유전학적 변화가 일어난다. 이 세포들은 전구 염증 물질을 발현하고 면역반응 복구는 지연되며 염증은 지속된다. 후성유전학적 변화는 전체 유전체에서 또는 특정 단백질의 전사 부위(promoter regions)에서 평가할 수 있다. 후성유전학적 기전을 목표로 하는 약물들이 연구되고 있어 패혈증의 장기 후유증을 줄이기 위해 패혈증 후 면역 복구를 증진하기 위한 실험을 해볼 수 있을 것이다.

결론

감염과 패혈증 같은 흔한 중증질환의 유병률은 연령 및 노화와 함께 증가한다.[46] 중환자실 치료가 발전하여 단기사망률은 감소하였으나[47] 장기후유증을 갖고 생존하는 환자들 역시 증가하였다. 장기사망률과 병적 후유증의 기전은 명백하지 않다. 유전학 연구로 이러한 기전들을 이해할 수 있다면 장기후유증을 줄이는 것이 치료 목표가 될 수 있을 것이다.

참고문헌

1 Angus DC, Linde-Zwirble WT, Lidicker J, Clermont G, Carcillo J, Pinsky MR. Epidemiology of severe sepsis in the United States: analysis of incidence, outcome, and associated costs of care. Crit Care Med 2001;29:1303-10.

2 McCall CE, Yoza BK. Gene silencing in severe systemic inflammation. Am J Respir Crit Care Med 2007;175:763-7.

3 Lund G, Andersson L, Lauria M, et al. DNA methylation polymorphisms precede any histological sign of atherosclerosis in mice lacking apolipoprotein. J Biol Chem 2004;279:29147-54.

4 Vakkila J, Lotze MT. Inflammation and necrosis promote tumour growth. Nat Rev Immunol 2004;4:641-8.

5 Karouzakis E, Gay RE, Gay S, Neidhart M. Epigenetic control in rheumatoid arthritis synovial fibro-blasts. Nat Rev Rheumatol 2009;5:266-72.

6 Kaplan V, Clermont G, Griffin MF, et al. Pneumonia: still the old man's friend? Arch Intern Med 2003;163:317-23.

7 Weycker D, Akhras KS, Edelsberg J, Angus DC, Oster G. Long-term mortality and medical care charges in patients with severe sepsis. Crit Care Med 2003;31:2316-23.

8 Yende S, Angus DC, Ali IS, et al. Influence of comorbid conditions on long-term mortality after pneumonia in older people. J Am Geriatr Soc 2007;55:518-25.

9 Angus DC, Laterre PF, Helterbrand J, et al. The effect of drotrecogin alfa (activated) on long-term survival after severe sepsis. Crit Care Med 2004;32:2199-206.

10 Quartin AA, Schein RM, Kett DH, Peduzzi PN. Magnitude and duration of the effect of sepsis on survival. Department of veterans Affairs systemic sepsis cooperative studies group. JAMA 1997;277:1058-63.

11 Wunsch H, Guerra C, Barnato AE, Angus DC, Li G, Linde-Zwirble WT. Three-year outcomes for medicare beneficiaries who survive intensive care. JAMA 2010;303:849-56.

12 Hajnoczky G, Hoek JB. Mitochondrial longevity pathways. Science 2007;315:607-9.

13 Guarente L, Kenyon C. Genetic pathways that regulate ageing in model organisms. Nature 2000;408:255-62.

14 Migliaccio E, Giorgio M, Mele S, et al. The p66shc adaptor protein controls oxidative stress response and life span in mammals. Nature 1999;402:309-13.

15 Napoli C, Martin-Padura I, de Nigris F, et al. Deletion of the p66Shc longevity gene reduces systemic and tissue oxidative stress, vascular cell apoptosis, and early atherogenesis in mice fed a high-fat diet. Proc Natl Acad Sci USA 2003;100:2112-16.

16 Rudolph V, Freeman BA. Cardiovascular consequences when nitric oxide and lipid signaling converge. Circ Res 2009;105:511-22.

17 Baker PR, Schopfer FJ, O'Donnell VB, Freeman BA. Convergence of nitric oxide and lipid signaling: anti-inflammatory nitro-fatty acids. Free Radic Biol Med 2009;46:989-1003.

18 Francia P, delli Gatti C, Bachschmid M, et al. Deletion of p66shc gene protects against age-related endothelial dysfunction. Circulation 2004;110:2889-95.

19 Boomer JS, To K, Chang KC, et al. Immunosuppression in patients who die of sepsis and multiple organ failure. JAMA 2011;306:2594-605.

20 Serhan CN, Chiang N, Van Dyke TE. Resolving inflammation: dual anti-inflammatory and proresolution lipid mediators. Nat Rev Immunol 2008;8:349-61.

21 Serhan CN, Oliw E. Unorthodox routes to prostanoid formation: new twists in cyclooxygenase-initiated pathways. J Clin Invest 2001;107:1481-9.

22 Epstein SE, Zhu J, Najafi AH, Burnett MS. Insights 22 Epstein SE, Zhu J, Najafi AH, Burnett MS. Insights into the role of infection in atherogenesis and in plaque rupture. Circulation 2009;119:3133-41.

23 Zwick ME, Cutler DJ, Chakravarti A. Patterns of genetic variation in Mendelian and complex traits. Annu Rev Genomics Hum Genet 2000;1:387-407.

24 Mira JP, Cariou A, Grall F, et al. Association of TNF2, a TNF-α promoter polymorphism, with septic shock susceptibility and mortality. JAMA 1999;282:561-8.

25 Yende S, Quasney MW, Tolley E, Zhang Q, Wunderink RG. Association of tumor necrosis factor gene

polymorphisms and prolonged mechanical ventilation after coronary artery bypass surgery. Crit Care Med 2003;31:133-40.

26 Donn RP, Shelley E, Ollier WE, Thomson W. A novel 5'-flanking region polymorphism of macrophage migration inhibitory factor is associated with systemic-onset juvenile idiopathic arthritis. Arthritis Rheum 2001;44:1782-5.

27 Stein LD. Human genome End of the beginning. Nature 2004;431:915-16.

28 Bertina RM, Koeleman BPC, Koster T, et al. Mutation in blood coagulation factor V associated with resistance to activated protein C. Nature 1994;369:64-7.

29 Dawson SJ, Wiman B, Hamsten A, Green F, Humphries S, Henney AM. The two allele sequences of a common polymorphism in the promoter of the plasminogen activator inhibitor-1 (PAI-1) gene respond differently to interleukin-1 in HepG2 cells. J Biol Chem 1993;268:10739-45.

30 Eriksson P, Kallin B, 't Hooft FM, Bavenholm P, Hamsten A. Allele-specific increase in basal transcription of the plasminogen-activator inhibitor 1 gene is associated with myocardial infarction. Proc Natl Acad Sci USA 1995;92:1851-5.

31 Westendorp RG, Hottenga JJ, Slagboom PE. Variation in plasminogen-activator-inhibitor-1 gene and risk of meningococcal septic shock. Lancet 1999;354:561-3.

32 Hermans PW, Hibberd ML, Booy R, et al. 4G/5G promoter polymorphism in the plasminogen-activator-inhibitor-1 gene and outcome of meningococcal disease. Meningococcal Research Group. Lancet 1999;354:556-60.

33 Mignone F, Gissi C, Liuni S, Pesole G. Untranslated regions of mRNAs. Genome Biol 2002;3: reviews0004.

34 Gauderman WJ. Candidate gene association analysis for a quantitative trait, using parent-offspring trios. Genet Epidemiol 2003;25:327-38.

35 Hirschhorn JN, Daly MJ. Genome-wide association studies for common diseases and complex traits. Nat Rev Genet 2005;6:95-108.

36 Risch NJ. Searching for genetic determinants in the new millennium. Nature 2000;405:847-56.

37 Reich D, Patterson N, Jager PLD, et al. A whole-genome admixture scan finds a candidate locus for multiple sclerosis susceptibility. Nat Genet 2005;37:1113-18.

38 Hochberg Y, Benjamini Y. More powerful procedures for multiple significance testing. Stat Med 1990; 9:811-18.

39 de Bakker PIW, Yelensky R, Pe'er I, Gabriel SB, Daly MJ, Altshuler D. Efficiency and power in genetic association studies. Nat Genet 2005;37:1217-23.

40 Sinha M, Larkin EK, Elston RC, Redline S. Self-reported race and genetic admixture. N Engl J Med 2006;354:421-2.

41 Pritchard JK, Stephens M, Rosenberg NA, Donnelly P. Association mapping in structured populations. Am J Hum Genet 2000;67:170-81.

42 Ardlie KG, Lunetta KL, Seielstad M. Testing for population subdivision and association in four case-control studies. Am J Hum Genet 2002;71:304-11.

43 Freedman ML, Reich D, Penney KL, et al. Assessing the impact of population stratification on genetic association studies. Nat Genet 2004;36:388-93.

44 Cardon LR, Palmer LJ. Population stratification and spurious allelic association. Lancet 2003;361:598-604.

45 Hake SB, Garcia BA, Duncan EM, et al. Expression patterns and post-translational modifications associated with mammalian histone H3 variants. J Biol Chem 2006;281:559-68.

46 Simonsen L, Conn LA, Pinner RW, Teutsch SM. Trends in infectious disease hospitalizations in the United States 1980-94. Arch Intern Med 1998;158:1923-8.

47 Martin GS, Mannino DM, Eaton S, Moss M. The epidemiology of sepsis in the United States from 1979 through 2000. N Engl J Med 2003;348:1546-54.

Chapter 28

생리학적 보상능력과 위약

로버트 맥더미드, 션 배그쇼
(Robert C. McDermid and Sean M. Bagshaw)

서론

의사들은 '생리학적 나이'의 기능적 정의를 장기간 탐구해왔다. 질병에 대한 반응이 불명확하거나, 나이에 비해서 더 크거나 작은 환자 등 다양한 예들이 있다. 이러한 예들의 경우 예후를 결정하거나 치료적 의사결정이 어렵다. 때문에 의사들은 중증질환 이후의 기능적 결과, 생존 가능성 결정의 원칙으로 연대기적 연령보다는 생리학적 보존(능력)의 개념을 더 중요시하게 되었다. 이 모델에서, 환자의 기초 건강 상태는 환자가 평생 동안 경험한 급성 그리고/혹은 만성 질환의 누적된 노출과 개인의 유전적 성향 사이의 상호작용으로 볼 수 있다. 이번 장에서 우리는 최근 '생리학적 나이'의 잠재적 지표로 알려진 쇠약의 노화증후군(geriatric syndrome) 개념과 중증질환과의 관련성을 살펴보고자 한다.

생물학적 복합성의 상실과 생리학적 보존능력

인체는 복잡한 생물학적 시스템이며 외부 환경의 스트레스에 다각도로 적응하고 저항할 수 있는 능력을 가지고 있다. 이 시스템의 내적 무작위성은 그에 맞는 안정성과 구조를 가지고 있으면서도, 일반적으로 스트레스에 고도로 정교하게 반응한다는 특징이 있다.[1] 지난 20여 년 동안, 생물학적 시스템에 비선형적 조절('chaos theory')이라는 규칙을 적용함으로써 기능과 과정을 어느 정도는 명확하게 이해할 수 있었다. 시스템의 복잡성(변화를 감지할 수 있고, 변화하는 과정과 상이한 반응들을 만들어내는 시스템의 다양한 방법들의 수에 관한 수학적 묘사)은 변화에 적응하고 파국적인 결과에 탄력적으로 대응할 수 있는 시스템의 능력을 결정한다. 자극에 직면했을 때 생물학적 시스템은 시스템 내에서 변이성을 일시적으로 감소시키는 다양한 방식으로 변화에 반응한다. 구조의 복잡성과 자극에 대한 반응의 복잡성을 감소시키는 능력의 조합은 파국적 결과를 경험하지 않고 자극에 적응하는 시스템의 능력을 결정한다.

개념적으로, 노화, 질병, 손상은 변화를 감지하는 시스템의 능력 또는 변화에 적응하는 시스템의 능력을 제한하게 된다. 결과적으로 시스템은 단순화되거나 즉, 복잡성을 상실하고 무작위성이 감소하게 된다. 또한 생물학적 시스템에서 복잡성의 양적 변화를 통해 항상성 기능에 관련한 유용한 정보를 알 수 있다. 인체 데이터에서 초기 장기 기능 부전의 징후를 통해 정상인의 장기 시스템 기능 역학에서 변이성 상실이 일어난다고 증명함으로써 이러한 추측을 확인할 수 있다. 생리적 노화와 질병 모두 다양한 장기 시스템의 복잡성이 소실된다. 많은 부분은 심혈관 문제, 낙상, 골절, 사망률 등 환자들의 불운한 결과와 관련이 있다. 복잡성의 감소는 스트레스에 대한 다양한 생리적 반응의 레퍼토리 감소, 변화에 적응하는 능력의 손상, 보상실패에 도달하는 역치의 감소(즉, 상대적으로 중증이 아닌 급성질환이나 손상에서도 생리학적 보상을 하지 못하는)를 유발할 수 있다.[2] 일단 치명적인 역치 수준에 도달하면, 손상된 시스템은 더 이상 안정적인 상태를 유지할 수 없게 되며 급속히 파멸적인 조절불능상태에 이르게 된다.[3] 이론적인 이 치명적인 역치 지점을 '생리학적 보존능력(physiologic reserve)'이라고 할 수 있다.

위약과 생물학적 보존능력과의 관계

위약은 노년층을 설명하던 개념이었다. 위약은 하나하나 각각은 심각하지 않지만 이를 모두 합치면 질병으로 인한 막대한 부담의 일부가 되고 부작용 발생에도 취약해지는 일종의 증후군이다. 나이, 노화와 밀접한 관계가 있지만, 발생률과 중증도는 연령층에 상관없이 다양하게 나타난다. 특정 결함보다는 결함의 수가 더 중요한 것처럼 보이기 때문에 비선형 조절로 잘 설명할 수 있다. 환경적 스트레스 인자에 생물학적 반응의 레퍼토리가 감소하면 적응 능력과 반응 능력은 감소하는데, 결국 다양한 임상적 시건과 결과에 취약하게 된다.[4] 또한 몇몇 생리학적 손상이 생리학적 비효율성을 유발한다는 'punished inefficiency' 개념과도 관련되어 있다.[5] 게다가 생리학적 반응의 복잡성 감소뿐만 아니라, 위약이 있는 환자들은 새로운(어쩌면 사소할 수도 있는) 스트레스 요인에 반응하는 신체 능력이 감소하여, 항상성을 유지하기 위해 그렇지 않아도 이미 부족한 에너지 비축분에서 상당 부분을 추가로 소비하고 있다. 이러한 현상을 설명하는 예들이 있다; 환자들은 심박수 변이능력이 감소하고, 동적 균형이 저하되며, 비활성 인플루엔자 백신에 대한 항체(Ab) 반응도 감소되어 있다. 결국 환자들은 심혈관계 기능 부전, 낙상, 인플루엔자 감염의 위험이 더 높다.[6-8] 이러한 위약한 생리학적 상태에서 기능적 결함이 축적되면 결과적으로 비선형적이고, 마치 눈사태처럼 급격하게 유기체의 파멸에 이른다.[9,10] 다수의 비정상적 시스템은 특정 비정상 문제 때문이기 보다는 기저에 동반된 위약한 상태에서 복합성의 역치 상실이 더 중요해 보인다. 이 의미는 임상적 위약의 증거가 '교란에 대한 허용 역치', 또는 '생물학적 보존능력의 최대치' 가까이 이르러서야 나타나는 것으로 보일 수도 있기 때문이다.

내장조직과 골격근을 포함하는 제지방체중(LBM)의 감소 또한 위약의 주요 특징이다.[12] 노화와 관련된 제지방체중과 복합성 감소에 관하여 한 이론에서는 과도하게 활성화된 전염증성 면역반응이 사용 가능한 단백질 저장의 고갈로 인해 염증반응을 지속할 수 있는 계체의 능력을 초과하기 때문이라고 설명한다. 결과적으로 통제되지 않는 염증(unbridled inflammation)과 예기치 않은 장기손상이 발생한다는 것이다.[10] 'Cardiovascular Health Study'의 자료는 이러한 이론을 뒷받침한다. 65세 이상 4,735명의 지역주민을 상대로 한 이 연구에서 심혈관 질환, 당뇨, 나이, 성별, 인종을 보정한 후에도 위약 환자들은 C-reactive protein (CRP), factor VIII, D-dimer level이 의미있게 높았다.[13] 염증성 환경은 이화상태, 염증 악순환의 극대화, 장기손상, 제지방체중의 손실을 초래하는 전염증성 싸이토카인의 생산이 특징이다.[14-16] 여러 다른 요소들, 영양 적절성, 활용 능력, 흡수 능력, 활성화 능력과 보행능력 그리고 신경근육기능(인지기능을 포함하여) 등도 역시 근육소실의 진행에 영향을 미친다. 게다가, 동반 질환이 있을 경우 저장된 단백질을 소모하게 되어, 심폐혈관질환의 후기단계, 만성신기능 부전, 악성 종양, 그리고 HIV감염에서 보는 것 같은 단백질 고갈 상태에 이른다.[17,18] 몇몇 질병에서는 치명적일 정도로 대략 40%의 제지방체중이 소실되기도 한다.[19] 구조적으로 근육은 중증질환 혹은 외상과 같은 생리학적 교란(physiologic perturbation)이 발생할 때 대사와 단백질 저장의 역할을 하기 때문에, 근육이 소실되면 스트레스 상황에서 항상성 유지 능력을 잃을 수 있다.[20]

노인 환자의 치료 결과에서 근육량, 근강도, 근력의 상대적 중요성에 관한 문헌들에서는 일치되지 않는 결과들이 보고되었다.[21] 외래 클리닉의 노인 환자들을 대상으로 한 연구들에서는 나이에 따른 근육 크기와 근강도의 감소는 사망률, 장애 발생과 밀접하게 관련이 있었다.[22-25] 그러나 근육 크기는 근강도와 근력을 보정한 후에는 예후 예측력이 없었다.[26,27] 이는 건강한 외래 환자나 중증질환을 갖고 있는 환자 모두에게서 증명된 것으로, 산소 요구량이 증가하여도 (노인의) 감소한 심폐기능, 제한적인 산소 전달능 및 이용 능력과 관련되어 있기 때문이다.[28,29] 근력, 힘, 근육량의 독립적이고 특징적인 소실을 운동신경감소증(dynapenia)이라 하는데, 위약한 환자들의 다양한 이환율과 사망률에 영향을 주는 생리학적 보존능력과 상관관계가 있다. 그러나 인지기능 훈련의 긍정적인 효과에 관한 연구에서 입증된 것처럼, 복합적으로 연결된 장기 계통 구조의 속성으로 건강한 골격근을 가진 사람에게도 이러한 현상이 발생할 수 있다.[30] 결국 병의 진행과정과 근력이 궁극적으로 전반적인 건강에 결정적인 영향을 미치며 현대 치료 패러다임의 필수 요소가 되었다.

비록 위약(frailty)이란 애초 노인에서 설명되던 개념이지만, 노쇠의 특징이 연령층과 상관없이 다양한 질환상태에서 나타나며 이는 위약이 취약 계층에서 발생하는 과정일 수 있고 그 중 노년층은 취약계층의 하나일 뿐이라는 점을 시사한다. 예를 들어 HIV 감염과 감염 기간은 위약의 표현형과 강한 연관성을 가진다(HIV 감염 기간이 4년 미만, 4년에서 8년, 8년 이상의 경우 각각 상대적 위험도가 3.4배, 12.9배, 14.7배 증가한다).[31] 더욱이 55세 이하의 남성 HIV 감염환자에게서 이 위약형질은 65세 이상의 HIV 비감염 환자와 유사하다. 이러한 사실은 생각보다 위약상태를 만드는 과정들이 흔하고 일반적임을 시사한다.

기능적 위약

위약은 잠재적 위험의 심각성을 특징짓는다는 점에서 증후군과 같은 속성을 갖는다. Fried와 동료연구자들이 제안한 'operational definition'는 위약을 측정하는 가장 흔한 방법이다(표 28-1 참조).[4] 방법은 비교적 간단하지만 인지 및 심리영역, 위약의 분류, 위약전 상태, 무위약(frail, pre-frail or non-frail), 증후군을 정의하는데 필요한 다섯 가지 카테고리의 타당성 등에 제한점이 있다. 754명의 (도움이 필요 없는) 독립적인 노인 환자를 7.5년 동안 전향적 추적 코호트 연구한 결과, 이러한 제한점은 다섯 가지 'Fried' 범주와 더불어 인지장애와 우울감 영역에서도 저평가되는 것으로 나타났다.[32] 이 연구에서 느린 보행 속도는 위약의 강력한 예후 인자이다(만성장애, 장기간의 요양원 이용, 낙상, 사망의 상대적 위험도가 각각 3.8, 5.9, 2.5 그리고 2.7배이다). 두 번째 중요 예후 인자는 신체활동 저하이다. 흥미롭게도 인지장애(Folstein Mini-Mental Status Examination<24로 정의되는)는[33] 다른 세 가지 기준보다 더 강력한 예후 인자였다. 쇠약의 진단과 치료를 개선하려는 시도로서 여러 검사법이 개발되고 있으며 각기 장단점을 갖고 있다.[34] 다양한 검사 도구에 관한 체계적 문헌 고찰에서는 쇠약의 가장 중요한 영역으로 여덟 가지 영역을 꼽고 있다; 영양 상태, 신체 활동, 이동가능(mobility), 활력(에너지), 근력, 인지, 기분 그리고 심리사회적 지지이다.[34] 각각의 영역들은 점수 평가 방법에 따라 다양하게 표현된다. 위약 지수(Frailty Index, FI)는 위약의 유무와 심각성 정도를 측정하기 위한 임상적 지표 70가지

를 검사하며 이는 가장 종합적인 평가 도구로 인정받고 있다.[35] 연구 측면에서는 유용하지만, 바쁘고 복잡한 중환자치료 환경에 적용하는 것이 쉽지 않다.

표 28-1. 쇠약 '표현형'의 새로운 임상적 정의

다음 특징 중 세 가지 이상 존재할 때
Decreased grip strength
Self-reported exhaustion
Unintentional weight loss>4.5 kg over the past year
Slow walking speed
Low physical activityAdapted

Adapted from Fried LP, Tangen CM, walston J, Newman AB, Hirsch C, Gottdiener J, et al. 'Frailty in older adults: evidence for a phenotype', Journals of Gerontology - Series A: Biological Sciences and Medical Sciences, 2001, 56, 3, pp. M146-156, by permission of Oxford University Press and The Gerontological Society of America.

이러한 이유로 외래환자를 위해 고안된 여러 임상척도들을 중환자 관리에 사용해 보려고 하지만, 어느 것도 중환자에서 타당성 검증이 되어 있지는 않다. Clinical Global Impression of Change in Physical Frailty (CGIC-PF)는 의사가 관찰한 임상 데이터뿐만 아니라 환자와 대리인(가족, 보호자)을 통해 수집된 데이터 모두를 포함하고 있지만 있지만 타당성 검증이 광범위하게 이루어지지는 않았다.[36] Groningen Frailty Indicator는 15개 항목의 설문지를 이용하는 방법인데, 대리인(가족)들을 위한 설문지로는 타당성이 입증되어 있지 않다.[37] 세 번째 점수 평가법(위에 언급된 체계적 검토에는 포함되지 않는)은 Rockwood 등이 개발하고 검증한 7-point 임상판단에 기초한 Clinical Frailty Scale (CFS)이다.[38] 'Canadian Study on Health and Aging' 연구에 참여한 65세 이상 노인 2,305명을 대상으로 하였다. 이 연구에서 CFS는 FI와 밀접한 상관관계가 있었다. 다변량분석(multivariable analysis)에서 CFS 1점 증가는 사망 위험(OR 1.3)이 높아지고, 보호시설에 입원하게 될 위험(OR 1.5)이 증가함을 의미하였다. 종합적인 FI에 비해서 CFS는 일반적이고 세밀하지도 못하지만, 외래 노인층에서는 임상적으로 유용하며 신뢰도가 높다. 이러한 위약 검사법들이 중환자를 대상으로 사용되거나 타당성 검증이 된 것은 아니지만, 계속 진행 중인 연구들이다.

위약은 중증질환 개념의 일부

기존의 정의와 무관하게 위약은 넓은 연령층에 걸쳐 중증질환과 가장 직접적으로 관련이 있는 생리학적 보존의 지표이다. 위약은 임상적, 준임상적 심혈관 질환,[39,40] 암,[41] 만성신질환을[42] 포함하는 많은 질환들과 관련이 있다. 캐나다 건강과 노화 연구(The Canadian Study of Health and Aging)는 노인 인구의 43% 정도가 노화에 따라 위약 발생률이 높아짐을 입증하였다.[38] 노인의 중환자실 입실이 증가하고 있다는 걸 생각해보면, 중환자실에 입원하는 노인 환자들의 위약 유병률 또한 증가하고 있다고 할 수 있다.[43]

게다가 중환자는 위약 발생에 취약한 그룹이고, 비선형적 조절은 이러한 현상을 잘 설명하고 있다.[44] 정의에 의하면, 중증질환은 항상성의 치명적 결함(급성스트레스가 생리학적 보존 능력을 초과하여, 생명현상 유지를 위해 신체적 지지가 필요함)을 의미한다. 위약한 노인 환자와 유사하게 중환자는 이상반응(adverse events)에 취약하다. 단기적 위험은 예상치 못한 치명적인 임상적 악화의 형태로, 이는 연령과 병전 기능적 보존 능력과 무관하게 발생한다. 치명적인 보상 부전(decompensation)을 초래하는 급성 교란의 중증도는 다양하다. 이는 (1) 인체의 시스템에 영향을 미치는 스트레스인자의 급격함, (2) 생리적 불안정성 수준, 그리고 (3) 생리학적 현상의 지지 능력 정도 때문이라고 알려져 있다.[45] 개념적으로, 생명유지 과학기술(life-supportive technology)은 치유할 기회와 적응할 시간을 제공함으로써 생물학적 시스템의 능력을 보강해줄 뿐이지, 보상 부전을 야기한 근본적인 문제의 기전에 직접적으로 영향을 주지 못한다.

더 심각한 문제는 중증질환의 아급성기에서 발생한다. 인체 시스템의 심각한 혼란은 장기의 기능 부전을 유발하지만 어느 시점에, 어떤 환자에게, 어떠한 형태로, 어느 장기에서 기능 부전이 발생할 것인지는 예측 가능하지 않다. 그러나 중증질환에서 심각한 근육 소실, 운동 약화, 기능적 손상은 수일에서 수주에 걸쳐 빠르게 발생하는데, 일반적으로 외래 클리닉에서 수년에 걸쳐 일어나는 과정이다. 중증질환 관련 신경근육 기능 손상은 중환자의 5–10%에서 발생하며 중환자실 사망률, 병원 재원 및 재활 기간 증가, 퇴원 후 삶의 질 감소와 관련 있다.[46-49] 중증질환은 위약, 근육 소실, 기능 상태 저하 그리고 신경인지기능장애의 특징으로 인한 위약의 다양한 급성 악화일 수 있다. 심지어 우울과 보호자의 소진이라는 심리적 때문일 수도 있다.[50] 중증질환 이후의 기능적 의존성은 위약의 두 가지 주된 특징인 보행 능력 감소와 상지근력 약화와 관련이 있다.[46] 근육 소실, 근육 약화와 중환자실 합병증과의 뚜렷한 연관 관계는 근육 소실을 일으키는 과정이 근육 소실을 방지 혹은 최소화하는 중요한 치료적 목표이고 예후를 개선해줄 수 있음을 의미한다. 비선형성의 의미는, 치료가 보상 부전을 유발하는 단일 병인론적 요소에 영향을 주지 못하거나, 혹은 동시에 다양한 기전에 영향을 줄 수 없다면, 질병 경과의 한 측면에만 국한하는 치료는 실패할 가능성이 높다는 것에 있다.

중환자실 예후에 미치는 기능적 상태와 위약의 영향

고연령이 생존율과 기능적 예후가 낮다는 것과는 반대로, 중환자에서 연대기적 나이가 예후 예측에 미치는 영향을 평가한 연구 결과 독립적인 예측력은 제한적이었다. SAPS-3 점수체계는 중환자실 입실 첫 1시간 이내 수집된 데이터를 이용하여 중환자실 생존율 및 기능적 결과에서 상당한 예측력을 보여주었지만, 필요한 중환자실 자원과 관련한 지침으로 참고하기에는 민감성과 특이성 모두 부족하다.[51] 또한 980명의 중증질환 생존자를 대상으로 한 전향적 다기관 임상 연구에서는 입원 전 기저질환이 중환자실 퇴실 후 삶의 질을 예측할 수 있는 가장 강력한 예측 인자였다.[52] 삶의 질 개선은 크지 않았고 설사 있었다 하더라도 이는 중환자실 퇴실 3년 후에나 관찰되었다. 근육량의 손실이 위약 그 자체를 의미하는 것은 아니지만, 대장암의 간전이로 간절제수술을 받은 환자들에게서 근육량 소실은 중환자실의 나쁜 임상 결과와 관련한 위험인자였다.[53] Peng 등은 컴퓨터단층촬영(CT) 검사를 통해 4파운드(약 1.8 kg) 이상의 심각한 허리근(psoas) 손실을 보인 259명의 중환자들을 평가하였다. 이 연구에서 허리근(psoas muscle)이 감소한 크기는 입원기간 증가, 중환자실 재실 기간(2일 이상) 증가와 관련이 있었다. 또한 수술 후 주요 합병증 발생의 상대적 위험도(OR)는 3.3이었다. 무질병 기간(disease free survival) 또는 생존율(overall survival)과는 관련이 없었다. 이러한 사실과 다른 예들에도 불구하고, 중증질환으로 중환자실에 입원한 환자들의 생존을 명쾌하게 판별할 수 있거나, 장단기 기능적 결과나 회복력을 예측할 수 있는 신뢰성 있는 도구는 없다.[54] 의료진이 개별 환자의 결과와 특정 치료의 효과에 대해 자신감을 가지고 예측하는 것은 이러한 제한적인 예측의 정확성과 비견하여 차이가 있다.[55,56] 결과적으로, 중증질환을 담당하는 의료진은 매일 같이 예후 예측을 하고 있기는 하지만 과정에는 많은 오류가 내재해 있다.

안타깝게도, APACHE와 같은 다수의 중증도 평가 점수체계는 환자의 생존 확률을 예측하기보다 환자군 사이를 비교하기 위하여 고안되었기 때문에 개별환자에게는 유용하지 않을 수 있다. 이러한 사실은 의사들의 예측과 검증된 점수체계의 예측을 비교한 체계적 고찰연구에서도 입증된 바 있다; 연구 결과 의사들이 환자의 중환자실 사망을 예측하는게 두 배가량 정확하였지만, 두 방법 모두 정확성 수준은 중등도 정도였다.[57] 의사들의 결과 예측에 관한 한 가지 경고는 아래와 같은 인식과 관련이 있다; 의사가 생존가능성을 낮게 본다면 환자의 중증도와 상관없이 생명유지치료 중단 또는 제한이라는 자기 암시를 하게 된다.[58]

중증질환의 예후를 결정하는데 있어 위약과 생리학적 보존능의 역할이 아직까지 명확히 밝혀지지 않았다. 비록 병전의 기능적 수준의 예후 예측력과 중환자실 결과에 관해서는 논쟁의 여지가 있지만, 생리학적 보존능이 중요하며 보존능이 소실되면 중증질환 회복은 지연 혹은 불가능하다는 가설을 지지하는 자료들이 있다. 임상적 예측법과 더불어 생물학적 표지자(biological marker)를 규명하고자 하는 연구들이 진행 중이다. 이는 신뢰할 수 있는 예후예측에 도움이 되고, 임상적으로 유용한 '생리학적 연령 측정'이 가능할 거라는 기대가 있다. 비중증질환에 관한 문헌에서 노인과 수술 전 환자에서 위약 증후군을 찾아내는 것이 일종의 강력한 잠재적 바이오마커(Biomarker)인 것마냥 대중적으로 되고 있다. 안타깝게도 환자 집단에 관한 정의의 다양성과 중증질환에 특화된 자료의 부족으로 기존의 혹은 새로 발생한 위약 상태의 치료적 혹은 예후예측적 의미에 관한 확고한 결론을 현재까지도 내리지 못하고 있다. 그러나 위약에 관한 일부 측정법들이 사망률 예측뿐만 아니라 필요한 지원의 정도, 이상반응, 노인 환자의 입원치료 후 기능적 예후를 예측하는데 유용함을 뒷받침하는 자료들이 속속 밝혀지고 있다.

중환자실 사망률(mortality)과 퇴실 후 이환율(morbidity)과 관련된 위약

Roch 등이 80대 프랑스인 299명을 대상으로 시행한 연구에서 'the McCabe, Knaus, and Karnovsky scores'로 평가한 병전 기능적 상태는 중환자실 사망률, 병원내 사망률, 퇴원 후 2년 사망률을 예측하지 못하였다.[59] 하지만 대상자들의 대다수가 동반질환과 기능적 제약을 가지고 있어 이 결과를 그대로 받아들이기 어렵다; 대상환자의 15%만이 기능적 결함이 없었고, 환자들의 57%는 5년 이내 심각한 중증질환에 이환되었다. 이러한 결과와 반대로, Goldstein 등은 병전 기능수준과 사망률이 높은 상관관계가 있으며 생존자들에게 기능적 수준이 변화가 있었다고 보고하였다(그림 28-1, 표 28-2 참조).[60] 이 전향적 연구에서는 중환자실에 입실한 2,213명의 환자를 대상으로 하였고, 퇴원 8개월째 평가했을 때 입원 전 기능 상태가 '중증 제약'으로 분류되는 환자들은, 기능적으로 '활동적'이거나 '앉아서 생활하는' 수준으로 분류된 환자들과 비교하였을 때 생존율이 매우 낮았다. 그러나 흥미롭게도 생존자에서 기능적 결과는 동일하게 악화되지 않았다. 활동적 수준이었던 환자는 간혹 기능적 수준의 감소를 보였고 중증 제약이었던 환자의 일부는 기능적 수준을 회복하기도 하였다. 안타깝게도 이 단순분류체계는 중증제약을 가진 환자들 중에서 회복능력을 가지고 있는 환자를 판별해낼 수는 없었다.

Sligl 등은 폐렴에 이환된 중환자의 사망률은 기능적으로 독립적인 성인과 비교할 때 전적으로 기능적으로 의존하는 상태의 환자에서 높았다(30일, 1년 사망 위험도OR 각각 5.3, 3.0).[61] 보조기(지팡이, 보행보조기, 휠체어)를 사용하는 수준의 기능적 의존도를 가진 환자들의 경우 사망위험도 증가는 통계적으로 유효한 수준은 아니었다. 전향적 관찰연구에서 Khouli 등은 환자나

그림 28-1. **동반 신체활동 상태에 따라 층화한 장단기 생존율 요약**

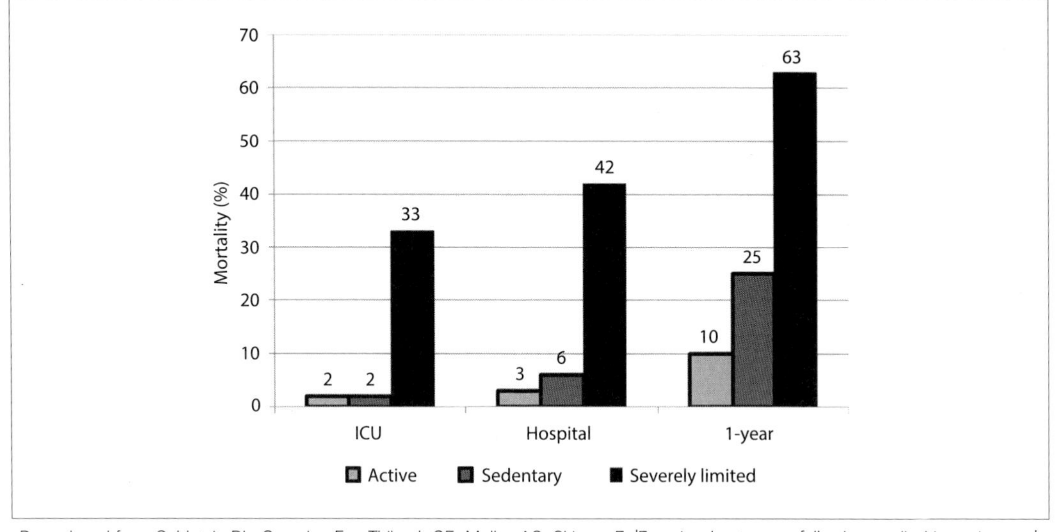

Reproduced from Goldstein RL, Campion Ew, Thibault GE, Mulley AG, Skinner E, 'Functional outcomes following medical intensive care', Critical Care Medicine, 14, 9, pp. 783–788, copyright 1986, with permission from wolters Kluwer and the Society of Critical Care Medicine.

표 28-2. **동반 신체활동 상태에 따라 층화한 장단기 경과 요약**

Baseline activity classification	Interventions during ICU stay (n, %)	Follow-up activity level (n, %)		
		Severely limited	Sedentary	Active
Active	137/917 (15)	12 (1.7)	524 (72.7)	185 (25.6)
Sedentary	174/1017 (17)	45 (6.7)	590 (88.2)	34 (5.1)
Severely limited	99/279 (35)	19 (29.8)	45 (68.1)	2 (3.0)

ICU, intensive care unit.Reproduced from Goldstein RL, Campion Ew, Thibault GE, Mulley AG, Skinner E, 'Functional outcomes following medical intensive care', Critical Care Medicine, 14, 9, pp. 783–788, copyright 1986, with permission from wolters Kluwer and the Society of Critical Care Medicine.

보호자가 중환자실 입실 30일 전, '환자의 신체적 건강이 좋지 않음'이라고 보고했을 경우 이는 6개월 사망률 8% 상승과 관련이 있다고 보고하였다.[62] 불행하게도, 연구자는 보호자가 보고한 비율이 얼마나 되었는지는 설명하지 않았다. 이는 후향성 연구방법이 회상 편향(recall bias)을 갖는 것과 마찬가지로 정확한 해석을 어렵게 한다. 또한 중환자실 입원 전 환자의 삶의 질은 보호자들이 답할 경우 저평가되는 경향이 있다.[63-65] 응급실을 경유하여 중환자실로 입실한 노인 환자 659명을 대상으로 하였던 연구에서는 일상 돌봄의 의존성, 중등도 이상의 인지손상, 낮은 BMI는 모두 병원 사망을 예측하는 독립인자였다.[66] 이와 유사하게, 6개월 예측 사망률이 50%에 이르는 중증 환자의 임상결과를 평가하였던 SUPPORT 연구에서는 발병 전 낮은 BMI가 사망 예측의 독립인자였다.[67] 사실, 발병 전 건강했던 중환자에서 BMI의 U자형 사망률 곡선은 생리학적 스트레스 기간 동안 중증도 혹은 칼로리 비축능의 이점이 중증도 비만의 (이론적인) 유해 효과를 상쇄함을 의미한다.

중환자실에서 위약을 평가하는데 적절한 환자군은 심장 수술을 받은 환자들로서, 환자들은 수술 직후 예외없이 중환자실에서 치료를 받게 된다. Sundermann 등은 75세 이상의 노인 환자 코호트를 대상으로 타당성이 검증된 바 있는 포괄적 위약평가(Comprehensive Assessment of Frailty, CAF)의 예측력을 평가하였다.[68] 이 점수는 주관적인 쇠약(weakness), 객관적인 근력(의자에서 일어나기와 계단 오르기) 측정치, 혈청 크레아티닌, 그리고 Rockwood 등의 CFS (Clinical Frailty Scale)로 구성되어 있다.[38] 1년 추적 결과, CAF에 근거하여 중증 위약이 있는 환자는 위약이 없거나 중증도 위약의 환자와 비교하여 병원 내 사망, 30일 사망, 1년 사망률이 의미있게 높았다.[69] 3,826명의 심장 수술 환자를 대상으로 한 관찰연구에서는 Lee 등은 수술 전 4.1%에서 위약(ADLs의 문제, 보행 장애, 치매 진단으로 정의)이 있었고, 위약은 높은 원내 사망률 위험(OR 1.8) 그리고 장기요양센터로 전원 위험(OR 6.3)과 상관관계가 있었다.[70] 이 연구에서 환자들의 연령은 57–78세 범위였다. 위약이 있는 환자의 연령 중앙값은 위약이 없는 대조군에 비하여 의미있게 높았다. 위약 코호트 환자 중 가장 젊은 환자는 61세로, 위약이 나이나 노화와는 독립적으로 취약한 환자 집단에서 발생할 수 있음을 다시 한번 보여주었다. 마지막으로, 심장 수술을 받은 594명의 노인 환자를 대상으로 한 연구에서 중증도 위약과 위약은 수술 후 합병증 발생 위험(OR 2.06과 2.54)과 타의료기관 전원의 위험(OR 3.16과 20.48) 증가와 관련이 있었다.[71] 이 연구는 Fried의[4] 기능적 정의를 수정변형하여 실시한 것으로 중등도(intermediate) 위약은 둘 혹은 셋의 위약 범주가 해당하는 경우로, 위약은 넷 혹은 다섯 가지 위약 범주가 해당하는 경우로 정의하였다. 중환자실 및 병원 재원 기간은 중증도 위약 혹은 위약으로 분류되는 환자들이 통계적으로 의미있게 길었다. 이 연구에서 위약의 평가는 기존에 수술전위험점수(예; American Society of Anesthesiologists)와 함께 사용하였을 때 예측력 증가 효과가 있었다.

결론

생리학적 보존능(Physiologic reserve)은 간단하게 생리학적 적응(physiologic adaptation) (환자가 항상성 조절에 실패하거나 보상 부전에 이르기 전 급성질환 혹은 외상에 반응할 수 있는)의 중요한 역치로서 정의한다. 이러한 생리학적 보존능은 환자들의 생존과 기능적 예후의 잠재적인 중요 예후 인자로 인식되기 시작하였다. 안타깝게도 생리학적 보존능을 측정하거나 판별할 수 있는 진단검사 방법이 없기 때문에 이 개념을 현장에서 해석하고 적용하는 것은 쉽지 않다. 그러나 위약의 임상적 표현형의 존재나 중증도 같은 대신할 수 있는 임상적 지표를 평가하여 '생리학적 보존능'을 알아낼 수도 있다. 위약은 각각의 문제 하나씩으로도 심각할 수도 있지만, 문제들이 전체적으로 모여 만성질환의 부담 증가, 이상반응에 대한 취약성 증가, 생리학적 보존능의 감소에 영향을 미치게 되는 여러 결핍들의 축적으로 정의되는 임상 증후군이다. 위약을 평가하는 가치는 중환자에서 구체적으로 연구된 적이 없지만, 위약의 존재가 복잡하고 어려운 치료, 장기 입원, 사망률 증가, 노인과 심혈관 수술 환자의 장기요양시설 전원과 관련이 있었다. 중증질환에 이환된 모든 환자의 위약 평가는 추가적인 예후 예측 도구가 될 수 있어, 환자 또는 가족과 중환자실 치료의 이점이나, 생명 유지 치료의 지속이나 중단에 관해 의사결정을 하게 될 때 참고할 수도 있다. 또한 위약 평가는 중증질환 전이나 후에 잠재적인 회복 궤적(recovery trajectory)을 최적화하기 위해서 집중적인 재활이 필요한 환자들을 대상으로 사용해볼 수 있다.

참고문헌

1 Varela M, Ruiz-Esteban R, De Juan M. Chaos, fractals, and our concept of disease. Perspect Biology Med 2010;53:584-95.

2 Lipsitz LA, Goldberger AL. Loss of 'complexity' and aging. Potential applications of fractals and chaos theory to senescence. JAMA 1992;267:1806-9.

3 Yates FE. Complexity of a human being: changes with age. Neurobiol Aging 2002;23:17-9.

4 Fried LP, Tangen CM, Walston J, et al. Frailty in older adults: evidence for a phenotype. J Gerontol A Biol Sci Med Sci 2001;56:M146-56.

5 Weiss CO. Frailty and chronic diseases in older adults. Clin Geriatr Med 2011;27:39-52.

6 Chaves PH, Varadhan R, Lipsitz LA, et al. Physiological complexity underlying heart rate dynamics and frailty status in community-dwelling older women. J Am Geriatr Soc 2008;56:1698-703.

7 Kang HG, Costa MD, Priplata AA, et al. Frailty and the degradation of complex balance dynamics during a dual-task protocol. J Gerontol A Biol Sci Med Sci 2009;64:1304-11.

8 Yao X, Li H, Leng SX. Inflammation and immune system alterations in frailty. Clin Geriatr Med 2011;27:79-87.

9 Mitnitski AB, Mogilner AJ, MacKnight C, Rockwood K. The mortality rate as a function of accumu-lated deficits in a frailty index. Mech Ageing Dev 2002;123:1457-60.

10 Franceschi C, Capri M, Monti D, et al. Inflammaging and anti-inflammaging: a systemic perspective on aging and longevity emerged from studies in humans. Mech Ageing Dev 2007;128:92-105.

11 Fried LP, Xue QL, Cappola AR, et al. Nonlinear multisystem physiological dysregulation associated with frailty in older women: implications for etiology and treatment. J Gerontol A Biol Sci Med Sci 2009;64:1049-57.

12 Kehayias JJ, Fiatarone MA, Zhuang H, Roubenoff R. Total body potassium and body fat: relevance to aging. Am J Clin Nutr 1997;66:904-10.

13 Walston J, McBurnie MA, Newman A, et al. Frailty and activation of the inflammation and coagulation systems with and without clinical comorbidities: results from the Cardiovascular Health Study. Arch Inter Med 2002;162:2333-41.

14 Grunfeld C, Feingold KR. Metabolic disturbances and wasting in the acquired immunodeficiency syndrome. N Engl J Med 1992;327:329-37.

15 Beutler B, Cerami A. Cachectin: more than a tumor necrosis factor. N Engl J Med 1987;316:379-85.

16 Bazar KA, Yun AJ, Lee PY. 'Starve a fever and feed a cold': feeding and anorexia may be adaptive behavior-

al modulators of autonomic and T helper balance. Med Hypotheses 2005;64:1080-4.

17 Lainscak M, Podbregar M, Anker SD. How does cachexia influence survival in cancer, heart failure and other chronic diseases? Curr Opin Support Palliat Care 2007;1:299-305.

18 Tan BHL, Fearson CH. Cachexia: prevalence and impact in medicine. Curr Opin Clin Nutr Metab Care 2008;11:400-7.

19 Roubenoff R. Sarcopenia: effects on body composition and function. J Gerontol A Biol Sci Med Sci 2003;58:1012-17.

20 Manini TM, Clark BC. Dynapenia and aging: an update. J Gerontol A Biol Sci Med Sci 2012;67:28-40.

21 Clark BC, Manini TM. Sarcopenia =/= dynapenia. J Gerontol A Biol Sci Med Sci 2008;63:829-34.

22 Cesari M, Pahor M, Lauretani F, et al. Skeletal muscle and mortality results from the InCHIANTI Study. J Gerontol A Biol Sci Med Sci 2009;64:377-84.

23 Janssen I. Skeletal muscle cutpoints associated with elevated physical disability risk in older men and women. Am J Epidemiol 2004;159:413-21.

24 Newman AB, Kupelian V, Visser M, et al. Strength, but not muscle mass, is associated with mortality in the health, aging and body composition study cohort. J Gerontol A Biol Sci Med Sci 2006;61:72-7.

25 Visser M, Simonsick EM, Colbert LH, et al. Type and intensity of activity and risk of mobility limitation: the mediating role of muscle parameters. J Am Geriatr Soc 2005;53:762-70.

26 Visser M, Newman AB, Nevitt MC, et al. Reexamining the sarcopenia hypothesis. Muscle mass versus muscle strength. Health, Aging, and Body Composition Study Research Group. Ann N Y Acad Sci 2000;904:456-61.

27 Studenski S, Perera S, Patel K, et al. Gait speed and survival in older adults. JAMA 2011;305:50-8.

28 Barbat-Artigas S, Dupontgand S, Fex A, Karelis AD, Aubertin-Leheudre M. Relationship between dynapenia and cardiorespiratory functions in healthy postmenopausal women: novel clinical criteria. Menopause 2011;18:400-5.

29 Cortopassi F, Divo M, Pinto-Plata V, Celli B. Resting handgrip force and impaired cardiac function at rest and during exercise in COPD patients. Respir Med 2011;105:748-54.

30 Colcombe SJ, Kramer AF, Erickson KI, et al. Cardiovascular fitness, cortical plasticity, and aging. Proc Natl Acad Sci USA 2004;101:3316-21.

31 Desquilbet L, Jacobson LP, Fried LP, et al. HIV-1 infection is associated with an earlier occurrence of a phenotype related to frailty. J Gerontol A Biol Sci Med Sci 2007;62:1279-86.

32 Rothman MD, Leo-Summers L, Gill TM. Prognostic significance of potential frailty criteria. J Am Geriatr Soc 2008;56:2211-16.

33 Folstein MF, Folstein SE, McHugh PR. 'Mini-mental state'. A practical method for grading the cognitive state of patients for the clinician. J Psychiatr Res 1975;12:189-98.

34 de Vries NM, Staal JB, van Ravensberg CD, Hobbelen JS, Olde Rikkert MG, Nijhuis-van der Sanden MW. Outcome instruments to measure frailty: a systematic review. Ageing Res Rev 2011;10:104-14.

35 Rockwood K, Andrew M, Mitnitski A. A comparison of two approaches to measuring frailty in elderly people. J Gerontol A Biol Sci Med Sci 2007;62:738-43.

36 Studenski S, Hayes RP, Leibowitz RQ, et al. Clinical global impression of change in physical frailty: development of a measure based on clinical judgment. J Am Geriatr Soc 2004;52:1560-6.

37 Schuurmans H, Steverink N, Lindenberg S, Frieswijk N, Slaets JP. Old or frail: what tells us more? J Gerontol A Biol Sci Med Sci 2004;59:M962-5.

38 Rockwood K, Song X, MacKnight C, et al. A global clinical measure of fitness and frailty in elderly people. CMAJ 2005;173:489-95.

39 Afilalo J, Karunananthan S, Eisenberg MJ, Alexander KP, Bergman H. Role of frailty in patients with cardiovascular disease. Am J Cardiol 2009;103:1616-21.

40 Newman AB, Gottdiener JS, McBurnie MA, et al. Associations of subclinical cardiovascular disease with frailty. J Gerontol A Biol Sci Med Sci 2001;56:M158-66.

41 Mohile SG, Xian Y, Dale W, et al. Association of a cancer diagnosis with vulnerability and frailty in older Medicare beneficiaries. J Natl Cancer Inst 2009;101:1206-15.

42 Cook WL. The intersection of geriatrics and chronic kidney disease: frailty and disability among older

adults with kidney disease. Adv Chronic Kidney Dis 2009;16:420-9.

43 Bagshaw SM, Webb SA, Delaney A, et al. Very old patients admitted to intensive care in Australia and New Zealand: a multi-centre cohort analysis. Crit Care 2009;13:R45.

44 Seely AJ, Christou NV. Multiple organ dysfunction syndrome: exploring the paradigm of complex nonlinear systems. Crit Care Med 2000;28:2193-200.

45 McDermid RC, Bagshaw SM. Frailty: a new conceptual framework in critical care medicine. In: Vincent JL (ed.) Annual update in intensive care and emergency medicine: Berlin: Springer; 2011.pp.117-19.

46 van der Schaaf M, Dettling DS, Beelen A, Lucas C, Dongelmans DA, Nollet F. Poor functional status immediately after discharge from an intensive care unit. Disabil Rehabil 2008;30:1812-18.

47 De Jonghe B. Paresis acquired in the intensive care unit: a prospective multicenter study. JAMA 2002;288: 2859-67.

48 Seneff MG, Zimmerman JE, Knaus WA, Wagner DP, Draper EA. Predicting the duration of mechan-ical ventilation: the importance of disease and patient characteristics. Chest 1996;110:469-79.

49 Garnacho-Montero J, Amaya-Villar R, Garcia-Garmendia JL, Madrazo-Osuna J, Ortiz-Leyba C. Effect of critical illness polyneuropathy on the withdrawal from mechanical ventilation and the length of stay in septic patients. Crit Care Med 2005;33:349-54.

50 McDermid RC, Bagshaw SM. ICU and critical care outreach for the elderly. Best Pract Res Clin Anaesthesiol 2011;25:439-49.

51 Capuzzo M, Moreno RP, Jordan B, Bauer P, Alvisi R, Metnitz PG. Predictors of early recovery of health status after intensive care. Intensive Care Med 2006;32:1832-8.

52 Orwelius L, Nordlund A, Nordlund P, et al. Pre-existing disease: the most important factor for health related quality of life long-term after critical illness: a prospective, longitudinal, multicentre trial. Crit Care 2010; 14:R67.

53 Peng PD, van Vledder MG, Tsai S, et al. Sarcopenia negatively impacts short-term outcomes in patients undergoing hepatic resection for colorectal liver metastasis. HPB (Oxford) 2011;13:439-46.

54 Ferreira FL, Bota DP, Bross A, Melot C, Vincent JL. Serial evaluation of the SOFA score to predict outcome in critically ill patients. JAMA 2001;286:1754-8.

55 Copeland-Fields L, Griffin T, Jenkins T, Buckley M, Wise LC. Comparison of outcome predic-tions made by physicians, by nurses, and by using the Mortality Prediction Model. Am J Crit Care 2001;10:313-19.

56 Frick S, Uehlinger DE, Zuercher Zenklusen RM. Medical futility: predicting outcome of intensive care unit patients by nurses and doctors-a prospective comparative study. Crit Care Med 2003;31:456-61.

57 Sinuff T, Adhikari NK, Cook DJ, et al. Mortality predictions in the intensive care unit: comparing physicians with scoring systems. Crit Care Med 2006;34:878-85.

58 Rocker G, Cook D, Sjokvist P, et al. Clinician predictions of intensive care unit mortality. Crit Care Med 2004;32:1149-54.

59 Roch A, Wiramus S, Pauly V, et al. Long-term outcome in medical patients aged 80 or over following admission to an intensive care unit. Crit Care 2011;15:R36.

60 Goldstein RL, Campion EW, Thibault GE, Mulley AG, Skinner E. Functional outcomes following medical intensive care. Crit Care Med 1986;14:783-8.

61 Sligl WI, Eurich DT, Marrie TJ, Majumdar SR. Only severely limited, premorbid functional status is associated with short- and long-term mortality in patients with pneumonia who are critically ill: a prospective observational study. Chest 2011;139:88-94.

62 Khouli H, Astua A, Dombrowski W, et al. Changes in health-related quality of life and factors predicting long-term outcomes in older adults admitted to intensive care units. Crit Care Med 2011;39:731-7.

63 Gifford JM, Husain N, Dinglas VD, Colantuoni E, Needham DM. Baseline quality of life before intensive care: a comparison of patient versus proxy responses. Crit Care Med 2010;38:855-60.

64 Scales DC, Tansey CM, Matte A, Herridge MS. Difference in reported pre-morbid health-related quality of life between ARDS survivors and their substitute decision makers. Intensive Care Med 2006;32:1826-31.

65 Hofhuis J, Hautvast JL, Schrijvers AJ, Bakker J. Quality of life on admission to the intensive care: can we query the relatives? Intensive Care Med 2003;29:974-9.

66 Bo M, Massaia M, Raspo S, et al. Predictive factors of in-hospital mortality in older patients admitted to a medical intensive care unit. J Am Geriatr Soc 2003;51:529-33.

67 Galanos AN, Pieper CF, Kussin PS, et al. Relationship of body mass index to subsequent mortality among seriously ill hospitalized patients. SUPPORT Investigators. The Study to Understand Prognoses and Preferences for Outcome and Risks of Treatments. Crit Care Med 1997;25:1962-8.

68 Sundermann S, Dademasch A, Praetorius J, et al. Comprehensive assessment of frailty for elderly high-risk patients undergoing cardiac surgery. Eur J Cardiothorac Surg 2011;39:33-7.

69 Sundermann S, Dademasch A, Rastan A, et al. One-year follow-up of patients undergoing elective cardiac surgery assessed with the Comprehensive Assessment of Frailty test and its simplified form. Interact Cardiovasc Thorac Surg 2011;13:119-23; discussion 23.

70 Lee DH, Buth KJ, Martin BJ, Yip AM, Hirsch GM. Frail patients are at increased risk for mortality and prolonged institutional care after cardiac surgery. Circulation 2010;121:973-8.

71 Makary MA, Segev DL, Pronovost PJ, et al. Frailty as a predictor of surgical outcomes in older patients. J Am Coll Surg 2010;210:901-8.

72 Makikallio TH, Hoiber S, Kober L, et al. Fractal analysis of heart rate dynamics as a predictor of mor-tality in patients with depressed left ventricular function after acute myocardial infarction. TRACE Investigators. TRAndolapril Cardiac Evaluation. Am J Cardiol 1999;83:836-9.

73 Makikallio TH, Koistinen J, Jordaens L, et al. Heart rate dynamics before spontaneous onset of ventricular fibrillation in patients with healed myocardial infarcts. Am J Cardiol 1999;83:880-4.

74 Vikman S, Makikallio TH, Yli-Mayry S, et al. Altered complexity and correlation properties of R-R interval dynamics before the spontaneous onset of paroxysmal atrial fibrillation. Circulation 1999;100:2079-84.

75 Huikuri HV, Makikallio TH, Airaksinen KE, et al. Power-law relationship of heart rate variability as a predictor of mortality in the elderly. Circulation 1998;97:2031-6.

76 Mowery NT, Norris PR, Riordan W, Jenkins JM, Williams AE, Morris JA, Jr. Cardiac uncoupling and heart rate variability are associated with intracranial hypertension and mortality: a study of 145 trauma patients with continuous monitoring. J Trauma 2008;65:621-7.

77 Norris PR, Stein PK, Morris JA, Jr. Reduced heart rate multiscale entropy predicts death in critical illness: a study of physiologic complexity in 285 trauma patients. J Crit Care 2008;23:399-405.

78 Norris PR, Anderson SM, Jenkins JM, Williams AE, Morris JA, Jr. Heart rate multiscale entropy at three hours predicts hospital mortality in 3,154 trauma patients. Shock 2008;30:17-22.

79 Varela M, Churruca J, Gonzalez A, Martin A, Ode J, Galdos P. Temperature curve complexity predicts survival in critically ill patients. Am J Respir Crit Care Med 2006;174:290-8.

80 Velanovich V. Fractal analysis of mammographic lesions: a feasibility study quantifying the difference between benign and malignant masses. Am J Med Sci 1996;311:211-14.

81 Velanovich V. Fractal analysis of mammographic lesions: a prospective, blinded trial. Breast Cancer Res Treat 1998;49:245-9.

82 Peng CK, Mietus JE, Liu Y, et al. Quantifying fractal dynamics of human respiration: age and gender effects. Ann Biomed Eng 2002;30:683-92.

83 Kryger MH, Millar T. Cheyne-Stokes respiration: Stability of interacting systems in heart failure. Chaos 1991;1:265-9.

84 Hausdorff JM, Rios DA, Edelberg HK. Gait variability and fall risk in community-living older adults: a 1-year prospective study. Arch Phys Med Rehabil 2001;82:1050-6.

85 Hausdorff JM. Gait dynamics in Parkinson's disease: common and distinct behavior among stride length, gait variability, and fractal-like scaling. Chaos 2009;19:026113.

86 Brzezinski A. Melatonin in humans. N Engl J Med 1997;336:186-95.

87 Greenspan SL, Klibanski A, Rowe JW, Elahi D. Age-related alterations in pulsatile secretion of TSH: role of dopaminergic regulation. Am J Physiol 1991;260:E486-91.

88 Frank SA, Roland DC, Sturis J, et al. Effects of aging on glucose regulation during wakefulness and sleep. Am J Physiol 1995;269:E1006-16.

Chapter 29

인지 보존

바네사 레이몬트, 로버트 스티븐
(Vanessa Raymont and Robert D. Stevens)

서론

중증질환이 급성뇌기능장애와 장기적인 인지손상과 관련되어 있으며 이러한 변화는 신경손상의 패턴으로 나타날 수 있다.[3,4] 노인을 대상으로 한 대규모 코호트 분석은 섬망,[5] 중증질환,[6] 중증 패혈증을[7] 포함하여 기존에 밝혀지지 않았던 인지감소의 가속화와 과거 이력 사이의 관계를 설명하고 있다. 신경학적 증상이 개개인마다 현저히 다르다는 것은 오래 전부터 관찰되어 왔다; 신경병리학적 장애의 종류, 정도와 증상 사이의 직접적이고 예측 가능한 관계는 확인하기 어려운 경우가 많다. 따라서, 비슷한 뇌손상 패턴이 각기 다른 수준의 신경학적 및 인지적 손상을 유발할 수 있으며, 이러한 손상은 경과나 회복 속도에 있어서도 매우 다를 수 있다. 인지보존(Cognitive Reserve)의 개념은 이러한 변화를 설명하기 위해 제안 되었다.[8]

인지보존 가설은 사후부검 표본이 확인한 알츠하이머씨병(Alzheimer's disease, AD)의 신경병리학적 이상과 임상소견 사이의 현저한 불일치를 보인다는 보고 이후에 제기되었다; 나이를 보정한 시험대상자들의 뇌를 비교해 보았을 때, 임상적 발현이 적거나 없던 사람의 뇌에서 뇌의 무게 및 신경 밀도가 높았다.[9] 연구들은 사망 전 정상신경 생리학적 검사 결과를 나타낸 개인들에서도 최대 25%가 AD 병리학 기준에 충족했음을 보고했으며, 이는 이러한 병리적 변화가 반드시 임상적 치매에 이르지 않음을 뜻한다.[10] 이러한 환자들은 임상적 손상이 나타나기 전에 '인식보존' 즉, 높은 보호 역치값을 가질 것으로 예상되었다.[11] 그러나, 이어진 연구들은 임상적 손상이 명백해지면 보존이 잘된 환자에서도 급격한 인지감소가 나타남을 보여주었으며 이는

보상 기전의 실패를 의미한다.[12,13]

보존 모델

보존은 인식보존의 구성에 대응하는 능동적 과정으로 설명할 수 있다.[14] 수동적 모델에서, '뇌의 보존능력'은 개인의 뉴런 수 또는 뉴런의 연결 차이(예를 들어, 시냅스의 밀도, 수상돌기 분지)로 설명할 수 있고, 따라서 임상적 증상이 발현하는 결정적 역치값에 도달하기 전 병태생리에 대한 내성이 개인마다 다르다. 뇌의 크기 또는 영역별 뇌 크기(용적)가 크면 임상적 변화가 나타나기 전 손상을 더 잘 견딜 수 있으며 이는 정상 기능을 보존할 수 있는 신경기질(neural substrate)이 충분하기 때문이다.[15,16] 수동적 모델에서 전반적인 뇌의 보존 능력(BRC)은 개인별 차이가 있으며 특정한 역치값을 넘어 보존능력이 바닥났을 때 임상적 결손이 나타난다.[17] 개개인은 BRC가 서로 다르며, BRC를 고갈시키기에 충분하거나 또는 심각한 역치값을 넘게 되면 뇌는 손상된다. 왜냐하면 보존은 병리학적, 그리고 이에 관련된 임상 결과 사이의 관계를 조절하는 요소로 생각되기 때문에 보존의 수준은 역치값을 넘어선 이후에 임상 증상의 중증도에 영향을 미치게 된다. 이 모델은 Satz 등의 자료를 각색한 그림 29-1에 잘 설명되어 있다.[17] 특정한 크기의 병변은 낮은 보존을 가지는 사람(환자 B)에서 임상적 결손을 유발할 수 있는데, 결

그림 29-1. **역치, 또는 뇌보존능 모델**

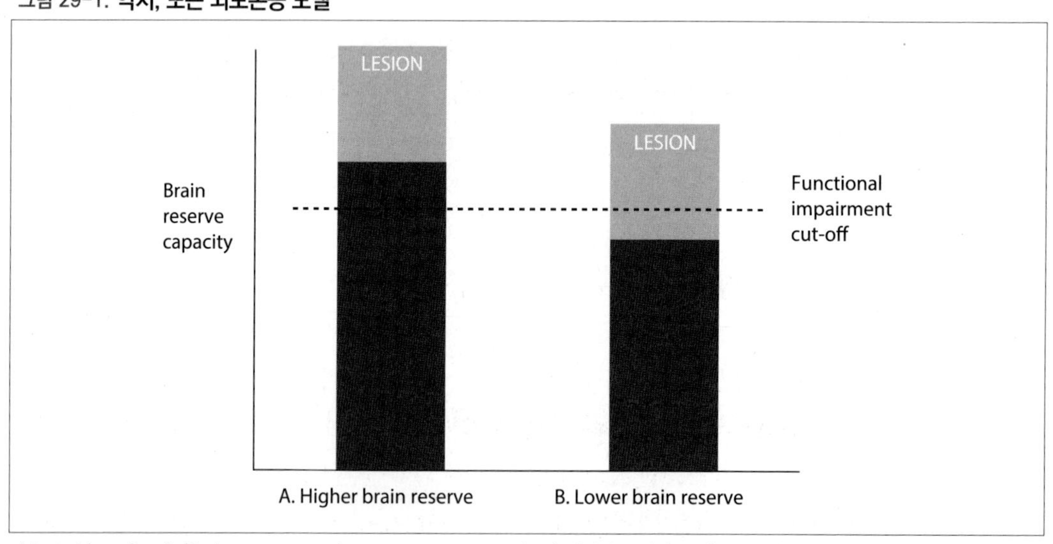

Adapted from Satz P, 'Brain reserve capacity on symptom onset after brain injury: A formulation and review of evidence for threshold theory', Neuropsychology, 7, pp. 273-295, copyright 1993, with permission from the American Psychological Society.

손을 유발하기에 충분한 뇌손상의 역치를 초과했기 때문이다.

그러나, 더 큰 보존능을 가진 사람(환자 A)은 영향을 받지 않았고, 이는 역치를 초과하지 않았기 때문이다. BRC의 개념은 알츠하이머씨병 및 다른 만성퇴행성질환을 가지는 시험대상자들에서 광범위하게 연구되었다.[18] 이 질병군에서 타당성 검증은 질병 모델링은 BRC의 정도나 질병에 영향을 미치는 다양한 변수들을 고려해야만 하기 때문에 쉽지 않다. 반면에, BRC의 적용은 병태 생리와 BRC와 무관한 급성뇌손상에서는 더 단순할 수 있다. 이런 이유로, 임상 증상의 정도와 비교하면, 차라리 BRC는 병변(병태생리)의 범위를 평가함으로서 간접적으로 알 수 있다.

하지만, 수동적/역치 뇌 보존 모델은 질병이 존재할 때 뇌가 업무를 처리하는 과정에 대한 차이를 고려하지 않는다. 능동적 모델에서, 뇌는 좀 더 효과적인 방법으로 손상에 덜 민감한 기존 네트워크('신경 보존')를 이용함으로써 손상을 보상하거나 또는 새롭거나 대체되는 네트워크나 인지적 전략을 구성함으로('신경 보상') 손상에 대응한다.[14] 인식보존이라는 용어는 점차 이러한 능동적 신경 보존 또는 보상의 특정 모델을 설명하기 위해 사용이 증가되고 있다.[8]

능동적 모델은 기능적 손상이 일어나는 곳에 고정된 기준점이 있다고 가정하지 않는 반면, 손상에 대응하여 뇌가 자원을 사용하는 방법을 강조한다.[19] 이 모델은 뇌손상을 보상하기 위한 뇌구조 또는 네트워크의 사용을 의미하는데, 건강한 개인들은 업무 요구를 수행할 때 유사 네트워크를 사용한다.[19] 기능적 신경 이미지 검사는 건강한 성인에서 일의 난이도가 증가하면 일반적으로 더 쉬운 난이도와 관련한 영역의 활성이 증가하거나 뇌영역이 추가적으로 동원된다는 결과를 보여주었다.[20] 그러나 이러한 추가적인 동원의 메카니즘은 개인별 차이가 있다. 어떤 특정한 수준의 업무에 관해서, 일반적으로 숙련된 개인들은 덜 숙련된 개인들보다 동원이 적다; 높은 업무처리 효율성은 인식보존을 위한 기본적인 신경학적 토대를 보여주는 것 같다.

보존능에 관한 능동적 모델들은 뇌의 네트워크 수준에서 변동성을 함축하고 있는 반면, 수동적 모델들은 이용 가능한 신경 기질량의 차이와 관련이 있다. 그러나 이러한 모델들은 상호의존적이다. 학습 패러다임의 범위, 그 밖에 다른 인지적 업무와 경험들은 뇌 구조와 기능에 지속적인 변화를 유도하는 것으로 알려져 있다. 환경과 운동, 보존과 관련된 요인들은[21,22] 세포사멸에 관한 뉴런의 내성 및 신경 생성과 연관되어 있다.[23,24] 예를 들어, 환경 개선이 알츠하이머씨병을 예방하거나 늦추는데 직접적으로 작용한다.[25] 인지보존에 관해 포괄적으로 이해하려면 뇌 보존능 및 병태생리에 대한 유전적 민감성과 환경적 영향 그리고 능동적 보상 능력 사이의 복잡한 상호작용을 통합하여 고려해야 한다.

인지 보존능의 측정

인지 보존능(cognitive reserve)에 관한 이론들이 각각 달라, 그동안 이를 측정하고 수량화하는 것이 어려웠다. 뇌 전체, 각각의 엽, 브로드만(Brodmann) 영역의 부피 분석과 같은 해부학적 측정은 모두 노화에 따른 인지손상 또는 치매 위험과 관련이 있다.[15,26,27] 영상기법으로 뇌의 직접적인 부피 측정이 가능하고 뇌 전체의 부피는 인지 기능과 양의 상관관계에 있다.[28] 생검 또는 부검에 연구들에서, 비록 접근성이 낮기는 하지만, 신경세포 밀도,[29] 수지상의 형태학이[30] 좀 더 타당한 보존능 지표가 될 수 있다.

사회적, 경제적 위치, 직업의 수준, 교육, 사회적 네트워크 및 여가활동 등 삶의 다양한 요소들이 흔히 뇌 보존능을 대변하기도 한다. 일부 인구 집단에서 문해력의 수준이 개인의 교육 기간보다 좋은 지표이다.[31] 비록 몇몇 연구들에서는 질병 전 IQ (Intelligence quotient)가 학력보다 더 정확한 보존능 지표라고 주장하기도 하지만, 학력 성취 또한 천부적인 지적 능력의 지표가 될 수 있다.[32,33]

흥미롭게도, 교육수준과 여타의 인생 (경험)요소들은 보존능을 높여줄 수 있다. 연구들은 높은 교육 및 직업적 성취, 여가 활동이 각각 또는 부가적으로 시너지 효과를 입증하였고, 이는 삶의 여러 요소들과 경험들이 보존능에 독립적으로 기여할 수 있음을 의미한다.[34-38] 1946년생 영국인을 대상으로 한 전향적 코호트 연구에서 53세에 언어능력과 IQ를 측정하여 보존능을 추정할 수 있었고, 유년기의 인지 수준, 교육 성취 수준과 성인이 되었을 때의 직업은 보존능의 독립적 영향 인자였다.[39] 유년기 지능은 뇌 보존능 평가에 있어 가장 강력한 기여를 하는 것으로 보이고 반면에 성인기 직업은 그 반대였다. 이러한 관찰들을 통해 뇌기능 보전능이 고정 불변의 성질이 아니라 평생 동안 어떤 시점에서든지 조합의 결과물이라는 사실을 알게 되었다.[40]

신체 또는 지적 활동이 보존능에 미치는 이점들을 해석하려는 연구들은 뇌혈류량(cerebral blood flow, CBF)이나 시냅스 가소성과 같은 요소들에 초점을 맞추고 있다.[41,42] 연구결과 신경발생이 중요한 메커니즘으로 성체 동물과 사람에게서도 가능하다.[23,24] 어른이 된 포유류의 뇌가 끊임없이 새로운 기능을 하는 뉴런들을 만든다는 사실은 잘 알려져 있다.[43] 동물 실험 결과 환경과[44] 운동을 포함한 삶의 경험들이 성체가 된 동물에서 새로운 뉴런들의 발생양을 증가시킬 수 있는 것으로 보인다.[24] 따라서 교육과 같은 표면적으로 BRC와 관계된 변수들은 기저 신경의 기질에 지속적으로 영향을 미칠 것이다.

보존능 측정의 또다른 문제는, 뇌손상의 성질과 정도를 평가하는 것이다. 흔히 병리학적 대체 측정법들을 이용한다. 가령 TBI (traumatic brain injury) 연구에서 신경손상을 직접적으로 측정할 방법은 없다; 대신, 중증도 평가를 위한 임상 지표들이 확립되어 있다. 의식 손실 시간을 비롯하여 두부손상 또는 후유증의 중증도 평가를 포함하고 있다. 알츠하이머씨병에서는 살아있는 사람의 병리학 중증도를 직접적으로 측정할 방법은 없다. Snowdon 등은 유년기에 획득한 언어 능력의 측정과 사후에 검사한 알츠하이머씨병의 병리학적 근거 사이의 관계를 입증하였다.[45] 다른 연구들에서 병리학적 중증도 지수로서 알츠하이머씨병에서 나타나는 측두엽과 전두엽의 혈액관류와 대사의 특징적인 퇴화를 이용하였다.[46] 관류 결손은 질병의 심각성과 관련이 있었고, 질병의 진행에 따라 증가하며, 관류 분포는 조직병리학적 이상이 가장 큰 밀도로 나타나는 피질영역과 겹쳐져 있었다.[48-50]

다양한 중증도의 치매 환자들을 대상으로 생리학적 신경영상 연구 결과 CBF와 교육수준[50] 및 직업성취[38] 사이에 역상관 관계가 있었다. 임상적 치매 중증도를 보정한 후에도 역의 상관관계가 있었고, 전두전엽, 운동전 영역과 좌측 상두정 소엽 관련 영역에서 두드러지게 나타났다. 후속 연구에서, 교육, 직업적 성취를 보정한 후에도 영역별 CBF와 여가활동 사이에도 유사한 역상관 관계가 있었다.[51] 이러한 관찰결과는 다른 그룹에서도 여러 차례 동일하게 나타났다.[52,53]

역학 조사

보존능 개념을 뒷받침하는 역학적 근거가 많다. 2004년까지 출판된 22개 코호트 연구들을 체계적 문헌고찰 하였던 연구는 교육, 직업, 발병 전 IQ 및 지적 활동의 치매 발병의 위험에 관한 효과를 평가했다.[54] 15개 중 10개의 연구에서 교육의 예방 효과가 있었다; 12개 중에 9개에서 직업적인 성취의 예방 효과가, 2개에서는 발병 전 IQ의 예방 효과를, 그리고 6개에서는 여가활동의 예방 효과가 있었다. 예방 효과를 찾을 수 없었던 연구들에서도 치매율은 낮았다. 이러한 연구결과, 연구진은 BRC가 높을수록 치매 발병 위험이 매우 낮다고 보고하였다.

또한, 정상적인 노화에 따른 인지 감퇴 연구들에서도 인지보존능을 뒷받침하는 증거가 있다. 비치매 노인을 대상으로 한 다민족 코호트에서, Manly 등은 문해력이 높을수록 기억, 실행기능, 언어 구사력의 감퇴가 더 천천히 일어난다는 점을 밝혔다.[55] 정상적인 노화에 관한 다른 연구들에서 교육 성취도가 높은 연구대상자들은 인지기능 감소가 느리게 일어났다.[56,57] 이러한 연구들은 치매 발병을 지연시키는 교육 관련 요인들이 정상적인 노화 과정에서 일어나는 뇌의 변화에 효과적으로 대응하도록 함을 의미한다. 교육과 사회-경제적 지위는 연관성이 높기 때문에, 높은 수준의 교육을 받았지만 사회 경제적 수준이 낮거나 그 반대의 경우를 대상으로 하는 대규모 연구들이 이루어졌다.[22,58] 이러한 연구들 중 하나에서, 사회-경제적 지위를 보정할지라도, 알츠하이머씨병의 위험과 낮은 교육적 성취의 관계는 유효하였다.[58] 유년기의 지적 능력이 낮을수록 치매 발병의 위험인자로 밝혀졌다.[22] 이러한 연관성은 나이가 들수록 강해졌으며, 이는 유년기 지능이 뇌 보존능의 믿을만한 지표가 될 수 있음을 의미한다.

반대로 알츠하이머씨병 환자들에 관한 연구들에서, 일단 병이 발병한 경우 높은 보존능을 가지는 환자들의 예후가 좋지 않았다. 지역사회에서 치매가 아닌 60세 이상 593명을 대상으로 하였던 전향적 연구에서,[37] 높은 교육 수준은 알츠하이머씨병 유병[12] 및 발병[59] 환자들에서 가파른 인지감소와 관련이 있었다. 이는 치매 발병 전 여가활동이 더 많던 시험대상자들에서와 동일한 결과였다.[60] 이 연구를 진행하며, Hall 등은 건강한 노인 대상자들로부터 정기적으로 기억력 테스트 자료를 수집하여 치매가 발병될 때까지 전향적으로 추적하였다.[61] 연구진들은 기억력이 빨리 감소하기 시작하는 변곡점을 결정하기 위해 데이터를 모델링하였고, 학교 교육 기간이 긴 환자들에게서 변곡점이 늦게 발생하지만 변곡점 이후에는 기억력 감소 속도가 더 빠르다는 점을 알아냈다.[61] 또 다른 연구에서는 801명의 치매가 없는 노령의 가톨릭 수녀, 성직자, 수도사들로부터 종단(longitudinal) 자료를 수집하였다. 나이, 성, 교육을 보정한 뒤 인지기능을 자극하는 업무 참여가 인지 기능 보존과 알츠하이머씨병 위험의 감소와 관련이 있었다. 또 치매가 없는 인구집단에서 인지적 노력의 여부와 상관없이 여가활동을 조사한 연구결과, 여가활동은 치매 발생의 가능성에 점증적인 예방 효과를 가지는 것으로 나타났다.[51]

인지보존의 생물학적 기전: 신경병리학 및 영상 연구 근거

인지보존 개념은 신경병태생리의 변화가 알츠하이머씨병의 임상 징후를 완벽하게 설명하지 못한다는 관찰에서 비롯되었다.[9] 후속 연구 결과 알츠하이머씨병에서의 신경정신심리학적 표현형이 병변의 규모나 밀도와는 다른 요소들에 좌우됨을 확인되었다.[62-64] 이 패러다임은 Kemppainen 등이 생체 내 연구를 통해 아밀로이드 수준이 더 높았다는 점이 발견되었고,[65] 교육 기간이 긴 알츠하이머씨병 피험자들의 측면 전두 피질에서 학교 교육 기간이 짧은 시험대상자들과 비교했을 때 Pittsburgh compound B ([11C]PIB) 흡수 PET (positron emission tomography) 영상으로 증명되었다.

해부학적 신경영상

알츠하이머씨병과 다른 신경질환 연구들에서 질병이 발병하기 전 단계에, 인지 보존능이 더 큰 시험대상자들은 뇌 전체의 부피와 구역별 부피가 컸다. 반면에 임상 증상이 시작된 후 이 부피는 보존능이 낮았던 같은 표현형으로 짝지워진 시험대상자들 보다 더 작았다.[26,27,66] Mori 등은 뇌 전체와 두개강 부피를 평가하기 위해 MRI를 이용하였고, 발병 전 뇌 부피는 알츠하이머씨병 인지 쇠퇴의 대략 8-16% 변화를 설명한다는 점을 알아냈다.[26] 또 다른 연구에서는 발병 전 뇌 부피가 컸던 환자들에서 알츠하이머씨병이 더 늦은 나이에 발생한다고 보고하였다.[67] 경도의 인지손상이 있는 환자들을 대상으로 한 최근의 연구에서는, 학력이 긴 시험대상자들이 동일한 수준의 인지수행능력을 보인 짧은 학력의 시험대상자들보다 상당히 얇은 뇌 피질을 가지고 있었다.[68] 이러한 결과들은 인지 수행의 차이가 두개강 부피가 아닌 교육 및 직업으로 가장 잘 설명된다고 했던 연구와는 차이가 있다.[22] 유사하게, 다른 연구들에서도 건강한 사람들과 치매 환자들 사이에 발병 전 단계 뇌 부피의 차이는 없거나,[69,70] 발병 전 뇌 크기와 발병 연령 사이에 관계가 없었다.[70] 그러나 Kesler 등은 일시적 뇌손상(TBI)를 받은 25명 환자의 고해상도 MRI 연구에서 손상 이전의 뇌 크기가 크면 손상의 중증도와 관계없이 인지 결손 정도가 감소한다고 하였다.[66]

생리학적, 기능적 신경 영상

뇌혈류량(CBF)의 지엽적 지표들과 알츠하이머씨병 환자의 신경병태생리학적 변화 사이의 연관성도 연구되었다.[71] 후속 연구들에서 긴 학력이나 직업을 가진, 알츠하이머씨병 환자들이 비슷한 인지손상을 가진 짧은 학력이나 직업을 가진 피험자들보다 뇌의 당 대사 과정이 더 크게 감소하여 있었다.[72] 또한, 두정-측두엽의 지엽적 뇌관류(CBF)는 알츠하이머씨병 환자들의 교육 수준과 상당한 역상관관계에 있음이 밝혀졌다.[50] 비슷한 양상은 직업 성취에서도 나타났다.[38]

기능적 신경영상 연구들은 신경 보존능과 신경 보상의 근거로 대체로 인지보존능의 능동적 모델을 지지한다.[73-76] 기능적 MRI (fMRI)를 이용했을 때, 지적 능력이 높은 다발성 경화증 환자들은 그렇지 못한 환자들에 비해 업무를 수행할 때 필요한 뇌의 기본 네트워크(default mode network) 활성화와 전두엽 모집이 적었다. 이러한 결과는 인지보존능이 업무 수행으로 활성화되는 뇌 피질 효율과 관련이 있음을 시사한다.[77] Scheibel 등은 fMRI와 시각적 인지 조절 과제를 사용하여 중등도에서 중증의 TBI 환자 30명을 대상으로 기능적 네트워크를 평가했다.[78] 연구자들은 교육 수준이 높을수록 좌측 두정엽과 전두엽 후면의 과제 수행으로 인한 활성도가 크다는 점을 밝혀냈으며, 이는 교육이 신경질환이 있는 개인이 좌뇌 반구 네트워크를 활성화할 수 있는 능력을 촉진할 수 있음을 의미한다. Cabeza 등은 질병이 없는 젊은 사람과 노인에서 두 개의 기억 업무를 완료할 때 PFC (Prefrontal cortex)의 활성을 비교하였다.[79] 젊은 성인에서 회상 기억 과제 수행 중 PFC 영역 모집은 주로 우측 PFC로서 대칭적이지 않았다. 낮은 수행력을 보이는 노인들은 젊은 성인들과 유사한 활성 양상을 보이지만, 높은 수행력을 보이는 노인들은 좀 더 양측의 PFC 영역이 활성화되는 경향을 보였다. 아마도 그러한 방식이 노화와 관련된 인지손상을 보상하는 듯하다. 다른 연구들도 보상성 재분배의 다른 예시들을 보고하고 있다. 어느 연구에서는, 노령의 시험대상자들은 젊은 시험대상자들이 이용하지 않는 네트워크를 모집하였으나 수행력은 물론 낮았다.[20,80]

이러한 수행력 유지를 위한 보상 활성화 형태는 (실패할 수도 있는) 보상 네트워크 사용을 보여주는 것일지도 모른다. 대안으로 이것은 탈분화(dedifferentiation)를 의미할 수도 있다.

탈분화의 개념은 잡음(신호)의 증가 또는 기능적 통합 수준 감소로 인해 노화에 따라 영역별 처리가 감퇴한다는 것을 가정한다.[81] 만약 수행력이 낮은 개인이 우수한 수행자가 활성화하지 않는 영역을 활성화시킨다면 탈분화는 확실히 타당한 설명이 될 것이다. 만약 주요 네트워크에 노화에 의한 변화의 효과를 보상하기 위해 대체 네트워크가 이용된다면, 퇴화(atrophy) 또는 백질(white matter)의 과밀도 같은 대리 지표를 사용해서 노화 관련 변화들의 정량화가 가능할 것이다. 그렇다면 퇴화가 심한 개인은 대체 네트워크를 더 많이 사용할 가능성이 높다는 것을 누구나 예측할 수 있다. 유사하게, 경두개 자기 자극술(Transcranial magnetic stimulation, TMS) 같은 기술들은 뇌 영역 또는 네트워크의 직접적인 조작을 가능하게 하여 이러한 가설을 검증하는 데에 유용할 지도 모른다.

예후와 치료를 위한 적용

인지보존 개념은 어떤 사람들에서는 왜 인지장애가 발견될 가능성이 낮고 일상생활 기능 손상의 가능성이 더 낮은지를 설명해 준다. 뇌 크기와 기능은 유전적 요소들, 교육, 직업, 사회-경제적 환경, 신체 건강과 생활방식에 영향을 받는다. 이러한 요소들은 특정 연령대에서 인지 능력을 결정할 뿐만 아니라 시간 경과에 따른 인지보존능을 증대할 수도 있는 것으로 보인다. 언급한 바와 같이, 치매의 관점에서 인지보존과 신경 병리는 완전히 독립적 실체이다; 교육은 알츠하이머씨병의 신경병리 발생을 억제하지는 못해도 임상 증상 발생은 억제한다. 그러나 뇌 크기와 기능이 발병 전 인지능력의 결정 요인이라면 이후의 BRC(뇌 보존능) 모델은 악순환 내에서만 작동할 수 있다. 그러므로, 부족한 교육적, 직업적 성취와 같은 뇌 크기와 기능에 부정적인 영향들 또한 중추신경계 질병 발생의 위험인자이며, 보존능을 고갈시키고 질병의 임상적 발현을 막는 방어능력을 약화시킨다.

인지보존의 핵심 기전을 밝히는 것은 인지보존능을 증대할 수 있는 치료법을 개발하기 위해 중요하다. 이를 이용해 뇌 손상, 노화 또는 치매로 인한 영향을 늦출 수 있다. 불행하게도 연구 결과들은 인지훈련이 훈련에서 이용된 업무를 수행할 때만 유익하고 다른 업무들과 행동들로 일반화 될 수 없다고 설명하고 있다. 그럼에도 불구하고, 신경 영상은 인지 치료의 의미있는 결과 변수로 사용될 수 있다. 인식보존을 이미지화하는 기법은 노인들의 실제 임상 상태를 이해하는데 매우 유용할 수 있으며, 이 임상 상태는 질병과 관련한 뇌의 변화와 뇌 질환에 맞선 개인의 인지보존능이 조합된 결과이다. 임상적으로 동일해 보이는 두 환자는 측정했을 때 이러한 점들이 매우 다를 수 있다. 환자들을 개별화하는 이러한 접근법은 신경계 질병과 손상의 치료와 예후 예측에서 중요한 의미를 갖는다.

사실 인식보존의 개념은 최근 간질,[82] 다발성 경화증,[83] 수면 무호흡 관련 인지결손[84] 및 정신분열을 포함하여 광범위하게 적용되고 있다. 정신 질환의 발병 후 인지상태가 좋은 환자들은 직업 재활 같은 기능적 측면과 문제 해결 능력과 같은 기술적 측면에서 결과가 더 좋다.[87] 그러므로 인지보존은 질병 발현의 가능성뿐만 아니라 환자의 삶에 미치는 질병의 영향을 조절할 수도 있다.

결론

인지보존 패러다임은 뇌 구조와 기능이 신경 질환의 발병에 완충제가 될 수 있음을 설명하고 있다. 보존의 수동적 모델은 뇌 크기, 신경 밀도 및 시냅스 연결성(connectivity)과 같은 해부학적 특징의 잠재적 보호 능력에 주목한다. 반면 능동적 모델은 자극 후에 네트워크의 대체 또는 확장에 의한 능동적 보상과 신경 네트워크의 효율성을 강조한다. 두 모델 모두 일반적인 생물학적 기질의 독특한 특성을 보여준다. 보다 상세한 설명을 위해 그리고 신경계 질병의 부담을 경감하기 위해 필요한 목표를 찾아내기 위한 후속 연구가 필요하다.

참고문헌

1 Ely EW, Shintani A, Truman B, et al. Delirium as a predictor of mortality in mechanically ventilated patients in the intensive care unit. JAMA 2004;291:1753-62.

2 Girard TD, Jackson JC, Pandharipande PP, et al. Delirium as a predictor of long-term cognitive impairment in survivors of critical illness. Crit Care Med 2010;38:1513-20.

3 Morandi A, Rogers BP, Gunther ML, et al.; and Visions Investigation, V. I. S. N. S. The relationship between delirium duration, white matter integrity, and cognitive impairment in intensive care unit survivors as determined by diffusion tensor imaging: the VISIONS prospective cohort magnetic resonance imaging study. Crit Care Med 2012;40:2182-9.

4 Sharshar T, Carlier R, Bernard F, et al. Brain lesions in septic shock: a magnetic resonance imaging study. Intensive Care Med 2007;33:798-806.

5 Fong TG, Jones RN, Shi P, et al. Delirium accelerates cognitive decline in Alzheimer disease. Neurology 2009;72:1570-5.

6 Ehlenbach WJ, Hough CL, Crane PK, et al. Association between acute care and critical illness hospitalization and cognitive function in older adults. JAMA 2010;303:763-70.

7 Iwashyna TJ, Ely EW, Smith DM, Langa KM. Long-term cognitive impairment and functional disability among survivors of severe sepsis. JAMA 2010;304:1787-94.

8 Stern Y. Cognitive reserve in ageing and Alzheimer's disease. Lancet Neurol 2012;11:1006-12.

9 Katzman R, Terry R, Deteresa R, et al. Clinical, pathological, and neurochemical changes in dementia: a subgroup with preserved mental status and numerous neocortical plaques. Ann Neurol 1988;23:138-44.

10 Neuropathology Group. Medical Research Council Cognitive Function and Aging Study. Pathological correlates of late-onset dementia in a multicentre, community-based population in England and Wales. Neuropathology Group of the Medical Research Council Cognitive Function and Ageing Study (MRC CFAS). Lancet 2001;357:169-75.

11 Katzman R. Education and the prevalence of dementia and Alzheimer's disease. Neurology 1993;43:13-20.

12 Stern Y, Albert S, Tang MX, Tsai WY. Rate of memory decline in AD is related to education and occupation: cognitive reserve? Neurology 1999;53:1942-7.

13 Wilson RS, Bennett DA, Gilley DW, Beckett LA, Barnes LL, Evans DA. Premorbid reading activity and patterns of cognitive decline in Alzheimer disease. Arch Neurol 2000;57:1718-23.

14 Stern Y. Cognitive reserve and Alzheimer disease. Alzheimer Dis Assoc Disord 2006;20:S69-74.

15 Chetelat G, Villemagne VL, Pike KE, et al. Larger temporal volume in elderly with high versus low beta-amyloid deposition. Brain 2010;133:3349-58.

16 Schofield PW, Logroscino G, Andrews HF, Albert S, Stern Y. An association between head circumference and Alzheimer's disease in a population-based study of aging and dementia. Neurology 1997;49:30-7.

17 Satz P. Brain reserve capacity on symptom onset after brain injury: A formulation and review of evidence for threshold theory. Neuropsychology 1993;7:273-95.

18 Meng X, D'arcy C. Education and dementia in the context of the cognitive reserve hypothesis: a systematic review with meta-analyses and qualitative analyses. PLoS One 2012;7:e38268.

19 Stern Y. What is cognitive reserve? Theory and research application of the reserve concept. J Int Neuropsychol Soc 2002;8:448-60.

20 Grady CL, Maisog JM, Horwitz B, et al. Age-related changes in cortical blood flow activation during visual processing of faces and location. J Neurosci 1994;14:1450-62.

21 Deary IJ, Whalley LJ, Batty GD, Starr JM. Physical fitness and lifetime cognitive change. Neurology 2006;67:1195-200.

22 Staff RT, Murray AD, Deary IJ, Whalley LJ. What provides cerebral reserve? Brain 2004;127:1191-9.

23 Brown J, Cooper-Kuhn CM, Kempermann G, et al. Enriched environment and physical activity stimulate hippocampal but not olfactory bulb neurogenesis. Eur J Neurosci 2003;17:2042-6.

24 Van Praag H, Kempermann G, Gage FH. Running increases cell proliferation and neurogenesis in the adult mouse dentate gyrus. Nat Neurosci 1999;2:266-70.

25 Lazarov O, Robinson J, Tang YP, et al. Environmental enrichment reduces Abeta levels and amyloid deposi-

tion in transgenic mice. Cell 2005;120:701-13.

26 Mori E, Hirono N, Yamashita H, et al. Premorbid brain size as a determinant of reserve capacity against intellectual decline in Alzheimer's disease. Am J Psychiatry 1997;154:18-24.

27 Sole-Padulles C, Bartres-Faz D, Junque C, et al. Brain structure and function related to cognitive reserve variables in normal aging, mild cognitive impairment and Alzheimer's disease. Neurobiol Aging 2009;30:1114-24.

28 Maclullich AM, Ferguson KJ, Deary IJ, Seckl JR, Starr JM, Wardlaw JM. Intracranial capacity and brain volumes are associated with cognition in healthy elderly men. Neurology 2002;59:169-74.

29 Valenzuela MJ, Matthews FE, Brayne C, et al. Multiple biological pathways link cognitive lifestyle to protection from dementia. Biol Psychiatry 2012;71:783-91.

30 Spires TL, Meyer-Luehmann M, Stern EA, et al. Dendritic spine abnormalities in amyloid precursor protein transgenic mice demonstrated by gene transfer and intravital multiphoton microscopy. J Neurosci 2005;25:7278-87.

31 Manly JJ, Schupf N, Tang MX, Stern Y. Cognitive decline and literacy among ethnically diverse elders. J Geriatr Psychiatry Neurol 2005;18:213-17.

32 Alexander GE, Furey ML, Grady CL, et al. Association of premorbid intellectual function with cerebral metabolism in Alzheimer's disease: implications for the cognitive reserve hypothesis. Am J Psychiatry 1997;154:165-72.

33 Teresi JA, Albert SM, Holmes D, Mayeux R. Use of latent class analyses for the estimation of prevalence of cognitive impairment, and signs of stroke and Parkinson's disease among African-American elderly of central Harlem: results of the Harlem Aging Project. Neuroepidemiology 1999;18:309-21.

34 Evans DA, Beckett LA, Albert MS, et al. Level of education and change in cognitive function in a community population of older persons. Ann Epidemiol 1993;3:71-7.

35 Mortel KF, Meyer JS, Herod B, Thornby J. Education and occupation as risk factors for dementias of the Alzheimer and ischemic vascular types. Dementia 1995;6:55-62.

36 Rocca WA, Bonaiuto S, Lippi A, et al. Prevalence of clinically diagnosed Alzheimer's disease and other dementing disorders: a door-to-door survey in Appignano, Macerata Province, Italy. Neurology 1990;40:626-31.

37 Stern Y, Gurland B, Tatemichi TK, Tang MX, Wilder D, Mayeux R. Influence of education and occupation on the incidence of Alzheimer's disease. JAMA 1994;271:1004-10.

38 Stern Y, Alexander GE, Prohovnik I, et al. Relationship between lifetime occupation and parietal flow: implications for a reserve against Alzheimer's disease pathology. Neurology 1995;45:55-60.

39 Richards M, Sacker A. Lifetime antecedents of cognitive reserve. J Clin Exp Neuropsychol 2003;25: 614-24.

40 Richards M, Deary IJ. A life course approach to cognitive reserve: a model for cognitive aging and development? Ann Neurol 2005;58:617-22.

41 Rhyu IJ, Bytheway JA, Kohler SJ, et al. Effects of aerobic exercise training on cognitive function and cortical vascularity in monkeys. Neuroscience 2010;167:1239-48.

42 Rogers RL, Meyer JS, Mortel KF. After reaching retirement age physical activity sustains cerebral perfusion and cognition. J Am Geriatr Soc 1990;38:123-8.

43 Gould E, Reeves AJ, Graziano MS, Gross CG. Neurogenesis in the neocortex of adult primates. Science 1999;286:548-52.

44 Kempermann G, Kuhn HG, Gage FH. More hippocampal neurons in adult mice living in an enriched environment. Nature 1997;386:493-5.

45 Snowdon DA, Kemper SJ, Mortimer JA, Greiner LH, Wekstein DR, Markesbery WR. Linguistic ability in early life and cognitive function and Alzheimer's disease in late life. Findings from the Nun Study. JAMA 1996;275:528-32.

46 Prohovnik I, Mayeux R, Sackeim HA, Smith G, Stern Y, Alderson PO. Cerebral perfusion as a diagnostic marker of early Alzheimer's disease. Neurology 1988;38:931-7.48.

47 Brun A, Englund E. Regional pattern of degeneration in Alzheimer's disease: neuronal loss and histopathological grading. Histopathology 1981;5:549-64.

48 Pearson RC, Esiri MM, Hiorns RW, Wilcock GK, Powell TP. Anatomical correlates of the distribution of the pathological changes in the neocortex in Alzheimer disease. Proc Natl Acad Sci USA 1985;82:4531-4.

49 Rogers J, Morrison JH. Quantitative morphology and regional and laminar distributions of senile plaques in Alzheimer's disease. J Neurosci 1985;5:2801-8.

50 Stern Y, Alexander GE, Prohovnik I, Mayeux R. Inverse relationship between education and parietotemporal perfusion deficit in Alzheimer's disease. Ann Neurol 1992;32:371-5.

51 Scarmeas N, Levy G, Tang MX, Manly J, Stern Y. Influence of leisure activity on the incidence of Alzheimer's disease. Neurology 2001;57:2236-42.

52 Alexander GE, Furey ML, Grady CL, et al. Association of premorbid intellectual function with cerebral metabolism in Alzheimer's disease: implications for the cognitive reserve hypothesis. Am J Psychiatry 1997;154:165-72.

53 Perneczky R, Drzezga A, Diehl-Schmid J, et al. Schooling mediates brain reserve in Alzheimer's disease: findings of fluoro-deoxy-glucose-positron emission tomography. J Neurol Neurosurg Psychiatry 2006;77:1060-3.

54 Valenzuela MJ, Sachdev P. Brain reserve and dementia: a systematic review. Psychol Med 2006;36:441-54.

55 Manly JJ, Touradji P, Tang MX, Stern Y. Literacy and memory decline among ethnically diverse elders. J Clin Exp Neuropsychol 2003;25:680-90.

56 Butler SM, Ashford JW, Snowdon DA. Age, education, and changes in the Mini-Mental State Exam scores of older women: findings from the Nun Study. J Am Geriatr Soc 1996;44:675-81.

57 Lyketsos CG, Chen LS, Anthony JC. Cognitive decline in adulthood: an 11.5-year follow-up of the Baltimore Epidemiologic Catchment Area study. Am J Psychiatry 1999;156;58-65.

58 Karp A, Kareholt I, Qiu C, Bellander T, Winblad B, Fratiglioni L. Relation of education and occupation-based socioeconomic status to incident Alzheimer's disease. Am J Epidemiol 2004;159:175-83.

59 Scarmeas N, Albert SM, Manly JJ, Stern Y. Education and rates of cognitive decline in incident Alzheimer's disease. J Neurol Neurosurg Psychiatry 2006;77:308-16.

60 Helzner EP, Scarmeas N, Cosentino S, Portet F, Stern Y. Leisure activity and cognitive decline in incident Alzheimer disease. Arch Neurol 2007;64:1749-54.

61 Hall CB, Derby C, Levalley A, Katz MJ, Verghese J, Lipton RB. Education delays accelerated decline on a memory test in persons who develop dementia. Neurology 2007;69:1657-64.

62 Bennett DA, Wilson RS, Schneider JA, et al. Apolipoprotein E epsilon4 allele, AD pathology, and the clinical expression of Alzheimer's disease. Neurology 2003;60:246-52.

63 Koepsell TD, Kurland BF, Harel O, Johnson EA, Zhou XH, Kukull WA. Education, cognitive function, and severity of neuropathology in Alzheimer disease. Neurology 2008;70:1732-9.

64 Negash S, Xie S, Davatzikos C, et al. Cognitive and functional resilience despite molecular evidence of Alzheimer's disease pathology. Alzheimers Dement 2013;9:e89-95.

65 Kemppainen NM, Aalto S, Karrasch M, et al. Cognitive reserve hypothesis: Pittsburgh Compound B and fluorodeoxyglucose positron emission tomography in relation to education in mild Alzheimer's disease. Ann Neurol 2008;63:112-18.

66 Kesler SR, Adams HF, Blasey CM, Bigler ED. Premorbid intellectual functioning, education, and brain size in traumatic brain injury: an investigation of the cognitive reserve hypothesis. Appl Neuropsychol 2003;10: 153-62.

67 Schofield PW, Mosesson RE, Stern Y, Mayeux R. The age at onset of Alzheimer's disease and an intracranial area measurement. A relationship. Arch Neurol 1995;52:95-8.

68 Querbes O, Aubry F, Pariente J, et al. Early diagnosis of Alzheimer's disease using cortical thickness: impact of cognitive reserve. Brain 2009;132:2036-47.

69 Edland SD, Xu Y, Plevak M, et al. Total intracranial volume: normative values and lack of association with Alzheimer's disease. Neurology 2002;59:272-4.

70 Jenkins R, Fox NC, Rossor AM, Harvey RJ, Rossor MN. Intracranial volume and Alzheimer disease: evidence against the cerebral reserve hypothesis. Arch Neurol 2000;57:220-4.

71 Friedland RP, Brun A, Budinger TF. Pathological and positron emission tomographic correlations in Al-

zheimer's disease. Lancet 1985;1:228.

72 Garibotto V, Borroni B, Kalbe E, et al. Education and occupation as proxies for reserve in aMCI converters and AD: FDG-PET evidence. Neurology 2008;71:1342-9.

73 Bosch B, Bartres-Faz D, Rami L, et al. Cognitive reserve modulates task-induced activations and deactivations in healthy elders, amnestic mild cognitive impairment and mild Alzheimer's disease. Cortex 2010;46: 451-61.

74 Habeck C, Hilton HJ, Zarahn E, Flynn J, Moeller J, Stern Y. Relation of cognitive reserve and task performance to expression of regional covariance networks in an event-related fMRI study of nonverbal memory. Neuroimage 2003;20:1723-33.

75 Liao YC, Liu RS, Teng EL, et al. Cognitive reserve: a SPECT study of 132 Alzheimer's disease patients with an education range of 0-19 years. Dement Geriatr Cogn Disord 2005;20:8-14.

76 Scarmeas N, Zarahn E, Anderson KE, et al. Cognitive reserve modulates functional brain responses during memory tasks: a PET study in healthy young and elderly subjects. Neuroimage 2003;19:1215-27.

77 Sumowski JF, Wylie GR, Deluca J, Chiaravalloti N. Intellectual enrichment is linked to cerebral efficiency in multiple sclerosis: functional magnetic resonance imaging evidence for cognitive reserve. Brain 2010;133:362-74.

78 Scheibel RS, Newsome MR, Troyanskaya M, et al. Effects of severity of traumatic brain injury and brain reserve on cognitive-control related brain activation. J Neurotrauma 2009;26:1447-61.

79 Cabeza R. Hemispheric asymmetry reduction in older adults: the HAROLD model. Psychol Aging 2002;17: 85-100.

80 Reuter-Lorenz P. New visions of the aging mind and brain. Trends Cogn Sci 2002;6:394.

81 Rajah MN, D'esposito M. Region-specific changes in prefrontal function with age: a review of PET and fMRI studies on working and episodic memory. Brain 2005;128:1964-83.

82 Oyegbile TO, Dow C, Jones J, et al. The nature and course of neuropsychological morbidity in chronic temporal lobe epilepsy. Neurology 2004;62:1736-42.

83 Cader S, Cifelli A, Abu-Omar Y, Palace J, Matthews PM. Reduced brain functional reserve and altered functional connectivity in patients with multiple sclerosis. Brain 2006;129:527-37.

84 Alchanatis M, Zias N, Deligiorgis N, Amfilochiou A, Dionellis G, Orphanidou D. Sleep apnearelated cognitive deficits and intelligence: an implication of cognitive reserve theory. J Sleep Res 2005;14:69-75.

85 Koenen KC, Moffitt TE, Roberts AL, et al. Childhood IQ and adult mental disorders: a test of the cognitive reserve hypothesis. Am J Psychiatry 2009;166:50-7.

86 Bell MD, Bryson G. Work rehabilitation in schizophrenia: does cognitive impairment limit improvement? Schizophr Bull 2001;27:269-79.

87 Addington J, Addington D. Neurocognitive and social functioning in schizophrenia: a 2.5 year follow-up study. Schizophr Res 2000;44:47-56.

Chapter 30

급성신손상, 회복과 재생의 병태생리학

칭웨이 타이, 산지브 노엘, 하미드 라브
(Ching-Wei Tsai, Sanjeev Noel, and Hamid Rabb)

서론

급성신손상(Acute Kidney Injury, AKI)은 입원환자에서 흔히 볼 수 있는 합병증이며,[1-3] 사망률, 입원기간, 의료비용의 증가와 관계가 있다. 비록 AKI 대부분은 가역적이라고 생각되고 있지만, 역학 연구에서는 상당히 많은 환자들이 부분적으로만 회복한다고 알려져 있다.[4] 동물 연구에서는 AKI가 신장의 지속적이고 영구적인 구조 및 기능 변화를 초래하며, 이후 만성신부전(CKD) 발생의 주요 유발 인자임을 보여주었다.[5-7] 새로운 연구결과들은 AKI가 CKD를 유발하고 말기신부전(ESRD)의 진행을 가속화시킨다고 제시하고 있다.[8-11] Coca 등은[12] AKI 이후 장기간의 영향에 관한 체계적 고찰 및 메타분석을 수행하여, AKI 생존자 100명-년마다 8.9명 사망이라는 사망률을 발표하였다. AKI 후 CKD 발생 비율은 100명 환자-년마다 7.8명이었고, ESRD 비율은 100명 환자-년마다 4.9명이었다. 투석이 필요하였던 130명의 AKI 환자들을 장기간 추적관찰한 연구에서는 41%에서 CKD가 발병했고 이들 중 10%에서 만성투석이 필요했다. AKI 발병 환자들을 다음과 같이 네 그룹으로 나눌 수 있다; (1) 신장 기능의 완벽한 회복 (2) 진행성 CKD 발병 (3) 기저에 있던 CKD 진행 악화 (4) ESRD가 발생하는 신장 기능의 비가역적 손실.[13] 이 장에서는 CKD로의 진행을 포함한 손상, 회복 및 재생 단계의 AKI 병태생리학적 최근 동향을 검토하고자 한다.

허혈성 신손상에서 세포학적 변화

신손상과 회복의 병태생리는 복잡하다. 허혈-재관류 손상(IRI)은 AKI의 주요 원인이다. AKI의 병인(패혈증, 허혈 또는 독소)에 상관없이 손상 과정에는 공통적 특징이 있다. AKI 초기 손상 이후에 효과적인 신장 재관류 감소는 혈관 세포와 신세뇨관 세포의 ATP 고갈을 유발한다. 허혈성 손상에 가장 민감한 부분은 신장의 근위 세뇨관 S3 부분과 헨리 고리 수질의 두꺼운 상승 돌출부(thick ascending limb)이다. 재관류가 되는 동안 ATP 고갈은 산화 스트레스를 유발하고 활성산소(ROS)는 관상피세포(tubular epithelial cells, TECs)의 손상을 야기한다. ATP가 고갈된 TECs는 손상 정도에 따라 기능 및 구조적 회복에 따라 준치사 정도의 손상으로 진행되거나 또는 세포자멸사 또는 괴사가 나타나는 치사 손상으로 진행된다.[14,15] 준치사 손상은 브러쉬 보더*의 손실, 액틴 세포골격의 변화, 밀착연접(tight junction)과 부착연접(adherens junction)의 파괴, 부착분자와 Na^+/K^+-ATP가수분해 효소, β-integrins와 같은 극성 막 단백질의 탈위치에 의한 극성 손실 등을 포함한다.[16-20] 기저막에서 세뇨관강(tubule lumen)으로 이어지는 세포괴사 또는 자멸사 TECs와 마찬가지로 피브로넥틴(fibronectin)과 같은 단백질은 캐스트(cast) 형성의 원인이 되고 이는 관내 폐색과 GFR 감소로 이어진다.[16] TECs의 손실, 밀착연접의 파괴, 관 폐색은 관의 역류성 누출(back-leakage)을 일으키고 GFR은 떨어진다. 허혈 후에는 기저 측면의 Na^+/K^+-ATP 가수분해 효소의 잘못된 위치가 관세포의 Na 이송 효율을 떨어뜨리고 원위 세뇨관으로 관내(intraluminal) Na 전달이 증가한다. 이 때문에 결과적으로 급성관괴사(tubular necrosis) 환자에서는 Na이 높은 비율로 배출된다.[18,19] 허혈-재관류 손상(ischaemia-reperfusion injury, IRI)에서 회복하는 동안 생존한 TEC는 탈분화하고 증식하며 결과적으로 비가역적으로 손상된 TECs를 대체한다.[21] 정상 상황에서, 근위 세뇨관 세포들은 천천히 분화한다. IRI 후 24-48시간 이내, 남은 TECs는 특히 외부 수질의 근위 세뇨관에서 빠르게 증식하기 시작한다.[22] 그러나 최근 보고에 의하면 신장에서 골수 줄기 세포(BMSCs)와 전구 세포(progenitor cells)는 허혈 후 신장에서의 새로운 TECs에 기여한다. 최근의 증거들은 허혈성 AKI 후 세관상피의 복구는 생체 내 생존한 TEC가 증식하여 발생한다는 입장에 더 가깝다.[23] 신장 혈관내피는 IRI로 인해 온전한 상태를 유지하지 못한다. 미세혈관 투과성이 증가하고, 부착물질의 발현과 백혈구-내피세포 상호작용이 강화되며 백혈구 모집이 촉진된다. 신장 내피 세포의 ICAM-1, P-selectin, E-selectin 표현 증가와 TEC에 부착된 Toll-like receptor (TLR2 and TLR4)은 허혈 후 면역반응을 활성화시킨다. 보체의 활성화는 손상 초기단계에서 염증을 더욱 악화시킨다. 초기 손상 단계에서 중요한 효과 세포(effector cells)는 호중구, M1 대식세포, 자연 살해 세포, 수지상 세포, T-림프구와

* 표피 조직 표면으로부터 조밀하게 줄 지어 나 있는 미소 융모

B 세포이다. 보체, 전-염증성 싸이토카인, 케모카인을 포함하는 수용성 인자들은 신장 IRI의 개시 단계에서 중요한 역할을 한다.

허혈성 AKI가 일어나는 동안 미세혈관의 변화

세관주위 모세혈관의 저산소증(rarefaction)과 내피-중간엽 이행

IRI가 신장 혈관 구조에 미치는 잠재적 장기간의 영향이 Basile 덕분에 알려지게 되었다.[24] 실험용 쥐의 신장은 허혈 손상 후 4, 8, 40주에서 미세혈관 밀도가 30–50% 감소하였다.[5,6,25]

동물 모델과 인체 연구 결과 세관주위 모세혈관 저산소증과 세뇨관 간질성 섬유증 발생은 직접적인 연관이 있었다.[26-28] 세관주위 모세혈관 저산소증 기전에서, 신장의 허혈-재관류손상(IRI)은 혈관 내피 성장인자(VEGF)와 맥관 형성(angiogenic) 인자를 하향조절하고, ADAMTS-1과 새로운 VEGF 억제제를 상향 조절한다.[29] VEGF-121 치료는 허혈 후 혈관 구조를 보존하고 만성신장 기능에 영향을 준다.[30] BrdU를 반복 투여하면 허혈 및 재관류 후 2일 동안 내피세포 증식이 나타나지 않았고 7일 후 BrdU-양성 세포는 겨우 1%에 불과했다. 게다가, 섬유아세포 표지자로 내피 표지자를 확인한 결과 내피-중간엽 이행(endothelial-mesenchymal transition, endoMT)이 확인되었다. IRI 후 내피 세포를 추적하기 위해 형질전환 실험쥐로 실험한 결과, 노란색 형광 단백질(yellow fluorescent protein, YFP)이 발현한 양성 내피세포가 간질 섬유아세포의 근원이 되었음이 밝혀졌다. YFP-양성 세포의 간질내 분포는 VEGF-121에 의해 억제되었다. 이러한 결과는 신손상 후 재생능력의 한계로 신장의 미세혈관 밀도가 감소하고 내피중간엽 이행으로 만성신부전(CKD)이 진행할 수 있음을 보여주었다.[31]

만성저산소증과 세뇨관 간질성 섬유증

세관주위 모세혈관이 손실되거나 혈관수축이 지속되면 만성저산소증이 생긴다. 만성저산소증은 만성신장질환의 대표적인 지표인 세뇨관간질 섬유증을 유발하는 것으로 제기되어 왔다.[32] 사실 세뇨관간질 섬유증은 말기신부전(ESRD) 진행의 가장 정확한 예측 지표이다.[33] TECs 및 간질성 섬유증 실험연구에서 저산소증이 섬유증 반응을 촉발할 수 있었다.[34] 저산소증에 의한 산소 결핍 유도인자(hypoxia-inducible factor, HIF) 활성화는 다양한 적응 유전자들의 발현을 유도한다.[35] 저산소증은 TGF β와 같은 섬유 형성 인자의 발현을 유도하고 ECM 축적을 촉신하며 매트릭스 메탈로프로테이나제(matrix metalloproteinases) 발현을 감소하여 매트릭스 분해를 억제한다.[36] 또한 내피-중간엽 이행(endoMT)과 내피세포의 (근)섬유아세포로의 전환분화(trans-differentiation)를 유도하기도 한다.[31,37] 만성적인 저산소증이 CKD 진행의 주요 매개자인 것을 고려하면, 가역적 혈관수축 또는 혈관 구조의 보존이 치료 전략으로서 도움이 될 수도 있을 것이다. L-arginine 투여는 신 혈류량(renal blood flow, RBF)을 증가시켜 저산소증을 개선하며, 허혈 후 실험쥐에서 이차적 신장 후유증과 단백뇨 발생을 막는다.[38] VEGF 투여의 신장 보호 효과는 이전부터 거론되어 왔다. 몇몇 실험 연구들에서 cobalt chloride, carbon monoxide, prolyl hydroxylase 억제제를 통한 HIF의 안정화는 IRI를 완화하였다.[35,39] 미세혈관 보전과 저산소증 예방 전략이 앞으로 잠재적인 치료 목표가 될 수도 있다.

염증

허혈과 재관류 중에 일어나는 염증과 백혈구 모집이 내피세포와 관세포 손상의 주요 매개자로서 인식되고 있다.[14] 염증은 신장 허혈 상황에서 시작되어 내피세포 활성, 백혈구 집합, 케모카인과 싸이토카인의 상향 조절 그리고 보체계 활성화와 함께 허혈 후 재관류에서 가속화된다. 선천(innate) 면역 반응과 획득(adaptive) 면역 반응 모두 IRI에 작용한다. 여러 연구들에서 면역 구성요소를 타겟하는 치료의 신장 보호 효과는 AKI 병인에서 면역반응이 갖는 역할을 분명히 증명하였다.[42] 호중구는 전통적으로 허혈성 손상 부위로 모집되는 1차 세포들로 생각되었다.[43] 그러나 호중구 기능을 차단하거나 호중구 제거는 손상에서 단지 부분적인 보호 효과만 있었고, 이는 다른 백혈구들도 손상에 관여함을 뜻한다.[44] AKI 후기 단계에서는 호중구보다 단핵구와 림프구 침윤이 두드러지는 것이 특징이다.[41,42,45,46] 활성화된 백혈구들은 TNF-α, IL-1, IFN-γ와 같은 전염증성 싸이토카인을 분비하여 근위 TECs를 손상시키고 강 내부로 세포가 침투할 수 있게 세포 매트릭스 부착을 방해한다.[47-49]

허혈성 급성신손상에서 수용성 분자와 면역 세포

AKI 초기 단계에 관여하는 많은 요소들이 알려져 있지만 회복 단계의 면역반응은 그렇지 못하다. 백혈구에서 생산되는 싸이토카인과 케모카인뿐만 아니라 세포 부착 물질들은 손상의 정도와 회복 단계에서 신장 내피 세포의 이동, 분화, 증식에도 관여한다.[21] IRI 회복 단계에서 M2대식세포와 조절 T 세포(Treg)에 관한 최근의 발견은 염증 반응이 AKI 회복 단계도 조절한다는 점을 의미한다.

대식세포

대식세포는 IRI 개시 단계에서 중요한 매개체이다. 단핵구 유래 대식세포는 CCR2와 CX3CR1신호 전달 경로로 조절되며 재관류 24시간 내에 신장에 모인다고 알려져 있다.[50-52] 만약 신장의 IRI 전에 클로드로네이트(clodronate)로 대식세포를 고갈시키면 AKI가 예방되는 반면, 대식세포를 이식하면 AKI가 재발생하였다.[53,54] 이러한 연구결과들을 통해 IRI의 손상을 중재하는 대식세포의 역할이 확인되었다. 최근 연구결과 대식세포는 신장 회복과 섬유화에도 관련되어 있는 것으로 생각된다. 대식세포가 부족하면 IRI가 있는 실험쥐의 4, 8주 신장 섬유화가 감소하였다.[55] Osteopontin 녹아웃(knockout) 실험쥐에서 대식세포 침투의 감소는 허혈 후 신장의 콜라겐 타입1과 4의 침착이 감소하는 것과 연관이 있다.[56]

그러나 신장 손상에서 대식세포의 역할은 과거에 생각했던 것보다 훨씬 더 복잡하다. 대식세포는 두 가지 아형이 있는데 M1 대식세포와 M2 대식세포가 있다. M2 대식세포는 M2a(상처치료 대식세포), M2b, M2c 세포(조절 대식세포)로 세분화된다.[57] 익히 알려진 역할뿐만 아니라 대식세포는 신장염증에서 조직 리모델링, 회복, 면역 조절에서 중요한 역할을 담당한다. M1 대식세포는 TNF-α, IFN-γ와 같은 전 염증성 싸이토카인을 분비하고 신장 손상을 악화시킨다. 반대로 M2 대식세포는 항-염증 싸이토카인을 생산하고 T 세포 증식을 억제함으로써, 염증을 억제하고 손상을 치유한다.[58] 더욱이, M1과 M2 대식세포는 섬유증, 전-섬유성과 항-섬유성에서 각각 다른 영향을 발휘한다.[59] Lee 등은[60] IRI 후 첫 48시간 내에 M1 대식세포가 모집되는 반면 M2 대식세포는 48시간 이후에서 주를 이룬다는 점을 밝혔다. 또한 신손상 후 형광 표지 대식세포를 주입하여 추적한 결과 M1 대식세포가 신손상 복구를 시작할 때 M2 표현형으로 바뀔 수 있다는 것을 알아냈다.[60]

DCs (dendritic cells)

DCs는 선천 면역(innate immune)뿐만 아니라 T 세포를 활성화 시킬 수 있는 항원 표출(antigen presentation)에 관여한다. Dong 등은 신장의 DCs가 IRI 후 초기에 신장에서 전-염증성 매개물인 TNF-α, IL-6, MCP-1과 RANTES를 생산한다는 사실을 입증하였다. 생체 내 연구에서 허혈 전 DCs가 부족하면 신장에서 생산되는 TNF-α 수준이 현저히 감소하였다.[61] CD11c- DTR 형질전환된 실험쥐를 사용한 연구에서, 돌연변이 된 DT를 투여한 대조군 실험쥐 보다 DC가 고갈된 실험쥐에서 신손상이 상당히 덜했다.[62] 하지만 cisplatin으로 유발한 AKI 모델에서 DCs는 cisplatin 신독성과 이와 관련된 염증을 줄인다.[63] AKI에서 DCs의 역할에 관해 더 많은 연구가 필요하다.

NK cells

NK 세포는 선천 면역 반응의 초기 단계에서 중요하다. 한 연구에서는 NK 세포가 신장 TECs를 직접적으로 파괴하고 신장 IRI에서 상당한 역할을 한다고 설명하였다. Wild type 실험쥐에서 NK 세포 고갈은 신장 보호가 되었지만, NK 세포가 투여된 경우 NK, T, B 세포가 없는 Rag2−/−γc−/− 실험쥐에서 I/R 신장 손상을 악화시켰다.[64]

자연 살해 T (Natural killer T, NAT) 세포

NKT 세포는 T 세포와 NK 세포의 수용체를 가지고 있는 T 림프구의 독특한 아형군으로 TNF−α, IFN−γ, IL−4 등 많은 양의 싸이토카인을 즉시 분비하는 능력을 가지고 있다. 이들은 DCs, NK 세포, 림프구에 성숙(maturation) 신호를 보내 선천 면역 반응과 후천적 면역 반응 모두에 관여한다.[65] CD1d 억제 NKT 세포는 재관류 3시간째 허혈 신장에서 현저히 증가했다. 항−CD1d 항체로 NKT 세포 활성을 차단하거나 항체로 NKT 세포를 고갈시키거나, 또는 NKT 세포 결핍 실험쥐(Jα18−/−)는 I/R 후 호중구 축적이 억제되거나 신장의 IRI를 감소되었다. 이러한 결과들은 신장 IRI에서 NKT 세포의 중요한 역할을 의미한다.[66]

T 림프구

여러 연구 결과 T 림프구는 신장 IRI의 발병과 관련되어 있음이 입증되었다.[46,67,68] CD4+T 세포는 허혈 후 신장으로 이동한다.[69] CD4 녹아웃 실험쥐에 CD4 T 세포를 주입하면 허혈 후 초기 손상을 회복시켰다.[70] 또한, CTLA4 Ig로 T 세포 CD28−B7 상호−자극 경로를 차단하면 IRI 후 신기능장애가 감소하였다.[69]

T 세포 수용체(TCR) 역시 신장의 IRI에서 역할한다. TCR αβ가 결핍된 실험쥐는 신장 IRI로부터 기능적, 구조적 방어력이 있다. 변형을 가하지 않은 Wild type 실험쥐와 비교하였을 때, 허혈 후 낮아진 TNF−α, IL−6과 관련이 있다.[71,72] 신장 허혈 후 재관류 손상 실험쥐 모델에서 CD4 T 세포의 Th1 또는 Th2에 관한 연구에서는 Th1 표현형이 발병형인 반면 Th2 표현형은 보호기능 있다고 설명하였다. STAT6 (Th2를 조절하는 효소)가 결핍된 실험쥐는 wild type 실험쥐 보다 신손상이 심했고, 반면 STAT4 (Th1을 조절하는 효소) 결함이 있는 실험쥐는 IRI 후에 신기능이 다소 개선되는 것을 볼 수 있었다.[73]

T 세포 이동은 I/R 이후 3시간 동안 관찰되었고, 24시간째 관찰에서는 감소했다.[74] T 세포 이동은 초기 허혈성 AKI에서 혈관 투과성 증가와도 관련이 있다.[75] 더 의미있는 것은 신손상 및 투과성이 T 세포가 결핍된 실험쥐에서 감소하였고, 투과성은 T 세포를 이식한 후에 회복되었다.[76,77] Ascon 등은[74] 손상된 신장에서 CD4+ 및 CD8+ T 세포가 신장의 중증 IRI 후 6주까지도 나타난다고 하였다. 이 T 세포들은 활성 표지자(CD69+)와 실행자 기억(CD44hiCD62L−)의 발

현을 증가시켰고, IL-1β, IL-6, TNF-α, IL-6, MCP-2 그리고 RANTES 발현은 확연히 상향 조절되었다.[78] 이를 근거로 중등증 또는 중증의 신장 허혈은 장기간 T 림프구의 이동과 싸이토카인/케모카인 상향조절을 유도하고 이는 CKD의 발병에 작용하는 것으로 생각된다.

최근에는 IRI에서 Tregs의 역할이 밝혀졌다. CD4+ CD25+ Tregs 세포는 기능적으로 성숙 T 세포의 아집단으로 면역학적 자가 면역 관용(self-tolerance)의 유지와 생리학적, 병리학적 면역 반응의 다양성을 조절한다.[79] Gandolfo 등은[80] IRI 후 3일, 10일 후에 TCRβ+ CD4+ CD25+ Foxp3+Tregs 세포들의 신장으로의 이동이 증가함을 발견하였다. 항-CD25 항체를 사용하여 IRI 후 Tregs 고갈시키자 신장 손상이 악화되고 전-염증성 싸이토카인 생산이 증가하였다. IRI 후 Tregs을 주입하자 T 림프구에 의한 싸이토카인 생산이 감소하고 신장 회복이 촉진되었는데, 세뇨관 손상이 적었고 세뇨관 증식이 많았다. 또한 Kinesey 등은 Tregs 고갈은 더 많은 호중구와 대식세포 결집을 유도하고 IRI 초기 신장에서 선천 면역 반응이 강화됨을 밝혔다.[81,82] 연구자들은 IL-10 중재 선천 면역 체계 억제를 통해 Tregs가 신장 IRI를 조절한다는 것을 증명하였다. 이러한 연구 결과들은 신장 회복에서 Tregs의 중요한 역할을 설명한다.[82]

B 림프구

IRI에서 B 림프구의 역할이 처음 입증된 것은 wild type 실험쥐와 비교했을 때 B 세포가 결핍된 (μMT) 실험쥐에서 양호한 신장 기능과 허혈 후 24, 48, 72시간째 세관 손상이 적다는 발견에서 비롯되었다.[83] Jang 등은[84] 신장 I/R 후 B 세포가 회복을 제한한다는 사실을 발견하였다. 신장에서 B 세포는 허혈 후 3일째 가장 많아지고, 시간이 지나면서 감소하였다. B 세포는 회복 단계 동안 활성화되어 플라즈마 세포로 분화되었다. 항-CD126 항체를 사용하여 CD126 발현 플라즈마 세포를 타겟하면, 후기 회복 단계에서 세관 증식은 강화되고 기능적 손상은 줄임으로써 세관의 위축(atrophy)이 사라졌다. B 세포가 결핍된(μMT) 실험쥐에 B 세포를 입양 이송(adoptive transfer)시키면 세관 증식이 감소하고 세관은 위축되었다.

신장 재생과 회복

줄기세포의 역할

AKI가 회복/재생하는 동안 증식하는 세포의 기원은 현재까지 명쾌하지 않고 여전히 논란이 있다. 재생 세포는 세 가지 서로 다른 세포에서 유래될 수 있다.

(1) 손상된 신장으로 이동하여 성숙 세포로 분화하는 골수에서 유래한 줄기 세포(Bone marrow-derived stem cells, BMSCs), (2) 회복이 필요한 병변으로 옮겨간 신장 줄기 세포, 그리고 (3) 탈분화하고 증식하고 또 다시 분화하는 살아남은 세관 세포. 이 다음 장에서는 새로운 연구들로 얻어진 최근의 연구결과들을 나열하였다.

BMSCs는 신장 상피세포를 직접 교체하지 않는다

BMSCs는 MSCs와 조혈모세포(HSCs)를 뜻한다. BMSCs는 간, 폐, 위장관, 피부 조직이 된다고 알려져 있다.[85,86] BMSCs의 다양한 특성 때문에 BMSCs가 신손상과 회복에 직접 작용하는지, AKI 치료에 BMSCs를 사용할 수 있는지에 관한 관심이 높다.[23]

초기 몇몇 연구들은 BMSCs가 손상된 신장의 세관 상피로 전환분화가 일어난다고 주장했다.[87-90] 그러나 이후 연구들에서는 순환하는 BMSCs의 1% 미만이 그 장기조직으로 합쳐진다는 것을 발견하였다.[91] Duffield 등은[92] 신장 IRI모델에서 GFP 양성 세포를 추적하기 위해 골수 유래 세포에서만 발현되는 녹색형광단백질(green fluorescence protein) 또는 세균의 β-gal을 발현하는 chimeric 실험쥐를 사용하였다. 이들 GFP 간질 세포의 99% 이상은 백혈구였다. BMSCs의 정맥투여 후 이들 MSCs가 신장 세관 세포로 분화된다는 증거는 없었지만, 세관 세포의 높은 증식률이 발견되었다. 이러한 결과들은 BMSCs가 신장이 상당기간 회복되는 동안 직접 신장 상피를 교체하지 않는다는 것을 의미한다.[92,93]

MSCs는 측분비(paracrine)와 내분비(endocrine) 기전을 이용한다

비록 내인성 BMSCs는 신장 상피세포의 교체에 직접적으로 기여하지는 않지만 여러 연구들은 외인성 MSCs 투여가 신손상으로부터 신장을 보호하는 역할을 하고 있음 보여주었다.[94] Cisplatin-유도 실험쥐의 신기능 손상과 세관의 중증 손상을 보호한 MSCs 투여 효과는 놀라웠다.[89] MSCs 투여의 신장 보호는 글리세롤-유도 색소 신증(nephropathy) 모델과 IRI 모델에서도 유사했다.[95] Duffield 등과[92] Lin 등의[91] 연구들에서 외인성 MSCs는 손상을 막아주었지만 MSCs가 손상된 세관으로 직접 분화하지는 않았다. 이러한 기전은 투여된 줄기세포의 면역 조절 및 측분비 효과 때문일 수도 있다.[96]

MSCs는 측분비와 자가분비 능력 모두를 갖는 다양한 싸이토카인과 성장인자들을 분비하는데, 국소적 면역 체계를 억제할 수 있고 섬유증과 세포사멸을 억제하기도 하며, 혈관생성을 촉진하고 조직의 회복 또는 줄기세포의 분화와 유사분열을 자극한다.[97] Togel 등은 이러한 측분비 효과를 입증하였다.[96] 연구팀은 신장 허혈 후 즉시 또는 24시간 안에 MSCs를 경동맥으로 투여했을 때 MSCs가 생착되지 않는데도 불구하고 신장 기능의 현저한 개선, 높은 증식율과 낮은 세포 자멸사 비율 및 더 낮은 신장 손상을 보인다는 점을 밝혀냈다. 연구팀은 또한 MSC로 처리된 배지가 VEGF, 간세포 성장인자(HGF), IGF-1을 포함하며 내피세포의 성장과 생존을 증진한다고 밝혔다.[96,98] 연구팀은 허혈성 신장에서 MSCs의 유익한 효과들은 주로 복잡한 측분비에 기인하며, 분화에 의한 효과가 아니라고 결론지었다.

Bi 등은 2007년 BMSCs를 정맥내 또는 복강내 투여했을 때, 이 세포들이 신장에서는 거의 발견되지 않지만, 유사한 신장 보호효과가 있다고 보고하였다. 게다가 배양된 간질 세포로 처리된 배지는 TECs의 증식을 유도하고 실험실 조건에서 cisplatin-유도 근위 세관의 세포사를 현격히 줄였다. Cisplatin을 투여한 실험쥐에 처리된 배지를 복강내 투여한 결과 TECs 세포사멸이 감소하고 신장 손상이 억제되었다. 이것은 BMSCs가 세포사멸을 제한하고 내인성 세관 세포 증식을 증진하는 분비 인자들을 통해 신장을 손상으로부터 보호한다는 것을 의미한다.[99]

한편, AKI의 병태생리학에서 염증의 중요성 측면에서 보면, 면역 조절과 관련하여 투여된 외인성 MSCs의 신장 보호 효과는 고려해볼 가치가 크다.[41,100] 인체의 MSCs는 생체 내외(in vitro and in vivo) 모두에서 면역 반응을 억제하였다.[100-102] MSCs의 면역 억제 특성은 T 세포와 항원 표지 세포, NK 세포 그리고 B 세포를 포함하여 광범위한 면역세포들의 기능에 영향을 준다고 알려져 있다.[100] MSCs는 측분비와 자가분비 활동 모두를 갖는 다양한 싸이토카인과 성장인자들을 분비한다. 이들 중에는 VEGF, IGF-1, HGF, TGF-β가 있다. 이 인자들을 통해, MSCs는 유사분열 효과를 지니며, 혈관생성과 TEC 재증식 그리고 아마도 신장 줄기 세포 증식을 촉진한다. 또 MSCs는 T 세포와 항원 표지 세포, NK 세포 그리고 B 세포를 포함하여 광범위한 면역 세포를 면역조절 할 수 있다. MSCs는 TEC와 내피세포의 세포사멸을 감소시키는 항-세포사멸 능력도 가진다.

신장 회복과 재생에서 성장인자의 역할

성장호르몬(GH)은 신장 회복에서 중요한 역할을 담당한다. EGF, HGF 그리고 IGF-1 등 여러 성장인자들이 AKI 후 증가한다. 급성신기능 부전(acute renal failure, ARF) 환자를 대상으로 한 IGF-1 임상 시험 결과는 불확실하거나 부정적이었지만, 초기 연구들에서 EGF, HGF, IGF-1 투여는 신장 기능 회복과 세관 세포 재생이 촉진될 수 있다는 것을 보여주었다.[103,104] 하지만 최근 한 연구에서는 AKI의 세관 세포 회복에 MSCs의 이로운 효과가 IGF-1에 의해 매개된다는 점을 증명하였다.[105] 혈관형성인자 VEGF는 허혈 후 초기에는 감소하였고, 허혈-재관류 실험쥐에서 VEGF의 투여는 미세혈관 밀도를 보존하고 CKD 진행을 늦췄다.[30]

대부분의 성장인자는 자가 분비(autocrine)나 측분비(paracrine) 과정을 통해 세포에 영향을 준다. 성장인자는 세포가 DNA 합성 및 감수분열을 시작할 수 있도록 G0에서 G1단계로의 변화를 촉진한다. 따라서, AKI 회복 단계 동안 세관 세포가 세포 주기로 다시 진입하도록 촉진하는 것이 성장인자들의 주요 기전이다.[106] 최근 한 연구는 급성신손상에서 VEGF, HGF 및 IGF-1를 포함한 MSC 조건 배지를 사용하여 내피세포의 성장과 생존이 강화됨을 보여주었다.[96] 이 결과는 신장 회복과 재생에서 성장인자의 잠재적 역할을 시사하고 있다. 신장의 살아남은 TECs가 성장인자를 분비한다는 것이 입증된 바 있다. 성장인자를 생산하는 세포들과 무관하게 성장인자들은 측분비 조절자 또는 세포의 이동을 유도하는 화학유인물질(chemoattractant)로 신장 회복에 참여한다.[107] 초기 신장 발생에 관여하는 염기성 섬유아세포 성장인자(bFGF)는 급성신부전 회복 단계에서 재발현한다. 허혈-재관류 실험쥐 모델에서 bFGF는 재생 과정에 참여한다. bFGF의 투여는 허혈성 신장의 재생 과정을 촉진한다고 보고된 바 있다.[108] HGF는 이것이 내피세포를 위해 혈관생성 및 혈관 보호 역할을 하면서 신장 세관 세포의 세포 증식과 이동, 항-세포사멸 등의 역할을 한다. AKI에서 HGF는 손상된 신장에서 상향 조절되고, 신장 재생을 촉진한다.[109] 회복 후기 단계에서 HGF는 항-섬유증 효과를 가지며, HGF와 TGF-β 사이에서 평형(counterbalance)으로 CKD와 신장 섬유증 진행에 영향을 발휘한다.[100,111]

Menke는[112] 대식세포 성장인자인 colony-stimulating factor-1 (CSF-1)이 대식세포 기전과 TECs에 직접 자가 분비/측 분비 활동으로 신장 회복을 조절한다고 밝혔다. CSF-1은 신장 염증 시에 TECs에 의해 주로 생성된다. 허혈-재관류 후에 CSF-1을 투여한 실험쥐는 세관 손상과 섬유증이 더 적었고 신장 기능은 더 좋았다. 또한 CSF-1 투여는 TEC 증식을 증가시키고 TEC 세포사멸을 줄였다.[112]

에리스로포에틴(Erythropoietin, EPO)은 허혈성 AKI에서 신장 기능 회복을 촉진하는 것으로 알려져 있다.[113-115] 이러한 보호 기전은 세포 자멸사를 억제하고 HIF-1α의 발현을 증가시키고 세관 저산소증을 약화시키고 TEC 재생을 강화하는 EPO의 다양한 효과 덕분이다.[116,117] AKI에서 EPO 투여 효과를 검증하는 임상 시험이 진행 중이다.

AKI 후 부적응: 세뇨관 간질성 섬유증과 CKD로의 진행

여러 연구 결과 AKI의 신손상과 회복은 신장병에서 역동적인 과정임을 알 수 있다. AKI는 완전히 회복될 수도, 불완전하게 회복될 수도 또는 악화될 수 있다. 세뇨관 간질성 섬유증은 비정상적(maladaptive) 회복의 한 종류이다. 섬유아세포의 증식과 과도한 ECM 침착을 동반하는 세뇨관 간질성 염증이 지속되면 세뇨관 간질은 섬유화되는데, 이는 여러 다른 종류의 신장병에

서 보이는 공통적인 특징이고 주로 CKD 또는 ESRD으로 진행되는 결정적 요인이다.[118]

손상 후 섬유 형성 반응을 촉발하는 기전이 완벽하게 밝혀지지 않았다. 상피세포가 섬유아세포, 상피 간엽성 전이(EMT)로 전환이 일어나고 섬유화를 일으킨다는 주장이 있다. 그러나 Humphreys 등은 최근 연구에서 이 개념에 이의를 제기하였다. 연구진들은 신장 섬유증 모델에서 유전학적으로 표지된 신장 상피를 사용한 fate-mapping을 수행하였고, 생체 내에서 상피세포가 전화-분화에 의한 근섬유아세포(myofibroblasts)의 생성에 직접적으로 기여하지 않음을 밝히고자 하였다.[119] 계통 분석 결과 근섬유아세포의 대부분은 혈관주위 섬유아세포나 혈관 주위 세포로부터 분화되었다. 한편 Basile 등은[31] EndoMT가 섬유아세포의 근원일 수도 있음을 보여 주었다.

새로운 두 연구들은 상피세포의 세포 주기 억제 및 후성적 변형이 만성질병으로 전환되는 데 중요한 역할을 한다고 설명한다.[120,121] 허혈, 독성 및 폐색 모델 등 다섯 가지 AKI 모델을 사용하여 Yang과 동료들은[122] 섬유증 발생과 세관 상피세포의 G2/M 단계에서의 분화 정지에 상응하는 전-섬유증의 싸이토카인 생산과의 우연한 연관성을 설명하였다. G2/M의 분화 정지는 전-섬유증 성장인자를 상향조절한다. G2/M의 분화 정지를 해결하면 섬유증과 싸이토카인 생산이 현저히 감소하였다.[122]

결론

AKI는 CKD를 유발할 수 있고 ESRD 진행을 가속화 할 수 있다. AKI의 병태 생리는 혈관, 세관, 염증 인자들 사이의 복잡한 상호작용과 관련이 있다. 완벽히 회복하면 종종 정상 신장 기능에 이르게 되지만, 반면 불완전한 회복이나 비정상적으로 회복할 경우 CKD으로 진행할 수 있다. 내피의 손상은 AKI 병리에서 중요한 역할을 한다. 초기 단계는 내피세포, TEC, 염증 관련 세포 사이의 상호작용과 관련되어 있다. 허혈-재관류 후 내피 손상은 내피의 기능장애를 일으킨다. 내피 기능장애는 세포 부착물질의 발현을 유도하고 백혈구-내피세포의 상호작용을 촉진한다. 이에 더하여 염증은 염증 매개 물질 분비와 함께 TEC의 세포 자멸사와 괴사를 유도한다. HIF-1 활성, TGF-β 상향 조절, VEGF 억제는 후기 단계에서 증식과정 손상과 EndoMT를 일으킨다. 세뇨관 주위 모세혈관(peritubular capillaries)의 밀도가 감소하면 만성저산소증이 초래된다. 만성저산소증은 세뇨관 간질성 섬유증과 CKD이 시작을 촉발한다. 내피의 정확한 회복 기전은 명확하지 않지만, 효율적 혈관생성이나 내피전구세포의 개입을 통해 매개되는 것 같다. 손상의 중

중도에 따라, TEC는 생존하고 증식한다. 회복단계에서 살아있는 TEC는 손상된 세관을 다시 증식시킨다. MSCs는 직접적으로 재-증식에 기여하지는 않지만 측 분비 효과를 통해 신장 회복을 돕는다. 후기 단계에 M2 대식세포, Tregs, 다양한 성장인자들이 염증을 억제하고 회복과정을 돕는다. 염증은 내피세포와 세관 세포의 손상과 수리를 매개한다. 선천적, 후천적 면역 요소들 모두가 신장 손상의 초기 단계에 관여한다; 그러나 M2 대식세포, Tregs, 항-염증물질 싸이토카인과 전-섬유형성 싸이토카인은 AKI의 회복 단계를 매개하기도 한다. 살아남은 신장 TEC는 탈분화하고 증식하고 세관의 손상 부위를 수리하기 위해 이동한다. 세관을 재증식하는 많은 세포들은 살아남은 신장 상피세포에서 유래 한다는 것이 정설이다. BMSCs는 직접적으로 신장 상피세포를 대체하지 않는다. 그럼에도 불구하고 MSCs는 측 분비와 내분비 메커니즘을 통해 신장 회복을 촉진한다. 성인 신장 줄기 세포는 사람 신장 안에 존재하는 것으로 인식되어 왔다; 그러나 신장 회복에서의 역할은 명확하지 않다. GH는 신장 회복에서 중요한 역할을 한다; 그러나 신장 회복에 GH를 적용하는 것은 연구가 더 필요하다. 내피와 혈관 생성 기전은 지금까지 명확하지 않다. 게다가 비정상적인 회복의 결과로 인한 세뇨관 간질성 섬유증은 AKI가 CKD 또는 ESRD로 진행하는 결정 요인으로 보인다. 신손상 및 회복과 관련된 기전을 이해하는 것은 AKI 치료와 CKD 진행을 막기 위한 새로운 치료 방식을 설계하는데 핵심이다.

참고문헌

1 Ali T, Khan I, Simpson W, et al. Incidence and outcomes in acute kidney injury: a comprehensive population-based study. J Am Soc Nephrol 2007;18:1292-8.

2 Hoste EA, Kellum JA. Incidence, classification, and outcomes of acute kidney injury. Contrib Nephrol 2007;156:32-8.

3 Waikar SS, Liu KD, Chertow GM. The incidence and prognostic significance of acute kidney injury. Curr Opin Nephrol Hypertens 2007;16:227-36.

4 Macedo E, Bouchard J, Mehta RL. Renal recovery following acute kidney injury. Curr Opin Crit Care 2008;14:660-5.

5 Basile DP. Rarefaction of peritubular capillaries following ischaemic acute renal failure: a potential factor predisposing to progressive nephropathy. Curr Opin Nephrol Hypertens 2004;13:1-7.

6 Basile DP, Donohoe D, Roethe K, Osborn JL. Renal ischaemic injury results in permanent damage to peritubular capillaries and influences long-term function. Am J Physiol Renal Physiol 2001;281:F887-99.

7 Forbes JM, Hewitson TD, Becker GJ, Jones CL. Ischaemic acute renal failure: long-term histology of cell and matrix changes in the rat. Kidney Int 2000;57:2375-85.

8 Coca SG. Long-term outcomes of acute kidney injury. Curr Opin Nephrol Hypertens 2010;19:266-72.

9 Hsu CY, Chertow GM, McCulloch CE, Fan D, Ordonez JD, Go AS. Nonrecovery of kidney function and death after acute on chronic renal failure. Clin J Am Soc Nephrol 2009;4:891-8.

10 Lo LJ, Go AS, Chertow GM, et al. Dialysis-requiring acute renal failure increases the risk of progressive chronic kidney disease. Kidney Int 2009;76:893-9.

11 Wald R, Quinn RR, Luo J, et al. Chronic dialysis and death among survivors of acute kidney injury requiring dialysis. JAMA 2009;302:1179-85.

12 Coca SG, Yusuf B, Shlipak MG, Garg AX, Parikh CR. Long-term risk of mortality and other adverse out-

comes after acute kidney injury: a systematic review and meta-analysis. Am J Kidney Dis 2009;53:961-73.

13 Cerda J, Lameire N, Eggers P, et al. Epidemiology of acute kidney injury. Clin J Am Soc Nephrol 2008;3:881-6.

14 Sharfuddin AA, Molitoris BA. Pathophysiology of ischaemic acute kidney injury. Nat Rev Nephrol 2011;7:189-200.

15 Thadhani R, Pascual M, Bonventre JV. Acute renal failure. N Engl J Med 1996;334:1448-60.

16 Clarkson MF, Friedewald JJ, Eustace JA, Rabb H. Acute kidney injury. In: Brenner BM (ed.) Brenner and Rector's The kidney. Philadelphia, PA: Saunders, Elsevier; 2007. pp. 943-86.

17 Molitoris BA, Marrs J. The role of cell adhesion molecules in ischaemic acute renal failure. Am J Med 1999;106:583-92.

18 Molitoris BA. Ischemia-induced loss of epithelial polarity: potential role of the actin cytoskeleton. Am J Physiol 1991;260:F769-78.

19 Molitoris BA, Dahl R, Geerdes A. Cytoskeleton disruption and apical redistribution of proximal tubule Na(+)-K(+)-ATPase during ischemia. Am J Physiol 1992;263:F488-95.

20 Zuk A, Bonventre JV, Brown D, Matlin KS. Polarity, integrin, and extracellular matrix dynamics in the post-ischaemic rat kidney. Am J Physiol 1998;275:C711-31.

21 Bonventre JV. Dedifferentiation and proliferation of surviving epithelial cells in acute renal failure. J Am Soc Nephrol 2003;14(Suppl 1):S55-61.

22 Witzgall R, Brown D, Schwarz C, Bonventre JV. Localization of proliferating cell nuclear antigen, vimentin, c-Fos, and clusterin in the postischaemic kidney. Evidence for a heterogenous genetic response among nephron segments, and a large pool of mitotically active and dedifferentiated cells. J Clin Invest 1994;93:2175-88.

23 Humphreys BD, Valerius MT, Kobayashi A, et al. Intrinsic epithelial cells repair the kidney after injury. Cell Stem Cell 2008;2:284-91.

24 Basile DP. The endothelial cell in ischaemic acute kidney injury: implications for acute and chronic function. Kidney Int 2007;72:151-6.

25 Horbelt M, Lee SY, Mang HE, et al. Acute and chronic microvascular alterations in a mouse model of ischaemic acute kidney injury. Am J Physiol Renal Physiol 2007;293:F688-95.

26 Fine LG, Norman JT. Chronic hypoxia as a mechanism of progression of chronic kidney diseases: from hypothesis to novel therapeutics. Kidney Int 2008;74:867-72.

27 Ishii Y, Sawada T, Kubota K, Fuchinoue S, Teraoka S, Shimizu A. Injury and progressive loss of peritubular capillaries in the development of chronic allograft nephropathy. Kidney Int 2005;67:321-32.

28 Kang DH, Kanellis J, Hugo C, et al. Role of the microvascular endothelium in progressive renal disease. J Am Soc Nephrol 2002;13:806-16.

29 Basile DP, Fredrich K, Chelladurai B, Leonard EC, Parrish AR. Renal ischemia reperfusion inhibits VEGF expression and induces ADAMTS-1, a novel VEGF inhibitor. Am J Physiol Renal Physiol 2008;294:F928-36.

30 Leonard EC, Friedrich JL, Basile DP. VEGF-121 preserves renal microvessel structure and ameliorates secondary renal disease following acute kidney injury. Am J Physiol Renal Physiol 2008;295:F1648-57.

31 Basile DP, Friedrich JL, Spahic J, et al. Impaired endothelial proliferation and mesenchymal transition contribute to vascular rarefaction following acute kidney injury. Am J Physiol Renal Physiol 2011;300:F721-33.

32 Fine LG, Orphanides C, Norman JT. Progressive renal disease: the chronic hypoxia hypothesis. Kidney Int Suppl 1998;65:S74-8.

33 Nath KA. Tubulointerstitial changes as a major determinant in the progression of renal damage. Am J Kidney Dis 1992;20:1-17.

34 Fine LG, Bandyopadhay D, Norman JT. Is there a common mechanism for the progression of different types of renal diseases other than proteinuria? Towards the unifying theme of chronic hypoxia. Kidney Int Suppl 2000;75:S22-6.

35 Nangaku M, Eckardt KU. Hypoxia and the HIF system in kidney disease. J Mol Med (Berl) 2007;85:1325-30.

36 Norman JT, Fine LG. Intrarenal oxygenation in chronic renal failure. Clin Exp Pharmacol Physiol 2006;33:989-96.

37 O'Riordan E, Mendelev N, Patschan S, et al. Chronic NOS inhibition actuates endothelial-mesenchymal transformation. Am J Physiol Heart Circ Physiol 2007;292:H285-94.

38 Basile DP, Donohoe DL, Roethe K, Mattson DL. Chronic renal hypoxia after acute ischaemic injury: effects of L-arginine on hypoxia and secondary damage. Am J Physiol Renal Physiol 2003;284:F338-48.

39 Bernhardt WM, Campean V, Kany S, et al. Preconditional activation of hypoxia-inducible factors ameliorates ischaemic acute renal failure. J Am Soc Nephrol 2006;17:1970-8.

40 Matsumoto M, Makino Y, Tanaka T, et al. Induction of renoprotective gene expression by cobalt ameliorates ischaemic injury of the kidney in rats. J Am Soc Nephrol 2003;14:1825-32.

41 Bonventre JV, Zuk A. Ischaemic acute renal failure: an inflammatory disease? Kidney Int 2004;66:480-5.

42 Jang HR, Rabb H. The innate immune response in ischaemic acute kidney injury. Clin Immunol 2009;130: 41-50.

43 Wu H, Chen G, Wyburn KR, et al. TLR4 activation mediates kidney ischemia/reperfusion injury. J Clin Invest 2007a;117:2847-59.

44 Thornton MA, Winn R, Alpers CE, Zager RA. An evaluation of the neutrophil as a mediator of in vivo renal ischaemic-reperfusion injury. Am J Pathol 1989;135:509-15.

45 Devarajan P. Update on mechanisms of ischaemic acute kidney injury. J Am Soc Nephrol 2006;17:1503-20.

46 Rabb H, Daniels F, O'Donnell M, et al. Pathophysiological role of T lymphocytes in renal ischemia-reperfusion injury in mice. Am J Physiol Renal Physiol 2000:279:F525-31.

47 Gailit J, Colflesh D, Rabiner I, Simone J, Goligorsky MS. Redistribution and dysfunction of integrins in cultured renal epithelial cells exposed to oxidative stress. Am J Physiol 1993;264:F149-57.

48 Goligorsky MS, Lieberthal W, Racusen L, Simon EE. Integrin receptors in renal tubular epithelium: new insights into pathophysiology of acute renal failure. Am J Physiol 1993;264:F1-8.

49 Lieberthal W, McKenney JB, Kiefer CR, Snyder LM, Kroshian VM, Sjaastad MD. Beta1 integrinmediated adhesion between renal tubular cells after anoxic injury. J Am Soc Nephrol 1997;8:175-83.

50 Li L, Huang L, Sung SS, et al. The chemokine receptors CCR2 and CX3CR1 mediate monocyte/ macrophage trafficking in kidney ischemia-reperfusion injury. Kidney Int 2008;74:1526-37.

51 Oh DJ, Dursun B, He Z, et al. Fractalkine receptor (CX3CR1) inhibition is protective against ischaemic acute renal failure in mice. Am J Physiol Renal Physiol 2008;294:F264-71.

52 Ysebaert DK, De Greef KE, Vercauteren SR, et al. Identification and kinetics of leukocytes after severe ischaemia/reperfusion renal injury. Nephrol Dial Transplant 2000;15:1562-74.

53 Day YJ, Huang L, Ye H, Linden J, Okusa MD. Renal ischemia-reperfusion injury and adenosine 2A receptor-mediated tissue protection: role of macrophages. Am J Physiol Renal Physiol 2005;288: F722-31.

54 Jo SK, Sung SA, Cho WY, Go KJ, Kim HK. Macrophages contribute to the initiation of ischaemic acute renal failure in rats. Nephrol Dial Transplant 2006;21:1231-9.

55 Ko GJ, Boo CS, Jo SK, Cho WY, Kim HK. Macrophages contribute to the development of renal fibrosis following ischaemia/reperfusion-induced acute kidney injury. Nephrol Dial Transplant 2008;23:842-52.

56 Persy VP, Verhulst A, Ysebaert DK, De Greef KE, De Broe ME. Reduced postischaemic macrophage infiltration and interstitial fibrosis in osteopontin knockout mice. Kidney Int 2003;63:543-53.

57 Ricardo SD, van Goor H, Eddy AA. Macrophage diversity in renal injury and repair. J Clin Invest 2008;118: 3522-30.

58 Wang Y, Harris DC. Macrophages in renal disease. J Am Soc Nephrol 2011;22:21-7.

59 Nishida M, Hamaoka K. Macrophage phenotype and renal fibrosis in obstructive nephropathy. Nephron Exp Nephrol 2008;110:e31-6.

60 Lee S, Huen S, Nishio H, et al. Distinct macrophage phenotypes contribute to kidney injury and repair. J Am Soc Nephrol 2011;22:317-26.

61 Dong X, Swaminathan S, Bachman LA, Croatt AJ, Nath KA, Griffin MD. Resident dendritic cells are the predominant TNF-secreting cell in early renal ischemia-reperfusion injury. Kidney Int 2007;71:619-28.

62 Li L, Okusa MD. Macrophages, dendritic cells, and kidney ischemia-reperfusion injury. Semin Nephrol 2010;30:268-77.

63 Tadagavadi RK, Reeves WB. Renal dendritic cells ameliorate nephrotoxic acute kidney injury. J Am Soc

Nephrol 2010;21:53-63.

64 Zhang ZX, Wang S, Huang X, et al. NK cells induce apoptosis in tubular epithelial cells and contribute to renal ischemia-reperfusion injury. J Immunol 2008;181:7489-98.

65 Diana J, Lehuen A. NKT cells: friend or foe during viral infections? Eur J Immunol 2009;39:3283-91.

66 Li L, Huang L, Sung SS, et al. NKT cell activation mediates neutrophil IFN-gamma production and renal ischemia-reperfusion injury. J Immunol 2007;178:5899-911.

67 Jang HR, Ko GJ, Wasowska BA, Rabb H. The interaction between ischemia-reperfusion and immune responses in the kidney. J Mol Med (Berl) 2009;87:859-64.

68 Ysebaert DK, De Greef KE, De Beuf A, et al. T cells as mediators in renal ischemia/reperfusion injury. Kidney Int 2004;66:491-6.

69 Takada M, Chandraker A, Nadeau KC, Sayegh MH, Tilney NL. The role of the B7 costimulatory pathway in experimental cold ischemia/reperfusion injury. J Clin Invest 1997a;100:1199-203.

70 Burne MJ, Daniels F, El Ghandour A, et al. Identification of the CD4(+) T cell as a major pathogenic factor in ischaemic acute renal failure. J Clin Invest 2001;108:1283-90.

71 Hochegger K, Schatz T, Eller P, et al. Role of alpha/beta and gamma/delta T cells in renal ischemiareperfusion injury. Am J Physiol Renal Physiol 2007;293:F741-7.

72 Savransky V, Molls RR, Burne-Taney M, Chien CC, Racusen L, Rabb H. Role of the T-cell receptor in kidney ischemia-reperfusion injury. Kidney Int 2006;69:233-8.

73 Yokota N, Burne-Taney M, Racusen L, Rabb H. Contrasting roles for STAT4 and STAT6 signal transduction pathways in murine renal ischemia-reperfusion injury. Am J Physiol Renal Physiol 2003;285:F319-25.

74 Ascon DB, Lopez-Briones S, Liu M, et al. Phenotypic and functional characterization of kidney- infiltrating lymphocytes in renal ischemia reperfusion injury. J Immunol 2006;177:3380-7.

75 Liu M, Chien CC, Grigoryev DN, Gandolfo MT, Colvin RB, Rabb H. Effect of T cells on vascular permeability in early ischaemic acute kidney injury in mice. Microvasc Res 2009;77:340-7.

76 Ko GJ, Zakaria A, Womer KL, Rabb H. Immunologic research in kidney ischemia/reperfusion injury at Johns Hopkins University. Immunol Res 2010;47:78-85.

77 Burne-Taney MJ, Yokota N, Rabb H. Persistent renal and extrarenal immune changes after severe ischaemic injury. Kidney Int 2005;67:1002-9.

78 Ascon M, Ascon DB, Liu M, et al. Renal ischemia-reperfusion leads to long term infiltration of activated and effector-memory T lymphocytes. Kidney Int 2009;75:526-35.

79 Sakaguchi S, Ono M, Setoguchi R, et al. Foxp3 + CD25 + CD4 + natural regulatory T cells in dominant self-tolerance and autoimmune disease. Immunol Rev 2006;212:8-27.

80 Gandolfo MT, Jang HR, Bagnasco SM, et al. Foxp3+ regulatory T cells participate in repair of ischemic acute kidney injury. Kidney Int 2009;76:717-29.

81 Kinsey GR, Huang L, Vergis AL, Li L, Okusa MD. Regulatory T cells contribute to the protective effect of ischaemic preconditioning in the kidney. Kidney Int 2010;77:771-80.

82 Kinsey GR, Sharma R, Huang L, et al. Regulatory T cells suppress innate immunity in kidney ischemia-reperfusion injury. J Am Soc Nephrol 2009;20:1744-53.

83 Burne-Taney MJ, Ascon DB, Daniels F, Racusen L, Baldwin W, Rabb H. B cell deficiency confers protection from renal ischemia reperfusion injury. J Immunol 2003;171:3210-15.

84 Jang HR, Gandolfo MT, Ko GJ, Satpute SR, Racusen L, Rabb H. B cells limit repair after ischemic acute kidney injury. J Am Soc Nephrol 2010;21:654-65.

85 Krause DS, Theise ND, Collector MI, et al. Multi-organ, multi-lineage engraftment by a single bone marrow-derived stem cell. Cell 2001;105:369-77.

86 Petersen BE, Bowen WC, Patrene KD, et al. Bone marrow as a potential source of hepatic oval cells. Science 1999;284:1168-70.

87 Kale S, Karihaloo A, Clark PR, Kashgarian M, Krause DS, Cantley LG. Bone marrow stem cells contribute to repair of the ischaemically injured renal tubule. J Clin Invest 2003;112:42-9.

88 Lin F, Cordes K, Li L, et al. Hematopoietic stem cells contribute to the regeneration of renal tubules after renal ischemia-reperfusion injury in mice. J Am Soc Nephrol 2003;14:1188-99.

89 Morigi M, Imberti B, Zoja C, et al. Mesenchymal stem cells are renotropic, helping to repair the kidney and improve function in acute renal failure. J Am Soc Nephrol 2004;15:1794-804.

90 Poulsom R, Forbes SJ, Hodivala-Dilke K, et al. Bone marrow contributes to renal parenchymal turnover and regeneration. J Pathol 2001;195:229-35.

91 Lin F, Moran A, Igarashi P. Intrarenal cells, not bone marrow-derived cells, are the major source for regeneration in postischaemic kidney. J Clin Invest 2005;115:1756-64.

92 Duffield JS, Park KM, Hsiao LL, et al. Restoration of tubular epithelial cells during repair of the postischaemic kidney occurs independently of bone marrow-derived stem cells. J Clin Invest 2005;115:1743-55.

93 Duffield JS, Bonventre JV. Kidney tubular epithelium is restored without replacement with bone marrow-derived cells during repair after ischaemic injury. Kidney Int 2005;68:1956-61.

94 Humphreys BD, Bonventre JV. Mesenchymal stem cells in acute kidney injury. Annu Rev Med 2008;59:311-25.

95 Herrera MB, Bussolati B, Bruno S, Fonsato V, Romanazzi GM, Camussi G. Mesenchymal stem cells contribute to the renal repair of acute tubular epithelial injury. Int J Mol Med 2004;14:1035-41.

96 Togel F, Weiss K, Yang Y, Hu Z, Zhang P, Westenfelder C. Vasculotropic, paracrine actions of infused mesenchymal stem cells are important to the recovery from acute kidney injury. Am J Physiol Renal Physiol 2007;292:F1626-35.

97 Caplan AI, Dennis JE. Mesenchymal stem cells as trophic mediators. J Cell Biochem 2006;98:1076-84.

98 Togel F, Hu Z, Weiss K, Isaac J, Lange C, Westenfelder C. Administered mesenchymal stem cells protect against ischaemic acute renal failure through differentiation-independent mechanisms. Am J Physiol Renal Physiol 2005;289:F31-42.

99 Bi B, Schmitt R, Israilova M, Nishio H, Cantley LG. Stromal cells protect against acute tubular injury via an endocrine effect. J Am Soc Nephrol 2007;18:2486-96.

100 Stagg J. Immune regulation by mesenchymal stem cells: two sides to the coin. Tissue Antigens 2007;69:1-9.

101 McTaggart SJ, Atkinson K. Mesenchymal stem cells: immunobiology and therapeutic potential in kidney disease. Nephrology (Carlton) 2007;12:44-52.

102 Nauta AJ, Fibbe WE. Immunomodulatory properties of mesenchymal stromal cells. Blood 2007;110:3499-506.

103 Hammerman MR. Growth factors and apoptosis in acute renal injury. Curr Opin Nephrol Hypertens 1998;7:419-24.

104 Nigam S, Lieberthal W. Acute renal failure. III. The role of growth factors in the process of renal regeneration and repair. Am J Physiol Renal Physiol 2000;279:F3-11.

105 Imberti B, Morigi M, Tomasoni S, et al. Insulin-like growth factor-1 sustains stem cell mediated renal repair. J Am Soc Nephrol 2007;18:2921-8.

106 Wang S, Hirschberg R. Role of growth factors in acute renal failure. Nephrol Dial Transplant 1997;12:1560-3.

107 Baer PC, Geiger H. Mesenchymal stem cell interactions with growth factors on kidney repair. Curr Opin Nephrol Hypertens 2010;19:1-6.

108 Villanueva S, Cespedes C, Gonzalez A, Vio CP. bFGF induces an earlier expression of nephrogenic proteins after ischaemic acute renal failure. Am J Physiol Regul Integr Comp Physiol 2006;291:R1677-87.

109 Liu Y, Tolbert EM, Lin L, et al. Up-regulation of hepatocyte growth factor receptor: an amplification and targeting mechanism for hepatocyte growth factor action in acute renal failure. Kidney Int 1999;55:442-53.

110 Herrero-Fresneda I, Torras J, Franquesa M, et al. HGF gene therapy attenuates renal allograft scarring by preventing the profibrotic inflammatory-induced mechanisms. Kidney Int 2006;70:265-74.

111 Matsumoto K, Nakamura T. Hepatocyte growth factor: renotropic role and potential therapeutics for renal diseases. Kidney Int 2001 59:2023-38.

112 Menke J, Iwata Y, Rabacal WA, et al. CSF-1 signals directly to renal tubular epithelial cells to mediate repair in mice. J Clin Invest 2009;119:2330-42.

113 Sharples EJ, Thiemermann C, Yaqoob MM. Mechanisms of disease: Cell death in acute renal failure and emerging evidence for a protective role of erythropoietin. Nat Clin Pract Nephrol 2005;1:87-97.

114 Vesey DA, Cheung C, Pat B, Endre Z, Gobe G, Johnson DW. Erythropoietin protects against ischaemic acute renal injury. Nephrol Dial Transplant 2004;19:348-55.

115 Yang CW, Li C, Jung JY, et al. Preconditioning with erythropoietin protects against subsequent ischemia-reperfusion injury in rat kidney. FASEB J 2003;17:1754-5.

116 Imamura R, Moriyama T, Isaka Y, et al. Erythropoietin protects the kidneys against ischemia reperfusion injury by activating hypoxia inducible factor-1alpha. Transplantation 2007;83:1371-9.

117 Moore E, Bellomo R. Erythropoietin (EPO) in acute kidney injury. Ann Intensive Care 2011;1:3.

118 Yang L, Humphreys BD, Bonventre JV. Pathophysiology of acute kidney injury to chronic kidney disease: maladaptive repair. Contrib Nephrol 2011;174:149-55.

119 Humphreys BD, Lin SL, Kobayashi A, et al. Fate tracing reveals the pericyte and not epithelial origin of myofibroblasts in kidney fibrosis. Am J Pathol 2010;176:85-97.

120 Bechtel W, McGoohan S, Zeisberg EM, et al. Methylation determines fibroblast activation and fibrogenesis in the kidney. Nat Med 2010;16:544-50.

121 Wynn TA. Fibrosis under arrest. Nat Med 2010;16:523-25.

122 Yang L, Besschetnova TY, Brooks CR, Shah JV, Bonventre JV. Epithelial cell cycle arrest in G2/M mediates kidney fibrosis after injury. Nat Med 2010;16:535-43.

123 Jo SK, Rosner MH, Okusa MD. Pharmacologic treatment of acute kidney injury: why drugs haven't worked and what is on the horizon. Clin J Am Soc Nephrol 2007;2:356-65.

Chapter 31

심근경색 후 심근의 리모델링

카비타 비말리배랜, 마이클 마버
(Kavitha Vimalesvaran and Michael Marber)

서론

심실 리모델링은 심근손상 이후 심장의 모양, 구조, 기능의 변화를 뜻한다. 이 과정은 좌우측 심실 모두에 영향을 줄 수 있다. 이 장에서는 좌심실에 초점을 맞추고자 한다. 심근경색(myocardial infarction, MI) 이후 좌심실(left ventricular, LV) 리모델링은 복잡하고 시간 의존적인 과정이며, 유익한 치유 과정과 동시에 일어난다.[1-4] 이 변화는 경색 구역(infarct zone, IZ)과 비경색 구역 또는 원거리 구역(non-infart zone, NIZ)으로 나누어 봄으로써 구역의 편차를 잘 고려할 수 있다. 변화들은 다음과 같다; (1) LV 구조, 모양 및 지형(topography)[1,2] (2) 심근세포 및 비심근세포 등 구성 세포의 유형[1,3,5-12] (3) 분비되는 단백질, 가장 특징적으로는 싸이토카인과 성장인자[1,3,13,14] 그리고 (4) 세포 외 콜라겐 매트릭스(extracellular collagen matrix, ECCM).[1,3-9,11,12,15-18] MI 후 전반적 LV 구조적 리모델링은 IZ 및 NIZ의 서로 다른 리모델링에 큰 영향을 받으며, 두 영역의 주요 특징은 ECCM의 증가이다.[1,19,20]

리모델링 시점

관상동맥 폐색 이후, 급성경색 과정은 경벽성(transmural) 진행과 함께 괴사를 포함하며 심장 내막에서 심장 외막까지 파면을 따라 수시간동안 진행된다.[2,21] 신속히 재관류되거나 측부(collateral) 혈류를 이용할 수 있다면[2,22,23] 경벽성 진행이 지연되거나 중단된다. 따라서 경색에 의한 심근 부위에는 종종 살아있는 심장 조직의 남는 혹은 괴사를 피한 심장 외막이 포함된다.[2,24] '정상' 심근의 심장 외막은 리모델링을 막을 수 있는 구조적 발판을 제공하는 것으로 여겨진다.[2,19,25-27] 초기 회복단계에서 IZ가 넓어지는 것을 막는 중요한 결정인자는 이 심장외막에서 구조를 유지하는 콜라겐 매트릭스의 기능을 유지하는 것이다.[2,27-29]

치유 과정은 보존성을 유지하고 기능을 회복하기 위해 손상된 심실 벽을 보호하려 한다.[2] 이러한 치유 과정은 경색 이후 즉시 시작되어 수주에서 수개월까지 지속된다.[2,30-32] 이는 영양 공급에 의존하는 역동적 과정으로 생각된다.[2] LV 내에서 발생하는 조정 순서는 체액성 물질, 성장인자, 측 분비 및 자가 분비 기원 싸이토카인에 의해 계획된다.[2] 바람직한 최종 결과는 단단하고 불응성의 수축성 있는 최소화된 상처이다. 경색과 흉터 형성의 간격은 3–6주이며, 발생한 흉터는 이후 수년간 느린 리모델링 과정을 겪는다.[2,30,32]

심근경색 후 심장은 IZ와 NIZ 내에서 일어나는 점진적인 변화에 따라 예외적인 조정 능력을 보여준다.[1] 결과적으로, 심근경색은 IZ 내의 심근세포, 비심근세포 및 ECCM에 시간–의존적 손상을 초래하고 NIZ에서는 IZ의 급성기 수축력 소실에 대응하기 위해 수축력이 증가한다. 이러한 NIZ의 모집은 간질성 섬유화와 반응성 비대를 야기하며 결국 좌심실 기능 장애를 일으키고 확장이 일어난다. 그러므로, 콜라겐 합성[1,33] 및 혈관 리모델링은 IZ와 NIZ에서 흔하다.[1,3]

콜라겐 합성은 몇몇 내인성 분자에 의한 영향을 받는데, 심근경색 이후에 현저한 증가를 보인다. 심근경색 치료에 사용되는 몇몇 약물들은 콜라겐 이동에 영향을 주며 항–섬유 효과를 가진다.[1,20,31,34,35] 이는 IZ에서 ECCM의 리모델링에 변화를 줄 수 있으며[1,20,34] 치유를 지연시킬 수 있다.[1,36] 비록 정확한 결과는 회복의 병태생리학적 시점에 달려있지만 결과적으로 바람직하지 않은 리모델링이 일어난다.

심근경색 후 리모델링은 본질적으로 허혈 손상 이후 세 단계로 나눌 수 있다. 첫 번째 단계(0–72시간)는 급성경색으로의 변화가 시작되어 완료된 즉시 시작된다. 이 단계에서 급성경색은 수시간에서 수일 동안에 걸쳐 확장되는데, IZ이 늘어나고 얇아지면서 팽창이 일어난다.[2] 확장은 세포와 구조에 있어 콜라겐 매트릭스의 붕괴와 심근 세포의 소실로 매개된다.[2,26] ECCM을 분해하는 매트릭스 메탈로프로테네이즈(matrix metalloproteinase, MMPs)와 내인성 조직의 MMPs 억제제(tissue inhibitors of MMPs, TIMPs) 사이의 균형은 고전적 리모델링과 기능을 보존하는데, 불균형이 생길 경우 부정적인 리모델링이 실제로 유발될 수 있다.[1,13,14,37,40,41]

두 번째 단계(72시간에서 6주)에서는 섬유아세포의 증식과 함께 만성염증반응이 일어나고 IZ에서 콜라겐의 축적이 일어난다. 정상 반응은 심근 콜라겐 부피가 2–3배 확장하는 것이며, 이로 인해 LV 경직성과 경증의 기능 장애가 발생한다.[1,42] 이러한 반응이 실패하면, 국소적인 경우라도, LV 확장과 파열을 포함한 극단적인 결과가 일어날 수 있다. 재관류된 심근경색에서 IZ 내 감소 또는 손상된 ECCM은 심장 파열과 관련 있다.[1,16,44]

심실 리모델링의 세 번째 단계(6주 및 이후)는 수축, 성숙 및 근섬유아세포 형성이 나타나는 추가적인 흉터 리모델링이다. 이 마지막 단계는 점진적인 LV 확장, 용적 과부하, NIZ 비대를 야기하고 이는 심부전(Heart Failure, HF)의 가장 흔한 원인이다.

심근경색 이후 회복과 리모델링 단계는 표 31–1에 정리되어 있다.

표 31–1. **심근경색 후 리모델링 단계**

Stage/timing	Pathophysiologic processvery
Very early (~ first 24 hours)	Acute evolution and completion of MI; oedema increased glycosaminoglycans; necrosis, apoptosis; acute inflammation, neutrophils predominating; cytokine activation, ↑ MMPs, enhanced ECCM degradation. Infarct expansion observed.
Early (~ first 2 weeks)	Early Iz healing, before the collagen plateau, chronic inflammation with macrophages peaking afte–48 hours, and mononuclear cells; fibroblasts proliferation predominating after–1week; collagen deposition in Iz, 5–fold or more. Early Lv dilation is noted with possible aneurysm formation and Lv rupture.
Late (~3–6 weeks)	Late Iz healing to scar formation after the collagen plateau which leads to more collagen deposition and little cellular infiltration. Collagen remodelling with crosslinking and myofibroblast formation is observed. There is more Lv dilation, volume overload, and hypertrophy.
Very late (~1.5 months to 1 year or more)	Late Iz scarring and NIz fibrosis, with continued ECCM remodelling with contraction, maturation, and myofibroblast formation. The remodelling process consists of progressive Lv dilation, further volume overload, and hypertrophy.

MMPs, matrix metalloproteinase; ECCM, extracellular collagen matrix; Iz, infarction zone; Lv, left ventricle; NIz, non–infarction zone.

Reproduced from Bodh I. Jugdutt, 'ventricular remodeling after infarction and the extracellular collagen matrix: when is enough enough?', Circulation, 108, 11, pp. 1395–1403, copyright wolters Kluwer, with permission. Data from Jugdutt BI. Prevention of ventricular remodelling post myocardial infarction: timing and duration of therapy. Can J Cardiol 1993 Jan. Feb;9(1):103–14.9780199653461

리모델링과 비대(hypertrophy)

경색 후 리모델링 중에 비대증은 증가한 부하를 보상하고, 진행성 확장 효과를 감소시키고 심장의 수축 균형을 맞추기 위한 적응 반응이다.[45,46] 신경 호르몬의 활성, 심근의 확장(stretch),

국소 조직 레닌-안지오텐신 시스템(renin-angiotensin system, RAS) 활성화, 측 분비/자가 분비 요소들이 심근 세포를 비대하게 만든다. RAS-알도스테론 축과 부신 수질의 카테콜아민 생성, 교감 신경 말단의 과잉, 나트륨 이뇨 펩타이드(atrial natriuretic peptide (ANP), BNP) 모두가 경색 후 상대적 저관류 때문에 증가한다. 비대 반응은 직간접적으로 강화된 NE 분비에 영향을 받는다. NE는 α1-adrenoreceptors를 자극하여 심근 세포 비대가 나타난다.[45] 사구체옆장치(juxta-glomerular apparatus)의 β1-adrenoreceptors 활성으로 유도되는 레닌 분비는 안지오텐신-II 생성을 촉진한다. 사구체옆장치에서 혈관 평활근 세포의 stretch 활성이 감소하여 NE의 전-시냅스(pre-synaptic) 분비를 자극하는 안지오텐신-II 생성이 증가하고, 재흡수가 증가한다. 나아가 NE의 후-시냅스(post-synaptic) 활성이 증가하여 리모델링 악순환이 발생한다.

심부전 진행

좌심실 리모델링은 대체로 부정적 신호이며 심부전 진행과 관련되어 있다. 주요 리모델링을 동반한 환자들에서 심장 기능의 점진적 악화는 잘 알려져 있으며, 이는 심혈관계 질병의 이환과 사망에서 상당 부분을 차지한다.[47]

좌심실 리모델링은 적응성 또는 비정상적 적응 과정 모두로 설명이 가능하다.[47] 심장은 적응성 과정을 통해 심장 손상의 급성기 단계에서 압력 또는 용적 과부하에 대응하여 기능을 유지할 수 있다. 최소한 초기에는, 전부하(preload) 증가는 적응성이며, 이때 Frank-Starling 기전에 의해 수축력 길이-의존적 모집을 통해 일회심박출량을 유지한다. 그러나 압력 생성과 반지름 사이의 반비례 관계에 의한 LaPlace 법칙의 작용으로 벽 스트레스는 동일한 강내 압력을 유지하기 위해 증가할 수밖에 없다. 이는 후부하(afterload)를 증가시키고, 수축력을 보상하며 악순환을 일으키게 된다. 이 두 가지와 다른 악순환들은 바람직하지 않은 리모델링을 유도하게 되어, 이를 치료하지 못하면 진행성 부전을 초래하게 된다.[47]

리모델링의 정량화

측정기준과는 무관하게, 리모델링 진행은 해로우며 불량한 예후와 관련이 있는 것으로 항상 생각되어왔다.[47,49,50] 적응성 리모델링과 잘못된 리모델링 사이의 변화는 정확하게 구분하기 어렵다. 그러한 변화의 발생이나 시간 경과는 매우 다양할 것이다. 따라서 좌심실 리모델링의 정도를 인지하는 것은 예후 평가에 도움이 될 수 있다.[47] MI 및 HF,[46,47,50,51] 관상동맥 질환을 앓는 환자들의 사망 위험 상승의 주요 독립인자는 심실 부피의 정도와 관련되어 있다. 심장의 크기,

질량, 심박출율(ejection fraction), 이완기 말 부피, 수축기 말 부피와 최대 수축력은 모두 좌심실 리모델링에 있어 의미있는 예후 측정 도구이다. 각각의 측정은 질병 단계에서 다양한 특징을 대표한다.[47] 좌심실 부피, 특히 수축기 말 부피(end-systolic volume)는 불량한 예후와 관련되어 있다.[47,50]

심장의 모양과 크기가 가장 합리적인 리모델링의 측정 도구일 것 같다는 사실에도 불구하고, 기술적인 요인들과 다양한 방법들 때문에 이질적인 결과가 초래되고 만다. 예를 들어, M-모드 심초음파(M mode echocardiography, ECHO)에서 해부학적 좌심실 비대를 보이는 고혈압 환자들을 심전도(electrocardiagraphy, ECG)로 평가했을 때는 오직 38%에서만 좌심실 비대 소견이 관찰되었다.[47,53] 좌심실 비후의 ECG 징후로 인지된 심부전 위험 증가는 ECHO를 통한 해부학적 근거와 동일하지 않다.[47] 가장 그럴듯한 설명은 좌심실 벽 두께, 심실강 크기, 무게는 ECCM 축적, 전기적 커플링, 탈분극을 측정하기에는 상대적으로 덜 민감한 방법이라는 것이다. 그럼에도 불구하고 이러한 병리 과정은 리모델링의 중요한 요소이다.[47]

좌심실 기능 부전을 나타내는 증상과 징후는 질병을 나타내는 지표로서 민감도와 특이도가 부족하다.[47,54] 좌심실 리모델링과 수축 기능장애를 식별하는 표준 기술은 심초음파와 방사성핵종 영상기법(radionuclide imaging)이다.[47,54] 불행히도, 심초음파는 재현성이 부족하고[47,55] 규격화도 부족하다.[47] 영상 품질은 음향창(acoustic window)에 따라 달라진다.[47,56] MRI나 CT같은 횡단면 영상 방식은 우수한 정확도와 일관성을 가지고 있으며,[47,57] 각각 심근섬유증과 관상동맥 해부학을 평가할 수 있다. 이들 촬영 방식은 모두 비싸다. 또 BNP와 같은 좌심실 변형의 표지자 측정 결과가 필요하다.

리모델링을 막는 치료적 중재

심근경색 후 좌심실 리모델링 예방을 위해 고안된 치료법들의 효과는 관련 병태생리학적기전을 가장 우선적으로 고려하고 있다. 급성 단계를 넘어서면, 심실 리모델링은 주로 동맥 개통, 심실 부하, 신경 호르몬 활성화 및 국부 조직 성장인자에 의해 영향을 받는다.

안지오텐신 전환효소 억제제(ACEi)와 안지오텐신 수용체 차단제(ARBs)

20년 이상, 좌심실 수축 기능 부전에 의한 심부전 환자의 사망률과 이환률은 ACEi의 사용으로 향상된 것으로 알려져 왔다. 특히 심근경색 후 ACEi가 리모델링을 억제하는 데 효과적이라는 실험실 및 임상 자료가 이를 뒷받침해왔다.[59-63] 하지만 대규모 환자 코호트에서 리모델링의 반전(가령, 확장된 좌심실의 크기 감소)은 거의 없다시피하다. 관련 임상 시험에서 ACEi는 위약 대비 리모델링을 예방하거나 반전시키기보다는 진행을 지연시키는 것으로 보인다.[59,64]

ACEi는 ACE와 독립적인 전환 기전에는 작용하지 않기 때문에 단지 부분적으로 안지오텐신-II의 생성을 줄여줄 뿐이다. 결과적으로, 장기간 ACE 억제 시 혈장 안지오텐신-II 수준은 초기값에 비해 증가한다. ACEi의 심장 리모델링 및 교감신경 활동에 미치는 효과는 투여 1년 후에는 약화된다.[59]

ARB는 1형 수용체(AT1R)(심장 비대, 알도스테론 생성, 섬유증 및 혈관수축에 관여)에 선택적으로 작용하고 ACEi를 대체하거나 또는 함께 사용할 수 있다. ARBs는 혈관 이완 및 심근섬유증 억제에 작용하는 것으로 알려진 2형 수용체(AT2R)의 긍정적인 작용을 저해하지 않는다.[59,65,66]

좌심실 기능 부전 치료전략 무작위배정 평가(Randomized Evaluation of Strategies for Left Ventricular Dysfunction, RESOLVD)라는 임상연구에서 ACEi (enalapril)의 효과를 ARB (candesartan) 및 이들의 복합 투여 방법과 비교하였다. 또, 적합한 환자들은 무작위로 β-차단제(metoprolol) 또는 위약을 투여받았다.[59,67] 리모델링 및 신경호르몬 프로파일의 변화를 평가하였다. 결과는 순차적 차단의 이점을 보여주었다. Candesartan을 복용하는 경우와 Enalapril를 함께 복용한 경우 1년 뒤 심구축율(ejection fraction)이 향상되었고 좌심실 확장을 예방하였으며, 단일제를 복용한 것에 비해 혈장 BNP와 알도스테론 수준을 낮추었다. 또 candesartan 단일 복용은 enalapril 단일 복용과 비교하여 월등한 효과를 보이지 않았다.

요약하면, ACEi와 ARB를 심부전 및 좌심실 수축기능 부전 환자에게 투여했을 때 다음과 같은 결과가 입증되었다; (1) 생존률 개선과 사망률과 이환율을 낮추는 안지오텐신-II 길항(ACEi 또는 ACEi를 복용하지 못할 경우 ARB를 복용)의 유용성 (2) ACEi와 비교하여 ARB가 더 우월하지는 않음, (3) 심혈관 사망과 이환율에 대한 순차적 차단(ACEi에 ARB를 추가하는 경우)의 추가적 이득이다.[59]

β-아드레날린 수용체 차단제

β-아드레날린 수용체가 좌심실 수축 기능 부전으로 인한 심부전의 모든 단계와 허혈성 및 비허혈성 원인 모두에서 사망률과 이환률을 줄여준다는 증거는 차고 넘친다. 영구적인 이점은 ACEi 단독보다 베타 차단제로 얻을 수 있다.[59]

심부전에서 metoprolol, carvedilol 및 bisoprolol 등 β-차단제 사용은 확실하고 지속적인 심구축율 개선, 리모델링 반전, 좌심실 구형률(sphericity) 및 기능적 승모판 폐쇄부전 감소라는 임상적 효과가 입증되었다.[59,68-71] 이러한 측면에서 β-차단제의 유효성은 ACEi나 ARBs에 비해 더 우수해 보인다. 그럼에도 불구하고, β-차단제 임상시험에 환자를 등록할 때는 이미 ACEi를 복용하고 있는지 여부를 고려해야 한다. 즉, ACEi를 기본으로 하여 β-차단제가 리모델링의 회복을 유도하는 것이다. RAS 차단이 부재할 경우 같은 결과를 얻을 수 있을지 여부는 알려져 있지 않다.[59]

리모델링 회복에서 β-차단제의 특별한 역할은 metoprolol을 제외했던 소규모 연구에서 뒷받침되었다. 이 결과 좌심실 기능이 악화되었고 다시 복용하였을 때 회복되었다.[59,72] 또한 심구축율 또는 좌심실 부피와 β-차단제 사이의 용량 의존적 관계는 β-차단제 투여와 리모델링 회복 사이의 인과관계를 뒷받침한다.[59,73-76] 특히 carvedilol 용량은 사망율과 역상관 관계를 보였고, 리모델링 회복과 생존 사이의 관계를 입증하고 있다.[59,76] 리모델링 반전을 촉진하는데 β-차단제 치료의 중요성은 carvedilol을 사용한 '관찰연구'에서도 입증되었다. carvedilol 용량은 다변량 분석에서 심장 크기와 기능 정상화의 예측인자로 밝혀졌다. 이 연구에서 심장 크기와 기능이 정상화되지 않은 환자들에서 24% 사망률과 생존자의 60% 미만에서만 이벤트가 없었다는 점과 비교하여, 심장 크기와 기능이 정상화된 경우 중앙값 17개월의 추적 기간 중에 이벤트 없이 100% 생존율을 보였다는 점은 주목할 만하다.[59,74]

요약하자면, 병인과 기능적 분류와 상관없이, 심부전과 좌심실 수축 기능 부전 환자에서 β-차단제를 사용한 연구들은 이미 ACEi 복용 중인 환자들에서 사망률과 이환률을 낮춤으로써 metroprolol, carvedilol 및 bisoprolol의 이점을 입증하였다. 리모델링 회복에서 β-차단제의 가치는 ACEi와 비교하여 명백히 크고 용량 의존적이다.[59]

알도스테론 수용체 길항제(Aldosterone receptor antagonists, ARAs)

ARAs는 원인에 상관없이 좌심실 수축 기능 부전으로 인한 진행성 심부전(New York Heart Association (HYHA) functional classes 3, 4) 환자에서 사망률과 이환율을 낮춘다. 또 최근 심근경색이 있었던 환자, 좌심실 기능 부전, 증상이 있는 심부전 또는 당뇨 환자에서도 그렇다.[59,78] 무작위배정 Aldactone 평가 임상연구(RALES)에서는 이벤트 발생 위험이 높은 진행성 심부전 환자를 대상으로 하였다. 생존 곡선은 초기부터 차이를 보이기 시작하여 최소 3년간 지속되었다.[59,77] 유사한 관찰 결과가 Eplerenone의 급성심근경색 후 심부전 유효성 및 생존 연구(Eplerenone Post-Acute Myocardial Infarction Heart Failure Efficacy and survival Study, EPHESUS)에서도 있었다. 이러한 결과는 치료가 병의 기전에 미치는 영향을 잘 보여준다. 특히, 알도스테론은

RAS 경로에서 핵심이고, 수분과 나트륨 저류 외에 많은 부적응과 관련되어 있다. 그 중에서도 심비대, 섬유증, 교감신경 활성화 유발이 중요하다.[59,79]

결론

심근경색 이후 리모델링 과정은 복잡하며, 시간 의존적이고, 치유 과정과 얽혀있다. 그럼에도 불구하고, 병태생리학적 역할에 근거한, 특히 무작위 조절된 중재 연구들에 근거할 때, β1 수용체 작용제와 안지오텐신-II, 알도스테론은 비정상 반응을 유도한다. 따라서 이들 경로를 차단하면 리모델링 과정을 약화시키고 사망률과 사망률을 줄이면서 복잡한 연결고리를 강화할 수 있다.

참고문헌

1 Jugdutt BI. Ventricular remodeling after infarction and the extracellular collagen matrix: when is enough enough? Circulation 2003;108:1395-403.

2 Jugdutt BI. Prevention of ventricular remodeling after myocardial infarction and in congestive heart failure. Heart Fail Rev 1996;1:115-29.

3 Jugdutt BI. Remodeling of the myocardium and potential targets in the collagen degradation and synthesis pathways. Curr Drug Targets Cardiovasc Haematol Disord 2003;3:1-30.

4 Jugdutt BI. Identification of patients prone to infarct expansion by the degree of regional shape distortion on an early two-dimensional echocardiogram after myocardial infarction. Clin Cardiol 1990;13:28-40.

5 Cleutjens JP. The role of matrix metalloproteinases in heart disease. Cardiovasc Res 1996;32:816-21.

6 Eghbali M, Blumenfeld OO, Seifter S, et al. Localization of types I, III and IV collagen mRNAs in rat heart cells by in situ hybridization. J Mol Cell Cardiol 1989;21:103-13.

7 Eghbali M, Czaja MJ, Zeydel M, et al. Collagen chain mRNAs in isolated heart cells from young and adult rats. J Mol Cell Cardiol 1988;20:267-76.

8 Nag AC. Study of non-muscle cells of the adult mammalian heart: a fine structural analysis and distribution. Cytobios 1980;28:41-61.

9 Weber KT, Anversa P, Armstrong PW, et al. Remodeling and reparation of the cardiovascular system. J Am Coll Cardiol 1992;20:3-16.

10 Zak R. Development and proliferative capacity of cardiac muscle cells. Circ Res 1974;35:17-26.

11 Weinberg E, Schoen F, George D, et al. Angiotensin-converting enzyme inhibition prolongs survival and modifies the transition to heart failure in rats with pressure overload hypertrophy due to ascending aortic stenosis. Circulation 1994;90:1410-22.

12 Eghbali M, Tomek R, Woods C, Bhambi B. Cardiac fibroblasts are predisposed to convert into myocyte phenotype: specific effect of transforming growth factor beta. Proc Natl Acad Sci 1991;88:795-9.

13 Mann DL, Spinale FG. Activation of matrix metalloproteinases in the failing human heart: breaking the tie that binds. Circulation 1998;98:1699-702.

14 Mann DL. Inflammatory mediators and the failing heart. Circulation Res 2002;91:988-98.

15 Beltrami C, Finato N, Rocco M, et al. Structural basis of end-stage failure in ischemic cardiomyopathy in humans. Circulation 1994;89:151-63.

16 Factor SM, Robinson TF, Dominitz R, Cho SH. Alterations of the myocardial skeletal framework in acute myocardial infarction with and without ventricular rupture. A preliminary report. Am J Cardiovasc Pathol 1987;1:91-7.

17 Jugdutt BI. Effect of reperfusion on ventricular mass, topography, and function during healing of anterior infarction. Am J Physiol 1997;272:H1205-11.

18 Marijianowski M, Teeling P, Becker A. Remodeling after myocardial infarction in humans is not associated with interstitial fibrosis of noninfarcted myocardium. J Am Coll Cardiol 1997;30:76-82.

19 Jugdutt B, Tang S, Khan M, Basualdo C. Functional impact of remodeling during healing after non-Q wave versus Q wave anterior myocardial infarction in the dog. J Am Coll Cardiol 1992;20:722-31.

20 Zannad F, Alla Fo, Dousset B, Perez A, Pitt B. Limitation of excessive extracellular matrix turnover may contribute to survival benefit of spironolactone therapy in patients with congestive heart failure: insights from the Randomized Aldactone Evaluation Study (RALES). Circulation 2000;102:2700-6.

21 Reimer KA, Lowe JE, Rasmussen MM, Jennings RB. The wavefront phenomenon of ischemic cell death. 1. Myocardial infarct size vs. duration of coronary occlusion in dogs. Circulation 1977;56:786-94.

22 Jugdutt BI, Becker LC, Hutchins GM. Early changes in collateral blood flow during myocardial infarction in conscious dogs. Am J Physiol 1979;237:H371-80.

23 Jugdutt BI, Hutchins GM, Bulkley BH, Becker LC. Myocardial infarction in the conscious dog: three-dimensional mapping of infarct, collateral flow and region at risk. Circulation 1979;60:1141-50.

24 Reimer KA, Jennings RB. The 'wavefront phenomenon' of myocardial ischemic cell death. II. Transmural progression of necrosis within the framework of ischemic bed size (myocardium at risk) and collateral flow. Lab Invest 1979;40:633-44.

25 Hutchins GM, Bulkley BH. Infarct expansion versus extension: two different complications of acute myocardial infarction. Am J Cardiol 1978;41:1127-32.

26 Weisman HF, Healy B. Myocardial infarct expansion, infarct extension, and reinfarction: pathophysiologic concepts. Prog Cardiovasc Dis 1987;30:73-110.

27 Jugdutt BI, Khan MI. Impact of increased infarct transmurality on remodeling and function during healing after anterior myocardial infarction in the dog. Can J Physiol Pharmacol 1992;70:949-58.

28 Caulfield JB, Borg TK. The collagen network of the heart. Lab Invest 1979;40:364-72.

29 Jugdutt BI, Tang SB, Khan MI, Basualdo CA. Functional impact of remodeling during healing after non-Q wave versus Q wave anterior myocardial infarction in the dog. J Am Coll Cardiol 1992;20:722-31.

30 Fishbein MC, Maclean D, Maroko PR. The histopathologic evolution of myocardial infarction. Chest 1978;73:843-9.

31 Jugdutt BI. Prevention of ventricular remodelling post myocardial infarction: timing and duration of therapy. Can J Cardiol 1993;9:103-14.

32 Jugdutt BI, Amy RW. Healing after myocardial infarction in the dog: changes in infarct hydroxyproline and topography. J Am Coll Cardiol 1986;7:91-102.

33 Jugdutt BI, Joljart MJ, Khan MI. Rate of collagen deposition during healing and ventricular remodeling after myocardial infarction in rat and dog models. Circulation 1996;94:94-101.

34 Jugdutt BI, Lucas A, Khan MI. Effect of angiotensin-converting enzyme inhibition on infarct collagen deposition and remodelling during healing after transmural canine myocardial infarction. Can J Cardiol 1997;13:657-68.

35 Cohn JN, Tognoni G. A randomized trial of the angiotensin-receptor blocker valsartan in chronic heart failure. N Engl J Med 2001;345:1667-75.

36 Nguyen QT, Cernacek P, Calderoni A, et al. Endothelin a receptor blockade causes adverse left ventricular remodeling but improves pulmonary artery pressure after infarction in the rat. Circulation 1998;98:2323-30.

37 Tyagi SC. Proteinases and myocardial extracellular matrix turnover. Mol Cell Biochem 1997;168:1-12.

38 Woessner JF, Jr. Role of matrix proteases in processing enamel proteins. Connect Tissue Res 1998;39:69-73; discussion 141-9.

39 Tyagi SC, Kumar SG, Banks J, Fortson W. Co-expression of tissue inhibitor and matrix metalloproteinase in myocardium. J Mol Cell Cardiol 1995;27:2177-89.

40 Heymans S, Luttun A, Nuyens D, et al. Inhibition of plasminogen activators or matrix metalloproteinases

prevents cardiac rupture but impairs therapeutic angiogenesis and causes cardiac failure. Nat Med 1999;5:1135-42.

41 Fedak PW, Altamentova SM, Weisel RD, et al. Matrix remodeling in experimental and human heart failure: a possible regulatory role for TIMP-3. Am J Physiol Heart Circ Physiol 2003;284:H626-34.

42 Covell JW. Factors influencing diastolic function. Possible role of the extracellular matrix. Circulation 1990;81(2 Suppl):III155-8.

43 Zhao M, Zhang H, Robinson T, Factor S, Sonnenblick E, Eng C. Profound structural alterations of the extracellular collagen matrix in postischemic dysfunctional ('stunned') but viable myocardium. J Am Coll Cardiol 1987;10:1322-34.

44 Becker RC, Hochman JS, Cannon CP, et al. Fatal cardiac rupture among patients treated with thrombolytic agents and adjunctive thrombin antagonists: Observations from the Thrombolysis and Thrombin Inhibition in Myocardial Infarction 9 Study. J Am Coll Cardiol 1999;33:479-87.

45 Sutton MG, Sharpe N. Left ventricular remodeling after myocardial infarction: pathophysiology and therapy. Circulation 2000;101:2981-8.

46 Pfeffer M, Braunwald E. Ventricular remodeling after myocardial infarction. Experimental observations and clinical implications. Circulation 1990;81:1161-72.

47 Cohn JN, Ferrari R, Sharpe N. Cardiac remodeling-concepts and clinical implications: a consensus paper from an international forum on cardiac remodeling. Behalf of an International Forum on Cardiac Remodeling. J Am Coll Cardiol 2000;35:569-82.

48 Sabbah HN, Goldstein S. Ventricular remodelling: consequences and therapy. Eur Heart J 1993;14(suppl C):24-9.

49 Gaudron P, Eilles C, Kugler I, Ertl G. Progressive left ventricular dysfunction and remodeling after myocardial infarction. Potential mechanisms and early predictors. Circulation 1993;87:755-63.

50 White H, Norris R, Brown M, Brandt P, Whitlock R, Wild C. Left ventricular end-systolic volume as the major determinant of survival after recovery from myocardial infarction. Circulation 1987;76:44-51.

51 Hammermeister K, DeRouen T, Dodge H. Variables predictive of survival in patients with coronary disease. Selection by univariate and multivariate analyses from the clinical, electrocardiographic, exercise, arteriographic, and quantitative angiographic evaluations. Circulation 1979;59:421-30.

52 Cohn JN, Johnson G, Ziesche S, et al. A comparison of enalapril with hydralazine-isosorbide dinitrate in the treatment of chronic congestive heart failure. N Engl J Med 1991;325:303-10.

53 Carr A, Prisant L, Watkins L. Detection of hypertensive left ventricular hypertrophy. Hypertension 1985;7:948-54.

54 No authors listed. Guidelines for the diagnosis of heart failure. The Task Force on Heart Failure of the European Sociey of Cardiology. Eur Heart J 1995;16:741-51.

55 Gottdiener JS. Left ventricular mass, diastolic dysfunction, and hypertension. Adv Intern Med 1993;38:31-56.

56 Francis CM, Caruana L, Kearney P, et al. Open access echocardiography in management of heart failure in the community. BMJ 1995;310:634-6.

57 Krzesinski JM, Rorive G, Van Cauwenberge H. Hypertension and left ventricular hypertrophy. Acta Cardiol 1996;51:143-54.

58 Effects of enalapril on mortality in severe congestive heart failure. Results of the Cooperative North Scandinavian Enalapril Survival Study (CONSENSUS). The CONSENSUS Trial Study Group. N Engl J Med 1987;316:1429-35.

59 Frigerio M, Roubina E. Drugs for left ventricular remodeling in heart failure. Am J Cardiol 2005; 96:10L-8L.

60 Greenberg B, Quinones MA, Koilpillai C, et al. Effects of long-term enalapril therapy on cardiac structure and function in patients with left ventricular dysfunction. Results of the SOLVD echocardiography substudy. Circulation 1995;91:2573-81.

61 St John Sutton M, Pfeffer MA, Plappert T, et al. Quantitative two-dimensional echocardiographic measurements are major predictors of adverse cardiovascular events after acute myocardial infarction. The protective effects of captopril. Circulation 1994;89:68-75.

62 Lopez-Sendon J, Swedberg K, McMurray J, et al. Expert consensus document on angiotensin converting enzyme inhibitors in cardiovascular disease. Eur Heart J 2004;25:1454-70.

63 Quinones MA, Greenberg BH, Kopelen HA, et al. Echocardiographic predictors of clinical outcome in patients with left ventricular dysfunction enrolled in the SOLVD registry and trials: significance of left ventricular hypertrophy. Studies of Left Ventricular Dysfunction. J Am Coll Cardiol 2000;35:1237-44.

64 Fedak PW, Verma S, Weisel RD, Li RK. Cardiac remodeling and failure: from molecules to man (Part I). Cardiovasc Pathol 2005;14:1-11.

65 Azizi M, Ménard JL. Combined blockade of the renin-angiotensin system with angiotensin-convertingenzyme inhibitors and angiotensin II type 1 receptor antagonists. Circulation 2004;109:2492-9.

66 Opie LH, Sack MN. Enhanced angiotensin II activity in heart failure: reevaluation of the counterregulatory hypothesis of receptor subtypes. Circulation Res 2001;88:654-8.

67 McKelvie RS, Yusuf S, Pericak D, et al. Comparison of candesartan, enalapril, and their combination in congestive heart failure: Randomized Evaluation of Strategies for Left Ventricular Dysfunction (RESOLVD) Pilot Study: The RESOLVD Pilot Study Investigators. Circulation 1999;100:1056-64.

68 Dubach P, Myers J, Bonetti P, et al. Effects of bisoprolol fumarate on left ventricular size, function, and exercise capacity in patients with heart failure: analysis with magnetic resonance myocardial tagging. Am Heart J 2002;143:676-83.

69 Hall SA, Cigarroa CG, Marcoux L, Risser RC, Grayburn PA, Eichhorn EJ. Time course of improvement in left ventricular function, mass and geometry in patients with congestive heart failure treated with beta-adrenergic blockade. J Am Coll Cardiol 1995;25:1154-61.

70 Lowes BD, Gill EA, Abraham WT, et al. Effects of carvedilol on left ventricular mass, chamber geometry, and mitral regurgitation in chronic heart failure. Am J Cardiol 1999;83:1201-5.

71 Zugck C, Haunstetter A, Kruger C, et al. Impact of beta-blocker treatment on the prognostic value of currently used risk predictors in congestive heart failure. J Am Coll Cardiol 2002;39:1615-22.

72 Khattar RS, Senior R, Soman P, van der Does R, Lahiri A. Regression of left ventricular remodeling in chronic heart failure: comparative and combined effects of captopril and carvedilol. Am Heart J 2001;142:704-13.

73 Packer M, Colucci WS, Sackner-Bernstein JD, et al. Double-blind, placebo-controlled study of the effects of carvedilol in patients with moderate to severe heart failure. The PRECISE Trial. Prospective Randomized Evaluation of Carvedilol on Symptoms and Exercise. Circulation 1996;94:2793-9.

74 Cioffi G, Stefenelli C, Tarantini L, Opasich C. Chronic left ventricular failure in the community: Prevalence, prognosis, and predictors of the complete clinical recovery with return of cardiac size and function to normal in patients undergoing optimal therapy. J Card Fail 2004;10:250-7.

75 Bristow MR, O'Connell JB, Gilbert EM, et al. Dose-response of chronic beta-blocker treatment in heart failure from either idiopathic dilated or ischemic cardiomyopathy. Bucindolol Investigators. Circulation 1994;89:1632-42.

76 Bristow MR, Gilbert EM, Abraham WT, et al. Carvedilol produces dose-related improvements in left ventricular function and survival in subjects with chronic heart failure. MOCHA Investigators. Circulation 1996;94:2807-16.

77 Pitt B, Zannad F, Remme WJ, et al. The effect of spironolactone on morbidity and mortality in patients with severe heart failure. Randomized Aldactone Evaluation Study Investigators. N Engl J Med 1999;341:709-17.

78 Pitt B, Remme W, Zannad F, et al. Eplerenone, a selective aldosterone blocker, in patients with left ventricular dysfunction after myocardial infarction. N Engl J Med 2003;348:1309-21.

79 White PC. Aldosterone: direct effects on and production by the heart. J Clin Endocrinol Metab 2003;88:2376-83.

Chapter 32

패혈증과 뇌증

에릭 마갈레스, 안젤로 폴리토, 안드레아 폴리토, 타렉 샤샤
(Eric Magalhaes, Angelo Polito, Andréa Polito, and Tarek Sharshar)

서론

패혈증은 중추신경계 감염 없이도 중환자에서 급성뇌기능 이상을 일으키는 가장 심각하고 흔한 전신 질환이다. 이러한 급성뇌기능 이상을 '패혈증 관련 뇌증(Sepsis-Associated Encephalopathy, SAE)'이라 하고[1] 대개 세균이나 진균 감염 때 발생한다.[2,3] SAE는 병원 생존율, 중환자실 생존율[3-5] 및 장기 인지장애와 독립적으로 관련이 있다.[6] SAE는 전반적인 인지 기능과 의식 수준(과각성부터 기면상태까지), 섬망 지속 상태로 나타난다. 그러나 국소적 신경학적 징후들을 보일 수 있는데, 이 때문에 종종 허혈성 원인에 의한 국소 병변을 먼저 떠올리게 된다.[7] SAE 진단은 뇌기능이상을 일으킬 수 있는 다양한 전신적인 문제들에 관한 접근이 필요하다. 이번 장에서 SAE의 병태생리와 근거에 기반한 진단적 접근법을 알아보기로 한다.

병태생리학

전신염증에서부터 병적 행동에 이르기까지

패혈증에 의한 염증반응은 감정과 인지에 변화를 일으키는 신호의 근원이다. 이러한 변화는 '병적 행동(sickness behavior)'이라 부르는 생리학적 행동학적 반응의 일환이다. 전형적으로 근력저하, 피로감, 무관심, 집중력 저하, 무정동, 기면, 식욕저하 등의 형태로 나타난다. 이는 혼돈(혹은 섬망)에서부터 혼수 증상을 보일 수 있는 뇌염과 구분해야 한다.[8]

두 개의 중요한 신경학적 구조가 뇌신호에 관여한다.[8] 미주신경은 말단 싸이토카인 수용체를 통해 장기의 염증을 감지하고, 신호를 자율신경계와 신경호르몬 중추로 이어 보내어 각각 혈압 반사, 아드레날린 축, 바소프레신 분비를 조절한다. 또한 미주신경은 대식세포의 니코틴 수용체와 결합하는 아세틸콜린을 분비하여 염증을 감소시킨다.[9] 뇌실주위기관(circumventricular organs, CVOs)은 정중앙의 구조물로 3, 4뇌실을 구분하고, 신경내분비와 자율신경계(neurovegetative) 핵에 인접해 있다. 이곳은 혈액-뇌 장벽(Blood-Brain Barrier, BBB)이 부족하고 선천, 후천적 면역시스템의 수용체를 발현한다.[10,11]

CVOs는 순환하는 매개체를 인지하고 통과하게 함으로써 신경내분비, 자율신경계, 행동 조절에 관여하는 좀 더 깊은 영역으로 간접적인 신호를 보내게 된다.[8] 다양한 매개체 특히 전염증/항염증 싸이토카인, 프로스타글란딘, 일산화질소 등이 뇌신호에 관여한다.[12-15]

병태생리학의 대뇌 과정

SAE는 허혈 과정과 신경염증에 의하여 생기는데, 이들은 서로 배타적이지 않으며, 신경신호전달 손상과 세포기능 이상으로 귀결된다. 모두 미세 순환의 변화가 공통 과정이다.

패혈증의 급성신경 염증 과정

내피세포 활성화와 혈액뇌장벽(BBB)의 기능 이상

이 과정은 미세순환과 BBB를 변화시키는 내피세포활성화를 포함한다. 그에 따라 산소공급이 저해되고, 신경독성물질과 염증매개체 등이 중추신경계로 통과하게 된다.

내피세포 활성화는 패혈증에서 장기부전의 주요 병태생리 기전으로, 뇌혈관과도 관련이 있다. 내피세포 활성화는 다양한 부착 분자,[16-19] Toll-like 수용체, 싸이토카인 수용체의[20] 발현, 전염증 싸이토카인과 일산화질소 생산, 산화질소 합성효소(iNOS),[21] type 2 cyclo-oxygenase 합성이 특징이다.[22] 활성 내피는 일산화질소와 전염증 싸이토카인을 뇌실질로 분비하고 활성화된 백혈구를 모집하여 뇌염증을 일으킨다.[18,20,23]

BBB 기능 부전은 내피활성화에 의한 혈관 긴장도와 미세순환 변화의 결과이다.[24] MRI로 패혈증 환자에서 혈관성 부종을 확인함으로써 이러한 BBB의 변화가 증명되었다.[7] BBB 파괴는 가끔 전체 백색질에 영향을 미치거나 후엽의 가역적 뇌증과 같이 후엽에 국소적 영향을 미친다.[25] 최근 연구에서는 실험적으로 초기 패혈증에서 IV Ig 투여로 BBB 변화가 감소할 수 있다고 보고하였다.[26] 실험적 연구에서 BBB 기능 부전은 혈관주위세포(pericyte)가 박탈되고[27] 밀착연접(tight junction) 단백질 또는 세포간 경로에서 투과성이 증가함을 입증하였다.[26,28-30] 이러한 변화와 관련된 요소들은 주로 TNF-α,[34] ROS, 질소반응물(RNS)[35] 같은 보체이다.[31,32,33] 이들은 투과성을 높여 뇌실질 내로 백혈구,[20] 염증성 물질, 대사물질, 약물, 신경독성 매개체가 통과하게끔 한다.[13,14,24,36,37] 결국 뇌세포는 싸이토카인 수용체를 발현하여 염증성 매개물질을 분비하고 신경 염증 과정이 증폭된다.[37-39]

소교세포 활성화

실험 연구와 인체 대상 신경 병태학 연구 결과 패혈증에서 소교세포(microglia)의 활성화가 보고되었다.[40-42] 소교세포 활성화는 백혈구 동원[43]과 관련된 것으로 보인다. 소교세포는 뇌혈관 가까이에 주로 위치한다.[27] TNF-α, iNOS[13,14,24,36,44] 글루코오스[41] 같은 다양한 요소들이 패혈증에서 직접적으로 소교세포에 작용한다. 성상세포(astrocyte)처럼 활성화된 소교세포는 전염증 싸이토카인, 산화질소를 분비하여 신경염증 과정을 증폭할 수 있다.[45] 병리적 소교세포 활성화는 패혈증 환자의 섬망에서 중요한 기전으로 알려져 있다. 미노싸이클린은 소교세포를 억제함으로써 대뇌피질과 해면체의 IL-1β, IL-6의 mRNA 활성을 감소시켜 병적행동의 회복에 기여하였다.[37] Statin 계열 약물도 소교세포 활성화를 조절할 수 있다.[46] 신경퇴행성질환에서 패혈증에 의한 소교세포의 활성화, 그리고 섬망에서 인지감소로 이행하는 과정에서 소교세포의 역할은 아직 논란이 있다. 이 두 가지는 다음에 다시 다루기로 한다.

패혈증에서 허혈 과정

몇몇 사례 연구들이 패혈성 쇼크 환자의 허혈성 뇌졸중에 대하여 보고한 바 있다.[7] 신경병태학적 연구는 뇌혈류에 민감한 뇌 영역의 허혈에 주목했다.[42] 허혈은 뇌관류 손상과 관련이 있을텐데 패혈증 병발 시 뇌 관류에 관한 근거가 혼재되어 있다.[47] 어떤 연구들에서는 뇌 관류 손상이 없었고, 다른 연구들에서는 뇌 관류 조절의 변화와 함께 뇌 관류압이나 뇌 혈류의 감소를 보이기도 했는데, 이는 뇌 혈관 관류압의 자동조절과 이산화탄소에 대한 반응성 손상을 의미한다.[48] 하지만 이러한 장애가 허혈을 어느 정도까지 설명할 수 있는지 정확히 알 수는 없다. 연구진은 이전의 신경병태학적 연구들에서 저혈압의 정도 또는 시간과 뇌 허혈의 상관성을 찾지는 못했으나,[42] 뇌의 자동조절이상은 섬망과 관련이 있다.[49] 관류 모니터링과 적정화(optimization)로 뇌졸중의 발생을 낮출 수 있는지를 확인하는 것이 패혈성 쇼크에서 뇌관류의 중요성을 확인하는 한 가지 방법이 될지도 모른다. 이러한 접근법은 미세순환장애와 혈액응고장애 두 가지 요소로 제한될 수도 있다.

뇌의 미세순환장애는 패혈증의 여러 패혈증 실험모델에서 확인되었지만 인체에서 입증되지는 않았다.[2,50] 이는 패혈성 쇼크로 사망한 환자의 뇌에서 확인된 미세출혈과 광범위한 허혈성 손상을 설명하는 것일 수도 있다.[42]

혈액응고장애, 특히 범발성혈관내응고증(disseminated intravascular coagulation, DIC)은 뇌에 영향을 미칠 수 있고 패혈증 관련 뇌증 발현에 관여한다.[7] 한 병태생리 연구에서는 패혈성 쇼크 환자의 10%에서 응고장애에 의한 응고성 병변이 있다고 보고하였다.[42] 게다가 허혈성 뇌졸중은 혈소판 수 감소와 응고 시간(activated clotting time)의 증가와도 관련이 있다.[51]

마지막으로 또 다른 기전이 심장 혈전으로 나타날 수도 있다. 패혈증 환자에서 심방세동이 새로 발생할 경우 뇌졸중 및 사망률 위험이 높아진다.[52]

세포기능이상과 자멸사(apoptosis)

전염증 매개체는 뇌 안에서 세포의 산화 스트레스를 유발한다.[53-55] 패혈증에 걸린 쥐의 뇌, 특히 해면체와 피질은 일시적이지만 초기에 산화 스트레스에 취약하다.[53,54] 이는 과산화질소 형성(산화질소 경로),[56,57,58] 항산화요소 감소(heat shock proteins[58] 또는 ascorbate),[59] 초과산화물 불균등화효소(superoxide dismutase) 경로의 기능저하,[53] 미토콘드리아 기능이상,[55-57,60] 고혈당 또는 저산소증 때문이다.[61] 미토콘드리아 기능이상은 신경세포의 에너지 합성 실패의 원인일 수 있다.[55,62] 하지만 이러한 기전이 건강한 실험 자원자에서는 입증되지 못했다.[35,63,64]

자멸사는 산화스트레스에 따른 주요 결과 중 하나이다. iNOS의 발현은 패혈증에서 미토콘드리아 매개 자멸사에 관여하는 것으로 보인다.[56,60,65] 인체 연구에서는 신경세포 자멸사 정도가 내피세포 iNOS의 활성화와 관련이 있었다.[66] 산화질소뿐만 아니라, TNF-α, 글루코스, 글루탐산염 등 다양한 전사멸성 분자가 관여한다.[67] 패혈성 쇼크 환자의 다발성 괴사성 백질뇌증은 TNF-α의 전사멸 역할을 뒷받침한다.[68] 최근 연구자들은 소교세포 자멸사와 혈당과의 관계를 보고한 바 있다.[41] 또한 여러 신경학적 질환에서 글루탐산염의 신경독성이 원인으로 지목되고 있다.[69] 활성화된 소교세포는 이러한 신경매개체의 상당량을 분비한다.[56] 패혈증에서 성상세포의 아스코르브산염 재활용과 글루탐산에 의한 아스코르브산염의 분비는 억제된다.[59,70] 패혈증 관련 뇌증 환자의 뇌척수액(CSF)과 혈장에서 이들 수치가 감소하였다.[71]

신경전달장애

신경염증과 허혈과정의 최종 결과는 신경전달장애로, 이는 뇌증의 임상징후를 직접적으로 설명할 수 있다.[72] β-교감신경계,[73] GABA 수용체계,[74] 콜린성 분비체계는[75] 패혈증의 영향을 받는다.

도파민성과 콜린성 신경전달의 균형은 중환자에서 섬망의 중요한 기전이라고 생각되고 있다.[44] 하지만 rivastigmine 치료는 섬망의 기간을 줄이지 못했다.[76] 벤조다이아제핀 같은 GABA 항진제 사용은 중환자에서 뇌기능 저하의 위험이 증가하는 것과 관련이 있다.[77] 노르아드레날린 신경전달도 패혈증 관련 뇌증과 관련이 있을 수도 있는데, $\alpha 2$ 교감신경계 수용체 항진제로 청반(locus coeruleus) 활성을 조절한다고 생각되는 dexmedetomidine이 패혈증 환자에서 midazolam 사용과 비교할 때 뇌 기능 저하를 줄일 수 있다.[78,79]

특히 산화질소[32]와 신경독성 아미노산은 신경 전달 변화의 원인으로 지목되고 있다. 패혈증에서 암모늄(amino acid), 티로신(tyrosine), 트립토판(tryptophan), 페닐알라닌(phenylalanine) 같은 신경독성 아미노산은 간과 근육에서 초과분비되어 BBB가 바뀐 환경에서 보다 쉽게 뇌에 도달한다.[80-82] 이에 따라 수반되는 분지사슬 아미노산의 감소는 신경독성 효과를 증강한다.[80-82] 신장과 간부전과 현저히 관련되는 대사이상은 패혈증 환자에 사용되는 다양한 약물들(진정제, 진통제, 항생제)과 신경전달에 영향을 미치게 된다.

패혈증 관련 뇌증에서 뇌 손상 패턴

혹자는 국소적인 허혈에서 일어나는 지역적이고 제한적인 과정에 반하여 신경염증과정은 광범위할 수 있다고 주장할 수도 있다. 허혈성 뇌졸중은 종종 국소적인 신경학 징후로 나타난다. 반대로 패혈증 환자의 뇌는 다발성 열공성뇌경색을 보이는데,[42] 다발성 괴사성 백질뇌증의 존재는 뇌의 일부 영역이 신경염증과정에 더 민감하다는 사실을 의미한다.[68]

섬망, 장기간 정신 질환(예; PTSD), 인지장애(특히 기억과 집중) 이환율은 패혈증에서 해면체가 특히 영향을 받는다는 것을 시사한다. 이는 염증뿐만 아니라 허혈, 저산소, 혈당이상에 취약하다는 것으로도 설명된다.

패혈증에서 뇌간의 기능이상에 관한 증거도 있다. 신성되어 있는 중환자에서 일부 뇌간 반응은 사망과 섬망을 포함하여 불량한 예후와 관련이 있다.[83] 심장박동의 교감신경조절 손상은 흔하며, 패혈증 환자에서 사망률 증가와도 관련이 있는데, 이는 중추신경계의 자율 조절 손상을 시사한다.[84] 뇌간은 교감,[85] 부교감신경을[9] 거쳐 면역반응에 중요한 영향을 끼친다. 뇌간 핵은 자멸사에 취약한데, 항자멸적 특성을 가진 dexmedetomidine을 사용하면 패혈증 환자에서 섬망이 감소하기도 한다.[78] 따라서 뇌간기능저하는 패혈증 환자에서 의식의 변화, 면역체계, 심혈관계의 자율 조절의 변화를 초래할 수 있다.

진단과 감별진단

급성기 혼돈 상태 중환자의 임상적 진찰

중환자실에서 급성뇌기능 저하를 발견해내는 것은 신경학적 진찰에 근거한다. 패혈증 관련 뇌증은 의식상태와 인지의 급격한 변화, 수면/각성 주기의 변화, 지남력 저하, 집중력 저하, 사고 부조화 등이 특징이다. 간혹 불안과 환각이 동반된 항진된 행동이 관찰되기도 한다. 그렇지 않고 불안/초조와 자려는 경향이 나타날 수도 있다. 빈도는 덜하지만 자극성 강직, 고정자세 불능증(asterixis), 떨림, 간대성 근경련 등의 행동 증상이 나타나는 경우도 있다. 임상의는 중환자의 뇌기능 이상을 발견해낼 수 있는 confusion assessment method for the ICU (CAM-ICU), intensive care delirium screening checklist (ICDSC)와 같은 임상적으로 유용한 도구를 고려해 볼 수 있다.

두 가지 모두 인공기계환기를 하고 있는 중환자의 섬망을 발견하는데 입증된 방법이다.[86] 섬망 발생의 위험성을 평가하는 PRE-DELERIC score이나,[87] 진정 상태라면, 인형안반사(oculjlo-cephalic response) 소실로 평가해 볼 수 있다.[83] GCS,[88] FOUR coma scale,[89] Richmond Agitation and Sedation Scale (RASS), Assessment to Intensive Care Environment (ATICE)도 인식 평가에 사용할 수 있다.[90] 만약 뇌기능 저하가 확인되면, 국소적인 신경학적 징후가 있는지 찾아보아야 하는데, 경부 강직, 운동 반응, 근력, 발바닥과 심부인대반사, 뇌신경 등을 포함하여 철저한 신경학 진찰이 필수적이다.

다른 검사들

의사는 설명할 수 없는 갑작스런 의식 또는 주의력의 변화 혹은 신경학적 징후, 경련, 경부 강직 등이 나타나면 뇌영상, 뇌파검사, 척수 천자 등을 고려하게 된다. 뇌염이나 뇌수막염이 의심되는 경우라면 뇌영상촬영 전후에 뇌척수액검사를 반드시 고려한다.

국소 신경 징후가 있을 시 뇌영상 촬영의 적응증이다. 뇌 MRI는 허혈성 또는 출혈성 뇌졸중, 뇌백질 질환, 뇌농양 등 급성중추신경계의 문제를 찾아내는 데 CT에 비하여 민감도가 높다. 하지만 뇌 영상검사 시행은 중환자를 이송해야 하는 위험과 이익을 비교하여 항상 신중하게 고려해야 할 문제이다.

국소 징후가 없거나 뇌 영상 소견이 정상일 때 의사는 저혈당, 고칼슘혈증, 고혈당, 저나트륨혈증, 고나트륨혈증 등 의식 저하를 일으킬 수 있는 흔한 대사 이상을 신중하게 배제 진단하여야 한다. 의식 변화로 부신기능 부전을 찾아내는 경우도 있고, 간성 뇌증이나 요독성 뇌증이 패혈증으로 악화된 경우일 수도 있다. 의사는 때때로 항생제, 스테로이드, 심혈관계 약제 등 신경독성이 있는 약물을 인지하고 중단을 고려해야 할 경우도 있다. 간부전, 신장부전이 있을 경우 잠재적으로 독성을 유발할 수 있는 약물들은 혈장 내 농도를 항상 확인해야 한다. 중환자는 특히 벤조디아제핀, 마약 계통 약물의 중단에도 취약하다. 약물 재투여 후 신경학적 개선이 되는 시기적 상관성은 금단증상임을 의미할 수 있다. 흡연 의존성도 중환자에서는 섬망의 주요 위험인자이다; 이는 만성흡연자에게 사용하는 니코틴 패치로 예방할 수 있다.[91] 알코올 금단 관련 섬망은 치명적일 수도 있는데 흔하지 않다. 48–72시간을 금주한 알코올 의존성 입원 환자의 5%에서 발생한다. 영양실조이거나 알코올 중독 환자에서 안구마비와 운동실조가 나타난다면 베르니케 뇌증(Wernicke's encephalopathy)을 항상 의심해 보아야 한다.[92] 심내막염 또한 종종 뇌기능 저하와 관련이 있고 MRI상에서도 미세출혈이 보이면 의심해 보아야 한다.

뇌파검사는 의식 변화와 동반하여 비정상적인 움직임을 보이거나, 설명할 수 없는 의식변화만 단독으로 있는 경우, 비경련성 경련에 의한 이차적 의식 변화일 수 있기 때문에 검사가 필요하다. 최근에는 패혈증이 뇌파 이상과 관련이 있음이 보고되었다: 즉 뇌전증 뇌파(epileptic discharge), 주기적 뇌전증 형태 뇌파(periodic epilepticform discharge),[93] 쎄타 리듬(theta rhythms) 증가, 삼상(triphasic) 파형, 돌발억제현상(burst suppression)[94] 등이다.

마지막으로 뉴론 특이 에놀라아제, S-100 단백질 같은 뇌손상 바이오마커의 혈장농도를 평가하는 방법이 진정 상태의 패혈증 환자에서 뇌기능 이상을 찾아내기 위해 제안되고 있다.[95,96]

치료

패혈증 관련 뇌증에 특화된 치료법이 없기 때문에 패혈증 조절을 주목적으로 장기부전, 대사이상, 신경독성 약물 중단 등 보조적 치료에 중점을 두어야 한다. 섬망 평가를 위한 예방과 치료가 패혈증 관련 뇌증에서도 제안되고 있지만, 거의 모든 연구들에서 패혈증 환자에서 효과 평가가 이루어진 것은 아니다.

GCS가 13점 미만인 패혈성 쇼크 환자에서 활성화 단백질 C를 이용한 치료법은 S-100 단백질 혈장 수치를 현저히 낮췄다.[97] 하지만 이 약물은 더 이상 사용이 불가능하다. 스테로이드는 외상후스트레스증후군과 BBB 변화, 뇌부종을 감소시킨다고 밝혀졌 있다.[98] 패혈증 관련 뇌기능

저하 예방을 위한 혈당 조절의 이점이 실험실적 연구로 뒷받침되기는 했으나 충분히 입증된 것은 아니다.[99] 실험실 연구들에서 면역글로불린,[26] 마그네슘,[28] 리루졸(riluzolw),[100] 칼슘채널 길항제, 스테로이드, 항싸이토카인 항체의 사용이 BBB를 유지하는 데 예방적 효과를 보였다.[101] 또한 항산화제인 N−acetylcysteine과 deferoxamine이 패혈증 실험쥐에서 인지장애를 예방하였다.[54] 지방족 아미노산 결함을 교정하면 신경전달물질의 합성을 자극함으로써 뇌증 징후가 감소할 수 있다.[82]

결과 및 장기간 인지력 감퇴

패혈증 관련 뇌증의 영향은 아직 알려지지 않았으나 확실히 섬망에서 보고되는 바와 유사할 것이다. 중환자에서 섬망은 인공호흡기 사용 기간 연장, 중환자실 재실 기간 증가, 추가 의료비용, 병원 내 사망률 등과 명백한 관련성이 입증되었다.[77,102-105]

입원당시 패혈증 환자의 1/3은 GCS 12점 미만이며, GCS 8점 미만은 사망률과 독립적으로 상관관계가 있다. 사망 위험은 전기생리학적 이상이 심할수록 증가하는데,[5] 뇌파가 정상일 때 사망 위험이 0%라면 돌발억제현상 뇌파는 67%까지 증가한다.[93,106,107] 뇌전증 또는 주기적 뇌전증 뇌파는 지속적으로 뇌파를 모니터했던 패혈증 환자에서 사망률 증가와 관련이 있었다.[93] MRI 소견의 예후 예측 가치도 결론이 나지 않았는데,[7] 예비 결과를 보면 허혈성 뇌졸중과 사망률 상승과의 연관성을 보여주고 있다.[108]

중환자실에서 섬망이 발생했던 환자와[109] ARDS 생존자에[110] 관한 보고에서처럼, 패혈증 생존자들은 병원 입원 치료 후 8년까지도 인지기능 저하를 겪었다.[6] 이러한 인지기능 감퇴는 패혈증의 중증도에 비례하였으며, 발병 전 기능 제약이 없었던 환자들에게 중등도 수준에 이를 정도의 영향을 미칠 수 있다.[6] 패혈증에서 회복된 환자들에서 관찰되는 장기간의 인지력 감퇴에 대하여 두 가지 가설이 존재한다: 하나는 광범위한 허혈성 손상에 따른 혈관성 변화이고 다른 하나는 소교세포의 활성화가 포함된 신경퇴화 과정이다.

소교세포 활성화는 인지력 감퇴를 동반한 섬망을 연결하는 핵심 기전이라고 받아들여져 왔다.[44] 이 가설은 신경퇴행성 질환인 알츠하이머씨병에서 소교세포 활성화가 확인됨으로써 지지를 받고 있다.[111] 만성중추신경계질환을 앓는 동안 소교세포는 반복되는 전신성 또는 중추신경계 염증반응에 과반응 상태로 있게 된다.[112,113] Weberpals 등은 LPS로 처리된 실험쥐에서 인지기능 장애가 소교세포 활성화와 관련이 있었고 뉴런의 사멸과는 관련되지 않았다고 보고하였다;[114] Semmler 등은 인지기능 장애가 발생한 패혈증 쥐에서 콜린성 분포가 감소하였다고 보고하였다.[75] 이러한 가설에 따르면, 소교세포의 콜린성 억제 감소가 신경독성을 야기한다고 할 수 있다.[44] 그러나 가설은 아세틸콜린 길항제인 rivastigmine 적용한 임상연구에서 수술 후 섬망을 예방하는데 도움이 되지 않았다는 연구결과로 반박되고 있다.[76] 끝으로 섬망이 있는 중환자에서 베타 아밀로이드 농도가 높으며 이는 장기적인 인지기능 손상과 관련성이 있다는 보고가 최근 있었다.[115]

광범위한 허혈 손상에 따른 혈관 반응도 패혈증 관련 뇌증과 장기간 인지력 감퇴사이의 관련성을 설명해줄 수 있다. 신경병태학, 신경방사선학은 이러한 가설을 뒷받침하고 있다.[7,42,108] 한 신경방사선학적 예비연구는 패혈증에 의한 백색질 병변과 인지력 감퇴와의 연관성을 제기하였다.[116] 이는 해면체(hippocampus) 손상이 장기간의 정신 질환과 인지장애를 설명할 수 있어 타당해 보인다.[53] 사실 해면체는 주의력과 기억력 만큼이나 PTSD 병태생리에서 관련이 있는데, 이 두 가지 인지 요소는 패혈증 관련 뇌증과 섬망에서 가장 빈번히 문제가 되는 인지영역이다.[117] 해면체의 산화스트레스 감소는 패혈증 쥐에서 인지장애 감소와 관련이 있다.[53] 또 다른 뇌 영역인 두정엽 피질의 콜린성 신경계 또한 현저하게 이와 관련되어 있다.[75] iNOS도 관련이 있을 것으로 보이는데, NOS2 유전자 결손이 패혈증에 의한 장기간의 인지력 감퇴를 보호하는 작용을 한다.[114]

마지막으로 신경축삭증(anoxopathy)이 장기간의 인지 변화를 설명할 수 있다는 점도 생각해볼 수 있다. 신경축삭 손상은 백색질의 과밀도와 관련되어 있으며, 신경방사선학 연구는 섬망이 있는 중환자에서 결과적으로 인지력 감퇴가 발생하는 것과 관련이 있다고 설명하고 있다.[118] 이 가설은 패혈증 관련 뇌증과 패혈증의 또 다른 주요한 신경 합병증인 CIP와 연관 짓고 있다. 이 두 질환은 공통된 병태생리학적 기전을 가진다.

결론

패혈증은 중환자에서 뇌기능 저하를 일으키는 가장 흔하고 심각한 원인이다. 패혈증 관련 뇌증이 병태생리학은 복잡하고 염증성, 허혈성 과정 어느 것이나 가능하며 모든 뇌세포에 영향을 줄 수 있다. 뇌증의 진단은 신경학적 진찰, 뇌영상 검사가 필수적이다. 의료현장에서는 일단 뇌의 감염 여부를 배제하는 것이 우선시되어야 한다. 현재까지 이러한 패혈증 관련 뇌증의 주된 치료는 패혈증을 치료하는 것이다.

참고문헌

1 Consales G, De Gaudio AR. Sepsis associated encephalopathy. Minerva Anestesiol 2005;71:39–52.

2 Iacobone E, Bailly-Salin J, Polito A, Friedman D, Stevens RD, Sharshar T. Sepsis-associated encephalopathy and its differential diagnosis. Crit Care Med 2009;37:S331–6.

3 Sprung CL, Peduzzi PN, Shatney CH, et al. Impact of encephalopathy on mortality in the sepsis syndrome. The Veterans Administration Systemic Sepsis Cooperative Study Group. Crit Care Med 1990;18:801–6.

4 Akrout N, Sharshar T, Annane D. Mechanisms of brain signaling during sepsis. Curr Neuropharmacol 2009;7:296–301.

5 Eidelman LA, Putterman D, Putterman C, Sprung CL. The spectrum of septic encephalopathy. Definitions, etiologies, and mortalities. JAMA 1996;275:470–3.

6 Iwashyna TJ, Ely EW, Smith DM, Langa KM. Long-term cognitive impairment and functional disability among survivors of severe sepsis. JAMA 2010;304:1787–94.

7 Sharshar T, Carlier R, Bernard F, et al. Brain lesions in septic shock: a magnetic resonance imaging study. Intensive Care Med 2007;33:798–806.

8 Dantzer R, O'connor JC, Freund GG, Johnson RW, Kelley KW. From inflammation to sickness and depression: when the immune system subjugates the brain. Nat Rev Neurosci 2008;9:46–56.

9 Tracey KJ. Reflex control of immunity. Nat Rev Immunol 2009;9:418–28.

10 Lacroix S, Rivest S. Effect of acute systemic inflammatory response and cytokines on the transcription genes encoding cyclooxigenase enzimes (COX-1 and COX-2) in the rat brain. J Neurochem 1998;70:452–66.

11 Laflamme N, Souci G, Rivest S. Circulating cell wall components derived from Gram-negative and not gram-positive bacteria cause of a profound transcriptionnal activation of the gene Toll-like receptor 2 in the CNS. J Neurochem 2001;70:648–57.

12 Konsman JP, Kelley K, Dantzer R. Temporal and spatial relationships between lipopolysaccharide-induced expression of Fos, interleukin-1beta and inducible nitric oxide synthase in rat brain. Neuroscience 1999;89:535–48.

13 Wong ML, Bongiorno PB, Al-Shekhlee A, Esposito A, Khatri P, Licinio J. IL-1 beta, IL-1 receptor type I and iNOS gene expression in rat brain vasculature and perivascular areas. Neuroreport 1996;7, 2445–8.

14 Wong ML, Rettori V, Al-Shekhlee A, et al. Inducible nitric oxide synthase gene expression in the brain during systemic inflammation. Nat Med 1996;2:581–4.

15 Wong ML, Bongiorno PB, Rettori V, Mccann SM, Licinio J. Interleukin (IL)-1ß, IL-1 receptor antagonist, IL-10, and IL-13 gene expression in the central nervous system during systemic inflammation: pathophysiological implications. Proc Natl Acad Sci USA 1997;94:227–32.

16 Hess DC, Bhutwala T, Sheppard JC, Zhao W, Smith J. ICAM-1 expression on human brain microvascular endothelial cells. Neurosci Lett 1994;168:201–4.

17 Hess DC, Thompson Y, Sprinkle A, Carroll J, Smith, J. E-selectin expression on human brain microvascular endothelial cells. Neurosci Lett 1996;213:37-40.

18 Hofer S, Bopp C, Hoerner C, et al. Injury of the blood brain barrier and up-regulation of icam-1 in polymicrobial sepsis. J Surg Res 2008;146:276-81.

19 Omari KM, Dorovini-Zis K. CD40 expressed by human brain endothelial cells regulates CD4 + T cell adhesion to endothelium. J Neuroimmunol 2003;134:166-78.

20 Zhou H, Andonegui G, Wong CH, Kubes P. Role of endothelial TLR4 for neutrophil recruitment into central nervous system microvessels in systemic inflammation. J Immunol 2009;183:5244-50.

21 Freyer D, Manz R, Ziegenhorn A, et al. Cerebral endothelial cells release TNF-alpha after stimulation with cell walls of Streptococcus pneumoniae and regulate inducible nitric oxide synthase and ICAM-1 expression via autocrine loops. J Immunol 1999;163:4308-14.

22 Matsumura K, Cao C, Ozaki M, Morii H, Nakadate K, Watanabe Y. Brain endothelial cells express cyclooxygenase-2 during lipopolysaccharide-induced fever: light and electron microscopic immunocytochemical studies. J Neurosci 1998;18:6279-89.

23 Bohatschek M, Werner A, Raivich G. Systemic LPS injection leads to granulocyte influx into normal and injured brain: effects of ICAM-1 deficiency. Exp Neurol 2001;172:137-52.

24 Semmler A, Hermann S, Mormann F, et al. Sepsis causes neuroinflammation and concomitant decrease of cerebral metabolism. J Neuroinflammation 2008;5:38.

25 Bartynski WS, Boardman JF, Zeigler ZR, Shadduck RK, Lister J. Posterior reversible encephalopathy syndrome in infection, sepsis, and shock. AJNR Am J Neuroradio 2006;27:2179-90.

26 Esen F, Senturk E, Ozcan PE, et al. Intravenous immunoglobulins prevent the breakdown of the blood-brain barrier in experimentally induced sepsis. Crit Care Med 2012;40:1214-20.

27 Nishioku T, Dohgu S, Takata F, et al. Detachment of brain pericytes from the basal lamina is involved in disruption of the blood-brain barrier caused by lipopolysaccharide-induced sepsis in mice. Cell Mol Neurobiol 2009;29:309-16.

28 Esen F, Erdem T, Aktan D, et al. Effect of magnesium sulfate administration on blood-brain barrier in a rat model of intraperitoneal sepsis: a randomized controlled experimental study. Crit Care 2005;9:R18-23.

29 Mayhan G. Effect of lipopolysaccharide on the permeability and reactivity of the cerebral microcirculation: role of inducible nitric oxide synthase. Brain Res 1998;792:353-7.

30 Yi X, Wang Y, Yu FS. Corneal epithelial tight junctions and their response to lipopolysaccharide challenge. Invest Ophthalmol Vis Sci 2000;41:4093-100.

31 Flierl MA, Stahel PF, Rittirsch D, et al. Inhibition of complement C5a prevents breakdown of the blood-brain barrier and pituitary dysfunction in experimental sepsis. Crit Care 2009;13:R12.

32 Jacob A, Brorson JR, Alexander JJ. Septic encephalopathy: inflammation in man and mouse. Neurochem Int 2011;58:472-6.

33 Jacob A, Hack B, Chiang E, Garcia JG, Quigg RJ, Alexander JJ. C5a alters blood-brain barrier integrity in experimental lupus. FASEB J 2012;24:1682-8.

34 Tsao N, Hsu HP, Wu CM, Liu CC, Lei HY. Tumour necrosis factor-alpha causes an increase in bloodbrain barrier permeability during sepsis. J Med Microbiol 2001;50:812-21.

35 Berg RM, Moller K, Bailey DM. Neuro-oxidative-nitrosative stress in sepsis. J Cereb Blood Flow Metab 2011;31:1532-44.

36 Alexander JJ, Jacob A, Cunningham P, Hensley L, Quigg RJ. TNF is a key mediator of septic encephalopathy acting through its receptor, TNF receptor-1. Neurochem Int 2008;52:447-56.

37 Henry CJ, Huang Y, Wynne AM, Godbout JP. Peripheral lipopolysaccharide (LPS) challenge promotes microglial hyperactivity in aged mice that is associated with exaggerated induction of both proinflammatory IL-1beta and anti-inflammatory IL-10 cytokines. Brain Behav Immun 2009;23:309-17.

38 Bi XL, Yang JY, Dong YX, et al. Resveratrol inhibits nitric oxide and TNF-alpha production by lipopolysaccharide-activated microglia. Int Immunopharmacol 2005;5:185-93.

39 Gavillet M, Allaman I, Magistretti PJ. Modulation of astrocytic metabolic phenotype by proinflammatory cytokines. Glia 2008;56:975-89.

40 Lemstra AW, Groen In' T, Woud JC, et al. Microglia activation in sepsis: a case-control study. J Neuroinflammation 2007;4:4.

41 Polito A, Brouland JP, Porcher R, et al. Hyperglycaemia and apoptosis of microglial cells in human septic shock. Crit Care 2011;15:R131.

42 Sharshar T, Annane D, De La Grandmaison GL, Brouland JP, Hopkinson NS, Francoise G. The neuropathology of septic shock. Brain Pathol 2004;14:21-33.

43 Zhou H, Lapointe BM, Clark SR, Zbytnuik L, Kubes P. A requirement for microglial TLR4 in leukocytes recruitment in response to lipopolysaccharide. J Immunol 2006;177:8103-10.

44 Van Gool WA, Van De Beek D, Eikelenboom P. Systemic infection and delirium: when cytokines and acetylcholine collide. Lancet 2010;375:773-5.

45 Cheret C. Neurotoxic activation of microglia is promoted by a nox1-dependent NADPH oxidase. J Neurosci 2008;28:12039-51.

46 Morandi A, Hughes CG, Girard TD, Mcauley DF, Ely EW, Pandharipande PP. Statins and brain dysfunction: a hypothesis to reduce the burden of cognitive impairment in patients who are critically ill. Chest 2011;140:580-5.

47 Matta BF, Stow P. Sepsis-induced vasoparalysis does not involve the cerebral vasculature: indirect evidence

from autoregulation and carbon dioxide reactivity studies. Br J Anaesth 1996;76:790-4.

48 Burkhart, C. S., Siegemund, M. & Steiner, L. A. Cerebral perfusion in sepis. Crit Care 2010;14, 215.

49 Pfister D, Siegemund M, Dell-Kuster S, et al. Cerebral perfusion in sepsis-associated delirium. Crit Care 2008;12:R63.

50 Taccone FS, Su F, Pierrakos C, et al. Cerebral microcirculation is impaired during sepsis: an experimental study. Crit Care 2010;14:R140.

51 Polito A, Eischwald F, Maho AL, et al. Pattern of Brain Injury in the Acute Setting of Human Septic Shock. Crit Care 2013;17(5):R204.

52 Walkey AJ, Wiener RS, Ghobrial JM, Curtis LH, Benjamin EJ. Incident stroke and mortality associated with new-onset atrial fibrillation in patients hospitalized with severe sepsis. JAMA 2011;306:2248-54.

53 Barichello T, Fortunato JJ, Vitali AM, et al. Oxidative variables in the rat brain after sepsis induced by cecal ligation and perforation. Crit Care Med 2006;34:886-9.

54 Barichello T, Machado RA, Constantino L, et al. Antioxidant treatment prevented late memory impairment in an animal model of sepsis. Crit Care Med 2007;35:2186-90.

55 D'avila JC, Santiago AP, Amancio RT, Galina A, Oliveira MF, Bozza FA. Sepsis induces brain mitochondrial dysfunction. Crit Care Med 2008;36:1925-32.

56 Brown GC, Bal-Price A. Inflammatory neurodegeneration mediated by nitric oxide, glutamate, and mitochondria. Mol Neurobiol 2003;27:325-55.

57 Chan JY, Chang AY, Wang LL, Ou CC, Chan SH. Protein kinase C-dependent mitochondrial translocation of proapoptotic protein Bax on activation of inducible nitric-oxide synthase in rostral ventrolateral medulla mediates cardiovascular depression during experimental endotoxemia. Mol Pharmacol 2007;71:1129-39.

58 Li FC, Chan JY, Chang AY. In the rostral ventrolateral medulla, the 70-kDA heat shock protein (HSP70), but not HSP90, confers neuroprotection against fatal endotoxemia via augmentation of nitric-oxide synthase I (NOS I)/protein kinase G signaling pathway and inhibition of NOS II/peroxinitite cascade. Mol Pharmacol 2005;68:179-92.

59 Korcok J, Wu F, Tyml K, Hammond RR, Wilson JX. Sepsis inhibits reduction of dehydroascorbic acid and accumulation of ascorbate in astroglial cultures: intracellular ascorbate depletion increases nitric oxide synthase induction and glutamate uptake inhibition. J Neurochem 2002;81:185-93.

60 Messaris E, Memos N, Chatzigianni E, et al. Time-dependent mitochondrial-mediated programmed neuronal cell death prolongs survival in sepsis. Crit Care Med 2004;32:1764-70.

61 Won SJ, Tang XN, Suh SW, Yenari MA, Swanson RA. Hyperglycemia promotes tissue plasminogen activator-induced hemorrhage by Increasing superoxide production. Ann Neurol 2011;70:583-90.

62 Maekawa T, Fujii Y, Sadamitsu D, et al. Cerebral circulation and metabolism in patients with septic encephalopathy. Am J Emerg Med 1991;9:139-43.

63 Hotchkiss RS, Karl IE. Reevaluation of the role of cellular hypoxia and bioenergetic failure in sepsis. JAMA 1992;267:1503-10.

64 Moller K, Strauss GI, Qvist J, et al. Cerebral blood flow and oxidative metabolism during human endotoxemia. J Cereb Blood Flow Metab 2002;22:1262-70.

65 Semmler A, Okulla T, Sastre M, Dumitrescu-Ozimek L, Heneka MT. Systemic inflammation induces apoptosis with variable vulnerability of different brain regions. J Chem Neuroanat 2005;30:144-57.

66 Sharshar T, Gray F, Lorin De La Grandmaison G, et al. Apoptosis of neurons in cardiovascular autonomic centres triggered by inducible nitric oxide synthase after death from septic shock. Lancet 2003;362:1799-805.

67 Yuan J, Yankner BA. Apoptosis in the nervous system. Nature 2000;407:802-9.

68 Sharshar T, Gray F, Poron F, Raphael JC, Gajdos P, Annane D. Multifocal necrotizing leukoencephalopathy in septic shock. Crit Care Med 2002;30:2371-5.

69 Villmann C, Becker CM. On the hypes and falls in neuroprotection: targeting the NMDA receptor. Neuroscientist 2007;13:594-615.

70 Wilson JX, Dragan M. Sepsis inhibits recycling and glutamate-stimulated export of ascorbate by astrocytes. Free Radic Biol Med 2005;39:990-8.

71 Voigt K, Kontush A, Stuerenburg HJ, Muench-Harrach D, Hansen HC, Kunze K. Decreased plasma and cerebrospinal fluid ascorbate levels in patients with septic encephalopathy. Free Radic Res 2002;36:735-9.

72 Stevens RD, Nyquist PA. Coma, delirium, and cognitive dysfunction in critical illness. Crit Care Clin 2006;22:787-804; abstract x.

73 Kadoi Y, Saito S, Kunimoto F, Imai T, Fujita T. Impairment of the brain beta-adrenergic system during experimental endotoxemia. J Surg Res 1996;61:496-502.

74 Kadoi Y, Saito S. An alteration in the gamma-aminobutyric acid receptor system in experimentally induced septic shock in rats. Crit Care Med 1996;24;298-305.

75 Semmler A, Frisch C, Debeir T, et al. Long-term cognitive impairment, neuronal loss and reduced cortical cholinergic innervation after recovery from sepsis in a rodent model. Exp Neurol 2007;204:733-40.

76 Van Eijk MM, Roes KC, Honing ML, et al. Effect of rivastigmine as an adjunct to usual care with haloperidol on duration of delirium and mortality in critically ill patients: a multicentre, double-blind, placebo-controlled randomised trial. Lancet 2010;376:1829-37.

77 Pandharipande P, Jackson J, Ely EW. Delirium: acute cognitive dysfunction in the critically ill. Curr Opin Crit Care 2005;11:360-8.

78 Pandharipande PP, Sanders RD, Girard TD, et al. Effect of dexmedetomidine versus lorazepam on outcome in patients with sepsis: an a priori-designed analysis of the MENDS randomized controlled trial. Crit Care 2007;14:R38.

79 Pandharipande PP, Sanders RD, Girard TD, et al. Effect of dexmedetomidine versus lorazepam on outcome in patients with sepsis: an a priori-designed analysis of the MENDS randomized controlled trial. Crit Care 2010;14:R38.

80 Basler T, Meier-Hellmann A, Bredle D, Reinhart K. Amino acid imbalance early in septic encephalopathy. Intensive Care Med 2002:28:293-8.

81 Berg RM, Taudorf S, Bailey DM, et al. Cerebral net exchange of large neutral amino acids after lipopolysaccharide infusion in healthy humans. Crit Care 2010;14:R16.

82 Freund HR, Ryan JA, Jr, Fischer JE. Amino acid derangements in patients with sepsis: treatment with branched chain amino acid rich infusions. Ann Surg 1978;188:423-30.

83 Sharshar T, Porcher R, Siami S, et al. Brainstem responses can predict death and delirium in sedated patients in intensive care unit. Crit Care Med 2011;39:1960-7.

84 Annane D, Trabold F, Sharshar T, et al. Inappropriate sympathetic activation at onset of septic shock: a spectral analysis approach. Am J Respir Crit Care Med 1999;160:458-65.

85 Kumar V, Sharma A. Neutrophils: Cinderella of innate immune system. Int Immunopharmacol 2010;10:1325-34.

86 Ely EW, Inouye SK, Bernard GR, et al. Delirium in mechanically ventilated patients: validity and reliability of the confusion assessment method for the intensive care unit (CAM-ICU). JAMA 2001;286:2703-10.

87 Boogaard M, Pickkers P, Slooter AJ, et al. Development and validation of PRE-DELIRIC (PREdiction of DELIRium in ICu patients) delirium prediction model for intensive care patients: observational multicentre study. BMJ 2012;344:e420.

88 Teasdale G, Jennett B. Assessment of coma and impaired consciousness. A practical scale. Lancet 1974;2:81-4.

89 Wijdicks EF, Bamlet WR, Maramattom BV, Manno EM, Mcclelland RL. Validation of a new coma scale: the FOUR score. Ann Neurol 2005;58:585-93.

90 De Jonghe B, Cook D, Griffith L, et al. Adaptation to the Intensive Care Environment (ATICE): development and validation of a new sedation assessment instrument. Crit Care Med 2003;31:2344-54.

91 Lucidarme O, Seguin A, Daubin C, et al. Nicotine withdrawal and agitation in ventilated critically ill patients. Crit Care 2010;14:R58.

92 Sechi G, Serra A. Wernicke's encephalopathy: new clinical settings and recent advances in diagnosis and management. Lancet Neurol 2007;6:442-55.

93 Oddo M, Carrera E, Claassen J, Mayer SA, Hirsch LJ. Continuous electroencephalography in the medical intensive care unit. Crit Care Med 2009;37:2051-6.

94 Watson PL, Shintani AK, Tyson R, Pandharipande PP, Pun BT, Ely EW. Presence of electroencephalogram burst suppression in sedated, critically ill patients is associated with increased mortality. Crit Care Med 2008;36:3171-7.

95 Nguyen DN, Spapen H, Su F, et al. Elevated serum levels of S-100beta protein and neuron-specific enolase are associated with brain injury in patients with severe sepsis and septic shock. Crit Care Med 2006;34:1967-74.

96 Piazza O, Russo E, Cotena S, Esposito G, Tufano R. Elevated S100B levels do not correlate with the severity of encephalopathy during sepsis. Br J Anaesth 2007;24:24.

97 Spapen H, Nguyen DN, Troubleyn J, Huyghens L, Schiettecatte J. Drotrecogin alfa (activated) may attenuate severe sepsis-associated encephalopathy in clinical septic shock. Crit Care 2010;14:R54.

98 Schelling G, Roozendaal B, Krauseneck T, Schmoelz M, Briegel J. Efficacy of hydrocortisone in preventing posttraumatic stress disorder following critical illness and major surgery. Ann N Y Acad Sci 2006;1071:46-53.

99 Espinoza-Rojo M, Iturralde-RodríguezK I, Chanez-Cardenas ME, Ruiz-Tachiquín ME, Aguilera P. Glucose transporters regulation on ischemic brain: possible role as therapeutic target. Cent Nerv Syst Agents Med Chem 2010;10:317-25.

100 Toklu HZ, Uysal MK, Kabasakal L, Sirvanci S, Ercan F, Kaya M. The effects of riluzole on neurological, brain biochemical, and histological changes in early and late term of sepsis in rats. J Surg Res 2009;152:238-48.

101 Wratten ML. Therapeutic approaches to reduce systemic inflammation in septic-associated neurologic complications. Eur J Anaesthesiol Suppl,2008;42:1-7.

102 Salluh JI, Soares M, Teles JM, et al. Delirium epidemiology in critical care (DECCA): an international study. Crit Care 2010;14:R210.

103 Lin SM, Huang CD, Liu CY, et al. Risk factors for the development of early-onset delirium and the subsequent clinical outcome in mechanically ventilated patients. J Crit Care 2008;23:372-9.

104 Ely EW, Shintani A, Truman B, et al. Delirium as a predictor of mortality in mechanically ventilated patients in the intensive care unit. JAMA 2004;291:1753-62.

105 Pisani MA, Kong SY, Kasl SV, Murphy TE, Araujo KL, Van Ness PH. Days of delirium are associated with 1-year mortality in an older intensive care unit population. Am J Respir Crit Care Med 2009;180:1092-7.

106 Young GB, Bolton CF, Archibald YM, Austin TW, Wells GA. The electroencephalogram in sepsisassociated encephalopathy. J Clin Neurophysiol 1992;9:145-52.

107 Young GB, Bolton CF, Austin TW, Archibald YM, Gonder J, Wells GA. The encephalopathy associated with septic illness. Clin Invest Med 1990;13, 297-304.

108 Le Maho AL, Polito A, Eischwald F, Annane D, Carlier R, Sharshar T. Cerebral magnetic resonance imaging in septic shock patients with acute brain dysfunction. ESICM Congress Berlin; 2011.

109 Girard TD, Jackson JC, Pandharipande PP, et al. Delirium as a predictor of long-term cognitive impairment in survivors of critical illness. Crit Care Med 2010;38:1513-20.

110 Hopkins RO, Weaver LK, Pope D, Orme JF, Bigler ED, Larson LV. Neuropsychological sequelae and impaired health status in survivors of severe acute respiratory distress syndrome. Am J Respir Crit Care Med 1999;160:50-6.

111 Ho GJ, Drego R, Hakimian E, Masliah E. Mechanisms of cell signaling and inflammation in Alzheimer's disease. Curr Drug Targets Inflamm Allergy 2005;4:247-56.

112 Cunningham C, Wilcockson DC, Campion S, Lunnon K, Perry VH. Central and systemic endotoxin challenges exacerbate the local inflammatory response and increase neuronal death during chronic neurodegeneration. J Neurosci 2005;25:9275-84.

113 Perry VH, Cunningham C, Holmes C. Systemic infections and inflammation affect chronic neurodegeneration. Nat Rev Immunol 2007;7:161-7.

114 Weberpals M, Hermes M, Hermann S, et al. NOS2 gene deficiency protects from sepsis-induced longterm cognitive deficits. J Neurosci 2009;29:14177-84.

115 Van den Boogaard M, Kox M, Quinn KL, et al. Biomarkers associated with delirium in critically ill patients and their relation with long-term subjective cognitive dysfunction; indications for different pathways governing delirium in inflamed and noninflamed patients. Crit Care 2011;15:R297.

116 Morandi A, Rogers BP, Gunther ML, et al. The relationship between delirium duration, white matter integrity, and cognitive impairment in intensive care unit survivors as determined by diffusion tensor imaging: the Visions prospective cohort magnetic resonance imaging study. Crit Care Med 2012;40:2182-9.

117 Hopkins RO, Weaver LK, Collingridge D, Parkinson RB, Chan KJ, Orme JF, Jr. Two-year cognitive, emotional, and quality-of-life outcomes in acute respiratory distress syndrome. Am J Respir Crit Care Med 2005;171:340-7.

118 Morandi A, Gunther ML. Neuroimaging. Psychiatry 2010;7:28-33.

중증질환 신경증, 근육병증, 나트륨 채널 이상

마크 리치(Mark M. Rich)

서론

중증질환 후 골격근쇠약은 회복을 어렵게 하는 흔한 문제이다. 환자들에서 쇠약의 주요 원인은 신경근 기능장애라고 알려진 말초 신경계의 기능장애이다. 중증질환에서 신경근 기능장애에 관한 첫 번째 보고는 30여 년 전 천식지속 상태(status asthmaticus) 환자에 관한 것이었다.[1] 이후로 다양한 중환자실 환경에서 쇠약해지는 사례에 관한 여러 보고가 거듭되었다.[2-4] 중증질환 동안 발생한 쇠약에 관한 초기 보고들은 일부 환자들에서 NMBAs 사용이 쇠약의 원인이 되었다고 하였다.[5] 그러나 이러한 증후군을 알게 되면서 NMBAs 사용이 조심스러워졌고 장기간의 신경근쇠약의 원인이 될 수도 있는 지속 주입을 하는 경우도 흔하지 않게 되었다.[6] 그럼에도 불구하고 중환자실에서 쇠약은 여전히 중증질환의 빈번한 합병증이다.

중증질환 관련 신경증, 근육병증 그리고 나트륨 채널 이상

중증질환 신경증(Critical illness neuropathy)

쇠약의 주요 원인들에는 CIP로 알려져 있는 중증질환 신경증과 근육병증이 있다. 이 근육병증을 급성사지마비 근육병증, 굵은 필라멘트 근육병증 또는 중증질환의 급성근육병증 등으로 다양하게 언급하여 왔으나,[7] 이제는 중증질환 근육병증(CIM)이라고 부른다. CIP는 패혈증과 다발성 장기기능 부전에서 20여 년 전 처음으로 묘사된 전신적 신경병증이다.[2,8,9] 신체 진찰에서 쇠약과 감각 손실 그리고 반사 작용의 손실을 찾을 수 있다. 근전도(Electromyography, EMG)를 하면 신경 손실 증거를 알 수 있는데, CIP 환자들에서 신경전도검사(Nerve conduction studies, NCS)는 감각 신경과 운동 신경의 진폭이 감소한다. 신경 결손을 보여주는 EMG 결과는 시간이 지나면서 변하게 되는데, 급성기에는 근육 활성과 정상 운동 단위의 진폭은 있으나, 동원되는 운동 단위의 수가 감소한다. 만성기에는 자발적인 근육 활성은 여전히 존재하지만 남아 있는 액손(axons)이 신경증으로 신경 손실된 근섬유를 자극시켜야 하므로 운동 단위 진폭이 증가하게 된다. 신경 조직검사를 하면 신경다발(axon)의 괴사를 볼 수 있다. 상기 모든 결과들은 CIP 환자들에게서 보이는 쇠약의 기전으로 축색돌기 다발신경병증(axonal polyneuropathy)과 일치한다.

중증질환 근육병증(Critical illness myopathy, CIM)

CIM은 고용량 코르티코 스테로이드와 NMBAs을 사용한 치료 조건에서 발생하는 근육병증이다.[10,11] NMBAs 투약을 중단하였을 때조차 환자들의 중증 쇠약이 지속될 경우 근육병증이 뚜렷해진다. 신체 진찰에서 감각과 반사 작용은 보존되어 있다. NCS에서 운동의 진폭은 감소되어 있으나 감각 반응은 정상이다. EMG 검사에서는 미오신(myosin) 손실과 근절(sarcomere)의 분절화, 근육 생검에서 근섬유가 위축된 소운동 단위의 동원과 일치하는 자발적 활성을 보인다.

이상과 같은 결과들은 CIP와 CIM이 근육과 신경의 조직검사 결과처럼 임상적 특징과 신체검사, 전기 생리학 검사로 쉽게 구분될 수 있음을 보여준다. 그러나 임상적으로 CIP와 CIM를 구분하는 것은 종종 쉽지 않다.

중증질환 나트륨 채널 이상

중증질환에서 세포막의 흥분성 결함이 CIM 환자에서 처음으로 보고되었다.[12-16] 중증질환 환자들에서 근육의 직접적인 전기 자극에 대해서 전기적 반응이 없다는 것이 발견되었다. 신경병증과 신경근 접합 부위 질환 모두에서 근육은 흥분성이 유지되는데 비해서, 이 결과를 설명할 수 있는 것은 근육의 비흥분성 뿐이었다. 근육의 전기적 흥분성 손실은 주기적인 마비라고 알려진 이온 채널의 희귀 유전병에서만 언급된 적이 있다. 이온 채널 질병의 과거력이 없는 환자에서 근육의 비-흥분성은 이온 채널의 돌연변이라기보다는 유전적으로 정상적인 채널의 조절 기능 이상 때문에 생긴 새로운 형태의 질병이라고 설명할 수 있다. 최근에는 패혈증의 급성기 단계에서 말초신경이 유사한 흥분성 결함을 보인다는 사실이 발견되었다.[17,18] 골격근과 말초신경 모두에서 흥분성 손실로 나타나는 주요 결함은 나트륨 이온 채널의 불활성화라고 생각된다. 나트륨 통로의 불활성화는 전압 의존성 과정이다. 휴지막 전위의 탈분극, 불활성화에 대한 나트륨 채널 민감성의 과분극 이동 두 가지 모두 불활성화를 증가시킬 수 있다. 골격근과 말초 신경에서 휴지막 전위의 탈분극과 나트륨 채널 민감성의 시프트 모두 불활성화가 증가하는 데 기여하는 것으로 보인다.[17-21] 이러한 연구 자료는 CIP와 CIM 더하여 중증질환의 급성기 단계에서 나트륨 채널 이상이 발생함을 입증하고 있다.

나트륨 이온 통로는 아홉 가지 다른 형태가 있다.[22] 골격근에서 발현되는 나트륨 채널의 형태는 일반적으로 Nav 1.4이다. CIM의 동물 모델에서는 두 번째 나트륨 통로(Nav1.5)도 발현된다.[23] Nav 1.4와 Nav 1.5 모두 CIM의 실험쥐 모델에서 비정상적으로 기능한다.[24] 말초 신경에서는 다른 나트륨 통로(Nav 1.6)가 주되게 발현한다.[25,26] 말초신경이 영향을 받는다는 사실은, 세 가지 나트륨 채널 모두 중증질환의 영향을 받는다는 것으로 해석된다. Nav 1.5 나트륨 채널은 일반적으로 심장 조직에서 발현된다. 골격근인 심장의 나트륨 채널 기능 이상은 패혈증 상태에서 심장의 나트륨 채널 기능 이상이 발생할 가능성이 오작동 될 가능성이 커진다. 패혈증 환자들의 심전도 연구에서 심장의 나트륨 밀도의 감소와 일치하는 심전도 진폭의 가역적 감소를 발견하였으나,[27] 이는 전신 부종으로도 설명할 수 있다.[28] 만약 심장에서 나트륨 이동의 감소가 있다면, 이는 패혈증의 고심박출량 심부전에서 심장 수축력의 감소를 설명하는 단초를 제공해줄 수 있을 것이다.[29] 나트륨 채널 이상이 패혈증에서 심기능 장애에 관여하는지를 알기 위해서는 더 많은 후속 연구가 필요할 것이다. 중추신경계에서 발현되는 주요 나트륨 채널은 Nav1.1과 Nav1.2 이다.[22] 패혈증에 의해 이 나트륨 채널들의 기능이 영향을 받는지는 아직 알려지지 않았다. 만약 패혈증에서 이 나트륨 채널의 불활성화가 증가된다면, 패혈증 관련 뇌병증을 설명할 수 있을 것이다.

신경근 부전의 원인으로서 CIP, CIM과 나트륨 채널 이상

언급한 연구들의 결과, 중증질환 후 쇠약이 발생한 환자들에서 신경근 부전에 기여하는 최소한 세 가지 주요 요소들은 명확해졌다; 신경과 근육 모두에 영향을 미치는 나트륨 채널 이상과 CIP, CIM이다. 중요한 것은 이들 세 가지 문제들이 구별이 가능한 것인지, 중증질환의 다른 특징들로 인해 촉발되는지, 특정 환자군에서 발생하는지, 또는 동일 질병이 다른 형태로 나타나는 것인지 알아내는 것이다.

전형적 형태라면, 환자들이 중증질환 급성기에서 회복된 후 CIP와 CIM은 쉽게 구분되고, 구별 가능한 환자군에서 발생하는 것으로 보인다. CIP는 패혈증 환자들에서 발생하였고, CIM은 코르티코 스테로이드와 NMBAs 치료를 받은 환자들에서 나타났다. 그러나 많은 연구들이 이루어진 결과, CIM의 일부 환자들은 패혈증과 SIRS가 있었고 코르티코 스테로이드나 NMBAs 치료를 받은 적이 없었다.[13,15,16,30] 결국 CIP와 CIM 모두 패혈증이나 SIRS로 촉발될 수 있으며, 더군다나 급성기에는 CIP와 CIM를 구별하기 어렵다. 여기에는 몇 가지 이유가 있다; (1) 중증질환 환자들은 CIP와 CIM를 감별하기 위해 자세한 검사를 하기 어렵다. 환자들은 종종 진정 상태에 있고, 감각 검사에 협조할 수 없을 정도의 뇌병증 상태에 있다; (2) 환자들이 검사에 협조할 수 없으니 전기생리학적 검사 중 EMG를 하는 동안 근육을 수의적으로 조절하지 못한다. 운동 단위의 진폭과 모집(움직임)을 검사할 수 없으니 CIP와 CIM 사이를 감별하는 여러 검사들에서 주된 문제가 된다; (3) 많은 연구들에서 CIP의 존재와 탈신경의 지표로 EMG에서 자발적인 활성 유무를 이용해왔다. 하지만 EMG에서 자발적인 활성은 CIM에서도 나타나므로, 환자를 구별하는데 이를 지표로 삼는 것은 실수이다. 결국 중증질환의 급성기 동안 시행하는 검사들은 CIP와 CIM을 정확하게 구별하지 못한 셈이다.

CIP와 CIM을 신중히 평가하였던 소규모 연구들에서는, 이 두 가지 증후군이 종종 함께 발행하는 것으로 보인다.[13,16,30-33] CIP와 CIM의 동시 발생으로 다발성신경근병증 또는 CRIMYNE이라는 용어를 사용하게 되었다.[31,34] CIP와 CIM이 동시에 발생하는 기전은 명확히 밝혀지지 않았지만, 이들이 단일 질환(증후군)의 일부분일 가능성이 있다. 그러나 나트륨 채널 이상이 신경과 근육 모두에 영향을 준다는 사실은 CIP와 CIM의 병발이 나트륨 채널 질환일 수 있다는 해석을 가능하게 한다. 여전히 CIP와 CIM, 나트륨 채널 이상이 구분되는 독립된 (단일)증후군인지 여부는 명확하지 않다. 급성나트륨 채널 이상인 듯한 환자들을 연속적인 NCS으로 추적관찰하였을 때 환자들은 CIP, CIM 또는 모두로 발전한다.[31,33,35] 이는 나트륨 채널 이상이 CIP와 CIM 모두의 초기 단계라는 것과 CIP 또는 CIM 보다 더 빠르게 회복된다는 것을 뜻한다. CIP와 CIM이 독립된 증후군의 일부분인지, 중증질환 회복의 초기에 많은 환자들에서 공존하는지 여부는 여전히 풀리지 않고 있다.

CIP, CIM, 나트륨 채널 이상의 예후

신경근육 기능장애 발생은 환자의 단기간, 장기간 예후 모두에 부정적이다. 사망률이 증가하기도 한다.[32-34,36-39] CIM과 CIP 모두 장기간의 기계환기와 관련이 있고 병원 재원 기간, 중환자실 재실 기간 증가와도 관련이 있었다.[38,40,41] 급성기 중에 신경근 기능 장애가 발생히면 징기 예후기 나빠진다. 쇠약은 종종 수개월에서 수년까지도 지속된다.[35,39,42-45] 만성쇠약의 기전은 알려져 있지 않다. 신경다발(axon)의 재성장이 매우 느리기 때문에 CIP에서 기능적인 결과는 신경다발의 퇴화 정도로 결정될 것이라고 예상하는 정도이다. 신경다발의 느린 재성장 때문에, 회복은 근위부에서 말단부 쪽으로 서서히 진행할 것이며, 말단 근육의 신경재분포는 오랜 기간 불완전할 것이다.[46]

이론적으로 CIM 환자들은 예후가 더 좋고 신경과 달리 근육은 상대적으로 빠르게 재생되므로, CIP 환자들보다 빠르게 회복해야 한다. 하지만 몇몇 연구들에서는 이 두 가지가 유사한 기능적 결과를 보였다.[35,47] CIM에서의 회복이 제한되는 이유들이 있다. CIM에서는 근육세포 핵의 세포 사멸을 동반한 심한 근육 위축이 발생한다.[48] 단백질 합성을 유도해야 하는 핵의 손실로 인해 위축 후 회복을 위해 필요한 근육량 증가가 어렵다. 만성근육병증의 다른 잠재적인 원인은 CIM의 급성기 동안 일어나는 미오신(myosin)의 손실 때문일 수 있다.[11,49,50] 미오신 손실은 CIM에서 발생하는 근원섬유마디(sarcomere)의 분해에 기여하는 요소인 듯하다.[11,51] CIM에서 회복 후에 미오신 손실이 완전히 원상복구 되는지 아닌지 또는 근원섬유마디의 분해가 원상복구 되는지 여부는 아직 밝혀지지 않았다. 이러한 이유로 CIM 예후는 괴사성 근육병증에서 예상되는 예후보다 더 나쁠 것이고, 이때 회복을 제약하는 유일한 인자는 근섬유의 재생이다. 현재까지 만성적인 기능 손상의 일차적인 원인이 CIP와 CIM 또는 다른 기전인지 아닌지는 확실하지 않다.

비록 제한된 자료들이지만 일부 환자들에서 신경 전도 진폭이 빠르게 회복되는데,이는 나트륨 채널 이상이 가역적이고 장기간 기능 장애를 일으키지 않음을 시사한다.[17,34] 연구자들은 같은 기간만큼 뇌병증이 빠르게 회복될 것이라고 보았다. 이러한 연구들에 관한 한 가지 해석은 모든 조직 내에서 나트륨 채널은 질병의 급성기로부터 회복한 뒤에 여러 날이 지나야 정상적인 기능으로 되돌아온다는 것이다.

중증질환 이후 골격근쇠약 검사

신경근 기능장애는 종종 의식이 협조적인 환자가 광범위한 쇠약을 보이거나, 기계환기 중인 환자가 기계환기를 이탈하기 어려울 때 발견된다. 신경근 기능장애의 초기 징후는 비특이적이고, 단순하게는 사지의 움직임 감소일 수도 있다. 임상적으로 CIM 환자나 CIP 환자들은 유사하다; 모두 이완성 사지마비 또는 사지마비를 보인다. 안구운동을 포함하는 뇌신경은 전형적으로 온전하다. 신경근 기능장애 환자들의 검사실 검사는 CK는 물론이고 대체로 진단적이지 않다. 전형적으로 비정상성은 전신질환을 반영할 뿐이고, 근육병증이나 신경병증의 유무를 임상의에게 경고해주지 않는다. 하지만 CK 수치 상승을 확인하게 되면 독성 또는 염증성 근육병증의 가능성은 높아진다.

앞서 언급한 해석의 제약에도 불구하고, 전기진단적 검사법은 중증질환 후 심한 쇠약이 동반된 환자들에서 유익할 수 있다. 전기생리학적 검사는 과정이 간단하여, 침상에서 쉽게 수행할 수 있고 결정적으로 말초신경계 쇠약의 원인을 좁힐 수 있다. 즉, 중추신경계 기능장애 가능성이나 영양불량이나 컨디션 저하와 같은 비신경인성 쇠약의 원인을 배제할 수 있다. 기술적인 문제로 해석에 제약이 되는 사례가 있을 수 있다는 점은 고려해야 한다. 말초 부종이 심한 상태에서 시행한 검사는 진폭이 낮을 수 있고 병리적 상태가 없음에도 감각신경의 유발 반응이 없을 수도 있다. 게다가, 감각과 운동 반응은 혈관주입펌프, 모니터, 침대 등 중환자실의 흔한 전기 장치들의 방해를 받을 수 있다. 이 때문에 중환자실에서 NCS를 수행할 때 발생하는 기술적 문제들에 익숙한 평가자가 필요하다.

CIP와 CIM의 최종 진단은 신경 및 근육 조직검사로 내릴 수 있다. 그러나 신경과 근육의 생검을 통상적으로 할 수는 없다. CIP와 CIM의 예후는 뚜렷하게 다르지 않으며, 이를 위한 치료는 현재까지 없다. 또 조직검사를 통해 얻을 수 있는 예후나 치료에 관한 정보가 없다. 그럼에도 불구하고, 신경과 근육의 조직생검은 CIP와 CIM의 연구를 위해 엄청난 가치를 지닌다.

결론

중증질환으로 촉발되는 쇠약의 기전에 관해 빠르게 이해해 가고 있다. 쇠약에 기여하는 새로운 기전들이 계속 밝혀지고 있다. 쇠약의 각 기전마다 위험 요소들을 결정하고 제거한다면 우리는 중증질환 환자들에서 쇠약의 빈도와 수준을 줄일 수 있을 것이다. 또한 쇠약에 기여하는 구체적인 분자적 기전을 알아낸다면 환자들의 쇠약을 회복시키기 위한 치료 목표를 정할 수 있을 것이다.

참고문헌

1 Macfarlane IA, Rosenthal FD. Severe myopathy after status asthmaticus [letter]. Lancet 1977;2:615.
2 Bolton CF. Neuromuscular manifestations of critical illness. Muscle Nerve 2005;32:140-63.
3 Stevens RD, Dowdy DW, Michaels RK, Mendez-Tellez PA, Pronovost PJ, Needham DM. Neuromuscular dysfunction acquired in critical illness: a systematic review. Intensive Care Med 2007;33:1876-91.
4 Stevens RD, Marshall SA, Cornblath DR, et al. A framework for diagnosing and classifying intensive care unit-acquired weakness. Crit Care Med 2009;37:S299-308.
5 Segredo V, Caldwell JE, Matthay MA, Sharma ML, Gruenke LD, Miller RD. Persistent paralysis in critically ill patients after long-term administration of vecuronium. N Engl J Med 1992;327:524-8.
6 Puthucheary Z, Rawal J, Ratnayake G, Harridge S, Montgomery H, Hart N. Neuromuscular blockade and skeletal muscle weakness in critically ill patients: time to rethink the evidence? Am J Respir Crit Care Med 2012;185:911-17.
7 Lacomis D, Zochodne DW, Bird SJ. Critical illness myopathy. Muscle Nerve 2000;23:1785-8.
8 Bolton CF, Gilbert JJ, Hahn AF, Sibbald WJ. Polyneuropathy in critically ill patients. J Neurol Neurosurg Psychiatry 1984;47:1223-31.

9 Zochodne DW, Bolton CF, Wells GA, et al. Critical illness polyneuropathy. A complication of sepsis and multiple organ failure. Brain 1987;110:819-41.

10 Danon MJ, Carpenter S. Myopathy with thick filament (myosin) loss following prolonged paralysis with vecuronium during steroid treatment. Muscle Nerve 1991;14:1131-9.

11 Lacomis D, Giuliani MJ, Van Cott A, Kramer DJ. Acute myopathy of intensive care: clinical, electro-myographic, and pathological aspects [see comments]. Ann Neurol 1996;40:645-54.

12 Allen DC, Arunachalam R, Mills KR. Critical illness myopathy: further evidence from muscle-fiber excitability studies of an acquired channelopathy. Muscle Nerve 2008;37:14-22.

13 Lefaucheur JP, Nordine T, Rodriguez P, Brochard L. Origin of ICU acquired paresis determined by direct muscle stimulation. J Neurol Neurosurg Psychiatry 2006;77:500-6.

14 Rich MM, Teener JW, Raps EC, Schotland DL, Bird SJ. Muscle is electrically inexcitable in acute quadriplegic myopathy [see comments]. Neurology 1996;46:731-6.

15 Rich MM, Bird SJ, Raps EC, Mccluskey LF, Teener JW. Direct muscle stimulation in acute quadriplegic myopathy. Muscle Nerve 1997;20:665-73.

16 Trojaborg W, Weimer LH, Hays AP. Electrophysiologic studies in critical illness associated weakness: myopathy or neuropathy-a reappraisal. Clin Neurophysiol 2001;112:1586-93.

17 Novak KR, Nardelli P, Cope TC, et al. Inactivation of sodium channels underlies reversible neuropathy during critical illness in rats. J Clin Invest 2009;119:1150-8.

18 Z'graggen WJ, Lin CS, Howard RS, Beale RJ, Bostock H. Nerve excitability changes in critical illness polyneuropathy. Brain 2006;129:2461-70.

19 Rich MM, Pinter MJ. Sodium channel inactivation in an animal model of acute quadriplegic myopathy. Ann Neurol 2001;50:26-33.

20 Rich MM, Pinter MJ. Crucial role of sodium channel fast inactivation in muscle fibre inexcitability in a rat model of critical illness myopathy. J Physiol 2003;547:555-66.

21 Rich MM, Pinter MJ, Kraner SD, Barchi RL. Loss of electrical excitability in an animal model of acute quadriplegic myopathy. Ann Neurol 1998;43:171-9.

22 Goldin AL. Resurgence of sodium channel research. Annu Rev Physiol 2001;63:871-94.

23 Rich MM, Kraner SD, Barchi RL. Altered gene expression in steroid-treated denervated muscle. Neurobiol Dis 1999;6:515-22.

24 Filatov GN, Rich MM. Hyperpolarized shifts in the voltage dependence of fast inactivation of Nav1.4 and Nav1.5 in a rat model of critical illness myopathy. J Physiol 2004;559:813-20.

25 Angaut-Petit D, Mcardle JJ, Mallart A, Bournaud R, Pincon-Raymond M, Rieger F. Electrophysio-logical and morphological studies of a motor nerve in 'motor endplate disease' of the mouse. Proc R Soc Lond B Biol Sci 1982;215:117-25.

26 Caffrey JM, Eng DL, Black JA, Waxman SG, Kocsis JD. Three types of sodium channels in adult rat dorsal root ganglion neurons. Brain Res 1992;592,283-97.

27 Rich MM, Mcgarvey ML, Teener JW, Frame LH. ECG changes during septic shock. Cardiology 2002;97:187-96.

28 Madias JE, Bazaz R. On the mechanism of the reduction in the ECG QRS amplitudes in patients with sepsis. Cardiology 2003;99:166-8.

29 Merx MW, Weber C. Sepsis and the heart. Circulation 2007;116:793-802.

30 Latronico N, Fenzi F, Recupero D, et al. Critical illness myopathy and neuropathy. Lancet 1996;347:1579-82.

31 Bednarik J, Lukas Z, Vondracek P. Critical illness polyneuromyopathy: the electrophysiological components of a complex entity. Intensive Care Med 2003;29:1505-14.

32 De Jonghe B, Sharshar T, Lefaucheur JP, et al. Paresis acquired in the intensive care unit: a prospective multicenter study. JAMA 2002;288:2859-67.

33 Khan J, Harrison TB, Rich MM, Moss M. Early development of critical illness myopathy and neuropathy in patients with severe sepsis. Neurology 2006;67:1421-5.

34 Latronico N, Bertolini G, Guarneri B, et al. Simplified electrophysiological evaluation of peripheral nerves

in critically ill patients: the Italian multi-centre CRIMYNE study. Crit Care 2007;11:R11.

35 Guarneri B, Bertolini G, Latronico N. Long-term outcome in patients with critical illness myopathy or neuropathy: the Italian multicentre CRIMYNE study. J Neurol Neurosurg Psychiatry 2008;79:838-41.

36 Berek K, Margreiter J, Willeit J, Berek A, Schmutzhard E, Mutz NJ. Polyneuropathies in critically ill patients: a prospective evaluation [see comments]. Intensive Care Med 1996;22:849-55.

37 Coakley JH, Nagendran K, Yarwood GD, Honavar M, Hinds CJ. Patterns of neurophysiological abnormality in prolonged critical illness. Intensive Care Med 1998;24:801-7.

38 Garnacho-Montero J, Madrazo-Osuna J, Garcia-Garmendia JL, et al. Critical illness polyneuropathy: risk factors and clinical consequences. A cohort study in septic patients. Intensive Care Med 2001;27:1288-96.

39 Leijten FS, Harinck-De Weerd JE, Poortvliet DC, De Weerd AW. The role of polyneuropathy in motor convalescence after prolonged mechanical ventilation. JAMA 1995;274:1221-5.

40 De Jonghe B, Bastuji-Garin S, Durand MC, et al. Respiratory weakness is associated with limb weakness and delayed weaning in critical illness. Crit Care Med 2007;35:2007-15.

41 Garnacho-Montero J, Amaya-Villar R, Garcia-Garmendia JL, Madrazo-Osuna J, Ortiz-Leyba C. Effect of critical illness polyneuropathy on the withdrawal from mechanical ventilation and the length of stay in septic patients. Crit Care Med 2005;33:349-54.

42 Cheung AM, Tansey CM, Tomlinson G, et al. Two-year outcomes, health care use, and costs of survivors of acute respiratory distress syndrome. Am J Respir Crit Care Med 2006;174:538-44.

43 Fletcher SN, Kennedy DD, Ghosh IR, et al. Persistent neuromuscular and neurophysiologic abnormalities in long-term survivors of prolonged critical illness. Crit Care Med 2003;31:1012-16.

44 Herridge MS, Cheung AM, Tansey CM, et al. One-year outcomes in survivors of the acute respiratory distress syndrome. N Engl J Med 2003;348:683-93.

45 Zifko UA. Long-term outcome of critical illness polyneuropathy. Muscle Nerve Suppl,2000;9:S49-52.

46 Gordon T, Tyreman N, Raji MA. The basis for diminished functional recovery after delayed peripheral nerve repair. J Neurosci 2011;31:5325-34.

47 Lacomis D, Petrella JT, Giuliani MJ. Causes of neuromuscular weakness in the intensive care unit: a study of ninety-two patients. Muscle Nerve 1998;21:610-77.

48 Di Giovanni S, Mirabella M, D'amico A, Tonali P, Servidei S. Apoptotic features accompany acute quadriplegic myopathy. Neurology 2000;55:854-8.

49 Larsson L. Acute quadriplegic myopathy: an acquired 'myosinopathy'. Adv Exp Med Biol 2008;642:92-8.

50 Larsson L, Li X, Edstrom L, et al. Acute quadriplegia and loss of muscle myosin in patients treated with nondepolarizing neuromuscular blocking agents and corticosteroids: mechanisms at the cellular and molecular levels. Crit Care Med 2000;28:34-45.

51 Stibler H, Edstrom L, Ahlbeck K, Remahl S, Ansved T. Electrophoretic determination of the myosin/actin ratio in the diagnosis of critical illness myopathy. Intensive Care Med 2003;29:1515-27.

Chapter 34

중증질환이 골격근 구조에 미치는 영향

캐서린 L. 허프(Catherine L. Hough)

서론: 중증질환이 신체 기능에 미치는 결과

중증질환 환자들, 특히 급성호흡부전 및 패혈증 같은 전신염증반응 환자들은 심각한 쇠약 및 골격근 손실이 발생할 위험에 처한다. 중증질환 초기에는 이러한 중환자실 획득 쇠약(ICUAW)이 병원 사망률 증가, 장기간의 기계환기, 병원 재원기간, 중환자실 재실 기간 증가와 관련이 있고, 퇴원 시점에 독립적 생활로 복귀할 수 있는 가능성이 낮아진다. 중요한 것은 신경근 후유증이 중증질환의 급성기에만 국한되지 않는다는 점이다. 생존자들은 적어도 5년 동안 HRQoL의 신체 기능 측면에서 지속적인 감퇴를 보이는데, 6분보행검사 같은 표준신체수행능력검사에서 초기 입원 치료 후 수년간 신체 기능 장애를 경험하게 된다.

동반질환과 이전의 신체 기능 감소는 중환자실 입원 후 신체 기능 장애의 주요 위험요인들이라는 것이 명확해지면서, 중증질환이 신경근 기능 장애의 독립적 위험 요소라는 것 또한 분명해졌다. 중증질환 환자들은 골격근 구조의 변화, 근육량 손실, 근막의 비흥분성, 다발성신경질환, 장기간의 신경근 차단, 에너지 대사 장애를 유발하는 미토콘드리아 기능 장애 등 근육과 신경에 여러 이상이 발생할 위험에 있다. 이러한 이상들은 아마도 손상된 장단기 신체 기능 손상과도 인과관계에 있을 것이다. 이러한 여러 잠재적인 병인은 다른 장에서 다루기로 하고, 이번 장에서는 중환자들에서 발견되는 골격근 구조의 변화를 살펴보기로 한다. 여기에서는 먼저 정상 근육 구조와 기능을 확인하고, 다음으로 중환자에서 알게된 조직학적, 미세구조의 결과들을 제시할 것이다. 마지막으로 중환자실에서 근육 병리의 발생과 관련된 잠재적 위험 요소 및 기전들을 간략히 논의하면서 결론을 맺고자 한다.

정상 골격근 구조와 기능

골격근은 수축 기능과 밀접 관련된 독특한 구조를 가지고 있다. 각각의 근육은 근원세포(myoblasts)의 융합으로 형성된 길고, 다핵의 긴 원통형 세포 수백개로 구성된 합포체이다. 근세포, 근섬유 등으로 불리는 근육 세포들은 서로 평행하게 분포하며 각각 결합 조직, 혈관 그리고 신경으로 구분되어 있다. 근세포의 혈장막은 근초(sarcolemma)로 불리며, 그 안에 세포들을 덮고 있고 T-세관이라 불리는 터널 안에 규칙적인 간격으로 근섬유 안으로 관통한다. 이 세포들의 핵들은 근세포 전체를 따라 근초 바로 아래에 말초에 위치하고 있다. 근형질(sarcoplasm)이라고 불리는 세포 내액은 근수축의 주 기관인 근원섬유(myofibrils)로 채워져 있다. 또한 근형질에는 수축에 필요한 에너지를 제공하기 위해 근섬유들 사이에 미토콘드리아가 분포되어 있고 이러한 일련의 채널 단위를 근소포체(sarcoplasmic reticulum)라고 부른다. 각각의 근세포 끝에서 근소포체는 말단으로 연결되고 트라이어드(triads) 형태를 이룬다; 이 트라이어드(triads)는 활동전위의 전달에 관여한다.

근원섬유는 미오신(myosin)과 액틴(actin)으로 근섬유(myofilament)를 형성하는 긴 중합체이다. '굵은 섬유(filament)'라고도 불리는 미오신 근섬유는 이동을 위해 ATP를 잘라내는 수백 가닥의 미오신 분자로 구성되어 있으며 액틴과 가교를 형성한다. '가는 섬유'라고 불리는 액틴 근섬유는 액틴, 트로포미오신, 트로포닌 세가지 단백질의 중합체이다. 액틴 분자들의 중합 나선체는 액틴 근섬유의 주요 구조가 되며 아데노신 이인산(adenosine diphosphate, ADP)을 운반한다. 트로포미오신은 액틴 나선체를 감싸며 ADP를 덮는데 이 위치에서 미오신과 액틴의 결합이 일어난다. 트로포닌은 액틴, 트로포미오신 및 칼슘에 결합하여 이들의 상호작용을 조절하는데, 근소포체 내에서 분리되어 있다. 미오신, 액틴 필라멘트는 근절 또는 근원섬유마디(sarcomere)라고 부르는 반복되는 단위에서 어둡고(A-밴드) 밝은(I-밴드) 밴드를 형성하며 결합한다. 각 근절은 액틴 필라멘트가 붙는 Z-디스크에 의해 결합된다. Z-디스크는 각 근육 섬유에서 모든 근섬유를 상호 연결한다. 근절 중앙의 M-선은 수축하는 동안 근절의 안정성을 위해 미오신 필라멘트를 가교한다.[1] 밝고 어두운 필라멘트가 번갈아 나타나는 줄무늬 모양은 광학 현미경의 종단면에서 볼 수 있지만, 근육의 초미세구조 요소들과 근섬유 하나하나를 시각화하기 위해서는 전자 현미경이 필요하다.

수축은 활동 전위(action potential)가 신경을 타고 내려와, 신경급 접합 부위를 탈분극하고 근초(sarcolemma)를 따라 퍼져 나가면서 시작된다. 활동 전위는 전압-의존 나트륨 채널이 열리며 근육을 따라 전파되며 T-세관 시스템을 통과하여 퍼져나가 근소포체에서 칼슘 이온을 분비하게 된다. 칼슘 이온은 트로포닌에 결합하여 트로포미오신의 형태 변형을 유도하여 액틴과 미오신이 결합하게 된다. ADP가 액틴에 결합한 후, 미오신 머리 부분의 형태가 변화하고 액틴을 따라 미오신이 흘러가게 된다. 이는 Z-디스크가 서로를 가깝게 잡아당기게 되므로 근절이 짧아진다. 수축을 지속하려면 활동 전위가 반복되어야 하고 ATP 공급이 필요하다.[2] 근섬유는 I형 및 II형 두 가지 주된 유형이 있다: I형 섬유는 미오글로빈(myoglobin) 때문에 붉은 색을 띠고 호기성이며, 미토콘드리아 밀도가 높다. 수축은 천천히 이루어지고 피로에 저항성을 가진다. II형 섬유는 미오글로빈이 부족하기 때문에 흰색을 띠고 주되게는 혐기성이다. 미토콘드리아가 적고, 수축은 빠르지만('fast twitch') 수 분내 소진 상태에 이른다. II형 섬유는 ATP를 생성하기 위해 당분해 경로를 이용한다. I형 및 II형 섬유의 조직학적 특징은 광학 현미경으로 구분가능하다. 미오신 ATPase 활성이 서로 다른 pH에서 다른데 I형 섬유는 산성(pH 4.3)에서 짙게 염색되고 II형은 염기성(pH 10)에서 짙게 염색된다.

구조 변화에 선행하는 기능 손실

근육의 기능을 위해서는 정상적인 근육 구조가 요구되는 반면에, 반대의 경우도 반드시 그렇다고 할 수는 없다. 중증질환 초기 단계에서 골격근은 정상적으로 수축하지 못하거나 충분한 힘을 발휘하지 못할 수도 있다. 중증질환 초기 96시간 내에 수행된 전기적 진단 연구에서는 근막이 전기적으로 흥분성을 상실함으로써 복잡한 운동 활동 전위의 진폭이 확연히 감소하거나 사라졌다[3](자세한 내용은 33장 참조). 막의 비흥분성은 초기에는 구조적인 병리적 변화와의 관련성 보다, 활동 전위의 전파를 방해하는 전압 의존성 나트륨 채널의 전사 후 변형(post-translational modification) 때문으로 보인다.[5,6] 그러나 막의 비흥분성은 근육의 병리적 변화를 일으킬 수도 있다. 중증 패혈증 환자들에 관한 최근 연구에서는 막의 기능이 정상적이었던 환자들보다 비정상적이었던 환자들에서 type Ⅱ 섬유 위축이 더 많았다.[7]

중환자의 근육생검: 연구 설계 개요

1977년, 맥팔레인(MacFarlane) 연구팀은 천식지속상태 환자 중 심한 근육병증 사례에 대하여 보고하였다.[8] 그들의 조사보고에는 말초근육 생검을 포함하지는 않았지만 중증 쇠약과 근육병증 소견과 일치하는 전기생리학적 특징을 보고하였다. 수년 후 볼튼(Bolton)은 중환자실에서 심한 쇠약이 발생한 환자 다섯 명을 사례 보고하였다.[9] 전기생리학적 검사 결과 다발성 신경병증에 부합하는 운동과 감각신경의 심한 전도 감소 소견을 보였다. 사망한 세 환자에서 부검이 이루어졌고, 신경 조직병리는 원발성 축색 다발성 신경병증소견을, 근육 조직병리는 세포구조적인 근육 섬유의 분해를 포함하여 신경 위축과 근육병증 특징을 보였다. 볼튼은 이런 소견들이 이차적인 탈신경 또는 원발성 근육 손상일 수 있으며, 근육병증이 ICUAW의 주요 인자일 수도 있고, 다발성 신경병증에도 관여한다고 제안했다.[9]

초기 두 연구보고 내용은 결국 CIM이란 용어로 표현되기 시작하였고,[10] 그 이후 근육 생검을 포함한 중환자에 관한 여러 연구가 있었다. 이들 연구들에서 두 가지 연구 설계가 가장 빈번하게 사용되었다. 대부분의 연구들은 중환자실에서 심한 중증 쇠약이 발생했거나 혹은 기계환기를 이탈할 수 없었던 환자들에 관한 사례 보고들이었다.[11-20] 코호트 연구들은 다발성장기부전, 7일 이상의 중환자실 치료가 필요한 환자, 기계환기를 받는 환자들은 ICUAW의 위험이 있다는 점을 밝혔다.[6,19,21-24] 이 연구들의 일차 결과 지표는 임상적 혹은 전기생리학적 평가를 이용하여 ICUAW를 확인하는 것이었고, 대부분에서 근육 생검은 임상적 또는 전기생리학적으로 쇠약이 확인된 환자들에서 선택적으로만 이루어졌다. 두 연구에서만 임상적, 전기생리학적 평가가 정상인 환자들의 근육 생검을 실시하였다.[6,23] ICUAW와 관련 없는 연구를 위해 근육 생검 시행했던 중환자들의 코호트에서 얻어진 두 연구가 있었다.[25,26] 근육이나 신경의 기능을 알 수 있는 지표 또는 강도에 대하여 체계적으로 모아진 자료가 없었다.

근육 생검 결과에 대하여 논의하기 전에 연구 디자인의 세부내용을 검토할 필요가 있다. 대부분의 연구들은 하지 근육에 관한 것이었고 조직 생검이나 부검을 통해 이루어졌다. 여러 시점에 거쳐 조직 검사를 시행한 논문은 거의 없었으며, 근육 조직을 얻은 시점은 대개 중증질환의 후기(대체로 14일 이후)였다. 중증도가 매우 높은 중환자들의 경우는 범발성혈관내응고증(DIC)이나 응고장애 등 조직검사의 금기증이 있을 가능성이 높으므로 집단을 대상으로 하는 연구에서는 과소평가가 되었을 것이다.[23] 두 편의 연구만 근육 생검과 임상 증상 사이 잠재적 연관성을 조사하였다.[6,23] 이 연구들 조차도 ICUAW의 임상 증후군이 없는 환자에서 얻은 근육 조직을 연구한 것이다. 이 연구들은 표본수가 적어 신뢰도 측면에서 검증력이 낮았다. 근육의 조직병리학적 변화는 문헌에 보고된 것보다 중환자에서 훨씬 많을 것이고 아마 급성기, 만성기 모두 그러할 것이다. 근육 조직의 변화는 임상적으로 인지되지 못한 많은 환자에서 존재할지도 모른다; 이러한 사실의 심각성을 이해하려면, 앞으로의 코호트 연구가 ICUAW가 있는 환자와 없는 환자 모두를 포함할 필요가 있다.

ICUAW 환자의 근육 조직병리학

이전 장에서 설명한 것처럼, 중증질환 관련 신경근 질환은 근육과 신경 모두에 영향을 미치는 중첩된 병인을 갖고 있다.[27,28] 중환자에서 얻어진 근육 또는 신경의 병리상태는 근육조직에 변화를 일으킨다.[6,11-24] 일반적으로 중환자의 근육에서 세 가지 패턴의 이상을 관찰할 수 있다: 위축, 굵은 미오신 필라멘트 소실, 괴사이다.

위축

위축은 근섬유 단면적의 감소로 정의하며, 종종 근섬유 크기의 다양성이 증가하는 형태로 나타나기도 한다. 근섬유 위축은 가장 흔한 병리적 변화이고 ICUAW 환자의 어디에나 존재한다. 몇 가지 다른 위축의 패턴이 있다. 아마도 가장 흔하게는 비선택적인 위축으로, 1형과 2형 근육 다발 모두에 영향을 미친다. 위축된 근섬유는 정상적인 다각형의 모양보다는 둥근 형태를 띄게 된다. 그 다음 패턴은 2형 근육 다발의 위축으로 둥글거나 모난 형태이다. 세 번째로는 신경인성 위축(neurogenic atrophy)라고 부르는 신경병증에 동반되는 패턴이 있다. 신경인성 위축의 영향을 받은 근섬유는 대체로 모난 형태이다. 탈신경화된 신경인성 위축은 정상적인 1형과 2형 섬유가 혼재된 전형적인 체스판 형태를 보이기 보다는 각각 동일한 타입의 섬유들만 모인 형태로 관찰된다. 위축된 근섬유는 고모리 트라이크롬(Gomori trichrome) 염색에서 증가된 밀도를 보인다.[20,29]

ARDS 환자의 10일째 근조직검사에서 근섬유 위축을 볼 수 있다. 염기성 pH에서 해마톡실린과 에오신 염색(H&E) 후 미오신 ATP분해효소(ATPase) 염색처리를 한 뒤 작고 둥글며, 각진 형태의 근섬유들을 볼 수 있다. 대부분의 위축된 근섬유는 염기성 pH에서 어둡게 염색된다; 특히 2형 근섬유가 주를 이룬다. 연속적으로 근육 조직생검을 했던 연구들은 시간이 지남에 따라 근섬유 위축이 진행하고, 중환자실에 머무르는 기간이 하루 늘어날 때마다 1.5%에서 13.8%의 근섬유 단면적의 소실율 보인다고 하였다.[25]

굵은 필라멘트 섬유의 소실

미오신의 선택적 소실은 쇠약한 중환자에서 관찰되는 전형적 소견으로 여러 연구자들이 진단적 정의로 고려해왔다. 사실 중증질환 근육병증을 정의하려면 근육병증과 함께 근육의 조직학적 변화인 미오신 소실이 관찰되어야 한다.[10] 선택적 미오신 소실을 굵은 필라멘트 근육병증, '후천적 근육병증'이라고도 부를 수 있다.[30,31] 미오신의 소실을 광학현미경을 통해서 확인할 수 있는 몇 가지 방법이 있다. 국소적인 소실은 H&E의 염기 친화적 염색으로 알아낼 수 있지만,[32] 이보다는 효소염색이 더 흔히 요구된다. 미오신이 소실된 근섬유는 산 혹은 염기성 pH 어디에서든 미오신 ATPase로 염색이 되지 않거나 불완전하다.[11] 미오신의 중쇄사슬(Heavy chain, 느린 섬유와 빠른 섬유 동위형 모두) 염색은 미오신 ATPase 만큼 영향을 받는다. 이러한 사실은 미오신이 선택적으로 소실, 분해되지만 미오신 단위체는 그대로 있다는 이론적 근거를 뒷받침한다.[33] 광학현미경은 미오신 소실에 민감하지는 않아서 쉽게 찾아내지 못할 수도 있고 광범위한 위축의 신경병증 형태와 구별이 어렵다.[12] 이러한 이유로, 중증질환으로 사지마비가 된 환자 연구에서는 근육의 전자현미경 소견 또는 미오신의 생화학적 계량이 제안되어 왔다.[12] 굵은 필라멘트 섬유가 소실되는 과정에서 매우 진행된 단계에서조차 액틴은 일반적으로 유지된다. 따라서 미오신 소실 평가를 위하여 겔 전기영동을 이용하여 근육 조직생검에서 액틴과 미오신을 별도로 분리하여 마이오신/액틴 비율을 측정하는 방법도 있다.[14,16,34] 정상 성인에서 미오신/액틴 비율은 1.3–1.4로 측정된다; 급성기 단계 CIM 환자에서는 1 이하(0.37±0.17,[34] 0.55±0.9[16]) 였다.

전자현미경은 미오신 소실을 판단하는 가장 민감한 방법으로 근육의 초미세구조를 평가하는 표준 도구이다.[12] 굵은 필라멘트 섬유의 단독 소실에서, 전자현미경으로 관찰하면 Z-디스크와 I-밴드는 유지되고, A-밴드 감소나 부재, M-선의 소실을 볼 수 있다. 굵은 필라멘트 섬유 소실에서도 (선택적 또는 비선택적으로) 일부 섬유는 보존될 수 있다. I-밴드의 단축과 수축이 흔하다. 더 심하게 영향을 받은 섬유에서는, 특히 괴사소견이 관찰되는 섬유의 경우 근원섬유마디의 분해를 포함하여 심한 구조적 파괴와 동반된 굵은 필라멘트 섬유의 소실이 보인다. 그림 34-4는 굵은 필라멘트 섬유 소실을 보이는 전기현미경 소견이다. 참고로, 굵은 필라멘트 섬유 소실은 CIM에서만 나타나는 독특한 소견이 아니고 암에 의한 악액질 같은 상태에서도 보고된 바 있다.

괴사

세 번째 범주는 괴사, 퇴행과 재생이다. 각각의 근육세포는 합포체이고, 대부분의 괴사는 분절적으로 일어나 근섬유의 일부만 영향을 미친다. 괴사된 부분은 완전히 재생이 될 때까지 운동 말단 부위에서 전기적으로 고립되게 된다. 많은 양의 괴사가 일어날 때 횡문근융해증이라 한다. 근육병증에서 근섬유 재생 중 중심 핵의 이상소견이 보이는데, 위성 세포는 증식, 이동, 분화, 합체되면서 나타난다. 괴사는 근원섬유망(myofibrillar network)이 열어지고 대식세포 유입과 함께 근섬유가 원형으로 변하여 알 수 있다. 괴사된 섬유는 창백해지고 고압수축된다. 전자현미경으로 관찰하면 심하게 괴사된 섬유에서는 A-밴드나 I-밴드가 보이지 않고 세포질이 입자성 물질로 채워진다. 재생 중인 근섬유는 종종 작으며, 염기성 세포질로 구성된다.[33] 대체로 괴사에서 보이는 소견이 동시에 관찰된다. CIM 환자에서 괴사는 위축이나 굵은 필라멘트 섬유

소실보다 드물다. 만약 괴사가 생긴다면 극히 일부 섬유에서만 발생하는 것이 전형적이고, 횡문근융해증의 경우는 매우 심하고 광범위할 수 있다. 신부전처럼 기능 부전이 발생한 장기의 수는 근괴사의 잠재적 위험요인이다.[25] 근괴사는 리소좀이 근원섬유마디 단백질을 분해하여 혈액내로 유입되면서 혈장 내 CK와 미오글로빈 수치가 상승하게 되어 알 수 있다. CIM 사례들마다 근괴사 정도와 존재는 다양하므로 CK 및 미오글로빈 상승은 진단에 도움은 될 수 있지만 필수 요건은 아니다.[10]

중증질환에서 골격근의 병태생리학

임상적 위험인자

지금까지 CIM의 임상적 위험인자 혹은 병태생리학적인 요소(위축, 굵은 필라멘트 소실, 괴사 등)를 평가한 연구는 없었다. 사실 근육신경계 이상과 관련된 중증질환 카테고리의 범주를 넓혀도 임상적 위험인자에 관한 연구보고가 거의 없다. 단지 세 가지 인자–다발성장기부전(MOF), 전신성염증반응(SIRS), 장기간의 기계환기(PMV)만이 다변량분석에서 잠재적 교란변수를 보정한 코호트 연구 한 개 이상에서 근육신경계 이상과 관련을 보였다.[27] 글루코코르티코이드(GCs), 신경근차단제(NMBAs) 치료와 근육신경계 문제의 인과 관계에 관한 많은 보고가 있지만, 이러한 부수현상적(epiphnomenologic) 관계는 선택편향 조건에서 교란변수로 인한 결과일 수 있다. 즉 가장 심한 중증환자는 근육신경계 이상이 발생할 위험이 제일 높기도 하고 이러한 약물 치료를 받아야 할 가능성도 높은 것이다. 선택편향을 방지하기 위한 무작위법을 동원한 GCs와[36] NMBAs의[37] 무작위대조군연구들은 노출과 근육신경계의 결과 사이에 확실한 연관성을 보여주지 못했다.

병인

조직학 연구에서도 유사하게, 중증질환에서 골격근의 병태생리를 이해하고자 했던 초기 연구들은 쇠약이 있는 환자를 대상으로 한 사례들에 주목했다. 이 초기의 임상보고들은 위축과 미오신 소실이 발생한 경로를 알아내고자 면역염색법을 이용하였다. 단백질 분해 과정에 주목하여, 칼슘촉진프로테아제(calpain),[20] ATP–유비퀴틴 시스템,[26] 리소조말 프로테아제(카텝신 B)[26] (35장 참조)의 활성화 증거를 밝혔다.[26,35] 이를 통해 위의 경로들이 차례대로 작용하여, 일단 미오신 소실과 근섬유 위축이 일어나고, 잠재적으로 세포골격 단백질 분해가 진행하여, 일부에서는 리소좀과 유비퀴틴 활성화로 섬유 괴사가 된다는 가설을 세울 수 있었다.[26] 다른 연구자들은 자멸사 경로의 활성화가 더 중요하다고 주장하고, 영향을 받은 근섬유 상당 부분에서 카스파제(caspase)와 자멸사 핵의 과발현을 증명하였다.[38] 최근 연구들에서는 미오신의 생산 저하에 대한 잠재적 역할을 이해하고 단백분해와 관련한 경로 그 너머를 알고자 mRNA의 발현을 이용하여 미오신 중쇄사슬,[40] 근육분화와 재생을 조절하는 핵심 단백질인 MyoD을[41] 탐구하고 있다. 이러한 연구들로 염증과[41] 부동 상태[39] 같은 중증질환에서 흔한 요인들로 인해 바뀌게 된 근육단백분해(muscle protein breakdown, MPB)와 근육단백합성(muscle protein synthesis, MPS) 사이의 복잡한 관계를 알게 되었다.

골격근에 중증질환이 미치는 효과에 대한 이해는 동물 모델의 부재로 제약이 있어 왔다.[42] 최근 연구자들은 쥐,[43] 토끼,[42] 돼지[5] 등을 이용하여 급성폐손상, 기계환기, 부동 상태와 같은 중증질환 상태에 부합하는 동물 모델을 개발하였다. 이러한 연구들로 근육 특이 링집게단백(Ring finger protein)[42,43] 같은 조절의 주요 인자를 증명하기 위한 유비퀴틴 단백질 분해 경로(UPP)의[42] 중요성 등 과거의 의문들을 확인하기 시작하였고, 중증질환에서 근육병증을 일으키는 복잡하고 연속된 과정들에[44] 대해서도 설명할 수 있게 되었다. 이러한 새로운 정보들 덕분에 중증질환의 근육신경계 후유증을 예방하고 치료하는 임상적 방법에 이를 수 있기를 기대할 수 있겠다.

결론

중환자들 중에는 심각한 쇠약과 골격근 이상을 보이는 환자들이 어디에나 있을 수 있다. 위축과 미오신 소실이 가장 흔하고, 근육 괴사는 그만큼 일반적인 소견은 아니다. 미오신의 분해와 합성의 균형은 중증질환의 특징과 치료 사이의 얽히고 복잡한 관계와 함께 CIM의 핵심이다. 비록 기존의 임상 연구들이 도발적인 자료들을 제시하긴 했지만, CIM의 예후, 기전, 위험인자, 발병률을 밝힐 수 있는 잘 설계된 체계적인 연구가 필요하다.[45] 이러한 지식 없이는 환자 중심의 장기적인 결과와 ICUAW에서 근육병증의 영향에 관한 이해가 계속 부족한 상태로 남게 될 것이다.

참고문헌

1 Schoenauer R, Lange S, Hirschy A, Ehler E, Perriard JC, Agarkova I. Myomesin 3, a novel structural component of the M-band in striated muscle. J Mol Biol 2008;376:338-51.

2 Dumitru D. Electrodiagnostic medicine. Philadelphia, SL: Hanley & Belfus, Mosby; 1995.

3 Rich MM, Teener JW, Raps EC, Schotland DL, Bird SJ. Muscle is electrically inexcitable in acute quadriplegic myopathy. Neurology 1996;46:731-6.

4 Rich MM, Pinter MJ. Crucial role of sodium channel fast inactivation in muscle fibre inexcitability in a rat model of critical illness myopathy. J Physiol 2003;547:555-66.

5 Ochala J, Ahlbeck K, Radell PJ, Eriksson LI, Larsson L. Factors underlying the early limb muscle weakness in acute quadriplegic myopathy using an experimental ICU porcine model. PLoS One 2011;6:e20876.

6 Ahlbeck K, Fredriksson K, Rooyackers O, et al. Signs of critical illness polyneuropathy and myopathy can be seen early in the ICU course. Acta Anaesthesiol Scand 2009;53:717-23.

7 Bierbrauer J, Koch S, Olbricht C, et al. Early type II fiber atrophy in intensive care unit patients with nonexcitable muscle membrane. Crit Care Med 2012;40:647-50.

8 MacFarlane IA, Rosenthal FD. Severe myopathy after status asthmaticus. Lancet 1977;2:615.

9 Bolton CF, Gilbert JJ, Hahn AF, Sibbald WJ. Polyneuropathy in critically ill patients. J Neurol Neurosurg Psychiatry 1984;47:1223-31.

10 Lacomis D, Zochodne DW, Bird SJ. Critical illness myopathy. Muscle Nerve 2000;23:1785-8.

11 Lacomis D, Giuliani MJ, Van Cott A, Kramer DJ. Acute myopathy of intensive care: clinical, electromyographic, and pathological aspects. Ann Neurol 1996;40:645-54.

12 Sander HW, Golden M, Danon MJ. Quadriplegic areflexic ICU illness: selective thick filament loss and normal nerve histology. Muscle Nerve 2002;26:499-505.

13 Latronico N, Fenzi F, Recupero D, et al. Critical illness myopathy and neuropathy. Lancet 1996;347:1579-82.

14 Larsson L, Li X, Edstrom L, et al. Acute quadriplegia and loss of muscle myosin in patients treated with nondepolarizing neuromuscular blocking agents and corticosteroids: mechanisms at the cellular and molecular levels. Crit Care Med 2000;28:34-45.

15 Hanson P, Dive A, Brucher JM, Bisteau M, Dangoisse M, Deltombe T. Acute corticosteroid myopathy in intensive care patients. Muscle Nerve 1997;20:1371-80.

16 Matsumoto N, Nakamura T, Yasui Y, Torii J. Analysis of muscle proteins in acute quadriplegic myopathy. Muscle Nerve 2000;23:1270-6.

17 Hund EF, Fogel W, Krieger D, DeGeorgia M, Hacke W. Critical illness polyneuropathy: clinical findings and outcomes of a frequent cause of neuromuscular weaning failure. Crit Care Med 1996;24:1328-33.

18 Lopate G, Pestronk A, Yee WC. N lines in a myopathy with myosin loss. Muscle Nerve 1998;21:1216-9.

19 Wokke JH, Jennekens FG, van den Oord CJ, Veldman H, van Gijn J. Histological investigations of muscle atrophy and end plates in two critically ill patients with generalized weakness. J Neurol Sci 1988;88:95-106.

20 Showalter CJ, Engel AG. Acute quadriplegic myopathy: analysis of myosin isoforms and evidence for calpain-mediated proteolysis. Muscle Nerve 1997;20:316-22.

21 Amaya-Villar R, Garnacho-Montero J, Garcia-Garmendia JL, et al. Steroid-induced myopathy in patients intubated due to exacerbation of chronic obstructive pulmonary disease. Intensive Care Med 2005;31:157-61.

22 Bednarik J, Vondracek P, Dusek L, Moravcova E, Cundrle I. Risk factors for critical illness polyneuromyopathy. J Neurol 2005;252:343-51.

23 Coakley JH, Nagendran K, Yarwood GD, Honavar M, Hinds CJ. Patterns of neurophysiological abnormality in prolonged critical illness. Intensive Care Med 1998;24:801-7.

24 De Jonghe B, Sharshar T, Lefaucheur JP, et al. Paresis acquired in the intensive care unit: a prospective multicenter study. JAMA 2002;288:2859-67.

25 Helliwell TR, Coakley JH, Wagenmakers AJ, et al. Necrotizing myopathy in critically-ill patients. J Pathol 1991;164:307-14.

26 Helliwell TR, Wilkinson A, Griffiths RD, McClelland P, Palmer TE, Bone JM. Muscle fibre atrophy in critically ill patients is associated with the loss of myosin filaments and the presence of lysosomal enzymes and ubiquitin. Neuropathol Appl Neurobiol 1998;24:507-17.

27 Stevens RD, Dowdy DW, Michaels RK, Mendez-Tellez PA, Pronovost PJ, Needham DM. Neuromuscular dysfunction acquired in critical illness: a systematic review. Intensive Care Med 2007;33:1876-91.

28 Khan J, Harrison TB, Rich MM, Moss M. Early development of critical illness myopathy and neuropathy in patients with severe sepsis. Neurology 2006;67:1421-5.

29 Bolton CF. Neuromuscular manifestations of critical illness. Muscle Nerve 2005;32:140-63.

30 Bolton CF. Sepsis and the systemic inflammatory response syndrome: neuromuscular manifestations. Crit Care Med 1996;24:1408-16.

31 Laing NG (ed.). The sarcomere and skeletal muscle disease. New York, NY: Springer Science + Business Media; LLC Landes Bioscience; 2008.

32 Neuromuscular Disease Center. Available at: http://neuromuscular.wustl.edu.

33 Dubowitz V, Brooke MH, Neville HE. Muscle biopsy: a practical approach. 2nd ed. London: Bailliere Tindall; 1985.

34 Stibler H, Edstrom L, Ahlbeck K, Remahl S, Ansved T. Electrophoretic determination of the myosin/actin ratio in the diagnosis of critical illness myopathy. Intensive Care Med 2003;29:1515-27.

35 Acharyya S, Ladner KJ, Nelsen LL, et al. Cancer cachexia is regulated by selective targeting of skeletal muscle gene products. J Clin Invest 2004;114:370-8.

36 Hough CL, Steinberg KP, Taylor Thompson B, Rubenfeld GD, Hudson LD. Intensive care unitacquired neuromyopathy and corticosteroids in survivors of persistent ARDS. Intensive Care Med 2009;35:63-8.

37 Papazian L, Forel JM, Gacouin A, et al. Neuromuscular blockers in early acute respiratory distress syndrome. N Engl J Med 2010;363:1107-16.

38 Di Giovanni S, Mirabella M, D'Amico A, Tonali P, Servidei S. Apoptotic features accompany acute quadriplegic myopathy. Neurology 2000;55:854-8.

39 Di Giovanni S, Molon A, Broccolini A, et al. Constitutive activation of MAPK cascade in acute quadriplegic myopathy. Ann Neurol 2004;55:195-206.

40 Norman H, Zackrisson H, Hedstrom Y, et al. Myofibrillar protein and gene expression in acute quadriplegic myopathy. J Neurol Sci 2009;285:28-38.

41 Guttridge DC, Mayo MW, Madrid LV, Wang CY, Baldwin AS, Jr. NF-kappaB-induced loss of MyoD messenger RNA: possible role in muscle decay and cachexia. Science 2000;289:2363-6.

42 Ochala J, Gustafson AM, Diez ML, et al. Preferential skeletal muscle myosin loss in response to mechanical silencing in a novel rat intensive care unit model: underlying mechanisms. J Physiol 2011;589:2007-26.

43 Files DC, D'Alessio FR, Johnston LF, et al. A critical role for muscle ring finger-1 in acute lung injury-associated skeletal muscle wasting. Am J Respir Crit Care Med 2012;185:825-34.

44 Llano-Diez M, Gustafson AM, Olsson C, Goransson H, Larsson L. Muscle wasting and the temporal gene expression pattern in a novel rat intensive care unit model. BMC Genomics 2011;12:602.

45 Hough CL, Needham DM. The role of future longitudinal studies in ICU survivors: understanding determinants and pathophysiology of weakness and neuromuscular dysfunction. Curr Opin Crit Care 2007;13:489-96.

Chapter 35

중증질환에서 골격근량 조절

주딘 푸투치어리, 휴 몽고메리, 니콜라스 하트, 스테펜 해리지
(Zudin Puthucheary, Hugh Montgomery, Nicholas Hart, and Stephen Harridge)

서론

중증질환의 치료성적은 좋아지고 있다. 환자의 생존과 골격근 기능장애는 연관이 있으며 이는 ICUAW라고 알려져 있다.[1,2] 근육은 역동적이고 가소성이 좋으며(plastic) 가단성 있는(malleable) 조직으로 근육부하 운동, 영양공급에 의해 제공되는 기계적, 대사적 신호에 매우 민감하다. 환자가 장시간 움직이지 않고(immobilization), 침상생활이 길어지며, 중력의 영향을 덜 받게 되는 환경은 다른 요소의 영향 없이도 근육량 소실(근소모/근위축)을 가져올 것이다.[3] 반대로 근육이 고-저항 근력훈련 같은 운동을 하게 되면 기계적 부하가 증가하면서 근육량이 늘거나 비대해지는 방향으로 적응할 것이다.[4] 이 단원에서는 중증질환이 골격근량에 어떤 영향을 미치는지 살펴보고자 한다.[5] 특히, 근육이 중증질환이라는 환경에 노출되는 독특한 문제에 초점을 맞출 것이다. 이 환경은 염증, 패혈증, 진정제 투여 및 영양보급문제를 포함한다. 이들 모두는 환자가 장시간 움직이지 않고, 침상생활이 길어지는 요소와 함께 환자의 말초 골격근에 부정적인 영향을 미친다.

골격근

구조 및 기능

골격근은 대략 전체 몸 질량의 20-40%를 설명하는 가장 큰 조직이다.[6] 크기에 따라 각각의 근

육은 수백-수천 개의 가늘고 긴 근육 섬유들로 구성되어 있다. 각각의 근섬유들은 역할에 따라 다른 단백질들의 배열로 구성되어 있다. 이 역할에는 (1) 수축(예; 액틴과 미오신) (2) 활성(예; 근소포체) (3) 물질대사(예; 미토콘드리아) (4) 구조적 보존(예; 티틴) (5) 유지와 수리(예; 위성세포(satellite cell)가 있다. 근육 섬유들은 균질하지 않은데 이는 각기 다른 단백질 아형의 발현이 현저히 다른 수축 및 대사의 특성을 보이기 때문이다. 느린 연축 미오신 중쇄사슬형(myosin heavy chain isoform, MHC-I)을 포함하는 섬유들은 대사 측면에서 천천히 수축하고 산화된다. MHC-Ⅱa 섬유들은 몇몇 산화 전위(oxidative potential)에 빠르게 수축한다. 반면 가장 빠르게 수축하는 MHC-ⅡX 섬유들은 피로에 저항이 약한 당분해 섬유(glycolytic fibre)이다. 근육은 체내 발열원[7], 대사저장 및 대사조절 등의 다양한 역할을 하지만, 주된 기능은 화학에너지를 기계적인 일로 변환시키는 것이다.[8] 근육의 강도(자발적인 정적수축이 최대한으로 한 번 일어나는 동안 생성될 수 있는 최대 물리력){force, 단위는 N(newton), 1N은 1 kg의 물체를 1 m/sec^{2}의 가속도를 갖게 하는 힘, N = kg · m/sec^2 ,역주}와 동력(수축력 및 움직임의 속도를 생산하는 요인){power, 단위는 W(watt), 1W는 1초 동안 1 kg의 물체를 1 m/sec^{2}의 가속도를 갖게 하는 힘으로 1 m 이동시키는 일, W = N(kg · m/sec^2) · m/sec ,역주}은 근육의 크기에 의해 큰 부분으로 결정된다.[8] 그러므로 근육량의 소실은 근육 수축 기능에 부정적인 결과를 초래한다.

근육량 조절

근육은 지속적으로 단백질 합성과 분해가 발생하는 역동적인 조직이다. 근육의 크기가 변하려면 단백질의 합성이나 분해 혹은 양측 모두의 변화가 필요하다. 단백질 합성 및 분해 과정의 기전을 연구하기 위해 과거에는 설치류 및 세포 모델을 이용하였으나 최근에는 안정적 동위원소 사용 및 질량분석 기술이 발달하여 인체정보에까지 적용되고 있다. 중환자의 골격근 변화에 관한 연구는 기술적으로 쉽지 않고, 사용할 수 있는 자료에 제한이 있어 이제는 중환자 특화 설치류 모델 개발로 이어졌다.[10]

근육 단백질 합성과 분해의 측정

사람에서 근육 단백질 합성(muscle protein synthesis, MPS) 측정은 leucine ((1,2-13C2) leucine)과 같은 안정한 동위원소가 표지된 아미노산을 일정하게 주입하고, 조직검사를 통해 이것이 근육에 동합된 것을 측정하는 방식으로 이루어진다. 근육 단백질 분해(muscle protein break-down, MPB)는 팔이나 다리를 지나는 혈관에 (D5)페닐알라닌을 일정하게 주입할 때 나타나는 동맥과 정맥 사이의 차이를 이용하여 측정하는데 MPS의 측정만큼 세밀하지는 않다. 건강하고 젊은 사람에서 근원섬유의 기초 근단백질 합성률은 시간당 약 0.02-0.06%이다.[11] MPS는 영양공급(특히 필수 아미노산, 그 중 특히 leucine)[12] 및 운동에 의해 일시적으로 자극되지만 건강하

고 젊은 성인에서는 MPB와 균형을 이루면서 근육량을 유지한다.[12]

단백질 전환의 분자적인 조절

MPS와 MPB는 모두 복잡하고 상호의존적인 세포내 과정의 최종 생산물들이다. MPS와 MPB는 서로 독립적으로는 완벽한 기능을 수행할 수 없으나, 여기서는 편의상 따로 기술하였다.

MPS

코드화된 DNA로부터 새로운 아미노산과 단백질 합성을 위해 세 가지 주요 단계가 발생한다. 각 단계는 부분적으로 작동하는 세 개의 단백질 그룹에 의해 조절된다; (1) 개시(진핵세포의 개시 인자, EIFs에 의해 조절), (2) 신장(진핵세포의 신장 인자, EEFs에 의한), (3) 종결(진핵세포의 종결 인자, ERFs에 의한). 종결 후 단백질은 삼차적이고 사차적인 구조 발생 접힘을 경험한다. 이러한 조절 단백질 그룹은 다양한 단백질 및 자극에 의해 활성 조절되는 상위 신호전달 경로로 조절된다. MPS는 단백질 키나아제 B (protein kinase B) (AKT로 알려진)로 합쳐지는 여러 경로에 의해 중재되며 IRS−1을 통해 몇몇의 독립적인 활성을 가진다(그림 35-2).[13] 이러한 경로들의 활성 조절은 완벽하게 이해되지 않았고 비록 흔한 IGF−1/P13K 단백질 키나아제 B (IGF−1/P13K/AKT) 경로로 설명되지만 동화작용은 핵 인자 카파 베타(NF$\kappa\beta$)의 하위 흐름과 같은 다른 경로를 통해서 발생할 수도 있다.[13,14] 경로의 강조할 만한 두 가지 요소는 mTOR과 70−kDa S6 단백질 키나아제(p70s6k)이다. mTOR는 두 가지 중요 단백질인 p70s6k과 EIF 4E와 결합하는 protein 1 (E4BP−1)을 조절함으로써 단백질 합성을 조절한다. mTOR가 AKT의 하위흐름 타겟인 반면 mTOR는 아미노산 특히 leucine과 같은 가지 사슬 아미노산의 주입에 의해 AKT 경로와는 상관없이 활성화 될 수 있다.[15] 물질대사의 조절에서 mTOR의 중심역할에 대한 증거들이 밝혀지고 있으며 미토콘드리아 생합성 및 ROS 발생 조절에서의 역할이 규정되고 있다.[16] p70s6k는 전사의 중요한 조절자이다. 저항운동에 의해 p70s6k의 상향조절이 입증되었을 뿐만 아니라 p70s6k와 근육량 사이의 직접적인 관계 또한 동물에서 입증된 바 있다.[17] p70s6k가 MPS의 지표가 되는 것에 더불어, p70s6k는 아미노산 공급과 운동이 결합되었을 때 적절하게 반응하는 것으로 알려졌다.[18]

IGF−1을 향한 경로가 흥미롭기는 하지만, 실제는 더 복잡하다. 예를 들어, 설치류 연구에서는 IGF−1 돌연변이에도 불구하고 MPB경로가 활성화되고 근비대적응이 일어남을 보여주었다.[19] 인체가 성장, 발달하는 동안 GH와 IGF−1의 축은 근육 성장에 중요한 역할을 하고 재조합 GH는 근결핍을 위한 치료제로 사용된다. 그러나 정상적인 성인 근육량을 조절하는 역할은 명확하지 않다. GH과 같은 동화작용 호르몬의 생리적 증가는 저항 운동과 결합했을 때 훈련으로 유도되는 근비대를 촉진하는데 실패했다. 이것은 많은 양의 하지저항운동을 시행한 후 자연적으로 상승한 GH와 IGF-1, 테스토스테론이 상지의 근훈련에 미치는 영향에 대한 연구에서 확인할 수 있다. 기초 호르몬 환경에서는 근육훈련 전후의 근성장이나 근강도의 상승은 관찰되지 않았다.[20]

MPB

MPB는 단백질 항상성의 필수 요소이다. 에너지 결핍상태에서 MPB는 글루코스 신생 합성과 에너지 생산에 필요한 아미노산을 제공한다.[21] 이러한 이원적 성질은 MPB 과정의 복잡한 생리에 기여한다. 사람에서 MPB가 조절되는 것은 세 가지 경로로 설명된다: (1) 자가소화작용 리소좀의 경로 (2) 세포질의 프로테아제(세포질의 액상부분) (3) UPP. 자가 소화 작용-리소좀 경로에서 세포 밖과 세포질 단백질은 내포 작용에 의해 회수되고 카텝신과 산 가수분해효소와 같은 산-염기 프로테아제에 의해 리소좀 안에서 분해된다.[9,21] 현재 리소좀 경로는 정상적인 환경에서 세포 내 순환보다 오히려 세포 밖과 막 표면 단백질의 순환을 조절하는 것으로 보인다.[9,22] 칼페인과 같은 세포질 프로테아제들은[23] 칼슘에 의해 활성화되는 단백질 분해를 위해 필요하다. 이것은 세포 내의 칼슘의 증가에 반응하고 조직 상처와 괴사에 역할을 하는 ATP에 독립적인 과정이다.[9,23] 그러나 정상 골격근에서 그들의 역할은 명확하지 않다. (프로테아제와 관련한 인터루킨-β 전환효소로 알려진) 카스파아제는 세포 자멸사 경로의 일부분이고 예정 세포사를 유도하는 DNA 손상과 유해자극에 반응한다.[9] 마지막으로, UPP는 ATP 의존적 경로이며 세포내 다수의 단백질이 분해되는 기전으로 보인다.[9,24-26] 분해 활성화 효소(ubiquitin-activating enzyme, E1 ligases)는 유비퀴틴의 활동적인 형태를 만들고 여기에 유비퀴틴 운송 단백질이 결합한다(E2 ligases). 후에 유비퀴틴은 유비퀴틴 단백질 리가아제(muscle ring finger-1 (MuRF-1) E3 ligase) 또는 근위축 인자 muscle atrophy factor, Mafbx)에 의해 기질에 전달된다. 이 과정은 폴리유비퀴틴 사슬이 형성될 때까지 반복적으로 발생하고, 폴리유비퀴틴은 26s 프로테아좀에 의해 인식되고 20s core에 의해 분해된다.

UPP는 기아,[27] 당뇨,[28] 산증,[29] 암 악액질,[21] 패혈증,[30] 위축[27] 및 GC 치료의[31] 질병 모델에서 공통되는 최종 단백질 분해로 설명되었다.[31] 건강 상태에서 다른 근분해경로의 차단은 MPB가 적게 일어나도록 유도한다.[32] 단백질분해의 유일한 기전으로 UPP을 이해하는 것은 UPP의 모든 요소들과 그들의 영향에 대하여 충분한 지식이 부족하다는 것을 의미한다. MuRF-1는 빈번하게 측정되지만,[9,25] MuRF-2와 MuRF-3는 덜 측정되는데 이러한 이유로 E3 리가아제의 상호작용 및 자세한 활성에 대한 자료는 한계가 있다.[33,34] 중환자와 관련하여, UPP의 중요 특성은 UPP가 ATP에 의존한다는 것이다.[34,35] 미토콘드리아 기능장애는 중환자들에서 관찰될 수 있는데, 중환자의 세포에서 ATP이용률은 알려진 바는 없다.[36,37] 이 장에서 보고되는 수많은 연구들은 생체 밖 또는 생체동물모델을 이용하여 이루어졌다. 임상적 배경을 두고 실험실적 혹은 생체동물모델 데이터를 해석하는 데 많은 논란이 있지만, UPP의 상향 조절은 COPD와[38] 패혈증,[39,40] 외상,[41] 스타틴 근질환,[42] 암 악액질,[43] 화상을 포함한 다양한 질병 상태와 인체실험모델,[45] 운동에 대한 반응에서 보고되었다.[46]

IGF-1 경로와 NF$\kappa\beta$ 경로는 서로 병행하고 이것은 중증질환에 이환되었을 때 발생하는 근위축 현상과 관련이 있는 것과 같다. 이들 경로는 패혈증과 불용상태(disuse)로 상향조절되는 종양괴사인자(tumor necrosis factor, TNF)군에 의해 활성화된다.[47,48] TNF군의 하나인 TWEAK (TNF와 관련된 세포사멸의 유도물질)은 근육 위축을 유도하는 것으로 보여진다.[49] 동물실험에서는 NF$\kappa\beta$ 경로와 유비퀴티니제이션이 근단백질 분해를 촉진하는 기전으로 연구되었다.[14]

미오스타틴

미오스타틴(GDF-8로 알려져 있다)은 근육량을 줄이는 방향으로 조절하는 TGF-β군에 포함되는 하나의 단백질이다. 미오스타틴의 높은 발현은 근육 위축을 촉진하고 위성세포의 재생을 억제한다. 미오스타틴 녹아웃 실험쥐와 돌연변이 동물 연구에서는 상당한 근육비대가 발생하는 것이 보였으며[51,52] 이는 미오스타틴 돌연변이가 확인된 아이에서 보이는 극심한 근육 비대의 임상적 증상을 뒷받침한다.[53] 미오스타틴은 type ⅡB 액티빈 수용체와 결합하고 Smad2와 Smad3의 인산화를 통해 작동한다. 다음 차례로 탈인산화되고, mTOR를 억제함으로써 MPS를 억제하는 FOXO를 활성화한다.[55,56] 미오스타틴은 또한 미토겐(유사 분열 촉진 물질)에 의해 활성화된 단백질 키나아제(MAPK)와 세포 외 신호 조절된 키나아제(ERK), c-Jun N-말단 키나아제(JNK) 경로를 포함하는 non-Smad 경로를 통해 작용하기도 한다.[59] 이 경로를 차단함으로써 긍정적 결과가 있지만, 인간을 대상으로 한 연구는 아직 이루어지지 않았다.[60] 미오스타틴 그 자체는 주 조절자가 될 수 없고 단지 액티빈 수용체에 작용하는 단백질 그룹 중 하나로 작용한다.[61] 고도로 보존되는 다른 단백질처럼 미오스타틴은 대사 조절에 다면 발현 효과를 가지는데,[55] 정확한 역할은 추가 연구가 필요하다.

미오스타틴의 세포외 조절은 여러 단백질에 의해 발생한다. TGF-β군과 유사한 당단백질인 폴리스타틴(Follistatin)은 미오스타틴과 결합하고 수용체와의 결합을 막는다.[61] 미오스타틴은 프로펩타이드와 결합하여 잠복 형태로 순환한다. 프로펩타이드로부터 미오스타틴의 방출은 단백질-3과 결합한 TGF-β와 단백질-1(GASP-1)과 관련된 혈청 인자의 성장과 분화에 의해 억제될 수 있다.[62] Micro-RNA (miR)는[63] mRNA의 전사 후 변형을 통한 유전자 발현을 조절하는 (이

전에 junk RNA로 불렸다) 짧은 22-연속배열의 코딩이 안 되는 RNA인데, 미오스타틴 발현을 조절하는 것으로 보인다. 동물 연구에서 미오스타틴 억제는 miR-1과 miR-206의 관련성을 보이고, 인간 연구에서는 필수아미노산의 섭취가 miR-499, miR-1, miR-208b, miR-23a의 상향조절을 가져오는 반면 미오스타틴은 감소시키는 결과를 보였다.[65] 부동상태(immobilization) 인체 모델에서 미오스타틴 활성과 근육량 사이의 관계는 명확하지 않았다.[45,66] 단일 연구에서 캐스트 치료 후 장시간 움직이지 못한 환자의 회복은 낮은 미오스타틴 mRNA 발현 및 이와 병행하는 근육량 증가와 관련이 있다.[45] 운동과 GH는 미오스타틴 mRNA의 감소와 연관이 있으나 상반되는 연구결과도 존재한다.[70] 근감소증과 흡연 모두 미오스타틴 mRNA 발현의 증가와 관련이 있다.[71,72]

동물 모델

동물 모델은 연구자들이 적절한 맞춤 대조군을 가지고 종 관찰연구와 개입연구를 수행할 수 있다는 점에서 주목할 만하다. 각각 손상과 자극을 개별적으로 가해볼 수 있고, 인간질병 모델을 개발하기 위해 가해지는 자극과 손상을 조절해 볼 수도 있다. 실제로, 생물 의과학의 기계론적 성취는 이러한 방식에서 이루어졌다. Ochala 등은[10] 쥐를 대상으로 중증질환 인체모델을 만들기 위해 시냅스 후 신경근 차단제와 진정제를 투약하고 기계호흡을 적용했다. 이러한 설치류 모델에서는 근육 위축, 미오신 합성의 하향조절, UPP의 상향조절, MuRF-1과 MuRF-2의 순차적인 변화 및 국소화가 관찰된다. 그러나 동물 모델로 인체의 질환을 연구할 때는 반드시 주의를 기울여야 한다. 특히 성체 쥐에서 전체 단백질의 순환은 사람에 비해 3-4배 빠르며, 단백질 합성률은 2.5배 더 높다.[73] 이것은 설치류와 인간 사이에 보이는 대사 안정성(항상성을 유지하기 위한 능력)에 기인한다. 몸무게 그램 당 기초 대사비율은 쥐에서 7배나 더 크며,[74] 두 종간 서로 다른 노화율이 존재한다.[75] 연구에서 사용되는 설치류들은 종종 미성숙하거나 성장 과정에 있고, 그에 반해 중환자실에 입원한 중증질환 환자들은 중년 및 노년이다. 최근 동물 연구들은 동물 모델과 인체 조건 사이의 차이점에 대하여 주목하고 있다. 동물은 근육부하가 5시간동안 이루어지지 않으면 근육 단백질이 분해반응을 시작하는 반면, 인간은 5시간 이상 수면을 취하면서 근육부하가 이루어지지 않아도 이런 반응은 나타나지 않는다.[76] 개념적으로, 동물 연구에서는 근분해가 근육 항상성을 작동시킨다고 하지만, 앞서 언급한 이유로, 이러한 결과를 사람에 적용하는 데에는 주의를 기울여야 한다. 뿐만 아니라 근분해에 관련한 동물실험의 결론들은, 분해를 직접 측정하기 보다는 UPPs 연구로부터 이끌어낸 결론이므로 더욱 제한점이 있다. 생체 밖 조건에서 정상적인 쥐근육은 생체 내에서보다 더 낮은 근육 합성 비율과 더 높은 근육 분해 비율을 보이는데, 여기에서 많은 연구들이 MPS의 변경이 직접적으로 MPB에 영향을 미친다는 잘못된 가정을 하는 오류를 범한다. 이러한 한계들을 제외하고 동물 연구는 근육 생리학의 기계론적이고 구조적인 이해에 있어 매우 유용하다. 임상적으로 새롭고 혁신적인 아이디어를 수행하는 데 있어서 동물실험은 신중히 고려할 필요가 있다. 중증질환에서의 근육 생리를 명확하게 이해하고 근손실을 막는 분자단위 혹은 다른 치료법을 개발하기 위해서는 인체대상연구가 필요할 수 있다.

중환자에서 근육 단백질 조절

중환자를 대상으로 한 침습적인 생리실험은 어려움이 많다. 환자에게 상대적이고 소급적 동의를 얻는 실제적 어려움을 제외하더라도, 출혈과 감염의 위험성이 있는 생리적으로 불안정한 환자들에게서 근육 생체검사를 수행하는 것은 기술적인 어려움이 있다. 그래서 다리에 캐스트를 적용하고 고정치료를 받은 건강한 사람에게 얻어진 정보로 근손실의 병태생리학적인 이해를 시도하기도 한다.[77] 이러한 연구들은 근손실과 관련하여 어떤 인자들이 원인이 되는지 정의하는데 도움이 된다. 그러나 이런 연구에는 다음과 같은 제한점이 있다. (1) 대다수의 상해는 윤리적인 측면에서 건강한 자원봉사자가 재현하기 어렵다(예를 들면 진정제 투여 없이 장기간 시행하는 신경근 차단). (2) 다양한 손상의 축적은 동일한 이유로 측정할 수 없다. 여러 연구들에서 중환자에게 나타나는 동화작용과 이화작용의 신호 변화를 조사했다. 그 연구들은 지금까지 샘플크기에 상당한 결함이 있어 해석에 어려움이 있었다. 한 단일 연구에서는 중환자의 대사반응이 균일하다는 점을 제안하였는데,[78] 그 제안이 맞다면 중환자의 근소실에 대하여 성, 나이 및 질환 유무가 미치는 영향에 대한 데이터는 제한적일 수 있다. 이러한 연구들에서는 근육량의 실제적 변화를 측정할 수 없었고 효과에 대한 연관성의 조사 역시 어렵다. 근육 조직검사 시점의 표준화 역시 아직 이루어지지 않았다. 중증질환은 기계환기유발폐렴과 같은 이차 합병증을 갖는 역동적인 과정이다.[79-82] 단 한 시점에서 시행한 근육 조직검사는 중증질환에 걸렸을 때 악화단계가 나타나는 초기와 회복단계가 나타나는 후기 사이의 복잡한 대사 적응과정을 반영하기 어렵다. 근육량의 객관적인 측정, 다양한 환자의 표현성, 역동적인 단백질의 치환 과정을 포함하는 일련의 자료들이 필요하지만 아직 발표된 바는 없다.

이러한 한계점이 있지만, 단면연구의 데이터들은 존재한다. 12명의 중환자를 나이와 성이 일치하는 건강인 대조군과 비교한 연구에서, 중환자들은 AKT의 하위흐름 경로 신호가 증가하는 모습을 보여주었는데, 이는 단백질 분해의 둔화와 동화작용 경로가 증가함을 시사한다.[83] 안정 동위원소를 이용하여 일곱 명의 건강한 대조군과 여덟 명 환자군을 비교한 연구에서 다양한 비율의 MPS와 높은 비율의 MPB는 이화 작용이 상향조절 되는 것과 연관이 있었다.[84] 같은 연구진은 더 작은 실험군에서 비슷한 결과를 얻었는데 두 연구 데이터에는 모두 동화작용 신호 측정이 부족하다는 제한점이 있었다.[39] 64명의 장기재원환자를 대상으로 입원 15일째 근육

조직검사를 시행했던 연구에서는[85] 대조군과 비교했을 때 근조직 검사를 시행 받은 환자는 E3 ligase 또는 미오스타틴 유전자의 발현이 증가하지 않는다는 결과가 있었다. 중환자 10명을 대상으로 유전자 발현과 단백질 농도 사이의 관계를 조사한 한 개의 연구에서는 이와 상반된 결과를 보였다.[86] 이 연구에서는 근분해 경로의 상향 조절이 동화작용 신호 억제와 병행됨을 알아냈다. 주목할 만한 것은 동화작용 신호의 mRNA 발현의 증가가 번역단계에 도달하지 않고도, 전사단계에서 합성프로그램이 시작된다는 것을 시사한다는 것이다. 중환자를 대상으로 각각 미오스타틴의 mRAN의 발현이 높게 측정된 연구[86]와 낮게 측정된 상반된 연구가[83] 있었으나 두 연구 모두 근조직검사의 시점이 표준화되지 않고 시행되었다는 한계가 있다. COPD 환자들에 있어서도 이런 모호한 결과들이 보고된 바가 있으며,[87,88] 단면연구이기는 하나 미오스타틴이 낮게 측정된 이후 근회복이 관찰되었다는 보고도 있었다.[89]

근육 기능의 소실

처음에 언급한 것처럼, 근육의 기능(강도와 힘)은 근육 크기와 관련 있다. 그러므로 근육 크기의 감소와 근기능의 소실은 비례함을 추정해 볼 수 있다. 중환자를 치료하는 환경에서 전체근육기능을 측정하는 것은 불가능하지는 않겠지만 쉬운 작업은 아니다. 그러나 근조직검사 표본에서 떼어낸 근섬유로 그 기능을 객관적으로 연구하는 것은 비교적 수월하다. 이러한 근섬유들은 투과성이 있으며 생체 밖 환경에서 화학적으로 활성화 될 수 있다. 근섬유에서 발생하는 물리력은 섬유의 횡단면 면적과 연관이 있다. 이는 건강한 젊은 사람에게 침상안정을 시키면 근섬유 크기가 감소한다는 연구에서 언급되었다. 이 연구에서는 또한 침상안정이 근육의 '질' 감소를 가져온다는 것을 제시하였는데 이는 단위 근면적당 발생하는 힘이 감소한다는 것을 의미한다. 이러한 힘의 감소를 '비력(specific force)'이 소실되었다고 표현하는데 이는 근육의 각 단위 영역에서 감소된 힘으로 나타난다.[90] 이러한 비력 소실은 노쇠한 노인군으로부터 얻어진 근섬유들에서도 나타나는데, 부분적으로 두꺼운 미세섬유 단백질인 미오신의 선택적인 소실이 비력 소실을 가져온 것 또한 확인할 수 있었다.[91] 동물 모델에서는 기계적으로 산소공급이 중단된 쥐에게 진정제를 투여하면 비력의 소실과 유사한 미오신의 선택적인 소실이 일어남을 보였다.[10] 미오신의 선택적 소실은 중환자들에게서 얻어진 근육 샘플에서 관찰되기도 했다.[92] 이는 중환자들에게 비력 소실이 발생할 수 있음을 의미한다. 이를 확인하기 위해서는 종단적 연구(하나의 연구대상을 일정기간 동안 2회 이상 반복 측정하여 그 대상의 변화를 파악할 때 사용하는 조사방법, 역주)가 필요하다. 근육량 소실에만 주목하게 될 경우 근기능손실이라는 측면을 과소평가 할 수 있다는 가설이 제기되고 있다.

결론

중환자의 골격근은 원인질환과 장기부전 및 염증, 진정제의 사용, 장시간 움직이지 않는 환경에 직면한다. 이러한 조건 아래 근육의 항상성이 심각하게 손상되고, 근육량 소실이 일어나는 것은 놀랄 만한 일이 아니다. 중증질환이 진행되는 동안 근소실이 조절되는 기전은 이해되기 시작하는 단계이나 아직 많은 의문들이 남아있다. 근손실, 중증치료과정에서 발생하는 근력저하, 중환자실 생존자들이 겪는 장기간의 기능 부전 등을 최소화하고 방지하는 데에 이런 기전들의 구체적인 이해가 있어야 할 것이다.

참고문헌

1 De Jonghe B, Sharshar T, Lefaucheur JP, et al. Paresis acquired in the intensive care unit: a prospective multicenter study. JAMA 2002;288:2859-67.

2 Herridge MS, Tansey CM, Matté A, et al. Functional disability 5 years after acute respiratory distress syndrome. N Engl J Med 2011;364:1293-304.

3 Murton AJ, Greenhaff PL. Muscle atrophy in immobilization and senescence in humans. Curr Opin Neurol 2009;22:500-5.

4 Aagaard P, Andersen JL, Dyhre-Poulsen P, et al. A mechanism for increased contractile strength of human pennate muscle in response to strength training: changes in muscle architecture. J Physiol 2001;534:613-23.

5 Puthucheary Z, Montgomery H, Moxham J, Harridge S, Hart N. Structure to function: muscle failure in critically ill patients. J Physiol 2010;588:4641-8.

6 Lieber R. Skeletal muscle structure, function, and plasticity: the physiological basis of rehabilitation. Philadelphia, PA: Lippincott Williams & Wilkins; 2002.

7 Edwards R, Hill D, Jones D. Heat production and chemical changes during isometric contractions of the human quadriceps muscle. J Physiol 1975;251:303-15.

8 Billeter R, Hoppeler H. Muscular basis of strength. In: Komi PV (ed.) Strength and power in sport. 2nd ed. Oxford: Blackwell Science; 2003. pp. 50-72.

9 Lecker SH, Solomon V, Mitch WE, Goldberg AL. Muscle protein breakdown and the critical role of the ubiquitin-proteasome pathway in normal and disease states. J Nutr 1999;129:227S-37S.

10 Ochala J, Gustafson AM, Diez ML, et al. Preferential skeletal muscle myosin loss in response to mechanical silencing in a novel rat intensive care unit model: underlying mechanisms. J Physiol 2011;589:2007-26.

11 Emery PW, Edwards RH, Rennie MJ, Souhami RL, Halliday D. Protein synthesis in muscle measured in vivo in cachectic patients with cancer. Br Med J (Clin Res Ed) 1984;289:584-6.

12 Rennie MJ. Muscle protein turnover and the wasting due to injury and disease. Br Med Bull 1985;41:257-64.

13 Glass DJ. Skeletal muscle hypertrophy and atrophy signaling pathways. Int J Biochem Cell Biol 2005;37:1974-84.

14 Cai D, Frantz JD, Tawa NE, Jr, et al. IKKbeta/NF-kappaB activation causes severe muscle wasting in mice. Cell, 2004;119:285-98.

15 Tato I, Barton R, Ventura F, Rosa JL. Amino Acids activate mammalian target of rapamycin complex 2 (mTORC2) via PI3K/AKT signalling. J Biol Chem 2011;286:6128-42.

16 Watanabe R, Wei L, Huang J. mTOR signalling, function, novel inhibitors and therapeutic targets. J Nuclear Med 2011;52:497-500.

17 Baar K, Esser K. Phosphorylation of p70(S6k) correlates with increased skeletal muscle mass following resistance exercise. Am J Physiol 1999;276:C120-127.

18 Karlsson HK, Nilsson PA, Nilsson J, Chibalin AV, Zierath JR, Blomstrand E. Branched-chain amino acids increase p70S6k phosphorylation in human skeletal muscle after resistance exercise. Am J Physiol Endocrinol Metab 2004;287:E1-7.

19 Wojtaszewski JF, Higaki Y, Hirshman MF, et al. Exercise modulates postreceptor insulin signaling and glucose transport in muscle-specific insulin receptor knockout mice. J Clin Invest 1999;104:1257-64.

20 West DWD, Burd NA, Tang JE, et al. Elevations in ostensibly anabolic hormones with resistance exercise enhance neither training-induced muscle hypertrophy nor strength of the elbow flexors. J App Physiol 2010;108:60-7.

21 Temparis S, Asensi M, Taillandier D, et al. Increased ATP-ubiquitin-dependent proteolysis in skeletal muscles of tumor-bearing rats. Cancer Res 1994;54:5568-73.

22 Mitch WE, Goldberg AL. Mechanisms of muscle wasting. The role of the ubiquitin-proteasome pathway. N Engl J Med 1996;335:1897-905.

23 Puthucheary Z, Rawal J, Connolly B, et al. Serial Muscle Ultrasound Can Detect Acute Muscle Loss In Multi-Organ Failure. Am J Respir Crit Care Med 2011;183:A2376.

24 Cahill NE, Murch L, Jeejeebhoy K, et al. When early enteral feeding is not possible in critically ill patients: results of a multicenter observational study. JPEN J Parenter Enteral Nutr 2011;35:160-8.

25 Lecker SH, Jagoe RT, Gilbert A, et al. Multiple types of skeletal muscle atrophy involve a common program of changes in gene expression. FASEB J 2004;18:39-51.

26 Novak P, Vidmar G, Kuret Z, Bizovicar N. Rehabilitation of critical illness polyneuropathy and myopathy patients: an observational study. Int J Rehabil Res 2011;34:336-42.

27 Medina R, Wing SS, Goldberg AL. Increase in levels of polyubiquitin and proteasome mRNA in skeletal muscle during starvation and denervation atrophy. Biochem J 1995;307:631-7.

28 Price SR, Bailey JL, Wang X, et al. Muscle wasting in insulinopenic rats results from activation of the ATP-dependent, ubiquitin-proteasome proteolytic pathway by a mechanism including gene transcription. J Clin Invest 1996;98:1703-8.

29 Vanhorebeek I, Gunst J, Derde S, et al. Mitochondrial Fusion, Fission, and Biogenesis in Prolonged Critically Ill Patients. J Clin Endocrinol Metab 2011;97:E59-64.

30 Voisin L, Breuille D, Combaret L, et al. Muscle wasting in a rat model of long-lasting sepsis results from the activation of lysosomal, Ca2-activated, and ubiquitin-proteasome proteolytic pathways. J Clin Invest 1996;97:1610-7.

31 Auclair D, Garrel DR, Chaouki Zerouala A, Ferland LH. Activation of the ubiquitin pathway in rat skeletal muscle by catabolic doses of glucocorticoids. Am J Physiol 1997;272:c1007-16.

32 Furuno KGA. The activation of protein degradation in muscle by Ca2+ or muscle injury does not involve a lysosomal mechanism. Biochem J 1986;237:859-64.

33 Gregorio CC, Perry CN, Mcelhinny AS. Functional properties of the titin/connectin-associated pro-teins, the muscle-specific RING finger proteins (MURFs), in striated muscle. J Muscle Res Cell Motil, 2005;26:389-400.

34 Jagoe RT, Goldberg AL. What do we really know about the ubiquitin-proteasome pathway in muscle atrophy? Curr Opin Clin Nutr Metab Care 2001;4:183-90.

35 Coux O, Tanaka K, Goldberg AL. Structure and functions of the 20S and 26S proteasomes. Annu Rev Biochem 1996;65:801-47.

36 Brealey D, Brand M, Hargreaves I, et al. Association between mitochondrial dysfunction and severity and outcome of septic shock. Lancet 2002;360:219-23.

37 Carre JE, Orban J-C, Re L, et al. Survival in Critical Illness Is Associated with Early Activation of Mitochondrial Biogenesis. Am J Respir Crit Care Med 2010;182:745-51.

38 Doucet M, Russell AP, Leger B, et al. Muscle Atrophy and Hypertrophy Signaling in Patients with Chronic Obstructive Pulmonary Disease. AJRCCM 2007;176:261-9.

39 Klaude M, Fredriksson K, Tjader I, et al. Proteasome proteolytic activity in skeletal muscle is increased in patients with sepsis. Clin Sci (Lond) 2007;112:499-506.

40 Tiao G, Hobler S, Wang JJ, et al. Sepsis is associated with increased mRNAs of the ubiquitin-proteasome proteolytic pathway in human skeletal muscle. J Clin Invest, 1997;99:163-8.

41 Mansoor O, Beaufrere B, Boirie Y, et al. Increased mRNA levels for components of the lysosomal, Ca2-activated, and ATP-ubiquitin-dependent proteolytic pathways in skeletal muscle from head trauma patients. Proc Natl Acad Sci USA 1996;93:2714-18.

42 Mallinson JE, Constantin-Teodosiu D, Sidaway J, Westwood FR, Greenhaff PL. Blunted Akt/FOXO signalling and activation of genes controlling atrophy and fuel use in statin myopathy. J Physiol 2009;587:219-30.

43 Bossola M., Muscaritoli M, Costelli P, et al. Increased muscle ubiquitin mRNA levels in gastric cancer patients. Am J Physiol Regul Integr Comp Physiol 2001;280:R1518-23.

44 Biolo G, BosuttiA, Iscra F, Toigo G, Gullo A, Guarnieri G. Contribution of the ubiquitin-proteasome pathway to overall muscle proteolysis in hypercatabolic patients. Metabolism 2000;49:689-91.

45 Jones SW, Hill RJ, Krasney PA, O'conner B, Peirce N, Greenhaff PL. Disuse atrophy and exercise rehabilitation in humans profoundly affects the expression of genes associated with the regulation of skeletal muscle mass. FASEB J 2004;18:1025-7.

46 Murton AJ, Constantin D, Greenhaff PL. The involvement of the ubiquitin proteasome system in human skeletal muscle remodelling and atrophy. Biochim Biophys Acta 2008;1782:730-43.

47 Hunter RB, Stevenson E, Koncarevic A, Mitchell-Felton H, Essig DA, Kandarian SC. Activation of an alternative NF-kappaB pathway in skeletal muscle during disuse atrophy. FASEB J 2002;16:529-38.

48 Penner CG, Gang G, Wray C, Fischer JE, Hasselgren PO. The transcription factors NF-kappab and AP-1 are differentially regulated in skeletal muscle during sepsis. Biochem Biophys Res Commun 2001;281:1331-6.

49 Dogra C, Changotra H, Wedhas N, Qin X, Wergedal JE, Kumar A. TNF-related weak inducer of apoptosis (TWEAK) is a potent skeletal muscle-wasting cytokine. Faseb J. 2007;21:1857-69.

50 Mccroskery S, Thomas M, Platt L, et al. Improved muscle healing through enhanced regeneration and reduced fibrosis in myostatin-null mice. J Cell Sci 2005;118:3531-41.

51 Mcpherron, A. C. & Lee, S. J. Double muscling in cattle due to mutations in the myostatin gene. Proc Natl Acad Sci USA 1997;94:12457-61.

52 Mcpherron AC, Lawler AM, Lee SJ. Regulation of skeletal muscle mass in mice by a new TGF-beta superfamily member. Nature, 1997;387:83-90.

53 Schuelke M, Wagner KR, Stolz LE, et al. Myostatin mutation associated with gross muscle hypertrophy in a child. N Engl J Med 2004;350:2682-8.

54 Wing SS, Lecker SH, Jagoe RT. Proteolysis in illness-associated skeletal muscle atrophy: from pathways to networks. Crit Rev Clin Lab Sci 2011;48:49-70.

55 Lebrasseur NK, Walsh K, Arany Z. Metabolic benefits of resistance training and fast glycolytic skeletal muscle. Am J Physiol Endocrinol Metab 2011;300:E3-10.

56 Zhu X, Topouzis S, Liang LF, Stotish RL. Myostatin signaling through Smad2, Smad3 and Smad4 is regulated by the inhibitory Smad7 by a negative feedback mechanism. Cytokine 2004;26:262-72.

57 Philip B, Lu Z, Gao Y. Regulation of GDF-8 signaling by the p38 MAPK. Cellular Signalling, 2005;17:365-75.

58 Yang W, Chen Y, Zhang Y, Wang X, Yang N, Zhu D. Extracellular signal-regulated kinase 1/2 mitogen-activated protein kinase pathway is involved in myostatin-regulated differentiation repression. Cancer Res 2006;66:1320-6.

59 Huang Z, Chen D, Zhang K, Yu B, Chen X, Meng J. Regulation of myostatin signaling by c-Jun N-terminal kinase in C2C12 cells. Cellular Signalling, 2007;19:2286-95.

60 Zhou X, Wang JL, Lu J, et al. Reversal of cancer cachexia and muscle wasting by ActRIIB antagonism leads to prolonged survival. Cell 2010;142:531-43.

61 Lee SJ, Lee YS, Zimmers TA, et al. Regulation of Muscle Mass by Follistatin and Activins. Mol Endocrinol 2010;24:1998-2008.

62 Elkina Y, Von Haehling S, Anker SD, Springer J. The role of myostatin in muscle wasting: an overview. J Cachexia Sarcopenia Muscle 2011;2:143-51.

63 Lee SJ. Regulation of muscle mass by myostatin. Annu Rev Cell Dev Biol 2004;20:61-86.

64 Clop A, Marcq F, Takeda H, et al. A mutation creating a potential illegitimate microRNA target site in the myostatin gene affects muscularity in sheep. Nat Genet 2006;38:813-8.

65 Drummond MJ, Glynn EL, Fry CS, Dhanani S, Volpi E, Rasmussen BB. Essential Amino Acids Increase

MicroRNA-499, -208b, and -23a and Downregulate Myostatin and Myocyte Enhancer Factor 2C mRNA Expression in Human Skeletal Muscle. J Nutr 2009;139:2279-84.

66 De Boer MD, Selby A, Atherton P, et al. The temporal responses of protein synthesis, gene expression and cell signalling in human quadriceps muscle and patellar tendon to disuse. J Physiol 2007;585:241-51.

67 Hulmi JJ, Ahtiainen JP, Kaasalainen T, et al. Postexercise myostatin and activin IIb mRNA levels: effects of strength training. Med Sci Sports Exerc 2007;39:289-97.

68 Louis E, Raue U, Yang Y, Jemiolo B, Trappe S. Time course of proteolytic, cytokine, and myostatin gene expression after acute exercise in human skeletal muscle. J Appl Physiol 2007;103:1744-51.

69 Lui JC, Baron J. Mechanisms limiting body growth in mammals. Endocr Rev 2011;32:422-40.

70 Willoughby DS. Effects of heavy resistance training on myostatin mRNA and protein expression. Med Sci Sports Exerc 2004;36:574-82.

71 Leger B, Derave W, De Bock K, Hespel P, Russell AP. Human sarcopenia reveals an increase in SOCS-3 and myostatin and a reduced efficiency of Akt phosphorylation. Rejuvenation Res 2008;11:163-75B.

72 Petersen AM, Magkos F, Atherton P, et al. Smoking impairs muscle protein synthesis and increases the expression of myostatin and MAFbx in muscle. Am J Physiol Endocrinol Metab 2007;293:E843-8.

73 Waterlow JC, Garlick PJ, Millward DJ. Protein turnover in mammalian tissues and in the whole body. Amsterdam: Elsevier North-Holland; 1978.

74 Demetrius L. Of mice and men. EMBO Reports 2005;6:39-44.

75 Demetrius L. Caloric restriction, metabolic rate, and entropy. J Gerontol A Biol Sci Med Sci 2004;59:902-15.

76 Phillips SM, Glover EI, Rennie MJ. Alterations of protein turnover underlying disuse atrophy in human skeletal muscle. J Appl Physiol 2009;107:645-54.

77 Glover EI, Phillips SM, Oates BR, et al. Immobilization induces anabolic resistance in human myofibrillar protein synthesis with low and high dose amino acid infusion. J Physiol 2008;586:6049-61.

78 Gamrin L, Essen P, Forsberg AM, Hultman E, Wernerman J. A descriptive study of skeletal muscle metabolism in critically ill patients: free amino acids, energy-rich phosphates, protein, nucleic acids, fat, water, and electrolytes. Crit Care Med 1996;24:575-83.

79 Finfer S. Corticosteroids in Septic Shock. N Engl J Med 2008;358:188-90.

80 Sprung CL, Annane D, Keh D, et al. Hydrocortisone Therapy for Patients with Septic Shock. N Engl J Med 2008;358:111-24.

81 The Acute Respiratory Distress Syndrome Network. Ventilation with Lower Tidal Volumes as Compared with Traditional Tidal Volumes for Acute Lung Injury and the Acute Respiratory Distress Syndrome. N Engl J Med 2000;342:1301-8.

82 The National Heart, L., and Blood Institute Acute Respiratory Distress Syndrome (ARDS) Clinical Trials Network*. Comparison of Two Fluid-Management Strategies in Acute Lung Injury. N Engl J Med 2006;354:2564-75.

83 Jespersen JG, Nedergaard A, Reitelseder S, et al. Activated protein synthesis and suppressed protein breakdown signaling in skeletal muscle of critically ill patients. PLoS One 2011;6:e18090.

84 Klaude M, Mori M. Protein metabolism and gene expression in skeletal muscle of critically ill patients with sepsis. Clin Sci (Lond) 2011;122:133-42.

85 Derde S, Hermans G, Derese I, et al. Muscle atrophy and preferential loss of myosin in prolonged critically ill patients. Crit Care Med 2012;40:79-89.

86 Constantin D, Mccullough J, Mahajan RP, Greenhaff PL. Novel events in the molecular regulation of muscle mass in critically ill patients. J Physiol 2011;589:3883-95.

87 Ju CR, Chen RC. Serum myostatin levels and skeletal muscle wasting in chronic obstructive pulmonary disease. Respir Med 2012;106:102-8.

88 Vogiatzis I, Simoes DC, Stratakos G, et al. Effect of pulmonary rehabilitation on muscle remodelling in cachectic patients with COPD. Eur Respir J 2010;36:301-10.

89 Troosters T, Probst VS, Crul T, et al. Resistance training prevents deterioration in quadriceps muscle function during acute exacerbations of chronic obstructive pulmonary disease. Am J Respir Crit Care Med 2010;181:1072-7.

90 Larsson L, Li X, Berg HE, Frontera WR. Effects of removal of weight-bearing function on contractility and myosin isoform composition in single human skeletal muscle cells. Pflugers Arch 1996;432:320-8.

91 D'antona G, Pellegrino MA, Adami R, et al. The effect of ageing and immobilization on structure and function of human skeletal muscle fibres. J Physiol 2003;552:499-511.

92 Derde S, Hermans G, Derese I, et al. Muscle atrophy and preferential loss of myosin in prolonged critically ill patients. Crit Care Med 2011;40:79-89.

Chapter 36

중증질환에서 영양불균형의 의미, 원인과 치료

다렌 K. 헤이랜드, 마리나 모르차키스
(Daren K. Heyland and Marina Mourtzakis)

서론

영양실조는 적절한 생리학적 기능에 필요한 영양소 또는 칼로리의 부적절한 섭취로 정의할 수 있다. 영양부족은 특히 저열량 섭취를 의미할 뿐 아니라, 환자에 개별 계산된 권장 섭취 대비 다량영양소 및 미량영양소 섭취가 감소했음을 의미하기도 한다. 본 장에서는 중환자의 영양부족과 이에 수반되는 생리학적 및 임상적 결과, 그리고 그에 대처하기 위한 전략에 주안점을 둘 것이다. 중환자실에서의 영양부족은 중환자실 입원 당시 정상 체성분 및 영양 상태였던 환자가 중환자실 입원 및 병원 입원 중에 영양부족이 되는 경우, 의인성 영양실조에 이어 이차적으로 발생할 수 있다. 중환자실 입원 전에 영양실조였던, 즉 기존의 영양실조 환자들은 의인성 영양실조가 동반되었을 때 조직 소실의 악화를 나타낼 수 있다.

영양부족의 결과

체성분 변화

의인성 영양부족은 중환자의 체중 감소를 가속화한다. 체중 감소가 근본적으로 영양 상태의 표지자로 사용되어 왔지만, 지방 및 비지방 조직 상실 같은 특정 조직의 변화를 구분해 낼 수는 없다. 뿐만 아니라, 중환자에게 가해지는 다량의 수액투여 및 투여된 수액의 체내분포과정 고려할 때 체중이 감소한다는 표현은 부적절하다. 골격근량 같은 비지방 조직 소실은 특히 이환율, 입원기간 증가 및 사망률과 관련 있다.[1-3] 생리학적 관점에서 볼 때, 근위축은 싸이토카인 신호작용을 손상시켜 감염 위험을 높이고[4] 인슐린 신호작용을 손상시켜 당불내성을[5,6] 초래할 수 있다. 골격근은 면역 기능 및 싸이토카인 대사[7]에 중요한 역할을 하며, 당 대사를 위한 최대 저장소(>75%)이다.[8,9] 따라서, 골격근 통합성의 변화는 중환자의 대사 관리를 더욱 복잡하게 만들 수 있다. 치료를 마치고 퇴원하는 환자에게 보이는 낮은 근육량은 회복기에 근기능 상태를 위태롭게 할 것이다. 입원 중 감소한 체중 대부분이 중환자실 퇴원 후 1년 내에 회복되지만,[10] 복구된 체중은 비지방 조직보다는 지방량으로 분포되어[11] 기능 상태 회복을 위태롭게 하고 향후 동반 이환도 유발할 수 있다. 중환자에서 비지방 조직 소실의 잠재적 다인성 원인으로, 병상에서 머무는 시간 연장,[12] 염증이 잘 발생할 수 있는 환경, 인슐린 내성을 비롯한 다양한 대사 이상,[13] 저칼로리 및 저단백 섭취로 인한 영양부족을 들 수 있다.[14,15] 이러한 특징들이 병행되면 단백질 합성을 약화시키는 동시에 단백질 분해를 가속화할 수 있다.

근육 단백질 항상성

칼로리 부족은 예정된 수술(비응급 수술)을 받는 환자에서 심각한 단백질 분해를 유발할 수 있는데, 단백질 손실은 16%에 달할 수 있고 이러한 손실의 대부분(67%)은 골격근에 나타난다. 이 분야에 대한 연구가 제한적이나, APT 공급이 감소했을 때 활성화되는 에너지 센서인 AMP 활성 단백질 키나아제(AMPK)가 칼로리 부족 시 유도되는 단백질 분해에 어느 정도 기인한다는 가능성은 제시되고 있다.[17] Pasiakos 등은 체중이 안정적이고 신체적으로 왕성하고 건강한 개인들에서 칼로리 섭취가 80% 감소하면 근육 감소로 인해 단백질 합성률이 감소하는 결과가 발생했음을 보고하여 이러한 개념을 뒷받침했다.[18] 뚜렷한 단백질 섭취 감소는 저아미노산혈증이라고도 알려진 부적절한 아미노산 이용성을 유발하여 단백질 합성에 현저하게 부정적인 효과를 미칠 수 있다.[19] 단백질 합성을 위한 아미노산 이용성은 중환자에서 면역 및 기타 생리학적 기능을 활성화하는 데 있어 특히 중요하다. 이들 기능에 필요한 단백질을 구축하는 데 필요한 아미노산을 공급하기 위해 골격근 분해가 일어나는데 이는 중환자의 대사 합병증을 더욱 악화시킨다. 단백질 분해는 프로테오솜 및 리소솜 체계가 주도하는 반면에 칼페인 및 카스파제는 중환자에서 사실상 변화가 없다.[20,21] 글루타민 감소는[22,23] 특히 글루타티온 상태를 바꿀 수 있다.[24,25] 감소한 글루타티온 농도는 산화스트레스를 반영하고 인슐린 내성과[26] 염증 증가의[25] 잠재적 원인이 될 수 있다. 낮은 글루타민 농도는 림프구[27] 및 단핵구[28] 기능과 더불어 당 생성을 위한 글루타민 사용도[29] 손상시킬 수 있다. 반대로, 글루타민 보충을 통해서 당 활용에 긍정적인 영향을 미치고 감염 및 폐렴 발생률을 줄일 수 있다.[30] 필수아미노산 중에서도 특히 leucine의 이용성 증가가 인슐린 섭취 증가와는 별개로 MPS를 촉진할 수 있다.[31,32]

임상 합병증

몇몇 연구에서 에너지 부족상태의 축적이 총 합병증 수 증가,[33,34] 혈류 감염,[35] ARDS,[33] 신부전,[33] 중환자실 입원 기간 증가[34] 및 기계환기일 수 증가와[34] 관련 있는 것으로 나타났다. 따라서 영양 부족은 중환자에서 매우 우려되는 사항이다. 에너지 결핍의 누적은 저칼로리 상태를 수반할 뿐 아니라 단백질 섭취 감소를 포괄하는 개념으로, 이런 상황에서는 비지방 조직 상실이 가속화될 것으로 예상된다. 또한 저칼로리 섭취 및 단백질 섭취 감소와 함께, 환자 대사 및 에너지 필요량이 충족되지 않아 환자의 회복속도가 떨어질 수 있다. Tsai 등은 칼로리 필요량의 60% 미만을 섭취하는 환자들이 중환자실 입원의 첫 7일 내에 사망할 가능성이 2.4배 더 높았고, 이에 따라 초기 영양 중재가 중요함을 입증했다.[36]

의인성 영양부족

유병률

최근 150명 이상의 중환자를 대상으로 시행한 다국적연구를 살펴보면 의인성 영양부족이라는 문제의 현황을 살펴볼 수 있다.[37] 최소 3일간 중환자실에 입원한 기계호흡 환자 중 대부분(67%)이 장관 영양(enteral nutrition, EN)을 받았고, 환자의 16.8%은 정맥 영양(parenteral nutrition, PN)으로 EN을 보충했으며, 환자의 7.6%에서만 PN이 단독으로 사용되었다. 환자의 총 8.5%가 어떠한 인공 영양도 받지 않았다. 평균적으로 EN은 중환자실 입원 후 46.5시간 시점에 시작되었다(시험기관 평균 범위 8.2–149.1시간). 전반적으로 중환자실 EN 프로토콜에 의해 전달된 실제 에너지 양 및 단백질 양은 각각 권장량의 45.3% 및 42.1%였고 EN 전달을 최적화하기 위한 전략의 도입률은 낮았다. 위내 식이 잔류량이 많았던 환자에게 장운동촉진제 투여와 소장식이가 시행된 것은 각각 58.7%, 14.7%에 지나지 않았다. 의인성 영양실조와 최적의 영양이 공급되지 않는 것은 전반적인 문제이다.

관리 전략 비교와 임상 결과

영양을 더 잘 공급받은 환자가 더 나은 임상결과를 보인다는 누적된 증거를 실제 현상과 비교해보고자 한다. 중환자실에서의 영양공급에 대한 또 다른 국제적, 전향적, 관찰 코호트 연구에서, Heyland와 동료들은 영양 섭취와 차후 임상결과간 상관관계를 분석했다.[38] 이 연구에서는 이러한 상관관계가 환자의 발병 전 영양 상태로 인해 바뀔 수 있다고 가정했다. BMI를 중환자실 입원 전 영양상태에 대한 대리 표지자로 사용했고, 회귀 모델을 개발하여 투여 받은 영양과 60일 사망률 및 기계환기이탈기간(VFD) 사이의 관계를 살펴본 뒤 입원 BMI가 미치는 영향을 조사했다. 전반적으로, 연구 환자들은 하루 평균 1,034 kcal의 열량 및 47 g의 단백질을 투여받았다. 사망률 대응비{odds. 한 사건이 나타나지 않을 가능성에 대하여 나타날 가능성의 비율, 역주}와 총 일일 칼로리 섭취 간에는 유의한 역선형관계가 있었다. 일일 1,000 kcal의 증가는 전체 사망률 감소(또는 60일 사망률의 경우 0.76, 95% CI 0.61−0.95, P = 0.014) 및 VFD 증가(3.5 VFD, 95% CI 1.2−5.9, P = 0.003)와 관련 있었다. 단백질 섭취증가는 사망률과 유의한 역선형관계를 보였으나, VFD에 미치는 효과는 관찰되지 않았다. 실험자들은 이후에 동일한 방법을 다른 데이터군에 적용하여 하루 에너지 1,000 kcal 이상 투여, 또는 단백질 30 g 이상 투여가 감염성 합병증 감소에 더 큰 관련이 있음을 입증했다.[39]

이와 반대로, 다른 관찰연구들은 목표 칼로리 미만의 영양투여가 최적의 결과와 관련 있음을 발표했다.[40,41] Krishnan 등은 경구식이를 하기 전 최소 96시간 동안 중환자실에 입원 중인 187명의 성인 중증질환자들에 대한 전향적 코호트 연구를 실시했다.[40] 환자들은 경구식이를 시작할 때까지 전체 중환자실 입원 기간 동안 달성한 에너지 섭취 수준의 백분율에 따라 3분위로 분류되었고 각 환자의 전체 영양 섭취 기간의 분포는 범위가 넓었으나(4−41일 범위) 이에 대한 통계적 보정은 하지 않았다. 최고 3분위(권장 칼로리의 >66% 섭취)에 해당되는 환자들은 최저 3분위에 해당되는 환자들에 비해 생존 퇴원할 가능성이 낮았고, 중환자실 퇴원 전에 자발적 환기를 달성할 확률도 낮았다. 이는 단일 기관 환자 523명의 데이터군에 대해 사후분석을 실시하여 첫 7일간의 영양 섭취와 차후 임상 결과간 관계를 조사한 Arabi 등의 연구에 의해 뒷받침된다. 목표 칼로리의 >64%를 공급받은 환자들은 중환자실 입원 기간 및 알려진 교란변수를 조절한 후에도 입원 사망률, 중환자실 획득 감염 위험 및 장기간의 입원을 보였다.[41]

여러 연구간 연구 방법, 포함된 환자 및 영양 사용에 차이가 있을 수는 있으나, 영양 노출 기간 또는 중환자실 입원 기간에 대하여 다양한 통계적 접근방법을 사용한 것으로 이러한 불일치 현상을 설명할 수 있다. 대부분의 영양공급 프로토콜에서는 중환자실 입원의 첫 며칠 동안 영양을 점차적으로 증가시킬 것을 권장하기 때문에, 첫 며칠 동안 식이를 거의 하지 않거나 전혀 하지 않았다면 인공 영양을 공급받은 기간이 짧거나 중환자실 입원 기간이 더 짧은 환자의 경우는 일일 평균 전달받는 칼로리 양이 더 적었을 것이다. 따라서 조금이라도 식이를 진행했고 단기간 입원 후 생존 퇴원한 환자들이 이러한 관찰 분석에 유의한 영향을 미칠 수 있다. 이전 연구에서는 제한된 표본(예; 최소 또는 동일한 입원 기간의 환자들만 포함시킴)이나 회귀 모델을 통한 통계적 조절을 사용하여 영양 기간의 교란 효과를 설명하려 했다. 따라서 이들 연구간 방법론적 접근법의 미묘한 차이가 모순되는 결론을 대부분 설명한다.

최적 칼로리 전달

중환자실에 입원했던 352명 환자들의 증례와 최소 96시간 동안 중환자실에서 기계호흡치료를 받은 7,872명의 중환자를 대상으로 시행된 영양공급에 대한 전향적, 다기관 연구에서, Heyland 등은 투여된 칼로리 양과 임상결과간 관계를 조사하고, 발표된 관찰연구에서 사용된 저마다 다른 통계적 방법론을 비교하여, 투여된 칼로리 양과 사망률간 관련성을 알아보고자 했다.[42] 초기 비조절 분석에서는 칼로리 섭취 증가와 사망률 증가간 유의한 관련성이 관찰되었다(칼로리 처방량의 >2/3을 받은 환자 vs. 처방량의 <1/3을 받은 환자의 경우 OR 1.28, 95% CI 1.12–1.48). 완전히 경구섭취로 전환된 이후는 제외하였을 때, 유해 추정치가 완화되었다(비조정 분석: OR 1.04, 95% CI 0.90–1.20). 경구 섭취 진행 전 최소 4일간 중환자실에 입원한 환자들로 분석범위를 제한하고 경구 섭취로의 진행 후 관찰일 수를 제외한 경우, 칼로리 섭취 증가의 유익성이 유의했다(비조정 OR 0.73, 95% CI 0.63–0.85). 평가가능일 수와 그 외 중요한 공변량 모두에 대해 추가 조절한 경우, 칼로리 처방량의 >2/3을 받은 환자들의 사망 가능성은 처방량의 <1/3을 받은 환자보다 훨씬 더 낮았다(OR 0.67, 95% CI 0.56–0.79, P<0.0001). 연속 변수로 처리했을 때, 투여된 칼로리 처방량의 백분율과 사망률의 전반적 관련성은 통계적으로 유의하

그림 36-1. 60일 시점의 입원 사망률과 12일 칼로리 전달간 관계

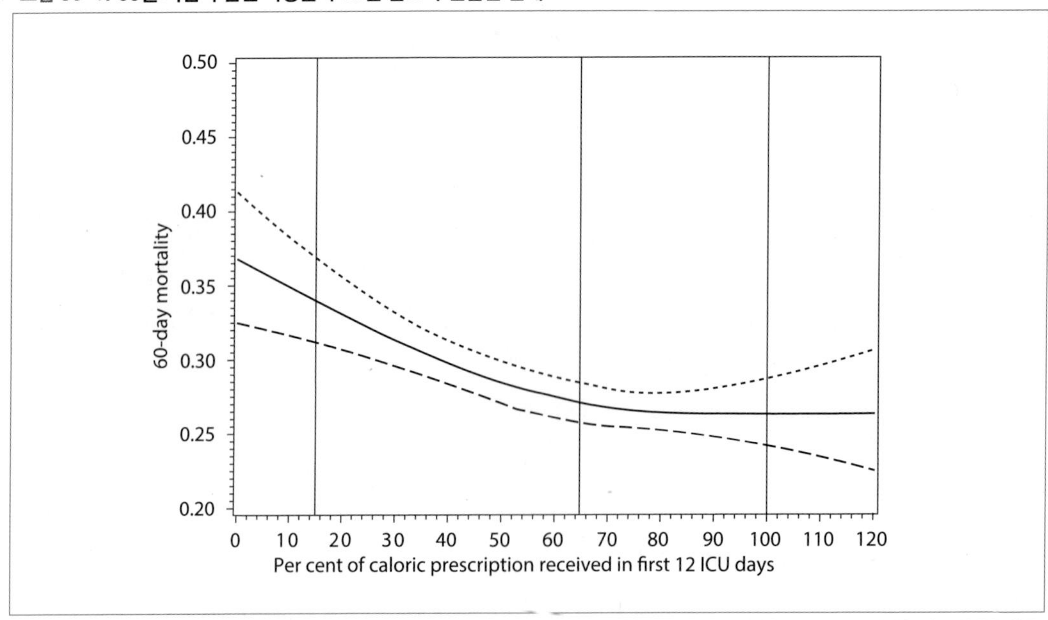

실선은 제한된 삼차 스플라인에 맞춘 모델로, 매듭이 5, 50 및 95백분위에 위치해 있다. 파선은 95% 신뢰선을 제공하고 수평선은 매듭 위치를 제공한다.[42]

Heyland DK, Cahill N , Day A.. Optimal amount of calories for critically ill patients: Depends on how you slice the cake! Society of Critical Care Medicine, 중환자의학회 2619-2626, 저작권 2011로부터 재현, Wolters Kluwer 및 중환자의학회 승인.

며, 칼로리 증가가 사망률 감소와 관련이 있었다(P<0.0001). 이들 연구에서는 칼로리 양과 사망률 결과에 대한 연관성이 데이터의 정확한 분류와 더불어 통계적 방법론 면에서 데이터 취급으로부터 유의한 영향을 받는 것으로 나타났다. 최적의 접근법은 목표 칼로리를 충족하려는 시도(>80%)가 중환자의 임상 결과 개선과 관련 있음을 시사한다(그림 36-1 참조). 관찰연구가 인과성을 정의하지 않음에도 불구하고, 영양 공급과 결과 사이의 관계는 각기 다른 전달 경로와 식이 진행 시간을 비교한 RCT와[43-45] 보완적 PN에 대한 최근 임상시험의 결과에 의해 뒷받침된다.[46] 이들 데이터는 강화된 영양 전달이 임상적, 경제적 결과를 개선한다고 보고한 대규모 관찰연구의[38,39,42] 데이터와 일치한다. 그러나 목표 칼로리 전달을 위한 장관영양과 비교한 최소 장관영양에 대한 최근의 단일 기관 임상시험에서는 어떠한 결과 차이도 관찰되지 않았다.[47] 90–100%의 목표 칼로리의 식이에 도달한 허용된 감식(목표 칼로리의 60–70%)에 대한 또 다른 단일 기관 임상시험에서는 허용된 감식이 더 낮은 사망률과 관련 있을 수 있다고 결론 내렸다.[48] 흥미롭게도 두 연구 모두에서 평균 BMI가 28–29 kg/m^2였고 평균 연령이 50대로 낮았으며 대부분의 환자가 중환자실 입원 기간이 짧았다(<5일). 이는 더 젊고, 과체중이고, 중환자실 입원 기간이 짧은 환자의 경우 목표 칼로리 및 단백질 전달로 인한 사망률 개선효과가 없음을 시사한다. 그러나, BMI에 관계없이 오랜 기간 중환자실에 입원해 있는 고령 환자는 목표 칼로리 및 단백질 전달로부터 이득을 볼 수 있다. 이러한 가설은 입원 기간이 연장된 BMI 25 kg/m^2 미만 35 kg/m^2 초과의 환자가 공격적 영양 섭취로부터 최대 이득을 본다고 밝힌 관찰연구에 의해 뒷받침된다.[38,39] 뿐만 아니라, 유의한 사망률의 개선이 없는 경우 조차, 목표가 설정된 영양요법을 받은 환자들은 중환자실 퇴실 시 기능상태가 강화되었을 가능성이 있다.[47] 기능 상태가 근육량과 상관관계가 있는 것으로 간주되기에, 임상의는 퇴원 시 기능 상태를 영양 중재의 주요 결과로 고려해야 한다. 이러한 결과는 65세 초과 환자의 모집단에서 훨씬 더 중요할 수 있다. 이 연령대에서는 근육감소증이 중증질환 발현 전에도 진행하는 상태이기 때문이다.[43] 그럼에도 불구하고, 이와 같이 대조적인 결과들은, 대부분 충분한 식이 진행으로부터 이득을 볼 가능성이 있거나 의인성 단식(소식)으로 인해 가장 피해볼 확률이 있는 환자를 식별하려면 중환자실 입원 시 철저한 영양 위험 평가가 중요함을 강조한다.

중환자에서의 영양 위험 평가

현재 다음과 같은 기준에 근거하여 입원한 환자에서 사용되는 다양한 선별검사 도구가 있다: (1) 예정 외 체중감소 이력, (2) 경구 섭취 감소, (3) BMI, (4) 급성질환 중증도, (5) 위장관 증상, (6) 사망률, 그리고 (7) 신체 검사.[50-55] 이들 선별검사 도구 중 그 어느 것도 특별히 중환자 모집단을 위해 개발/검증된 것은 없었다. 따라서, 중환자실에서 만나는 전신 염증성 반응과 급성 및 만성 기아상태의 환자 등을 평가하는 새로운 접근법이 필요하다. Jensen과 동료들이[56] 영양실조를 정의한 것과 일치하는, 중증질환에서의 영양 위험 점수(NUTRIC 점수)를 개발하였다. 이 점수에서는 영양 요법에 의해 변경될 수 있는 이상반응 위험을 정량화했다.[57] 전향적 관찰연구에 대한 이차 분석에서는 598명의 중환자에서 점수에 포함될 것으로 보이는 주요 변수에 대한 데이터를 수집했다. 변수에는 연령, 초기 APACHE-II, 초기 SOFA 점수, 동반이환질환수, 병원 입원에서 중환자실 입원까지의 기간, BMI<20 kg/m^2, 전 주의 경구 섭취 추정량, 지난 3개월간 체중감소, 그리고 혈청 IL-6, 프로칼시토닌(PCT) 및 CRP 수치가 포함되었다. 다변량 모델화 후, 최종 NUTRIC 점수는 연령, 초기 APACHE II 점수, 초기 SOFA 점수, 동반이환질환수, 병원 입원에서 중환자실 입원까지의 기간 및 혈청 IL-6를 포함한 6가지 변수로 구성되었다. 이들 특정 변수는 사망률과 기계환기 기간 같은 결과에 대한 예측성이 높은 것으로 알려졌으며, 높은 NUTRIC 점수는 불량한 결과를 예측했다. 더 중요한 점은 NUTRIC 점수가 더 높은 환자들이, 필요한 영양 추정량을 충족시키는 것으로부터 이득을 본 반면에 NUTRIC 점수가 더 낮은 환자들은 영양추정량 이상의 영양으로부터 어떠한 이득도 보지 못했다는 것이다. 이와 같은 새로운 점수 도구는 의사들이 공격적인 영양공급으로부터 이득을 볼 가능성이 더 큰 중환자를 식별할 수 있게 할 것이다.

칼로리 요건 결정은 목표 칼로리 요건 설정을 가능하게 하기에 초기 영양 평가에서 중요하다. 이는 간단한 방정식(하루당 25-30 kcal/kg), 더 정교한 예측 방정식(예; Harris-Benedict) 또는 간접적 칼로리 측정을 사용한 특정 척도에 의한 계산을 사용하여 추정된다.[58] 단백질-에너지 요건을 결정하는 어떠한 방법도 이를 뒷받침하는 강력한 증거가 없기 때문에, 시기 적절한 방식으로 목표를 달성하는 것이 중요하다.

유익성 최대화, 장관영양 위험 최소화 전략

장관 영양 시기

장관 영양은 선호되는 영양 투여 경로이다. 증거에 따르면, 중환자실 입원 후 가능한 한 빨리 시작해야 한다. 중환자에서 조기 EN(중환자실 입원 후 24-48시간 내에 시작)을 지연된 영양소 섭취(EN 또는 경구 식이 지연)와 비교한 14건의 RCT가 있었다.[59] 이들 연구 결과를 집계했을 때, 조기 EN은 영양소 섭취 지연에 비해 사망률 감소(RR 0.60; 95% CIs 0.46, 1.01; P = 0.06) 및 유의한 감염성 합병증 감소(RR 0.76; 95% CIs 0.59, 0.98; P = 0.04) 경향이 있었다. 사망률 결과에 통계적 유의성이 부족하기는 하나, 이들 데이터는 임상 결과 개선을 시사한다. 또한 영양소 전달의 유의한 증가는 조기 장관 영양과 관련이 있었다.

조기 장관 영양 개념을 지지하기 전에, 이 전략의 잠재적 위험에 대해 고려해보아야 한다. 조기 위관 영양에 대한 최근 두 건의 비-무작위 배정 연구는 합병증 증가와 관련 있었다.[60,61] 반대로, Taylor와 그 동료들은 공격적 조기 식이 프로토콜을 시행하면서 필요시 소장식이를 병행했고, 표준(더 느린) EN 제공에 비해 공격적으로 영양공급을 받는 두부 손상 환자들이 더 나은 영양 상태를 보일 뿐 아니라 합병증이 적었고 질병 회복이 빨랐음을 관찰했다.[43] 뿐만 아니라, 대규모 다기관 관찰연구에서 Artinian과 동료들은 조기 EN (48시간 이내)이 약간의 폐렴 발생률 증가와 관련 있었으나 그럼에도 불구하고 조기에 영양이 투여된 이들 환자가 지연된 EN을 받은 환자들에 비해 사망률이 더 낮았음을 입증했다.[62] 동일한 환자군으로부터 획득한 최근 데이터는 승압제 투여 환자들조차 조기 EN으로부터 이득을 얻을 수 있음을 시사한다. 연구자들은 다기관 데이터베이스를 사용하여 승압제 투여 중인 기계호흡 환자들을 식별하고, 교란 변수를 조절한 성향-일치(propensity-matching) 분석을 사용하여 조기 EN을 받은 환자의 결과를 지연된 EN을 받은 환자와 비교했다.[63] 그 결과, 조기 EN을 받은 환자군의 사망률이 지연된 EN을 받은 환자에 비해 의미있게 더 낮음을 입증했다. 뿐만 아니라, 가장 중증도가 높은 환자들 중에서도 특히 승압제를 병합 투여 중인 환자들이 가장 큰 이득을 얻는다고 설명했다. 이는 혈역학적 어려움을 겪고 있는 환자에 대한 식이진행의 안전성 및 유효성을 뒷받침하는 데 이용할 수 있는 가장 강력한 증거이다. EN이 비소생, 불안정 환자에서 어떠한 역할을 한다고 옹호할 방법이 없지만, 일단 완전히 소생하고 나면 환자가 혈관수축제 및 승압제를 투여 중이더라도 EN을 시작해야 한다. 그러한 환자들이 고용량의 위내 영양을 견딜 수 있을지 염려되는 경우, 정기적인 흡수율 재평가와 더불어 직접 공장으로 식이를 투여하거나, 첫 24시간 동안 10–20 mL/시간의 저용량(trophic feeding)으로 시작하는 것을 고려해야 한다.

흡인 위험 감소: 소장 식이의 역할

오염된 구강인두 분비물의 제방향(anterograde) 통과 또는 오염된 위장 내용물의 후두 역행통과(retrograde)로 흡인이 발생할 수 있다. 역류는 흡인보다 더 빈번하게 발생한다.[64] 소장 경관영양을 시작함으로써 역류 및 흡인의 빈도와 발생 가능한 폐렴 위험이 감소하는 동시에 영양소 전달이 최대화된다.[65] 식이 경로가 흡인성 폐렴 발생률에 미치는 효과를 평가한 11건의 무작위 배정 임상시험이 있다.[66] 이들 결과를 집계했을 때, 위관 식이에 비해 소장 식이에서 유의한 흡인성 폐렴 감소가 있었다(RR 0.77; 95% CIs 0.60, 1.00; P = 0.05). 특히 공장관 삽입 시 소장 접근성 확보의 어려움을 이러한 증거와 비교해 봐야 한다. 소장 접근이 확보될 때까지 며칠간 EN 개시를 지연하는 것은 허용되지 않을 것이다. 환자의 대부분이 위내 영양을 흡수함을 고려할 때, 소장 식이는 EN을 견디지 못할 위험이 높은 환자들에게 사용하는 것이 더 현명할 것이다. 여기에는 고용량 혈관수축제 및 승압제 투여, 장기간 진정제 및 근이완제 지속 주입, 위내잔류량이 많은 환자와 비위배액량이 많은 환자 및 앙와위 자세로 간호 받는 기간이 연장된 역류와 흡인 위험이 높은 환자에 포함된다.[58]

체위

몇몇 연구에서 침대 머리 높이를 올리는 것이 위 역류 및 폐 흡인 발생률 감소와 관련 있음을 발표하였다. Drakulovic과 동료들이 실시한 RCT에서는 앙와위 자세로 관리되는 중환자의 위내 EN 투여시 발생하는 폐렴 위험이 침대 머리를 45도 높인 경구식이진행 환자의 폐렴 발생 위험에 비해 더 높은 것으로 입증되었다(23% vs. 5%; $P<0.05$).[67] 그러나, van Nieuwen hoven 등은[68] 이러한 결과를 재차 확인할 수 없었다. 이 연구자들의 연구에서 중재군의 환자는 침대 머리를 45도 올릴 수 없었고, 앙와위 자세군은 침대 머리가 약 20도 들어 올려진 병상에서 간호 받았다. 이러한 방법론적 문제가 이 연구와 관련된 부정적 결과를 일부 설명할 수 있다. 실용적 접근법은 침대 머리를 30–45도 각도로 올려 장관영양과 관련된 위험을 줄이는 것이다.

운동촉진제

위장관운동 촉진제는 위배출을 개선하고, EN 내성을 개선하고, 위식도 역류 및 폐 흡인을 감소시켜 중환자의 치료 결과를 개선시킬 수 있다.[69] 이들 약물 사용이 임상 결과에 미치는 영향을 입증한 연구가 없었음에도 불구하고 낮은 약물 유해 확률, 긍정적 효과 실현 가능성 및 비용을 고려할 때 영양 섭취를 최대화하고 역류를 최소화하는 전략으로 운동촉진제를 사용해 볼 수 있다. 마크롤라이드계열 항생제인 에리쓰로마이신을 사용하면 항생제 사용에 동반되는 세균 내성이 발생할 수 있으므로, 메토클로프라미드의 사용이 선호된다. 메토클로프라미드는 장관 영양 개시와 함께 처방할 수 있고, 높은 위내 식이 잔류량이 지속되는 환자들을 위해 따로 처방할 수 있다. 약물 투여로 인한 유익성이 관찰되지 않거나, EN이 잘 유지되는것이 확인되면 4회 투여 후 중단할 수 있다. 난치성 증례의 경우, 에리쓰로마이신과 메토클로프라미드를 병행하여 사용하면 좋은 효과를 볼 수 있다.[70] 마약 사용을 줄이는 것 또한, 위 기능 및 EN 내성을 개선함과 동시에 흡인 위험을 줄이는 데 효과적일 수 있다.

식이 프로토콜

몇 건의 관찰연구에서는 EN이 위내 식이 잔류량, 구역 및 구토, 그리고 필요한 시술과 관련된 금식 등 위장관불내성(gastrointestinal intolerance) 사유로 자주 중단된다고 한다.[71] 중환자실 입원 기간 동안, 이러한 중단은 EN의 적절한 시행을 방해하고 이는 영양과 관련된 합병증의 발생과도 관련이 있다. 간호사 주도 급식 프로토콜은 일일 EN 전달량을 증가시키고[72] 위장관불내성 조건에 대처하고 중단을 최소화하기 위한 운동촉진제 사용을 포함하고 있다. EN 중단은 논쟁의 여지가 있는 주제이나, 최근 연구에서 부적절한 잦은 식이 중단은 위 흡인을 막는 어떠한 보호 효과도 제공하지 않는 것으로 드러났다. 높은 역치(>400 mL/시간의 위내 식이 잔류량)는 낮은 역치(<250 mL/시간의 위내 식이 잔류량)만큼 안전한 것으로 보인다.[73,74] PEPuP 프로토콜 같은 차세대 프로토콜의 이용은 중환자실 입실 후 2일차까지 칼로리와 단백질 목표량에 도달하는데 매우 효과적인 것으로 나타났다.[75]

EN과 PN의 병용

EN이 영양 섭취 제공을 위해 선호되는 방법이나, 일부 중환자에게는 필요한 영양 달성을 위한 EN의 진행이 어렵다. 이들 환자에서 단백질 및 칼로리 섭취를 높이기 위해, 보완적으로 PN을 처방할 수 있다. 그러나, 중환자치료 환경에서 보완적 PN 시기에 대한 논쟁이 있었다. 지침에서는 최대 7–10일간 EN 단독 요법을 통한 지속적 감식에서부터[76] 입원 후 72시간 내에 EN을 진행할 수 없을 것으로 예상되는 환자에서 24시간 이내에 보완적 PN을 추가하는 요법에[77] 이르기까지 다양한 범위의 권고사항을 제공한다. 최근 PN 사용의 적절성을 입증하지 못한 관찰 연구 및 RCT에서 제시된 자료들조차 중환자실 입원 중에 PN을 받는 환자가 경험한 이상반응과[78,79] 누적된 에너지 결핍 및 칼로리 부족의 임상 결과를[33-35] 비교해 보아야 한다고 언급했다. 그럼에도 불구하고, BMI가 낮은 환자처럼 영양 위험도가 높은 환자에서 '보완적 PN'을 '불충분한 EN'에 조기 추가해야 하는지 여부는 불분명하다. 이 중요한 문제를 해결하려는 임상시험들이 계속 진행되고 있다.[80,81]

영양과 재활의 시너지 효과

단기간의 부동상태도 골격근 소모에 현저한 효과를 미칠 수 있으며 이러한 효과는 의인성 영양실조에 의해 가속화될 가능성이 있다. 건강한 개인들도 부동기간이 14일을 넘으면 아미노산 이용의 상승 여부에 관계 없이 MPS가 감소하는데, 이는 근육 합성대사가 억제됨을 의미한다.[82,83] 첫 2–3주 동안 하루 1.5–2%의 근육이 결과적으로 손실되어 근육량 항상성 이상을 가져올 뿐 아니라, 근육이 단백질 합성을 위해 순환 아미노산을 활용하는 능력을 상실하게 된다. 이를 동화저항이라 한다. 그러나 침상생활이 길어지는 동안 필수 아미노산을 공급하여 단백질합성을 촉진시키는 생리적 동화작용 타켓 방법이 개별 요소들을 타켓하는 방법보다 근육 손실을 예방하거나 제한하는 이득이 있다는 증거가 있다.[84] 영양과 재활을 병행하는 시너지 전략으로서 중환자의 근육량 손실을 더욱 줄일 수 있다. 추가적인 상세 정보는 37장과 45장에서 찾아볼 수 있다. 운동은 단백질 균형에 긍정적 효과를 가져오고 인슐린 민감도를 증진시킨다.[85-87] 환자들에게 운동은 전신 염증 감소의 이득도 제공한다. 예를 들어, IL-6는 흔히 근위축증과 관련 있음에도 불구하고 운동과 함께 상승하고, TNF-a, CRP 및 IL-1의 근육 소모 효과를 길항하는 동시에 IL-10 같은 항염증성 매개체를 증가시킨다.[88] 운동 관련 IL-6 상승은 운동 후 근육에 미치는 인슐린 감수성 효과와도 관련 있다.[2] 이러한 생리학적 유익성이 중증질환에서는 보이지 않았지만, 중환자의 조기 운동시행은 중환자실 기간과 병원 입원 기간을 줄일 뿐 아니라[89] 퇴원 시 신체 기능을 증가시켜 골격근에 미치는 잠재적 유익 효과를 증대시킨다.[90-95] 임상 결과에 미치는 유익성을 평가하기 위해, 몇 가지 유형의 재활 또는 운동프로그램이 병원환경에서 사용되었다;[96] 여기에는 EMS,[89-91,97] PT[96] 및 사이클 측력계가[88,93,94,93] 포함되며, PT와 사이클 측력계는 중환자를 대상으로 평가되었다. 이후에 병상 기능 및 보행 훈련이 계속된 수동 및 자동 가동력 사용 운동은 신체 및 호흡 기능을 개선하는 결과를 낳았다.[96] 이 연구에서 환자의 53%가 6주 시점에 2분 보행을 완료한 반면에 일반 치료군의 어떠한 환자도 6주 시점에 이 과제를 수행할 수 없었다.[96] 가장 인상적인 프로토콜과 결과는 수동 보조 운동에 병상 사이클 측력계를 사용한 연구들에서 얻어졌다.[88,93,94] Morris 등은[88] 일반 치료를 받은 환자들에 비해 사이클 측력계를 이용한 환자군에서 병상을 벗어나기까지 소요된 기간, 중환자실 재실기간, 병원 재원 기간에 개선이 있음을 입증했다. 그러나 이와 같은 조기 운동에 관한 연구들은 대부분 환자의 영양상태와 영양섭취를 고려하지 않았다. 이 연구에 포함된 환자들은 처방된 영양의 34-37%만 투여받은, 영양섭취 불충분 상태였다.[88,92]

결론

영양실조는 생리적, 임상적 결과에 부정적인 영향을 미친다. 의인성 영양부족이 전 세계적으로 광범위하고, 중환자실 입원 후 많은 환자들에서 발생하지만, 중환자실 환자에게 영양요구량의 80-90%가 제공될 수 있다는 자료가 있다.[37] 따라서 목표량 80-90% 영양 전달은 달성 가능하고, 이는 환자에게 유리한 생리적, 임상적 결과를 가져온다.[42] 이러한 유익성을 최대화하고 EN의 위험성을 최소화하는 전략이 필요하다. 여기에는 EN 조기 개시(24-48시간 이내), 차세대 식이 프로토콜(PEPuP 프로토콜) 도입, 운동촉진제 사용, 소장 식이투여 및 침대머리높이 높이기가 포함되어야 한다. 조기 운동에 대한 긍정적 결과를 고려할 때, 조기 운동 및 영양 중재의 병행이 근육량 손실을 제한하고 근육의 형태 및 기능을 유지할 것이라고 가정할 수 있다. 우리는 스포츠의학에서 운동과 영양을 병행하는 것이 근육의 크기, 기능 및 대사를 최적화하는 강력한 중재법임을 배운 바 있다. 이는 중환자들도 임상적으로 호전되고 회복하는데 해당할 수 있는 교훈이고 환자의 골격근의 구조와 생물학적인 면을 잘 고려해서 받아들여야 할 것이다.

참고문헌

1 Gruther W, Benesch T, Zorn C, et al. Muscle wasting in intensive care patients: ultrasound observed of m. quadriceps femoris muscle layer. J Rehabil Med 2008;40:185-9.

2 Lightfoot A, McArdle A, Griffiths RD. Muscle in defense. Crit Care Med 2009;37:S384-90.

3 Mourtzakis M, Fan C, Heyland DK. Skeletal muscle measured at the time of ICU admission may be a determinant of clinical outcomes. Abstract. Critical Care Canada Forum 2009.

4 Cosquéric G, Sebag A, Ducolombier C, Thomas C, Piette F, Weill-Engerer S. Sarcopenia is predictive of nosocomial infection in care of the elderly. Br J Nutr 2006;96:895-901.

5 Blanc S, Normand S, Pachiaudi C, Fortrat JO, Laville M, Gharib C. Fuel homeostasis during physical inactivity induced by bed rest. J Clin Endocrinol Metab 2000;85:2223-33.

6 Mikines KJ, Richter EA, Dela F, Galbo H. Seven days of bed rest decrease inuslin action on glucose uptake in leg and whole body. J Appl Physiol 1991;70:1245-54.

7 Brandt C and Pedersen BK. The role of exercise-induced myokines in muscle homeostasis and the defense against chronic diseases. J Biomed Biotechnol 2010;2010:520258.

8 DeFronzo RA, Jacot E, Jequier E, Wahren J, Felber JP. The effect of insulin on the disposal of intravenous glucose: results from indirect calorimetry and hepatic and femoral venous catheterization. Diabetes 1981;30:1000-7.

9 Shulman GI, Rothman DL, Jue T, Stein P, DeFronzo RA, Shulman RG. Quantitation of muscle glycogen synthesis in normal subjects and subjects with non-insulin dependent diabetes by 13C nuclear magnetic resonance spectroscopy. N Engl J Med 1990;322:223-8.

10 Herridge MS, Cheung AM, Tansey CM, et al; Canadian Critical Care Trials Group. One-year outcomes in survivors of the acute respiratory distress syndrome. N Engl J Med 2003;348:683-93.

11 Reid CL, Murgatroyd PR, Wright A, Menon DK. Quantification of lean and fat tissue repletion following critical illness: a case report. Critical Care 2008;12:R79.

12 Brower RG. Consequence of bed rest. Crit Care Med 2009;37:S422-8.

13 Glass DJ. Signaling pathways perturbing muscle mass. Curr Opin Clin Nutr Metab Care 2010;13:225-9.

14 Rubinson L, Diette GB, Song X, Brower RG, Krishnan JA. Low caloric intake is associated with nosocomial bloodstream infections in patients in the medical intensive care unit. Crit Care Med 2004;32:350-7.

15 Heyland DK, Schroter-Noppe D, Drover JW, et al. Nutrition support in the critical care setting: current practice in canadian ICUs-opportunities for improvement? JPEN J Parenter Enteral Nutr 2003;27:74-83.

16 Monk DN, Plank LD, Franch-Arcas G, Finn PJ, Streat SJ, Hill GL. Sequential changes in the metabolic response in critically injured patients during the first 25 days after blunt trauma.Ann Surg 1996;223:395-405.

17 Bolster DR, Crozier SJ, Kimball SR, Jefferson LS. AMP-activated protein kinase suppresses protein synthesis in rat skeletal muscle through down-regulated mammalian target of rapamycin (mTOR) signaling. J Biol Chem 2002;27:23977-80.

18 Pasiakos SM, Vislocky LM, Carbone JW, et al. Acute energy deprivation affects skeletal muscle protein synthesis and associated intracellular signaling proteins in physically active adults. J Nutr 2010;140:745-51.

19 Kobayashi H, Børsheim E, Anthony TG, et al. Reduced amino acid availability inhibits muscle protein synthesis and decreases activity of initiation factor eIF2B. Am J Physiol Endocrinol Metab 2003;284:488-98.

20 Klaude M, Mori M, Tjäder I, Gustafsson T, Wernerman J, Rooyackers O. Protein metabolism and gene expression in skeletal muscle of critically ill patients with sepsis. Clin Sci (Lond) 2011;122:133-42.

21 Klaude M, Fredriksson K, Tjäder I, et al. Proteasome proteolytic activity in skeletal muscle is increased in patients with sepsis. Clin Sci 2007;112:499-506.

22 Luo JL, Hammarqvist F, Andersson K, Wernerman J. Surgical trauma decreases glutathione synthetic capacity in human skeletal muscle tissue. Am J Physiol Endocrinol Metab 1998;275:359-65.

23 Gamrin L, Essen P, Forsberg AM, Hultman E, Wernerman J. A descriptive study of skeletal muscle metabolism in critically ill patients: Free amino acids, energy-rich phosphates, protein, nucleic acids, fat, water, and electrolytes. Crit Care Med 1996;24:575-83.

24 Biolo G, Antonione R, De Cicco M. Glutathione metabolism in sepsis. Crit Care Med 2007;35:S591-5.

25 Reid M, Badaloo A, Forrester T, et al. In vivo rates of erythrocyte glutathione synthesis in children with se-

vere protein-energy malnutrition. Am J Physiol Endocrinol Metab 2000;278:405-12.

26 Khamaisi M, Kavel O, Rosenstock M, et al. Effect of inhibition of glutathione synthesis on insulin action: in vivo and in vitro studies using buthionine sulfoximine. Biochem J 2000;349:579-86.

27 Juretic A, Spagnoli GC, Hörig H, et al. Glutamine requirements in the generation of lumphokine-activated killer cells. Clin Nutr 1994;13:42-9.

28 Spittler A, Winkler S, Götzinger P, et al. Influence of glutamine on the phyenotype and function of human monocytes. Blood 1995;86:1564-9.

29 Meyer C, Woerle HJ, Gerich J. Paradoxical changes of muscle glutamine release during hyperinsu-linemia euglycemia and hypoglycemia in humans: further evidence for the glucose-glutamine cycle. Metabolism 2004;53:1208-14.

30 Déchelotte P, Hasselmann M, Cynober L, et al. L-alanyl-L-glutamine dipeptide-supplemented total parenteral nutrition reduces infectious complications and glucose intolerance in critically ill patients: the French controlled, ramdomized, double-blind, multi-center study. Crit Care Med 2006;34:598-604.

31 Cuthbertson D, Smith K, Babraj J, et al. Anabolic signaling deficits underlie amino acid resistance of wasting, aging muscle. FASEB J 2005;19:422-44.

32 Vary T, Lynch CJ. Nutrient signaling components controlling protein synthesis in striated muscle. J Nutr 2007;137:1835-43.

33 Dvir D, Cohen J, Singer P. Computerized energy balance and complications in critically ill patients: an observational study Clin Nutr 2006;25:37-44.

34 Villet S, Chiolero RL, Bollmann MD, et al. Negative impact of hypocaloric feeding and energy balance on clinical outcome in ICU patients. Clin Nutr 2005;24:502-9.

35 Rubinson L, Diette GB, Song X, Brower RG, Krishnan JA. Low caloric intake is associated with nosocomial bloodstream infections in patients in the medical intensive care unit. Crit Care Med 2004;32:350-7.

36 Tsai JR, Chang WT, Sheu CC, et al. Inadequate energy delivery during early critical illness correlates with increased risk of mortality in patients who survive at least seven days: a retrospective study. Clin Nutr 2011;30:209-14.

37 Jones N, Dhaliwal RD, Day A, Jiang X, Heyland DK. Nutrition therapy in the critical care setting: What is 'Best Achievable' practice? An international multicenter observational study. Crit Care 2010;38:395-401.

38 Alberda C, Gramlich L, Jones N, et al. The relationship between nutritional intake and clinical outcomes in critically ill patients: results of an international multicenter observational study. Intensive Care Med 2009;35:1728-37.

39 Heyland DK, Stephens KE, Day AG, McClave SA. The success of enteral nutrition and ICU-acquired infections: a multicenter observational study. Clin Nutr 2011;30:148-55.

40 Krishnan JA, Parce PB, Martinez A, Diette GB, Brower RG. Caloric intake in medical ICU patients: consistency of care with guidelines and relationship to clinical outcomes. Chest 2003;124:297-305.

41 Arabi YM, Haddad SH,Tamim HM, et al. Near-target caloric intake in critically ill medical-surgical patients is associated with adverse outcomes. JPEN J Parenter Enteral Nutr 2010;34;280.

42 Heyland DK, Cahill N, Day A. Optimal amount of calories for critically ill patients: Depends on how you slice the cake! Crit Care Med 2011;39:2619-26.

43 Taylor SJ, Fettes SB, Jewkes C, Nelson RJ. Prospective, randomized, controlled trial to determine the effect of early enhanced enteral nutrition on clinical outcome in mechanically ventilated patients suffering head injury. Crit Care Med 1999;27:2525-31.

44 Martin CM, Doig GS, Heyland DK, Morrison T, Sibbald WJ. Multicenter, cluster-randomized clinical trial of algorithms for critical-care enteral and parenteral therapy (ACCEPT). CMAJ 2004;170:197-204.

45 McClave SA, Heyland DK. The physiologic response and associated clinical benefits from provision of early enteral nutrition. Nutr Clin Pract 2009;24:305-15.

46 Singer P, Anbar R, Cohen J, et al. The tight calorie control study (TICACOS): a prospective, randomized, controlled pilot study of nutritional support in critically ill patients Intensive Care Med 2011;37:601-9.

47 Rice T, Mogan S, Hays MA, Bernard GR, Jensen GL, Wheeler AP. Randomized trial of initial trophic versus full-energy enteral nutrition in mechanically ventilated patients with acute respiratory failure Crit Care Med 2011;39:967-74.

48 Arabi Y M, Tamin HM, Dhar GS, et al. Permissive underfeeding and intensive insulin therapy in critically ill patients:a randomized controlled trial Am J Clin Nutr 2011;93:569-77.

49 Faisy C, Lerolle N, Dachraoui F, et al. Impact of energy deficit calculated by a predictive method on outcome in medical patients requiring prolonged acute mechanical ventilation. Br J Nutr 2009;101:1079-87.

50 Detsky AS, McLaughlin JR, Baker JP, et al. What is subjective global assessment of nutritional status? 1987. Classical article. Nutr Hosp 2008;23:400-7.

51 Malnutrition Advisory Group. A consistent and reliable tool for malnutrition screening. Nurs Times 2003;99: 26-7.

52 Nestle Nutrition Institute. MNA® mini nutritional assessment. Available at: http://www.mna-elderly.com (accessed October 2010).

53 Kruizenga HM, Seidell JC, de Vet HC, Wierdsma NJ, van Bokhorst-de van derSchueren MA. Development and validation of a hospital screening tool for malnutrition: the short nutritional assessment questionnaire (SNAQ). Clin Nutr 2005;24:75-82.

54 Ferguson M, Capra S, Bauer J, Banks M. Development of a valid and reliable malnutrition screening tool for adult acute hospital patients. Nutrition 1999;15:458-64.

55 Lim SL, Tong CY, Ang E, et al. Development and validation of 3-Minute Nutrition Screening (3-MinNS) tool for acute hospital patients in Singapore. Asia Pac J Clin Nutr 2009;18:395-403.

56 Jensen GL, Mirtallo J, Compher C, et al.; International Consensus Guideline Committee. Adult starvation and disease-relatedmalnutrition: a proposal for etiology-based diagnosis in the clinical practicesetting from the International Consensus Guideline Committee. JPEN J ParenterEnteral Nutr 2010;34:156-9.

57 Heyland DK, Dhaliwal R, Jiang X, Day A. Quantifying nutrition risk in the critically ill patient: The development and initial validation of a novel risk assessment tool. Crit Care 2011;15:R268.

58 Boullata J, Williams J, Cottrell F, Hudson L, Compher C. Accurate determination of energy needs in hospitalized patients. J Am Diet Assoc 2007;107:393-401.

59 Critical Care Nutrition. Clinical practice guidelines. Available at: http://www.criticalcarenutrition.com/index.php?option=com_content&view=article&id=18&Itemid=10 (accessed 3 October 2011).

60 Ibrahim EH, Mehringer L, Prentice D, et al. Early versus late enteral feeding of mechanically ventilated patients: Results of a clinical trial. JPEN 2002;26:174-81.

61 Mentec H, Dupont H, Bocchetti M, Cani P, Ponche F, Bleichner G. Upper digestive intolerance during enteral nutrition in critically ill patients: frequency, risk factors, and complications. Crit Care Med 2001;29: 1955-96.

62 Artinian V, Krayem H, DiGiovine B. Effects of early enteral feeding on the outcome of critically ill mechanically ventilated medical patients. Chest 2006;129:960-7.

63 Khalid I, Doshi P, DiGiovine B. Early enteral nutrition and outcomes of critically ill patients treated with vasopressors and mechanical ventilation. Am J Crit Care 2010;19:261-8.

64 Lukan JK, McClave SA, Stefater AJ, et al.: Poor validity of residual volumes as a marker for risk of aspiration. Amer J Clin Nutrit 2002;75:417-18S.

65 Heyland DK, Drover JW, MacDonald S, Novak F, Lam M. Effect of postpyloric feeding on gastroesophageal regurgitation and pulmonary microaspiration: results of a randomized controlled trial. Crit Care Med 2001;29:1495-501.

66 Critical Care Nutrition. Clinical practice guidelines. Available at: http://www.criticalcarenutrition.com/index.php?option=com_content&view=article&id = 18&Itemid=10 (accessed: 23 March 2011).

67 Drakulovic MB, Torres A, Bauer TT, Nicolas JM, Nogue S, Ferrer M. Supine body position as a risk factor for nosocomial pneumonia in mechanically ventilated patients: a randomised trial. Lancet 1999;354:1851-8.

68 van Nieuwenhoven CA, Vandenbroucke-Grauls C, van Tiel FH, et al. Feasibility and effects of the semirecumbent position to prevent ventilator-associated pneumonia: a randomized study.Crit Care Med 2006;34: 396-402.

69 Booth CM, Heyland DK, Paterson WG. Gastrointestinal promotility drugs in the critical care setting: A systematic review of the evidence. Crit Care Med 2002;30:1429-35.

70 Nguyen NQ, Chapman M, Fraser RJ, Bryant LK, Burgstad C, Holloway RH. Prokinetic therapy for feed intolerance in critical illness: one drug or two? Crit Care Med 2007;35:2561-7.

71 Heyland DK, Konopad E, Alberda C, Keefe L, Cooper C, Cantwell B. How well do critically ill patients tolerate

early, intragastric enteral feeding? Results of a prospective multicenter trial. Nutr Clin Pract 1999;14:23-8.

72 Heyland DK, Cahill NE, Dhaliwal R, Sun X, Day AG, McClave SA. Impact of enteral feeding protocols on enteral nutrition delivery: results of a multicenter observational study. JPEN J Parenter Enteral Nutr 2010;34: 675-84.

73 Montejo JC, Miñambres E, Bordejé L, et al. Gastric residual volume during enteral nutrition in ICU patients: the REGANE study. Intensive Care Med 2010;36:1386-93.

74 McClave SA, Lukan JK, Stefater JA, et al. Poor validity of residual volumes as a marker for risk of aspiration in critically ill patients. Crit Care Med 2005;33:324-30.

75 Heyland DK, Cahill NE, Dhaliwal R, et al. Enhanced protein-energy provision via the enteral route in critically ill patients: a single center feasibility trial of the PEP uP protocol. Crit Care 2010;14:R78.

76 McClave SA, Martindale RG, Vanek VW, et al. Guidelines for the provision and assessment of nutrition support therapy in the adult critically ill patient: Society of Critical Care MEdicien (SCCM) and Americal Society for Enteral and Parenteral Nutrition (ASPEN). J PEN 2009;33:277-316.

77 Singer P, Berger MM, Van den Berghe G, et al. Parenteral Nutrition in the ICU: Guidelines. Clin Nutr 2009; 28:387-400.

78 Casaer MP, Mesotten D, Hermans G, et al. Early versus late parenteral nutrition in critically ill adults. N Engl J Med 2011;365:506-17.

79 Kutsogiannis J, Alberda C, Gramlich L, et al. Early use of supplemental parenteral nutrition in critically ill patients: Results of an international multicenter observational study. Crit Care Med 2011;39:2691-9.

80 ClinicalTrials.gov. Trial of supplemental parenteral nutrition in under and over weight critically ill patients (TOP-UP). Available at: http://www.clinicaltrials.gov/ct2/show/NCT01206166. NLM Identifier: NCT01206166.

81 ClinicalTrials.gov. Impact of SPN on infection rate, duration of mechanical ventilation and rehabilitation in ICU patients. Available at: http://www.clinicaltrials.gov/ct2/show/NCT00802503. NLM Identifier: NCT00802503.

82 Glover EI, Phillips SM, Oates BR, et al. Immobilization induces anabolic resistance in human myofibrillar protein synthesis with low and high dose amino acid infusion. J Physiol 2008;586:6049-61.

83 Biolo G, Beniamino C, Lebenstedt M, et al. Short-term bed rest impairs amino acid-induced protein anabolism in humans. J Physiol 2004;558:381-8.

84 Paddon-Jones D, Sheffield-Moore M, Urban RJ, et al. Essential amino acid and carbohydrate supplementation ameliorates muscle protein loss in humans during 28 days bedrest. J Clin Endocrinol Metab 2004;89: 4351-8.

85 Biolo G, Williams BD, Fleming RYD, Wolfe RR. Insulin action on muscle protein kinetics and amino acid transport during recovery after resistance exercise. Diabetes 1999;48:949-57.

86 Ferrando AA, Tipton KD, Bamman MM, Wolfe RR. Resistance exercise maintains skeletal muscle protein synthesis during bed rest. J Appl Physiol 1997;82:807-10.

87 Richter EA, Mikines KJ, Galbo H, Kiens B. Effect of exercise on insulin action in human skeletal muscle. J Appl Physiol 1989;66:876-85.

88 Price SR, Mitch WE. Mechanisms stimulating protein degradation to cause muscle atrophy. Curr Opin Clin Nutr Metab Care 1998;1:79-83.

89 Morris PE, Goad A, Thompson C, et al. Early intensive care unit mobility therapy in the treatment of acute respiratory failure. Crit Care Med 2008;36:2238-43.

90 Zanotti E, Felicetti G, Maini M, Fracchia C. Peripheral muscle strength training in bed-bound patients with COPD receiving mechanical ventilation: effect of electrical stimulation. Chest 2003;124:292-6.

91 Vivodtzev I, Pépin JL, Vottero G, et al. Improvement in quadriceps strength and dyspnea in daily tasks after 1 month of electrical stimulation in severely deconditioned and malnourished COPD. Chest 2006;129:1540-8.

92 Nuhr MJ, Pette D, Berger R, et al. Beneficial effects of chronic low-frequency stimulation of thigh muscles in patients with advanced chronic heart failure. Eur Heart J 2004;25:136-43.

93 Schweickert WD, Pohlman MC, Pohlman AS, et al. Early physical and occupational therapy in mechanically ventilated, critically ill patients: a randomized controlled trial. Lancet 2009;373:1874-82.

94 Burtin C, Clerckx B, Robbeets C, et al. Early exercise in critically ill patients enhances shortterm functional recovery. Crit Care Med 2009;37:2499-505.

95 Needham D, Truong AD, Fan E. Technology to enhance physical rehabilitation of critically ill patients. Crit Care Med 2009;37:S436-41.

96 Gibson JN, Smith K, Rennie MJ. Prevention of disuse muscle atrophy by means of electrical stimulation: maintenance of protein synthesis. Lancet 1988;2:767-70.

97 Chiang LL, Wang LY, Wu CP, Wu HD, Wu YT. Effects of physical training on functional status in patients with prolonged mechanical ventilation. Phys Ther 2006;86:1271-81.

98 Porta R, Vitacca M, Gilè LS, et al. Supported arm training in patients recently weaned from mechanical ventilation. Chest 2005;128:2511-20.

PART

중환자실 치료와 재활

Chapter 37

중환자실 치료와 재활

니콜라스 하트(Nicholas Hart)

임상에서 중환자치료는 최근 크게 변화하고 있다. 과거 중환자실 의료진은 환자의 생존에 전적으로 모든 노력을 집중하였지만 최근에는 치료의 중간 과정과 장기적 결과에 이르기까지 이러한 노력을 확장하고 있다. 중증질환으로 인한 신체적 후유증을 평가하는 연구들이 활발해졌고, 연구자들은 장기간 신체 기능의 장애를 유발하는 신경근육병증 기능 부전 진단법을 개발해왔다. 최근의 연구들은 근쇠약(muscle weakness)을 개선하고 신체 활동 능력을 증진할 수 있는 방법을 개발하는 방향으로 나아가고 있다.

중증질환(critical illness) 초기에 수동 근육 운동과 능동 운동 치료를 적용하면 중증질환으로 인한 근육 소모와 근쇠약의 악화를 막을 수 있다는 점에서 임상적으로 유용하다고 생각하는 것이 당연히 합리적이겠지만, 이러한 치료 전략을 반대하는 생물학적, 임상적 논리와 이유도 있다. 생물학적 관점에서 본다면, 중증질환 초기에 수동 또는 능동 운동을 하는 것은 효과적이지 않고, 심지어 근육에 해가 될 수도 있다. 왜냐하면 이 시기에 근육에서는 근육단백질분해(muscle protein breakdown, MPB)가 증가하고, 근육단백질합성(muscle protein synthesis, MPS)은 감소하며 미토콘트리아의 기능이 손실되는데, 이로 인해 동화작용 불인성(anabolic resistance) 상태가 될 수 있다(35장 참조). 또한 전적으로 장기 보조(organ support) 치료에 의존하는 상태에서 심혈관과 호흡기능이 불안정할 때, 초기에 중환자에게 운동 요법을 수행하는 것은 만만한 일이 아니다. 이러한 우려에도 불구하고, 관찰 데이터에서는 중환자실에서 조기 보행 치료의 적절한 안전성이 입증되었다. 하지만 여전히 인적, 비인적 장벽이 존재한다. 게다가 임상 실험 데이터에서는 조기 운동 치료가 중증질환에서 기능적 회복의 긍정적인 결과를 입증하였다.

이러한 데이터들 덕분에 중환자치료의 혁신과 더불어 필연적으로 의사, 간호사, 물리치료사 및 작업치료사의 통합적 노력이 필요한 다직종 협력 환경이 대두될 수밖에 없었다.

결국 이러한 접근방식이 중증 질병의 이환(morbidity)을 줄이는 것이 목표인 기존에 확립된 다른 전략에 통합될 수 있었다. 침습적인 기계환기(invasive mechanical ventilation, IMV)의 이탈과 관련해서는, 압력환기보조(PSV)와 자발호흡시도(SBT) 방식이 임상적으로 가장 효율적인 이탈 방법임을 지지하는 데이터가 있다(39장 참조). 이 전략은 특히 진정 줄이기(40장 참조)와 수면-증진 전략(41장 참조)과 함께 시행했을 때 효과적일 수 있다. 인슐린 치료의 일차 목표는 중증질환 동안 스트레스 과혈당증의 영향을 줄이는 것이지만, 동시에 인슐린의 동화 그리고 반-이화 작용이 신경근을 온전히 보존하는 데 도움이 된다는 것도 입증되었다. 이는 임상 의사들이 혈당 관리 전략과 한계를 고려할 때 주의 깊게 평가해야 하는 유익한 '부수 효과'의 예이다. 근육 기능에 간접적인 영향을 미치는 다른 임상 치료의 예로 RRT (renal replacement therapy, 신장투석)도 있다. RRT는 근육 약화의 위험을 낮추는 데, 이는 만성신부전에서 신장으로 배설되는 노폐물의 누적이 근육에 미치는 독성 효과를 입증한 연구들과 일맥상통한다. 마지막으로 신경근 자극은 중환자 집단에서 근육 소모를 예방하는 직접적인 효과를 보여주었으나, 이를 치료법으로 권고하려면 대규모 임상 실험 결과가 필요하다.

Chapter 38

신대체요법의 선택과 신기능회복

안토네 G. 슈나이더, 넬 J. 글라스포드, 리날도 벨로모
(Antoine G. Schneider, Neil J. Glassford, and Rinaldo Bellomo)

서론

중증 급성신손상은 중증질환의 주요 합병증이다. 30,000명의 환자가 포함된 한 다기관 연구에서는 5.7%의 발생률을 보였다.[1] 이러한 중증 급성신손상은 대사성산증, 고칼륨혈증, 수액과다 등 주요 대사성 장애와 연관되어 있으며 이를 치료하지 않으면 사망에 이를 수 있다. 따라서 때때로 신대체요법이 필요할 수 있다.

신대체요법은 두 가지 물리적 원리 대류(convection)와 확산(diffusion)에 의하여 이루어진다. 이러한 두 가지 원리는 혈액여과(haemofiltration)나 혈액투석(haemodialysis)으로 각각 따로 적용될 수도 있고, 혈액여과투석(haemo-diafiltration)과 같이 두 원리를 조합하여 사용할 수도 있다. 임상적으로 더 중요한 것은 신대체요법을 지속적(continuously) 또는 간헐적(intermittently)으로 적용할 수 있다는 점이다. 중환자에게 주로 적용하는 치료 방법은 지속정정맥혈액여과법(continuous veno-venous haemofiltration)과 지속정정맥혈액투석여과법(continuous veno-venous haemodiafiltration)이다. 간헐적 요법(intermittent therapy)으로는 간헐혈액투석법(intermitten haemodialysis IHD)와 지속성순환투석(sustained low-efficiency dialysis, SLED)이 있다.

간헐적인 요법과 지속적 요법은 모두 대사문제를 조절할 수 있다. 현재까지 많은 연구와[2-9] 두 개의 메타 분석을[2,10] 보면 두 방법에서 병원 사망률 차이는 없었다. 하지만 최근 몇몇 연구에서는 지속적신대체요법이 신장 호전이 빠르고 장기적신대체요법 의존도를 낮춘다고 보고 하

였다. 신대체요법에 장기간 의존하는 것은 높은 비용과 낮은 삶의 질(QOL)과 연관되므로 이러한 결과의 차이는 매우 중요할 수 있다. 이 장에서는, IHD와 continuous renal replacment therapy (CRRT)를 비교하여 신 회복에 미치는 생리적, 실험적인 근거들을 알아보고자 한다.

기초연구와 임상연구에서의 근거

신혈류(renal blood flow, RBF)와 사구체여과율(GFR)은 일반적으로 평균 동맥압(systemic mean arterial pressure)이 70에서 100 mmHg 사이일 때 자동 조절된다. 이러한 자동 조절은 치밀반(macula densa)의 염화나트륨(sodium chloride)의 농도에 따라 조절된다.[11] 염화나트륨 농도가 감소하면 레닌(renin) 분비가 증가하고 레닌-앤지오텐신계통(RAS)의 활성화를 촉진하는데, 이와 같은 활성은 혈압을 증가시키며 수출 소동맥의 혈관 수축을 유도하고 수입 세동맥의 저항을 감소시킨다. 이러한 두 반응에 의하여 신혈류와 사구체여과율이 유지된다.

하지만 Kellerher가 동물 실험에서 보고한 것처럼,[12] 급성신손상에서 신혈류의 자동조절능력이 손실된다. 수축기 혈압이 낮아지면 사구체여과율의 표지인 이눌린(inulin) 청소율과 신혈류가 감소한다. 정상 자동 조절 범위 이내라 할지라도 저혈압이 발생하면 새로운 세뇨관 괴사(tubular necrosis)가 발생한다는 것이 조직검사에서 입증되었다.[15] 이 실험결과는 다른 실험 결과들과 일치하는 데[13-14] 비정상적 허혈 후 혈관의 이상은 허혈성 급성신손상의 다른 모델들에서도 확인할 수 있다.[15]

저혈압은 간헐적신대체요법(IHD)에서 흔히 발생한다. 간헐적신대체요법 치료를 받는 급성신손상 환자에서 초기에 20-50%에서 저혈압이 발생하며 5-10%는 저혈압 때문에 치료를 중단하게 된다.[16-19] ATN (Acute Renal Failure Trial Network) trial[20] 연구에 따르면 특히 중증질환에 의한 급성신손상일 때 더욱 흔했다. 간헐적 신대체요법을 받은 환자의 37%에서 저혈압이 발생하였다. 이러한 자료에 근거하여 간헐적 신대체요법을 시행하게 되면 저혈압이 더 빈번하게 발생하고 이는 이미 혈류 조절 기능을 잃어버린 신장의 회복을 어렵게 한다고 생각된다. 이러한 개념은 Conger 등의 연구에서도 뒷받침되었다.[21] 이 연구는 급성신손상으로 간헐적 신대체요법 치료를 받는 군인 그룹에서 급싱신손상 발생 3-4주 후에 신장 조직 검사를 시행하였다.[22] 조직검사에서 새롭게 생긴 세뇨관 괴사를 발견하였는 데 이는 치료 기간 중 발생한 수차례의 저혈압과 관련이 있는 것으로 생각된다.

저혈압과 더불어 증가된 산소 소모량,[23] 허혈성 심질환에 의한 첫 한 시간 동안 cardiac index의 감소[22] 등의 작용으로 신회복이 지연될 수 있다. 이러한 근거들로 보았을 때 신대체요법을 적용할 때 혈역학적 불안정을 최소화하는 치료 방법을 선택하는 것이 신기능 회복의 기회를 최적화할 수 있다. 인체를 대상으로 한 몇몇 연구결과가 이러한 결과를 뒷받침하고 있다.

신기능 회복에 대한 임상연구

신기능 회복에 관한 몇몇 주요 연구들이 있다.[20,24-28] Mehata는 2001년 지속적신대체요법과 간헐적신대체요법을 받은 환자들에서 신기능 회복을 비교하였다.[24] 이 연구는 급성신손상을 받은 환자들을 대상으로 한 무작위대조연구로, 지속적신대체요법으로 환자의 사망률을 27% 낮출 수 있다는 가설로 설계되었다. 연구기간 동안 718명의 환자를 검토하여 이 중 166명의 환자가 무작위로 배정되었다. 무작위배정을 하였지만 지속적신대체요법치료를 받은 환자군에서 APACHE 점수가 더 높았다. 생존자들 중 지속적신대체요법을 받은 환자들에서 신기능이 회복된 경우가 더 많았다. 데이터를 자세히 분석하면 간헐적대체요법을 받은 환자 중 17%는 퇴원이나 사망 시에 만성적인 신손상이 있었던 반면, 지속적신대체요법 환자군에서는 4%의 환자들만 만성적인 신손상을 보였다(P=0.01). 그리고 간헐적신대체요법을 받지 않고 오직 지속적신대체요법만 시행한 환자들의 92.3%가 신장의 완전한 회복을 보인 반면, 간헐적신대체요법으로만 치료한 환자들은 59.4%에서만 신장 회복을 보였다($P<0.01$). 첫 치료방법 선택이 매우 중요하다는 것을 알 수 있었다; 지속적신대체요법에서 간헐적신대체요법으로 전환한 환자 중 44.7%에서 신기능의 회복이 확인된 반면 간헐적신대체요법에서 지속적신대체요법으로 전환한 환자 중 6.7%만이 신기능 회복을 보였다.

결과적으로 이 연구에서는 간헐적신대체요법 치료에서 신기능회복이 현저하게 낮았음을 알 수 있다. 하지만 이 연구는 몇 가지 제한점이 있다. 무작위대조연구였지만 적절한 무작위 할당이 시행되지 못했다. 지속적신대체요법 치료를 받은 환자들의 중증도 예측점수가 더 높았고 남자 환자가 많았다. 또한 약물치료에 제한이 있는 환자가 더 많았다. 간헐적신대체요법치료를 받은 환자들 중에는 만성신부전 환자들이 더 많았다. 이 연구에서는 의료진이 판단하여 필요하다면 무작위로 제시된 치료방법이 아닌 다른 방법을 선택할 수 있도록 하였다. 그 결과 많은 환자들이 무작위로 배정된 치료방법을 시행하지 않아서 정확한 결과를 해석하기 어렵다. 하지만 지속적신대체요법과 간헐적신대체요법의 신기능 회복에 큰 차이가 있다는 것을 알 수 있었다.

Jacka 등은 2005년 캐나다에서 시행한 신대체요법이 필요한 중증 환자 93명의 후향적 관찰연구 결과를 발표하였다.[25] 이 연구에서 지속적신대체요법을 받은 환자 중 13%만이 퇴원 시에도 신대체요법이 필요했던 반면 간헐적신대체요법을 받은 환자들 중에서는 63%가 신대체요법이 필요하였다. 하지만 간헐적신대체요법을 받은 환자들은 신기능 회복 가능성이 낮았던 환자들이었기 때문에 결과 해석의 주의가 필요하다. 하지만 이 연구결과 간헐적신대체요법치료에서 신장회복속도가 늦다는 것을 다시 확인할 수 있었다.

2007년 발표된 훨씬 큰 규모였던 SWING연구에서도 이와 비슷한 결과가 확인되었다.[26] 이 연구는 32개 스웨덴 중환자실에서 신대체요법을 받은 환자 2,202명을 대상으로 10년 이상 시행한 후향적 관찰연구이다. 지속적신대체요법이나 간헐적신대체요법을 받은 환자들 사이에서 사망률의 차이는 없었다. 하지만 90일까지 생존한 환자 1,102명을 대상으로 분석해보면, 지속적신대체요법을 받은 944명 중 8.3%만이 장기적으로 혈액투석이 필요했고 간헐적신대체요법을 받은 158명 중 16.5%는 장기적으로 혈액투석을 시행하게 되었다. 90일 동안 투석을 중단하지 못하고 계속 투석을 받은 간헐적신대체요법 치료를 받은 환자들의 교차비는 2.19였지만 기저질환, 치료기간, 병원종류, 그리고 중환자실 진단을 고려해서 보정하면 2.60 이었다. 물론 이 연구는 관찰연구였기 때문에 해석에 제한이 있다. 환자들의 정보를 해석할 때 중증도예측점수, 투석량, 투석시점, 신장질환 원인에 대한 정보를 고려되지 않았다. 하지만 중환자실 입실 전 정보를 보면 환자들의 상태는 비슷하였고, 차이가 있다면 당뇨와 심부전 등의 기저질환을 갖고 있는 좀 더 중증 환자들이 지속적신대체요법 치료를 받았다. 그리고 지속적신대체요법으로 치료받은 환자들에서 중독(9% vs. 2%)을 제외하면 패혈증(17% vs. 10%), 췌장염(13% vs. 9%) 등 중증질환 비율이 높았다. 마지막으로 2000년부터 2004년 동안 지속적신대체요법으로 치료받은 환자의 비율이 76%에서 90%로 늘었기 때문에 편차(bias)가 존재할 수 있다. 하지만 이 기간을 효과를 교정하여 분석했을 때에도 교차비는 2보다 컸다.

"The Beginning and Ending supportive therapy for the kidney (BEST kedney)"라는 다국적 연구에서도 결과는 유사하였다. 이 연구는 23개 국가에서 모두 54개 중환자실을 대상으로 시행되었다. 1,218명의 환자를 대상으로 중환자실에서 시작한 신대체요법 종류에 따라 분석하였는데,[27] 1,006명은 처음부터 지속적신대체요법을 받았고 212명은 간헐적신대체요법으로 시작하였다. 지속적신대체요법을 받은 환자들은 SAPS-Ⅱ 점수가 더 높았고, 혈압이 낮은 경우가 많았으며, 승압제 사용 환자가 더 많았다. 또한 기계환기가 필요한 경우도 많았다. 신대체요법을 조기에 시작한 환자들은 산증이 더 심했고, 신대체요법을 시작하기 전에 투여한 이뇨제(furosemide)의 양이 더 많았다. 이는 CRRT를 시행한 환자의 상태가 더 중증이었다는 것을 의미한다. 간헐적신대체요법 군에서 치료 중 저혈압이 발생한 비율은 27.9%이고, 지속적신대체요법 군에서는 18.8%였다. “BEST kidney” 연구결과 처음 시작한 신대체요법의 방법은 병원 내 사망률에 영향을 미치지 않았다(OR 1.005, 95% CI 0.673−1.502, P=0.98). 하지만 지속적신대체요법을 받고 생존하여 퇴원한 환자 중 5.2%는 투석이 필요했던 반면, 간헐적신대체요법을 받고 퇴원한 환자에서는 17.5%가 투석이 필요하였다(p<0.0001). 다변량 회귀 분석 결과, 간헐적신대체요법을 받은 환자 중에는 만성신부전 환자가 많았음에도 불구하고 초기 치료에 있어 지속적신대체요법의 시행이 신장 회복의 독립적인 예측인자라고 할 수 있었다. 상대위험도(ORs)도 역시 SWING study와 매우 유사하였다. 신대체요법 방법 선택과 관련이 있는 10가지 변수를 이용하여 가중점수방법(propensity score)을 사용했을 때에도 이러한 관계는 변함이 없었다.

마지막으로 두 개의 잘 수행된 대규모 다기관무작위대조군연구가 신장회복에서 신대체요법의 효과를 이해할 수 있는 좋은 정보를 제공해주었다: Randomized Evaluation of Normal versus Augmented Level Renal Replacement Therapy (RENAL) study과[28] Veterans Administration/National Institutes of Health Acute renal failure Trial Network (VA/NIH ATN) study.[20] 두 연구는 신대체요법의 투석량을 증가하는 것이 신장 회복과 환자의 생존에 영향을 미치지 않는다는 것을 입증하였다. 또한 두 연구 모두 치료방법이 신기능회복에 영향을 주는지 평가하였다.

‘RENAL study’는 오스트레일리아와 뉴질랜드에서 시행된 대규모 다기관무작위대조군연구로, 1,508명의 환자가 지속정정맥혈액투석여과법(CVVHDF)의 방법으로 지속적신대체요법을 받았다. 유출속도(effluent flow)는 무작위로 결정했고 두 가지 투석용량 중 하나(25 mL/kg/hour vs. 40 mL/kg/hour)로 치료를 받았다. 미국의 ATN study에서는 1,124명이 무작위로 고강도(high−intensity) 또는 저강도(low−intensity) 신대체요법치료를 받았다. 혈역학적으로 안정된 환자는 1주일에 3회(저강도) 또는 6회(고강도)의 간헐적신대체요법치료를 받았다. 혈액역학적으로 불안정한 환자는 지속정정맥혈액투석여과법(CVVHDF)으로 지속적신대체요법치료를 받았으며 유출속도는 20 mL/kg/hour 또는 35 mL/kg/hour 이었다. 의료진이 판단하여 필요하면 환자의 심혈관 상태에 따라 치료방식 변경이 가능하였다. 이 두 연구 모두에서 환자 결과나 신기능 회복 결과(renal outcome) 사이에 통계학적으로 유의한 차이 발견하지 못하였다. 이후 시행한 메타분석에서[29] 이 연구들은 신대체요법의 용량을 증가시키는 것은 신기능 회복이나 결과에 영향을 미치지 않는다는 것을 제시하였다. 하지만 이 두 연구에서 간헐적신대체요법을 시행한 환자의 수가 매우 달랐다: RENAL study에 속한 모든 환자는 지속적신대체요법치료를 받았던 반면 ATN trial에 속한 환자 중 313명(27.8%)는 간헐적신대체요법치료를 첫 치료방식으로 받았다(연구기간 동안 총 5,000건 이상의 IHD 치료).

다른 연구와 마찬가지로 두 연구에서 신기능 회복률은 상당히 달랐다. ATN study에서 28일째 생존자의 45.2%가 신대체요법 치료를 지속하고 있었지만 RENAL study에서는 겨우 13.3%만이 신대체요법을 지속하고 있었다. 추적관찰 종료시점에서는 ATN study 생존자의 24.6%나 신대체요법을 유지하고 있었지만[30] RENAL study 생존자는 5.6%만이 신대체요법을 시행하고 있었다. 신대체요법 의존도가 약 3배 이상 차이가 난다. 게다가 28일간 신대체요법이 불필요한 기간(RRT–free)이 ATN trial에서는 평균 6.5일이었지만 RENAL study에서는 17일이었다. 이를 계산해보면 지속적신대체요법과 간헐적신대체요법을 혼용하여 시행한 경우와 지속적신대체요법만을 사용한 경우를 비교해보면 28일 중 신대체요법이 필요 없는 날이 2.5배 이상 증가함을 의미한다. 이 결과는 앞에서 언급한 SWING 연구와 BEST 연구 결과와 놀라울 정도로 일치한다. ATN trial에 포함된 환자들은 입원 시점에 기계환기가 필요한 경우가 좀 더 많았고(80.6% vs. 73.6%), RENAL study에 포함된 환자들이 좀 더 고령이었으며(64.5세 vs. 59.6세) 승압제가 필요한 경우가 더 많았다(72.3% vs. 45%). 만성신기능 손상이 있는 환자의 비율도 더 높았다(58% vs. 34.4%).

결론

비록 확실한 level 1의 근거는 없지만, 실험적 연구와 관찰연구, 그리고 여러 다국적 무작위대조군연구에서 얻어진 결과들은 간헐적신대체요법에서 신기능 회복이 더디거나 이뤄지지 않는 것으로 보인다. "간헐적신대체요법 치료가 신기능회복의 위험인자가 아니다"라는 신뢰할 만한 새로운 근거가 나올 때까지 급성신손상이 있는 중증 환자들에서 지속적신대체요법을 신대체요법치료의 방식으로 선택하는 것이 적절해 보인다.

참고문헌

1 Uchino S, Kellum JA, Bellomo R, et al. Acute renal failure in critically ill patients: a multinational, multicenter study. JAMA 2005;294:813-8.

2 Kellum JA, Angus DC, Johnson JP, et al. Continuous versus intermittent renal replacement therapy: a meta-analysis. Intensive Care Med 2002;28:29-37.

3 Kierdorf H. Continuous versus intermittent treatment: clinical results in acute renal failure. Contrib Nephrol 1991;93:1-12.

4 Bosworth C, Paganini EP, Cosentino F, Heyka RJ. Long-term experience with continuous renal replacement therapy in intensive-care unit acute renal failure. Contrib Nephrol 1991;93:13-6.

5 Kruczynski K, Irvine-Bird K, Toffelmire EB, Morton AR. A comparison of continuous arteriovenous hemofiltration and intermittent hemodialysis in acute renal failure patients in the intensive care unit. Asaio J 1993;39:M778-81.

6 Rialp G, Roglan A, Betbese AJ, et al. Prognostic indexes and mortality in critically ill patients with acute re-

nal failure treated with different dialytic techniques. Ren Fail 1996;18:667-75.
7 Swartz RD, Messana JM, Orzol S, Port FK. Comparing continuous hemofiltration with hemodialysis in patients with severe acute renal failure. Am J Kidney Dis 1999;34:424-32.
8 Uehlinger DE, Jakob SM, Ferrari P, et al. Comparison of continuous and intermittent renal replacement therapy for acute renal failure. Nephrol Dial Transplant 2005;20:1630-7.
9 Augustine JJ, Sandy D, Seifert TH, Paganini EP. A randomized controlled trial comparing intermittent with continuous dialysis in patients with ARF. Am J Kidney Dis 2004;44:1000-7.
10 Rabindranath K, Adams J, Macleod AM, Muirhead N. Intermittent versus continuous renal replacement therapy for acute renal failure in adults. Cochrane Database Syst Rev 2007;3:CD003773.
11 Singh P, Thomson SC. Renal homeostasis and tubuloglomerular feedback. Curr Opin Nephrol Hypertens 2010; 19:59-64.
12 Kelleher SP, Robinette JB, Miller F, Conger JD. Effect of hemorrhagic reduction in blood pressure on recovery from acute renal failure. Kidney Int 1987;31:725-30.
13 Adams PL, Adams FF, Bell PD, Navar LG. Impaired renal blood flow autoregulation in ischemic acute renal failure. Kidney Int 1980;18:68-76.
14 Matthys E, Patton MK, Osgood RW, Venkatachalam MA, Stein JH. Alterations in vascular function and morphology in acute ischemic renal failure. Kidney Int 1983;23:717-24.
15 Conger JD, Hammond WS. Renal vasculature and ischemic injury. Ren Fail 1992;14:307-10.
16 Davenport A. Intradialytic complications during hemodialysis. Hemodial Int 2006;10:162-7.
17 Lameire N, Van Biesen W, Vanholder R, Colardijn F. The place of intermittent hemodialysis in the treatment of acute renal failure in the ICU patient. Kidney Int Suppl 1998;66:S110-19.
18 Abdeen O, Mehta RL. Dialysis modalities in the intensive care unit. Crit Care Clin 2002;18:223-47.
19 Manns M, Sigler MH, Teehan BP. Intradialytic renal haemodynamics-potential consequences for the management of the patient with acute renal failure. Nephrol Dial Transplant 1997;12:870-2.
20 Palevsky PM, Zhang JH, O'Connor TZ, et al. Intensity of renal support in critically ill patients with acute kidney injury. N Engl J Med 2008;359:7-20.
21 Conger JD. Does hemodialysis delay recovery from acute renal failure? Sem Dial 1990;3:146-8.
22 Davenport A, Will EJ, Davidson AM. Improved cardiovascular stability during continuous modes of renal replacement therapy in critically ill patients with acute hepatic and renal failure. Crit Care Med 1993;21:328-38.
23 Van der Schueren G, Diltoer M, Laureys M, Huyghens L. Intermittent hemodialysis in critically ill patients with multiple organ dysfunction syndrome is associated with intestinal intramucosal acidosis. Intensive Care Med 1996;22:747-51.
24 Mehta RL, McDonald B, Gabbai FB, et al. Collaborative Group for Treatment of ARFitICU: a randomized clinical trial of continuous versus intermittent dialysis for acute renal failure. Kidney Int 2001;60:1154-63.
25 Jacka MJ, Ivancinova X, Gibney RTN. Continuous renal replacement therapy improves renal recovery from acute renal failure. Can J Anaesth 2005;52:327-32.
26 Bell M, Granath F, Schon S, Ekbom A, Martling CR. Continuous renal replacement therapy is associated with less chronic renal failure than intermittent haemodialysis after acute renal failure. Intensive Care Med 2007;33:773-80.
27 Uchino S, Bellomo R, Kellum JA, et al. Patient and kidney survival by dialysis modality in critically ill patients with acute kidney injury. Int J Artif Organs 2007;30:281-92.
28 Bellomo R, Cass A, Cole L, et al. Intensity of continuous renal-replacement therapy in critically ill patients. N Engl J Med 2009;361:1627-38.
29 Jun M, Lambers Heerspink HJ, Ninomiya T, et al. Intensities of renal replacement therapy in acute kidney injury: a systematic review and meta-analysis. Clin J Am Soc Nephrol 2010;5:956-63.
30 Ronco C, Honore P. Renal support in critically ill patients with acute kidney injury. N Engl J Med 2008; 359:1959; author reply 1961-52.

Chapter 39

기계환기 이탈전략

스테파노 나바, 루카 파사노
(Stefano Nava and Luca Fasano)

서론

기계환기 중단은 급성호흡부전(acute respiratory failure, ARF)에 빠진 환자가 기계환기를 시작할 때부터 발관 후 성공적인 이탈에 도달할 때까지 전체를 아우르는 과정이다. 중환자실에서 이탈 과정은 발관의 지연을 방지하고 기계환기의 부작용을 최소화하는 방향으로 이루어져야 한다.[1] 비계획적으로 발관한 환자의 50%에서 재삽관이 필요하지 않았다는 것을 보면,[2] 우리가 시행하고 있는 발관 과정이 지나치게 늦다고 생각할 수 있다.

이탈 실패는 SBT (spontaneous breathing trial)의 실패 또는 발관 후 48시간 이내 재삽관이 필요한 경우로 정의한다. 이번 단원에서는 단순한 기계환기 중단 전략뿐만 아니라 이탈 실패의 원인과 해결책에 관해서도 다루고자 한다.

기계환기 이탈

이탈(Weaning)은 기계환기 시간의 약 40%를 차지하고 있으며,[3] PMV (prolonged mechanical ventilation)과 사망률 증가,[4-5] 비용 상승과 관련 있다. 따라서 PMV는 단순히 의학적 문제뿐만 아니라 사회적 경제적 측면에서도 고려되어야 한다. 미국에서 MV 비용은 270억 달러로 추정되며 전체 병원비의 12%를 차지한다. 발생률, 사망률 및 누적 비용은 연령에 따라 크게 증가한다.[6] 미국에서 매년 중환자실에서 30만 명 정도가 장기간 집중치료를 받고 있으며, 이는 향후 10년 이내에 두 배가 될 것으로 예측되고 소요 비용도 500억 달러에 달할 것으로 예상된다.[7]

이탈 과정은 환기 펌프와 가스 교환을 보조하는 것이 목표인 ARF의 치료는 물론 이탈을 준비하는 과정을 모두 포함하는 것으로써, 기계환기 보조를 점진적이고 합리적으로 줄여 환자가 기계의 도움을 벗어나 최종적으로 기계환기 보조를 중단할 수 있게 된다. ARF를 초래한 문제들이 교정되었을 때 비로소 호흡기계와 심혈관계의 부하를 줄일 수 있게 되므로 자발호흡을 준비할 수 있다. 기계환기는 기계환기관련폐렴(ventilator–associated pneumonia, VAP), 기타 집중치료 관련 감염, 중증질환관련 신경근육 병증(critical illness neuromuscular abnormality, CINMA), 불충분한 영양 지원, 수면 박탈, 섬망, 불안, 우울 등 여러 합병증과 관련이 있다. 이러한 합병증은 모두 이탈 과정에 심각한 장애물이 될 수 있다.

대개 기계환기 이탈은 침습적 기계환기의 이탈을 의미했다. 최근 비침습적인 환기방법이 기계환기에서 발관을 용이하게 하는 'weaning in progress' 개념이 제안되었다.[1] 2005년 열렸던 International Consensus Conference1에서 11명의 전문가들이 5개 질문에 답하는 방식으로 기계환기이탈 과정 관리 권고안을 발표하였다.

(1) 기계환기 이탈에 문제가 되는 원인에는 어떤 것들이 있는가?
(2) 기계환기를 이탈할 때 실패하게 되는 병리학적 문제는 무엇인가?
(3) 일반적으로 기계환기 이탈을 시작하는 첫 단계는 무엇인가?
(4) 기계환기 이탈이 매우 어려운 경우 다른 적절한 기계환기 양식은 무엇인가?
(5) 장기간 기계환기 이탈에 실패한 경우 적절한 치료방법은 무엇인가?

위원회는 환자군을 다음과 같은 세 개의 그룹으로 나누어 정의하였다.[1]

- 단순 이탈(SBT 첫 시도로 발관에 성공하는 경우)
- 어려운 이탈(발관에 성공하기까지 3회 이하의 SBT가 필요하거나 SBT 첫 시도로부터 7일 이하가 걸린 경우)
- 지연 이탈(발관 성공까지 4회 이상의 SBT가 필요하거나 첫 번째 SBT로부터 8일 이상 걸린 경우)

단순 이탈 환자군은 전체의 70%를 차지하며 중환자실 사망률이 5%인 반면 어렵거나 지연 이탈 환자군은 중환자실 사망률이 25%였다.[8,9] 최근 연구에서는 어려운 이탈 환자군에서는 이환율은 증가하지만 사망률은 증가하지 않는 반면에, 지연 이탈 환자들은 중환자실에서 이환률과 사망률 모두 증가한다고 보고하였다.[10]

병리학 관점에서 살펴본 기계환기 이탈

기계환기 이탈을 할 때 가장 중요한 것은 호흡 펌프가 감당하는 부하, 즉 일회호흡량(tidal volume)을 위한 호흡일(work of breathing, WOB)과 폐환기량(ventilatory capacity), 즉 호흡압력을 만들기 위한 최대용량(maximum capacity to generate the inspiratory pressure (Pimax)) 사이의 비율이다. 그 다음으로 심장기능과 근골격기능, 영양, 대사균형, 심리적인 면 등을 추가적으로 고려해야 한다.

환기 부하(Ventilatory load)

환기 부하는 다음에 좌우된다:

- 폐 유순도(thoracopulmonary compliance) 감소: 미만성 폐 침윤을 야기하는 폐질환이나 흉막이나 흉벽의 질환 있을 때이다. 이러한 질환들에는 급성호흡부전(ARF)의 원인이 될 수 있는 급성질환(폐렴, 폐부종, 복부 팽만, 복수), 또는 만성질환(폐 경화/간질성 폐 질환과 같은 폐실질 질환, 후만증 같은 흉벽 질환, 혹은 비만)이 있을 수 있다. 이러한 경우 이탈이 어렵다. 폐부종은 ARF의 주요 원인이 되거나 심근 부하 증가로 인하여 발생한 ARF의 합병증일 수 있다. 마찬가지로 폐렴은 ARF의 원인일 수도 있고 기관내 삽관의 합병증(예; VAP)으로 발생할 수도 있다. 기계환기의 사용기간을 줄이는 것은 환자의 예후를 악화시키는 VAP의 발생을 예방하는 데 중요하다.[11,12] 기류 제한으로 인해 과팽창된 COPD 환자에서 유순도가 감소하는데, 기계환기 중에 의인성 동적 과팽창이 기존의 정적 과팽창 증상을 더욱 악화시킬 수 있다. 환자와 인공호흡기 사이의 부조화는 호흡일을 증가시킨다.
- 기도 저항 증가는 COPD와 천식에서의 기관지 수축, 기관지 염증, 기도 부종에서 유발될 수 있다. 대개는 약물 치료를 통해 기도저항이 가역적으로 감소할 수 있다. 기관내 튜브 저항에 의해 SBT (spontaneous breathing trial) 동안 호흡 펌프에 추가적으로 저항이 발생하고, 발관 후에는 후두부종이나 기도 분비물로 인해 저항이 생긴다.[13]

폐환기량(Ventilatory capacity)

대사 요구량을 충족할 수 있을 정도의 폐포 환기량을 유지하고 WOB에 필요한 흡기 음압을 만들어 낼 수 있는 적절한 호흡중추와 효과적인 호흡근 움직임이 필요하다. 신경학적인 질환(뇌염 또는 뇌간 기능장애), 대사성 알칼리혈증, 진정약물 등으로 호흡중추의 작용이 충분하지 못할 수 있다. 말초 기능 장애에는 Guillain-Barre syndrome나 중증 근무력증 같은 근골격계 질환 등이 있으며 때로는 이탈이 어려운 환자를 평가하던 중 진단되기도 한다. 또 다른 형태로 CIP나 CIM처럼 중환자실 입원 중에 얻어지는 쇠약의 경우도 있다.[14] 한 연구에서는 중증질환의 급성기 단계를 지나 중환자실에서 얻어지는 마비는 기계환기 기간에 독립적 요소였다.[15] 저칼륨혈증, 저인산혈증, 저마그네슘혈증, 빈혈, 영양실조[16] 등도 기계환기 이탈을 어렵게 할 수 있다. 부신기능 부전은 이탈에서 중요하다. 특히 cortisol 농도가 25 g/dL 미만이거나 ACTH stimulation test에서 cortisol 증가가 9 g/dL 미만이라면 대개 이탈이 어렵다.[17]

의인성 요인

과도한 진정으로 인해 이탈기간이 연장되기도 한다. 따라서 매일 환자를 각성시켜(daily awakening) 자발 호흡의 가능성을 평가해야 한다.[18] 실제로 이 방법은 안전하고 기계환기 기간을 줄이고, 외상후스트레스장애를 줄일 수 있다.[19] 기계환기가 횡경막 기능에 영향을 미칠 수 있다는 여러 보고들이 있다. 동물실험에서 기계환기에 의한 횡경막 운동 감소는 근섬유 위축을 야기하며[20] 기계환기 유발 횡경막 기능 부전(ventilator induced diaphragmatic dysfunction, VIDD)라 일컬어지는 '환기에 필요한 압력을 만들어내는 능력'의 저하를 일으킨다는 사실이 밝혀졌다.[21] Levine 등은[22] 뇌사자에서 기계환기 후 발생한 횡경막의 운동저하가 일차적으로 섬유 위축과 관련이 있으며 단백질 융해 지표가 상승한 것을 확인하여 이러한 환자군에서 VIDD가 발현할 수 있음을 보고하였다. 최근 연구는[23] 기계환기 환자에서 횡경막 약화와 위축이 기계환기 초기에 발생한다는 것을 증명하였으며, 기계환기가 횡경막 근섬유의 구조적인 손상을 일으키고 calpain 단백 분해 시스템 활성(upregulation)과 관련이 있다는 것을 보고하였다. 결과적으로 이러한 연구 결과는 기계환기를 적용할 때는 가능하다면 환자의 흡기 노력을 극도로 감소시키는 환기 모드는 피해야 한다는 점을 시사한다.

중환자에서는 약물 관련 신경근접합부 결손, 말초신경병증(polyneuropathy), 근육병증(myopathy) 등으로 쇠약이 유발될 수 있다.[24] 기계환기와 고용량의 스테로이드 정주 또는 비탈분극성 신경근차단제(NMBAs)가 필요한 천식지속상태(status asthmaticus) 환자들에서 사지마비를 일으키는 급성근육병증이 생기기도 한다.[25] 또 다른 관찰연구에 따르면 COPD 급성 악화로 중환자실에 입원하여 고용량의 코르티코 스테로이드 투여를 받은 환자의 1/3에서 사지의 급성근육병증이 발생하였다.[26]

심장 부하

SBT 동안 기계환기로부터 벗어나게 되면, 두 가지 주요한 심혈관계의 변화가 일어난다:

- 호흡에 필요한 일이 증가함에 따라, 대사 요구량이 증가하며 이에 따라 심박출량 증가한다.
- 흉강내의 흡기 시 음압 발생으로 우측 심장의 충만압이 증가하여 전부하와 좌심실 후부하가 증가한다.

이탈은 만성심질환을 앓는 환자나 심기능 저하가 있으나 확인되지 않은 환자에서 심혈관 시스템에 부하를 더하는 효과가 있다.[27,28] 특히 과거 심근경색이 있었던 환자에서는 심근 허혈이나 폐부종이 발생할 수 있다.[29] 심인성 폐부종에 의한 급성호흡부전에서 비침습적 기계환기(NIV) 적용 효과가 확인되었는데,[30] 이는 NIV의 양압 환기가 흉강내 양압을 만들어 심기능을 보호한 효과이다.

다른 요인들

정신심리적 변화(섬망, 불안, 우울과 같은)로[31,32] 기계환기 기간이 연장될 수 있다. 특히, 장기간 기계환기 환자의 이탈 과정에서 환자의 42%에서 우울증이 진단되었고, 이 환자들은 이탈실패와 사망 가능성이 높았다.[33]

이탈 시기

International Consensus Conference1의 특별전문위원회 의견에 따르면 이탈 과정에서 고려해야 할 여섯 가지 단계가 있다.

(1) 급성호흡부전(ARF)의 치료
(2) 이탈 가능성 확인
(3) 이탈 준비 평가
(4) 자발 호흡(SBT) 시도
(5) 발관
(6) 재삽관 여부

ARF가 호전되면 가능한 서둘러 침습적 기계환기에서 벗어나도록 노력해야 한다. 특별한 이유가 없이 이탈 시도를 하지 않으면 중환자실 관련 합병증이 증가하고 기계환기로부터 벗어나는 과정이 복잡해진다. 자가 발관한 환자에서 호흡이 잘 유지된다는 보고들과 '이탈 불가' 환자의 담당의사를 바꾸자마자 이탈 불가 원인을 교정했다는 연구결과에서[2,34] 우리는 기계환기를 불

필요하게 오래 유지하고 있다는 사실을 알 수 있다.[35]

적절한 환자에서 SBT를 시행하고 기계환기를 받는 성인 환자의 호흡기능을 매일 평가하는 것은 기계환기 기간을 줄이고 중환자실 치료 비용을 절감하며 합병증을 줄일 수 있다.[36] 이러한 전략은 환자 자가 발관, 기관 절개, 기계환기관련 폐렴의 발생 또한 줄일 수 있다.[37]

의식 수준 저하는 대개 성공적인 발관의 장애물처럼 보이지만, 한 연구에서는 GCS 점수가 낮은 뇌손상 환자에서도 재삽관 비율이 낮았다.[4] 신경계중환자실에 입원한 환자를 대상으로 한 소규모 연구에서는 기존에 알려진 이탈 변수들이 발관 실패를 예측하지 못하였다.[38]

하지만 신경계 질환을 겪는 환자들에서는 이탈과 발관에 관한 종합적인 접근이 기계환기 기간에는 영향이 없을지라도 발관 실패와 재삽관 비율을 줄여 준다.[39] 기계환기 환자에게 매일 자발적인 각성을 시도하는 방법은 기존의 접근법보다 더 나은 결과를 보였다. 따라서 일부에서는 이를 일반화해야 한다고 주장한다.[40]

이탈 준비는 환자의 임상적인 안전성과 호흡일을 견딜 수 있는 환자의 능력 평가에 달려있다. 이러한 평가는 다음의 몇 가지를 고려해야 하지만 모든 사항을 만족해야 하는 것은 아니다.[1]

- ARF를 일으킨 급성질환의 호전
- 협조할 수 있는 환자의 상태(진정 치료 중단 과정도 포함)
- 적절한 기관내 분비물 처리 능력(효과적인 기침과 분비물 양)[41]
- PEEP $<$ 8 cmH_2O에서 충분한 가스교환능력($PaO_2/FiO_2 > 150$ mmHg)
- 환기 요구량(분시환기량 $<$ 10 L/min)
- 조절 가능한 호흡성 산증
- 적절한 환기 펌프 기능(폐활량 $>$ 10 mL/kg, 일회호흡량 $>$ 5 mL/kg, 최대흡기압(MIP) < -20 cmH_2O, 호흡수 $<$ 35 breaths/min, rapid shallow breathing index (RSBI) $<$ 105)

발관 전 공기 누출 검사(기관내 튜브의 커프에서 공기를 뺀 후 공기 흐름을 관찰)를 시행하여 상기도의 폐쇄 가능성을 평가하도록 한다.[42,43]

이탈 실패 예측인자

흔히 사용하는 이탈 성공/실패 지표 외에도 임상의사는 발관 결정을 내리기 위해 이탈 전략과 상관없이 이탈 시도 후 일어나는 객관적인 임상지표들을 고려해야 한다. 호흡 스트레스의 징후(역설적 흉복부 운동, 과도한 부호흡근 사용), 발한과 불안, 감각 이상, 혈역학적 불안정, 산소 포화도 감소 등은 환자가 호흡보조 없이 호흡을 지속할 수 없음을 나타내는 객관적 징후들이다. 이외에도 단독 척도로서 문헌에서는 폐활량(vital capacity), 일회호흡량(tidal volume), 기도 폐쇄압(P0.1), 분당환기량, 호흡수, MIP을 제시하고 있다. 그러나 일반적으로 중환자실에서 이러한 척도들은 이탈 성공과 실패를 정확하게 구별하지 못한다.[44]

그래서 P0.1/Pimax (MIP로의 흡기 노력이 시작된 지 0.1초 이후 기도 폐쇄압의 비율)과 CROP (유순도, 호흡수, 산소화, 압력 등을 통합한 기준)와 같은 복합 척도들을 사용한다.[45,46] P0.1/Pimax는 인공호흡기로 직접 기록된 측정값이지만 신뢰할 수 없을 때도 있고, CROP는 다양한 변수 측정을 필요로 하고 오류의 발생 가능성 때문에 임상상황에서 사용하기 쉽지 않다.

RSBI (rapid shallow breathing index)는 호흡수와 일회호흡량의 비율로서 SBT의 성공여부를 예측할 수 있어 임상에서 많이 이용하는 지표이다.[46] 자가 호흡이 어려운 환자들은 호흡수가 급격히 증가하고, 동시에 일회호흡량이 감소하기 때문에 RSBI는 상승한다. RSBI>105 breaths/min/L은 이탈 실패와 관련 있다. RSBI 값이 낮을 경우 통계적으로 이탈 성공가능성이 높다. 하지만 최근의 체계적 문헌고찰 결과는 우도비(likelihood ratio)가 민감도와 특이도 보다 더 좋은 평가 도구이며,[47,48] 특히 환자의 이탈 성공을 예측하는 양성 우도비(positive likelihood ratio)보다 이탈에 실패할 환자를 감별해 내는 음성 우도비(negative likelihood ratio)가 더 정확하였다.

Wysocki 등은[49] 인공호흡기와 기관내 튜브 제거를 성공한 환자에서 SBT 동안 호흡 변동성이 더 크며 이러한 변동 지표가 성공과 실패를 예측하는 데 적절하다고 보고하였다.

낮은 수준의 흡기 보조(PS<+8 cmH_2O)나 지속적기도양압(CPAP)을 적용하여 SBT를 시행할 수 있으며, 이는 발관 성공 예측력에 영향을 주지 않는다.[50-52] CPAP은 COPD 환자에서 내인성 PEEP을 극복하는 데 도움이 되지만, 이러한 '보조' 역할에 대해서는 아직 충분한 연구가 시행되지 않았다. 기관내 튜브에 의한 저항과 보상이 이를 고려하지 못하는 데 실제 상황에서는 발관 후에 생긴 염증에 의한 상기도 저항을 환자가 극복해야 하고, 발관 후 호흡일은 이러한 보상 없이도 훨씬 증가한다.[13,54] 환자가 SBT를 20분 이상 유지하지 못하면 발관 실패가 명백하지

만[9,46] 30분 동안 SBT를 유지하는 것은 120분 동안 SBT를 유지한 것은 발관 성공률 예측에 차이가 없었다.[9]

SBT 실패를 판단하는 데 객관적인 지표는 물론 주관적인 기준(초조, 호흡 곤란, 발한, 청색증, 의식 수준 저하, 부호흡근 사용, 고통스런 얼굴 표정)들도 이용한다.[55] 객관적인 지표들은 다음과 같다.

- 저산소증(PaO_2<50–60 mmHg with FiO_2>50%)
- 과탄산혈증($PaCO_2$>50 mmHg or increase>8 mmHg during the SBT)
- 산증(pH<7.32 or reduction of pH>0.07 of pH units)
- RSBI>105
- 빈호흡(호흡수>35 breaths/min or increased by 50%)
- 빈맥(심박수>140/min or increased>20%)
- 고혈압(>180 mmHg or increased>20%)
- 저혈압<90 mmHg
- 부정맥

성공적인 SBT 이후 발관한 환자들에서는 13%에서만 재삽관을 하게 되었다[1]; 반대로, SBT 없이 발관한 경우 40%에서 재삽관을 해야 했다.[56] SBT를 실패했을 경우에는 non–fatiguing 모드(A/C or PSV)를 이용하며 다음 SBT를 위해 회복할 때까지 기다려야 한다.

이탈 방법

다국적 연구 결과 이탈 방법 중에서 매일 SBT를 시행하는 것이 가장 흔히 이용되는 방법이며, 절반 이상의 환자에서 T–tube를 이용하여 시행하고 있다. 또 다른 흔한 방법은 흡기 시 압력 보조를 점진적으로 줄이는 방법으로 특히 이탈이 어려운 환자에서 많이 적용되고 있다. 외부에서 제공하는 압력 보조가 7 cmH_20 미만이 될 때까지 점차적으로 줄여나간다. 이런 방법으로 발관한 상태일 때 환자가 호흡일을 얼마나 견딜 수 있는지 알 수 있다.

최근의 생리학적 연구에서 T–piece와 비교하였을 때 PSV나 PSV+PEEP을 적용하는 방법에서 호흡수가 감소하고 일회호흡량이 증가하는 호흡 패턴의 변화가 나타났으며, 흡기근의 부하와 심혈관계 반응(폐동맥압 감소와 좌심실 부전)이 감소하였다. 특히 이탈이 어려운 환자들에서 소규모 그룹이지만 T-piece로 실패한 환자도 대부분 PSV와 PSV+PEEP으로는 성공하였다.[57]

동시간헐적강제환기(SIMV)는 일회호흡량과 호흡수를 줄임으로써 최소 분당호흡량(minimal minute ventilation)을 확보하는 방법으로 과거에 많이 이용되었다. 기계환기는 환자의 흡기 노력에 동기화된다. 환자는 압력 보조 호흡을 통해 환기량을 늘릴 수 있다. 이탈은 호흡수를 감소시켜 이루어진다; 더 진행되면 자발호흡에 지원되는 압력을 줄인다.

흔하게 이용되는 이 세 가지 중 어떤 방법이 가장 좋을까?

몇몇 연구에서는 T-tube를 이용한 간헐적인 자발 호흡과 PSV 같은 이탈 모드를 비교하였다. SBT 실패 이후 T-tube 적용시간을 점진적으로 늘리는 방법도 기계환기 이탈을 위한 효과적인 방법이다. 국제 특별전문위원회에 따르면 수차례 SBT를 실패했을 때 PSV를 적용하는 것도 기계환기 이탈에 도움이 될 수 있다. 하지만 다른 연구에서는 PSV와 T-tube를 이용한 이탈은 이탈 성공률이 달랐는데, 이러한 차이는 어느 한 방법이 더 우수하다기 보다 그 방법들을 수행하는 임상 팀의 태도, 숙련, 자신감의 차이를 반영하는 것일 수도 있다. 이 세 방법들을 비교한 여러 연구에서 SIMV가 PSV, T-piece보다 이탈과정이 더 오래 걸렸다. 사실 문헌들은 이탈 모드로 SIMV를 단독으로 사용하는 근거는 부족하고, SIMV와 PSV를 함께 적용한 자료도 거의 없다.[58-59] 이 세가지가 가장 일반적인 방법이지만, 문헌에서는 다음과 같은 환기 모드들을 제안하기도 했다.

첨단 폐쇄회로 시스템(advanced closed-loop systems)은 이탈 과정을 상호적으로 반응-적응하게 하여 인공호흡기 관리를 단순화할 목적으로 도입되었다. 긍정적인 몇몇 결과에도 불구하고[60-62] 이탈 수행 패턴을 단순화하고 정보 전달을 촉진하기 위한 이 자동화된 모드는 아직 충분히 확립되지 못했다. 이탈 과정에서 이와 같은 자동화 모드는 아직 (의료진에 의한) 면밀한 환자 관찰을 대체하지는 못하고 있다. 이러한 기술 중에서 가장 많이 이용되는 것으로 강제분시환기량(mandatory minute ventilation, MVV)이 있는 데 이는 강제조절환기(CMV)의 특징과 자발호흡노력에 맞춘 PSV를 혼합한 것이다.[63] 인공호흡기는 환자의 자발 호흡수를 측정하여 미리 결정해둔 최소분당환기량을 만족할 수 있게끔 강제환기를 조절하게 된다. 만일 환자의 자발호흡이 정해진 분당환기량을 만족하거나 상회할 경우 강제조절환기를 제공하지 않는다. 적응보조환기(adaptive support ventilation, ASV)는 의료진의 입력값(예측체중(PBW), 최소분당호흡량,

압력 제한)과 인공호흡기의 감시 시스템(호기 시간 상수와 동적유순도)를 통한 호흡 메커니즘 자료에 근거하여 자동적으로 목표 환기 패턴을 선택한다.[64] 이러한 알고리즘은 흡기시 호흡일을 최소화하는 것을 목표로 하며, 인공호흡기는 계속하여 호흡 메커니즘에 맞추어 흡기압, 호흡수, 인공호흡기가 유도하는 흡기 시간 등에 변화를 준다. 'Neoganesh' 혹은 자동이탈시스템이라고도 알려진 SmartCare®는 이탈 과정을 안내할 목적으로 고안된 최초의 상업적으로 이용 가능한 자동화 시스템이다. SmartCare®/PS는 매 2–5분마다 환자의 호흡 상태를 감시하여 설정한 '편안한 호흡' 영역 안에서 환자의 호흡이 유지될 수 있도록 압력지원을 지속적으로 조정한다. 시스템이 호흡보조를 성공적으로 최소화하면, 관찰 기간이 시작되고 '이탈 고려'(임상 상황을 고려하여 발관 여부 결정)를 권고하게 된다.

PAV와 신경조절 환기보조(neutrally adjusted ventilator assist, NAVA)는 비교적 최신의 이탈 모드로서, 연구자들은 이 두 가지 방법이 기계환기 이탈 과정에 있어 중요한 역할을 할 것이라고 주장하고 있으나 이러한 가설을 입증할 수 있는 더 연구가 필요하다.[65,66]

기도삽관 기간을 줄이기 위한 NIV의 사용

기계환기 기간을 단축하기 위해서 일부 환자, 특히 과탄산혈증이 지속되거나 만성호흡기질환을 겪는 환자에서 NIV의 단독 사용이 제안되었다. 생리학적인 측면에서 NIV는 침습적 기계환기와 유사하다; 호흡일과 호흡수를 줄여주고, 흉강내압의 음성편위(negative deflection)을 감소시켜, 가스 교환을 개선하고 호흡근의 일을 줄여준다.[67] 침습적, 비침습적 압력 보조 모두 효과는 동일하므로, NIV는 침습적 기계환기의 '완벽한 대안'이 될 수 있다.

Burns 등은 대부분 COPD인 530명의 환자들을 포함하는 12개의 무작위 비교연구들을 메타분석과 체계적 고찰을 하였다. 침습적 이탈과 비교하여, 비침습적 이탈은 사망률(RR 0.55, 95% CI 0.38–0.79), 기계환기 연관 폐렴(RR 0.29, 95% CI 0.19–0.45), 중환자실 재원기간(weighted mean difference −6.27일, −8.77∼−3.78)과 병원재원기간(−7.19일, −10.80∼−3.58), 총 기계환기기간, 침습적 환기기간 등에서 유의미한 차이를 보였다. 비침습적 이탈이 이탈 실패나 소요시간에 미친 영향은 없었다.[68]

최근 Girault는 급성호흡부전으로 기관삽관을 받은 만성과탄산혈증 호흡부전 환자들을 대상으로 프랑스의 17개 센터에 시행한 대규모 연구를 수행하였다.[69] 환자군은 무작위로 세 그룹으로 나뉘었다; 고전적인 이탈 방식으로 기계환기를 지속한 그룹, NIV를 적용한 그룹, 발관 후 산소보조요법을 받은 그룹이었다. 침습적 환기 그룹, 산소보조요법 그룹, NIV 그룹의 재삽관률은 각각 30%, 37%, 32%였다. 발관 후 호흡부전을 포함한 이탈 실패율은 각각 54%, 71%, 33%이었고, 이러한 결과는 NIV 적용한 방법이 통계적으로 유리함을 보여주었다. 침습적 환기 그룹과 산소보조요법 그룹 환자들의 구조요법으로 NIV 성공률은 각각 45%, 58% 이었다. 침습적 환기 그룹보다 NIV 그룹에서 이탈에 걸린 시간이 더 긴 것을 제외(2.5일 vs. 1.5일, P=0.033)하고 두 그룹간의 명백한 차이는 없었다. 따라서 NIV를 적용하는 방법이 기관삽관 기간을 줄일 수 있고, 발관 후 급성호흡부전 위험을 줄여 과탄산혈증이 있는 이탈이 어려운 환자들의 이탈 결과를 개선할 수 있다고 결론지을 수 있다.

저산소성 호흡부전이 있는 외상 환자[70]와 조기 발관 후 급성 호흡부전이 있는 비COPD 환자군에서 NIV를 이용한 이탈을 연구한 무작위대조연구가 아닌 소규모 시도들이 있었다.[71,72] 연구결과 중증 저산소증인 환자에서 NIV를 이탈전략으로 권고할 수 없었다. 이런 환자들에서 안면마스크를 적절하게 적용하기 어려웠다는 점이 NIV 실패의 원인들 중에 하나이다. 최근 헬멧 형태의 장치가 NIV를 위해 고안되었다. Klein 등은 급성호흡부전으로 삽관한 COPD 환자에게 헬멧을 이용한 NIV로 좀 더 빠르게 이탈할 수 있었다는 사례를 보고하였다.[73,74] 이들은 이러한 방법이 침습적 기계환기와 비교하여 좋은 환자 순응도, 비용 절감, 간호활동부담 감소, 진정제 및 감염과 관련한 합병증 감소를 줄였다고 하였다.

발관 후 호흡곤란

발관 후 호흡부전은 중환자실의 주요한 임상 문제 중 하나이다.

일반적으로 발관 후 호흡부전은 호흡곤란(가령, 호흡수 증가, 보조호흡근의 과도한 움직임이나 흉곽 하부의 내측 움직임과 같은 간접적인 증상), 동맥혈 가스분석의 악화($PaCO_2$ 10 mmHg 이상 증가, pH 0.10 이상 감소; FiO_2>0.50 중에도 PaO_2<60 mmHg 또는 SaO_2<90%), 발관 48시간 이내 발생하는 상기도 폐쇄 또는 과도한 분비물로 기도 유지가 어려운 상태로 정의한다.[75]

재삽관이 필요한 발관 후 호흡부전은 평균 13%이고, 이들의 병원 사망률은 30–40% 이상일 정도로 예후가 좋지 않으며, 발관 실패의 원인과 재삽관에 걸린 시간이 임상결과의 예측인자이다.[75,76]

재삽관의 가장 흔한 이유로는 호흡부전, 울혈성 심부전, 과도한 분비물이나 흡인, 상기도 폐쇄이다. 사망은 기도 외적인 문제 때문에 재삽관한 경우가 기도 문제 때문에 재삽관한 경우보다 월등히 높다(52.9% vs. 17.4%).[76]

사망률은 발관 후 재삽관을 하게 되기까지 기간이 길수록 증가하는 데, 발관 후 12시간 이내에 재삽관한 경우는 24시간 이내에 재삽관한 경우보다 의미있게 낮았고(51% vs. 24%), 24시간 이내에 재삽관한 경우는 그 이후 재삽관한 경우보다 낮았다(30.2% vs. 58.1%).[76]

또한 Torres 등의 연구에 의하면 재삽관 자체가 원내 폐렴의 독립적 위험인자였다.[77]

발관 시점에 환자의 임상적 특징으로 재삽관을 예측할 수 있는 환자들이 있다. 따라서 이러한 위험성이 있는 특정 환자들에게 NIV를 적용하면 발관 후 호흡부전을 피하고 결과적으로 재삽관의 가능성을 낮출 수 있다고 생각할 수 있다. 이러한 가설에 따라, 재삽관 위험도가 가장 높은 고위험군에서 NIV가 기존의 표준 방법과 비교하여 발관 후 호흡부전을 예방하는 효과가 있는지를 알아보기 위하여 두 개의 무작위대조군 연구가 시행되었다.[78,79]

두 가지 연구 모두 잠재적 위험 환자(지속적인 weaning 실패, 발관 후 과탄산혈증, 고령, 약한 기침반사, 심질환을 동반한 경우)의 정의는 유사하였고 연구설계(첫 48시간 동안 NIV 적용)도 유사하였다.

첫 번째 연구에서는 재삽관 비율이 16% 감소하였고 중환자실 사망률은 작은 차이로 통계적 차이까지 이르지는 못했다. 두 번째 연구에서는 이전 연구와 달리 즉각적인 재삽관이 필요한 상황이 아니면 발관 후 호흡부전의 구조치료로도 NIV를 적용하였다. 연구자들은 NIV가 통계적으로 의미있게 발관 후 호흡부전의 발생을 줄여주지만, 재삽관 비율에서는 두 환자군 사이에 차이가 없다는 점을 알게 되었다. 이유는 재삽관을 피하기 위해 NIV를 적용한 효과 때문이었다. NIV가 생존에 도움이 된 경우는 만성호흡부전과 SBT 동안에 과탄산혈증을 보였던 환자들에 국한되었다. 이 환자군에서 이와 같은 결과를 확인하기 위해서 Ferrer와 동료들은[80] SBT 동안 과탄산혈증이 발생한 환자들을 대상으로 다기관 무작위대조군연구를 설계하였다. 연구자들은 NIV를 적용한 환자군에서 표준 치료를 시행한 환자군에 비해서 호흡부전이 발생 빈도가 적었음을 밝혔다(15% vs. 25%). 또 NIV 적용과 발관 후 호흡부전 위험 감소는 독립적인 상관관계가 있었고, 호흡부전 환자에서 NIV는 구조치료로서 재삽관을 피할 수 있었다. NIV 적용 그룹에서 90일 사망률은 현저하게 감소하였다(11% vs. 31%).

NIV는 또한 발관 후 호흡부전 증상이 막 나타나기 시작한 경우나 확실해진 경우 모두 재삽관을 피하기 위한 목적으로 시도될 수 있다고 제안되기도 했다.

한 무작위대조군 연구는[81] 발관 후 48시간 이내 급성호흡부전이 발생한 환자들을 표준치료방법만으로 치료하는 군과 NIV를 적용하는 군으로 무작위 분류하였다. 연구자들은 NIV 치료군에서 병원 재원 기간이 짧아지는 경향은 있었지만 재삽관율, 병원 사망률, 중환자실 재실 기간에 차이가 없음을 확인하였다. Esteban은[82] 발관 후 호흡부전이 발생한 환자들의 사망률에 미치는 NIV의 영향을 평가하기 위해 대규모 다기관 무작위대조군 연구를 시행하였다. 연구는 중간분석 단계에서 조기에 종료되었는데, NIV를 적용한 그룹에서 기존 치료와 비교하여 사망률이 더 높았기 때문이다(25% vs. 14%). 이런 차이가 발생한 이유는 재삽관을 필요로 했던 환자들에서 사망률 차이(NIV 치료군 38% vs. 표준치료군 22%)가 있었기 때문이다. NIV 치료군에서 급성호흡부전이 발생한 이후 재삽관 할 때까지 시간 간격이 더 길었던 것과 관련된 것으로 보인다. 이 연구는 특정 환자군을 대상으로 하지 않았다. 결과적으로 연구자들은 선택적 환자군(가령 COPD 환자)에서는 NIV가 여전히 이로울 것으로 보이나, 표본이 작아 의미있는 결론에 이를 수 없었다고 할 수 밖에 없었다.

일반적으로 발관 후에 호흡부전이나 호흡곤란을 겪는 환자들은 현재까지(적어도 이 책이 처음 발간된 2014년까지–역자주) NIV 치료의 적응증이 아니다. 하지만 만성호흡질환 환자 또는 호흡펌프부전 증상이 있는 환자 등 특정 환자군을 대상으로 추가적인 연구가 반드시 필요하다.

결론

마지막으로, '이탈(weaning)'이라는 단어는 '젖을 떼고 이유식을 함'을[83] 의미하는 것으로, 이는 기계로부터의 독립하는 것처럼, 어려움과 통증, 질병과 관련이 있는 이러한 일련의 사건을 형상화하기에 가장 좋은 방법은 아니다. 처음으로 '이탈'이라는 용어를 만든 사람은 기계 호흡으로부터의 단절이라는 것은 스스로 다시 호흡을 시작해야 하는 환자들에게 단지 숫자, 전략, 프로토콜, 환기 모드, 비용뿐만이 아닌 관리, 헌신, 정서적 지원이 필요한 문제라는 것을 우리에게 일깨워주었다. 기계환기에서 이탈을 위해 적절한 전략을 설정할 때는 개인의 경험과 상식적 접근방법을 고려해야 한다.[84]

특별전문위원회의 권고, 프로토콜의 도입, 이탈전략의 적용으로 최근 몇 년간 문제들에 대한 접근이 향상되었다. 하지만 일부 의료현장에서는 환자의 인공호흡기 이탈가능성을 여전히 경험과 주관적 느낌에 의존하고 있다.

참고문헌

1 Boles JM, Bion J, Connors A, et al. Weaning from mechanical Ventilation. Eur Respir J 2007;29:1033-56.

2 Epstein SK, Nevins ML, Chung J. Effect of unplanned extubation on outcome of mechanical ventilation. Am J Respir Crit Care Med 2000;161:1912-16.

3 Esteban A, Alía I, Ibanez J, Benito S, Tobin MJ. Modes of mechanical ventilation and weaning: a national survey of Spanish hospitals. Chest 1994;106:1188-93.

4 Coplin WM, Pierson DJ, Cooley KD, Newell DW, Rubenfeld GD. Implications of extubation delay in brain injured patients meeting standard weaning criteria. Am J Respir Crit Care Med 2000;161:1530-6.

5 Esteban A, Anzueto A, Frutos F, et al. Mechanical Ventilation International Study Group. Characteristics and outcomes in adult patients receiving mechanical ventilation: a 28 days international study. JAMA 2002;287:345-55.

6 Wunsch H, Linde-Zwirble WT, Angus DC, et al. The epidemiology of mechanical ventilation use in the United States. Crit Care Med 2010;38:1947-53.

7 Zilberberg MD, Shorr AF. Prolonged acute mechanical ventilation and hospital bed utilization in 2020 in the United States: implications for budgets, plant and personnel planning. BMC Health Serv Res 2008;8:242.

8 Vallverdu I, Calaf N, Subirana M, Net A, Benito S, Mancebo J. Clinical characteristics, respiratory functional parameters, and outcome of a two hours T-piece trial in patients weaning from mechanical ventilation. Am J Respir Crit Care Med 1998;158:1855-62.

9 Esteban A, Alia I, Tobin MJ, et al. Effect of spontaneous breathing trial duration on outcome of attempts to discontinue mechanical ventilation. Am J Respir Crit Care Med 1999;159:512-18.

10 Funk GC, Anders S, Breyer MK, et al. Incidence and outcome of weaning from mechanical ventilation according to new categories. Eur Respir J 2010;35:88-94.

11 Chastre J, Fagon JY. Ventilator-associated pneumonia. Am J Respir Crit Care Med 2002;165:867-903.

12 American Thoracic Society. Guidelines for the management of adults with hospital-acquired, ventilator-associated, and healthcare-associated pneumonia. Am J Respir Crit Care Med 2005;171:388-416.

13 Straus C, Louis B, Isabey D, Lemaire F, Harf A, Brochard L. Contribution of the endotracheal tube and the upper airway to breathing workload. Am J Respir Crit Care Med 1998;157:23-30.

14 Garnacho-Montero J, Amaya Villar R, Garcia-Garmendia JL, Madrazo-Osuna J, Ortiz-Leyba C. Effect of critical illness polyneuropathy on the withdrawal from mechanical ventilation and the length of stay in septic patients. Crit Care Med 2005;33:349-54.

15 De Jonghe B, Bastuji-Garin S, Sharshar T, Outin H, Brochard L. Does ICU-acquired paresis lengthen weaning from mechanical ventilation? Intensive Care Med 2004;30:1117-21.

16 Shonhofer B, Wenzel M, Geibel M, Kohler D. Blood transfusion and lung function in chronically anemic patients with severe chronic obstructive pulmonary disease. Crit Care Med 1998;26:1824-8.

17 Huang CJ, Lin HC. Association between adrenal insufficiency and ventilator weaning. Am J Respir Crit Care Med 2006;173:276-80.

18 Kress JP, Pohlman AS, O'Connor MF, Hall JB. Daily interruption of sedative infusions in critically ill patients undergoing mechanical ventilation. N Engl J Med 2000;342:1471-7.

19 Kress JP, Gehlbach B, Lacy M, Pliskin N, Pohlman AS, Hall JB. The long-term psychological effects of daily sedative interruption on critically ill patients. Am J Respir Crit Care Med 2003;168:1457-61.

20 Le Bourdelles G, Viires N, Boczkowski J, Seta N, Pavlovic D, Aubier M. Effects of mechanical ventilation on diaphragmatic contractile properties in rats. Am J Respir Crit Care Med 1994;149:1539-44.

21 Vassilakopoulos T, Petrof BJ. Ventilator-induced diaphragmatic dysfunction. Am J Respir Crit Care Med

2004;169:336-41.

22 Levine S, Nguyen T, Taylor N, et al. Rapid disuse atrophy of diaphragm fibers in mechanically ventilated humans. N Engl J Med 2008;358:1327-35.

23 Jaber S, Petrof BJ, Jung B, et al. Progressive diaphragmatic weakness and injury during mechanical ventilation in humans. Am J Respir Crit Care Med 2011;183:364-71.

24 Stevens RD, Hart N, de Jonghe B, Sharshar T. Weakness in the ICU: a call to action. Crit Care Med 2009 ;37(Suppl):S299-308.

25 Leatherman JW, Fluegel WL, David WS, Davies SF, Iber C. Muscle weakness in mechanically ventilated patients with severe asthma. Am J Respir Crit Care Med 1996;153:1686-90.

26 Amaya-Villar R, Garnacho-Montero J, García-Garmendía JL, et al. Steroid-induced myopathy in patients intubated due to exacerbation of chronic obstructive pulmonary disease. Intensive Care Med 2005;31:157-61.

27 Lemaire F, Teboul JL, Cinotti L, et al. Acute left ventricular dysfunction during unsuccessful weaning from mechanical ventilation. Anesthesiology 1988;69:171-9.

28 Pinsky MR. Breathing as exercise: the cardiovascular response to weaning from mechanical ventilation. Intensive Care Med 2000;26:1164-6.

29 Srivastava S, Chatila W, Amoateng-Adjepong Y, et al. Myocardial ischemia and weaning failure in patients with coronary artery disease: an update. Crit Care Med 1999;27:2109-12.

30 Nava S, Carbone G, DiBattista N, et al. Noninvasive ventilation in cardiogenic pulmonary oedema: a multicentre trial. Am J Respir Crit Care Med 2003;168:1432-7.

31 Lin SM, Liu CY, Wang CH, et al. The impact of delirium on survival of mechanically ventilated patients. Crit Care Med 2004;32:2254-9.

32 Ely EW, Shintani A, Truman B, et al. Delirium as a predictor of mortality in mechanically ventilated patients in the intensive care unit. JAMA 2004;291:1753-62.

33 Jubran A, Lawm G, Kelly J, et al. Depressive disorders during weaning from prolonged mechanical ventilation. Intensive Care Med 2010;36:828-35.

34 Betbese AJ, Perez M, Bak E, Rialp G, Mancebo J. A prospective study of unplanned endotracheal extubation in intensive care unit patients. Crit Care Med 1998;26:1180-6.

35 Vitacca M, Vianello A, Colombo D, et al. Comparison of two methods for weaning patients with chronic obstructive pulmonary disease requiring mechanical ventilation for more than 15 days. Am J Respir Crit Care Med 2001;164:225-30.

36 Ely EW, Baker AM, Dunagan DP, et al. Effect on the duration of mechanical ventilation of identifying patients capable of breathing spontaneously. N Engl J Med 1996;335:1864-9.

37 Grap MJ, Strickland D, Tormey L, et al. Collaborative practice: development, implementation, and evaluation of a weaning protocol for patients receiving mechanical ventilation. Am J Crit Care 2003;12:454-60.

38 Ko R, Ramos L, Chalela JA. Conventional weaning parameters do not predict extubation failure in neurocritical care patients. Neurocrit Care 2009;10:269-73.

39 Navalesi P, Frigerio P, Moretti MP, et al. Rate of reintubation in mechanically ventilated neurosurgical and neurologic patients: evaluation of a systematic approach to weaning and extubation. Crit Care Med 2008; 36:2986-892.

40 Girard TD, Kress JP, Fuchs BD, et al. Efficacy and safety of a paired sedation and ventilator weaning protocol for mechanically ventilated patients in intensive care (Awakening and Breathing Controlled trial): a randomised controlled trial. Lancet 2008;371:126-34.

41 Khamiees M, Raju P, DeGirolamo A, Amoateng-Adjepong Y, Manthous CA. Predictors of extubation outcome in patients who have successfully completed a spontaneous breathing trial. Chest 2001;120:1262-70.

42 De Bast Y, De Backer D, Moraine JJ, Lemaire M, Vandenborght C, Vincent JL. The cuff leak test to predict failure of tracheal extubation for laryngeal oedema. Intensive Care Med 2002;28:1267-72.

43 Jaber S, Chanques G, Matecki S, et al. Post extubation stridor in intensive care units patients. Risk factors evaluation and importance of the cuff leak test. Intensive Care Med 2003;29:69-74.

44 Conti G, Montini L, Pennisi MA, et al. A prospective, blinded evaluation of indexes proposed to predict weaning from mechanical ventilation. Intensive Care Med 2004;30:830-6.

45 Montgomery AB, Holle RH, Neagley SR, Pierson DJ, Schoene RB. Prediction of successful ventilator weaning using airway occlusion pressure and hypercapnic challenge. Chest 1987;91:496-9.

46 Yang KL, Tobin MJ. A prospective study of indexes predicting the outcome of trials of weaning from mechanical ventilation. N Engl J Med 1991;324:1445-50.

47 Meade M, Guyatt G, Cook D, et al. Predicting success in weaning from mechanical ventilation. Chest 2001; 120(6 Suppl):400S-24S.

48 Tobin MJ, Jubran A. Variable performance of weaning-predictor tests: role of Bayes' theorem and spectrum and test-referral bias. Intensive Care Med 2006;32:2002-12.

49 Wysocki M, Cracco C, Teixeira A, et al. Reduced breathing variability as a predictor of unsuccessful patient separation from mechanical ventilation. Crit Care Med 2006;34:2076-83.

50 Kollef MH, Shapiro SD, Silver P, et al. A randomized, controlled trial of protocol-directed versus physician directed weaning from mechanical ventilation. Crit Care Med 1997;25:567-74.

51 Matic I, Majeric-Kogler V. Comparison of pressure support and T-tube weaning from mechanical ventilation: randomized prospective study. Croat Med J 2004;45:162-6.

52 Jones DP, Byrne P, Morgan C, Fraser I, Hyland R. Positive end-expiratory pressure versus T-piece. Extubation after mechanical ventilation. Chest 1991;100:1655-9.

53 Haberthur C, Mols G, Elsasser S, Bingisser R, Stocker R, Guttmann J. Extubation after breathing trials with automatic tube compensation, T-tube, or pressure support ventilation. Acta Anaesthesiol Scand 2002;46: 973-9.

54 Mehta S, Nelson DL, Klinger JR, Buczko GB, Levy MM. Prediction of post-extubation work of breathing. Crit Care Med 2000;28:1341-6.

55 Perren A, Domenighetti G, Mauri S, Genini F, Vizzardi N. Protocol-directed weaning from mechanical ventilation: clinical outcome in patients randomized for a 30-min or 120-min trial with pressure support ventilation. Intensive Care Med 2002;28:1058-63.

56 Zeggwagh AA, Abouqal R, Madani N, Zekraoui A, Kerkeb O. Weaning from mechanical ventilation: a model for extubation. Intensive Care Med 1999;25:1077-83.

57 Cabello B, Thille AW, Roche-Campo F, Brochard L, Gómez FJ, Mancebo J. Physiological comparison of three spontaneous breathing trials in difficult-to-wean patients. Intensive Care Med 2010;36:1171-9.

58 Brochard L, Rauss A, Benito S, et al. Comparison of three methods of gradual withdrawal from ventilatory support during weaning from mechanical ventilation. Am J Respir Crit Care Med 1994;150:896-903.

59 Esteban A, Frutos F, Tobin MJ, et al. A comparison of four methods of weaning patients from mechanical ventilation. Spanish Lung Failure Collaborative Group. N Engl J Med 1995;332:345-50.

60 Iotti GA, Polito A, Belliato M, et al. Adaptive support ventilation versus conventional ventilation for total ventilatory support in acute respiratory failure. Intensive Care Med 2010;36:1371-9.

61 Davis S, Potgieter PD, Linton DM. Mandatory minute volume weaning in patients with pulmonary pathology. Anaesth Intensive Care 1989;17:170-4.

62 Lellouche F, Mancebo J, Jolliet P, et al. A multicenter randomized trial of computer-driven protocolized weaning from mechanical ventilation. Am J Respir Crit Care Med 2006;174:894-900.

63 Hewlett AM, Platt AS, Terry VG. Mandatory minute volume. A new concept in weaning from mechanical ventilation. Anaesthesia 1977;32:163-9.

64 Brunner JX, Iotti GA. Adaptive Support Ventilation (ASV). Minerva Anestesiol 2002;68:365-8.

65 Georgopoulos D. Proportional assist ventilation: an alternative approach to wean the patient. Eur J Anaesthesiol 1998;15:756-60.

66 Sinderby C, Beck J. Proportional assist ventilation and neurally adjusted ventilatory assist-better approaches to patient ventilator synchrony? Clin Chest Med 2008;29:329-42.

67 Vitacca M, Ambrosino N, Clini E, et al. Physiological response to pressure support ventilation delivered before and after extubation in patients not capable of totally spontaneous autonomous breathing. Am J Respir Crit Care Med 2001;164:638-41.

68 Burns KE, Adhikari NK, Keenan SP, Meade M. Use of non-invasive ventilation to wean critically ill adults off invasive ventilation: meta-analysis and systematic review. BMJ 2009;338:1574.

69 Girault C, Bubenheim B, Fekri Abroug Al; for the VENISE trial group. Noninvasive ventilation and weaning

in patients with chronic hypercapnic respiratory failure. A randomized multicenter trial. Am J Respir Crit Care Med 2011;184:672-9.

70 Gregoretti C, Beltrame F, Lucangelo U, et al. Physiologic evaluation of non-invasive pressure support ventilation in trauma patients with acute respiratory failure. Intensive Care Med 1998;24:785-90.

71 Kilger E, Briegel J, Haller M, et al. Effects of noninvasive positive pressure ventilatory support in non-COPD patients with acute respiratory insufficiency after early extubation. Intensive Care Med 1999;25:1374-80.

72 Vaschetto R, Turucz E, Dellapiazza F, et al. Noninvasive ventilation after early extubation in patients recovering from hypoxemic acute respiratory failure: a single-centre feasibility study. Intensive Care Med 2012;38:1599-606.

73 Nava S, Hill N. Non-invasive ventilation in acute respiratory failure. Lancet 2009;374:250-9.

74 Klein M, Weksler N, Bartal C, Gurman GM. Helmet noninvasive ventilation for weaning from mechanical ventilation. Respir Care 2004;49:1035-7.

75 Epstein SK, Ciubotaru RL, Wong JB. Effect of failed extubation on the outcome of mechanical ventilation. Chest 1997;112:186-92.

76 Epstein SK, Ciubotaru RL. Independent effects of etiology of failure and time to reintubation on outcome for patients failing extubation. Am J Respir Crit Care Med 1998;158:489-93.

77 Torres A, Gatell JM, Aznar E, et al. Re-intubation increases the risk of nosocomial pneumonia in patients needing mechanical ventilation. Am J Respir Crit Care Med 1995;152:137-41.

78 Nava S, Gregoretti C, Fanfulla F, et al. Noninvasive ventilation to prevent respiratory failure after extubation in high-risk patients. Crit Care Med 2005;33:2465-70.

79 Ferrer M, Valencia M, Nicolas JM, Bernadich O, Badia JR, Torres A. Early noninvasive ventilation averts extubation failure in patients at risk: a randomized trial. Am J Respir Crit Care Med 2006;173:164-70.

80 Ferrer M, Sellarés J, Valencia M, et al. Non-invasive ventilation after extubation in hypercapnic patients with chronic respiratory disorders: randomised controlled trial. Lancet 2009;374:1082-8.

81 Keenan SP, Powers C, McCormack DG, Block G. Noninvasive positive-pressure ventilation for postextubation respiratory distress: a randomized controlled trial. JAMA 2002;287:3238-44.

82 Esteban A, Frutos-Vivar F, Ferguson ND, et al. Non-invasive positive pressure ventilation for respiratory failure after extubation. N Engl J Med 2004;350:2452-60.

83 Williams and Wilkins Lippencott. Stedman's ilustrated medical dictionary. 24th ed. Baltimore, MD: Lippencott, Williams and Wilkins; 1992. p. 1575.

84 Milic-Emili J. Is weaning an art or a science? Am Rev Respir Dis 1986;134:1107-8.

중환자실 진정(Sedation)에 관한 재고

시네드 갈빈, 리사 부리, 상떼 메타
(Sinead Galvin, Lisa Burry, and Sangeeta Mehta)

서론

1940, 1950년대 폴리오(Polio)의 유행으로 중환자실과 인공호흡기(mechanical ventilator)의 역할이 확고해졌다. 당시의 중환자실 사진들에서는 음압*1을 이용한 '금속–폐(iron–lung)' 인공호흡기 안에서 깨어있는 환자들이 의료진들과 대화하고 있는 모습을 볼 수 있다. 이후 수십 년간 기계환기를 하는 환자들의 고통을 최소화하기 위한 방법으로 마약성 진통제 및 진정제를 사용하는 흐름이 합목적적이고 합리적으로 받아들여졌다. 그러나, 지난 이십여 년간 이 분야에 관한 연구 결과로 과도한 진정이 단기적, 장기적으로 모두 유리하지 않다는 것이 분명해졌다.

진정은 포괄적인 의미로 중환자실에서 사용되는 많은 약물을 포함하며, 작용 기전, 약리학적 특징, 그리고 단기적, 장기적 부수작용은 각각 매우 다르다. Arroliga와 동료들은 국제 다기관 연구(n=5,183)를 시행하여 기계환기 동안 환자들의 2/3 이상에서 진정제를 사용한다고 보고하였다. 이 그룹은 진정제의 사용이 기계환기 및 중환자실 재원기간과 독립적으로 관련이 있다는 것을 발견하였다.[1] 진통제와 진정제는 중환자치료에서 진통 작용을 제공하고, 불안을 완화하며, 필요시 수면을 제공하고, 통증을 동반하는 시술 시에 그리고 기계환기에 대한 순응을 높이기 위해 흔히 사용된다. 진정제는 수면–각성 주기를 정상적으로 유지하기 위하여 효과적일 수 있으며, 두개내압 상승으로부터 환자를 보호해주는 역할을 하기도 한다.

---

[1]주: 오늘날의 인공호흡기는 '양압 환기(positive pressure venitilation)'을 이용한다.

진정제의 선택에 영향을 미치는 환자의 요소로는 나이, 특정 장기의 기능 이상, 통증 역치, 예상되는 기계환기 사용기간, 임상 경과, 음주 및 물질 오용의 과거력,[2] 이전 정신과 질환 혹은 만성통증 질환 등이 있다. 간호사, 의사, 여타 의료인들의 개인적인 믿음도 약물 선택에 영향을 미칠 수 있다.

지난 이십 년 동안 출판된 연구들을 통해, 진통제 · 진정제를 관리하고, 정량화 및 감시하는 방법들이 중환자실의 성과뿐만 아니라 환자들의 장기적인 결과에도 영향을 미친다는 사실을 깨닫게 되었다. 진정제의 용량을 최소화하는 전략이 받아들여지고 있으며 이러한 전략은 이후의 연구들을 통해 확고해지고 있다. 진정제의 목적은 변화하였으며, 즉 안정되고, 편안하면서 동시에 각성되어 상호 작용이 가능하도록 환자를 유지하는 것이 목표가 되었다. 이는 각 개인에 맞도록 제한적이고 목표 지향적인, 프로토콜화된 진통제에 기반한 진정(analgosedation) 접근방식을 도입하면 가능하다. 중환자들의 진정에 관한 전문가용 지침과 도구들이 출간되었다.[3]

진통제-통증 조절을 우선으로 고려

중환자가 경험하는 통증

통증은 주관적이고 개인적인 감각으로, 의료인들은 중증도에 관한 선입견을 가지고 환자들을 평가해서는 안 된다. 연구결과 대다수의 중환자들은 통증을 경험하고 있었고, 한 연구에서는 절반가량의 환자들이 중등도부터 중증 강도의 통증을 경험한다고 하였다.[4] 70% 정도의 환자들은 중환자실 재실 동안 시술과 관련된, 혹은 수술 후에 최소한 중등도 이상의 통증을 호소하는 것으로 추정된다.[5,6] 통증은 잘 알려지지 않거나, 치료되지 않거나 혹은 의료진이 보기에도 통증의 원인이 명확하지 않은 경우도 있다. 흔하게 보고된 통증의 원인으로는 기도 내 흡인, 압력이 가해지는 부위, 정맥주사 삽입 부위, 몸을 움직이지 못하는 것, 그리고 기도 내 튜브나 기관 절개 부위의 당겨짐 등이 있다. 적절하게 인지되지 못하고 치료받지 못하는 통증은 환자의 스트레스, 교감신경 과활성화, 수면 방해, 움직임 제한, 분비물 축적/무기폐, 섬망, 외상후스트레스장애, 그리고 만성통증 증후군 등 유해한 영향을 미치게 된다. 통증에 대한 반응은 유전, 나이, 성별, 문화적인 배경에 따라 개인차가 있다. 우리는 환자 중심 시각으로 통증 조절에 중점을 두고, 규칙적인 약물 투여와 함께 중재치료의 부작용을 최소화 하려는 접근을 해야 한다.

시스템적 접근

중환자의 통증 정도를 인식하게 되면서 'analgosedation'이라는 진통제 위주의 접근이 보편화되었다. Breen과 동료들은[7] 진통제를 기본으로 하는 진정 접근법이 무난하게 적용가능하고 동시에 환자들이 편안해하는 바람직한 수준의 목표를 달성할 수 있으며, 수면제 위주의 진정법과 비교하여 기계환기 사용기간 감소와 관련이 있다는 것을 입증하였다. 통증 조절을 위한 각 병원의 임상경로개발(clinical pathway)이나 알고리즘은 효과적이었다.[8,9] 급성 통증 서비스 등과 같은 통증 간호 프로그램과[10] 참고 자료의[11] 이용도 좋은 결과를 보였다. 미국 통증 협회는 특정 환자군을 대상으로 하는 통증 조절에 관한 간결하고 엄격한 지침서를 정기적으로 출간하고 있으며, 이러한 지침서들은 교육, 의사결정 및 질향상 과정에 매우 유용하다. 가장 최근에는 질향상과 관련하여: (1) 통증을 즉각 확인하고 치료할 것, (2) 통증 치료 계획에 환자와 가족을 포함할 것, (3) 치료 패턴을 향상시킬 것, (4) 필요할 때마다 통증을 재평가하고 조정할 것, (5) 통증 치료의 과정 및 결과를 모니터링할 것 등을 제안하고 있다.[12]

중환자실 의료진들은 유효한 방법을 사용하여 통증 점수를 자주 평가해야 한다. 그리고 평가는 환자 개인에 맞는 방법으로 이루어져야 한다. 타당도가 검증된 NRS (numerical rating scale) 혹은 VAS (visual analogue scale)은 각성 상태로 의식이 명확한 환자들에게는 이상적이지만, 지남력이 상실된, 협조가 되지 않는 환자들에게는 얼굴 표정으로 통증을 평가하는 방법이 필요할 수 있다. 통증을 유발하는 중재시술의 결과나 부작용은 확실하게 확인하는 것이 매우 중요하다. 그래야 의료진이 향후 통증 관리 계획을 처방할 때 도움이 된다.

약리학적 접근

중환자실에서 사용하는 통증 중재로 중등도부터 중증 강도의 통증을 확실하고 빠르게 조절할 수 있는 강력한 마약성 진통제를 사용할 수 있다. 그러나, 모든 마약성 진통제는 깊은 진정을 유발하거나, 호흡을 감소시키거나, 저혈압을 유발할 수 있다. 중환자들이 각성 상태를 유지하여 중환자 재활을 하기 위해서는 통증 조절을 재평가해야 한다. 균형 있고 다양한 방식으로 총체적인 접근을 하는 것이 도움이 된다. 비약물학적인 방법 또한 이 장의 후반부에서 다룰 것이다. 서로 다른 작용 기전을 가진 두 가지 이상의 약제를 사용하는 것을 전제로, 균형 있고 다양한 방식으로 진통제를 사용하는 것이 한 가지 약물만 사용해서 용량을 증량하여 발생하는 부작용을 최소화하면서 더 나은 진통 효과를 보인다.

아세트아미노펜(Acetaminophen)과 비스테로이드성 진통제(NSAID)는 저강도의 통증에 효과적이고, 또한 중등도부터 중증 강도의 통증에서 마약성 진통제를 적게 사용하기 위한 보조적 방법으로도 효과적이다. 중환자들에서는 장기기능 부전의 정도에 따라, 이러한 약제들, 특히 NSAID는 주의가 필요하다. NSAID는 신장과 간 기능이 정상인 안정적인 환자들에게만 사용하는 것이 적절하다. GABA 유사체인 가바펜틴(Gabapentin)과 프레가발린(pregabalin), 항경련제 약물들도 통증 치료에 사용될 수 있다; 이 약제들은 선택적으로 시냅스 전 P/Q 타입의 전압 의존성 칼슘 통로(P/Q type voltage-dependent calcium channel)에 결합한다. 프레가발린은 새로운 지질 친화성의 GABA 유사체로, BBB (Blood-brain barrier)를 통과하여 확산된다.[13] 프레가발린은 신경병성 통증과 시술 후 급성 절개부위의 통증 두 가지에 좋은 효과를 보인다. 이는 또한 수면을 유도하는 특징이 있고, 건강한 지원자들에서 회복력 있는 서파(slow wave) 수면을 증진한다.[14] 이러한 두 가지 약제들이 용량에 비례하여 진정을 유발하지만, 정맥경로로 강력한 마약성 진통제를 투여하는 것보다는 덜하다. 최근의 한 연구에서는 심장 수술을 받은 75세 이상의 노인들에게 프레가발린을 사용한 것을 평가하였다. 치료 그룹은 프레가발린을 수술 전과 수술 후 5일간 하루 2회 복용하였으며 대조군은 위약(placebo)을 복용하였다.[15] 프레가발린 치료군에서는 기관 삽관 제거 후 16시간 동안 비경구 옥시코돈(oxycodone)의 누적 사용 총량이 44% 감소하였으며, 수술 후 5일째까지 옥시코돈 총 사용량은 48% 감소하였다. 이러한 GABA 유도체는 중환자실에서 통증 조절을 위한 강력한 필수품처럼 보인다.

중환자실에 장기간 재원하고 있는 환자들에게 사용할 수 있는 다른 진통제로는 트라마돌(Tramadol), 코데인(codeine) 등의 약한 마약성 진통제가 있다. 이 약제들은 기본적으로 경도에서부터 중등도 강도의 통증 조절에 유용하다. GABA 유도체처럼 이 약제들도 진정을 일으킬 수 있으나 강력한 마약성 진통제들보다는 약하다. 이 약제들은 경구로, 규칙적으로 복용할 수 있으며 물리치료나 이동시간에 맞추어 통증을 조절하기 위해 약물 복용 스케줄을 정할 수 있다. 균형 있는 접근법 리스트에 올라 있는 다른 보조 약물로는 케타민(ketamine), 클로니딘(clonidine) 등이 있다. 이 두 약제는 중등도에서 중증 강도의 통증 조절에 유용하나, 환자의 운동(재활)과 진정중단 프로토콜에 장애가 된다. 이 약제들은 소독, 정맥 주사 변경 같은 단기간의, 계획된 중재술을 시행할 때, 원하는 목표 수준의 진통진정을 위한 합리적인 선택이 될 수 있다. 클로니딘은 알코올이나 약물 금단증상과 진정 약물을 줄이는 과정에서 교감신경의 과활성화 증후군에도 특정한 역할을 할 수 있다.[16]

균형 있는 진통제 접근법 중 다른 하나는 부분 마취제이다. 부분 마취제는 외과계 중환자실과 외상 중환자실에서 흔히 사용된다. 상처 침윤에서부터 말초신경 혹은 신경총의 차단술(일회적, 카테터 시술), 신경축 차단술(일회성의, 카테터 시술 혹은 환자가 조절하는 경막외, 거미막하 차단술) 등의 다양한 테크닉이 사용된다. 이러한 방법들은 마취과가 종종 수술실에서부터 중환자실로 옮겨진 후에도 통증관리를 위해 사용한다. 이러한 테크닉은 통합 중환자실이나 내과계 중환자실에서는 친숙한 방법이 아니다. 중환자실 의료진의 특성도 사용자의 테크닉과 익숙함에 영향을 준다. 추측할 수 있듯이 수술과 관련한 경력을 가진 의료진은 이러한 마취제와 테크닉에 익숙하다. 국소적, 전신적 감염,[17] 응고장애, 항응고제 및 항혈소판 제제의 복용,[18] 환자의 거부 등등 부분 마취제의 금기 사항은 많다. 그럼에도 불구하고, 이러한 테크닉들은 진정 약물의 용량을 줄이거나 사용을 줄이기 위하여 일부 환자에서 시술 전 통증을 조절하는 역할을 한다. 철저한 주의하에, 정맥 주사, 경피적 기관절개 부위, 흉수천자 부위로 적절하고 일반적인 부분 마취제의 사용은 시술 중 통증을 감소시킬 수 있다. 흉막 절개 시의 지속되는 불편감은 반복적인 늑간신경차단술을 고려할 수 있다. 경막외 마취는 중환자실에 입원한 중증 급성췌장염[19] 혹은 흉부 둔상 환자의 통증 감소를 위해서도 이용된다.[20] 암성 통증, 허혈성 조직 손상 등도 말초신경차단술의 적응증이다. 환자 치료와 함께, 교육, 질 관리, 진단 도구 등은 모두 매우 중요하다. 유럽부분마취협회와 뉴욕부분마취협회는 더 상세한 내용이 담긴 교육과 자료제공을 위한 웹사이트를 운영하고 있다(available at: http://www.NYSORA.com).

진정약물 사용 전략

진정제 최소화

DIS (daily interruption of sedation)*[2]는 약물 주입을 완전히 중단하거나 약물 용량을 줄일 수 있는 기회와 함께, 섬망 평가와 포괄적인 신경학적 평가를 수행할 수 있는 기회를 얻을 수 있고, 기계환기로부터 환자의 이탈 가능성을 평가할 수 있는 등 많은 장점을 가지고 있다. 진정을 줄이는데 초점을 둔 두 개의 중요한 연구는 기계환기 환자들의 진통과 진정 방법에 변화를 가져왔다. Brook과 그의 동료들은 간호 과정에 추가한 진정 프로토콜과 일반적인 진정 방식이 기계환기 사용 기간과 다른 중요 임상결과에 미치는 영향을 비교하였다.[21] 진정 정도는 램새이 점수(Ramsay score) 2–3점으로 적정화하였고, 프로토콜은 지속적인 진정제 주입을 줄이고 간헐적인 진정을 강조하였다. 연구자들은 일반적인 진정치료 그룹에 비해 간호사 주도 진정 프로토콜에 무작위 배정된 환자들에서 기계환기 사용기간이 유의하게 감소함을 증명하였다(55시간 vs. 117시간, p=0.004). 또한 중재 그룹(간호과정으로 삽입한 진정 프로토콜)에서 중환자실 재원일수 및 병원 재원일수가 더 짧았고 기관절개술 비율이 낮았다. 또 다른 단일기관 무작위 연구에서, Kress 등은 진정제/진통제를 매일 중단하는 것과 일반적인 진정 방법을 비교하였다.[22]

---

[2]주: 매일 진정제 투약을 중단하여 환자를 각성시키는 프로토콜

진정진통제를 매일 중단하는 DIS그룹에서 기계환기 사용기간의 중앙값은 4.9일로, 의료진의 판단에 따라서만 주입을 중단하였던 대조군의 7.3일과 대비되었다. 기본적인 변수들을 보정한 후에도, DIS 그룹은 중환자실에서 더 일찍 퇴실하였다. DIS 그룹은 의식 저하를 평가하는 검사 빈도가 더 적었으며(9% vs. 대조군 27%), 대조군에 비해 대략 50%의 미다졸람(midazolam) 용량만을 복용하였다. DIS 그룹에서 부작용(adverse event)이 증가하지 않았고, 특히 자발적 기관튜브 제거*3 비율은 두 그룹이 비슷하였다.

Brook과[21] Kress의[22] 연구 결과에 따라, 진정제 최소화 전략의 개념을 따르는 관련 연구들이 확산되고 있다. Girard 등은[23] 일반적인 진정 치료와 결합된 자발호흡훈련(Spontaneous breathing trial, SBT)*4 방식과 SBT와 DIS를 병합한 방식을 평가하였다. '각성시키고 호흡하게 하는 치료'를 시행한 그룹(DIS+SBT)은 (기계환기의) 도움 없이 자발호흡을 한 기간이 길었으며(14.7일 vs. 11.6일), 병원 입원기간과 중환자실 재실기간이 더 짧았으나, 중환자실과 병원 사망률에서는 차이가 없었다. 중재 그룹에서는 자발적 기관튜브 제거 비율이 높았다(16명 vs. 6명 대조군 그룹). 1년째 사망률은 유의하게 중재 그룹에서 대조 그룹보다 낮았고(그러나 이유를 설명하지는 못하였다), 중재 시행 7명당 1명이 더 추가 생존하는 것으로 측정되었다.

Strom 등은[24] 140명의 내과-외과 중환자들을 대상으로 진정제를 사용하지 않고 마약성 진통제를 일회주입용법(bolus)으로만 사용하는 프로토콜과 대조군에서는 진정제를 사용하는(propofol, midazolam, 지속 투여 및 중단, 마약성 진통제의 bolus 사용) 방식을 비교하였다. 진정제를 사용하지 않은 그룹에서는 기계환기가 필요치 않은 기간(Ventiliator free day)*5이 유의하게 길었고(13.8일 vs. 9.6일) 중환자실 및 병원 재원일수가 짧았다. 이 연구는 엄격한 제외 기준으로 428명 중 140명만 무작위 배정된 점, 대조군에서 SOFA와 SAPS-II 기준으로 볼 때 중증도가 높은 환자들이었다는 비판을 받았다. 진정을 시행하지 않은 그룹에서 우연한 삽관 제거 등의 부작용 증가는 보이지 않았으나, 중재 그룹에서 섬망은 더 흔했고(20% vs. 7%), 할로페리돌(haloperidol) 사용이 더 빈번하게 필요하였다. 그러나 추리해보면, 각성된 환자에서 의료진들에 의해 섬망의 호전이 발견되거나 또한 과활동성의 증상들이 저활동성의 증상보다 더 흔히 발견된 것이 나타난 결과로 볼 수 있다. 중재 그룹에서는 환자들이 편안함을 유지할 수 있도록 추가 인력이 필요하였다. 이러한 필요 인력의 증가에 따른 경제적인 영향은 잠재적으로 약제 비용 감소와 중환자실 재원일수 감소로 상쇄될 수 있으나, 이는 직간접적인 비용의 복잡한 경제

[3]주: 기관삽관은 의료진이 계획된 스케줄에 따라 시행하는데, 의도적이지 않게 환자가 손으로 잡아 뽑는 경우가 있다.
[4]주: 안정상태가 되면 환자를 매일 기계환기에서 이탈하여 자발호흡을 증진하는 연습을 하는 것
[5]주: 기계환기를 사용하지 않는 기간. 일반적으로 '28-(기계환기사용일수)'로 계산한다.

적 분석을 필요로 한다. 그럼에도 불구하고 이 연구는 진정을 제한하는 것이 가능하며, 중요 결과의 호전과 관련이 있고 안전함을 확실하게 입증하였다; 이는 연구를 지속할 가치가 있음을 의미한다. 물론, 중환자들에게 진정제를 투여하지 않기 위해서는 이 방식이 더 나은 결과를 가져온다는 근거가 필요하다. 또한 의료진뿐만 아니라 환자, 가족들의 태도 및 교육과 관련한 중요한 변화가 요구된다. 환자의 편안함을 증진시키는 것에 초점을 둔 새로운 방법으로 가족과 간병인(caregiver), 부분 마취제 테크닉, 부분 신경차단술, 그리고 인공호흡기의 상호작용 모드 등은 필수적이 될 것이다.

최근에는 423명의 기계환기를 받는 내과, 외과 중환자들을 대상으로 프로토콜화된 진정치료 방식과 진정치료 프로토콜과 동시에 DIS를 시행한 방식을 비교한 다기관 무작위 연구가 진행되었다.[25] 두 그룹의 중환자실 및 병원 재원일수는 차이가 없었다. 뿐만 아니라, 매일 진정을 중단하는 DIS 그룹 환자들은 더 많은 마약성 진통제와 벤조다이아제핀계 약물을 사용하였으며, 간호사들도 이 그룹에서 업무량이 더 많았다고 보고하였다. DIS가 안전한 것처럼 보이지만, 이 효과는 병원의 일반적인 진정 치료 정책에 달려있다. 즉, 환자들이 (일반적으로) 얕게 진정되어 있다면 DIS로 추가적인 이득을 얻을 수 없다.

십 년이 넘는 초기의 DIS 데이터를 고려해 볼 때, 이는 결과의 향상과 관행의 변화에 놀라운 영향을 미쳤다. 그 이후의 연구들은 때로는 효과를 입증하지는 못했다.[26,27] Brook 등의 연구와는[21] 다르게, Bucknall 등은[26] 간호사 중심의 진정 프로토콜(nurse-directed sedation protocol)이 일반적인 호주 중환자실에서의 치료와 비교하였을 때 임상적으로 이점이 없다고 하였다. 연구자들은 그 이유로 '진정 깊이를 감시하면서 제한적으로 진정을 시행하는 새로운 시대'였기 때문에 더 이상의 이점을 찾지 못하였다고 하였다. 또한 그들은 이전 연구들의 효과는 상대적으로 누적약물용량의 감소에 따른 것으로, 최근의 약물을 제한적으로 사용하는 환경에서는, DIS가 중요하지 않을 수 있다고 하였다. 또한 프로토콜화된 진정은 생체의 축적을 예방하기 위해 진정치료의 적정성을 지도하는 것이므로, 프로토콜의 사용은 프로포폴처럼 매우 짧은 반감기를 가지는 약물을 사용할 때에는 이점이나 필요성이 없을 수 있다. 사실, 심근허혈, 두개내압 상승 환자, 약물중독 등 특정 그룹 환자군에서는 DIS가 가장 이상적인 모델이 아닐 수도 있다. De Wit 등의 연구에서는[28] 알코올이나 물질 오용 과거력이 있는 환자들에게 DIS의 적용에 관한 우려를 제기하였다. 설문 조사에서 중환자실 의료진들은 그와 같은 환자 그룹에서 DIS 방식을 우려하였다.[29]

약제의 선택

약제들에 관해서 다소 복잡한 검토를 살펴보고자 한다. 2002년에 American College of Critical Care Medicine에서 제안한 '중환자실 진정 및 통증 가이드라인'에서는 미다졸람(midazolam)과 프로포폴(propofol)을 단시간 진정제(24시간 이하), 그리고 로라제팜(lorazepam)을 장시간(24시간 이상) 진정 치료로 권고하였다.[3*6] 그러나 이러한 권고사항들은 몇몇 무작위배정대조연구(RCT)를 근거로 한 것이었다. 2002년에 이후 중환자에서 최적의 약물과 관련된 여러 연구 결과들이 발표되었다. 몇몇 RCT 연구에서는 벤조다이아제핀과 비교하였을 때 프로포폴을 사용하는 것이 환자를 보다 빨리 각성하게 할 수 있고 기계환기 사용 기간을 줄일 수 있다고 했지만, 중환자실 재원 기간이나 사망률에서는 차이가 없었다.[30-32] 그러나, 프로포폴은 저혈압, 고중성지방혈증, 프로포폴 주입 신드롬(PRIS), 고비용 등 바람직하지 않은 측면들도 있다.[33-35] 의료진을 대상으로 한 북미지역의 설문 조사에서는 로라제팜과 미다졸람을 많이 사용하는 응답자들이 적었고(<25%), 주요 진정제로 프로포폴을 선택하고 있었다.[29,36,37] 다국적 설문조사에서는 대부분의 의료진들이 선호하는 진통제는 여전히 몰핀이었고, 펜타닐과 새로운 속효성 펜타닐 유도체들의 사용이 늘고 있었다.[36-38]

새로운 약제

새로운 약제인 덱스메데토미딘(dexmedetomidine)은 α−2 아드레날린 작용물질로서 진정과 진통 작용이 있으며, 호흡 억제에 미치는 영향이 적으며, 일차적으로 수술 후 환경에서 사용한 결과가 연구보고되었다.[39] 최근의 RCT 연구들은 이 약제를 기계환기를 받는 내과계/외과계 중환자들에게 72시간 이상 적용하였으며, 유용한 결과를 얻었다.[40-42] MENDS 연구에서는, Pandharipande 등은[42] 106명의 환자들을 무작위로 배정하여 덱스메데토미딘 또는 로라제팜을 120시간 이상 사용하였으며, 덱스메데토미딘을 사용한 그룹에서 기계환기 사용기간 또는 중환자실 재원기간 감소는 없이, 섬망 혹은 혼수상태가 없는 시간이 증가(7일 vs. 3일)하는 것을 증명하였다. 375명의 환자를 포함한 다기관 SEDCOM 연구에서는, 덱스메데토미딘을 30일까지 사용한 환자들에게서 미다졸람을 사용한 그룹보다 기관삽관을 제거를 하는 시점이 앞당겨졌으며(중앙값 3.7일 vs. 5.1일), 섬망은 더 적었다(54% vs. 76.6%).[40] 가장 눈에 띄는 부작용은 서맥으로, 덱스메데토미딘을 사용한 그룹에서 두 배 정도 자주 발생하였다(42.2% vs. 18.9%). 섬망이 있는 기관삽관 중인 환자들 20명에서 덱스메데토미딘과 할로페리돌 사용을 비교한 탐색연구에서는 덱스메데토미딘을 사용한 그룹이 기관삽관을 제거한 시점(중앙값)이 더 빨라졌고 중환자실 재원 기간도 짧았다.[43] 현재 덱스메데토미딘을 모든 나라에서 이용할 수는 없다. 고

[6]주: 이후 개정된 지침에서는 더 이상 이와 같은 방식을 권고하지 않는다.

가이며, 일반적인 중환자들에서 사용하는 것은 명확하게 정해져 있지 않고, 이미 언급한 연구들 일부에서는 중증 장기기능 부전이 있는 환자들은 연구 대상에서 제외되었다. 적정 약물 용량도 다소 불명확한 상태이다. 그러나 섬망이 있거나 섬망 발생의 가능성이 높은 환자들에게서 진통진정약물로서 유망한 결과들을 보여주고 있다.

레미펜타닐(Remifentanil)은 초속효성 합성마약(아편)제제이다. 상황에 따른 약물 반감기는 3-5분으로, 장기간 주입을 하였어도, 비특이적 에스터레이즈(esterase)에 의해서 혈장 제거시간은 빠르다.[33] 레미펜타닐은 여러 RCT 연구들에서 몰핀, 펜타닐, 미다졸람과 비교하였을 때, 기계환기 기간, 중환자실 재원기간을 단축할 수 있었다.[44-47] 한편 뇌관류 변화가 적고, 뇌의 물질 대사 및 두개내압을 낮추는 이점도 있다. 중환자실에서 레미펜타닐을 관례적으로 사용하는 것은 비용의 증가, 약물 중단 시 통증의 빠른 재발현 등 때문에 제한이 있다. 조심스럽게 사용량을 줄이거나 혹은 다른 장기간 지속성 약물로 대체하여, 다양한 중환자들에게서 장기간 사용한 작은 데이터들이 있다. 레미펜타닐은 중추성 과호흡과 결과적인 저이산화탄소혈증을 완화할 수 있는 신경계 중환자실에서 특히 역할을 할 수 있을 것으로 보이며, 규칙적으로 진정을 중단하고 신경학적 평가를 하는 전략과 함께 이루어야 한다.[44]

세보플루랜(Sevoflurane)은 할로겐화, 휘발성 흡입 물질로서, 보통 수술실에서 마취의 유도 및 마취 유지에 사용된다. 속효성 작용 약물이며 체내 제거도 짧다. 최근 Mesnil 등이 시행한 세 군을 포함한 연구에서, 47명의 중환자들을 대상으로 세보플루랜의 흡입, 미다졸람 혹은 프로포폴 정맥주사를 사용하여 24시간 이상 시행한 목표지향적인 진정을 비교하였다.[48] 다른 정맥주사를 사용한 그룹보다 세보플루랜을 사용한 그룹에서 각성 시간 및 기관삽관 제거 시간이 유의하게 짧았다. 바람직한 진정 목표인 램세이 진정 척도 수준(Ramsay sedation scale level) 3-4등급에 머무른 시간의 비율은 그룹들 사이에 차이가 없었고, 세보플루랜 그룹에서 환각 증상이 적게 보고되었고, 기관발관 후 아편제제 사용이 적은 경향을 보였으며, 이는 세보플루랜의 반통각 과민에 의한 것으로 보인다. 이러한 소규모 연구는 세보플루랜이 향후 연구 결과에 따라 중환자실 진정 치료에 유효하게 사용될 수 있다는 것을 시사한다.

진정 모니터링

'객관적이고 목표 지향적인 진정'은 과진정을 피하고, 조기 기계환기 이탈을 촉진하여 중환자실 재원 기간을 줄이기 위해 현재 권장되고 있는 표준방법이다. 표준화된 진정평가 도구는 움직임이나 언어 혹은 물리적 자극을 주었을 때의 반응과 같은 항목들을 이용하여 진정 깊이를 평가한다. 유용한 진정평가 도구는 일선의 의료진들이 사용할 때 회상, 적용, 해석이 쉬운 분명한 기준이 있어야 한다. 검사자간 신빙성이 좋은 다양하고 효과적인 척도들이 있다(표 40-2).[49-57] ATICE,[56] MAAS (Motor Activity Assessment Scale)[52] 등 몇몇 새로운 척도들은 의식, 초조, 자발적 움직임, 수면, 환자-기계환기 간 동시성 등의 다양한 영역을 평가하는 장점이 있다. RASS, ATICE, VICS (Vancouver Interaction and Calmness Scale) 등은 반응을 정확하게 반영한다(시간에 따른 진정 상태의 변화).[53,54,56]

몇몇 단일 기관 연구에서는 진정 척도를 도입하여 과진정, 기계환기 기간, 비용 감소를 보여주었다.[58-61] 아직까지 특정 척도가 다른 도구에 비해 임상 결과가 더 우월하지는 않다. 표 40-2에서는 기계환기를 하고 있는 환자들에게서 사용되는 통증, 섬망, 진정상태 평가 도구를 정리하였다.

자가조절진정(Patient-controlled sedation, PCS)

환자가 스스로 조절하는 진통(Patient-controlled analgesia) 개념은 중환자실 특히 외과계 중환자실에서는 새로운 것이 아니다. PCA 개념은 의료인이 최고의 통증 평가자가 아닐 수도 있다라는 사실에서 시작한다. 분류된 환자들은 아편제제와 경막외 통증 조절을 선택할 수 있었다. 연구 결과 환자의 만족도가 더 높고, 전체적으로 진통제 소비량은 감소하며, 통증 점수는 호전되었다. PCA의 역사와 경험은 급성 통증에서 특히 탁월하다. 자가조절진정의 개념은 중환자실이 아닌 환경에서 짧은 침습적 시술을 위해 도입되었다. 탐색 연구에서 이 개념은 덱스메데토미딘 PCS를 사용하였고, 선별된 기계환기 환자 그룹에서 엄격한 변수들을 이용하여 평가하였다(간호사가 통제하는 기본 주입속도).[62] 의료진과 환자들은 이 연구에서의 진정결과에 만족하였다. 일부에서는 저혈압, 서맥 등 약물 특이적인 생리적 부작용을 보이기도 했다. 이 탐색연구는 중환자실에서 PCS의 실행 가능성을 긍정하게 되었고, 후속 연구를 할만한 가치가 있었다.

중환자실의 비약리적 진통진정

궁극적인 목표는 환자를 각성상태, 의식이 명료하고 움직일 수 있도록 하는 것으로, 때문에 중환자실 의사는 진정제 사용을 최소화해야 한다. 동시에 환자들이 중환자실에 있는 동안 통증과 불안, 불면, 스트레스를 겪는다는 점을 인지하고 있어야 한다. 다른 비약물적인 방법은 도움이 되기도 하지만 중환자실이나 통증 관련 연구에서 강력한 근거는 없다. 그러나, 이러한 대안적인 접근법에 대한 관심이 점차 증가하였고, NIH는 1992년에 국립보완대체의학센터를 설립하였다(현재 the National Centre for Complementary and Alternative Medicine). 몇 가지 간단한 비약물적인 중재 방법에 대하여 소개한다.

소음 조절과 적당한 조명

중환자실은 24시간 중증 환자들을 돌보는 곳으로, 권장 소음 레벨을 자주 초과할 정도로[63] 병원 내에서 소음이 높은 장소 중 하나이다. 환자들은 항상 강한 조명, 전화벨, 무선 호출기, 의료장비, 알람, 의료진들의 대화에 노출되어 있다. 환자들은 중환자실에서 겪은 소음을 호소하기도 한다.[64] 알람 소리를 줄이기, 밤에는 중앙 스테이션의 전화를 이용하기, 환자에게 귀마개를 적용하기, 침상에서 시끄러운 대화 줄이기 등 간단한 중재가 도움이 될 수 있다. 자연광이 들어오게 하는 것은 오늘날 중환자실 설계에서 중요하며, 환자들의 밤과 낮의 주기를 정상화하는데 도움을 준다. 그 밖에 밤에 머리맡 조명 줄이기, 시술 이외에는 강한 조명 피하기 등도 현명한 방법이다. 신경계 중환자실에서 소음을 줄이는 중재, 하루 2회 조용한 시간을 갖고 조명을 끄는 시도를 도입한 이후에 수면이 의미있게 향상되었다.[65]

마사지 치료

중환자실에서 마사지 치료는 수면을 촉진하고 이완시킬 수 있는 효과가 증명되었다.[66] 마사지는 근육통을 완화하고, 자세/구축/운동 시 긴장을 완화하는데 도움을 줄 수 있다. 또 간편하고, 저렴하면서, 불편을 호소하는 환자를 편안하게 해 줄 수 있다. 일선 의료진들과 주되게는 환자의 동의가 필요하다. 환자 가족들 역시 손발 마사지 등의 간단한 테크닉을 교육받을 수 있으며 이를 통해 가족관계를 돈독히 할 수 있다. 경피적전기신경자극(transcutaneous electrical nerve stimulator, TENS) 장비는 급성, 만성통증증후군의 완화에 사용된다. 그 효과는 논란이 있지만, 일부 환자들은 통증 완화 효과가 매우 좋았다고 보고하였다. 작용 메카니즘은 통증 채널(gated pain channels)을 중재하고, 자연적 엔도르핀을 촉진하는 것이다. TENS는 전간증이 있거나, 심박동기(pacemaker)를 가지고 있는 환자들에게는 추천하지 않는다. 게다가 TENS는 침습적이지 않고, 환자 바로 옆에서 혹은 휴대용으로 전극을 붙여 쉽게 사용할 수 있으며, 일부 환자들에서는 효과가 있다. 핫팩, 얼음팩을 통증이 있는 근육 혹은 관절에 적용해 보는 것도 해볼 수 있는 간단한 중재법이다. 팩을 사용할 때는 감각이 손상된 부위에는 손상을 줄 수 있으니 피해야 한다. 이러한 방법들은 완화 효과는 작지만, 축적이 되면 환자가 효과를 느낄 정도가 될 수 있다.

기분전환 치료

음악 치료, 수면, 상상 치료 등은 기분전환 치료의 일환이다. 이러한 방법들을 보완 혹은 대체 치료라는 용어로 포괄적으로 표현한다. 음악 치료의 경우 장르, 오디오 볼륨, 시간 등을 환자가 선택하도록 하고 환자는 안정되고 편안한 느낌을 받을 수 있다. 친숙한 사진이나 가족 사진 등을 보여주는 이미지 치료도 환자에게 이완과 즐거운 기억회상을 도와준다.

가족 방문 횟수 증가

중환자실마다 환자 가족들의 방문 정책이 다양하다. 방문 정책을 제한하는 곳은 병원에서 정해둔 정책에 따라 방문객의 수를 제한하고 정해진 시간에만 방문을 허락한다. 이러한 제한 정책을 하는 이유는 환자들의 수면을 방해하지 않고, 중환자실을 혼잡하지 않도록 하며, 간호 업무나 의학적 시술의 간섭을 줄이려는 것이다. 반면 개방 방문 정책은 가족들이 24시간 아무 때나 방문할 수 있고 원하는 시간만큼 머무를 수 있다. 근거는 가족들의 방문이 환자의 기분과 감정을 호전시키고, 가족이 환자의 돌봄과 의사소통의 방법이 된다는 것이다. Gonzalez 등에 따르면[67] 환자들은 중환자실이나 다른 중증치료실에서 가족들의 방문을 원한다고 보고하였다. 준비된 인터뷰에 참여한 환자들은 방문에 관한 자신들의 선호도와 방문의 이점, 병원의 방문 지침을 평가하고 만족도를 평가하였다. 연구 결과 환자들은 방문자들이 안정감과 만족감, 신뢰감을 주기 때문에, 방문을 스트레스를 받는 경험으로 생각하지 않고 있었다. 중환자들은 의료인들을 통해 들은 정보들을 해석하는 데 방문객들의 도움을 받을 수 있고, 간호사들이 환자의 성격이나 선호를 이해하는데 도움이 되는 정보를 방문객들이 제공할 수 있다는 점을 긍정적으로 평가하였다. 중환자실에서 급성섬망과 과도한 진정 약물의 위험에 대한 인식이 높아짐에 따라, 우리는 가족들의 방문을 더욱 촉진할 필요가 있다. 가족이 자주 방문하면 초조해하는 환자들은 안정시키고 지남력을 제공하는데 도움이 될 수 있다. 가족 구성원들은 사랑하는 가족의 단순 치료적 중재에 더욱 도움이 될 수 있다. 소아중환자실과 신생아중환자실에서는 가족들이 머무를 수 있는 시간을 연장하고, 옷 입히기, 목욕 시켜주기, 식사 도와주기 등의 일상생활에 참여하도록 하는 것이 일반적이다. 이는 아마도 성인 중환자실에서 본받아야 할 모델이 될 것이다.

상담과 의사소통

중환자들이 중환자실 환경에 적응할 수 있도록 간단할지라도 자주 반복하여 의사 소통하는 것이 필수적이다. 분주한 중환자실 환경에서 환자와 직접 의사소통하는 것을 간과하기 쉽다. 치료의 변화나 계획된 시술에 대해 설명해주거나 환자의 불편, 걱정, 가치 등을 이해하기 위한 시간을 할애하면 환자들이 편안함을 느낄 수 있다. 환자는 '우리가 통증을 완화시키겠다고 약속해요, 하지만 통증이 완전히 없는 상태가 된다고 보장할 수는 없어요' 라는 의료진의 말처럼 현실적인 한계가 있다는 것을 알게 된다.

침술

중환자실에서 불안 해소, 오심 감소, 급성 통증 조절에 침술을 사용하기도 한다. 물론 침술의 역할에 대한 근거는 적다. 환자의 동의와 숙련된 의료진이 있어야 하며, 출혈성 질환 등과 같은 금기증의 경우에서는 시행할 수 없다. 일부 선행 연구에서는 결과가 좋았지만,[68] 대규모 연구가 더 필요하다.

기타
중환자들의 통증을 덜어주고 편안하게 해줄 수 있는 방법들이 많이 있다. 이중에는 동물을 이용한 보조 치료도 있으며 보완대체의학적 접근으로, 중환자실 외에서 시행되고 있다.

섬망; 예방, 평가, 치료

섬망은 의식과 인지가 갑자기 변화하는 것으로 과활동성(정신운동성 활동이 증가되고 초조한 행동), 저활동성(정신운동 활동이 감소, 침묵, 무기력), 혹은 혼합된 타입 중의 하나로 나타난다. 섬망, 혹은 급성뇌기능 부전은 중환자들에게 흔하며, 눈에 띄지 않을 수도 있다.[69] 중환자들에서 섬망의 유병율은 20–80%라고 보고되며, 환자의 질병 중증도와 검사 방법에 따라 차이가 있다.[70-74] DSM–IV는 섬망의 진단 기준을 제공하고 있으나,[75] 정신과 의사가 최소 30분간 평가를 해야 하고, 이는 대개 중환자실에서 실용적이지 못하다.

DSM–IV는 섬망을: (1) 주의력 결핍을 동반한 의식 장애가 (2) 이전부터 있거나 진단받았던 치매 또는 치매 악화로 설명할 수 없는 인지의 급격한 변화와 동반되며(지남력 상실, 지각 장애) (3) 단기간에 발생하여(수시간에서 수일), 시간에 따른 변동이 있고 (4) 이러한 장애가 일반적 내과적 상태에 따른 직접적인 생리학적 결과로 발생하였다는 근거의 존재로 정의한다.[75] CAM–ICU와 ICDSC는 섬망 스크리닝 도구이다. 중환자실에 특성화된 이 두 가지 평가 도구는 비정신과 의사가 섬망을 평가하는 데 유효성과 신뢰성이 확립되어 있다.[70-73] 이 도구들은 저활동 혹은 과활동성 섬망을 발견하는데 이용할 수 있으며, 의식 수준에 초점을 맞추기 보다는 생각의 명확성을 평가한다. 최근 데이터들은 ICDSC가 CAM–ICU보다 잠재적인 장점이 우수하다고 제안하고 있다. ICDSC는 특히 기계환기 중인 중환자들의 섬망을 선별하는데 유효한 검사로 개발되었으며, DSM–IV 진단기준에 따른 정신과 의사들의 평가와 비교하였을 때 뛰어난 신뢰성을 보였다.

벤조다이아제핀(Benzodiazepine)과 마약성진통제(opioid)에 노출되는 것은 중환자실에서 섬망의 위험률이 2–3배 정도 증가하는 관계가 있다고 알려져 있고, 중환자들에게 이러한 약제들을 현명하게 사용해야 한다는 사실을 뒷받침한다.[40,42,74,76-80] Ely 등은[81] 275명의 기계환기를 받는 성인 환자들을 대상으로 했던 전향적 코호트 연구에서 섬망이 사망률을 예측할 수 있는 인자라고 평가하였다. 이 연구에서는 공변량 보정 후 섬망이 발생하면 중환자실과 병원 재원 기간이 길어졌으며, 기계환기가 필요 없는 기계환기 이탈기간(Ventilator free day, VFD)이 짧아지고, 퇴원 시 인지기능 손상 비율이 높았다. 섬망은 6개월 사망률 예측인자일 뿐만 아니라(34% vs. 15%), 섬망 상태로 있던 기간(days) 역시 사망률의 예측 인자였다. 심지어 생존자의 11%가 퇴원 당시 섬망이 지속되는 상태였다. 연구자들은 또한 섬망이 있는 환자들은, 그렇지 않은 환자들에 비해, 로라제팜, 프로포폴, 몰핀, 펜타닐의 하루 사용량 및 총 누적 용량이 더 많았으며, 인과 관계가 성립한다는 것을 밝혔다.

섬망을 예방하기 위한 다양한 중재방법들은 노인 및 수술을 위해 입원한 환자들을 대상으로 좋은 결과를 보였으나, 아직 중환자들에게서는 공식적으로 평가되지 않았다.[82-84] 이러한 중재방법들은 섬망을 악화시킬 수 있는 약물의 리뷰, 수면 각성 주기의 회복, 주기적인 지남력 일깨우기, 불필요한 도관들 제거, 안경이나 청력 보조도구 제공, 조기 보행 등이 있다. 중환자실에서 섬망 치료 약물을 사용할 근거는 부족하다. 미국중환자의학회(SCCM) 진료지침은 중환자실 섬망의 선택 가능한 치료제(drug of choice)로 할로페리돌(Haloperidol)을 권고하였지만, 지침을 발간한 시점을 기준으로 이를 뒷받침할 수 있는 연구는 아직 발표되지 않았다.[3]

중환자실에서 항정신약물을 사용하는 것에 대한 평가는 아직 제한적이다. 단지 소규모 무작위 대조연구 세 편이 있다.[85-87] Girard 등의 연구에서[85] 할로페리돌, 자이프락시돈(ziprasidone), 위약(placebo)를 사용한 환자들에서 섬망이나 혼수상태가 없었던 기간의 평균이 비슷하다는 결과(각각 14일, 15일, 13.5일)를 보였으며 약물의 부작용에서도 차이도 없었다. 한 탐색 연구에서는 ICDSC 선별 검사로 섬망이 진단된 36명의 환자들에서[86] 쿼티아핀(quetiapine)이 위약과 비교했을 때 섬망의 회복이 빨랐으며(중앙값 1일 vs. 4.5일, P=0.001), 섬망의 기간도 단축되었고(중앙값 36시간 vs. 120시간, P=0.006), 과활동성 시간도 감소하였다(중앙값 6시간 vs. 36시간, P=0,002). 할로페리돌과 올란자핀(olanzapine)을 비교한 단일기관 비맹검 연구에서는 섬망의 중증도와 벤조다이아제핀이 필요했던 환자의 비율에서 차이가 없었다.[87] 호주에서 시행한 탐색 연구에서는 섬망 치료로 할로페리돌과 덱스메데토미딘(dexmedetomidine)을 비교하였는데,[43] 덱스메데토미딘 그룹에서 결과 변수들이 향상되었다고 주장하였다. 항정신약물 사용은 부작용(추체외로 증상, 항콜린성 효과, 악성 고열)이 없지 않고, 고령자에서 사망률의 증가와 관련이 있다는 것을 명심해야 한다.[88,89]

중환자실에서 수면 장애

수면 장애는 기계환기 중인 환자들에게서 매우 흔하다. 중환자들은 평균적으로 하루 2시간 정도 밖에 수면을 취하지 못하며, 이중 휴식을 취할 수 있는 혹은 REM 수면은 10% 이하이다.[90] 최근의 한 연구는 소음과 환자를 치료하는 활동들로 인한 수면 방해나 각성은 30% 이하에 불과하며, 동반 질병, 약물, 그리고 생물학적 일주기 이상 등이 이러한 수면 장애에 기여하는 다른 요인들이라고 주장한다.[91] 중환자실에서 수면은 평가하기 어려우며, 수면다원검사가 객관적인 표준 진단 방법이지만 중환자들에게 시행하기에는 비싸고 검사가 녹록하지 않다. BIS, Actigraphy 등과 같은 다른 객관적인 수면 평가 도구로는, 중환자들에게는 유효성이 확립되지 않았다. 수면을 주관적으로 측정하는 방법은 간호 및 환자의 평가가 있으며, 임상에서는 환자의 수면의 질을 호전시키기 위한 중재 효과를 평가하는 수단으로 이용할 뿐이다. 중환자들의 수면을 평가하는 테크닉과 관련한 연구가 필요하다. 적절하게 약물, 비약물 치료를 시행하는데 지침으로 삼을 수만 있다면 수면 및 섬망 평가는 매우 중요하다.

중환자실에서 조기 보행

중환자실에서의 조기 보행은 과거에는 드문 일이 아니었다. 최근 수십 년간 중환자실에서는 깊은 진정, 지속적인 침상 안정, 그리고 더 심한 중증도의 환자들을 보는 것이 흔하게 되었다. 많은 중환자들이, 특히 중환자실에서 퇴실 준비가 될 때까지, 물리치료나 보행을 할 준비가 되어 있지 않다.[92] 조기 물리/작업치료가 장기적인 경과를 향상시킨다는 많은 근거들이 발표되고 있다.[93,94] 이러한 성과에는 기계환기(MV) 기간, 중환자실 입원 기간, 중환자실 획득 쇠약(ICUAW), 중환자실에서 섬망 없이 지낸 기간, 장기적으로 볼 때 병전의 신체/인지 기능으로의 회복, 그리고 궁극적으로는 집으로의 퇴원 등이 있었다. 또한 조기 신체활동이 할만하고, 안전하다는 것을 보여주었다. 우리가 기계환기 중인 환자들의 보행을 안전성 측면에서 고려할 때는 환자가 통증이 없고, 깨어있고, 의식이 명료한, 섬망이 없음을 확인하여야 한다. 즉, 규칙적으로 진정제 사용을 중단하고, 지속적인 주입보다는 1회성 투약법을 시행하고, 축적이 덜 되는 약물을 사용하고, 프로토콜을 엄격히 적용하고, 해결되지 않은 통증이 있는지 확인할 필요가 있다. 통증 경감의 목표는 완벽한 동적 무통각(움직이거나 기침할 때도 통증이 없는 것-역자주)이어야 하지만 쉽지 않다. 중환자실에서 거동할 수 있고, 상호 교류하는 환자들을 만나 얻게 되는 보상은 진정 치료에 세심한 주의를 기울여야 할 필요성을 정당화하고도 남는다.

결론

지난 이십 년간, 중환자실에서 진정제 사용의 분야는 발전하였지만, 향후에도 더 개선되고 연구해야 부분이 여전히 많다. 좋은 RCT로 도출된 근거와 국제진료지침에 따른 중환자실 진정에 관한 표준화가 필요하다. 그러나, 중환자치료의 많은 다른 영역에서와 마찬가지로 엄격한 근거 중심의 권고에도 불구하고, 현실에서 지침의 이행은 늦어지고 있거나 차이가 있다. 이러한 근거와 실제 임상에서의 차이는 진정과 관련한 다양한 설문 조사 연구들, 특히 2002 미국중환자의학회(SCCM) 지침 발표 이후에 두드러진다.[1,36,38,95-98]

여전히 덱스메데토미딘과 같은 새로운 진정제의 안정성과 상대적인 효과, 조기 보행이 가능한 환자들의 진통진정 최적화, BIS와 같은 진정 깊이를 측정하기 위한 대안적인 정량화 방법들, 중환자실 섬망 예방이나 최적의 약물학적 치료에 관한 자료들, 수면이나 장기적인 정신심리학적 영향과 약물의 효과, 적절한 치료 전략 등에 관한 명백한 근거자료가 필요하다.

참고문헌

1 Arroliga A, Frutos-Vivar F, Hall J, et al. Use of sedatives and neuromuscular blockers in a cohort of patients receiving mechanical ventilation. Chest 2005;128:496-506.

2 de Wit M, Wan SY, Gill S, et al. Prevalence and impact of alcohol and other drug use disorders on sedation and mechanical ventilation: a retrospective study. BMC Anesthesiol 2007;7:3.

3 Jacobi J, Fraser GL, Coursin DB, et al. Clinical practice guidelines for the sustained use of sedatives and analgesics in the critically ill adult. Crit Care Med 2002;30:119-41.

4 Desbiens NA, Wu AW, Broste SK, et al. Pain and satisfaction with pain control in seriously ill hospitalized adults: findings from the SUPPORT research investigations. For the SUPPORT investigators. Study to Understand Prognoses and Preferences for Outcomes and Risks of Treatmentm. Crit Care Med 1996;24:1953-61.

5 Gelinas C. Management of pain in cardiac surgery ICU patients: have we improved over time? Intensive Crit Care Nurs 2007;23:298-303.

6 Puntillo KA, White C, Morris AB, et al. Patients' perceptions and responses to procedural pain: results from Thunder Project II. Am J Crit Care 2001;10:238-51.

7 Breen D, Karabinis A, Malbrain M, et al. Decreased duration of mechanical ventilation when comparing analgesia-based sedation using remifentanil with standard hypnotic-based sedation for up to 10 days in intensive care unit patients: a randomised trial [ISRCTN47583497]. Crit Care 2005;9:R200-10.

8 Reimer-Kent J. From theory to practice: preventing pain after cardiac surgery. Am J Crit Care 2003;12:136-43.

9 Cullen L, Greiner J, Bombei C, Comried L. Excellence in evidence-based practice: organizational and unit exemplars. Crit Care Nurs Clin North Am 2005;17:127-42.

10 Pasero C, Gordon D, McCaffrey M. Building institutional committment to improving pain management. In: McCaffrey M, Pasero C (eds.) Pain: clinical manual. 3rd ed. St Louis, MO: Mosby; 1999. pp. 711-44.

11 Miaskowski C, Crews J, Ready LB, Paul SM, Ginsberg B. Anesthesia-based pain services improve the quality of postoperative pain management. Pain 1999;80:23-9.

12 Gordon DB, Dahl JL, Miaskowski C, et al. American Pain Society recommendations for improving the quality of acute and cancer pain management: American Pain Society Quality of Care Task Force. Arch Intern Med 2005;165:1574-80.

13 Gajraj NM. Pregabalin: its pharmacology and use in pain management. Anesth Analg 2007;105:1805-15.
14 Hindmarch I, Dawson J, Stanley N. A double-blind study in healthy volunteers to assess the effects on sleep of pregabalin compared with alprazolam and placebo. Sleep 2005;28:187-93.
15 Pesonen A, Suojaranta-Ylinen R, Hammaren E, et al. Pregabalin has an opioid-sparing effect in elderly patients after cardiac surgery: a randomized placebo-controlled trial. Br J Anaesth 2011;106:873-81.
16 Liatsi D, Tsapas B, Pampori S, et al. Respiratory, metabolic and hemodynamic effects of clonidine in ventilated patients presenting with withdrawal syndrome. Intensive Care Med 2009;35:275-81.
17 Wedel DJ, Horlocker TT. Regional anesthesia in the febrile or infected patient. Reg Anesth Pain Med 2006;31:324-33.
18 Horlocker TT, Wedel DJ, Rowlingson JC, et al. Regional anesthesia in the patient receiving antithrombotic or thrombolytic therapy: American Society of Regional Anesthesia and Pain Medicine Evidence-Based Guidelines (Third Edition). Reg Anesth Pain Med 2010;35:64-101.
19 Bernhardt A, Kortgen A, Niesel H, Goertz A. [Using epidural anesthesia in patients with acute pancreatitis--prospective study of 121 patients]. Anaesthesiol Reanim 2002;27:16-22.
20 Wu CL, Jani ND, Perkins FM, Barquist E. Thoracic epidural analgesia versus intravenous patientcontrolled analgesia for the treatment of rib fracture pain after motor vehicle crash. J Trauma 1999;47:564-7.
21 Brook AD, Ahrens TS, Schaiff R, et al. Effect of a nursing-implemented sedation protocol on the duration of mechanical ventilation. Crit Care Med 1999;27:2609-15.
22 Kress JP, Pohlman AS, O'Connor MF, Hall JB. Daily interruption of sedative infusions in critically ill patients undergoing mechanical ventilation. N Engl J Med 2000;342:1471-7.
23 Girard TD, Kress JP, Fuchs BD, et al. Efficacy and safety of a paired sedation and ventilator weaning protocol for mechanically ventilated patients in intensive care (Awakening and Breathing Controlled trial): a randomised controlled trial. Lancet 2008;371:126-34.
24 Strom T, Martinussen T, Toft P. A protocol of no sedation for critically ill patients receiving mechanical ventilation: a randomised trial. Lancet 2010;375:475-80.
25 Mehta S, Burry L, Cook D, et al.; SLEAP Investigators; Canadian Critical Care Trials Group. Daily sedation interruption in mechanically ventilated critically ill patients cared for with a sedation protocol: a randomized controlled trial. JAMA 2012;308:1985-92.
26 Bucknall TK, Manias E, Presneill JJ. A randomized trial of protocol-directed sedation management for mechanical ventilation in an Australian intensive care unit. Crit Care Med 2008;36:1444-50.
27 Elliott R, McKinley S, Aitken LM, Hendrikz J. The effect of an algorithm-based sedation guideline on the duration of mechanical ventilation in an Australian intensive care unit. Intensive Care Med 2006;32:1506-14.
28 de Wit M, Gennings C, Jenvey WI, Epstein SK. Randomized trial comparing daily interruption of sedation and nursing-implemented sedation algorithm in medical intensive care unit patients. Crit Care 2008;12:R70.
29 Tanios MA, de Wit M, Epstein SK, Devlin JW. Perceived barriers to the use of sedation protocols and daily sedation interruption: a multidisciplinary survey. J Crit Care 2009;24:66-73.
30 McCollam JS, O'Neil MG, Norcross ED, Byrne TK, Reeves ST. Continuous infusions of lorazepam, midazolam, and propofol for sedation of the critically ill surgery trauma patient: a prospective, randomized comparison. Crit Care Med 1999;27:2454-8.
31 Hall RI, Sandham D, Cardinal P, et al. Propofol vs. midazolam for ICU sedation: a Canadian multicenter randomized trial. Chest 2001;119:1151-9.
32 Carson SS, Kress JP, Rodgers JE, et al. A randomized trial of intermittent lorazepam versus propofol with daily interruption in mechanically ventilated patients. Crit Care Med 2006;34:1326-32.
33 McEvoy G (ed.). AHFS drug information 2005. Bethesda, MD: American Society of Health-System Pharmacists; 2005.
34 Repchinsky C (ed.). Compendium of pharmaceuticals and specialties (CPS). Ottawa, ON: Canadian Pharmaceutical Association; 2009.
35 MacLaren R, Sullivan PW. Economic evaluation of sustained sedation/analgesia in the intensive care unit. Expert Opin Pharmacother 2006;7:2047-68.

36 Mehta S, Burry L, Fischer S, et al. Canadian survey of the use of sedatives, analgesics, and neuromuscular blocking agents in critically ill patients. Crit Care Med 2006;34:374-80.

37 Mehta S, McCullagh I, Burry L. Current sedation practices: lessons learned from international surveys. Crit Care Clin 2009;25:471-88, vii-viii.

38 Payen JF, Chanques G, Mantz J, et al. Current practices in sedation and analgesia for mechanically ventilated critically ill patients: a prospective multicenter patient-based study. Anesthesiology 2007;106:687-95; quiz 891-2.

39 Shehabi Y, Grant P, Wolfenden H, et al. Prevalence of delirium with dexmedetomidine compared with morphine based therapy after cardiac surgery: a randomized controlled trial (DEXmedetomidine COmpared to Morphine-DEXCOM Study). Anesthesiology 2009;111:1075-84.

40 Riker RR, Shehabi Y, Bokesch PM, et al. Dexmedetomidine vs. midazolam for sedation of critically ill patients: a randomized trial. JAMA 2009;301:489-99.

41 Ruokonen E, Parviainen I, Jakob SM, et al. Dexmedetomidine versus propofol/midazolam for longterm sedation during mechanical ventilation. Intensive Care Med 2009;35:282-90.

42 Pandharipande PP, Pun BT, Herr DL, et al. Effect of sedation with dexmedetomidine vs. lorazepam on acute brain dysfunction in mechanically ventilated patients: the MENDS randomized controlled trial. JAMA 2007;298:2644-53.

43 Reade MC, O'Sullivan K, Bates S, et al. Dexmedetomidine vs. haloperidol in delirious, agitated, intubated patients: a randomised open-label trial. Crit Care 2009;13:R75.

44 Karabinis A, Mandragos K, Stergiopoulos S, et al. Safety and efficacy of analgesia-based sedation with remifentanil versus standard hypnotic-based regimens in intensive care unit patients with brain injuries: a randomised, controlled trial [ISRCTN50308308]. Crit Care 2004;8:R268-80.

45 Dahaba AA, Grabner T, Rehak PH, List WF, Metzler H. Remifentanil versus morphine analgesia and sedation for mechanically ventilated critically ill patients: a randomized double blind study. Anesthesiology 2004;101:640-6.

46 Richman PS, Baram D, Varela M, Glass PS. Sedation during mechanical ventilation: a trial of benzodiazepine and opiate in combination. Crit Care Med 2006;34:1395-401.

47 Muellejans B, Matthey T, Scholpp J, Schill M. Sedation in the intensive care unit with remifentanil/propofol versus midazolam/fentanyl: a randomised, open-label, pharmacoeconomic trial. Crit Care 2006;10:R91.

48 Mesnil M, Capdevila X, Bringuier S, et al. Long-term sedation in intensive care unit: a randomized comparison between inhaled sevoflurane and intravenous propofol or midazolam. Intensive Care Med 2011;37:933-41.

49 Ramsay MA, Savege TM, Simpson BR, Goodwin R. Controlled sedation with alphaxalone-alphadolone. Br Med J 1974;2:656-9.

50 Riker RR, Picard JT, Fraser GL. Prospective evaluation of the Sedation-Agitation Scale for adult critically ill patients. Crit Care Med 1999;27:1325-9.

51 Riker RR, Fraser GL, Simmons LE, Wilkins ML. Validating the Sedation-Agitation Scale with the Bispectral Index and Visual Analog Scale in adult ICU patients after cardiac surgery. Intensive Care Med 2001;27:853-8.

52 Devlin JW, Boleski G, Mlynarek M, et al. Motor Activity Assessment Scale: a valid and reliable sedation scale for use with mechanically ventilated patients in an adult surgical intensive care unit. Crit Care Med 1999;27:1271-5.

53 de Lemos J, Tweeddale M, Chittock D. Measuring quality of sedation in adult mechanically ventilated critically ill patients. the Vancouver Interaction and Calmness Scale. Sedation Focus Group. J Clin Epidemiol 2000;53:908-19.

54 Sessler CN, Gosnell MS, Grap MJ, et al. The Richmond Agitation-Sedation Scale: validity and reliability in adult intensive care unit patients. Am J Respir Crit Care Med 2002;166:1338-44.

55 Ely EW, Truman B, Shintani A, et al. Monitoring sedation status over time in ICU patients: reliability and validity of the Richmond Agitation-Sedation Scale (RASS). JAMA 2003;289:2983-91.

56 De Jonghe B, Cook D, Griffith L, et al. Adaptation to the Intensive Care Environment (ATICE): development and validation of a new sedation assessment instrument. Crit Care Med 2003;31:2344-54.

57 Weinert C, McFarland L. The state of intubated ICU patients: development of a two-dimensional sedation rating scale for critically ill adults. Chest 2004;126:1883-90.

58 Chanques G, Jaber S, Barbotte E, et al. Impact of systematic evaluation of pain and agitation in an intensive care unit. Crit Care Med 2006;34:1691-9.

59 Brattebo G, Hofoss D, Flaatten H, et al. Effect of a scoring system and protocol for sedation on duration of patients' need for ventilator support in a surgical intensive care unit. Qual Saf Health Care 2004;13:203-5.

60 De Jonghe B, Bastuji, Bastuji-Garin S, Fangio P, et al. Sedation algorithm in critically ill patients without acute brain injury. Crit Care Med 2005;33:120-7.

61 Botha JA, Mudholkar P. The effect of a sedation scale on ventilation hours, sedative, analgesic and inotropic use in an intensive care unit. Crit Care Resusc 2004;6:253-7.

62 Chlan LL, Weinert CR, Skaar DJ, Tracy MF. Patient-controlled sedation: a novel approach to sedation management for mechanically ventilated patients. Chest 2010;138:1045-53.

63 Freedman NS, Gazendam J, Levan L, Pack AI, Schwab RJ. Abnormal sleep/wake cycles and the effect of environmental noise on sleep disruption in the intensive care unit. Am J Respir Crit Care Med 2001;163:451-7.

64 Hofhuis JG, Spronk PE, van Stel HF, et al. Experiences of critically ill patients in the ICU. Intensive Crit Care Nurs 2008;24:300-13.

65 Olson DM, Borel CO, Laskowitz DT, Moore DT, McConnell ES. Quiet time: a nursing intervention to promote sleep in neurocritical care units. Am J Crit Care 2001;10:74-8.

66 Richards KC. Effect of a back massage and relaxation intervention on sleep in critically ill patients. Am J Crit Care 1998;7:288-99.

67 Gonzalez CE, Carroll DL, Elliott JS, Fitzgerald PA, Vallent HJ. Visiting preferences of patients in the intensive care unit and in a complex care medical unit. Am J Crit Care 2004;13:194-8.

68 Nayak S, Wenstone R, Jones A, et al. Surface electrostimulation of acupuncture points for sedation of critically ill patients in the intensive care unit--a pilot study. Acupunct Med 2008;26:1-7.

69 Ely EW, Stephens RK, Jackson JC, et al. Current opinions regarding the importance, diagnosis, and management of delirium in the intensive care unit: a survey of 912 healthcare professionals. Crit Care Med 2004;32:106-12.

70 Ely EW, Margolin R, Francis J, et al. Evaluation of delirium in critically ill patients: validation of the Confusion Assessment Method for the Intensive Care Unit (CAM-ICU). Crit Care Med 2001;29:1370-9.

71 Ely EW, Inouye SK, Bernard GR, et al. Delirium in mechanically ventilated patients: validity and reliability of the confusion assessment method for the intensive care unit (CAM-ICU). JAMA 2001;286:2703-10.

72 Lin SM, Liu CY, Wang CH, et al. The impact of delirium on the survival of mechanically ventilated patients. Crit Care Med 2004;32:2254-9.

73 Bergeron N, Dubois MJ, Dumont M, Dial S, Skrobik Y. Intensive Care Delirium Screening Checklist: evaluation of a new screening tool. Intensive Care Med 2001;27:859-64.

74 Ouimet S, Kavanagh BP, Gottfried SB, Skrobik Y. Incidence risk factors and consequences of ICU delirium. Intensive Care Med 2007;33:66-73.

75 American Psychiatric Association. Diagnostic and statistical manual of mental disorders. 4th ed. Washington, DC: American Psychiatric Association; 1994. pp. 124-33.

76 Dubois MJ, Bergeron N, Dumont M, Dial S, Skrobik Y. Delirium in an intensive care unit: a study of risk factors. Intensive Care Med 2001;27:1297-304.

77 Ely EW, Gautam S, Margolin R, et al. The impact of delirium in the intensive care unit on hospital length of stay. Intensive Care Med 2001;27:1892-900.

78 Marcantonio ER, Juarez G, Goldman L, et al. The relationship of postoperative delirium with psychoactive medications. JAMA 1994;272:1518-22.

79 Pandharipande P, Shintani A, Peterson J, et al. Lorazepam is an independent risk factor for transitioning to delirium in intensive care unit patients. Anesthesiology 2006;104:21-6.

80 Pandharipande P, Cotton BA, Shintani A, et al. Prevalence and risk factors for development of delirium in surgical and trauma intensive care unit patients. J Trauma 2008;65:34-41.

81 Ely EW, Shintani A, Truman B, et al. Delirium as a predictor of mortality in mechanically ventilated patients in the intensive care unit. JAMA 2004;291:1753-62.

82 Inouye SK, Bogardus ST, Jr, Charpentier PA, et al. A multicomponent intervention to prevent delirium in hospitalized older patients. N Engl J Med 1999;340:669-76.

83 Lundstrom M, Edlund A, Karlsson S, et al. A multifactorial intervention program reduces the duration of delirium, length of hospitalization, and mortality in delirious patients. J Am Geriatr Soc 2005;53:622-8.

84 Marcantonio ER, Flacker JM, Wright RJ, Resnick NM. Reducing delirium after hip fracture: a randomized trial. J Am Geriatr Soc 2001;49:516-22.

85 Girard TD, Pandharipande PP, Carson SS, et al. Feasibility, efficacy, and safety of antipsychotics for intensive care unit delirium: the MIND randomized, placebo-controlled trial. Crit Care Med 2010;38:428-37.

86 Devlin JW, Roberts RJ, Fong JJ, et al. Efficacy and safety of quetiapine in critically ill patients with delirium: a prospective, multicenter, randomized, double-blind, placebo-controlled pilot study. Crit Care Med 2010;38:419-27.

87 Skrobik YK, Bergeron N, Dumont M, Gottfried SB. Olanzapine vs. haloperidol: treating delirium in a critical care setting. Intensive Care Med 2004;30:444-9.

88 Schneider LS, Dagerman KS, Insel P. Risk of death with atypical antipsychotic drug treatment for dementia: meta-analysis of randomized placebo-controlled trials. JAMA 2005;294:1934-43.

89 Wang PS, Schneeweiss S, Avorn J, et al. Risk of death in elderly users of conventional vs. atypical antipsychotic medications. N Engl J Med 2005;353:2335-41.

90 Aurell J, Elmqvist D. Sleep in the surgical intensive care unit: continuous polygraphic recording of sleep in nine patients receiving postoperative care. Br Med J 1985;290:1029-32.

91 Gabor JY, Cooper AB, Crombach SA, et al. Contribution of the intensive care unit environment to sleep disruption in mechanically ventilated patients and healthy subjects. Am J Respir Crit Care Med 2003;167:708-15.

92 Needham DM. Mobilizing patients in the intensive care unit: improving neuromuscular weakness and physical function. JAMA 2008;300:1685-90.

93 Truong AD, Fan E, Brower RG, Needham DM. Bench-to-bedside review: mobilizing patients in the intensive care unit-from pathophysiology to clinical trials. Crit Care 2009;13:216.

94 Schweickert WD, Pohlman MC, Pohlman AS, et al. Early physical and occupational therapy in mechanically ventilated, critically ill patients: a randomised controlled trial. Lancet 2009;373:1874-82.

95 Rhoney DH, Murry KR. National survey of the use of sedating drugs, neuromuscular blocking agents, and reversal agents in the intensive care unit. J Intensive Care Med 2003;18:139-45.

96 Samuelson KA, Larsson S, Lundberg D, Fridlund B. Intensive care sedation of mechanically ventilated patients: a national Swedish survey. Intensive Crit Care Nurs 2003;19:350-62.

97 Guldbrand P, Berggren L, Brattebo G, et al. Survey of routines for sedation of patients on controlled ventilation in Nordic intensive care units. Acta Anaesthesiol Scand 2004;48:944-50.

98 Botha J, Le Blanc V. The state of sedation in the nation: results of an Australian survey. Crit Care Resusc 2005;7:92-6.

99 Payen JF, Bru O, Bosson JL, et al. Assessing pain in critically ill sedated patients by using a behavioral pain scale. Crit Care Med 2001;29:2258-63.

100 Young J, Siffleet J, Nikoletti S, Shaw T. Use of a Behavioural Pain Scale to assess pain in ventilated, unconscious and/or sedated patients. Intensive Crit Care Nurs 2006;22:32-9.

101 Gelinas C, Fillion L, Puntillo KA, Viens C, Fortier M. Validation of the critical-care pain observation tool in adult patients. Am J Crit Care 2006;15:420-7.

102 Gelinas C, Harel F, Fillion L, Puntillo KA, Johnston CC. Sensitivity and specificity of the critical-care pain observation tool for the detection of pain in intubated adults after cardiac surgery. J Pain Symptom Manage 2009;37:58-67.

Chapter 41

수면 증진 전략

비토 파넬리, 루시아 미라벨라, 스테파노 이탈리아노,미첼 댐브로시오, 마르코 라니에리
(Vito Fanelli, Lucia Mirabella, Stefano Italiano, Michele Dambrosio, and V. Marco Ranieri)

서론

중환자의 수면의 양과 질 두 가지 모두 붕괴된다는 사실은 광범위하게 증명되어 있다.[1,2] 중환자실 입원환자에서 수면 교란을 일으키는 원인은 다양한데, 이러한 수면 장애는 중환자의 임상 경과에 영향을 줄 수 있는 여러 생리적 조절 장애와 관련이 있다. 이번 장에서는 중환자의 수면의 질에 영향을 주는 요인들을 요약하고, 수면의 질을 향상시키기 위한 전략들과 합리적 근거를 제공하고자 한다.

정상 수면 구조

정상 수면 구조는 두 가지의 상태로 나뉜다: 비REM (NREM) 수면과 REM 수면. NREM은 뇌파를 기준으로 세 단계로 이루어진다. 1단계(N1)와 2단계(N2)는 얕은 수면 상태를 반영한다. 곧이어 3단계(N3)와 4단계(N4) 수면이 뒤따르고 뇌파에서 서파를 특징으로 하며 깊은 수면 상태이다.[3]

REM 수면은 기본적으로 부교감신경(미주신경) 활동에 의한 것인데, 빠른 안구 움직임,[4] 불규칙적인 호흡수와 심박수, 갑작스런 혈압 상승 그리고 주요 근육군의 마비(횡경막과 상기도 근육은 제외)[5] 같이 교감신경의 분출에 의한 간섭이 있다. 이 단계의 수면에서 뇌파는 각성상태와

유사하기 때문에, '역설적' 수면이라 불리기도 한다.[6] 그러므로, REM 수면은 이화상태이고,[3] 학습과 기억 통합의 일부 단계에 유용하다.[6] 이와는 반대로 서파수면(slow–wave sleep, SWS)은 동화단계이고, 수면에서 회복과 관련이 있는 단계로서,[7] 신체적 회복이 일어난다.[6]

수면파 주기의 조절은 두 가지 주요 과정에 의해 통제되는 복잡한 과정이다: 두 가지 주요 과정은 각각 잠에서 깨거나 잠이 드는데 걸리는 시간에 따라 수면의 양과 강도를 조절하는 수면 항상성(혹은 S–과정, 혹은 수면을 위한 동적 평형 욕구)[6,8]과 멜라토닌을 분비하는 송과체를 활성화시키는 SCN 내에 존재하면서 체내박동조율기에 의해 조절되는 일주기리듬(C–과정)이다.[8,9]

수면 시간과 단계를 조절하는 신경생화학 전달은 콜린성, 노르아드레날린, 세로토닌의 활성과 관련이 있다. 급속안구운동(Rapid eye movement, REM) 수면 동안, 뇌하수체의 복외측시각교차전핵[ventrolateral preoptic (VLPO) nucleus]에서 시작하는 GABA 경로는 조면유두체핵의 히스타민 활성을 억제하고, 뇌궁주위 핵에서 시작하는 오레시너직(orexinergic) 경로는 비활성화된다.[6] 이것은 곧 카테콜라민, 히스타민, 글루타메이트, 오렉신 그리고 아세틸콜린이 각성을 촉진시키고, 아세틸콜린이 REM 수면을 증진시키며, 노르아드레날린과 세로토닌이 REM 수면을 억제하는 이유이다. 반면, GABA와 세로토닌은 서파수면 촉진제이다. 멜라토닌은 일주기리듬의 가장 중요한 생화학 조절인자로서 신체의 여러 체계 및 장기의 기능 조절과 연관이 있다(시상하부–뇌하수체–부신 축, 면역 기능, 응고, 심혈관, 호흡, 간 그리고 신장).[10]

이러한 복잡한 분자수준의 상호작용은 중증질환과 중환자실 환경(약물, 간호, 비정상적인 조명과 소음 노출, 신체 활동 및 사회적 상호관계의 상실, 진정)이 어떻게 이러한 생화학적 경로들을 변화시켜 수면 패턴과 구조에 나쁜 결과를 초래하는지를 이해하는 데 중요하다.

수면다원검사(PSG)와 수면의 변화

중환자실 생존자 중 60%에 달하는 환자들이 수면 질 저하 혹은 수면 박탈을 보고하고 있는데,[11-13] 이는 환자들이 중환자실에서 퇴원한 후에도 '삶의 질'에 부정적인 영향을 줄 수 있다.[14,15] 수면다원검사(polysomnography, PSG)를 이용한 여러 연구에서는 수면의 질과 양 두 측면에서 수면 구조의 심각한 장애가 객관적으로 입증되었다.[4,5,15-20] 사실 중환자실에서 환자들의 수면은 긴 입면 시간과 낮은 수면 효율로 특징지을 수 있는데, N1과 N2단계가 길고, N3단계

및 REM 수면의 감소 혹은 부재로 수면 분절화가 증가한다.[5,18,21,22]

다양한 PSG 연구들은 24시간 동안의 총 수면시간(total sleep time, TST)은 '정상'이라고 보고하고 있지만, 이것은 짧은 야간 수면과 비정상적인 낮 수면을 합친 결과이다. 붕괴된 수면(총 수면시간의 40–50%까지를 차지할 수도 있는 낮잠을 포함한)은[3,5,17,23] 야간의 생리적 수면에 비해 유익하지 않음은 두말할 나위가 없다.

PSG는 수면 연구에 최적화된 표준기술이다.[18] 하지만 중환자실에서 적용하려면 몇 가지 문제점들이 있다. 우선, PSG는 시간이 소요되는 불편한 절차이며, 간호 및 의료 활동에 의한 간섭으로 검사의 기록이 부정확해질 수 있다. 둘째, 수면 분석을 위해 사용하는 Rechtschaffen과 Kales 방법론은 전형적으로 수면 양상과 구조에 심각한 변화를 보이는 중환자들에게 적용하는데 문제가 될 수 있다.[8,17,20] 예를 들어, 중환자실에 입원한 환자들은 방추(spindles) 및 K–복합체가 없는 N2단계의 수면을[5,20] 보이기도 하며, 각성기 중 τ파와 δ파 활동, N2단계 중의 REM 수면, 그리고 각성과 REM 단계 사이에 변동이 빠를 수 있다.[17] Druot 등은 환자들의 PSG에서 섬망 환자들의 뇌파 양상과 유사한 '비전형적인 수면'과 '병적 각성'을 나타내는 양상을 설명하였다.[24]

중환자실에서 수면 변화의 의미

중환자의 수면 장애는 생물학적 그리고 신경정신학적으로 부정적인 결과를 가져온다.[17] 수면 억제는 에너지 소비와 코티졸 농도를 증가시키고 에피네프린, 성장호로몬(GH), 갑상선자극호르몬(TSH) 등과 같은 여러 호르몬과 신경전달 물질의 분비에 장애를 일으킨다.[4,22] 심지어, 포도당 대사는 제2형 당뇨를 앓는 환자와 비슷한 수준과 유사할 정도로 혼란에 빠지게 된다.[23]

수면박탈은 심근 활동에서 교감신경의 활동을 증가시키고 부교감 신경의 활동을 감소시키므로 결과적으로 심근경색(MI) 위험이 증가한다. 수면 장애는 호흡기능에 영향을 줄 수 있는 데, 과탄산혈증과 저산소혈증에 대한 환기 반응이 감소한다; 흡기 근육의 내구성과 최대 자발 환기(maximal voluntary ventilation)는 호흡근의 강도에는 영향을 주지 않으면서도 감소할 수 있다. 이러한 맥락에서, 인공호흡기 이탈과정이 영향을 받을 수 있다. Roche Campo 등은 급성고탄산혈증 호흡부전 환자들에서 낮은 수면의 질이 비침습적환기(NIV) 실패와 관련이 있다고 하였다.[25]

신경심리학적으로 영향을 받는 부위는 수면박탈에 의해 야기된 인지기능 손상과 일치한다. 전형적인 증상들은 유머감각 변화, 쇠약, 경계심 상실, 기억력 감퇴, 섬망에 가까운 주의 및 학습 능력들에 걸쳐 나타난다.[8,17,23,26]

수면 장애 요인과 수면 향상 전략

중환자실 환경, 간호 행위, 환자의 불편감, 인공호흡기, 약물 그리고 섬망 전략 등 수면 장애와 관련된 잠재적인 위험요인들을 살펴볼 필요가 있다. 또 중환자실에서 나쁜 수면을 줄이기 위해 시도할 수 있는 전략들을 알아보자.

중환자실 환경

중환자실 환경은 수면 장애의 중요한 요인이다.[27] 가장 중요한 스트레스 요인 중의 하나는 중환자실 내 소음이다. 미국환경보호협회에서는 병원 내 소음 수준이 낮에는 45 dB, 밤에는 35 dB을 초과하지 않도록 권고하고 있지만,[28] 중환자실의 소음수준은 60−65 dB이며, 평균 소음 최고치 수준은 83.6±0.1 dB이다. 더구나, 가장 길게 유지된 조용한 시간은 22분에 불과한 것으로 보고되었다.[29]

그렇지만, 중환자실 소음의 원인들 중에서 경보음, 인공호흡기 소음, 기관 흡인의 소음, 의료진들의 무선 호출기 소리, 텔레비전, 의료진들의 대화가 소음의 26%를 차지하고 있고, 가장 높은 데시벨 수준을 기록하고 있다; 즉 이는 수면에 가장 방해가 되는 요인이다.[11,30,31]

일부 연구자들은[32] 수면을 방해하는 것은 소음의 최고치가 아니라, 소음 수준의 변화라고 주장한다. 최근 소음의 감소를 강조하고 있는데, 몇몇 연구들에서 소음에 관한 지침을 제공하고 의료진을 교육하면 의료진의 행동을 효과적으로 바꾸고 소음의 최고치 수준을 낮출 수 있었다.[29,31,33] 여러 연구들에서 소음이 중환자실 환경에서 가장 중요한 스트레스 요인 중의 하나임을 시사하고 있지만, 수면 장애에 대한 소음의 영향력은 명백하지는 않다. 중환자를 대상으로 시행한 수면다원검사 연구에서 각성의 10−30%만이 소음에 의해 영향을 받았다.[30,34] 이렇게 상반되는 결과들을 몇 가지로 설명할 수 있다. 첫째, 수면 장애를 일으키는 다양한 요인들, 예를 들면, 질병의 중증도, 통증 그리고 환자−인공호흡기 부조화 등은 동시에 존재한다는 것이다. Gabor와 동료들은 사실상 소음과 환자 간호는 각성의 30%만 책임이 있을 뿐 나머지 70%의 원인들은 밝혀지지 않았다고 하였다.[30] 둘째, 다른 스트레스 요인을 측정하지 않는다면 소음의 효과는 과대평가 될 수 있다. 사실, 소음의 최고치 이후 각성이 우연히 일어날 수도 있으나, 이것이 곧 인과관계는 아니다.[35]

비정상적인 불빛 노출은 생리학적 일주기를 방해할 수 있기 때문에, 수면의 질을 낮추는 또 다른 요인이다. 중환자실 환자들은 멜라토닌의 일주기 분비가 심하게 손상되어 있다. Shilo 등은 일반 병동 환자들에 비교했을 때, 중환자실 입원 환자 14명 중 12명이 소변의 멜라토닌 농도가 낮았고, 이것은 산발적인 수면과 연관이 있었다.[36] 야간 멜라토닌의 분비는 빛에 의해 억제될 수 있고, 100룩스의 빛은 야간 멜라토닌 분비에 영향을 줄 수 있을 정도의 충분한 밝기이다.[37] 중환자실의 야간 조명에 대한 보고 결과는 다양하며, 평균 범위는 5−1,400룩스이다.[28,29] 수면의 질을 향상시키기 위한 목적으로 환자의 환경을 관리하고자 하는 것은 합리적인 전략이다. 낮시간 동안에는 좀 더 밝은 빛에 노출되도록 하고(전등을 켜고, 커튼을 열어놓는 것), 밤 10시까지는 소등하도록 격려해야만 한다. 또한 귀마개 및 안대를 사용하는 것이 자극적인 중환자실 환경에서 수면을 취하는 비장애인들에게 수면의 효율을 높인다.[38-41] 마지막으로, 소음을 차단하거나 흡수하는 것이 수면 향상을 위한 가장 효과적인 전략이므로 이에 관한 음향학자와 의사들 사이의 협업이 요구된다.[35]

환자 돌봄 활동

중환자들은 환자 돌봄을 위한 간호 행위 역시 소음만큼이나 수면에 방해가 되었다고 평가하였다.[11] 내과계, 외과계 중환자실 모두에서 일반적으로 환자마다 40−50회의 간호행위가 야간 근무시간에 이루어지는데,[42,43] 이러한 행위에는 상처 소독, 약물 투약, 그리고 야간 목욕 등이 있다. 24시간 동안 환자가 각성하게 되는 약 10% 정도는 간호 행위 때문이다.[30] 환자의 수면 시간을 보장하기 위한 전략과 간호 행위 사이의 조화가 논쟁이 되고 있다.[44] 의료진들은 환자의 담당간호사가 시행하는 중환자실의 모든 활동을 조정할 필요가 있다고 느낀다: 이는 곧 야간 수면을 촉진하기 위해 기존의 루틴(routine)에 변화를 요구한다. 예를 들어, 밤새 이루어지는 환자 감시의 빈도는 줄일 수 있다. 혈당 검사, 채혈, 활력 징후를 측정하는 것도 포함된다. 또한, 목욕, 드레싱 교체 그리고 병실 변경 등은 야간에는 최소화할 수 있다.

환자의 편안함

통증, 불안, 혹은 침상에서의 불편한 자세 때문에 환자들이 충분히 이완(relax)할 수 없는 것도[45] 중환자실 수면 박탈의 중요한 원인으로 보고되었다. 침상에서 환자의 자세가 편하도록 바로잡아주고, 통증을 줄여주며, 환자에게 수면 시간임을 알려주는 것도 합리적인 중재 방법이다. 환자에게 낮 시간임을 알려주고, 그날 활동에 대한 계획을 설명해주며,[22] 자고 일어나면 다시 돌봄을 받게 된다고 재확인하여 주는 것도 중요하다.[46] 이외에도 손이나 발 마사지를 시행하고, 환자의 손을 잡아주며, 환자가 불안해 한다면 간호사의 시야 내에서 앉아있게 하고, 만약 환자가 잠들기 전 오락거리를 원한다면 TV, 라디오 또는 음악을 틀어주는 것도 부가적으로 적용해 볼만한 방법이다.[44]

인공호흡기

중환자실에 입원한 대다수의 환자들은 기계환기를 하는데, 이러한 기계환기가 수면에 미치는 영향을 조사하기 위한 여러 연구가 있었다. 기계환기 모드, 설정, 그리고 환자–인공호흡기의 상호작용은 수면의 질에 영향을 미치는 요인들이다. 현재까지는 인공호흡기의 모드가 그 자체로 수면에 영향을 미친다는 가설을 설명하기 위한 연구들은 결과들이 서로 상이하다. Parthasarathy 등은 압력통제환기(ACV)와 압력보조환기(PSV) 모드가 수면 분절에 미치는 영향을 비교하였다. 연구진들은 ACV 모드와 비교했을 때, PSV 모드에서 수면 분절 즉, 시간당 각성 횟수 비율이 더 높다고 설명하고 있다. 그러나 이러한 차이점은 PSV 모드를 실행하는 동안 인공호흡기 회로에 사강(dead space)을 추가했을 때 사라졌다. 이러한 효과는 PSV 모드를 시행하는 동안 저탄산증혈증에 의해 유발되는 중추성무호흡과 연관이 있는 것으로 보인다. 또한 이 임상 시험에서 울혈성 심부전(CHF) 환자의 절반 이상에서 저탄산증과 중추성 무호흡이 있었던 것으로 밝혀졌다.[1] 반대로, 특히 (기도) 저항 일이 높은 환자들에서는 PSV 모드로 낮은 수준의 호흡 보조를 했을 때, 수면의 질이 낮았다.[47] 그러나 이러한 결과들은 ACV 모드를 다른 두 종류의 PSV 모드(임상적으로 조정해야 하는 것, 자동으로 조정되는 것)와 분리하여 비교한 연구에서는 확인되지 않았다.

분당 환기량, 호흡 보조의 수준뿐만 아니라 수면 효율성은 세 가지 인공호흡기 모드에서 유사하였다. 이와 더불어, 이러한 결과들은 수면의 질을 결정하는데 있어서 인공호흡기의 모드보다는 설정이 더 중요하다는 것을 시사한다. 야간에 높은 수준의 호흡 보조를 관습적으로 적용하는 것은 수면의 질에 부정적인 영향을 미치는 매우 강력한 요인이다.

Meza 등은 과도한 수준의 호흡 보조가 낮은 수면의 질과 관련이 있다는 획기적인 연구결과를 발표하였다.[48] 또한 신경근육계 질환을 가진 환자들을 대상으로 하는 코호트 연구에서 Fanfulla 등은 환자의 호흡 노력에 근거하여 인공호흡기 설정을 최적화하는 것이 수면의 효율성을 높일 수 있었다고 하였다.[49] 연구에서 환자들은 두 가지 종류의 비침습적 환기(NIV)에 무작위방식으로 배정되었다. 임상적으로 조절되는 PSV는 자발적 호흡 중에 기록된 수준보다 각성 시 동맥혈이산화탄소분압($PaCO_2$) 수준이 5% 이상 낮도록 흡기 압력을 설정하였다. 한편 PSV는 경험경막의 압력(Pdi) 변화를 40–80% 사이로 감소시키고/혹은 호기 중 식도 압력(Poes)에 양–전위 파형이 나타나지 않도록 설정하였다. 후자의 환자들에서 수면 중에 비효율적인 노력이 적었고, 이는 더 나은 수면 구조와 긍정적인 관련이 있었다.[49] 생리학적 접근이 수면의 질을 향상시키는 데 더 효과적이라는 생각에 따라, Bosma 등은 환자–인공호흡기 부조화가 수면 장애에 중요한 역할을 한다는 것을 증명하였다.[50]

인공호흡기 이탈을 준비 중인 중환자들을 무작위로 나누어 PSV 혹은 PAV를 받도록 한 무작위 교차 임상연구가 있었다. 두 그룹에서 인공호흡기 설정은 자발호흡훈련(SBT)을 시행하는 동안 흡기 노력의 50% 감소를 목적으로 최적화하였다. 야간에는 PAV로 수면 구조와 분절화가 의미있게 호전되었다. 흥미롭게도 시간당 환자–인공호흡기 부조화가 적을수록 수면의 질이 더 좋았다.[50] 최근 새로운 인공호흡기 모드인 NAVA는 더 발전된 신경–기기 조화로 수면의 질이 향상되었다.[51] 14명의 환자를 무작위로 배정하여 각각 4시간씩 4회를 PSV 혹은 NAVA 환기를 하고 수면다원검사를 하였다. PSV와 NAVA의 호흡 보조 수준은 8 mL/kg의 환기량 혹은 35회 미만의 분당 호흡수를 획득하는 것을 목적으로 조정하였다. PSV에 비해 NAVA에서 REM 수면이 증가하고 수면 분절이 감소하였다. 또한 NAVA는 흡기 및 호기 유발(trigger) 지연을 줄이고, 환자–인공호흡기 상호작용(interaction)을 증진하였다.[51]

결론적으로 높은 수준의 환기 보조로 인해 야기된 저탄산혈증 그리고 중추성 무호흡이 기계환기를 받는 환자의 수면 장애를 유발하는 핵심이다. 환자–인공호흡기 조화를 증진할 수 있도록 인공호흡기 설정을 최적화하는 것은 수면의 질을 개선하는 좋은 전략이다. 그러나, 환자가 수면을 취하는 동안 의사가 인공호흡기 설정을 최적으로 조정하는 것이 쉽지 않은 반면 PAV나 NAVA와 같은 생리적인 보조호흡기능 모드는 수면 질의 전반적인 향상을 위해 유망한 전략이다.

약물

중환자의 수면 구조에 대한 단일 약물의 효과를 규명하는 것은 어렵다. 처방된 여러 약물들은 동시에 수면에 영향을 미치기 때문이다. 더구나, 약물의 다양한 분포, 신장과 간의 청소율/대사, 그리고 급성스트레스로 인한 교감신경계 활동의 혼동 효과 등이 동시에 수면에 영향을 미칠 수 있다.[52,53]

대부분의 중환자들은 환자–인공호흡기 조화를 증진하고, 통증을 피하기 위해 진정제와 진통제를 투약 받는다. 중환자에게 주로 사용하는 수면제(hypnotic drug)는 두 가지로 분류할 수 있다. 첫 번째는 벤조다이다제핀과 프로포폴과 같은 GABA 수용체를 통해 작용하는 약물들로서 신경전달물질의 신호를 강화한다. 두 번째는 뇌간의 α2 수용체에 작용하는 것들로서 노르에피네프린의 분비를 억제한다.[2]

벤조다이아제핀과 프로포폴은 저용량에서 NREM 수면의 3, 4단계의 특징인 서파수면(SWS)을 억제한다. 또한 수면 대기시간을 줄이고, 각성을 감소시키며 2단계 기간을 연장한다. 고용량에서는 갑작스런 억제가 발생할 때까지 점진적으로 뇌파의 속도를 늦추게 된다. 이러한 양상의 뇌파는 뇌 대사의 감소와 연관이 있다. 외과 환자를 대상으로 한 소규모의 코호트 연구에서, Treggiari-Venzi와 동료들은 환자들이 중환자실에 입실한 첫 날부터 5일째까지 수면의 질이 향상되는 경향을 보였다. 또한, 불안 수준은 두 그룹에서 유사하였으나, 우울 증상만은 미다졸람 그룹에서 더 높은 경향을 보였다.[54] 벤조다이아제핀의 투약은 섬망의 발생과 연관이 있었다. 기계환기를 시행중인 환자들처럼 지속적인 진정이 필요한 환자들에게는 프로포폴이 합리적인 대안이 될 수 있다. 동물연구에서 장기간 프로포폴을 사용한 진정이 수면박탈을 유발하지 않았다.[55] 그러나, 어떤 약물이 다른 약물에 비해 우수하다는 것을 설명하기 위해서는 더 많은 연구가 필요하다.

덱스메데토미딘(Dexmedetomidine)은 청반(locus coeruleus)에 위치한 α2 수용체의 작용제로서, 노르에피네프린의 분비를 줄여 진정 작용을 하게 된다. 뇌파 양상은 REM의 비율이 감소하고 NREM의 2, 3, 4단계의 비율은 증가하는 특징을 보인다. 덱스메데토미딘에 의해 유도된 수면은 기능적 자기공명영상(fMRI) 결과와 각성이 쉽고 인지능력이 보존된다는 일부 임상 관찰로 볼 때 자연스러운 수면과 유사하다. 하지만 덱스메데토미딘에 유리한 분석에도 불구하고, 덱스메데토미딘이 수면의 질을 증진하는 데 프로포폴보다 우수하다고 보이지는 않는다. Corbett 등은 관상동맥우회술(CABG)를 받은 후 기계환기를 하는 동안 프로포폴 혹은 덱스메데토미딘 진정 치료를 받은 환자들을 무작위로 선정하였다.[56] 수술 직후 처음 2시간 동안 램새이 점수(Ramsay score)가 5점이었다가 3-4점을 유지할 수 있도록(기관삽관 상태에서) 표준화된 중환자 간호 프로토콜에 따라 용량을 조절하였다. 환자 만족도 조사를 위해 발관 24시간 이내에 보완된 수정 Hewitt 진정 설문지를 작성하였다. 환자들에게는 편안함 정도, 통증 수준, 의료진 및 가족과의 상호소통 능력, 진정, 불안, 수면이나 휴식을 취할 수 있는 능력, 그리고 중환자실 경험에 대한 만족도를 물어보았다. 수술 후 기간 동안 전반적인 수면에 대한 인식은 두 그룹간 차이가 없었다.[56] 이 연구에서 설문지는 환자의 인식을 이해하기 위한 가치 있는 도구이기는 하였지만, 환자-인공호흡기 부조화, 환경 소음, 질병의 중증도와 같이 수면에 영향을 줄 수 있는 다른 요인들을 고려하지 않은 채 수면의 질을 조사하였다.

마약성진통제(Opioid)는 수면제(hypnotics)와 더불어 환자의 통증을 조절하고(가령 수술 후), 환자-인공호흡기 조화를 위해 중환자실에서 흔히 사용하는 약물이다. 고용량의 마약성진통제는 pontothalamic 각성 경로에 작용하여 최면 효과를 나타내는데 이것은 대부분 REM 수면과 관련되어 있다. 마약성 진통제는 낮은 수면의 질과 관련되어 있는 뇌파 양상을 보이는 NREM의 서파수면 2, 4단계와 REM을 억제한다. 그러나, 수술 후 기간 동안 통증은 가장 대표적인 수면 방해 요인이다. 이러한 이유로, 충분히 만족스러운 마취는 수면의 질에 대한 인식을 좋게 한다. Cronin 등은 산부인과 수술을 받은 14명 환자의 코호트 연구에서 수술 후 첫날밤 REM 수면이 완전히 사라졌음을 보여주었다. 국부마취를 받은 환자들과 비교했을 때, 마약성진통제를 받은 그룹에서 깊은 수면의 비율이 유의하게 낮았다.[57] 서로 다른 수면다원검사 양상에도 불구하고, 통증 조절을 위해 사용된 물질은 수면의 질에 대한 환자의 인식에 영향을 미치지 않았다.[57] 자연적으로 만들어지는 호르몬인 멜라토닌은 낮시간 동안 진정이나 호흡 억제를 유발하지 않으면서 정상 수면 구조를 유지한다.[52,58,59] 연구자들은 멜라토닌이 기계환기를 받는 환자들의 총 수면시간을 늘리고, 수면 분절화를 줄이며 수면 효율성을 향상시킨다고 보고하였다.[60] 멜라토닌의 부작용은 드물다; 그러나 약물간 상호작용이 일어날 수 있는 데, 특히 멜라토닌의 전면역작용(pro-immunologic action)으로 인한 면역억제제와의 상호작용이 발생할 수 있다.[61,62] 패혈증 동물모델에서 멜라토닌은 자유 라디칼을 처리하고 항산화를 위해 필수적이라고 알려져 있다. Mundliger는 멜라토닌의 일주기적 분비가 패혈증 환자군과 비패혈증 환자군에서 변화한다는 것을 증명하였다. 패혈증이 아닌 환자들에서 멜라토닌은 정상적으로 일주기적인 분비를 나타낸 반면, 패혈증 환자들은 지속적으로 멜라토닌을 분비하고 있었다. 패혈증 환자에게 나타나는 지속적인 분비는 멜라토닌이 면역학적인 역할을 하고 있다는 것을 의미하며 질병에서 회복하기 위해서는 수면이 필요하다는 것을 시사한다.[63]

섬망

섬망은 의식수준과 집중력의 손상, 그리고 인지장애를 특징으로 하는 임상적인 증후군으로 중환자의 80%에서 발생했다는 보고가 있을 정도도 이환율이 높다.[64,65] 섬망은 사망률 및 병원 재원기간 증가 그리고 의료 비용 증가 등 중환자실의 저조한 결과에 영향을 미치는 독립적인 위험인자이다.[64-69] 섬망 발생과 관련한 위험인자들로는 질병의 중증도, 고령, 약물(벤조다이아제핀, 마약성진통제, 항콜린제제 및 교감신경계 약물, 코르티코 스테로이드) 그리고 전해질 불균형 등이 제시되어 왔다. 최근에는 중환자들이 경험하는 수면 박탈이나 저조한 수면의 질도 섬망의 중요한 위험인자라는 주장이 제기되었다. 현재까지 인과관계가 완전히 입증되지는 않았다.[70] 그러나 섬망과 저조한 수면의 질은 병리학적 상태에 유사성이 있다.[70] 첫째, 섬망의 위험요인들은 수면 박탈의 위험요인들과 일치한다. 이미 앓고 있던 인지장애, 중환자실 입원 당시 질병 중증도, 환자-인공호흡기 부조화, 통증 그리고 약물(벤조다이아제핀, 마약성진통제, 항콜린제제 및 교감신경계 약물, 코르티코 스테로이드)은 섬망과 수면박탈의 선행요인들이다. 둘째, 저활동성 섬망(과잉 활동성이 아닌)의 임상적 특징들은 수면, 주의 집중과 기억력 손상 등 수면 박탈을 경험하는 환자들에게서도 볼 수 있다. 셋째, 수면다원검사분석 결과 NREM의 깊은 수면 단계인 3, 4단계와 REM 수면이 감소하고, NREM의 가벼운 수면 단계인 1, 2단계와 각성은 증가하는 전형적인 양상을 나타낸다.

최근 Trompeo 등은 중환자실에서 기계환기를 받고 있는 환자들의 REM 수면 박탈과 섬망 사이의 연관 관계를 증명하였다.[71] 이 연구에서는 인공호흡기 이탈을 준비하면서 최소 24시간 동안 진정제를 투약하지 않은 환자들을 두 그룹으로 나누었다: 수면다원검사를 근거로 REM 수면이 심하게 박탈된 그룹과 그렇지 않은 그룹. 심한 REM 수면박탈 그룹 환자들은 중환자실 입실 시 평균 SAPS II의 중증도가 높았으며, 인공호흡기 의존 기간이 더 길었다. 흥미롭게도 REM 수면 감소, 섬망, 그리고 Lorazepam의 사용 사이에 명백한 상관관계가 있었다.[71] 이러한 점들을 고려할 때, 중환자실 수면의 질을 높이고 섬망의 발생률을 개선하는 전략들은 중환자들의 단기 그리고 장기적인 결과들도 개선될 것이다.

결론

결론적으로 중환자실의 저조한 수면의 질과 수면 박탈은 개인의 신체적 항상성의 중대한 변화와 연관되어 있다. 심혈관계, 호흡기계 그리고 인지기능의 저하와 수면방해 사이의 관련성은 명백해졌다. 수면장애는 중환자들에게 부정적인 결과를 초래하는 요인으로 제기되어 왔다. 중환자를 치료하는 의료진들은 수면 붕괴의 위험요인들을 최소화하는 방법들을 찾아야만 한다. 중환자실에서 수면을 개선시킬 수 있는 가시적인 전략들에 관한 연구가 필요하다.

참고문헌

1 Puntillo KA, Arai S, Cohen NH, et al. Symptoms experienced by intensive care unit patients at high risk of dying. Crit Care Med 2010;38:2155-60.
2 Weinhouse GL, Watson PL. Sedation and sleep disturbances in the ICU. Crit Care Clin 2009;25:539-49, ix.
3 Hardin KA. Sleep in the ICU: potential mechanisms and clinical implications. Chest 2009;136:284-94.
4 Bijwadia JS, Ejaz MS. Sleep and critical care. Curr Opin Crit Care 2009;15:25-9.
5 Parthasarathy S, Tobin MJ. Sleep in the intensive care unit. Intensive Crit Care Nurs Med 2004;30:197-206.
6 Sanders RD, Maze M. Contribution of sedative-hypnotic agents to delirium via modulation of the sleep

pathway. Can J Anaesth 2011;58:149-56.
7 Desbiens NA, Wu AW, Broste SK, et al. Pain and satisfaction with pain control in seriously ill hospitalized adults: findings from the SUPPORT research investigations. For the SUPPORT investigators. Study to Understand Prognoses and Preferences for Outcomes and Risks of Treatment. Crit Care Med 1996;24:1953-61.
8 Figueroa-Ramos MI, Arroyo-Novoa CM, Lee KA, Padilla G, Puntillo KA. Sleep and delirium in ICU patients: a review of mechanisms and manifestations. Intensive Care Med 2009;35:781-95.
9 Olofsson K, Alling C, Lundberg D, Malmros C. Abolished circadian rhythm of melatonin secretion in sedated and artificially ventilated intensive care patients. Acta Anaesthesiol Scand 2004;48:679-84.
10 Chan MC, Spieth PM, Quinn K, Parotto M, Zhang H, Slutsky AS. Circadian rhythms: from basic mechanisms to the intensive care unit. Crit Care Med 2012;40:246-53.
11 Freedman NS, Kotzer N, Schwab RJ. Patient perception of sleep quality and etiology of sleep disruption in the intensive care unit. Am J Respir Crit Care Med 1999;159:1155-62.
12 Nelson JE, Meier DE, Oei EJ, et al. Self-reported symptom experience of critically ill cancer patients receiving intensive care. Crit Care Med 2001;29:277-82.
13 Simini B. Patients' perceptions of intensive care. Lancet 1999;354:571-2.
14 Granja C, Lopes A, Moreira S, Dias C, Costa-Pereira A, Carneiro A; JMIP Study Group. Patients' recollections of experiences in the intensive care unit may affect their quality of life. Crit Care 2005;9:R96-109.
15 Watson P. Sleep in the ICU: where dreams go to die. Minerva Anestesiol 2011;77:568-70.
16 Cabello B, Mancebo J, Brochard L. [Sleep quality in ventilated patients: is the ventilatory method important or its adjustment?]. Med Intensiva 2006;30:392-5.
17 Drouot X, Cabello B, d'Ortho MP, Brochard L. Sleep in the intensive care unit. Sleep Med Rev 2008;12:391-403.
18 Mistraletti G, Carloni E, Cigada M, et al. Sleep and delirium in the intensive care unit. Minerva Anestesiol 2008;74:329-33.
19 Parthasarathy S. Sleep during mechanical ventilation. Curr Opin Pulm Med 2004;10:489-94.
20 Weinhouse GL. Sleep in the critically ill: an epoch adventure. Sleep Med 2012;13:3-4.
21 Friese RS, Diaz-Arrastia R, McBride D, Frankel H, Gentilello LM. Quantity and quality of sleep in the surgical intensive care unit: are our patients sleeping? J Trauma 2007;63:1210-14.
22 Friese RS. Sleep and recovery from critical illness and injury: a review of theory, current practice, and future directions. Crit Care Med 2008;36:697-705.
23 Salas RE, Gamaldo CE. Adverse effects of sleep deprivation in the ICU. Crit Care Clin 2008;24:461-76, v-vi.
24 Drouot X, Roche-Campo F, Thille AW, et al. A new classification for sleep analysis in critically ill patients. Sleep Med 2012;13:7-14.
25 Roche Campo F, Drouot X, Thille AW, et al. Poor sleep quality is associated with late noninvasive ventilation failure in patients with acute hypercapnic respiratory failure. Crit Care Med 2010;38:477-85.
26 Matthews EE. Sleep disturbances and fatigue in critically ill patients. AACN Adv Crit Care 2011;22:204-24.
27 Boyko Y, Ording H, Jennum P. Sleep disturbances in critically ill patients in ICU: how much do we know? Acta Anaesthesiol Scand 2012;56:950-8.
28 Meyer TJ, Eveloff SE, Bauer MS, Schwartz WA, Hill NS, Millman RP. Adverse environmental conditions in the respiratory and medical ICU settings. Chest 1994;105:1211-16.
29 Walder B, Francioli D, Meyer JJ, Lançon M, Romand JA. Effects of guidelines implementation in a surgical intensive care unit to control nighttime light and noise levels. Crit Care Med 2000;28:2242-7.
30 Gabor JY, Cooper AB, Crombach SA, et al. Contribution of the intensive care unit environment to sleep disruption in mechanically ventilated patients and healthy subjects. Am J Respir Crit Care Med 2003;167:708-15.
31 Kahn DM, Cook TE, Carlisle CC, Nelson DL, Kramer NR, Millman RP. Identification and modification of environmental noise in an ICU setting. Chest 1998;114:535-40.
32 Stanchina ML, Abu-Hijleh M, Chaudhry BK, Carlisle CC, Millman RP. The influence of white noise on sleep in subjects exposed to ICU noise. Sleep Med 2005;6:423-8.
33 Monsen MG, Edell-Gustafsson UM. Noise and sleep disturbance factors before and after implementation of

a behavioural modification programme. Intensive Crit Care Nurs 2005;21:208-19.

34 Freedman NS, Gazendam J, Levan L, Pack AI, Schwab RJ. Abnormal sleep/wake cycles and the effect of environmental noise on sleep disruption in the intensive care unit. Am J Respir Crit Care Med 2001;163:451-7.

35 Bosma KJ, Ranieri VM. Filtering out the noise: evaluating the impact of noise and sound reduction strategies on sleep quality for ICU patients. Crit Care 2009;13:151.

36 Shilo L, Dagan Y, Smorjik Y, et al. Patients in the intensive care unit suffer from severe lack of sleep associated with loss of normal melatonin secretion pattern. Am J Med Sci 1999;317:278-81.

37 Boivin DB, Duffy JF, Kronauer RE, Czeisler CA. Dose-response relationships for resetting of human circadian clock by light. Nature 1996;379:540-42.

38 Richardson A, Crow W, Coghill E, Turnock C. A comparison of sleep assessment tools by nurses and patients in critical care. J Clin Nurs 2007;16:1660-8.

39 Scotto CJ, McClusky C, Spillan S, Kimmel J. Earplugs improve patients' subjective experience of sleep in critical care. Nurs Crit Care 2009;14:180-4.

40 Topf M, Davis JE. Critical care unit noise and rapid eye movement (REM) sleep. Heart Lung 1993;22:252-8.

41 Wallace CJ, Robins J, Alvord LS, Walker JM. The effect of earplugs on sleep measures during exposure to simulated intensive care unit noise. Am J Crit Care 1999;8:210-19.

42 Celik S, Oztekin D, Akyolcu N, I sever H. Sleep disturbance: the patient care activities applied at the night shift in the intensive care unit. J Clin Nurs 2005;14:102-6.

43 Tamburri LM, DiBrienza R, Zozula R, Redeker NS. Nocturnal care interactions with patients in critical care units. Am J Crit Care 2004;13:102-12; quiz 114-15.

44 Eliassen KM, Hopstock LA. Sleep promotion in the intensive care unit-a survey of nurses' interventions. Intensive Crit Care Nurs 2011;27:138-42.

45 Parker KP. Promoting sleep and rest in critically ill patients. Crit Care Nurs Clin North Am 1995;7:337-49.

46 Evans JC, French DG. Sleep and healing in intensive care settings. Dimens Crit Care Nurs 1995;14:189-99.

47 Toublanc B, Rose D, Glerant JC, et al. Assist-control ventilation vs. low levels of pressure support ventilation on sleep quality in intubated ICU patients. Intensive Care Med 2007;33:1148-54.

48 Meza S, Mendez M, Ostrowski M, Younes M. Susceptibility to periodic breathing with assisted 48 Meza S, Mendez M, Ostrowski M, Younes M. Susceptibility to periodic breathing with assisted ventilation during sleep in normal subjects. J Applied Physiol 1998;85:1929-40.

49 Fanfulla F, Delmastro M, Berardinelli A, Lupo ND, Nava S. Effects of different ventilator settings on sleep and inspiratory effort in patients with neuromuscular disease. Am J Respir Crit Care Med 2005;172:619-24.

50 Bosma K, Ferreyra G, Ambrogio C, et al. Patient-ventilator interaction and sleep in mechanically ventilated patients: pressure support versus proportional assist ventilation. Crit Care Med 2007;35:1048-54.

51 Delisle S, Ouellet P, Bellemare P, Tétrault JP, Arsenault P. Sleep quality in mechanically ventilated patients: comparison between NAVA and PSV modes. Ann Intensive Care 2011;1:42.

52 Bourne RS, Mills GH. Sleep disruption in critically ill patients-pharmacological considerations. Anaesthesia 2004;59:374-84.

53 Pandharipande P, Ely EW. Sedative and analgesic medications: risk factors for delirium and sleep disturbances in the critically ill. Crit Care Clin 2006;22:313-27, vii.

54 Treggiari-Venzi M, Borgeat A, Fuchs-Buder T, Gachoud JP, Suter PM. Overnight sedation with midazolam or propofol in the ICU: effects on sleep quality, anxiety and depression. Intensive Care Med 1996;22:1186-90.

55 Tung A, Bergmann BM, Herrera S, Cao D, Mendelson WB. Recovery from sleep deprivation occurs during propofol anesthesia. Anesthesiology 2004;100:1419-26.

56 Corbett SM, Rebuck JA, Green CM, et al. Dexmedetomidine does not improve patient satisfaction when compared with propofol during mechanical ventilation. Crit Care Med 2005;33:940-5.

57 Cronin AJ, Keifer JC, Davies MF, King TS, Bixler EO. Postoperative sleep disturbance: influences of opioids and pain in humans. Sleep 2001;24:39-44.

58 Ibrahim MG, Bellomo R, Hart GK, et al. A double-blind placebo-controlled randomised pilot study of nocturnal melatonin in tracheostomised patients. Crit Care Resusc 2006;8:187-91.

59 Zhdanova IV, Wurtman RJ, Morabito C, Piotrovska VR, Lynch HJ. Effects of low oral doses of melatonin, given 2-4 hours before habitual bedtime, on sleep in normal young humans. Sleep 1996;19:423-31.

60 Bellapart J, Boots R. Potential use of melatonin in sleep and delirium in the critically ill. Br J Anaesthesia 2012;108:572-80.

61 Escames G, Leon J, Macías M, Khaldy H, Acuña-Castroviejo D. Melatonin counteracts lipopolysaccharide-induced expression and activity of mitochondrial nitric oxide synthase in rats. FASEB J 2003;17:932-4.

62 Sener G, Toklu H, Kapucu C, et al. Melatonin protects against oxidative organ injury in a rat model of sepsis. Surg Today 2005;35:52-9.

63 Mundigler G, Delle-Karth G, Koreny M, et al. Impaired circadian rhythm of melatonin secretion in sedated critically ill patients with severe sepsis. Crit Care Med 2002;30:536-40.

64 Ely EW, Shintani A, Truman B, et al. Delirium as a predictor of mortality in mechanically ventilated patients in the intensive care unit. JAMA 2004;291:1753-62.

65 Ouimet S, Kavanagh BP, Gottfried SB, Skrobik Y. Incidence, risk factors and consequences of ICU delirium. Intensive Care Med 2007;33:66-73.

66 Ely EW, Gautam S, Margolin R, et al. The impact of delirium in the intensive care unit on hospital length of stay. Intensive Care Med 2001;27:1892-900.

67 Lin SM, Liu CY, Wang CH, et al. The impact of delirium on the survival of mechanically ventilated patients. Crit Care Med 2004;32:2254-9.

68 Milbrandt EB, Deppen S, Harrison PL, et al. Costs associated with delirium in mechanically ventilated patients. Crit Care Med 2004;32:955-62.

69 Thomason JW, Shintani A, Peterson JF, Pun BT, Jackson JC, Ely EW. Intensive care unit delirium is an independent predictor of longer hospital stay: a prospective analysis of 261 non-ventilated patients. Crit Care 2005;9:R375-381.

70 Weinhouse GL, Schwab RJ, Watson PL, et al. Bench-to-bedside review: delirium in ICU patients-importance of sleep deprivation. Crit Care 2009;13:234.

71 Trompeo AC, Vidi Y, Locane MD, et al. Sleep disturbances in the critically ill patients: role of delirium and sedative agents. Minerva Anestesiol 2011;77:604-12.

Chapter 42

신경근육 기능과 인슐린, 혈당관리의 효과

그리트 허만(Greet Hermans)

서론

급성질환이나 손상은 인슐린 저항, 고혈당증, 스트레스성 고혈당, 즉 '손상에 인한 당뇨'를 유발한다. 중환자에서 높은 혈당 수치는 불량한 예후와 관련이 있고, 혈당수치와 사망률 사이의 J분포로 입증된 바 있다.[1] 고혈당은 사망률과도 관련이 있다. 이미 20여 년 전에, 고혈당은 중환자실 획득 쇠약(ICUAW) 발생의 위험요인으로 밝혀지기도 했다.[2] 호흡근육과 사지근육을 포함한 이런 근육약화 증후군은 중증질환 신경병증(CIP), 중증질환 근육병증(CIM), 또는 이 둘의 조합에 의한 것이다(CIP/CIM).

ICUAW는 중환자실의 흔한 합병증이고,[3] 중환자실 생존자에서 단기[4] 및 장기[5] 결과에 중요한 영향을 끼친다. 아울러 사회-경제적 영향이 있다. 이 장에서는 중환자에서 고혈당이 신경 근육에 미치는 영향과 고혈당 조절을 위한 인슐린 사용이 신경근육계에 미치는 영향에 관한 현재까지의 데이터에 중점을 두고자 한다.

임상 데이터

80년대에 볼튼이[6] CIP를 처음으로 설명한 이후, 위험요소를 규명하고자 한 여러 관찰연구들이 있었다. Witt 등은 CIP위험인자를 찾기 위한 연구를 최초로 수행하였고[2] 선행요인들 중의 하나로 고혈당을 확인하였다. 이후 전향적 연구들에서 중환자의 다양한 혈당조절 지표와 근쇠약의 임상적 징후 또는 CIP/CIM의 전기생리 징후 사이의 관계를 조사하였다.[2,7-9,10,19,20,26,44,45] 결과적으로, 일곱 연구 중 네 개의 연구에서 고혈당증은 위험도 증가와 관련이 있었다. 이들 중 가장 큰 연구를 포함한 두 연구에서 고혈당증은 다변량분석을 통해 CIP/CIM 또는 ICUAW과 독립적인 인과관계가 밝혀졌다. 다른 연구들에서[7-9] 혈당 효과를 입증하지 못한 이유는 연구 표본의 크기와 혈당 조절을 평가하는 척도, 연구 집단의 특징, CIP/CIM과 ICUAW의 상이한 정의 때문일 것이다. 급성호흡곤란증후군 환자 50명을 대상으로 한 후향적 연구에서는 근쇠약이 있는 환자들에서 일일 최고 혈당 수치가 현저히 높았다.[10] 고혈당증이 단지 중환자의 중증질환에 대한 적응반응이 아니라 실제로 사망에 영향을 주는 요인인지 확인하기 위하여, 중환자실 혈당조절 무작위 임상연구가[11-13] 단일 기관에서 수행한 최초의 연구가 있었다. 이 연구에서는 나이에 맞는 정상 수준으로 혈당을 조절하는 효과가 사망률 및 이환률에 미치는 효과를 평가하였고, 신장 임계값(threshold)까지 고혈당을 허용하는 'do not touch' 전략과 비교하였다. 외과계,[11] 내과계,[12] 소아환자를[13] 대상으로 하는 세 가지 Leuven 연구에서 인상적 결과가 관찰된 이후, 다른 무작위 연구들이 시행되었다.[14-16] 최초의 연구와는[16] 다른 방법과 시험계획을 설계하였고, 목표 혈당 범위, 인슐린 투여 경로, 주입 펌프의 종류, 채혈 부위, 혈당 측정기의 정확성, 영양 전략 등을 달리 하였다. 하지만 연구 결과는 대규모 연구를 시행할 때 잠재적인 위험에 대한 주의가 필요함을 상기시켰다. 이러한 치료를 할 때 주된 문제의 하나는 저혈당증이다. 비록 인과 관계를 입증할 수는 없으나 저혈당증은 사망위험의 증가와 관련이 있었다.[17] 한편, 저혈당증을 정확한 장치를 사용하여 조기에 인지하여 치료한 경우, 소아 중환자에서는 중환자실 치료 후 3년 동안 지능에 미친 영향이 없었다.[18]

두 무작위대조연구에서는[11,12] 엄격한 혈당 조절이 신경근육에 미치는 효과를 조사하였다. 두 연구는 각각 내과 및 외과 중환자실에서 수행되었다. 총 1,548명의 외과 환자와[11] 1,200명의 내과 환자가[12] 포함되었다. 두 시험에서 모든 환자는 최소 7일 이상 중환자실에 있었고 이전에 신경근육질환이 없었으며 중환자실에 있는 동안 일주일마다 전기생리검사를 받았다. 전기생리학적검사로는 신경전도검사(NCS)와 근전도(EMG)를 시행하였다. 손가락폄근, 이두근, 사두근 및 비복근을 검사하였다. 결과가 모호할 때는 추가적으로 다른 근육을 평가하였다. 압력에 민감한 근육은 피했다. '중증질환신경근육병증(Critical illness polyneuromyopathy, CPNIM)'은 양성의 날카로운 파장 또는 세동 전위와 같은 자발 전기 활동이 있으면 진단된다. 420명의 내과환자와 405명의 외과환자들에서 전기생리검사 데이터를 얻었다. 결과에서 보여주듯 엄격한 혈당 치료(Intensive Insulin Therapy, IIT)는 CIP/CIM의 전기생리학적 유병률을 줄였는데, 외과환자에서는[19] 49%에서 25%로, 내과환자에서는[20] 51%에서 39%로 감소하였다. CIP/CIM에 대한 위험인자를 포함한 다변량 분석결과, IIT는 독립적인 방어인자로 확인되었다. 데이터의 메타 분석에서 전통적인 인슐린 요법 치료군(CIT)에 비해, 엄격한 혈당치료군(IIT) 치료군에서 CIP/CIM 발생의 상대적 위험도(relative risk)가 0.65(0.55–0.78, 95% CI)로 낮은 결과를 보여주었다.[21] 전기생리학적 변수에 대한 효능은 인슐린 용량보다 혈당조절과 관련이 있었다.[19] 두 실험에서 얻어진 데이터에서는 CIP/CIM에 미치는 긍정적 효과가 경도의 고혈당증(110–150 mg/dL) 환자와 달리, 정상혈당(80–110 mg/dL)에 도달한 환자군에서만 나타났다.[22] 이러한 전기생리학적 효과는 장기간 기계환기(PMV, 최소 7일 이상의 기계환기로 정의) 필요성의 현저한 감소와 동반되었다; 외과계 환자의 경우 42%에서 32%로, 내과계 환자의 경우 47%에서 35%로 감소하였다.

IIT는 또한 글루코코르티코이드(Glucocorticoids, GCs)로 인한 신경근육에 미치는 부정적인 효과의 일부를 줄여줄 수 있을 것으로 보인다. 근육병증을 유발하는 GCs의 역할은 잘 알려져 있지만, 중환자에서 GC 치료의 임상적 효과는 여전히 논쟁의 여지가 있다.[23] GCs는 IIT를 받은 환자들의 하위그룹(subgroup)에서만 전기생리 방어 효과가 있었다.[20] 이러한 결과로 GCs에 의한 고혈당증을 상쇄(counteracting)하여 항염증작용을 가능하게 한다는 가설을 세울 수 있었다.[24] 자발적인 전기 활동의 증가는 축삭병증 또는 근육 괴사 시에도 나타날 수 있지만, 이러한 현상은 근육막의 비활성시에는 보이지 않는다. CIM의 특징은 CMAPs의 감소로 확인한다. 따라서 자발적 전기활성도를 진단으로 사용하면 상대적으로 축삭병증의 유병률이 과대평가될 수도 있다. 따라서 GCs의 이점은 근육 보호라기보다는 신경 보호와 연관된다. 근육의 위축은 중환자의 근육 생검 결과에서 위축과 단백질 분해의 표지자로 볼 때, GCs에 의해 악화된 것으로 나타났다.[25]

연구기간 동안 간호사가 지속적으로 혈당 조절의 질을 감시하였던 무작위 연구의 대조군에서 이러한 관찰결과를 얻을 수 있었다. 때문에, 이 결과를 엄격한 혈당 조절 조건에서 추론하는 것은 명백하지 않다. 결과적으로 인슐린 연구 이전, 즉 종래의 치료법이 표준치료법이던 기간 동안 얻어진 전기생리학적 결과와 엄격한 혈당조절이 임상치료로 도입된 이후의 데이터를 비교하는 후향적 데이터 분석을 통해서 이 특별한 의문점을 평가한 것이다. 620명의 환자에서 일상적인 임상 진료 중에 얻은 전기 생리학 데이터를 분석하였다.[26] CIP/CIM을 진단하기 위해 무작위 시험에서 사용한 것과 동일한 전기생리학적 기준을 사용하였다. 결과는 매우 유사하였다. 선별된 장기입원 환지들의 CIP/CIM의 전기생리학적 진단은 74.4%에서 48.7%로 현저한 감소를 보였다. 이러한 장점은 내과 환자뿐만 아니라 외과 환지에서도 관찰되었고, 다변량 분석으로 IIT에 의한 독립적인 효과를 밝혔다(OR 0.25, 95% CI 0.14–0.43). 이 후향적 코호트에서, 특히 전기생리학적 검사에 근거한 CIP/CIM의 절대 유병률은 IIT 무작위 연구 기간 동안 기존의 인슐린 치료(conventional insulin therapy, CIT) 그룹만큼 더 높았다. 조기 선별 검사를 하지 않고 임상적으로 쇠약이 있거나 또는 이탈실패가 있을 때 즉, 중환자실 입원기간 후기에 전기생리학 테스트를 수행하였기 때문이다. IIT도입은 장기간 인공기계환기의 필요성 감소와 독립적으로 관련이 있었다(OR 0.4, CI 0.22–0.72). CIP를 보조적으로 알 수 있는 SNAPs의 절대값과 상대값이 IIT도입 후 향상되었고, 수의적 수축 동안 얻어진 기록에서 근육병증의 요소는 유의하게 낮았다(IIT 전 30%, IIT의 도입 후 18%). 이 데이터의 주된 제한점은 후향적 분석에 의한 결과라는 것이다.

병태 생리학적 관점에서 혈당 조절이 신경 근육에 미치는 효과

ICUAW의 병태 생리학은 매우 복잡하며 근육수준뿐만 아니라, 신경수준에서도 변화가 있다. 전체적인 효과는 근육 질량이 감소하고 기능을 잃어버리는 것이다. 축삭 퇴행, 신경막의 흥분성 변화, 근육의 이화상태(상대적인 단백합성의 감소와 단백분해의 증가)에 합당한 호르몬 불균형이 흥분–수축의 변화, 생체에너지 생성의 실패, 근육막의 비흥분성이 나타난다. 중환자에서 엄격한 혈당 조절의 유익한 신경 근육 효과를 설명할 수 있는 몇 가지 잠재적인 기전이 있다.

인슐린 저항성은 중증질환의 주요 특징이다. 인슐린은 일반적으로 단백 동화 호르몬으로서 단백질 가수 분해를 억제하고 단백질 합성을 촉진하고 세포 증식을 자극한다. 장기간의 중증질환으로, 인슐린 의존성 GLUT–1 및 GLUT–3 운송은 촉진되고, 이는 근육이 수동 포도당 흡수와 과다의 위험에 노출되게 하는 반면 인슐린 독립성 GLUT–4 운송은 저하된다. IIT 치료는 인슐린 저항성을 감소시키는데 이는 골격근에서 GLUT–4의 발현이 정상화되고 GLUT–1, GLUT–3의 운송이 저하되는 것을 통해서 알 수 있다.[27] 이 결과는 CIT 환자들과 비교 했을 때 IIT 치료받은 외과계 환자의 근육에서 단백질 성분이 증가하는 것과 일치한다.[28,29] 다른 여러 이화 상태에서, 인슐린은 단백질 보존의 효과가 있다.[30-32] 인슐린치료를 받은 중환자의 근육조직 검사는 AKT–의존 신호가 증가한 것을 보여주었고 이는 단백질의 합성이 활성화된 것을 의미한다. 인슐린 투여량과 인산화 된 Akt 사이에는 양의 상관관계가 있었다(p–Akt).[33] 이 데이터는 CIT 환자들과 비교할 때, IIT 환자들의 부검 조직에서 p–Akt의 양이 유의하게 증가한 것과 일치한다.[34] 208개(in vivo; n=64, m rectus femoris, vastus lateralis, post–mortem; n=144, m rectus abdominis) 근육 생검 분석은 중증질환 중 섬유 크기 손실이 IIT 군에서는 영향을 받지 않았다.[25] 유전자 발현 수준에서 근원 섬유의 단백질 합성에 유의미한 차이가 없었다. 단백질 분해 활동은 IIT에 의해 영향을 받지 않았다. 이들 검체에서, 미오신/액틴 비율은 대조군에 비해 전반적으로 감소되었고, 다변량 로지스틱 회귀 분석은 부검 검체에서 IIT를 심각하게 감소한 미오신/액틴의 비율에 대한 독립적인 방어 인자였다. 그러나, 생체 조직 검사에서 IIT는 미오신/액틴 비율에 영향을 미치지 않았고 또는 생체 조직 검사에서 심각하게 감소한 미오신/액틴 비율을 나타낸 환자의 비율에도 영향을 미치지 않았다.

근육 수준에서 또 다른 잠재적인 기전은 iNOS의 효소와 관련될 수 있다. 허혈/재관류의 장기 손상에 기여하고 전염증성 능력을 가진 순환 NO의 농도가 중증질환 환자에서 높다. NO생산의 증가, 항산화 효소의 고갈, 미토콘드리아의 기능 부전이 중환자의 골격근에서 확인되었고, 근육의 생체에너지 부전에 기여하는 것으로 추정된다.[35] 패혈증에 의해 유발되는 iNOS의 발현과 활성은 복직근의 체외(in vitro) 근력의 감소와 일치한다.[36] 중증환자의 동일한 근육 생검에서 IIT 치료군은 iNOS의 유전자 발현이 감소하고 순환 NO수치가 낮았다.[37] IIT는 간에서의 미토콘드리아 활성을 더욱 보호하였다; 그러나 더 이상의 유사한 효과는 근육에서 관찰할 수 없었다.[28]

임상 자료와 실험실 연구의 통합

여러 관찰연구에서 고혈당증이 ICUAW 발생에 유해한 역할을 하는 것으로 나타났다. 이러한 결과는 인슐린을 이용하여 혈당을 정상화시킨 두 개의 무작위대조연구에서 증명되었는데, 전기생리학적으로 진단한 CIP/CIM의 발생이 감소하였고, 장기간의 인공기계환기 필요가 감소하였다. 이 환자들의 근육생검 결과 유전자 발현을 볼 때 단백합성의 하향 조절과 단백분해활성의 증가를 보여주었고 이는 액틴보다는 미오신에 더 큰 영향을 미치고 미오신/액틴 비율이 낮아졌다. IIT에서 골격 근육의 반응은 변화하지 않았고 미토콘드리아 보호는 확인되지 않았다. 이러한 명백히 모순되는 연구 결과에 대해 몇 가지 설명이 가능하다.

유익한 효과는 주로 근육보다도 신경에서 나타날 수 있다는 것이다. 실제로 미오신/액틴 비율은 축삭신경 병증에 영향을 받지 않는다.[38] 무작위배정대조연구(RCTs)에서 사용한 기준은 전기생리학적 분류로서 단지 자발적인 전기 활동의 유무뿐이었다. 따라서 근육막의 비흥분성 증후군은 간과되었을 수 있으며, 전기생리학적 진단은 오히려 근육병증보다, 신경병증 확인에 들어맞을 수 있다는 것이다. 이러한 설명은 탈신경 또는 신경 비활동의 지표가 전기생리학 결과에서 양성을 보인 환자에서 증가하고 미오신/액틴 비율이 낮았던 환자에서는 그렇지 않다는 점으로 뒷받침된다.[25] 중환자에서 신경 조직샘플은 자주 수집할 수 없다. 이것은 침습적 절차이기 때문이다. 따라서 이러한 무작위 임상시험에서도 조직샘플 획득이 가능하지 않다. ICUAW의 신경병증적 요소의 병태생리는 근육병증에서 보다 더 모호하고 밝혀지지 않았다. E-셀렉틴의 발현 증가에서 알 수 있듯이, 신경근육질환이 있는 중환자의 말초 신경 내막에서 미세혈관 내피세포가 활성화된다.[39] 이는 환자들의 축삭(신경)병증의 발생과 관련된 것으로 추정된다. E-셀렉틴과 감소한 순환 ICAM의 근거처럼[37] IIT가 신경 보호 효과가 있어야 한다; 하지만 이는 아직 증명되지 않았다.

말초신경계는 세포외 포도당의 농도에 따라 수동적으로 포도당을 흡수한다. 수동흡수의 증가에 의해 고혈당은 잠재적으로 직접적인 신경독성을 일으킬 수 있는데, 이는 ROS 생성의 증가와 청소율 감소, 미토콘드리아 기능 손상을 초래한다.[40] 이것은 소르비톨, 당화 단백질의 축적 및 변경된 세포내 신호전달과 더불어 당뇨병에서 당- 신경독성의 원인 기전 중 하나이다.[41] 고혈당증이 있는 중환자에서 당뇨병성 신경병증의 시나리오는 여러 측면에서 다르다. 그럼에도 불구하고, 일부 경로는 유사할 수 있지만 현재까지 중증질환 다발성신경병증에서 밝혀지지 않은 채로 남아있다.

마지막으로, 신경 세포막 비흥분성이, 전반적인 비흥분성 현상의 일부로서 근육과 심장에도 영향을 미치며, 중증질환다발성신경병증의 발병과 관련된 것으로 생각된다. 리치 등은 중증질환 환자에서 빠르고 가역적인 신경병증을 기술했으며 이러한 기전이 신경 퇴화보다 더 중요한 기전일 수 있거나 또는 중증질환 다발성신경병증에서 실제 신경손상에 선행할 수 있다고 제시하였다.[42] 동물 실험에서는 나트륨 채널의 불활성화가 신경 흥분성 감소에 기여한다는 것을 확인할 수 있었다. 당뇨성 다발신경증에서, 신경 비흥분성 변화가 확인되었다.[43] 중환자에서 신경흥분과 관련한 고혈당증의 잠재적 역할은 아직까지 연구되지 않았다.

무작위 시험에서 관찰된 효과가 순수히 신경보호 역할을 한다고 하기에는 너무 단순하다. 이 이론을 지지하는 첫 번째 이유는 IIT와 CIT 그룹 사이의 탈신경/신경 비활동의 지표에서 차이가 발견되지 않았기 때문이다.[25] 둘째, 자발적인 전기 활동은 근육병증을 가진 환자에서 나타날 수 있고 신경병증에 유일한 것이 아니다. 이 결과는 마이오신/액틴 변화에 선행하는 전기생리학적 변화가 있을 수 있고 따라서, 후자는 현재까지의 데이터만으로는 IIT에 의한 영향을 받지 않는 것 같다. 마지막으로, 우리는 아직 자발적인 전기활동과 근육 쇠약의 전기 생리학적 현상 사이의 관계는 아직 대규모 연구가 진행되지 않았고, 근력도 무작위 연구를 통해 공식적으로 평가된 적이 없음을 고려해야 한다. 활발한 자발적 전기 활동은 축삭병증 또는 근육의 괴사에서 발생할 수 있다. 이러한 기준은 감소한 CAMPs로 식별되는 근육병증의 특징인 근육막 비흥분성의 실체를 놓칠 수도 있다. 매우 초기에 나타나는 CMAPs의 감소에 비해 자발적 전기활동은 후기 단계에서 나타나기 때문에 신경 병증의 초기 징후를 하지 못할 수도 있다. 우리 센터에서 시행한 내과/외과계 중환자실 두 연구의 임상 데이터에서는 전기 생리학적 기준이 임상적으로 관련이 있음을 보여주었다. IIT는 장기간 기계환기의 필요를 줄였다. 이러한 이점이 질병 이환의 치료에 의한 효과인지 또는 향상된 근육 기능에 의한 것인지는 명확하게 구분할 수 없었다. 하지만 전기생리학적 진단도 장기간의 기계환기와 독립적인 상관관계가 있다는 관찰은 후자의 가설을 뒷받침한다.

결론

고혈당증이 CIP/CIM의 위험인자임은 여러 관찰연구를 통해 밝혀졌다. 또한, 두 개의 대규모 무작위 시험에서, 엄격한 혈당 조절 전략과 용인할만한 수준으로 혈당을 유지하는 전략을 비교했을 때, 이러한 중재로 전기 생리학적 CIP/CIM 발생이 감소하고 장기간 기계환기의 필요성이 줄어들면서 부가적으로 사망률이 감소하는 것을 보였다. 이러한 결과는 엄격한 혈당 조절의 효과를 후향적 분석을 통해 재확인되었다. 하지만 작용 기전은 분명하지 않다. 근육 수준에서 잠재적 동화작용과 미토콘드리아 보호효과가 제안되었지만, 이것은 정상혈당으로 조절된 중환자의 골격근 조직에서는 명확히 입증되지 못했다. 따라서 특정 병리학적 변화의 시간차로 설명할 수 있거나 또는 주로 신경 보호에 의한 효과로 설명할 수도 있다. 신경 수준에서의 여러 개념이 이러한 장점을 설명하기도 한다. 하지만 신경 생검은 침습적이기 때문에 인체를 대상으로 한 연구 결과는 아직 부족하다.

다기관 임상시험에서 사망률에 대한 전반적 장점이 재현되지 못하였고, 심지어 잠재적 위해를 보였기 때문에 중환자에서 최적의 혈당 조절 수준에 대해서는 논쟁이 지속되고 있다. 몇 가지 방법론적 문제의 관점에서 다양한 연구결과를 설명할 수도 있을 것이다. Leuven의 연구에서 방법론적 전제 조건이 충족되지 않을 경우 엄격한 혈당 정상화의 배에 올라타는 것은 추천되지 않는다.

참고문헌

1 Van den Berghe G, Schetz M, Vlasselaers D, et al. Clinical review: intensive insulin therapy in critically ill patients: NICE-SUGAR or Leuven blood glucose target? J Clin Endocrinol Metab 2009;94:3163-70.

2 Witt NJ, Zochodne DW, Bolton CF, et al. Peripheral nerve function in sepsis and multiple organ failure. Chest. 1991;99:176-84.

3 Stevens RD, Dowdy DW, Michaels RK, Mendez-Tellez PA, Pronovost PJ, Needham DM. Neuromuscular dysfunction acquired in critical illness: a systematic review. Intensive Care Med 2007;33:1876-91.

4 De Jonghe B, Bastuji-Garin S, Durand MC, et al. Respiratory weakness is associated with limb weakness and delayed weaning in critical illness. Crit Care Med 2007;35:2007-15.

5 Herridge MS, Cheung AM, Tansey CM, et al. One-year outcomes in survivors of the acute respiratory distress syndrome. N Engl J Med 2003;348:683-93.

6 Bolton CF, Gilbert JJ, Hahn AF, Sibbald WJ. Polyneuropathy in critically ill patients. J Neurol Neurosurg Psychiatry 1984;47:1223-31.

7 Thiele RI, Jakob H, Hund E, et al. Sepsis and catecholamine support are the major risk factors for critical illness polyneuropathy after open heart surgery'. Thorac Cardiovasc Surg 2000;48:145-50.

8 Bednarik J, Vondracek P, Dusek L, Moravcova E, Cundrle I. Risk factors for critical illness polyneuromyopathy. J Neurol 2005;252:343-51.

9 Garnacho-Montero J, Madrazo-Osuna J, Garcia-Garmendia JL, et al. Critical illness polyneuropathy: risk factors and clinical consequences. A cohort study in septic patients. Intensive Care Med 2001:27:1288-96.

10 Bercker S, Weber-Carstens S, Deja M, et al. Critical illness polyneuropathy and myopathy in patients with acute respiratory distress syndrome. Crit Care Med 2005;33:711-5.

11 Van den Berghe G, Wouters P, Weekers F, et al. Intensive insulin therapy in the critically ill patients. N Engl J Med 2001;345:1359-67.

12 Van den Berghe G, Wilmer A, Hermans G, et al. Intensive insulin therapy in the medical ICU. N Engl J Med 2006;354:449-61.

13 Vlasselaers D, Milants I, Desmet L, et al. Intensive insulin therapy for patients in paediatric intensive care: a prospective, randomised controlled study. Lancet 2009;373:547-56.

14 Brunkhorst FM, Engel C, Bloos F, et al. Intensive insulin therapy and pentastarch resuscitation in severe sepsis. N Engl J Med 2008;358:125-39.

15 Preiser JC, Devos P, Ruiz-Santana S, et al. A prospective randomised multi-centre controlled trial on tight glucose control by intensive insulin therapy in adult intensive care units: the Glucontrol study. Intensive Care Med 2009;35:1738-48.

16 Finfer S, Chittock DR, Su SY, et al. Intensive versus conventional glucose control in critically ill patients. N Engl J Med 2009;360:1283-97.

17 Finfer S, Liu B, Chittock DR, et al. Hypoglycemia and risk of death in critically ill patients. N Engl J Med 2012;367:1108-18.

18 Mesotten D, Gielen M, Sterken C, et al. Neurocognitive development of children 4 years after critical illness and treatment with tight glucose control: a randomized controlled trial. JAMA 2012;308:1641-50.

19 Van den Berghe G, Schoonheydt K, Becx P, Bruyninckx F, Wouters PJ. Insulin therapy protects the central and peripheral nervous system of intensive care patients. Neurology. 2005;64:1348-53.

20 Hermans G, Wilmer A, Meersseman W, et al. Impact of Intensive Insulin Therapy on Neuromuscular Complications and Ventilator-dependency in MICU. Am J Respir Crit Care Med 2007;175:480-9.

21 Hermans G, De Jonghe B, Bruyninckx F, Van den Berghe G. Interventions for preventing critical illness polyneuropathy and critical illness myopathy. Cochrane Database Syst Rev 2009;1:CD006832.

22 Van den Berghe G , Wilmer A, Milants I, et al. Intensive insulin therapy in mixed medical/surgical intensive care units: benefit versus harm. Diabetes. 2006;55:3151-9.

23 De Jonghe B, Lacherade JC, Sharshar T, Outin H. Intensive care unit-acquired weakness: risk factors and prevention. Crit Care Med 2009;37:S309-15.

24 Bloch S, Polkey MI, Griffiths M, Kemp P. Molecular mechanisms of intensive care unit acquired weakness. Eur Respir J 2011;39:1000-11.

25 Derde S, Hermans G, Derese I, et al. Muscle atrophy and preferential loss of myosin in prolonged critically ill patients. Crit Care Med 2012;40:79-89.

26 Hermans G, Schrooten M, Van Damme P, et al. Benefits of intensive insulin therapy on neuromuscular complications in routine daily critical care practice: a retrospective study. Crit Care 2009;13:R5.

27 Langouche L, Van den Berghe G. Glucose metabolism and insulin therapy. Crit Care Clin 2006;22:119-29, vii.

28 Vanhorebeek I, De VR, Mesotten D, Wouters PJ, De Wolf-Peeters C, Van den Berghe G. Protection of hepatocyte mitochondrial ultrastructure and function by strict blood glucose control with insulin in critically ill patients. Lancet 2005;365:53-9.

29 Langouche L, Vander Perre S, Wouters P, and Van den Berghe G. Expression of glucose transporters in critical illness. Crit Care 2006;10(Suppl 1):P252.

30 Gore DC, Wolf SE, Sanford AP, Herndon DN, Wolfe RR. Extremity hyperinsulinemia stimulates muscle protein synthesis in severely injured patients. Am J Physiol Endocrinol Metab 2004;286:E529-34.

31 Thomas SJ, Morimoto K, Herndon DN, et al. The effect of prolonged euglycemic hyperinsulinemia on lean body mass after severe burn. Surgery 2002;132:341-7.

32 Biolo G, De Cicco M, Lorenzon S, et al. Treating hyperglycemia improves skeletal muscle protein metabolism in cancer patients after major surgery. Crit Care Med 2008;36:1768-75.

33 Jespersen JG, Nedergaard A, Reitelseder S, et al. Activated protein synthesis and suppressed protein breakdown signaling in skeletal muscle of critically ill patients. PLoS One 2011;6:e18090.

34 Langouche L, Vander Perre S, Wouters PJ, D'Hoore A, Hansen TK, Van den Berghe G. Effect of intensive insulin therapy on insulin sensitivity in the critically ill. J Clin Endocrinol Metab 2007;92:3890-7.

35 Brealey D, Brand M, Hargreaves I, et al. Association between mitochondrial dysfunction and severity and outcome of septic shock. Lancet 2002;360:219-23.

36 Lanone S, Mebazaa A, Heymes C, et al. Muscular contractile failure in septic patients: role of the inducible nitric oxide synthase pathway. Am J Respir Crit Care Med 2000;162:2308-15.

37 Langouche L, Vanhorebeek I, Vlasselaers D, et al. Intensive insulin therapy protects the endothelium of critically ill patients. J Clin Invest 2005;115:2277-86.

38 Stibler H, Edstrom L, Ahlbeck K, Remahl S, Ansved T. Electrophoretic determination of the myosin/actin ratio in the diagnosis of critical illness myopathy. Intensive Care Med 2003;29:1515-27.

39 Fenzi F, Latronico N, Refatti N, Rizzuto N. Enhanced expression of E-selectin on the vascular endothelium of peripheral nerve in critically ill patients with neuromuscular disorders. Acta Neuropathol (Berl) 2003; 106:75-82.

40 Van den Berghe G. How does blood glucose control with insulin save lives in intensive care? J Clin Invest 2004;114:1187-95.

41 Tomlinson DR, Gardiner NJ. Glucose neurotoxicity. Nat Rev Neurosci 2008;9:36-45.

42 Novak KR, Nardelli P, Cope TC, et al. Inactivation of sodium channels underlies reversible neuropathy during critical illness in rats. J Clin Invest 2009;119:1150-8.

43 Krishnan AV, Lin CS, Kiernan MC. Activity-dependent excitability changes suggest Na+/K+ pump dysfunction in diabetic neuropathy. Brain 2008;131:1209-16.

44 Campellone JV, Lacomis D, Kramer DJ, Van Cott AC, Giuliani MJ. Acute myopathy after liver transplantation. Neurology 1998;50:46-53.

45 De Jonghe B, Sharshar T, Lefaucheur JP, et al. Paresis acquired in the intensive care unit: a prospective multicenter study. JAMA 2002;288:2859-67.

46 Nanas S, Kritikos K, Angelopoulos E, et al. Predisposing factors for critical illness polyneuromyopathy in a multidisciplinary intensive care unit. Acta Neurol Scand 2008;118:175-81.

Chapter 43

중환자실 물리·작업치료

윌리엄 D. 슈바이커트, 존 P. 크리스
(William D. Schweickert and John P. Kress)

서론

중증질환 생존율은 꾸준히 향상되고 있다. 근거-중심 치료 전략의 진보에 기인한 의료기술 발전은 매우 고무적이다.[1-6] 과거의 의료기술이라면 사망했을 중환자들이 생존함에 따라 기존의 어렵고 불안정하며, 오랜 시간이 걸리는 재활과정도 개선과 동시에 새로운 회복 방안이 필요하게 되었다. 중환자 회복에서 가장 큰 문제는 환자의 컨디션 저하(deconditioning)와 신경근육의 약화이다. 이러한 쇠약 현상은 급성호흡곤란증후군(ARDS), 패혈증, 전신성염증반응증후군(SIRS)에서 빈번하다.[7,8] 약화와 기능적 쇠약을 설명할 수 있는 원인과 기전은 명확히 밝혀지지 않았다; 단지 질병의 진행 과정과 병태생리학을 통하여 중환자실 생존자들의 신체 쇠약의 결과를 부분적으로 설명할 뿐이다.

지난 수십 년 동안 중환자의학이 발전함에 따라 오랜 시간 동안 침상안정 상태를 유지해야만 했던 생존자들도 많아졌다.[9] 비록 극도로 심각한 중증상태의 환자를 치료하는 능력이 발전한 것도 부가적인 원인이지만, 강력한 진정제, 진통제의 사용은 이러한 부동상태가 지속되는 주요한 원인이다. 절대 침상 안정(complete bed rest)의 부정적 효과는 60년 동안 거론되어 왔으나,[10,11] 현대 중환자의학이 생명을 유지할 수 있는 기술적 방법의 발전에 더 많은 노력을 기울여왔다. 최근까지도 이러한 생명 유지 전략은 자연적인 신체 기능을 포기하게 되는 기회비용에 주목하지 못했다. 그러나 기능하지 못하는 신체 장기(organ) 시스템을 '완전히 대체' 하고자 하는 철학이 대가를 치루지 않은 것은 아니다. 최근의 연구는 기능 부전 상태에 이른 장기가 일부 기능을 수행하도록 하는 것이 인공적인 수단으로 완벽하게 정상화를 하는 것보다 바람직하고 주장한다(예를 들어 기계환기를 사용할 경우 과탄산혈증을 허용하는 것,[12] 기계환기 보조를 줄이는 것,[13,14] 덜 적극적인 신대체요법(RRT)을 적용하는 것[15,16]). 이러한 치료 철학의 변화와 함께 절대 침상 안정의 필요성 또한 재고되고 있다.

중증질환의 장기적 영향

최근 의료계와 지역사회는 중환자실 생존자들이 겪는 장기적 문제에 대해 인식하기 시작하였다. 마찬가지로 호흡 부전에서 생존한 중환자에서 발생하는 장기적 문제들은 최근 임상 연구의 주요한 주제가 되고 있다. 중증 치료의 결과와 관련된 연구가 증가함에 따라, 심각하고 지속적인 신체적 결함에 대한 인식도 커지고 있다.[17-19] Herridge 등이 초기에 시행한 연구에서는, ARDS 생존자들을 병원 퇴원 후 1년을 추적관찰하였다. 2005년 통계자료에 따르면, 미국에서 해마다 급성폐손상 환자가 200,000명이 발생하여 74,500명이 사망하고 이 환자들에서 360만 입원일수가 보고되었다.[20] 이러한 수치는 현재에도 계속 증가하고 있다. Herridge 등이 시행한 이 기념비적인 연구는 ARDS 생존자들을 인터뷰하고 신체적, 정신적 기능 문제를 검사한 것이다. 연구자들이 연구 자료의 정확성과 완벽성을 확보 차 환자 방문을 위해 원거리 여행을 했을 정도로 평가는 매우 광범위하게 이루어졌다. 연령 중앙값이 45세로 젊음에도 불구하고, 109명의 모든 환자는 근육량 소실, 근위부 근육 약화, 피로를 호소했으며; 중환자실 치료 1년이 지난 후에도 상대적으로 젊은 환자들의 절반가량이 직장을 다니지 못했다.[21] 퇴원 후 5년을 연구한 최근의 동일한 코호트 연구에서는 64명의 생존자들에게 6분 보행검사(6-minute walk tests)와 'SF-36' 건강설문의 신체 요소 점수가 정상보다 확연히 낮은 점수를 보여 지속적, 영구적인 신체적 제약이 관찰되었다.[36] 이러한 신체기능의 제한에도 불구하고 다수의 생존자(94%)가 일터로 복귀할 수 있었던 것은 놀라운 결과이다. 그렇지만 중환자실 생존자의 신체적 쇠약에 관한 이러한 중요한 연구는 공공보건에서 중요한 의미를 갖는다.

인공호흡기 치료를 받는 중환자들이 장기간의 신체 부동상태로 인하여 신경근육 쇠약을 겪는 것이 자명함에도 불구하고 이와 관련된 연구는 현재까지도 매우 부족하다. 15년 전에 발표된 Griffiths 등의 탁월한 연구에서는, 호흡 부진으로 신경근육차단제를 사용하였던 중환자에서 한 측 다리에는 수동관절운동(continuous passive motion, CPM)을 시행하고, 그렇지 않은 편측 다리는 대조군으로 하여 CPM의 효과를 비교하는 실험을 하였다.[22] 결과는 근섬유의 위축을 예방하였으며, 근육 DNA와 단백질 비율(손실의 지표에 맞추어 설정된), 근육 단백질은 CPM 치료를 받은 측 다리에서 감소가 더 적었다. 연구자들은 중환자에서 수동(관절)근육 스트레칭 운동과 같은 단순한 치료만으로도 근섬유 구조가 더 많이 보존된다고 결론 내렸다.

중환자실에서 조기 물리치료에 관한 연구

지난 몇 해 동안, 여러 연구자들이 중환자들에게 깊은 진정과 장기적인 침상 안정으로 일컬어지는 전통적 치료가 아닌 조기 보행운동(early mobilization) 전략을 시행한 효과에 대해서 발표하였다.[23-30] 물리치료사, 작업치료사, 간호사, 호흡치료사, 의사로 구성된 전문가 팀이 중환자실 치료에 참여하여 환자를 침상이 아닌 일상 생활로 보내기 위해 노력하고 있다. 이러한 치료는 환자가 아직 인공호흡기를 필요로 하는 상태이더라도 매우 조기에 시행한다. 보행운동을 위하여 환자들은 각성 상태이어야 하며 외부 환경과 상호작용할 수 있어야 한다. 따라서, 진정제를 제한적이고 합리적으로 사용하는 중환자실 치료 전략이 필요하다. 깊은 진정과 부동상태는 분명한 상호관계가 있음에도, 신경근육에 미치는 유해한 영향에 관한 연구는 최근에서야 보고되었다. De Jonghe 등의 연구에서는 환자들을 보다 더 각성된 상태로 유지하기 위한 진정 알고리즘을 사용하고 그 결과를 서술하였다.[23] 이러한 알고리즘은 중환자실 환경평가(Assessment to Intensive Care Environment, ATICE)를 위한 도구로 고안되었다. 목표로 하는 의식 상태(각성 및 의식의 부가적인 영역을 포함한)와 환자의 견딤(tolerance) 정도(차분함, 환기 동조, 얼굴 표정 등)를 측정하는 이 도구는 간호 진정 알고리즘으로 사용된다. 이 '선후(before−after)' 연구에서, 새로운 치료 알고리즘은 각성을 회복하는 시간, 인공 호흡기 사용 시간, 중환자실 재원 기간이 감소하였다. 흥미롭게도 약물로 인한 부동의 상태가 감소함에 따라 욕창 발생이 50% 감소하였다.

Bailey 등은 인공 호흡기를 사용한 중환자들에게 조기 운동 치료를 시행했을 때 상당히 긍정적인 효과가 있음을 최초로 발표하였다.[24] 이 연구는 유타주 솔트레이크시에 위치한 LDS 병원 중환자실에 입원한 호흡부전 환자들을 대상으로 하는 전향적 코호트 연구였다. 이 '호흡기계 중환자실'에서는 최소한의 진정과 조기 보행방식을 적용하였다. 환자들은 다른 중환자실에서 평균 10일 정도 입원 후 '호흡기계 중환자실'로 전동되어 왔다. 호흡기계 중환자실에서의 보행치료(mobilization)는 환자가 음성언어 자극에 반응하고 산소분율(Fio_2) 0.6 그리고 호기말양압(PEEPs) 10 cmH_2O의 인공기계환기조건에서 호흡과 심혈관 상태가 안정되고 기립성 저혈압과 카테콜아민 투여가 없을 때 시행하였다. 보행치료 프로토콜은 물리치료사 호흡치료사, 간호사, 중환자실 보조인력을 포함한 팀 접근 방식으로 이루어졌다. 보행 알고리즘은 환자 용인(tolerance) 수준에 따라 단순한 것에서 복잡한 것으로 나아가는 순차적인 전략을 목표로 삼았다. 즉, 치료는 침대 끝에 걸터앉기로 시작하여 침대에서 의자로 이동하여 앉기, 그리고 보행 순으로 진행하였다. 물리치료사는 아급성기 상태의 환자들에게 이러한 순차적인 보행 치료를 일상적으로 적용하였다. 이 연구에서는 103명의 환자들에게 약 1,500회의 활동을 시행하였다. 고위험 질환에 이환된 환자들의 경우도 보행까지 흔하게 이루어졌다. 게다가, 기관삽관을 한 채로 기계환기를 하고 있는 환자들이 전체 치료횟수의 40% 이상을 차지하였다. 연구자들은 무릎으로 넘어짐(5회), 의미있는 혈압 변화(5회), 심각한 산소포화도 저하(3회), 의료 장비 빠짐(1회)과 같은 부정적인 사고의 발생률은 매우 낮았다고 밝혔다. 산소포화도 저하, 혈압 변화, 비계획적인 장치 제거(예; 환자의 자가 발관)와 같은 부정적인 사고는 일반적인 표준치료 중에도 발생한다는 것을 기억할 필요가 있다. 따라서, 이러한 이벤트들을 중환자실 환자들에게 '절대로 일어나서는 안 되는 일'로 볼 수는 없다. 이는 인공호흡기를 사용하는 중환자에서 보행이 안전하고 실행 가능한 것임을 체계적으로 서술한 최초의 연구였다. 그 후 같은 연구자들에 의한 추적 연구에서 중환자의 보행을 포함한 중환자실 치료철학과 문화의 중요성을 보고하였다.[25] 이 연구에서는 다른 중환자실에서 LDS 병원 '호흡기계 중환자실'로 전동 온 환자들은 보행을 포함한 재활치료계획이 2.5배 이상 더 많았다.

2008년에 Morris 등은 Wake Forest University에서 인공호흡기를 사용하는 내과계 중환자실 환자들을 대상으로 환자 보행(치료)에 관한 최초의 전향적 연구를 보고하였다. 이 연구에서 이동 치료팀은 물리치료사, 중환자실 간호사, 간호 조무사로 구성되었다. 이동 치료 전략은 순차적으로 구성되었으며 환자의 인지상태, 용인, 이동 과정의 수행 능력에 따라 정했다. 이 연구그룹은 지속적 진정제 투입을 매일 중단하는 전략을 이용하여, 기계환기 중 사용하는 진정제 투약을 최소화 하였다. 총 330명의 환자가 비-무작위 할당법(non-randomized block allocation manner)으로 선정되었다. 일반적인 치료를 받은 집단의 47%만이 이동할 수 있었던 것에 비해 최소 1번의 물리 치료를 받은 집단에서는 80%의 환자가 이동성을 회복하였다. 이동 치료를 받은 집단은 침상 생활에서 벗어나는 기간이 대조군보다 5일 빠르고 병원 재원기간이 2일 적었으며 이러한 결과는 통계적으로 의미있는 차이였다. 중요한 것은 이동 치료를 시행하는 동안 어떠한 부작용이나 의도하지 않은 의료기기 이탈 사고가 없었다는 것이다. 이 연구그룹은 최근 1년 추적 코호트 연구 결과를 보고하였다. 입원 기간 동안 330명의 환자 중 85%의 환자가 생존하였다. 이러한 조기 이동 후 사망이나 퇴원 후 1년 이내 재입원(1.77,95% CI 1.04–3.01)은 거의 절반으로 감소하였다.[26]

2009년에 Burtin 등은 내과계, 외과계 중환자실에 입원한 환자들에게 침상 자전거 에르고미터

(bicycle ergometer)를 사용한 조기 운동의 무작위대조 임상시험(RCT) 결과를 보고하였다. 대부분의 환자들은 외과계 중환자실의 환자였다.[27] 이 자전거 에르고미터를 사용한 치료는 중환자실 입원 후 거의 2주 후에 시작하였다.

중재 집단으로 무작위 선발된 환자들은 침상에서 자전거에르고미터를 사용한 치료를 받았다. 환자들은 일주일에 5회 자전거 운동 치료를 받았다. 자발적으로 참여할 정도의 각성이 되지 않는 환자들은 발을 페달에 고정하여 수동 관절 운동을 시행하였다. 자발적으로 수행할 수 있을 정도의 각성이 되면 능동적인 자전거 운동을 재개하였다. 이 연구에 속한 환자 중 84%는 기관삽관 상태였으며 인공 호흡기를 사용하고 있었다. 실험 결과 지표로 근력과 기능적 평가 결과를 보기로 하였다. 퇴원 시 6분 동안 걷는 거리가 조기이동치료를 받는 환자에서 더 길었다(196 m vs. 143 m, P<0,05). 또 치료군의 퇴원 시 SF-36 신체적 검사 점수(21 vs. 15, P<0.05)와 넙다리네갈래근(quadriceps)의 근력(2.37 N/kg vs. 2.03 N/kg, P<0.05)은 더 높았다. 자전거 타기는 중환자에게 적용 가능한 중재방법이다. 이 연구에서 총 425회의 자전거 치료가 시행되었으며 심각한 부정적인 사고는 발생하지 않았다. 치료 중 부작용은 거의 없었으며, 치료가 중단된 경우는 4%에 불과했다. 산소포화도 저하, 급작스러운 혈압 변화가 있는 경우에는 자전거 에르고미터 사용을 중단하였다.

Bourdin 등은 최근에 20명의 환자를 대상으로 한 관찰연구를 발표하였다.[28] 이 코호트 연구에서는 기계환기를 하는 환자의 1/3에게 평균 중환자실 입원 후 5일 후부터 조기 재활치료를 제공했다. 이 연구는 쇼크, 진정 상태, 신대체요법을 받는 환자를 제외한 다른 환자들에게 이동을 시작하기 위한 보존적 방법을 적용하였다. 반나절 이상 지속되는 진정(15%), 쇼크(11%), 신대체치료(9%)와 같은 상황에서는 재활치료를 실시하지 않았다. 이동 치료에는 의자에 앉기(56%), 상체를 지지 없이 기울기기(25%), 보행(11%), 상체를 보조를 받아 기울이기(8%)가 있다. 424회의 치료 중 부작용(adverse events)은 3%에 불과했다. 부정적 사고로는 낙상 없는 근긴장도 저하(7회), 저산소증(SpO_2<88% for >1 min), 비계획적 발관, 기립성 동맥 저혈압이 있었다. 사망, 심근경색, 심부전 혹은 폐부종은 발생하지 않았다. 이러한 연구 결과는 보존적 접근 방식의 이동(보행) 치료를 시행하는데 도움이 되었다. 15%의 환자는 지속적인 진정으로 이동(보행)치료를 할 수 없었으며, 이동(치료)가 성공하기 위해서는 이러한 문제를 줄이는 것이 중요하다.

Needham 등은 중환자들에게 운동치료를 전/후 비교에 관한 연구를 시행하였다.[29]

연구자들은 중환자들의 이동성을 확보하고 기능적 이동 능력을 증진하기 위하여 진정과 섬망을 줄여야 함을 인지하였다. 이러한 질향상(QI) 프로젝트는 물리치료사와 작업치료사를 포함한 중환자실 의료진들로 이루어진 다학제팀을 주축으로 시행되었다. 프로젝트는 중환자들을 전통적인 방법인 깊은 진정에서 깨우고 침상안정에서 체계적인 이동훈련으로 이행하는 변화였다. 프로젝트의 결과로 진정제와 마약성 진통제의 사용은 감소하였고 중환자실 섬망 발생은 감소하였다. 이러한 변화는 재활치료를 더 많이 받고 더 높은 기능적 이동 수준을 획득한 환자들에게 나타났다. 중환자실 재실 기간은 평균 2.1일(95% CI 0.4–3.8); 병원 재원기간은 3.1일(95% CI 0.3–5.9) 감소했다. 의사들과 병원 집행부는 이러한 '전–후'분석에서 환자들의 결과에 괄목할 만한 향상이 있음을 알게 되었다. 이러한 결과는 새로운 중재에 필요한 지속적인 재정적 지원을 제공해야 하는 병원의 지원 노력 덕분이었다. 연구는 임상적 근거를 마련하기 위해서도 중요하지만 행정 전문가들에게 주는 메세지도 중요하다. 병원 행정 전문가들도 환자들의 기능을 증진시키는 이러한 새로운 중재 방법을 수용해야 한다. Needham 등의 연구는 침상에서 하는 치료를 넘어서는 새로운 환자치료 전략의 중요성을 증명하였다. 새로운 치료 전략을 도입하여 확산하기 위해서는 의료진과 병원 관리자들의 소통이 중요하다.

2009년 Schweickert 등은 기계환기가 필요한 호흡 부전 환자들에게 조기 물리치료와 작업치료를 시행한 전향적 무작위맹검연구 결과를 발표하였다.[30] 이 프로젝트는 인공호흡기를 사용한 중환자들에게 조기 이동성을 평가하는 무작위배정–맹검 방법을 시행했다는 점에서 특별하다. 연구자들은 입원 후 즉시 조기 보행 프로토콜을 적용하였다. 이 연구의 목적은 컨디션 저하가 발생하기 전에 조기에 '보행'을 할 수 있도록 하는 것이다. 두 기관에서는 중환자실 입원 전 기능적으로 독립 수준이었고, 인공호흡기를 사용한 지 72시간이 넘지 않은 내과계 중환자실 환자들을 연구에 등록하였다. 연구집단은 이동성과 일상생활활동(i.e. ADLs)에 초점을 두고 물리치료와 작업치료를 시행하는 중재치료군과, 삽관상태로 조기보행치료를 받지 않는 대조군으로 무작위 선발하였다. 두 집단 모두 진정제 투약 중단,[31] 매일 자발호흡훈련,[32] 조기 경장영양, 엄격한 혈당 조절[33] 치료를 받았다. 물리치료사, 작업치료사는 환자가 진정상태에서 깨어난 후에 점진적, 순차적으로 치료를 진행하였다. 이 팀은 침대 끝에 걸터 앉기, ADLs 연습, 이동 훈련, 보행 등과 같은 운동을 환자에게 제공했다. 이동 프로토콜은 환자가 견딜 수 있는 수준과 생리적 안정 여부에 따라 조정되었다. 대조군은 이전의 치료 방식과 동일한 물리치료와 작업치료를 제공 받았다. 대조군의 치료는 기관튜브를 발관 한 후에 시작하였다.[24,25,34-37] 치료사들은 연구에 포함된 환자들의 기능적 능력을 평가하였나. 연구의 주요 목표 성과는 병원 퇴원 시 환자의 '기능적 독립 수준'이었다. 기능적 독립이란 ADLs (목욕, 옷입기, 식사, 개인위생, 침대–의자 이동, 화장실 이동) 수행과 독립적인 보행을 의미한다.

중환자실 입원이 5일 이상 경과 후 치료를 시작한 이전의 연구와 비교하면, 이번 조기재활 연구는 평균 삽관 후 1.5일 이후에 치료를 시작했다. 이 연구에서 환자들은 기계환기를 필요로 하는 상태였지만 의미있는 변화를 보였다. 49명의 삽관한 환자들에게 244회의 치료를 시행하였다. 침대 이동은 삽관 후 평균 1.7일(76%), 기립은 삽관 후 평균 3.2일(33%), 의자에 앉기는 삽관 후 평균 3.1일(33%); 평균 15피트 거리 보행은 삽관 후 평균 3.8일(15%)이 지난 후에 성공하였다.[38]

이전에 알려진 바와 같이, 동의서 작성에 필요한 시간만이 제한요소가 될 뿐이므로, 즉각적인 보행치료는 인공호흡기를 사용하는 환자의 신경 근육 컨디션 저하가 빠르게 발생한다는 점에 주목한다. 게다가, 최근의 연구들에서 전적으로 인공호흡기에 의존한 초기 몇 시간 이내에 횡경막의 구조적 소실과 기능적 저하가 관찰되었다.[13,39] 이러한 결과는 중증질환의 초기 단계에서도 신경근육계 손상의 위험이 존재한다는 것을 의미한다. 이러한 문제는 중증질환 생존자들에게 추가적인 어려움을 일으킴에도 불구하고 의료진에게는 순환기계 또는 호흡기계 문제들만큼 명확하지는 않다.

조기 보행 전략의 프로토콜을 적용 받은 경우에 기능적 독립을 획득한 환자의 수는 1.7배(59% vs. 35%, P=0.02) 증가하였다. 조기 재활치료를 받은 중재군을 대조군과 비교할 때 중재군 환자들이 퇴원 후 바로 집으로 돌아가는 확률이 더 높았다(43% vs. 24%, P=0.06). 기계환기 사용 기간은 (3.4일 vs. 6.1일, P=0.02)로 감소하였고, 인공호흡기 불필요 시간(ventilator free days, VFDs)는 (23.5% vs. 21.1%, P=0.05) 증가하였다. 중환자실 섬망이 지속된 시간은 진정제 투여의 변화가 없음에도 50%(2.0일 vs. 4.0일, P=0.03) 감소하였다. 조기 재활을 받은 환자들은 대조군과 비교했을 때 최대 보행 거리가 더 길고(33.4 m vs. 0 m, P=0.004), 퇴원 후 ADLs 수행 횟수도 많았으며(6 vs. 4, P=0.06), 인공호흡기 불필요 시간(VFDs)도 더 길었다(23.5 vs. 21.1, P=0.05).[30] 전체 치료 세션 중 단지 6%에서 산화헤모글로빈 저하(>5%), 4%의 세션에서 20% 이상의 심박수 증가, 4%의 세션에서 환기기 비동시성, 2%의 세션에서 초조(agitation), 0.8%의 세션에서 의료기기의 이탈이 발생하는 등 부작용의 발생은 극히 적었다. 전체 세션의 4%에서만이 치료가 중단되었다. 이 연구에서 시행한 중재는 모든 환자들이 조기재활치료를 받는 원칙을 포함하였다. 과거에 '불안정'하다고 여겨지던 환자들이 부정적 사고 없이 보행할 수 있었다. 다수 환자들은 급성폐손상(이동 프로그램 세션의 58%), 병적 비만(41%), 승압제를 요하는 쇼크(17%), 그리고 신대체요법(9%)이 필요한 상태였다.

결론

기계환기를 필요로 하는 호흡부전에서 회복한 중환자실 생존자들은 신경근육의 약화와 기능 장애를 겪는다. 질병 이환 후에 회복할 수 있었던 운이 좋았던 환자들의 회복도 장기간 그리고 종종 불완전하다는 점에서 급성질환으로 인한 부담은 장기간 지속된다. 중환자를 위한 다학제 치료 개념은 중환자의학의 핵심으로 자리잡고 있다. 인공호흡기 치료를 받는 환자들을 치료하는 것이 물리치료와 작업치료의 전통적인 역할이 아니었지만, 환자들에게 새로운 이점을 지닌 치료를 제공해야 한다는 것은 논쟁의 여지가 없다. 최근 문헌들을 보면 인공호흡기를 사용한 환자들의 보행은 명백히 실행 가능하고 안전하다. 이와 같은 치료 방식을 확산하기 위해서는, 진정을 최소화하려는 노력이 필수적이다. 중환자의학의 치료 방식은 전통적인 위계 치료 모델에서 다학제 모델의 방식으로 옮겨가야 한다; 이러한 방식은 잠재력이 크며 이로 인한 이점이 크다. 특정 환자 그룹에서 다른 치료와 비교한 조기 재활의 이점을 규명하는 연구가 더 필요하다. 고위험군 환자의 심신을 활력 있게 유도하고 중환자실 문화를 바꾸기 위하여, 진정과 장기간 부동의 문제는 지속적으로 강조되어야 한다.

참고문헌

1 Lilly CM, Cody S, Zhao H, et al. Hospital mortality, length of stay, and preventable complications among critically ill patients before and after tele-ICU reengineering of critical care processes. JAMA 2011;305:2175-83.

2 Brochard L, Mancebo J, Wysocki M, et al. Noninvasive ventilation for acute exacerbations of chronic obstructive pulmonary disease. N Engl J Med 1995;333:817-22.

3 Papazian L, Forel JM, Gacouin A, et al. Neuromuscular blockers in early acute respiratory distress syndrome. N Engl J Med 2010;363:1107-16.

4 Rivers E, Nguyen B, Havstad S, et al. Early goal-directed therapy in the treatment of severe sepsis and septic shock. N Engl J Med 2001;345:1368-77.

5 The National Heart L, and Blood Institute Acute Respiratory Distress Syndrome (ARDS) Clinical Trials Network. Ventilation with lower tidal volumes as compared with traditional tidal volumes for acute lung injury and the acute respiratory distress syndrome. The Acute Respiratory Distress Syndrome Network. N Engl J Med 2000;342:1301-8.

6 Briel M, Meade M, Mercat A, et al. Higher vs. lower positive end-expiratory pressure in patients with acute lung injury and acute respiratory distress syndrome: systematic review and meta-analysis. JAMA 2010;303:865-73.

7 de Letter MA, Schmitz PI, Visser LH, et al. Risk factors for the development of polyneuropathy and myopathy in critically ill patients. Crit Care Med 2001;29:2281-6.

8 Latronico N. Neuromuscular alterations in the critically ill patient: critical illness myopathy, critical illness neuropathy, or both? Intensive Care Med 2003;29:1411-3.

9 Petty TL. Suspended life or extending death? Chest 1998;114:360-1.

10 Dock W. The evil sequelae of complete bed rest. JAMA 1944;125:1083-5.

11 Asher RA. The dangers of going to bed. Br Med J 1947;2:967.

12 Ijland MM, Heunks LM, van der Hoeven JG. Bench-to-bedside review: hypercapnic acidosis in lung injury from 'permissive' to 'therapeutic'. Crit Care 2010;14:237.

13 Hussain SN, Mofarrahi M, Sigala I, et al. Mechanical ventilation-induced diaphragm disuse in humans triggers autophagy. Am J Respir Crit Care Med 2010;182:1377-86.

14 Futier E, Constantin JM, Combaret L, et al. Pressure support ventilation attenuates ventilator-induced protein modifications in the diaphragm. Crit Care 2008;12:R116.

15 Palevsky PM, Zhang JH, O'Connor TZ, et al. Intensity of renal support in critically ill patients with acute kidney injury. N Engl J Med 2008;359:7-20.

16 Bonventre JV. Dialysis in acute kidney injury-more is not better. N Engl J Med 2008;359:82-4.

17 Herridge MS, Tansey CM, Matte A, et al. Functional disability 5 years after acute respiratory distress syndrome. N Engl J Med 2011;364:1293-304.

18 Misak CJ. The critical care experience: a patient's view. Am J Respir Crit Care Med 2004;170:357-9.

19 Misak C. ICU psychosis and patient autonomy: some thoughts from the inside. J Med Philos 2005;30:411-30.

20 Rubenfeld GD, Caldwell E, Peabody E, et al. Incidence and outcomes of acute lung injury. N Engl J Med 2005;353:1685-93.

21 Herridge MS, Cheung AM, Tansey CM, et al. One-year outcomes in survivors of the acute respiratory distress syndrome. N Engl J Med 2003;348:683-93.

22 Griffiths RD, Palmer TE, Helliwell T, MacLennan P, MacMillan RR. Effect of passive stretching on the wasting of muscle in the critically ill. Nutrition 1995;11:428-32.

23 De Jonghe B, Bastuji-Garin S, Fangio P, et al. Sedation algorithm in critically ill patients without acute brain injury. Crit Care Med 2005;33:120-7.

24 Bailey P, Thomsen GE, Spuhler VJ, et al. Early activity is feasible and safe in respiratory failure patients. Crit Care Med 2007;35:139-45.

25 Thomsen GE, Snow GL, Rodriguez L, Hopkins RO. Patients with respiratory failure increase ambulation after transfer to an intensive care unit where early activity is a priority. Crit Care Med 2008;36:1119-24.

26 Morris PE, Griffin L, Berry M, et al. Receiving early mobility during an intensive care unit admission is a predictor of improved outcomes in acute respiratory failure. Am J Med Sci 2011;341:373-7.

27 Burtin C, Clerckx B, Robbeets C, et al. Early exercise in critically ill patients enhances short-term functional recovery. Crit Care Med 2009;37:2499-505.

28 Bourdin G, Barbier J, Burle JF, et al. The feasibility of early physical activity in intensive care unit patients: a prospective observational one-center study. Respir Care 2010;55:400-7.

29 Needham DM, Korupolu R, Zanni JM, et al. Early physical medicine and rehabilitation for patients with acute respiratory failure: a quality improvement project. Arch Phys Med Rehabil 2010;91:536-42.

30 Schweickert WD, Pohlman MC, Pohlman AS, et al. Early physical and occupational therapy in mechanically ventilated, critically ill patients: a randomised controlled trial. Lancet 2009;373:1874-82.

31 Kress JP, Pohlman AS, O'Connor MF, Hall JB. Daily interruption of sedative infusions in critically ill patients undergoing mechanical ventilation. N Engl J Med 2000;342:1471-7.

32 Ely EW, Baker AM, Dunagan DP, et al. Effect on the duration of mechanical ventilation of identifying patients capable of breathing spontaneously. N Engl J Med 1996;335:1864-9.

33 van den Berghe G, Wouters P, Weekers F, et al. Intensive insulin therapy in the critically ill patients. N Engl J Med 2001;345:1359-67.

34 Gosselink R, Bott J, Johnson M, et al. Physiotherapy for adult patients with critical illness: recommendations of the European Respiratory Society and European Society of Intensive Care Medicine Task Force on Physiotherapy for Critically Ill Patients. Intensive Care Med 2008;34:1188-99.

35 Hodgin KE, Nordon-Craft A, McFann KK, Mealer ML, Moss M. Physical therapy utilization in intensive care units: Results from a national survey. Crit Care Med 2009;37:561-6.

36 Martin UJ, Hincapie L, Nimchuk M, Gaughan J, Criner GJ. Impact of whole-body rehabilitation in patients receiving chronic mechanical ventilation. Crit Care Med 2005;33:2259-65.

37 Morris PE, Goad A, Thompson C, et al. Early intensive care unit mobility therapy in the treatment of acute

respiratory failure. Crit Care Med 2008;36:2238-43.

38 Pohlman MC, Schweickert WD, Pohlman AS, et al. Feasibility of physical and occupational therapy beginning from initiation of mechanical ventilation. Crit Care Med 2010;38:2089-94.

39 Levine S, Nguyen T, Taylor N, et al. Rapid disuse atrophy of diaphragm fibers in mechanically ventilated humans. N Engl J Med 2008;358:1327-35.

Chapter 44

신경근 전기 자극: 새로운 치료 및 재활 전략

바실리키 제로바실리, 세라핌 N. 나나스
(Vasiliki Gerovasili and Serafim N. Nanas)

서론

의학과 과학기술의 발전으로 중환자실 생존자는 꾸준히 증가하고 있다.[1] 그러나, 생존 후에도 사회와 개인 모두 상당한 비용 문제를 떠안게 된다. 중증질환 생존자들은 신체 기능 손상과 중환자실 퇴원 후 수년 동안 지속되는 삶의 질(QoL, Quality Of Life) 문제로 고통 받는다.[2] 급성호흡곤란증후군(ARDS) 환자의 중환자실 퇴원 후 5년간 기능적 능력을 평가한 획기적인 연구에서는, 이전에 건강하였던 개인 대다수가 병전의 기능 상태로 돌아가지 못했다.[2] 그 사회적 부담은 상당할 것이다. 연구들은 생존 5년 후, 환자의 23%가 직장으로 복귀하지 못했으며, 보건의료서비스 이용이 증가하고 결과적으로 의료 비용이 증가함을 보여주고 있다.[2,3]

중환자실 획득 쇠약(Intensive Care Unit Acquired Weakness, ICUAW)은 중증질환의 가장 흔한 신경근 합병증이다. 전반적인 근쇠약, 건 반사 감소, 기계환기 이탈 실패 등으로 나타난다.[4,5] 그리고 이로 인해 중환자실 및 병원 입원기간이 길어진다.[6] ICUAW의 발생률은 23%에서 50% 이상으로 보고되고 있으며, 진단적, 임상적, 또는 전기생리학적 기준에 따라 차이가 있었다.[4,5] ICUAW가 발생한 환자는 몇 개월 동안 근 약화가 지속될 수 있으며, 일부는 완전히 회복하지 못하기도 한다.[7] 이러한 관점에서 ICUAW 예방은 매우 절실하다.

ICUAW 발생과 관련한 몇몇 위험요인들이 제시되고 있다. 패혈증-특히 그람음성세균[5] 그리고 전신성염증반응증후군(SIRS)은 말초신경과 골격근에 영양과 산소를 공급하는 미세 순환의 변화를 야기하여 기능적, 구조적 손상을 초래한다. 신경근의 독성을 초래하는 약물들과(NMBAs 와 아미노글리코사이드와 같은) 부동상태 또한 중요한 원인일 수 있다.[4,8,9]

중증질환은 일반적으로 침상안정과 깊은 진정을 요구하는 상태로 인식되어 왔다. 왜냐하면 급성 질병상태와 장기부전의 치료가 중요했기 때문이다. 환자들을 움직이게 하기에는 '몹시 위중하다'라고 인식되어 왔고, 신경근육계는 중증질환의 급성기 동안에 간과되는 경향이 있었다. 따라서 진정제 중단 후 이미 심각한 근 약화가 발생했는지 주의가 필요하다.

침상안정과 부동화가 골격근에 미치는 효과

부동 상태는 말초 골격근에 이롭지 않다. 건강한 사람에게도 부동상태는 근육량의 심각한 소실을 초래한다. 최근 한 연구에서,[10] 5주간 움직이지 않았을 때 근육량이 12%까지 감소하였다. 컴퓨터단층촬영결과였으며 근력은 20%까지 감소하였다.

골격근에 부동상태가 미치는 영향은 중증 질병, 패혈증 환자들에게 더욱 확연하였다. 중증질환과 패혈증은 근육 조직의 이화(catabolic state)를 유도하며, 근육 조직의 소실에 부동 상태로 인한 영향을 가속화한다. DEXA (Dual-Energy X-ray Absorptiometry)를 이용한 평가에서, 중환자가 21일 동안 움직이지 않았을 때 골격근 질량이 대략 1 kg 감소하였다.[11] 흥미롭게도 골격근 질량의 소실은 2/3가 부동상태 첫 5일 동안 발생하였다. 최근 한 증례 보고에서, 33일간 중환자실 중환자실 입원기간 중 체중의 11.2 kg 소실이 있었고 33%는 골격근이었다.[12] 최근 연구에서, 1주 동안 움직이지 않았을 때 초음파를 이용한 평가한 대퇴직근(rectus femoris)의 단면 지름이 대략 13% 감소하였다.[13] ICUAW의 발생률을 평가하는 전기생리학 연구들에서는 중증질환의 첫 1주 동안 비정상 신경생리학 상태의 증거가 있었다; 이러한 변화는 또한 근 생검에서 명백하였으며, 질병 발생 첫 15일이내 구조적 근손상을 보여주었다.[14] 이러한 자료들은 ICUAW의 발생을 막기 위한 중재를 효과적으로 하기 위해서는 중환자실 입실 후 가능하다면 초기 안정화 후 즉시 시작해야 함을 의미한다.

중증질환에서 조기 보행 프로토콜

최근에 중증질환에 의한 근쇠약을 방지하기 위해 조기 재활을 시행하는 것에 대한 관심이 증가하고 있다.[15] 실제로, 조기 보행의 개념은 새로운 것이 아니다. 2차 세계대전으로 거슬러 올라가면, 심지어 기계환기를 사용하는 환자에서도[16] 조기 보행의 이점을 보고한 연구들이 있다.[17]

많은 연구들이 중증질환에서 조기 재활의 실행가능성과 효과를 보고하고 있다. 조기 보행은 안전하다고 생각되며,[15] 자료들에 의하면 조기 보행을 받은 환자들이 중환자실 퇴원 시에 더 멀리 보행할 수 있고 중환자실 및 병원 입원기간이 더 짧다는 것을 보여준다.[18] 게다가, 조기 보행의 부재는 중환자실 퇴원 후 첫 해 동안 재입원이나 사망과 관련이 있었다.[19] 중환자실에 있는 동안 조기 물리치료와 작업치료의 결과 기능적 독립 상태로의 회복하는 경우가 많아졌다.[20] 또한 호흡기 환자의 표준 물리치료에 더해서 침상 자전거 치료를 했을 때 병원 퇴원 시 보행 능력이 향상되었고 삶의 질(QoL)도 개선에도 기여했다.[21] 그러므로 조기 재활은 중환자에게 실행가능하며 안전한 것으로 생각된다. 비록 서로 다른 결과 지표를 사용했음에도 불구하고 중증환자에게 유익한 것으로 생각된다.

신경근 전기 자극과 기본 원칙들

신경근 전기 자극(neuromuscular electrical stimulation, NMES)은 중환자의 조기 보행을 위한 다른 재활 도구와 병합하여 사용할 수 있는 대안 중 하나이다. NMES는 특히 중증질환의 급성기 중에 유익하다. 왜냐하면 이 시기 동안 상당히 많은 중환자들이 진정제나 인지손상으로 물리재활치료에 참여하지 못하기 때문이다. NMES는 이러한 문제를 극복할 수 있으며, 환자의 협조에 구애받지 않으며 진정상태의 환자에게도 시행할 수 있기 때문이다. 따라서 이는 중환자실 환경에서 조기 보행의 대안이 될 수 있다.

NMES는 정상인과[22] 환자에게 운동의 대안으로 널리 적용되고 있다.[23,24] NMES은 근수축을 유도하기 위해 전기적 자극을 사용한다. 낮은 전압의 전기적 자극이 피부표면에 붙인 전극을 통해 각각의 근육으로 전달된다. 이러한 전기적 자극들은 가벼운 운동 동안 수의적, 반복적인 근수축과 유사한 특징을 가진 불수의적 근수축을 끌어낸다.

NMES 적용하려면 전류의 형태, 펄스 지속시간, 펄스 주파수, 펄스 강도 그리고 동작 비율을 결정하면 된다. 가장 널리 사용되는 전류의 형태는 서로 다른 모양을 갖는 두 개의 이상성 펄스 전류이다(예; 직사각형, 부등변 사각형). 펄스 지속 시간은 각각의 전류 임펄스의 지속 시간을 결정한다. 지속 시간을 길게 하는 것은 흔하지 않지만 범위는 주로 0.2와 0.5 ms 사이이다. 펄스 주파수는 특정 시간 동안 전달된 전류 임펄스의 횟수이며, Hz로 측정한다. 환자들에게 사용할 때는 10–50 Hz 사이 펄스 주파수가 가장 흔하다. 높은 주파수는 주로 근력을 책임지는 type II 근섬유(무산소)를 자극한다고 생각되며, 낮은 주파수(10에서 20 Hz 사이)는 주로 type I 근섬유(유산소)를 자극하여 근지구력 강화를 목적으로 하는 NMES 프로그램에서 선호된다. 펄스의 강도는 각각의 근수축으로 자극할 수 있는 근섬유의 수를 결정한다. 대체로 환자 내성에 따라 결정한다. 마지막으로, 동작비율은 근육에 전달되는 전류의 시간 총량을 의미한다. 일반적으로, 전류는 수 초간 전달된다(미리 정해진 지속시간, 주파수, 강도의 임펄스). 뒤이어 근손상을 예방하기 위해 수 초간 완전한 근 휴식을 한다.

NMES는 쉽게 적용할 수 있고, 가정 재활 프로그램에서 환자들에게는 스스로 NMES를 적용할 수 있도록 교육할 수 있다.[24] 피부 상태를 적절하도록 준비한 후(제모가 필요할 수도 있다), 선택된 근육을 따라 전극을 피부 위에 부착하고 자극 장치에서 전극을 통하여 전류를 전달한다. 각 세션의 지속 시간 범위는 30분에서[25] 4시간까지[26] 이다. 가장 주된 부작용은 전기 자극 중에 피부의 자극과 통증이다. 통증이 있을 때는 일반적으로 가장 높은 내성 수준까지 전류 강도를 감소시키면 된다. 환자가 NMES에 익숙해지면 더 높은 전류 강도를 견딜 수 있기 때문에 전류 강도는 적절히 조절하여야 한다. 선행 연구들에서 NMES는 안전하다고 알려져 있지만, 세동 제거기(defibrillator)와 박동조율기(pacemaker)를 이식한 환자에게는 아직 금지하고 있다.[27]

건강인 참여자에서 NMES

NMES는 건강한 사람과 운동선수들에게 사용되고 있으며 근력 향상을 보였다.[22] 최근 건강한 대상자의 메타 분석에서는 NMES가 대퇴사두근의 근력 증가에 효과가 있다고 증명하였다. 건강한 정상인에서 수의적 운동과 병행한 NMES는 운동만 단독으로 시행하는 것 보다 더 효과적이었다. 하지만, 건강한 정산인에서 NMES만 적용하는 것보다 운동이 더 효과적이다.[23]

만성심부전과 만성폐쇄성폐질환 환자에서 NMES

지난 십 년 동안, 울혈성심부전(Chronic Heart Failure, CHF)과 만성폐쇄성폐질환(Chronic Obstructive Pulmonary Disease, COPD) 환자에서 NMES의 사용이 증가하고 있으며, 재활 프로그램의

일부분으로 단독 또는 수의적 운동과 병행하여 이용되고 있다.[23-26] 심기능이나 폐 손상으로 운동에 참여할 수 없는 환자들은 NMES를 이용하여 운동능력,[26] 근력,[23-25] 삶의 질[24] 측면에서 이득이 있었다.

6분보행검사 보행거리와 최대 운동 테스트(maximum exercise test) 동안의 최대 산소 소비(peak oxygen consumption)로 평가했을 때,[26,28] 중증 만성폐쇄성폐질환이나 울혈성심부전 환자에서 NMES는 유산소 운동 능력이 개선된다. NMES으로 COPD 환자와[23,25] CHF 환자의[24,26,28] 근력과 근지구력도 향상되었다.

COPD 환자에서 NMES은 근력과[23,25] 지구력을[29] 상당히 증가시키는 결과를 보이며, 유사한 결과가 CHF 환자에서도 보고되었다.[24,26,28] NMES 프로그램 후, 골격근의 구조적 변화가 관찰되었는데 type I 근섬유가 증가하고 구연산염(citrate) 합성 효소 활성도가 증가하였다.[26]

또한 NMES 재활 프로그램 후, 삶의 질(QoL) 또한 개선되는 것으로 생각된다. NMES 재활 프로그램 후, 중증 COPD 환자는 호흡곤란을 적게 느꼈다고 보고하였다.[23] 중증 CHF 환자에서 일상활동능력(Activities of Daily Living, ADLs)이 호전되었는데 이는 기능적 향상을 반영한다.[24] 불응성 CHF을 대상으로 한 연구에서, NMES 프로그램 후, NYHA (New York Heart Association) 호흡곤란 정도의 향상이 보고되었다.[24]

이러한 자료들은 NMES가 대안적인 재활 도구 또는 재활 프로그램의 일부분으로서 중증심장질환이나 폐기능 부전 환자에게 안전하게 사용될 수 있다는 것을 의미한다. 이러한 환자들에서 NMES는 운동능력, 근력과 지구력 그리고 QoL의 측면에서 도움이 된다.

중증질환에서 NMES

아홉 편의 연구들에서[30-37] NMES가 중환자에게 미치는 효과를 평가하였다. 또한 내과계 중환자실에서 진행되고 있는 NMES를 활용한 임상 시험 프로토콜도 공개되었다.[38] 이들 아홉 편의 연구들은 중증질환 급성기 동안 중환자실에서 시행되었으며, 하나의 연구는[25] 만성적으로 기계환기를 사용하는 환자를 대상으로 준중환자실에서 시행되었다. 여섯 편의 연구가 다학제 중환자실에서 시행되었으며,[30-34,37] 세 편의 연구는 내과계 중환자실에서 시행되었다.[35,36,38] 일곱 편의 연구는 무작위배정대조군시험(Randomised Controlled Trials)이었고[25,31-33,37,38] 하나의 연구는 무작위가 아니었고, 나머지 두 개의 연구에서 몸의 한 쪽(왼쪽 또는 오른쪽)을 NMES 적용을 위해 무작위 선택하고, 다른 쪽은 대조군으로 정했다.[34,35]

환자들의 특징

이 연구들에 포함된 환자군은 상이하였다; 하지만 환자군의 일부 특징은 모든 연구에서 일치하였다. 환자들은 중증질환 상태였으며 상태는 중증도 점수로 평가하였다; 환자들은 기계환기를 받았고 대부분은 급성기 동안에는 진정상태로 치료를 받았다. 한 연구에서 환자들은 중환자실에서 30일 투병 후 준중환자실로 옮겨졌고 장기간 동안 기계환기를 받고 있었다.[25] 여섯 개 연구에서 외상 환자를 포함하여 내과계 및 외과계 중환자실의 환자들을 모두 포함하였고,[30-33,36,37] 두 개의 연구에서는 패혈증 쇼크가 등록기준이었으며,[34,35] 한 연구에서는 오직 만성폐쇄성폐질환 환자만 포함하였다.[25] 진행 중인 임상 시험에서는 내과계 중환자실에서 기계환기를 받는 환자만 등록하고 있다.[38] 하지만, 모든 연구가 중환자실 환경에서 시행되었다는 것, 대부분의 환자에서 중증 패혈증 그리고/또는 패혈증 쇼크가 있었다는 것에 주목해야 한다.

모든 연구들에서 환자의 수는 상대적으로 적었다. 가장 큰 연구에서는 140명의 환자를 무작위 배정하였고, 이 중 52명을 치료목적분석(intention−to−treat)방식으로 분석하였다.[32] 나머지 연구들에서는 8명에서 49명까지로 환자 수가 더 작았다. 여덟 개 연구에서는 일반적인 치료 또는 위(가짜) NMES를 받는 대조군을 이용하였고,[25,30-33,36,38] 두 개의 연구에서는 몸의 한 부분(왼쪽 또는 오른쪽)을 자극(치료)하고 다른 부분은 대조군으로 정하였다.

환자군의 차이와 상대적으로 작은 표본 크기에도 불구하고, 모든 연구에서 패혈증 그리고/또는 패혈증 쇼크가 있었던 중증 환자들 대부분은 진정상태에서 기계환기를 받았다. 이러한 환자들은 전형적인 중증질환 환자를 대표하는 것으로, 결과의 일반화가 가능하다.

자극 근육군

NMES에 주로 이용되는 근육근은 하지의 큰 근육군이다. 세 편의 연구에서는[33,34,36] 대퇴사두근만 사용하였고, 여섯 편의 연구에서는 대퇴사두근과 함께 하지의 다른 근육군(장비골근, 둔군, 전경골근, 비복근)도 치료하였다.[25,30-32,37,38] 한 연구에서는 대퇴사두근과 상완이두근을 검사에 이용하였다.[35]

근육군은 가능하면 가장 큰 근육량을 자극하기 위한 필요로 선택하였다. 가능한 가장 큰 근육량을 자극하는 것은 특정 근육군을 선택하는 것보다 중요하다. 증명된 것처럼,[30] NMES와 병행하는 운동의 전신 효과는 직접 자극하지 않은 근육군에도 효과가 전달될 수 있다는 것을 뜻하기 때문이다. 근육군 선택에 있어 제약은 접근성이다. 즉, 비협조적이거나 진정상태의 환자 그리고 상지와 흉곽의 근육을 자극할 때 모니터링 장비의 간섭이다. 하지 자극이 가장 효과적일 것이다. 왜냐하면 크고 쉽게 접근이 가능한 근육군이며 그리고 모니터링 장비에서 자유롭기 때문이다. 상지 근육군(상완이두근)을 사용하는 유일한 연구에서 저자는 모니터링 장비가 방해가 되지 않는다고 하였다.[35] 하지만, 상지 근육량은 하지에 비해 상당히 적으므로 NMES와 병행하는 운동의 전신 효과에 기여할 것으로 기대하기 어렵다.

NMES의 특성

연구들에서 NMES 특성의 선택은 상대적으로 동일하지 않았다. 대부분의 연구에서, NMES를 매일 시행하였으나,[30-32,34-38] 두 연구에서는 일주일에 5일간 시행하였다.[25,33] 회당 시간도 다양하여 30분에서 1시간 사이였으며, 대체로 하루 1회 시행하였다. 한 연구에서는 하루에 두 번 30분씩 시행하였다.[35]

나머지 NMES 특성들의 선택도 동일하지 않았다. 한 연구에서는 NMES 한 세션 동안 5–100 Hz 사이 주파수 범위를 사용하였지만, 자극 주파수 범위는 35–100 Hz이다.[36] 하지만, 대부분 연구에서 자극 주파수는 35에서 50 Hz를 사용하고 있다. 선택된 펄스 지속시간은 주로 300에서 400 마이크로세컨드(msec)이다. 그리고 동작비율은 연구들마다 다양하며, 가장 강력한 프로그램은 12초 지속하고, 6초간 중단한다. 강도의 수준은 협조적인 환자의 최대 내성에 따라 정했다.[25,33] 그리고 나머지 연구들에서 강도는 눈으로 볼 수 있는 가시 수축이 나타날 때까지 높였다. 한 연구에서는,[34] 연구자들은 '역치 강도'보다 50% 더 높은 강도를 사용하였고, 역치 강도는 가시 수축을 볼 수 있는 수준의 강도로 정의하였다.전해질 및 대사 변화를 동반한 조직 부종이 있는 중증 환자는 조직의 전도율이 손상되었을 수 있으며, 건강한 대상자나 다른 환자 그룹에서 필요로 하는 강도보다 더 높은 강도가 필요하다.

중증질환에서 NMES의 급성 전신 효과

중환자실에서 시행된 초기 연구에서는, NMES가 중환자의 심혈관과 미세순환계의 변수에 미치는 급성 효과를 평가하였다.[30] 연구자들은 35명의 중환자들을 평가하였고, 그 중 86%가 기계환기를 사용하였고, 반은 진정상태였으며, 1/3 (33%)는 지속적인 승압제가 필요하였다. 총 29명 환자가 양 하지(대퇴사두근과 장비골근)에 NMES를 받았으며 6명의 중증질환 환자는 대조군이 되었다. 미세순환은 어떠한 자극도 받지 않았던 손의 모지구근에서 근적외분광분석법(Near Infra-red Spectroscopy, NIRS)으로 평가하였다. 심박동수와 혈압과 같은 기본 심혈관 변수를 기록하였다.

연구에서는 대조군 그룹이 변화가 없었던 것과 비교하여, 통계적으로 중요하나 임상적으로 중요하지 않은, 5회/분의 심박동수 증가와 10 mmHg의 수축기 혈압 증가가 NMES 그룹에서 관찰되었다. 심박동수와 수축기 혈압의 아주 작은 증가는 이전에도 건강한 대상자와 울혈성심부전 환자에서 보고된 바 있다.[40] 중환자들에서 관찰된 수축기 혈압과 심박동수의 근소한 증가는 심혈관계의 반응을 의미한다. NMES 세션 동안 1회/분 증가한 호흡수는 분당 환기량이 소폭으로 증가함을 의미한다. 저자들은 세션 동안 동맥혈가스, 젖산염 수준, 중심정맥 산소포화도에는 변화가 없다고 하였다.

이 연구에서 가장 중요한 발견은 하지에 적용한 NMES이 어떠한 수축도 받지 않았던 손의 무지구근에서 미소순환계의 반응을 일으켰다는 것이다. NMES 세션 후 NIRS로 평가한 무지구군의 산소소비율과 재관류 비율이 통계적으로 의미있게 증가하였다. 이러한 결과는 NMES에 의한 어떤 요인이 전신적인 효과를 나타낸다는 것을 의미한다. 그 요인들로는 전신 방식 또는 대사 및 ergoreflex의 활성화 또는 중추신경계 신호의 활성화, NMES가 전신적으로 작용할 수 있는 장소, 싸이토카인 같은 분자 수준의 분비 등이 있을 수 있다.[41] 메커니즘에 관계없이, NMES의 전신 효과는 NMES를 이용하는 조기 재활 프로그램의 유익한 결과가 직접 자극된 근육군보다 다른 근육군에서도 기대해 볼 수 있다는 것을 의미한다.

결과 측정

지금까지의 연구들이 근육의 특성과 기능에 관한 결과를 측정하는 데 치중하였고, 일부 연구에서는 ICUAW의 발생에 관해 보고하기도 했다.[32,35,37] 한 연구는 이 환자들의 중환자실 입원기간을 보고하기도 하였다. 중환자실 퇴원 후 기능적 상태나 그들의 삶의 질(QoL)과 같은 환자들의 장기적 결과를 보고하는 자료는 아직 없었다.

근육 특성 평가

지금까지 NMES 세션을 받는 중환자들의 몇 가지 근육 특성을 알아보았고, 서로 엇갈리는 결과들이 있었다. 대퇴사두근와 상완이두근의 두께에 관한 세 개의 연구보고가 있다.[31,33,35] 한 연구에서는 컴퓨터단층촬영을 이용하여 근육 체적을 평가하였으며[34] 두 개의 연구에서는 근육 둘레를 제시했다.[35,36] 환자군의 특성, NMES 타입과 세션 지속시간, 결과 측정 평가의 시기, 그리고 대조군의 유무를 포함한 연구 설계의 차이 때문에 연구결과를 일반화하고 연구들을 비교하는 것은 어렵다. 한 무작위연구에서는 중증질환의 첫 며칠 동안 초음파를 이용하여 근육 두께를 평가하였으며, 일반적 치료를 받는 대조군과 비교하여 양 하지에 매일 NMES 세션을 시행하는 것은 근육 두께 소실을 막는 결과를 보였다.[31] 장기간의 중증질환 환자와 급성기 치료 환자를 포함하는 환자 그룹을 대상으로 한 탐색연구에서는 장기간 중증질환 그룹에서 근육 두께가 증가하였고, 반면 NMES의 영향을 덜 받은 급성기 치료 그룹은 통계적 의미는 없었지만 근육 두께가 감소하였다.[33] 두 연구에서 대퇴사두근 단면 지름과 차이를 평가하였고, 이들 사이의 차이는 작은 환자수, 자극 특성의 차이, 연구에 포함된 시간 때문일 수 있다. 대부분의 근육 질량 감소는 중증질환의 초기 5–7일 이내에 발생한다는 것이 밝혀졌다.[11] 그러므로, NMES 치료 지연은 비록 짧은 기간일지라도 중요할 수 있다. 첫 번째 연구에서, 모든 환자는 입원 후 두 번째 날에 무작위로 추출되었다. 반면, 두 번째 연구에서는 NMES 세션 시작이 중재군과 대조군에서 치료 3, 4일째까지 지연되었다.

세 번째 연구는 상완이두근 근육 두께를 측정하였고, 각성 후 NMES 시행을 지지하는 근력 차이가 있었지만,[35] 중재군과 대조군의 사이에서 차이가 없었다. 저자들은 몸의 한 쪽(왼쪽 또는 오른쪽)을 자극하였고 다른 쪽은 대조군으로 하였다. NMES의 전신 효과를 고려하면, 다른 연구와는 반대로 대조군 쪽의 근육 두께 소실이 보고되지 않았다. 이것은 NMES의 전신효과가 자극되는 쪽과 대조되는 쪽 모두 근육 두께 보존에 기여하였다고 추측할 수 있다.

컴퓨터단층촬영을 이용하여 평가한 근육 체적 소실은 연구는 소규모였지만 잘 설계된 패혈증 쇼크 환자들을 대상으로 하는 무작위 연구였다.[34] 자극치료를 받는 쪽과 그렇지 않은 쪽의 차이는 없었으며, 저자들은 대퇴사두근 체적의 심각한 소실을 보고하였다. 언급한 것처럼, 자극의 특성, 특정 환자군의 특성 차이도 NMES 시작 시점의 지연–패혈증 쇼크 5일 뒤에 환자가 연구에 포함된 것–과 마찬가지로 이 연구에서 NMES의 효과가 부족한 이유가 될 수 있다. 마지막으로, 두 연구에서 팔과 다리의 둘레, 근육 질량을 측정하였으며, 자극을 받는 쪽의 둘레는 보존되거나[35] 증가하였다.[36]

근육 기능

근육 기능의 평가를 위해서는 환자의 협조가 필요하다. 중환자는 종종 평가가 불가능하거나 진정제를 중단하고 환자가 각성될 때까지 미뤄야 한다. 두 연구에서 중환자가 각성 후 시행한 근력 평가 자료를 보고하였다.[32,35] 한 연구는 COPD의 급성 악화로 중환자실 입원 후 기계환기를 하는 환자를 대상으로 준중환자실에서 이루어졌다.[25] 세 개의 연구 모두 근력 측정을 위해 MRC scale(점수 0–5)과 도수 근력 검사(MMT)를 이용했다. 한 연구에서는[37] 손쥐기측정(hand-grip dynamometry) 결과를 보고했다.

첫 번째 연구는 무작위배정대조군 연구였고, MRC scale을 이용해 근력을 평가한 결과, 하지에 매일 NMES를 시행한 중재군에서 대조군과 비교할 때 상당한 근력 증가를 보였다.[32] 두 번째 연구에서는,[35] 패혈증 쇼크 환자의 몸의 한 부분(왼쪽이나 오른쪽)에 NMES 세션을 매일 시행하고 다른 쪽은 대조군으로 비교하였다. 각성 상태에서, MRC scale로 보면 치료를 받은 쪽은 반대편보다 점수가 높아 근력이 더 좋았다.

네 번째 연구는 다른 연구들과 환자군이 달랐다.[25] COPD 악화로 중환자실 치료 30일 후 기계환기를 사용하는 COPD 환자를 포함하였다. 준중환자실에서 모든 환자들은 각성상태로 협조적이었으며 무작위 배정 시점에 매우 쇠약하여 MRC score 2점 미만이었다. 다시 말해 그들은 근수축이 있으나 중력에 저항하는 사지 움직임은 부분적으로만 가능하였다. 다른 연구들과 대조적으로, NMES는 근육 질량 그리고/또는 근력 손실을 막기 위해 사용되었고, 이 연구의 목적은 NMES가 근력저하를 회복시킬 수 있는지를 평가하는 것이었다. NMES 그룹에 무작위로 배정된 환자들은 대조군보다 MRC 점수가 더 높았으며 대조군 보다 4일 더 일찍 침상에서 의자로 이동할 수 있었다. ICUAW의 치료와 환자의 장기 결과에 대해 보고된 자료는 아직 없다.

손쥐기측정은 이전 자료의[32] 하위그룹 분석[37] 결과로 제시되었다. 손쥐기 근력에서는 NMES 그룹에 할당된 환자들과 대조군 환자들 사이에 절대값이나 예상 비율 등에서 차이가 없었다. 하지만 연구는 통계적인 파워가 약했다.

중환자실 획득 쇠약(ICUAW)

한 연구에서는 ICUAW 방지를 위해 NMES 세션을 매일 시행한 효과를 평가하였다.[32] 중환자들이 무작위로 NMES 그룹과 대조군으로 배정되었고 환자들이 각성 상태에 있을 때 비맹검방식으로 검사자가 ICUAW의 발생을 평가하였다. NMES 그룹에 배정된 환자는 중환자실 입원 이틀날부터 퇴실 때까지 양 하지에 매일 NMES 세션을 받았다. 모두 140명의 중환자가 무작위로 두 그룹으로 나뉘어 배정되었고, 그 중 52명이 ICUAW 발생 유무를 평가 받았다. 나머지 환자들은 사망하였거나 협조 가능한 상태가 되지 않아 MRC scale 평가를 할 수 없었다. 저자들은 양하지에 매일 NMES 세션을 시행하면 대조군(39%)과 비교하여 중재군(13%)에서 ICUAW가 의미있게 낮다는 점을 밝혔다. 이는 중환자에서 하지에 매일 NMES 세션을 시행함으로써 ICUAW의 발생을 예방할 수 있다는 것을 보여주는 최초의 연구였다. 본 연구의 결과는 다른 연구들에 의해서도 재확인 될 것으로 기대된다.

기계환기 이탈과 중환자실 입원기간

연구에서는 기계환기 이탈과 중환자실 입원 기간도 이차 연구목표로 분석하였다.[32] NMES 그룹에 배정된 환자들이 기계환기 이탈 기간이 더 짧았으며 이는 매우 흥미로운 결과이다. 즉, 사지 근육과 호흡근 약화 사이에 관계가 있다는 것을 의미하기 때문이다. 언급한 것처럼, 급성 전신 효과는 일회의 NMES 세션이 호흡근에 동화작용 자극원으로 역할 할 수 있다는 것이 보고된 적이 있다. NMES 그룹에 배정된 환자들에서 나타난 더 짧은 기계환기 이탈 기간은 호흡근 기능에 NMES가 이로운 효과가 있음을 의미하고 이 연구의 임상적 중요성을 시사한다. NMES 그룹(중재 그룹)과 대조군 사이 중환자실 입원 기간의 차이는 통계적으로 입증되지는 않았지만 중재그룹에서 더 짧은 경향이 있었다.

결론

NMES는 중증의, 진정 상태 환자에게 적용할 수 있는 재활 방법으로 환자의 협조가 반드시 필요하지는 않다. 따라서 중환자의 조기 보행을 위한 유망한 방법이 될 수 있다. 중환자에 관한 연구들은 NMES 세션이 근육의 특성을 보존할 수 있으며 ICUAW 발생을 예방하고, 기계환기 이탈 기간의 단축에 기여할 수 있다는 것을 보여준다. NMES는 중환자에서 임상적 역할을 할 수 있을 것으로 생각된다. 향후 NMES의 장기적 효과를 평가할 필요가 있으며, 중환자 각 세부 그룹마다 가장 적절한 NMES 특성을 찾아내는 연구가 필요하다.

참고문헌

1 Zilberberg MD, de Wit M, Shorr AF. Accuracy of previous estimates for adult prolonged acute mechanical ventilation volume in 2020: Update using 2000-8 data. Crit Care Med 2012;40:18-20.

2 Herridge MS, Tansey CM, Matte A, et al. Functional disability 5 years after acute respiratory distress syndrome. N Engl J Med 2011;364:1293.

3 Unroe M, Kahn JM, Carson SS, et al. One-year trajectories of care and resource utilization for recipients of prolonged mechanical ventilation: a cohort study. Ann Intern Med 2010;153:167-75.

4 Garnacho-Montero J, Madrazo-Osuna J, García-Garmendia JL, et al. Critical illness polyneuropathy: risk factors and clinical consequences. A cohort study in septic patients. Intensive Care Med 2001;27:1288-96.

5 Nanas S, Kritikos K, Angelopoulos E, et al. Predisposing factors for critical illness polyneuromyopathy in a multidisciplinary intensive care unit. Acta Neurol Scand 2008;118:175-81.

6 De Jonghe B, Sharshar T, Lefaucheur JP, et al. Paresis acquired in the intensive care unit: a prospective multicenter study. JAMA 2002;288:2859-67.

7 Fletcher SN, Kennedy DD, Ghosh IR, et al. Persistent neuromuscular and neurophysiologic abnormalities in long-term survivors of prolonged critical illness. Crit Care Med 2003;31:1012-16.

8 de Letter MA, Schmitz PI, Visser LH, et al. Risk factors for the development of polyneuropathy and myopathy in critically ill patients. Crit Care Med 2001;29:2281-6.

9 Gruther W, Benesch T, Zorn C, et al. Muscle wasting in intensive care patients: ultrasound observation of the M. quadriceps femoris muscle layer. J Rehabil Med 2008;40:185-9.

10 Berg HE, Eiken O, Miklavcic L, Mekjavic IB. Hip, thigh and calf muscle atrophy and bone loss after 5-week bedrest inactivity. Eur J Appl Physiol 2007;99:283-9.

11 Monk DN, Plank LD, Franch-Arcas G, Finn PJ, Streat SJ, Hill GL. Sequential changes in the metabolic response in critically injured patients during the first 25 days after blunt trauma. Ann Surg 1996;223:395-405.

12 Reid CL, Murgatroyd PR, Wright A, Menon DK. Quantification of lean and fat tissue repletion following critical illness: a case report. Crit Care 2008;12:R79.

13 Gerovasili V, Stefanidis K, Vitzilaios K, et al. Electrical muscle stimulation preserves the muscle mass of critically ill patients. A randomized study. Crit Care 2009;13:R161.

14 Ahlbeck K, Fredriksson K, Rooyackers O, et al. Signs of critical illness polyneuropathy and myopathy can be seen early in the ICU course. Acta Anaesthesiol Scand 2009;53:717-23.

15 Bailey P, Thomsen GE, Spuhler VJ, et al. Early activity is feasible and safe in respiratory failure patients. Crit Care Med 2007;35:139-45.

16 No authors listed. Editorial. Early rising after operation. BMJ 1948;2:1026-7.

17 Burns JR, Jones FL. Letter: Early ambulation of patients requiring ventilatory assistance. Chest 1975;68:608.

18 Morris PE, Goad A, Thompson C, et al. Early intensive care unit mobility therapy in the treatment of acute respiratory failure. Crit Care Med 2008;36:2238-43.

19 Morris PE, Griffin L, Berry M, et al. Receiving early mobility during an intensive care unit admission is a predictor of improved outcomes in acute respiratory failure. Am J Med Sci 2011;341:373-7.

20 Schweickert WD, Pohlman MC, Pohlman AS, et al. Early physical and occupational therapy in mechanically ventilated, critically ill patients: a randomised controlled trial. Lancet 2009;373:1874-82.

21 Burtin C, Clerckx B, Robbeets C, et al. Early exercise in critically ill patients enhances short-term functional recovery. Crit Care Med 2009;37:2499-505.

22 Bax L, Staes F, Verhagen A. Does neuromuscular electrical stimulation strengthen the quadriceps femoris? A systematic review of randomised controlled trials. Sports Med 2005;35:191-212.

23 Vivodtzev I, Pepin JL, Vottero G, et al. Improvement in quadriceps strength and dyspnea in daily tasks after 1 month of electrical stimulation in severely deconditioned and malnourished COPD. Chest 2006;129:1540-8.

24 Quittan M, Wiesinger GF, Sturm B, et al. Improvement of thigh muscles by neuromuscular electrical stimulation in patients with refractory heart failure: a single- blinded, randomized, controlled trial. Am J Phys Med Rehabil 2001;80:206-14.

25 Zanotti E, Felicetti C, Maini M, Fracchia C. Peripheral muscle strength training in bed-bound patients with COPD receiving mechanical ventilation: effect of electrical stimulation. Chest 2003;142:292-6.

26 Nuhr MJ, Pette D, Berger R, et al. Beneficial effects of chronic low- frequency stimulation of thigh muscles in patients with advanced chronic heart failure. Eur Heart J 2004;25:136-43.

27 Wiesinger GF, Crevenna R, Nuhr M, Huelsmann M, Fialka-Moser V, Quittan M. Neuromuscular electric stimulation in heart tranplantation candidates with cardiac pacemakers. Arch Phys Med Rehabil 2001;82: 1476-7.

28 Maillefert JF, Eicher JC, Walker P, et al. Effects of low- frequency electrical stimulation of quadriceps and calf muscles in patients with chronic heart failure. J Cardiopul Rehabil 1998;18:277-82.

29 Bourjeily-Habr G, Rochester CL, Palermo F, Snyder P, Mohsenin V. Randomised controlled trial of transcutaneous electrical muscle stimulation of the lower extremities in patients with chronic obstructive pulmonary disease. Thorax 2002;57:1045-9.

30 Gerovasili V, Tripodaki E, Karatzanos E, et al. Short-term systemic effect of electrical muscle stimulation in critically ill patients. Chest 2009;136:1249-56.

31 Gerovasili V, Stefanidis K, Vitzilaios K, et al. Electrical muscle stimulation preserves the muscle mass of critically ill patients: a randomized study. Crit Care 2009;13:R161.

32 Routsi C, Gerovasili V, Vasileiadis I, et al. Electrical muscle stimulation prevents critical illness polyneuromyopathy: a randomized parallel intervention trial. Crit Care 2010;14:R74.

33 Gruther W, Kainberger F, Fialka-Moser V, et al. Effects of neuromuscular electrical stimulation on muscle layer thickness of knee extensor muscles in intensive care unit patients: a pilot study. J Rehabil Med. 2010; 42:593-7.

34 Poulsen JB, Moller K, Jensen CV, Weisdorf S, Kehlet H, Perner A. Effect of transcutaneous electrical muscle stimulation on muscle volume in patients with septic shock. Crit Care Med 2011;39:456-61.

35 Rodriguez PO, Setten M, Maskin LP, et al. Muscle weakness in septic patients requiring mechanical ventilation: Protective effect of transcutaneous neuromuscular electrical stimulation. J Crit Care 2012;27:319.e1-8.

36 Meesen RL, Dendale P, Cuypers K, et al. Neuromuscular Electrical Stimulation as a possible means to prevent muscle tissue wasting in artificially ventilated and sedated patients in the intensive care unit: a pilot study. Neuromodulation 2010;13:315-21.

37 Karatzanos E, Gerovasili V, Zervakis D, et al. Electrical muscle stimulation: an effective form of exercise and early mobilization to preserve muscle strength in critically ill patients. Crit Care Res Pract 2012;2012:432752.

38 Kho ME, Truong AD, Brower RG, et al. Neuromuscular Electrical Stimulation for Intensive Care Unit-Acquired Weakness: Protocol and Methodological Implications for a Randomized, Sham-Controlled, Phase II Trial. Phys Ther 2012;92:1564-79.

39 Banerjee P, Clark A, Witte K, Crowe L, Caulfield B. Electrical stimulation of unloaded muscles causes cardiovascular exercise by increasing oxygen demand. Eur J Cardiovasc Prev Rehabil 2005;12:503-8.

40 Quittan M, Sochor A, Wiesinger GF, et al. Strength improvement of knee extensor muscles in patients with chronic heart failure by neuromuscular electrical stimulation. Artif Organs 1999;23:432-5.

41 Tsuchimochi H, Hayes SG, McCord JL, Kaufman MP. Both central command and exercise pressor reflex activate cardiac sympathetic nerve activity in decerebrate cats. Am J Physiol Heart Circ Physiol 2009;296: H1157-63.

Chapter 45

중환자실 운동과 조기 재활

릭 고슬링크(Rik Gosselink)

서론

중환자의학의 진보로 급성호흡곤란증후군(ARDS)과 같은 중증질환자들의 생존률은 크게 향상되었다.[1] 그러나, 중환자실에서의 생존은 종종 전반적인 컨디션 저하, 근력 쇠약을 동반하였고,[2] 중환자실에서 퇴실할 때쯤 신체기능수준은 감소하였으며[3] 생존자들에서 장기간 장애가 남게 되었다.[4-6] 컨디션 저하와 특히 근력 약화는 신체기능수준 감소에 중요한 역할을 한다고 생각되었다.[6,7] 중증질환 상태에서의 침상안정과 부동상태가 심각한 신체적 컨디션 저하를 유발하는 것 같다. 이러한 효과는 염증, 부적절한 당뇨조절, 약물 등으로 악화될 수 있다.[8] 중환자실에 입원한 환자의 근육약화는 7일 이상 기계환기를 받은 환자의 약 25%에서 관찰되며,[9] 이탈실패와 사망에 영향을 미친다.[10] 기계환기 환자의 대부분은 3일 이내에 기관내 튜브 발관을 하게 되지만,[11] 여전히 20%에서는 장기간 기계 호흡 보조를 필요로 한다.[12] 이러한 장기간의 인공호흡기 의존은 주요 의학적 문제일 뿐만 아니라, 환자에게 지극히 불편하고, 잠재적인 위해가 되며, 중요한 심리사회적 문제를 야기하고, 장단기적으로 신체기능수준에 심각한 영향을 준다.

중환자실 생존자들에서 기능수행능력, 운동능력, 삶의 질 감소는 중환자실 이후 재활의 필요성을 말해주고 있지만,[4] 중환자실에 입원해 있는 동안 긴디션 저하와 신체 기능의 쇠퇴를 줄이거나 예방하기 위한 조기 평가 및 조기 치료의 필요성은 과소평가되고 있다. 최근의 근거들은 중환자에서 조기 신체 활동과 조기 보행(mobilization)을 강조하는 접근방식의 안전성과 효과를 뒷받침해주고 있다.[13-20]

평가

중환자실에서 환자의 조기 신체 활동, 운동, 재활, 안전성, 치료방법, 적응증들은 최근에 들어서야 중환자실의 다학제팀들이 공유하고 있는 관심사가 되었다.[13-15,21,22] 국제기능장애건강분류(International Classification of Functioning, Disability, and Health, ICF)에서 정의하였듯이 재활은 건강문제라는 측면에서 부족함에 초점을 맞추고 있다.[23] 이 분류체계는 '신체 구조와 신체 기능'의 손상, '활동 제한', '참여 제한'의 측면에서 문제를 파악하고 처방을 확인하는데 도움을 준다. 신체 활동과 운동은 적절한 운동강도와 운동방법의 목표가 정해져 있어야 한다. 중환자를 움직이게 할 때의 위험과 부동상태로 누워있게 할 때의 위험을 비교하여 저울질해야 한다. 그리고, 이동을 시행할 때에는 이동과 보행이 적절하고 안전하게 이루어지는 지를 엄격하게 감시해야 한다. 수년 전부터 조기 보행과 신체활동을 지도해주는 다양한 알고리즘들이 개발되었다.[14,24-26] 모든 알고리즘들은 안전에 관한 이슈, 의학적 상태(심폐 및 신경학적 상태)에 관한 임상적 평가방법, 협조의 정도, 기능적 수준(근력, 이동의 레벨)들을 다루고 있다. 이는 중증질환 상태에서 신체 활동과 보행을 단계별로 증진시키는 각각의 단계들에 관한 정보를 제공한다.[14,24-26] 알고리즘 중 일부는 조기 재활의 시작을 환자의 의식이 명료해지는 시점으로 제한하기도 하지만,[1,4,24,27,28] 다른 방법에서는 중증질환의 급성기 상태로 인한 의식소실 또는 협조 불능상태에서도 치료를 시작하도록 하고 있다.[25,26] '움직이기 시작하기(Start to Move)'라는 흐름도는 다직종 단계별 접근 방법으로 일례를 보여준다(표 45-1). 여섯 단계로 나뉘어져 있으며, 각 단계는 의학적 상태[심폐 및 신경학적 상태, 의식의 수준, 기능적 상태(근력과 이동의 레벨), 자세 유지의 방법(보행), 물리치료]에 대한 평가에 따라 진행한다. 매일 중환자실 팀은 '움직이기 시작하기' 프로토콜에 따른 적절한 수준을 모든 환자들에서 정하고 특히 중환자실 재원기간이 길어지는 환자에서 적용해야 한다.

의식수준, 심폐기능의 능력에 대한 정확한 평가와 조기 보행을 방해할 수 있는 다른 인자들에 대한 엄격한 감시는 매우 중요하다.[24] 안전성에 대한 평가와 환자가 운동과 신체활동을 쉽게 할 수 있을지에 대한 평가와 더불어, 특정 기능(근력, 관절가동범위), 기능수준(기능 수행능력에 대한 평가지표들, FIM (Functional independence Measure), BBS (Berg Balance Scale), FAC (Functional Ambulatory Category)에 대한 고려도 필수이다.[29]

기초 평가

심폐기능, 신경학적, 수술적 상태에 대한 평가를 포함하여, 중환자들의 조기 신체 활동과 재활치료의 적절성을 평가하게 된다. 일반적으로 포괄적인 적응증으로 조기 신체 활동과 보행의

표 45-1. 'Start to move' protocol University Hospitals Leuven: step-up approach of progressive mobilization and physical activity programme

LEVEL 0	LEVEL 1	LEVEL 2	LEVEL 3	LEVEL 4	LEVEL 5
NO COOPERATION S5Q[1] = 0	NO-LOW COOPERATION S5Q[1] <3	MODERATE COOPERATION S5Q[1] ≥3	CLOSE TO FULL COOPERATION S5Q[1] ≥4/5	FULL COOPERATION S5Q[1] = 5	FULL COOPERATION S5Q[1] = 5
FAIL BASIC ASSESSMENT[2]	PASSES BASIC ASSESSMENT[3] +	PASSES BASIC ASSESSMENT[3] +	PASSES BASIC ASSESSMENT[3] +	PASSES BASIC ASSESSMENT[3] +	PASSES BASIC ASSESSMENT[3] +
BASIC ASSESSMENT = - Cardiorespiratory unstable: MAP<60mmHg or FiO_2 >60% or PaO_2 /FiO_2 <200 or RR >30 bpm - Neurologically unstable - Acute surgery - Temp >40°C	Neurological or surgical or trauma condition does not allow transfer to chair	Obesity or neurological or surgical or trauma condition does not allow active transfer to chair (even if MRCsum ≥36)	MRCsum ≥36 + BBS Sit to stand = 0 + BBS Standing = 0 + BBS Sitting ≥1	MRCsum ≥48 + BBS Sit to stand ≥0 + BBS Standing ≥0 + BBS Sitting ≥2	MRCsum ≥48 + BBS Sit to stand ≥1 + BBS Standing ≥2 + BBS Sitting ≥3
BODY POSITIONING[4] 2hr turning	BODY POSITIONING[4] 2hr turning Fowler's position Splinting	BODY POSITIONING[4] 2hr turning Splinting Upright sitting position in bed Passive transfer bed to chair	BODY POSITIONING[4] 2hr turning Passive transfer bed to chair Sitting out of bed Standing with assist (≥2 pers)	BODY POSITIONING[4] Active transfer bed to chair Sitting out of bed Standing with assist (≥1 pers)	BODY POSITIONING[4] Active transfer bed to chair Sitting out of bed Standing
PHYSIOTHERAPY: No treatment	PHYSIOTHERAPY[4] Passive range of motion Passive bed cyclying NMES	PHYSIOTHERAPY[4] Passive/Active range of motion Resistance training arms and legs Passive/Active leg and/ or cyclying in bed or chair NMES	PHYSIOTHERAPY[4] Passive/Active range of motion Resistance training arms and legs Active leg and/or arm cycling in bed or chair NMES ADL	PHYSIOTHERAPY[4] Passive/Active range of motion Resistance training arms and legs Active leg and/or arm cycling in chair or bed Walking (with assistance/frame) NMES ADL	PHYSIOTHERAPY[4] Passive/Active range of motion Resistance training arms and legs Active leg and arm cycling in chair Walking (with assistance) NMES ADL

[1] S5Q: response to five standardized questions for cooperation.
[2] FAILS = at least one risk factor present.
[3] If basic assessment failed, decrease to level 0.
[4] Safety: each activity should be deferred if severe adverse events (cardiovascular, respiratory, and subject's intolerance) occur during the intervention.
MRC, Medical Research Council muscle strength sum scale (0–60); BBS, Berg Balance score.
Adapted from Morris PE, Goad A, Thompson C, Taylor K, Harry B, Passmore L, et al. 'Early intensive care unit mobility therapy in the treatment of acute respiratory failure', Critical Care Medicine, 36, 8, pp. 2238–2243, copyright 2008, with permission from Wolters Kluwer and the Society of Critical Care Medicine.

안전성을 결정할 수 있으며, 일부 불안정한 상태는 보행을 제한하더라도 침상에서 자전거타기(cycling)는 할 수 있다. 따라서, 보행 또는 신체 활동 방법의 적절성 결정은 다직종 팀에 의해서 이루어져야 한다. 예를 들어 '움직이기 시작하기' 프로토콜에서 신체활동을 하지 않는 금기증을 다음과 같이 제시하고 있다:

- 평균동맥혈압 60 mmHg 미만
- 산소분율(FiO_2) 60% 초과 또는 P/F 비율 200 미만 또는 호흡수 분당 30회 초과
- 신경학적 불안정성(예, 두개강내출혈), 급성 수술, 체온 40도 초과

정도이다. 스틸러는 중환자의 보행에서 고려해야 할 안전성 이슈에 대한 보다 세밀한 계획을 제시하였다.[21]

협조 수준

의식 수준은 평가(근력)와 치료(능동 vs. 수동적 방식)에 협조하는 능력을 판단하는 것이 중요하며, GCS 또는 5개의 표준화된 질문을 통해 평가할 수 있다. (1) 눈을 떴다가 감으세요 (2) 저를 보세요 (3) 입을 벌리고, 혀를 내밀어 보세요 (4) 고개를 저어 보세요 (5) 눈썹을 찡그리는 횟수를 세어 보겠습니다.[9]

5점은 적절한 협조 상태를 의미한다.

관절 가동

중환자들에서 주요 관절구축의 역학에 관한 정보는 제한적이다. 최근의 체계적 문헌고찰 연구는 중환자실에 반복하여 입원하는 환자들(척수손상, 화상, 뇌손상 및 뇌졸중)에서 관절구축의 유병률이 높다는 것을 보고 하였다.[30] 기능적으로 의미있는 주요 관절의 구축은 장기 중환자실 입원 환자의 30% 이상에서 발생한다.[31] 팔꿈치, 발목은 중환자실 퇴실과 병원 퇴원 시점에 가장 빈번하게 영향을 받은 관절이다. 관절 가동범위에 대한 지속적인 평가와 관절 가동범위가 제한된 원인(근수축 강도, 근육의 길이, 관절낭, 피부, 부종)에 대한 평가가 필요하다. 물리치료사가 관절 가동범위에 대한 자세한 평가를 함으로써 발견하지 못한 손상을 알아낼 수 있다.[32]

사지근력

근력, 좀 더 정확하게 최대 근력 또는 근육에 의해 유발될 수 있는 장력은 다양한 장비와 다양한 방법으로 측정할 수 있다. 도수 근력 평가(Manual muscle testing)는 MRC (medical research council) 0–5 척도로서 임상에서 흔히 사용된다. MRC 합계 점수는 6개의 양쪽, 상 · 하지 근육군의 근력 점수를 더하게 되며, 길랑–바레 증후군의 환자들을 측정하면서 시작되었다.[33] De Jonghe 등은 총점 48점 미만은 의미있는 근력 약화를 반영한다고 하였고, ICUAW를 시사한다고 하였다. 근력 평가는 특히 보행 프로그램의 진행을 결정하기 위해 중요하고,[14] 결과를 예측하기 위해서도 중요하다.[11] 중환자실 환자의 근력은 협조적인 환자들에서는 MRC 점수,[34] 손쥐기 악력계(handgrip dynamometer),[34] 이동형 악력계(handheld dynamometry)를 이용하여 측정이 가능하다.[35]

호흡근력

기계환기 환자 일부에서 이탈실패는 중요한 임상지표이다. 이탈문제는 호흡근이 폐 환기를 유지하는 데에 실패하는 것과 관련된다는 근거들이 많아지고 있다.[36-38] 호흡근 약화는 호흡근 훈련을 통해 치료할 수 있다. 임상적으로, 호흡근력은 최대 흡기 및 호기 구강압력(Pimax & Pemax)을 통해 측정할 수 있다. 기계환기를 하는 환자들에서 흡기근력은 기도를 일시적으로 막고 측정한다.[39] 이 술기는 단일방향의 호기 밸브가 환자의 흡기는 막고, 호기만 허용하게 하는데, 폐쇄시간의 적절한 시간은 25–30초이며, 소아에서는 15초이다.

기능수준

기능수준 평가는 급성기 중환자에서는 가능하지 않을 것으로 보이나, 중증질환 상태가 길어지는 환자들에서는 가능하다. 기능평가 도구들은 여러 연구들에서 환자의 호전을 평가하는 데 사용할 수 있었다.[17,18,40,41] 더욱이 기능평가는 중환자실 입실 이전 환자의 기능수준을 재구성해주는 역할을 할 수 있다. 바델 인덱스(Barthel Index),[42] FIM,[43] 카츠 일상생활동작 점수(Katz ADL Scale)는[44] 다양한 활동을 독립적으로 수행할 수 있는 환자들의 능력, 특히 이동과 관련된 능력(침상에서 의자로 이동하기, 걷기, 계단 오르기), 자기 돌봄(목욕, 세안, 배변, 옷입기, 식사)을 점수화할 수 있는 방법들이다. 의자에 앉기, 앉은 자세에서 일어서기, 서있기 등의 기능수준은 Berg Balance Scale (BBS)[45]에서 0점에서 4점까지의 척도로 평가한다. 보행 능력은 FAC (Functional Ambulation Categories)를 사용하여 간단하게 평가할 수 있다(표 45-1). 걸을 수 있는 환자에서 6분 보행 검사는 기능적 운동 능력을 평가하기 위하여 사용한다.[47]

표 45-1. Functional Ambulation Categories (FAC)

- ✔FAC of '0' (non-functional ambulatory) indicates a patient who is not able to walk at all or needs the help of two therapists.
- ✔FAC of '1' (ambulatory, dependent on physical assistance (level II)) indicates a patient who requires continuous manual contact to support body weight as well as to maintain balance or to assist coordination.
- ✔FAC of '2' (ambulatory, dependent on physical assistance (level I)) indicates a patient who requires intermittent, continuous light touch to assist balance or coordination.
- ✔FAC of '3' (ambulatory, dependent on supervision) indicates a patient who can ambulate on level surface, without manual contact of another person, but requires standby guarding of one person either for safety or for verbal cueing.
- ✔FAC of '4' (ambulatory, independent, level surface only) indicates a patient who can ambulate independently on level surface but requires supervision to negotiate (e.g. stairs, inclines, non-level surfaces).
- ✔FAC of '5' (ambulatory, independent) indicates a patient who can walk everywhere independently, including stairs.

Reprinted from Physical Therapy, Holden MK et al., 'Clinical gait assessment in the neurologically impaired. Reliability and meaningfulness', 1984, 64, 1, pp. 35-40, with permission of the American Physical Therapy Association. Copyright © 1984 American Physical Therapy Association.

무의식 환자에서 신체활동과 운동

인체가 건강한 상태에서 경험하는 정상적인 몸의 움직임을 자극하기 위해서 중증질환으로 누워 있는 환자들은 (잘 지지하여) 자세를 수직으로 세우고, 좌우로 돌리는 작업이 필요하다. 이런 신체 움직임은 정해진 시간에 따라 자주 해주어야 하며, 이를 통해 호흡, 심장, 순환기의 기능이 지속적인 정적인 자세로 인해 발생하는 부작용을 피할 수 있다.[48] 연부조직 구축의 치료, 늘어진 팔다리, 관절, 신경 눌림, 피부 손상으로부터의 보호 역시 자세 바꾸기의 적응증이다. 임상에서 흔히 적용하고 있지만, 2시간 간격으로 환자를 옆으로 돌려주는 자세변경의 효과를 과학적으로 증명하지는 못했다. 중환자 관리를 위한 침대는 고관절, 슬관절 부위를 분리할 수 있어서 환자가 버틸 수 있는 한 앉아있는 자세를 유지하도록 할 수 있도록 하는 디자인을 고려해야 한다. 진정상태, 과체중 또는 비만으로 집중 돌봄이 필요한 환자들은 스트레처(stretcher) 의자와 같은 좀 더 강력한 체간 지지를 할 수 있는 의자가 필요하다. 환자의 자세를 안전하게 변경하기 위해서는 리프트(Lifts)가 필요할 수도 있다. 중환자실 환자에서 자세 변경 이상의 수준으로 조기 보행하는 것은 금기로 여겨져 왔으며, 이는 중환자들이 중환자실 입실 기간의 40% 이상 동안 쇼크, 진정, 신대체요법 상태에 있기 때문이었다.[28,49] 하지만, 이런 관행은 이제 틀렸다. 수동 자전거, 수동 관절 움직임, 근육 스트레칭, 신경근전기자극치료 등은 환자의 협조를 필요로 하지 않으며, 환자의 수면이나, 신대체 요법을 방해하지 않기 때문이다. 수동적 스트레칭 또는 관절가동범위 운동은 특히 환자가 스스로 움직일 수 없는 경우 매우 중요한 역할을 한다. 건강한 사람을 대상으로 한 연구에서도 수동적 스트레칭은 근육의 강직을 줄이고, 근육의 신장성을 배가시킨다.[50,51] 중증질환자들의 무작위할당대조군임상연구에서 하루 두 차례, 5분씩 수동적 스트레칭을 시행한 군에 비해, 하루 세 차례 걸쳐 총 3시간의 지속적 수동 관절운동을 시행한 군에서 전비골근육(tibialis anterior muscle)의 근섬유 위축과 단백질 손실이 감소하였다.[52] 최근 연구에서 하루 2.5시간 동안의 네 차례 수동부하운동의 긍정효과가 관찰되었다.[53] 자발적으로 움직일 수 없는 환자들, 화상, 외상, 일부 신경학적 질환, 부목고정처럼 연부조직의 구축위험이 높은 환자들이 대상이 될 수 있다.

중환자실 입실 초기에 (저강도의) 운동치료를 적용하는 것은 환자가 무의식 상태에 있고, 협조가 되지 않으며, 임상상태 등의 이유 때문에 복잡하다. 최근 기술의 향상으로 침대에서 사용할 수 있는 자전거 에르고미터(ergometer)를 이용해 (능동적 또는 수동적) 침상 안정 중에도 하지 자전거 운동을 할 수 있게 되었다. 이는 침상에 누워서도 장기간 지속적인 움직임을 가능하게 하며, 운동의 강도와 기간을 엄격하게 조절할 수 있게 하였다. 더욱이 훈련 강도는 환자의 상태와 운동에 대한 생리학적 반응에 따라 반복하여 조정할 수 있게 되었다. 중환자에게 매일 침상에서 하지 자전거를 (처음에는 수동적으로) 조기에 적용하는 RCT에서는 자전거타기 없이 표준적인 물리치료만 받았던 환자들에 비해 자전거타기 적용군에서 기능수준, 근육 기능, 운동수행 등이 퇴원 시 향상된 것을 보여 주었다. 흥미롭게도 이 연구에서는 수동 또는 능동 자전거 방식 모두에서 의미있는 심폐 반응은 없었으며, 따라서 중증질환 상태에서 하지 자전거가 활력징후 시스템에 영향을 주지 않는다는 것을 알게 되었다.

그러나, 비만, 수술, 카테터와 배액관, 키 등으로 인한 자전거의 제약 때문에 중환자실 환자의 30%는 연구에 참여할 수 없었다.[18] 이들 환자들에서는 전기 근육 자극 치료(EMS)가 국소 근육군에 대한 대체 치료방법이 될 수도 있다. 중증질환의 급성기 동안 환자에게 전기 근육 자극치료를 적용하는 것은 매우 흥미로운 치료 옵션이다. 이는 중증질환 초기에 Type-II 근섬유의 특이적인 위축이 보고되어 있기 때문이다.[54] 전기 근육 자극은 빠른 운동 단위를 활성화 시키고, 특히 속근(Type-II) 섬유의 수축을 자극한다. 중증질환 상태가 지속되는 환자에서, 대퇴사두근의 전기 근육 자극은 능동적 사지 이동에 부가적으로 근력을 증진하고,[55] 근육 손실을 줄이고,[56] 침상에서 의자로 독립적 이동을 앞당긴다.[55] 주요 복부 수술 이후 환자에게 전기 근육 자극 이후 지근(slower muscle) 단백질 이화가 감소되었으며, 전체 RNA양이 증가하였다.[57] 중환자실에서 능동적으로 움직일 수 없는 급성기 중증 환자에서, 신경근육 자극치료의 효과는 여전히 논란의 대상이다. 중환자실 입실 이후 둘째 날부터 전기 근육 자극 치료를 적용하는 것은 자극 받지 않은 다리에 비해,[58] 대퇴 사두근의 단면의 지름을 유지시켰다.[56,59] 비록 중증질환의 급성기에서 전기 근육 자극 치료의 적용은 근육 위축을 예방하거나, 되돌리는 효과적인 치료로서의 가능성이 있어 보이나, 여전히 해결되어야 할 여러 중요한 문제점들이 있다. 근육을 자극하는 능력은 신경병증, 근육병증, 패혈증, 말초 부종, 흥분되지 않는 (세포)막,[60] 약물 등에 의해 감소할 수 있다.

협조 가능한 환자에서의 신체 활동과 운동

'움직이기(또는 보행, mobilization)'는 즉각적인 생리학적 효과를 유발하기에 충분한 신체활동과 운동을 지칭하는 말이며, 환기량, 중추 및 말초 혈액공급, 순환, 근육 대사 및 의식수준을 향상시킨다. 강도(intensity)에 따른 이동 전략은 순서대로 침상 내에서의 이동, 침대 끝 부위에 앉기, 침대에서 의자로 이동하기, 서있기, 제자리 걷기, 보조를 받고 걷기, 보조 없이 걷기 순서이다. 환자들은 주머니, 선들(lines), 전극을 가지고 있어 일어서기와 걷기를 위한 프레임(frame)을 이용하면 안전한 이동이 가능하다. 기계환기를 하는 환자에서 능동적 재활과 물리치료는 안전하고(1% 미만의 부작용) 효과적으로 적용이 가능하고,[13] 특히 체외막형산화장치(에크모, ECMO)를 적용하고 있는 폐이식 대기 환자에서도 안전하였다.[61] 보행과 기립 보조도구, 경사침대들은 중환자들에서 생리적 반응을 향상시키고, 조기 보행을 촉진한다.[62] 프레임은 이동식 탱크, 또는 이동식 인공호흡기, 의자, 적절한 바퀴가 있거나 그러한 장비를 사용할 수 있어야 한다. 이동 벨트(Transfer belts)를 이용하면 물리치료사나 간호사, 환자 모두를 보호하고, 들어올리기가 용이하다. 기계환기 환자에서 기계환기 변수를 환자의 필요에 따라 조절할 수 있다(즉, 분당 환기량 증가). 비록 조기 보행에 관한 연구는 타당도/신뢰도에 관한 것이지만, 유럽과 호주에서 이미 수년간 시행되어 왔고, 그 효과가 최근 임상연구를 통해 평가되고 있다.[14,17] Morris 등은 전향적 코호트 연구를 통해 물리치료사에게 조기 보행치료를 받은 환자들에서 중환자실 입원일과 병원 재원일이 감소하였고, 기계환기 이탈 시간은 차이가 없었다고 보고하였다. 통상적인 치료를 받은 환자와 조기 보행치료를 받은 환자에서 퇴원 장소나 병원비의 차이는 없었다. Schweickert 등은 RCT를 통해 조기 물리치료와 작업치료를 통해 병원 퇴원 시점에 기능상태가 향상되고, 섬망 지속 기간이 감소하며, 기계환기 비의존 기간(VFDs)이 증가한다고 보고하였다. 이 연구들에서는 중환자실 입실기간 및 병원 재원 기간은 차이를 확인하지 못했다.[17]

기본적인 보행 치료 이외에, 유산소운동, 근력 강화운동을 추가하였을 때 만성중증상태(Chronic

critical illness)의 기계환기 환자에서 보행 치료만 시행하였을 때보다 보행거리의 향상을 보였다.[63] 한 RCT에서 6주 동안의 상하지 운동 프로그램은 상하지 근력, 기계환기 비의존 시간(ventilator−free time), 장기기계환기가 필요한 환자의 기능적 결과가 대조군과 비교하였을 때, 향상되었다.[40] 이러한 결과들은 전신 운동 훈련 및 호흡근 훈련에 참여했던 장기간 기계환기 환자들에 대한 후향적 분석과 동일하였다.[41] 기계환기를 막 이탈한 환자에서,[64] 상지운동을 추가하면 지구력과 호흡곤란 호전에 있어 일반적인 보행 운동의 효과가 강화되었다.

저강도 반복 근육저항운동은 근육량, 힘, 산화효소를 증가시킬 수 있다. 환자가 견딜 수 있는 수준에서 근수축의 반복 횟수를 정하여 매일 시행할 수 있다. 부하근육운동은 풀리(pulleys), 탄력밴드, 웨이트 벨트(weight belt)들을 이용할 수 있다. 앞서 언급한 좌식 자전거와 침상 자전거를 이용하면 환자맞춤 운동프로그램이 가능하다. 자전거타기는 환자 개인의 능력에 맞춰 수동/보조/저항으로 강도를 조절할 수 있다.

인공호흡기 이탈 실패에서 조기 재활의 역할

단지 일부의 환자들만 기계환기 이탈에서 실패하지만, 이들은 더 많은 의료자원을 소비한다. 부적절한 환기 운동, 호흡근 약화, 호흡근 피로, 호흡일 증가, 심부전 등의 여러 요소들로 인해 이탈에 실패한다. 이탈문제가 호흡근의 환기 실패와 관련이 있다는 근거들이 늘고 있다.[36-38] 인공호흡기 이탈에 실패한 환자에서 호흡근 약화는 종종 관찰되며, 이러한 환자들은 호흡근 피로가 발행할 위험이 있다.[38] 실제로 높은 비율의 호흡근 부하량(Pi/Pi max)은 인공호흡기 의존의 주요 원인이 되며, 인공호흡기 이탈의 예측인자이다.[36] '인공호흡기 유발 횡격막 기능 부전(VIDD)'은 호흡근 부전의 중요한 원인으로 제시되고 있으며, 호흡근의 간헐적 부하는 호흡근 상태 약화를 방지한다고 알려졌다.[65] 그러므로 (간헐적) 흡기근 훈련(IMT)은 인공 호흡기 이탈에 실패한 환자에게 도움이 될 수 있을 것이다. 일부 연구자들은 부하 호흡 후 횡격막근의 손상을 보여주는 연구에 근거하여 이탈 실패 치료를 위한 부하 호흡의 적용을 반대하기도 한다.[66] 그러나 이러한 변화는 간헐적 흡기근 훈련(IMT, 6−8 수축, 3−4회 반복)이 아니라 지속적 부하 후에 관찰된 것이다.

최근 기계환기 이탈 실패 환자에서 중등도의 IMT (Pimax의 −50%)와 'sham' 훈련을 비교하는 RCT는 Pimax가 통계적으로 의미있게 개선됨을 보여 주었다. 또한 sham 집단(35%)과 비교하여 훈련집단에서 더 높은 비율(76%)로 인공 호흡기를 이탈할 수 있었다.[67] 급성기 중환자에서 IMT

를 기계환기의 시작부터 추가하는 것은 반대 결과를 보여주었다. Caruso 등은 RCT에서 환자에게 간헐적 흡기근 훈련을 하루 30분씩 시행하였고, 이 훈련으로 Pimax를 개선하거나 인공 호흡기 이탈 기간을 단축시키지도 못했고, 재삽관율을 줄이지도 못했다.[68] 대조적으로 Cader 등은 RCT에서 하루 2회씩 5분간 30% Pimax에서 간헐적 흡기근 훈련을 시행하여, Pimax가 개선되고, 인공 호흡기 이탈 기간이 감소함을 관찰하였다(대조군과 비교하여 각각 3.6일과 5.3일).[69]

이론에서 임상으로

이러한 근거에도 불구하고, 중환자실에서 수행하는 재활의 양은 종종 부족하며, 재활은 호흡기이탈센터 또는 호흡기 중환자실에서 더 잘 이루어질 수 있다.[22,63] 중환자실에서 재활팀의 구성원(의사, 물리치료사, 간호사, 작업치료사)들은 우선 순위를 정하고 조기 보행 및 물리 치료의 목표와 치료방식을 확인해야 한다. 이러한 치료들이 활력 징후의 적절한 감시를 통해 치료적 효과가 있으면서도 안전하게끔 수행되어야 한다.[24] 특히 여전히 보조장치가 필요한 환자의 경우(인공호흡기, 심장 보조장치),[61] 또는 직원의 도움이나 보조 기기 없이는 일어설 수 없는 환자의 경우에는 조기 중재 접근이 비록 쉽지는 않더라도 가치 있는 노력이 될 것이다.[16] "환자의 보행"에 대한 팀의 인식 차이가 임상에서 나타나는 결과는 Thomsen 등의 연구에 명쾌하게 입증된 바 있다.[22] 환자를 급성 집중치료실에서 호흡 집중치료실로 옮김으로써, 이전의 전원율과 비교하여 보행할 수 있게 된 환자의 수는 3배 증가하였다. 이와 같은 향상은 보행 환자에 대한 팀 접근 방식의 차이로 인한 것이다.[22] Garzon–Serrano 등은 간호진보다 물리치료사들이 중환자들을 더 높은 단계까지 거동하게 한다고 보고하였다.[70] 운동과 신체 활동에 대해 물리치료사들은 잘 알고 있으므로, 그들은 보행 계획과 운동 처방을 수립하는 것을 책임지고, 의료진 및 간호사들과 공동으로 재활 전략의 진행에 대해서 권고해야 한다.[15]

결론

운동과 재활은 중증질환 환자의 관리에서 중요한 역할을 한다. 중환자의 평가와 치료는 상태 악화(사지 및 호흡근 약화, 관절 강직, 손상된 기능적 운동 능력, 신체 비활동)와 인공 호흡기 이탈 실패를 주목하고 있으며 이는 재활치료의 목표이다. 임상연구를 통해서 다양한 방식의 운동 훈련과 조기 보행을 시험하였고, 중증질환의 단계, 동반 질환, 환자의 각성도와 협력에 따라서 적용할 수 있다. 환자의 보행 계획과 운동 처방은 물리치료사, 작업치료사, 중환자 전문가 및 간호사들로 구성된 팀의 책임이다.

참고문헌

1 Eisner MD, Thompson T, Hudson LD, et al. Efficacy of low tidal volume ventilation in patients with different clinical risk factors for acute lung injury and the acute respiratory distress syndrome. Am J Respir Crit Care Med 2001;164:231-6.

2 Koch S, Spuler S, Deja M, et al. Critical illness myopathy is frequent: accompanying neuropathy protracts ICU discharge. J Neurol Neurosurg Psychiatry 2011;82:287-93.

3 van der Schaaf M, Dettling DS, Beelen A, Lucas C, Dongelmans DA, Nollet F. Poor functional status immediately after discharge from an intensive care unit. Disabil Rehabil 2008;30:1812-18.

4 Herridge MS, Tansey CM, Matte A, et al. Functional disability 5 years after acute respiratory distress syndrome. N Engl J Med 2011;364:1293-304.

5 Unroe M, Kahn JM, Carson SS, et al. One-year trajectories of care and resource utilization for recipients of prolonged mechanical ventilation: a cohort study. Ann Intern Med 2010;153:167-75.

6 Poulsen JB, Moller K, Kehlet H, Perner A. Long-term physical outcome in patients with septic shock. Acta Anaesthesiol Scand 2009;53:724-30.

7 Herridge MS, Cheung AM, Tansey CM, et al. One-year outcomes in survivors of the acute respiratory distress syndrome. N Engl J Med 2003;348:683-93.

8 Schefold JC, Bierbrauer J, Weber-Carstens S. Intensive care unit-acquired weakness (ICUAW) and muscle wasting in critically ill patients with severe sepsis and septic shock. J Cachex Sarcopenia Muscle 2010;1:147-57.

9 De Jonghe B, Sharshar T, Lefaucheur JP, et al. Paresis acquired in the intensive care unit: a prospective multicenter study. JAMA 2002;288:2859-67.

10 Hund EF. Neuromuscular complications in the ICU: the spectrum of critical illness-related conditions causing muscular weakness and weaning failure. J Neurol Sci 1996;136:10-16.

11 Ali NA, O'Brien JM, Jr, Hoffmann SP, et al. Acquired weakness, handgrip strength, and mortality in critically ill patients. Am J Respir Crit Care Med 2008;178:261-8.

12 Esteban A, Frutos F, Tobin MJ, et al. A comparison of four methods of weaning patients from mechanical ventilation. N Engl J Med 1995;332:345-50.

13 Bailey P, Thomsen GE, Spuhler VJ, et al. Early activity is feasible and safe in respiratory failure patients. Crit Care Med 2007;35:139-45.

14 Morris PE, Goad A, Thompson C, et al. Early intensive care unit mobility therapy in the treatment of acute respiratory failure. Crit Care Med 2008;36:2238-43.

15 Gosselink R, Bott J, Johnson M, et al. Physiotherapy for adult patients with critical illness: recommendations of the European Respiratory Society and European Society of Intensive Care Medicine Task Force on Physiotherapy for Critically Ill Patients. Intensive Care Med 2008;34:1188-99.

16 Needham DM. Mobilizing patients in the intensive care unit: improving neuromuscular weakness and physical function. JAMA 2008;300:1685-90.

17 Schweickert WD, Pohlman MC, Pohlman AS, et al. Early physical and occupational therapy in mechanically ventilated, critically ill patients: a randomised controlled trial. Lancet 2009;373:1874-82.

18 Burtin C, Clerckx B, Robbeets C, et al. Early exercise in critically ill patients enhances short-term functional recovery. Crit Care Med 2009;37:2499-505.

19 Morris PE, Griffin L, Berry M, et al. Receiving early mobility during an intensive care unit admission is a predictor of improved outcomes in acute respiratory failure. Am J Med Sci 2011;341:373-7.

20 Kasotakis G, Schmidt U, Perry D, et al. The surgical intensive care unit optimal mobility score predicts mortality and length of stay. Crit Care Med 2012;40:1122-8.

21 Stiller K. Safety issues that should be considered when mobilizing critically ill patients. Crit Care Clin 2007;23:35-53.

22 Thomsen GE, Snow GL, Rodriguez L, Hopkins RO. Patients with respiratory failure increase ambulation after transfer to an intensive care unit where early activity is a priority. Crit Care Med 2008;36:1119-24.

23 World Health Organization. International Classification of Functioning, Disability and Health (ICF). (2010). Available at: http://www.who.int/classifications/icf/en/.

24 Stiller K, Philips A. Safety aspects of mobilising acutely ill patients. Physioth Theory and Pract 2003;19:239-57.

25 Hanekom S, Gosselink R, Dean E, et al. The development of a clinical management algorithm for early physical activity and mobilization of critically ill patients: synthesis of evidence and expert opinion and its translation into practice. Clin Rehabil 2011;25:771-87.

26 Gosselink R, Clerckx B, Robbeets C, Vanhullebusch T, Vanpee G, Segers J. Physiotherapy in the intensive care unit. Neth J Crit Care 2011;15:66-75.

27 Korupolu R, Gifford J, Needham DM. Early mobilisation of critically ill patients: reducing neuromuscular complications. Contemp Crit Care 2009;6:1-12.

28 Bourdin G, Barbier J, Burle JF, et al. The feasibility of early physical activity in intensive care unit patients: a prospective observational one-center study. Respir Care 2010;55:400-7.

29 Gosselink R, Needham D, Hermans G. ICU-based rehabilitation and its appropriate metrics. Curr Opin Crit Care 2012;18:533-9.

30 Fergusson D, Hutton B, Drodge A. The epidemiology of major joint contractures: a systematic review of the literature. Clin Orthop Relat Res 2007;456:22-9.

31 Clavet H, Hebert PC, Fergusson D, Doucette S, Trudel G. Joint contracture following prolonged stay in the intensive care unit. CMAJ 2008;178:691-7.

32 Schwartz Cowley R, Swanson B, Chapman P, Mackay LE. The role of rehabilitation in the intensive care unit. J Head Trauma Rehabil 1994;9:32-42.

33 Kleyweg RP, van der Meche FG, Schmitz PI. Interobserver agreement in the assessment of muscle strength and functional abilities in Guillain-Barre syndrome. Muscle Nerve 1991;14:1103-9.

34 Hermans G, Clerckx B, Van Hullebusch T, et al. Inter-observer agreement of MRC-sum score and handgrip strength in the intensive care unit. Muscle Nerve 2012;45:18-25.

35 Vanpee G, Segers J, Van MH, et al. The interobserver agreement of handheld dynamometry for muscle strength assessment in critically ill patients. Crit Care Med 2011;39:1929-34.

36 Vassilakopoulos T, Zakynthinos S, Roussos C. The tension-time index and the frequency/tidal volume ratio are the major pathophysiologic determinants of weaning failure and success. Am J Respir Crit Care Med 1998;158:378-85.

37 Zakynthinos SG, Vassilakopoulos T, Roussos C. The load of inspiratory muscles in patients needing mechanical ventilation. Am J Respir Crit Care Med 1995;152:1248-55.

38 Chang AT, Boots RJ, Brown MG, Paratz J, Hodges PW. Reduced inspiratory muscle endurance following successful weaning from prolonged mechanical ventilation. Chest 2005;128:553-9.

39 Marini JJ, Smith TC, Lamb V. Estimation of inspiratory muscle strength in mechanically ventilated patients: the measurement of maximal inspiratory pressure. J Crit Care 1986;1:32-8.

40 Chiang LL, Wang LY, Wu CP, Wu HD, Wu YT. Effects of physical training on functional status in patients with prolonged mechanical ventilation. Phys Ther 2006;86:1271-81.

41 Martin UJ, Hincapie L, Nimchuk M, Gaughan J, Criner GJ. Impact of whole-body rehabilitation in patients receiving chronic mechanical ventilation. Crit Care Med 2005;33:2259-65.

42 Mahoney FI, Barthel DW. Functional evaluation: the Barthel index. Md State Med J 1965;14:61-5.

43 Keith RA, Granger CV, Hamilton BB, Sherwin FS. The functional independence measure: a new tool for rehabilitation. Adv Clin Rehabil 1987;1:6-18.

44 Katz S, Ford AB, Moskowitz RW, Jackson BA, Jaffe MW. Studies of illness in the aged. The index of ADL: a standardized measure of biological measure of biological and psychosocial function. JAMA 1963;185:914-19.

45 Berg KO, Wood-Dauphinee SL, Williams JI, Maki B. Measuring balance in the elderly: validation of an instrument. Can J Public Health 1992;83(Suppl 2):S7-11.

46 Holden MK, Gill KM, Magliozzi MR, Nathan J, Piehl-Baker L. Clinical gait assessment in the neurologically impaired. Reliability and meaningfulness. Phys Ther 1984;64:35-40.

47 American Thoracic Society. ATS Statement: Guidelines for the six-minute walking test. Am J Respir Crit Care Med 2002;166:111-17.

48 Convertino VA. Value of orthostatic stress in maintaining functional status soon after myocardial infarction or cardiac artery bypass grafting. J Cardiovasc Nurs 2003;18:124-30.

49 Needham DM, Korupolu R. Rehabilitation quality improvement in an intensive care unit setting: implementation of a quality improvement model. Top Stroke Rehabil 2010;17:271-81.

50 McNair PJ, Dombroski EW, Hewson DJ, Stanley SN. Stretching at the ankle joint: viscoelastic responses to holds and continuous passive motion. Med Sci Sports Exerc 2001;33:354-8.

51 Reid DA, McNair PJ. Passive force, angle, and stiffness changes after stretching of hamstring muscles. Med Sci Sports Exerc 2004;36:1944-8.

52 Griffiths RD, Palmer A, Helliwell T, Maclennan P, Macmillan RR. Effect of passive stretching on the wasting of muscle in the critically ill. Nutrition 1995;11:428-32.

53 Llano-Diez M, Renaud G, Andersson M, et al. Mechanisms underlying intensive care unit muscle wasting and effects of passive mechanical loading. Crit Care 2012;16:R209.

54 Bierbrauer J, Koch S, Olbricht C, et al. Early type II fiber atrophy in intensive care unit patients with nonexcitable muscle membrane. Crit Care Med 2012;40:647-50.

55 Zanotti E, Felicetti G, Maini M, Fracchia C. Peripheral muscle strength training in bed-bound patients with COPD receiving mechanical ventilation. Effect of electrical stimulation. Chest 2003;124:292-6.

56 Gruther W, Kainberger F, Fialka-Moser V, et al. Effects of neuromuscular electrical stimulation on muscle layer thickness of knee extensor muscles in intensive care unit patients: a pilot study. J Rehabil Med 2010;42:593-7.

57 Strasser EM, Stattner S, Karner J, et al. Neuromuscular electrical stimulation reduces skeletal muscle protein degradation and stimulates insulin-like growth factors in an age- and current-dependent manner: a randomized, controlled clinical trial in major abdominal surgical patients. Ann Surg 2009;249:738-43.

58 Gerovasili V, Stefanidis K, Vitzilaios K, et al. Electrical muscle stimulation preserves the muscle mass of critically ill patients: a randomized study. Crit Care 2009;13:R161.

59 Poulsen JB, Moller K, Jensen CV, Weisdorf S, Kehlet H, Perner A. Effect of transcutaneous electrical muscle stimulation on muscle volume in patients with septic shock. Crit Care Med 2011;39:456-61.

60 Weber-Carstens S, Koch S, Spuler S, et al. Nonexcitable muscle membrane predicts intensive care unit-acquired paresis in mechanically ventilated, sedated patients. Crit Care Med 2009;37:2632-7.

61 Turner DA, Cheifetz IM, Rehder KJ, et al. Active rehabilitation and physical therapy during extracorporeal membrane oxygenation while awaiting lung transplantation-a practical approach. Crit Care Med 2011;39: 2593-8.

62 Zafiropoulos B, Alison JA, McCarren B. Physiological responses to the early mobilisation of the intubated, ventilated abdominal surgery patient. Aust J Physiother 2004;50:95-100.

63 Nava S. Rehabilitation of patients admitted to a respiratory intensive care unit. Arch Phys Med Rehabil 1998;79:849-54.

64 Porta R, Vitacca M, Gile LS, et al. Supported arm training in patients recently weaned from mechanical ventilation. Chest 2005;128:2511-20.

65 Gayan-Ramirez G, Testelmans D, Maes K, et al. Intermittent spontaneous breathing protects the rat diaphragm from mechanical ventilation effects. Crit Care Med 2005;33:2804-9.

66 Orozco-Levi M, Lloreta J, Minguella J, Serrano S, Broquetas JM, Gea J. Injury of the human diaphragm associated with exertion and chronic obstructive pulmonary disease. Am J Respir Crit Care Med 2001;164:1734-9.

67 Martin AD, Smith BK, Davenport PD, et al. Inspiratory muscle strength training improves weaning outcome in failure to wean patients: a randomized trial. Crit Care 2011;15:R84.

68 Caruso P, Denari SD, Ruiz SA, et al. Inspiratory muscle training is ineffective in mechanically ventilated critically ill patients. Clinics 2005;60:479-84.

69 Cader SA, Vale RG, Castro JC, et al. Inspiratory muscle training improves maximal inspiratory pressure and may assist weaning in older intubated patients: a randomised trial. J Physiother 2010;56:171-7.

70 Garzon-Serrano J, Ryan C, Waak K, et al. Early mobilization in critically ill patients: patients' mobilization level depends on health care provider's profession. PM R 2011;3:307-13.

PART

중환자실 치료 후 재활 전략

Chapter 46

중환자실 치료 후 재활 전략

리차드 D. 그리피스(Richard D. Griffiths)

치료 갈등: 환자와 가족의 경험

의료진은 재활 전략을 촉진하기 위해 중증질환으로 입원한 환자들이 이전의 신체적, 심리적 수준에 도달하는 것을 목표로 치료해야 한다.[1] 중증질환으로 인한 영향이 환자, 가족, 그들이 돌아갈 환경에까지 미치므로 가족에게도 재활 전략은 중요하다. 재활은 단순한 추적관찰이 아니라 결과에 영향을 주는 수동적, 관찰적 정보수집의 과정이라는 점을 강조하는 것이 중요하다. 삶을 회복하려면, 중환자실에서 시작하는 치료 전략과 함께 인생에서 가장 큰 도전에 직면한 환자와 그 가족의 회복을 최적화하기 위해 조기에 적극적이고 선택적인 의사-결정 과정이 필요하다.[2]

우리가 중환자실 치료 후 환자들의 정신심리 문제를 더 많이 이해하게 되면서, 환자와 가족들에게 나타나는 습관화된 행동을 예상하고 예방하지 못한다면 바꾸기 어려운 것처럼, 환자들의 심리적 문제와 행동도 고착화될 수 있다는 것을 확실히 알게 되었다. 이러한 문제를 조기에 평가하지 못하면, 오해와 착오로 치료갈등(conflict of care)이 생길 수 있다. 따라서 중환자실에서 재활은 조기에 시작해야 하며, 치료 돌봄 제공자와 환자 모두에게 회복의 문화를 만들어줄 필요가 있다. 관련 당사자들에게 재활의 중요성을 확인하기 위해서는, 환자와 가족들이 각자의 경험을 되돌아보고 동일한 사건도 각자 다양한 생각을 갖게 될 수 있다는 사실을 이해하는 것이 도움이 된다.

상이한 기대, 불안, 유인전략과 지지를 적절하게 조합하지 못할 때 치료 갈등이 발생한다. 가령, 환자는 쇠약한 상태에서도 회복을 위하여 굉장히 의욕적이지만, 보호자는 환자의 또 다른 사고를 우려하여 과잉보호하고 환자가 움직이는 것 자체를 막으려 하기도 한다. 가족의 이러한 불안을 과소평가해서는 안 된다. 살아 돌아온 가족을 돌보고 밤 동안 환자가 숨은 잘 쉬고 있는지 감시하며 내내 깨어있는 것은 보호자들이기 때문이다.

'문화를 바꾸는 것': 재활은 중환자실에서 시작한다

재활치료는 중환자실에서 시작되어야 하지만, 어떠한 환자가 적절한 대상인지, 어디에 자원을 집중해야 할지 인식하는 것도 중요하다. 재활이 필요한 환자들을 선별하는 것만큼 스스로의 노력으로 회복할 수 있는 환자들을 판별하는 것도 중요하다. 환자와 보호자의 협력 전략을 포함하여 과잉 치료, 불필요한 치료, 과잉의료는 피해야 한다.

회복과 재활치료의 문화

임상적으로 중환자실에 있는 동안 회복기간이 길어질 환자나, 특정 재활치료가 필요하게 될 것 같은 환자를 가려내는 것은 어렵지 않다. 간략히 임상적으로 평가할 때에는 고령(>60세), 장기간의 중환자실 재원기간(10일 이상), 중증 패혈증, 외상 혹은 화상, 혼란과 섬망, 지속적인 약물 복용과 금단 현상, 쇠약 혹은 기능저하(예; 연하)와 같은 요인들을 복합적으로 고려한다. 중환자실 획득 쇠약(ICUAW)은[3] 중요한 문제이고, 임상적 특징으로 환자의 말초 골격근(종종 호흡근)의 기능 손상을 예측할 수 있다. 입원 중과 퇴원 시점에 말초 근육 기능의 구체적인 평가를 비롯하여, 기침 기능, 연하와 보행을 평가하는 것은 위험요인 평가의 한 부분이다. (지역)사회 시스템, 가족들의 질병에 대한 이해와 이러한 요인들을 함께 고려하여야 의료진은 환자와 보호자들의 필요를 최대한 가깝게 알아낼 수 있다.

앞으로는 재활치료를 중환자실에서 하는 '치료'로 생각하는 긍정적인 문화를 만들어 내는 것이 중요하다. 몇 가지 요소들이 필요하겠지만 오해를 방지하는 것이 핵심이다. 이를 위해서는 간호사들은 보호자와 지지관계를 구축하여 현실적인 기대를 하게끔 하고, 진행 과정과 시간경과를 논의할 수 있게끔 해야 한다. 환자의 인지 호전에 따라 달성 가능한 목표를 설정하고, 현실적이며 관리할 수 있는 스케줄을 세운다. 인지손상은 다수의 환자에서 발생하며 중환자실 입원 중의 기억회상에 부정적인 영향을 끼친다. 보호자는 환자가 겪는 혼란스러움을 해결해 줄 수 있으므로 환자들이 시간 변화를 이해하게 되면 필수적으로 조기에 보호자들이 참여하게 한다. 그러나, 보호자들을 참여하게 하면 만성불안의 발생을 예방하기 위해 관리(예; 수면 박탈, 심한 불안, 논의 회피)를 해야 할 의료진의 책임 부담도 늘어난다.

일부 환자와 가족에게는 조기 재활과 건강한 생활 관리가 쉽지 않다. 침상 안정과 부동(immobility)이 비생산적이며, 회복기간 동안 환자의 심신을 자극하는 역할의 중요성을 강조한다. 의료진은 환자와 가족들에게 자발적인 보행과 재활이 쉽지 않다는 것을 알려주되, 환자의 작은 성취에 보상을 제공하여 긍정적인 강화를 유도하고 기대를 재설정하도록 돕도록 한다.

'갈등' 관리

중환자실 퇴원 이후 발생할 수 있는 갈등을 해결할 수 있는 핵심방법은 환자와 가족이 자신들의 경험을 재구성하여 서로 공유하도록 하는 것이다. 52장에서 논의하겠지만, 중환자실에서 간호사가 작성하는 환자와 가족의 투병일기는, 유대감 측면에서, 회복 중 대화의 틀이 될 수 있다.[4] 중환자실 일기를 통해 환자와 보호자는 경험을 공유하고 공통의 대화를 할 수 있다. 일기를 사용하여 불안과 회복을 방해하는 외상후스트레스장애(PTSD)의 발생을 줄였다는 연구 결과들이 있다.

'삶의 회복': 중환자실 후 관리

중환자실 입원 기간 동안 중증도가 높았던 환자들은 중환자실 치료에 대한 기억이 미미하거나 거의 없을지도 모른다. 이들은 낯선 병동에서 재활을 시작하게 되는 데 그곳은 실제로 혹은 정서적으로 아무런 연관이 없는 곳이다. 게다가, 환자들은 그들의 질병을 속속들이까지 파악하고 있지 못한 의료진의 치료를 받게 된다. 따라서 위험요인 평가를 비롯하여 중환자실에서 시행한 치료와 경과, 가족과 간병인의 역할 등에 관한 정보를 전달하여야 한다. 약물 금단현상, 원치 않는 약물의 중단, 심폐 기능의 최적화, 부동(immobility)과 관련한 신체 문제 평가 등 주요 문제들에 관한 정보를 검토해야 한다. 특히 더 이상 섬망이 없더라도, 장시간 섬망이나 혼동이 지속되었던 환자는 반복하여 인지손상을 확인하고 정보와 조언을 제공한다. 간단한 도구들이 개발되어 불안, 우울, PTSD를 선별하는 것이 간편해졌다. 중환자실에서처럼 '관찰과 기다리기(watch and wait)' 접근법이 도움이 된다. 신체적, 심리적, 사회적 문제를 평가하면서 그들이 회복에 잘 대처하도록 한다. 회복의 흐름을 과정 측면에서 재평가 할 필요가 있고, 이를 통해 환자에게 제공되는 치료 전략을 보호자가 잘 대처하고 이해하고 있는지 평가할 수 있다. 영국의 NICE 지침에 이러한 내용이 요약되어 있다. 지침은 중환자실 재원 중에 위험요인 평가와 선별

을 제안하고 있으며 중환자실에 퇴실할 때는 체계적인 추후 계획을 기록에 남길 것을 제안하였다.[5]

신체 회복

중증질환과 관련된 신체 기능 손상에는 말초 신경과 골격근 문제를 포함하여 중추 뇌신경 기능의 문제들도 있다. 중환자실 치료 후, 근육 소모 회복에는 신체 활동을 동반한 적절한 단백질 섭취 그리고 적절한 혈당 조절이 필요하다. 식이 관리는 단백질을 적절히 섭취하게 하고, 과다한 체중 증가를 방지하기 위한 지방이나 과도한 탄수화물 섭취를 피하게 하는 등 건강한 식습관에 초점을 맞추어야 한다. 보행 후에는 수분 손실이 일어나므로 중환자실 퇴실 후 초기에 체중 감소는 흔하다.

활동성을 유지하기 위하여 중환자실에서 시작한 보행 치료는 일반 병실로 옮겨진 후에도 이어져야 한다. '중환자실 회복 매뉴얼'처럼 매일 기록하는 일지같은 자가 운동프로그램을 사용하는 것이 유용하다.

이러한 접근법을 적용하여 중환자실 평균 재원기간 14일(중앙값)이었던 환자들이 6개월 후 신체 상태가 증진되었다.[6] 아울러 환자들은 외래 치료 프로그램의 이점이 있었고 고무적인 결과를 얻었다.[7] 이러한 프로그램은 조기 운동 치료를 포함하여 회복을 증진할 수 있는 재활 문화 확립에 달려 있다. 환자가 병실로 옮겨가거나 집으로 돌아간 후에 재활치료를 시작하면 재활에 참여하는 태도를 바꾸기에 너무 늦다. 더구나 중환자실 재실 기간이 1주일 미만이었던 환자들에게서는 교정 가능한 문제가 충분히 개선되지 못할 것이다.

심리 회복

약물 금단 증상, 극심한 혼란이나 불안을 다루는 것 같은 어떤 문제들은 명확하지만, 대다수 환자들에게서 정상화되는 과정에서 '관찰과 기다리기(watch and wait)' 접근법이 필요하다. 회복 기간 동안 전체적인 건강 상태에 맞춰 설명해주고 확신을 주어야 하며, 악몽, 망상, 지속적인 통증, 불쾌한 경험, 상쾌하지 않은 수면 등 흔한 스트레스 인자들을 물어보아야 한다. 지속적인 인지손상과 관련된 불면증과 기억력을 다루어야 하기 때문에 이러한 논의가 반복되어야 한다. 환자와 가족의 일기는 중요한 치료의 일부분이다.

불면증의 직접적인 결과로 자신에게 일어났던 변화(e.g. 전체적 약화)를[10] 인지하지 못하고, 이는 회복에 관한 인식과 이해에 영향을 준다. 일기가 있으면 환자와 보호자는 그들의 경험을 이야기하고 맥락화할 수 있는 시간과 기회를 얻을 수 있다. PTSD 위험 선별 검사가 2주차에 가능하고[11] 추가 치료가 필요한 환자들을 가려낼 수 있게 되었지만, 일기는 가족들이 자신들의 스트레스를 관리하는 것 외에도[12] 다른 장점들이 있다.

인지손상과 사회적 장애

섬망과 같은 급성뇌기능장애는 장기적인 인지적 손상을 야기할 수 있다. 많은 환자들은 몇 달에 걸쳐 점진적으로 회복되므로 이에 대해 설명해주고 재차 확인한다. 경험적으로 환자와 보호자가 설명과 주의를 받은 만큼, 환자는 행동의 적응을 보이며 결과가 개선되는 단계로 진전한다. '돌봄 일지(aide memoire)' 리스트를 만들고, 의사결정을 도와줄 지침도 지지적 접근을 위해 중요하다.

'삶을 회복하는 것'은 관계의 사회적, 정서적 측면을 일과 여가의 일부로 통합하는 것을 포함하여 (환자가) 사회적 존재로서 재정립하는 것이다. 그렇기 때문에 포괄적 재활은 환자에게 최대의 회복을 보장하고 회복과 관련한 여러 문제의 회복을 돕는다. 영양과[13] 성기능 부전(sexual dysfunction)을[14] 극복하기 위한 전략들도 간과해서는 안 된다.

외래 추적관찰(예; 퇴원 후 3개월)에서 재활 진행을 평가할 수 있다. 더구나, 해결이 불가능한 지속되는 문제들(예; 관절 문제, 신경-근육 손상, 운동을 방해하는 기관절개 후 기도 문제)을 해결해야 한다. 최종적으로 지속되는 심리사회적 문제(psychosocial issues)를 평가하고 연구할 필요가 있다. 조기재활치료는 환자의 회복에 필요한 시간과 경과 측면에서 장점이 크다. 그러나, 조기재활치료는 환자와 보호자 모두가 동의할 때 가능하다. 근육 손실과 회복 시간의 심각성을 이해하고 의료진들은 중환자치료의 간단한 명제를 명심해야 한다. 중환자실에서 젊은 사람이 1주일만에 회복할 것을 노인은 2주가 넘는 기간이 필요하다는 사실 말이다.

결론

중환자의 진단, 중증도, 생물학적 나이의 차이는 회복의 경로나 기간이 지극히 개별적이고 다양함을 의미한다. 하지만, 회복 측면에서 신체적, 행동학적 공통점이 있는 데, 이는 특별한 병리학적 양상은 아니다. 또 이러한 접근법을 각 환자에게 맞게 적절하게 선택할 필요가 있으며, 모든 사람을 동일한 회복 궤도에 놓고 생각해서는 안 된다. 몇십 년 동안, 우리는 환자와 보호자들의 이야기를 경청하면서 많은 것 배워왔으며, 회복 과정에서 환자와 보호자를 제외하고 생각하는 것은 중대한 실수이다. 우리는 단순한 중간 후견인일 뿐이며 궁극적인 회복은 환자를 가족, 친구 그리고 그들의 사회적 지지망 속으로 재통합시켜야 비로서 이루어진다는 것을 명심해야 한다.

참고문헌

1 Griffiths RD, Jones C. Recovering lives: the follow-up of ICU survivors. Am J Respir Crit Care Med. 2011; 183:833-44.

2 Griffiths RD, Jones C. Seven lessons from 20 years of follow up of intensive care unit survivors. Curr Opin Crit Care 2007;13:508-13.

3 Griffiths RD, Hall J. Intensive care unit-acquired weakness. Crit Care Med 2010;38:779-87.

4 Jones C, Bäckman C, Capuzzo M, et al., and RACHEL group. Intensive care diaries reduce new onset PTSD following critical illness: a randomised, controlled trial. Crit Care 2010;14:R168.

5 National Institute for Health and Care Excellence. Rehabilitation after critical illness: NICE clinical guideline 83. 2009. Available at: http://www.nice.org.uk/CG83.

6 Jones C, Skirrow P, Griffiths RD, et al. Rehabilitation after critical illness: a randomised, controlled trial. Crit Care Med 2003;31:2456-61.

7 McWilliams DJ, Atkinson D, Carter A, Foe BA, Benington S, Conway DH. Feasibility and impact of a structured, exercise-based rehabilitation programme for intensive care survivors Physiother Theory Pract 2009; 25:566-71.

8 Cuthbertson BH, Rattray J, Campbell MK, et al. The PRaCTICaL study of nurse led, intensive care follow-up programmes for improving long term outcomes from critical illness: a pragmatic randomised controlled trial. BMJ 2009;339:b3723-31.

9 Elliott D, McKinley S, Alison J, et al. Health-related quality of life and physical recovery after a critical illness: a multi-centre randomised controlled trial of a home-based physical rehabilitation program. Crit Care 2011;15:R142-52.

10 Griffiths RD, Jones C. Filling the intensive care memory gap? Intensive Care Med 2001;27:344-6.

11 Twigg E, Humphris G, Jones C, Bramwell R, Griffiths RD. Use of a screening questionnaire for post-traumatic stress disorder (PTSD) on a sample of UK ICU patients. Acta Anaesthesiol Scand 2008;52:202-8.

12 Jones C, Bäckman C, Griffiths RD. Intensive care diaries and relatives' symptoms of posttraumatic stress disorder after critical illness: a pilot study. Am J Crit Care 2012;21:172-6.

13 Griffiths RD. Nutrition after intensive care. In: Griffiths RD, Jones C (eds.) Intensive care aftercare. Oxford: Butterworth & Heinemann; 2002. pp. 48-52.

14 Waldmann C. Sexual problems and their treatment. In: Griffiths RD, Jones C (eds.) Intensive care aftercare. Oxford: Butterworth & Heinemann; 2002. pp. 39-47.

Chapter 47

말초 및 호흡근 평가

제라드 라퍼티, 존 목샴(Gerrard Rafferty and John Moxham)

중환자에서는 호흡과 말초 근육에 영향을 주는 골격근의 약화가 흔히 발생한다.[1-3] 이로 인하여 기계환기 이탈이 어렵고, 중환자실 입원 기간이 연장되며,[3] 사망률이 높아지고,[4,5] 생존자에서도 질병 이환률이 높아진다.[6,7] 신경근육 질환, 내분비 및 대사성 질환, 아미노글리코사이드(aminoglycosides), 코르티코스테로이드(corticosteroid), 신경근육차단제(NMBAS) 등의 약물도 잠재적으로 근육 기능 손상을 유발할 수 있다. 영양불균형과 만성질환도 말초 및 호흡근육 기능에 부정적인 영향을 미친다. 심장수술,[8] 심장/폐 이식수술,[9] 간 이식수술,[10,11] 상부 경추 신경근의 외상성 척수 손상[12] 등의 부작용인 횡격막 신경(phrenic nerve) 손상으로 횡격막 기능 부전이 발생할 수 있다. 또한, 골격근의 약화는 CIP, CIM, 부동 상태(immobilization) 또는 이 세 가지의 조합으로 발생할 수 있다.

축삭 신경의 퇴화, myosin의 소실, 근괴사 등 CIP와 CIM의 구조적인 변화가 일어나면, 신경과 근육의 전기적 불흥분성과 가역적 근력 저하로 이어진다. 부동 상태는 그 자체로 골격근력에 지대한 영향을 주지만, 심각한 근력 저하와 손실에도 불구하고 감각 신경과 운동 신경의 전도와 근전도 검사는 정상 소견을 보인다. 중환자실에 입원하여 기계환기를 시작한지 수시간 안에 근육 기능 부전이 시작되기도 하며,[13] 중환자실에서 퇴원한 뒤 5년 후까지도 후유증은 지속될 수 있다.[4,7,14] 많은 환자들이 퇴원 후 수개월에서 수년간 근력 저하를 호소하고, 운동 장애를 호소한다.

중환자의 신경근육 기능 부전을 평가하는데 임상 검사, 근육 생검, 전기생리학적 기술을 이용하지만 정확한 진단이 쉽지 않다. 선행 기저질환을 가지고 있기도 하며, 검사에 상당한 시간과 숙련된 기술이 요구된다.[15] 중환자에게서 전기생리학적, 조직학적 이상 소견이 흔하지만, 어떤 이상 소견이 임상적으로 의미가 있는지 결론짓기 어려울 수 있다.[16,17] 패혈증과 다발성 장기기능 부전이 있는 환자들은 전기생리학적 이상 소견 없이도 근력 저하를 보일 수 있으며,[17] CIP 또는 SIRS(전신성염증반응증후군) 환자에서 호흡 및 말초 근육의 근전도 소견으로 기계환기와 중환자실 재실 기간을 예측할 수는 없다.[18]

말초 골격근 근력 평가

말초 골격근의 근력을 정량적으로 평가하는데 사용하는 MRC Scale은 길랑-바레 증후군 환자에서 신경근 기능을 평가하기 위하여 Hughes 등이[19] 개발한 6점으로 분류하는 평가도구이다. 수정 MRC는[20] 좌우측 여섯 개 근육군 근력의 총합을 알 수 있다. MRC 총 점수의 범위는 0점(완전 마비)부터 60점(정상 근력)이며, 양측 근위부와 원위부 근육군을 기록한다. MRC 합계 60점 중 48점 미만일 경우, 중환자실 획득 쇠약(ICUAW)의 진단 기준이 된다.[21] MRC 점수는 카테고리 변화가 임상적으로 중요하고, 카테고리 간의 차이가 명확하게 정의되어 있다는 점에서 유용한 평가 도구이다. 중증질환 초기에는 관찰되지 않지만, 이 척도는 만족스러운 재현성(reproducibility)과 급내상관계수(correlation coefficient)를 보여 검사자 간 일치도(inter-observer agreement)가[22,23] 높다. 게다가 MRC 점수는 호흡근 기능과 인공호흡기 이탈, 사망률과 연관성이 있다고 밝혀져 있으며,[3,16,24] 다른 복잡한 비자발적 검사들과 달리 수행하기 쉽고, 저렴하며, 적용하기 쉽다. 하지만 MRC 점수는 의식이 있고 협조가 가능한 환자에 국한하여 사용할 수 있다. 따라서 중환자실에서 사용 가치는 제한적이다.[16,24,25] 검사의 자발적인 특성 때문에 근육 기능 저하가 있는 환자와 동기(motivation)가 부족하거나 인지 기능 저하가 있는 환자를 구별하지 못할 수 있다. 또한, MRC 점수는 근력을 평가할 수 있는 단순한 도구로서, 각각의 근육 군은 비선형 척도로 점수화된다.

중력 저항 능동 운동의 정도와 저항이 정량화 되어있지 않아서, 4등급의 근력은 꽤 넓은 범위의 근력을 포괄하고, 3등급 이상의 근력과 엄밀하게 구별하기 어렵다.[26,27] MRC 점수는 근력검사가 관절 가동 범위에서 이루어져야 하는지 또는 등척성 수축으로 측정해야 하는지를 구분하지 않는데, 잠재적으로 이 두 측정 방법에 따른 차이가 있을 수 있다. MRC 총점은 상대적으로 민감도(sensitivity)가 낮다. 즉, 뚜렷한 전기생리학적 변화에도 불구하고 근력의 미묘한 변화를 발견하기 어렵다.[28]

이동용 동력계(handheld dynamometry, HHD)는 최대자발수축력(maximal voluntary contraction, MVC)을 측정하여 근력을 객관적으로 평가하는 기술이다. 검사자는 환자가 검사하려는 근육을 최대한으로 수축할 수 있는 적절한 자세에서 동력계를 사용하여 운동에 저항을 준다. 검사의 유의성 및 재현성을 위하여 환자의 자세와 관절 가동 범위를 측정하는 위치는 표준화되어야 한다.[29] HHD는 슬관절 신전, 발목관절 배측 굴곡, 견관절 외전의 경우 검사자간 신뢰도(intra- and inter-rater reliability)가 좋다.[30-32] HHD를 사용하여 유효한 근력 측정값을 얻고 저평가를 막기 위하여, 평가하는 동안 검사자는 환자의 근육군과 반대방향으로 충분한 힘을 가해야 한다.[33-35]

HHD를 사용하여 쥐는 힘(grip strength)을 측정하는 것은, 통합적 도수 근력 평가를 대체할 만한 빠르고 간단한 검사이며,[24] 표준치도 알려져 있다.[36-38] 객관적인 근력의 평가를 제공하지만, 동력계는 통증, 진정, 섬망, 혼수상태 등 자발적인 움직임에 의해 검사의 정확도가 영향을 받는다는 점에서 MRC 점수와 유사한 제한이 있다. 의식이 명료하고 협조가 가능한 환자들에서도 자발적인 근력 평가는 대상자가 정상 범위의 값을 달성할 경우에만 근력 저하를 배제할 수 있으며, 낮은 수치(low value)는 근력 저하인지 최대치의 노력을 하지 않은 것인지 알 수 없어 해석이 어렵다.

비자발적 말초 근력 평가

근육의 운동 신경을 자극하는 비자발적인 평가 기술은 환자의 협조나 의지에 의한 영향을 배제할 수 있고, 협조가 되지 않는 환자에서 신뢰성 있는 근력 측정이 가능하다. 척골신경(ulnar nerve) 자극에 의한 무지내전근력 측정, 대퇴신경 자극에 의한 대퇴사두근력측정,[41,42] 비골신경 자극에 의한 발목관절 배측굴곡력측정[43-45] 등 다양한 기술을 활용할 수 있다.[17,39,40]

척골신경 자극과 무지내전근력 측정

Eikermann은[17] 13명의 패혈증 및 다발성장기부전 환자를 사지 부동 상태의 건강한 대조군과 비교하여 무지내전근(adductor pollicis muscle) 근력의 감소를 입증하였다. 연구자들은 저빈도 자극을 사용하여 피로의 영향뿐만 아니라, 다른 자극 빈도(10–80 Hz)에서 근력의 발생, 수축, 절반 이완 시간(half relaxation times)을 검사하여 근육의 특징적 기능을 알 수 있다.

고빈도 자극은 통증을 유발할 수 있어 환자들이 참기 어려울 수 있다.[40] 강직성 수축 동안, 근력을 측정하기 위하여 고빈도 신경 자극을 하는 것보다, 1 Hz의 최대치를 초과하는 신경 자극에 반응하는 근력을 측정하여도 근수축력 평가가 가능하다. Harris[39] 등은 척골 신경의 전기적(electrical), 또 최대치의 자기(magnetic) 자극을 사용하여, 재원 기간이 평균 18.5일인 중환자 12명에서 무지내전근의 연축이 감소하는 것을 발견하였다. 이 기술은 자극하는 동안 손과 전완부를 고정하기 위하여 고정판을 사용한다.[39,46] 무지내전근력은 엄지손가락 근위부 주변의 금속 루프와 연결된 압박붕대(strain gause)를 사용하여 측정하며, 척측수근굴근건(flexor carpi ulnaris)과 척골동맥 사이에서 척골신경을 자극한다. Pickles 등은 같은 기술을 사용한 대규모 연구에서 중환자 23명(mean±SD, 5.2±2,1)을 건강한 대조군 29명(5.2±2.1)의 결과와 비교하고 연축 평균값이 유의하게 감소함을 증명하였다.[47]

근력을 평가하는 방법으로 등척성 연축 긴장(isometric twitch tension)은 한 번의 연축으로 발생되는 힘과 고빈도 자극에 의해 생성되는 힘 즉, 강직성 수축(혹은 MVC)에 의한 힘 사이에 일정한 관계가 있음을 가정한다. 이러한 관계는 다양한 동물들과 인간의 골격근에서 알려져 있다.[48] 정상인에서 근육 연축과 MVC의 비율(TwAP/MVC ratio) 범위는 좁으며(0.08–0.12), 이 관계가 타당함을 의미한다.[39] TwAP 기술은 환자의 자세나 치료를 거의 방해하지 않으며, 심지어 중증의 환자들도 견딜 수 있다. 전기보다 자기장을 사용하면, 척골신경자극을 자세, 표면압력, 혈관 카테터로 방해받지 않고 측정할 수 있는 장점이 있다. 또한, 자기자극을 사용하여[49] 운동섬유를 자극하는 역치는 감각섬유보다 매우 낮으며 통증이 없다. 전기자극기술은 상대적으로 피부저항을 극복하기 위하여 높은 자극 전류를 사용한다. 자극전류가 자기 자극(magnetic stimulation) 동안에 생성되기 때문에 강도가 매우 낮아 무통증 검사가 가능하다.[50]

대퇴신경 자극과 대퇴사두근력

대퇴신경(femoral nerve)의 최대치 이상의 자기 자극은 대퇴사두근(quadriceps)의 수축력을 평가할 수 있다.[41,42] 대퇴사두근은 기능적으로 중요한 주운동 근육이다. 그러나 중환자실에서 측정하기 어렵고 환자가 반듯이 누워 다리를 90도로 구부린 상태로 유지할 수 있도록 트롤리에 환자를 옮겨야 한다.[42,51] 대퇴사두근력은 압박붕대에 부착된 (늘어나지 않는) 스트랩을 사용하여 발목관절에서 측정한다. 대퇴신경의 최대치 이상의 전기 자극이 가능하기는 하지만, 기술적으로 어렵고, 재현성이 낮다.[52] 말초대퇴신경가지의 피부를 통한 전기자극은 근육 위 피부에 전극을 부착하여 시행하는 기술로 이 기술은 근육의 일부분만 활성화시키는 최대치 이하의 값을 사용한다. 대퇴신경을 최대치 이상으로 자기 자극(magnetic stimulation)하는 것은 상대적으로 쉬우며, 통증이 없고 재현이 가능하다.[41,42] 70 mm 8자 모양의 자극 코일을 대퇴삼각(femoral triangle) 높은 쪽, 대퇴동맥의 외측, 대퇴신경 위에 설치한다. 최대치 이상의 자극을 가한 이후 대퇴사두근의 연축 반응(TwQ)을 기록하고 근육의 수축력을 측정할 수 있다. Harris 등은[42] 46명의 건강한 대조군(mean±SDM, 11.0±3.1 kg)과 비교하였을 때 25명의 중환자군(3.6±1.7 kg)에서 TwQ 값이 유의하게 감소한다고 하였다.

비골신경 자극과 발목관절 배골 근력

비골신경(peroneal nerve) 자극으로 발목관절 배골근(dorsiflexor muscle) 근력의 비자발적인 평가가 가능하다.[43,44] Ginz 등은[43] 기계환기 7일 후, 건강한 대조군과 비교하여 19명의 중환자에서 발목관절의 배측굴곡근력이 감소함을 증명하였다. 환자들은 대조군과 비교하여, 토크 값이 감소하고 수축시간이 짧으며 이완 시간이 연장되었다. 비골신경 자극은 무지내전근에 비해 평가하는 위치가 덜 제한적이라는 점에서 척골신경보다 선호된다. Seymour 등은[45] 비골신경의 100 Hz의 전기 자극이 건강한 대조군과 COPD 환자군 모두에서 가능하다고 하였으며, MVC 동안 얻어진 힘과 유발된 긴장성 수축력은 동일하다.[53]

기술적인 고려

최대치 이상의 자극, 접촉 부위, 온도

협조가 되지 않는 중환자들에서 골격근력을 평가하기 위해서 비자발적인 검사가 유용하지만, 유효한 측정값을 얻기 위해선 신경 자극 검사방법이 표준화 되어야 한다. 운동 신경이 충분히 탈분극된 상태에서 전체 근육의 완전한 탈분극과 수축이 가능하도록 자극은 최대치 이상의 강도여야 한다. 전기 자극(ES)을 하는 동안 CMAP의 평탄부(plateau)로 표현되는 최대 반응을 유발하기 위해 요구되는 것보다 5–20%의 높은 레벨까지 자극 강도를 올린다. 자극 강도는 전류와 진동시간에 따라 결정된다(보통 200 ms). 전기 접촉을 최대화하기 위해 자극부위 피부의 전처치가 필요하며, 신경 자극에 필요한 적절한 전류 밀도를 제공하기 위해 적절한 크기의 자극 전극을 사용하여야 한다. 전극 접촉면은 이상적으로 7–11 mm 정도, 전극간 거리는 3–6 cm이며, 음성 전극을 원위부에 부착한다.[54] 근육의 전부하는 힘의 발생에 직접적인 영향을 미치기 때문에 표준화하여야 한다. 무지내전근력을 측정할 때, 고정된 엄지의 내전각은 50도[55] 혹은 미리 결정된 전부하(3 g/kg)를[56] 검사하는 동안 잘 유지하여야 한다. 골격근의 기능은 근육의 온도에도 영향을 받는다.[57] 중환자는 말초 순환이 손상되어 있으며, 피부와 근육의 온도가 낮다. 무지내전근은 피하지방으로 덮여있는 절연이 거의 되어있지 않은 작은 말초 근육이다. 따라서 온도 변화가 근육의 기계적 특성을 평가를 하는 데 영향을 주지 않도록 검사 중 근육의 온도를 표준화하는 것이 필수적이다.[55,58] 온도를 낮추면 최대 힘 발생, 속도 단축, 긴장 발생 비율은 감소하며, 이완율이 느려진다.[58] Harris 등은[39] 평가하는 근육의 온도를 35도까지 유지하기 위하여 수부와 전완부를 평가 전 10분간 44도 온도의 수조에 담그고, 이후 수부는 램프의 방사열을 이용하여 따뜻하게 유지할 것을 강조하였다.

근육 강화작용

이전의 근육 수축이 자극에 대한 기계적 반응을 향상시키고, 더 큰 힘을 발생시키게 되는데 이를 강화라 한다. 강화는 이전의 자발적 근수축[60] 혹은 비자발적 운동 신경 자극의 결과로 일어날 수 있다.[61] 힘에 대한 반응의 향상은 특히 단일 연축 반응과 같은 낮은 자극 빈도에서 저명하다. 연축 사이의 강화는 연축간 30초라는 표준화 자극 프로토콜을 사용하면 예방할 수 있는 반면에, 1 Hz의 연축 반응을 측정할 때, 측정 전 20분간의 완전한 근육 휴지기를 두어야 안정적이고 재현 가능한 강화가 일어나지 않은 연축 반응을 만들 수 있다.[39] 자극 빈도의 범위 이상에서 발생한 근력을 검사할 때는 평탄부에 도달할 때까지 단일 연축 자극을 반복하는 것이 강화작용의 기본 레벨을 정하는 데 유용하다.[62-64] 또한, 자극 지속 시간, 자극 사이 간격을 고려하여야 하며, 자극 패턴 때문에 근육 피로가 유발되지 않도록 해야 한다. 고빈도의 지속적인 자극은 통증을 유발할 수 있기 때문에 1–2초 동안 자극하고 사이에 60초간의 휴식을 두어 힘–빈도 곡선을 만들 수 있도록 한다.

결론

중환자에서 말초 골격근의 근력을 평가하는 다양한 기술이 있다. 점수 체계와 휴대용 동력계를 이용한 자발적인 검사법이 상대적으로 사용하기 간편하고 빠르다. 특별한 장비를 거의 필요로 하지 않지만, 의식이 명료하고 협조가 가능한 환자에서만 사용할 수 있다. 이러한 한계로 중환자의 근력 저하 평가는 어렵다. 비자발적인 검사법은 검사에서 자발적인 요소를 제거하고 생성된 근력을 측정할 수 있으나, 특별한 장비가 필요하다. 비교를 위한 표준 데이터도 제한적이다. 어떠한 말초 근육이 전신 근력 저하 또는 횡격막을 포함한 호흡근의 세기를 반영할 수 있는지 명확하지 않다.

호흡근 근력 평가

호흡근이 약화되면 기계환기의 이탈이 어려워지고 중환자실 재실 기간이 길어진다. 특히 횡격막은 흡기의 주요 근육으로서 질병, 외상, CIPNM (critical illness polyneuromyopathy), 호흡근의 기능에 직접적으로 영향을 받을 뿐만 아니라, 폐질환의 결과로, 폐 용적에 대한 양압 환기 적용 등 간접적인 영향을 받는다. 횡격막의 길이는 과팽창 시에 감소되며,[65] 또한 과팽창의 결과로 횡격막의 압력 발생 능력도 저하된다.[66-70] 이러한 압력 발생 능력의 저하로 흉곽 내 압력을 낮추는 횡격막의 기능이 감소한다.[71]

압력을 측정하기 위한 기술적인 고려

호흡근력을 직접 평가하는 것은 근육의 해부학적 위치 때문에 어렵다. 힘 발생은 전반적인 호흡근의 기능을 반영하는, 기도 입구에서 압력을 측정하거나, 혹은 횡격막 특이적인 평가 즉, 횡격막간 압력(trans-diaphragmatic pressure)을 알 수 있는 흉곽 내, 복강 내 압력을 침습적으로 평가하는 방법을 통해서 간접적으로 평가할 수 있다. 횡격막의 수축은 흉곽 내 압력을 낮추며 식도 하부 1/3 지점의 압력(Poes)을 측정하여 평가할 수 있다.[72] 이때 복압은 상승하는 데 보통 위와 위장관의 압력(Pgas)을 측정하여 평가한다.[73] 횡격막간 압력(trans-diaphragmatic pressure)은 식도내압(Poes)과 위압력(Pgas) 사이의 차이이며, 횡격막의 기능을 평가하는 '표준 측정법'이다. 공기가 채워진 풍선,[74,75] 액체가 채워진[76] 고체 상태의[77,78] 압력 카테터를 사용하여 식도내압과 위내압을 기록한다. 어떤 기술을 사용하던지, 압력 기록 시스템의 작동 특성을 결정하고, 진동수 반응이 적절한지 확인하는 것이 중요하다. 이는 횡격신경(phrenic nerve) 자극 혹은 재채기로 유발된 횡격막의 압력(Pdi) 반응을 기록될 때 특히 중요하다. 게다가, 바로 누워있는 자세에서 중환자를 측정할 때는 풍선 카테터를 채운 공기의 부피를 조절하는 것도 필요하다.[79] 횡격막의 압력을 정확하게 측정하기 위하여, 압력 카테터의 정확한 위치가 중요하다.[75,80] 복부를 촉진할 때 혹은 흡기 시 위내압의 양전위 파형은 카테터가 위에 위치하였음을 의미한다. 흡기 시 기도를 막는 힘의 10% 이내에서 식도와 구강의 압력이 동일하다면 식도 카테터가 정확한 위치에 있음을 가리킨다. 기관절개술이나 ETT (endotracheal tube)가 있을 경우, 카테터를 정위치시키는 것은 어려우며 이러한 경우 진정제 투약이 필요할 수 있다. 진정약물은 횡격막의 수축력에 영향을 미칠 수 있으며, 평가자는 이를 검사 결과의 제한점으로 받아들이거나 혹은 평가가 진행되기 전 약물의 효과가 사라질 때까지 기다릴 수 있다. 직접 인두에서 기관지내시경시경을 이용하여 위치를 눈으로 확인하는 것이 일부 환자에서는 도움이 될 수 있다.

비침습적인 자발적 검사

횡격막과 전반적인 흡기 및 호기의 근력을 평가하기 위한 다양한 비침습적 혹은 침습적, 자발적 그리고 비자발적 검사들을 이용할 수 있다. 최대 흡기(Pimax)나 호기(Pemax)를[81] 유지하는 동안, 구강 혹은 ETT에서, 또는 재채기를 하는 동안 코흡기압(SNIP)으로 간단하고 비침습적이며 자발적인 근력 측정 기록을 얻을 수 있다. 침습적인 비인두,[82] 경식도(SniffPoes),[85] 경횡격막(SniffPdi)[83,86] 압력 측정과 함께 흡기 보조방법을 사용할 수 있다. 최대 노력방법에 추가해서, 다양한 흡기 보조방법을 사용해왔다.[86-88] ETT에 일측 방향 벨브를 부착하여 호기는 가능하게

하고 흡기는 불가능하게 하여, 흡기 근력의 평가를 개선하기도 한다.[89-91]

침습적인 비자발적 검사

침습적 검사들은 이론적으로 폐쇄성 폐질환이나 상부 기도 울혈로 인한 압력 전달 문제를 극복할 수 있다. 모든 자발적인 검사들은 환자가 최대한의 노력을 해주어야 한다. 따라서 명백하게 정상이 아니라면, 중환자실에서 자발적 검사법은 한계가 있다. 표준화된 시술과 표준 수치가 있다.[92,115] 대조적으로 비자발적 검사는 환자의 협조, 동기 여부와 상관이 없고, 횡격막의 근력을 평가하는 방법은 호기 및 부호흡근을 평가할 때도 이용할 수 있다. 후자의 방법은 표준값이 부족하고 중환자에서는 검사의 이용가능성이 아직 입증되지 않았다.[99,100]

횡격막의 근력을 평가하는 강력하고 효과적인 방법은 신경을 자극하여 횡격막 압력 반응을 기록하는 것이다. 이상적으로 횡격막 압력 반응은 자극 빈도의 범위에 따라 기록되며, 힘-빈도 곡선을 그릴 수 있어 횡격막의 기능을 종합적으로 평가할 수 있다. 이러한 자극은 불편하고 환자들이 검사에 순응하기 어렵다. 말초 골격근과 같이, 1 Hz의 최대치 이상의 신경 자극을 가하고 연축 반응을 측정하여(TwPdi) 횡격막의 수축력을 평가할 수 있다. 최대의 강직성 긴장에 비례하는 진폭이 실제 횡격막의 근력이다.

횡격신경은 전반적인 횡격막의 근력을 평가하기 위하여 양측 모두를 자극할 수 있고, 각각 한쪽의 횡격막/횡격신경의 기능을 평가하기 위해서는 일측만 자극할 수도 있다. 피부를 통한 전기 자극은 횡격신경을 자극하는 전통적인 방법으로 횡격신경에만 국한하여 최대치 이상의 자극을 줄 수 있다.[101,102] 목빗근(sternocleidomastoid, SCM) 뒤, 목갈비근(scalenous muscle) 위의 횡격 신경에 자극 전극을 붙인다.[103] 횡격 신경의 정확한 위치와 최대치 이상의 반복적인 자극을 유지해야 하는 검사이기 때문에, 중환자실에서는 양측성 전기 자극을 이용하여 정확하고 재현 가능한 측정을 시행하기 어렵다. 비만, 해부학적 변형, 혈관 카테터 삽입의 경우 자극 위치를 확보하지 못할 수 있다. TwPdi가 감소하거나 없는 경우는 근육, 신경 기능의 이상이나 자극 신경의 위치를 찾지 못하였기 때문이다. 이러한 경우 진단이 불확실하거나 횡격 신경의 위치를 찾고 자극하는 반복적인 시도를 하게 되므로, 통증을 유발하거나 연축 강화를 만들 수 있다.[104] 이러한 제한 때문에, 정상 범위의 하위 경계 값의 경우 경도, 중등도의 횡격막 쇠약과 중복되므로 정확하지 못하다.[102]

전기 자극과 관련한 여러 문제들은 자기횡격신경 자극을 이용하면 극복할 수 있다.[11,93,94,105,106] 자기 자극 동안 자기장 영역은 위치 특정의 정확성 측면에서 상대적으로 자유로우므로 기술적으로 쉽다. 또한 전류의 자극이 자기장 위치에서 생성되기 때문에, 전기 자극보다 훨씬 작고, 통증이 없다. 원 검사법은 코일을 경추 위에 두고 경추 신경근의 양측 자극을 포함하며 횡격막 근력을 평가하는데 임상적으로 사용되었다.[71,107,108] 경추 자기 자극은 코일을 경추 부위에 부착하기 때문에 바로 누워있는 중환자에서는 사용하기 어렵다. 게다가, 이 기술은 최대치 이상의 횡격신경 자극이 항상 가능하지는 않기 때문에, 횡격막 외 근육이 검사에 포함될 수 있다.[105,108] Similowski 등은[105] 경추 자기 자극을 통해 deltoid, trapezius, rhomboid 근육이 활성화됨을 증명했다. 최근의 검사는 목의 환상연골(cricoid cartilage) 전외측에 위치한 횡격신경 위에서 두 개의 43 mm 8자 모양의 코일을 이용하는 양측 전외측 자기횡격신경자극법(BAMPS)을 사용한다.[93] 이러한 방법을 이용하면 바로 누워있는 중환자에서도 최대치 이상으로 횡격 신경 자극이 가능하다.[47,75,110] 연구들은 공통적으로 중환자에서 횡격막 수축력의 의미있는 감소를 보고하였다. 양측 또는 단측 횡격신경 자극을 시행할 수 있다(그림 47-1). 양측성 TwPdi는 단측성 검사보다 전반적인 횡격막의 수축력을 더 잘 반영한다. 양측성 TwPdi는 좌우측 횡격신경

그림 47-1. **편측 횡격막신경 자극에 따른 횡격막 수축력의 변화**

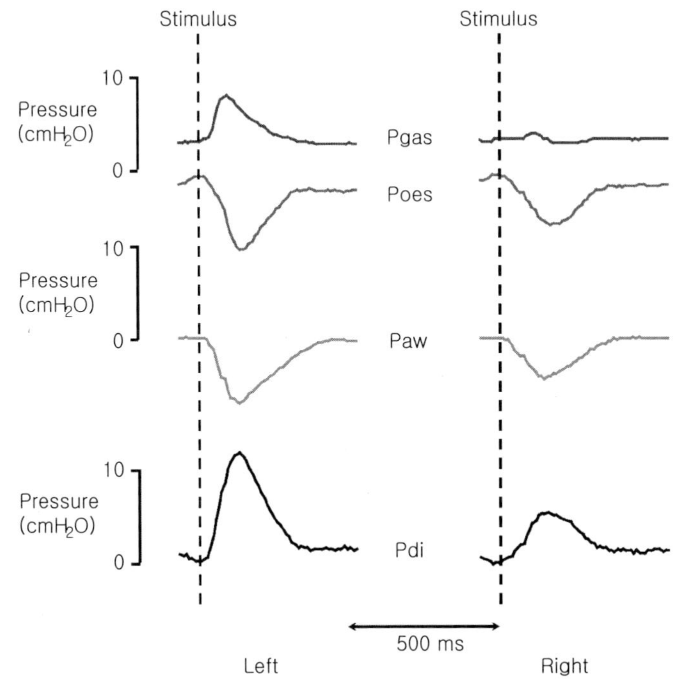

Representative traces of diaphragm force responses following left and right unilateral anterolateral magnetic phrenic nerve stimulation in a critically ill 15-year-old patient. The difference in TwPdi after left and right phrenic nerve stimulation was >50%. Pgas, gastric pressure; Paw, airway pressure; Poes, oesophageal pressure; Pdi, transdiaphragmatic pressure.

Reproduced from Rafferty GF, et al., 'Magnetic phrenic nerve stimulation to assess diaphragm function in children following liver transplantation', Pediatric Critical Care Medicine, 2, 2, pp. 122–126, copyright 2001, with permission from Wolters Kluwer.

을 따로 자극하여 합한 TwPdi 값보다 25–30% 크다.[111] 단측 횡격신경 자극을 하면, 자극된 단측 횡격막은 수축하고 내려가며, 반대측 횡격막은 상승하게 되므로, TwPdi가 자극되지 않은 쪽 횡격막과 복벽의 순응도에 영향을 받는다.[111,112] 환자들은 강화 작용의 효과를 최소화 하기 위하여 20분 동안의 이완 호흡 후 바로 누운 자세 혹은 반 기대 누운(semi–recombent) 자세로 검사를 받는다.[104] 자극은 횡격막 수축에 대한 폐 용적의 효과를 조절하기 위하여 호기말에 시행하며,[113] 최소 5회 이상의 단측과 양측 자극 결과의 평균값을 기록한다. 건강한 대조군의 단측, 양측 TxPdi 정상값을 참조할 수 있다.[114,115] 앉아있는 자세에서 기록된 수치도 있으나, 바로 누운 자세에서 측정한 TwPdi 값의 차이가 적었다.[116] 식사도 TwPdi 값에 영향을 줄 수 있고, 아마도 복부의 순응도의 변화에 따른 것으로 보인다.[117] 따라서 중환자실에서 검사는 비위관을 통한 식이를 멈추고 최소 1–2시간이 지난 후 시행하는 것이 가장 적절하다. ETT나 기관절개관, 인공호흡기 사이의 서킷에 수동 혹은 자동 폐쇄 벨브를 삽입할 수 있다.[118] 횡격신경 자극 동안 기도를 폐쇄하면 횡격막 수축과 유사한 등척 운동을 만들 수 있다. BAMPS 100% 출력 자극은 최대치 이상(supramaximal)을 만들 수 있으나, 100% 출력뿐만 아니라 95%와 90%에서 연속 자극을 가하여 최대치 이상을 증명한 것도 좋은 방법이다. 자극 강도 사이에서 TwPdi 반응 결과는 차이가 없어야(<5%) 한다.

비침습적, 비자발성 검사

횡격막압을 측정하기 위하여 압력 카테터를 삽입하는 것은 기관 삽관 혹은 기관 절개술을 시행한 환자들에서 항상 가능한 것은 아니고 금기일 수 있다. 짧은 기도 폐쇄 중에 기도압의 연축(TwPaw)을 측정하는 비침습적인 대체 방법이 있다.[75,119] 자발적으로 호흡하는 대조군과는 달리, 성문폐쇄는 기도입구의 압력 전달에 유해한 영향을 줄 수 있고, 기관삽관 및 기관절개관은 상부 기도의 압력 전달의 영향을 배제하므로, 신뢰할 수 있는 TwPaw 측정이 가능해진다. TwPaw는 TwPdi보다는 TwPoes를 반영하므로(그림 47–1),[75,120] TwPaw 반응을 해석하는 것이 더 어렵다. TwPoes는 보통 TwPdi의 50–60%이다. 따라서 TwPdi가 질병, 외상, 중환자실 획득 쇠약 등에 의하여 감소한다면, TwPaw는 작아지고 측정하기 어려워진다. 게다가, 호기말 압력의 증가에 따른 폐의 부피 증가는 TwPoes 값을 불균등하게 감소시키고 그에 따라 TwPaw 값도 감소한다.[70]

호기 근육의 기능

흡기근과 마찬가지로, 호기근의 기능도 비자발적인 평가가 가능하다. 주요 호기근은 복벽에 위치한 근육군으로, 복근이 수축할 때 위장관의 압력(Pgas)을 측정하면 호기근력을 알 수 있다. 전기 자극과 달리,[95] 90 mm 두 개의 원형 코일을 대략 흉추 10번 위치에 두고 흉추 신경근을 자극하는 자기 자극을 이용하면 상대적으로 통증이 없고, 복부 근육의 많은 부분을, 일부는 최대치 이상으로 활성화할 수 있다.[121] 자극은 호기말에 이루어지며 표준 데이터는 거의 없지만,[115] 이 기술은 환자들이 견디기 편하며 근위축성측삭경화증(amyotrophic lateral sclerosis, ALS) 혹은 사지마비 환자의 근위약을 증명하는 데 사용한다.[123] 중환자에 관한 데이터는 아직 없다.

결론

호기 및 흡기 최대 근력을 측정하는 것은 호흡근 근력을 평가하기 위하여 가장 널리 사용되고 있는 방법이며, 호흡 효과를 만들어낼 수 있는 환자들에게 적용할 수 있다. 하지만 모든 자발적인 검사들과 마찬가지로 대다수 중환자들은 최대한의 보조방법(manoeuvres)을 수행하지 못하기 때문에 신뢰도에 한계가 있다. 횡격신경 자극은 환자의 협조 없이, 횡격막과 횡격신경의 기능을 직접적으로 평가할 수 있으며, 비교를 위한 표준값으로 이용할 수 있다. 자기 횡격신경 자극은 중환자에서 시행할 수 있고, 혈관 카테터가 있어도 검사가 가능하고, 호흡근의 약화 및 중환자의 진행 경과를 추적하는 데 이용할 수 있다.

참고문헌

1 Berek K, Margreiter J, Willeit J, Berek A, Schmutzhard E, Mutz NJ. Polyneuropathies in critically ill patients: a prospective evaluation. Intensive Care Med 1996;22:849-55.

2 Herridge MS, Cheung AM, Tansey CM, et al. One-year outcomes in survivors of the acute respiratory distress syndrome. N Engl J Med 2003;348:683-93.

3 De Jonghe B, Bastuji-Garin S, Durand MC, et al. Respiratory weakness is associated with limb weakness and delayed weaning in critical illness. Crit Care Med 2007;35:2007-15.

4 Leijten FS, Harinck-de Weerd JE, Poortvliet DC, de Weerd AW. The role of polyneuropathy in motor convalescence after prolonged mechanical ventilation. JAMA 1995;274:1221-5.

5 Garnacho-Montero J, Madrazo-Osuna J, Garcia-Garmendia JL, et al. Critical illness polyneuropathy: risk factors and clinical consequences. A cohort study in septic patients. Intensive Care Med 2001;27:1288-96.

6 Coakley JH, Nagendran K, Yarwood GD, Honavar M, Hinds CJ. Patterns of neurophysiological abnormality in prolonged critical illness. Intensive Care Med 1998;24:801-7.

7 Fletcher SN, Kennedy DD, Ghosh IR, et al. Persistent neuromuscular and neurophysiologic abnormalities in long-term survivors of prolonged critical illness. Crit Care Med 2003;31:1012-16.

8 Diehl JL, Lofaso F, Deleuze P, Similowski T, Lemaire F, Brochard L. Clinically relevant diaphragmatic dysfunction after cardiac operations. J Thorac Cardiovasc Surg 1994;107:487-98.

9 Ferdinande P, Bruyninckx F, Van Raemdonck D, Daenen W, Verleden G. Phrenic nerve dysfunction after heart-lung and lung transplantation. J Heart Lung Transplant 2004;23:105-9.

10 McAlister VC, Grant DR, Roy A, et al. Right phrenic nerve injury in orthotopic liver transplantation. Transplantation 1993;55:826-30.

11 Rafferty GF, Greenough A, Manczur TI, et al. Magnetic phrenic nerve stimulation to assess diaphragm function in children following liver transplantation. Pediatr Crit Care Med 2001;2:122-6.

12 Glenn WW, Holcomb WG, Shaw RK, Hogan JF, Holschuh KR. Long-term ventilatory support by diaphragm pacing in quadriplegia. Ann Surg 1976;183:566-77.

13 Levine S, Nguyen T, Taylor N, et al. Rapid disuse atrophy of diaphragm fibers in mechanically ventilated humans. N Engl J Med 2008;358:1327-35.

14 Herridge MS, Tansey CM, Matte A, et al. Functional disability 5 years after acute respiratory distress syndrome. N Engl J Med 2011;364:1293-304.

15 Latronico N, Bolton CF. Critical illness polyneuropathy and myopathy: a major cause of muscle weakness and paralysis. Lancet Neurol 2011;10:931-41.

16 De Jonghe B, Sharshar T, Lefaucheur JP, et al. Paresis acquired in the intensive care unit: A prospective multicenter study. JAMA 2002;288:2859-67.

17 Eikermann M, Koch G, Gerwig M, et al. Muscle force and fatigue in patients with sepsis and multiorgan failure. Intensive Care Med 2006;32:251-9.

18 Zifko UA, Zipko HT, Bolton CF. Clinical and electrophysiological findings in critical illness polyneuropathy. J Neurol Sci 1998;159:186-93.

19 Hughes RA, Newsom-Davis JM, Perkin GD, Pierce JM. Controlled trial prednisolone in acute polyneuropathy. Lancet 1978;2:750-3.

20 Kleyweg RP, van der Meche FG, Meulstee J. Treatment of guillain-barre syndrome with high-dose gammaglobulin. Neurology 1988;38:1639-41.

21 Stevens RD, Marshall SA, Cornblath DR, et al. A framework for diagnosing and classifying intensive care unit-acquired weakness. Crit Care Med 2009;37:S299-308.

22 Fan E, Ciesla ND, Truong AD, Bhoopathi V, Zeger SL, Needham DM. Inter-rater reliability of manual muscle strength testing in icu survivors and simulated patients. Intensive Care Med 2010;36:1038-43.

23 Kleyweg RP, van der Meche FG, Schmitz PI. Interobserver agreement in the assessment of muscle strength and functional abilities in Guillain-Barré syndrome. Muscle Nerve 1991;14:1103-9.

24 Ali NA, O'Brien JM, Jr, Hoffmann SP, et al. Acquired weakness, handgrip strength, and mortality in critically ill patients. Am J Respir Crit Care Med 2008;178:261-8.

25 Hough CL, Herridge MS. Long-term outcome after acute lung injury. Curr Opin Crit Care 2012;18:8-15.

26 Bohannon RW. Measuring knee extensor muscle strength. Am J Phys Med Rehabil 2001;80:13-18.

27 Hough CL, Lieu BK, Caldwell ES. Manual muscle strength testing of critically ill patients: feasibility and interobserver agreement. Crit Care 2011;15:R43.

28 Mills KR. Wasting, weakness, and the MRC scale in the first dorsal interosseous muscle. J Neurol Neurosurg Psychiatry 1997;62:541-2.

29 Bohannon RW. Reference values for extremity muscle strength obtained by hand-held dynamometry from adults aged 20 to 79 years. Arch Phys Med Rehabil 1997;78:26-32.

30 Vanpee G, Segers J, Van Mechelen H, et al. The interobserver agreement of handheld dynamometry for muscle strength assessment in critically ill patients. Crit Care Med 2011;39:1929-34.

31 Hayes K, Callanan M, Walton J, Paxinos A, Murrell GA. Shoulder instability: management and rehabilitation. J Orthop Sports Phys Ther 2002;32:497-509.

32 O'Shea SD, Taylor NF, Paratz JD. Measuring muscle strength for people with chronic obstructive pulmonary disease: Retest reliability of hand-held dynamometry. Arch Phys Med Rehabil 2007;88:32-6.

33 Beck M, Giess R, Wurffel W, Magnus T, Ochs G, Toyka KV. Comparison of maximal voluntary isometric contraction and drachman's hand-held dynamometry in evaluating patients with amyotrophic lateral sclerosis. Muscle Nerve 1999;22:1265-70.

34 Visser J, Mans E, de Visser M, et al. Comparison of maximal voluntary isometric contraction and hand-held dynamometry in measuring muscle strength of patients with progressive lower motor neuron syndrome. Neuromuscul Disord 2003;13:744-50.

35 Martin HJ, Yule V, Syddall HE, Dennison EM, Cooper C, Aihie Sayer A. Is hand-held dynamometry useful for the measurement of quadriceps strength in older people? A comparison with the gold standard bodex

dynamometry. Gerontology 2006;52:154-9.

36 Mathiowetz V, Kashman N, Volland G, Weber K, Dowe M, Rogers S. Grip and pinch strength: normative data for adults. Arch Phys Med Rehabil 1985;66:69-74.

37 Mathiowetz V, Wiemer DM, Federman SM. Grip and pinch strength: norms for 6- to 19-year-olds. Am J Occup Ther 1986;40:705-11.

38 Puh U. Age-related and sex-related differences in hand and pinch grip strength in adults. Int J Rehabil Res 2010;33:4-11.

39 Harris ML, Luo YM, Watson AC, et al. Adductor pollicis twitch tension assessed by magnetic stimulation of the ulnar nerve. Am J Respir Crit Care Med 2000;162:240-5.

40 Finn PJ, Plank LD, Clark MA, Connolly AB, Hill GL. Assessment of involuntary muscle function in patients after critical injury or severe sepsis. JPEN J Parenter Enteral Nutr 1996;20:332-7.

41 Polkey MI, Kyroussis D, Hamnegard CH, Mills GH, Green M, Moxham J. Quadriceps strength and fatigue assessed by magnetic stimulation of the femoral nerve in man. Muscle Nerve 1996;19:549-55.

42 Harris ML. Magnetic nerve stimulation for the assessment of limb and respiratory muscle contractility in normal subjects and patients. London: Department of Respiratory Medicine and Allergy, University of London; 2002. p. 229.

43 Ginz HF, Iaizzo PA, Girard T, Urwyler A, Pargger H. Decreased isometric skeletal muscle force in critically ill patients. Swiss Med Wkly 2005;135:555-61.

44 Ginz HF, Iaizzo PA, Urwyler A, Pargger H. Use of non-invasive-stimulated muscle force assessment in long-term critically ill patients: a future standard in the intensive care unit? Acta Anaesthesiol Scand 2008;52:20-7.

45 Seymour JM, Ward K, Raffique A, et al. Quadriceps and ankle dorsiflexor strength in chronic obstructive pulmonary disease. Muscle Nerve 2012;46:548-54.

46 Merton PA. Voluntary strength and fatigue. J Physiol 1954;123:553-64.

47 Pickles J, Kondili E, Harikumar G, et al. Respiratory and limb muscle strength following critical illness. Am J Respir Crit Care Med 2005;171:A787.

48 Close RI. Dynamic properties of mammalian skeletal muscles. Physiol Rev 1972;52:129-97.

49 Panizza M, Nilsson J, Roth BJ, Basser PJ, Hallett M. Relevance of stimulus duration for activation of motor and sensory fibers: implications for the study of h-reflexes and magnetic stimulation. Electroencephalogr Clin Neurophysiol 1992;85:22-9.

50 Barker AT, Freeston IL, Jalinous R, Jarratt JA. Magnetic stimulation of the human brain and peripheral nervous system: an introduction and the results of an initial clinical evaluation. Neurosurgery 1987;20:100-9.

51 Harris ML, Watson AC, Moxham J. Assessment of respiratory and limb muscle function in the intensive care. In: Vincent JL (ed.) Yearbook of intensive care and emergency medicine. Berlin, Heidelberg GmbH: Springer-Verlag; 1999. pp. 309-21.

52 Edwards RH, Young A, Hosking GP, Jones DA. Human skeletal muscle function: description of tests and normal values. Clin Sci Mol Med 1977;52:283-90.

53 Bigland-Ritchie B, Jones DA, Woods JJ. Excitation frequency and muscle fatigue: electrical responses during human voluntary and stimulated contractions. Exp Neurol 1979;64:414-27.

54 Fuchs-Buder T, Claudius C, Skovgaard LT, Eriksson LI, Mirakhur RK, Viby-Mogensen J. Good clinical research practice in pharmacodynamic studies of neuromuscular blocking agents II: the Stockholm Revision. Acta Anaesthesiol Scand 2007;51:789-808.

55 De Ruiter CJ, De Haan A. Temperature effect on the force/velocity relationship of the fresh and fatigued human adductor pollicis muscle. Pflugers Arch 2000;440:163-70.

56 Bittner EA, Martyn JA, George E, Frontera WR, Eikermann M. Measurement of muscle strength in the intensive care unit. Crit Care Med 2009;37:S321-30.

57 Wiles CM, Edwards RH. The effect of temperature, ischaemia and contractile activity on the relaxation rate of human muscle. Clin Physiol 1982;2:485-97.

58 de Ruiter CJ, Jones DA, Sargeant AJ, de Haan A. Temperature effect on the rates of isometric force development and relaxation in the fresh and fatigued human adductor pollicis muscle. Exp Physiol 1999;84:1137-50.

59 Edwards RH, Hill DK, Jones DA, Merton PA. Fatigue of long duration in human skeletal muscle after exercise. J Physiol 1977;272:769-78.

60 Vandervoort AA, Quinlan J, McComas AJ. Twitch potentiation after voluntary contraction. Exp Neurol 1983; 81:141-52.

61 O'Leary DD, Hope K, Sale DG. Posttetanic potentiation of human dorsiflexors. J Appl Physiol 1997;83:2131-8.

62 Krarup C. Enhancement and diminution of mechanical tension evoked by staircase and by tetanus in rat muscle. J Physiol 1981;311:355-72.

63 Binder-Macleod SA, Dean JC, Ding J. Electrical stimulation factors in potentiation of human quadriceps femoris. Muscle Nerve 2002;25:271-9.

64 Kopman AF, Kumar S, Klewicka MM, Neuman GG. The staircase phenomenon: Implications for monitoring of neuromuscular transmission. Anesthesiology 2001;95:403-7.

65 Cassart M, Pettiaux N, Gevenois PA, Paiva M, Estenne M. Effect of chronic hyperinflation on diaphragm length and surface area. Am J Respir Crit Care Med 1997;156:504-8.

66 Rahn H, Otis AB, et al. The pressure-volume diagram of the thorax and lung. Am J Physiol 1946;146:161-78.

67 Wanke T, Schenz G, Zwick H, Popp W, Ritschka L, Flicker M. Dependence of maximal sniff generated mouth and transdiaphragmatic pressures on lung volume. Thorax 1990;45:352-5.

68 Smith J, Bellemare F. Effect of lung volume on in vivo contraction characteristics of human diaphragm. J Appl Physiol 1987;62:1893-900.

69 Hamnegard CH, Wragg S, Mills G, et al. The effect of lung volume on transdiaphragmatic pressure. Eur Respir J 1995;8:1532-6.

70 Polkey MI, Hamnegard CH, Hughes PD, Rafferty GF, Green M, Moxham J. Influence of acute lung volume change on contractile properties of human diaphragm. J Appl Physiol 1998;85:1322-8.

71 Polkey MI, Kyroussis D, Hamnegard CH, Mills GH, Green M, Moxham J. Diaphragm strength in chronic obstructive pulmonary disease. Am J Respir Crit Care Med 1996;154:1310-17.

72 Cherniack RM, Farhi LE, Armstrong BW, Proctor DF. A comparison of esophageal and intrapleural pressure in man. J Appl Physiol 1955;8:203-11.

73 Tzelepis GE, Nasiff L, McCool FD, Hammond J. Transmission of pressure within the abdomen. J Appl Physiol 1996;81:1111-14.

74 Milic-Emili J, Mead J, Turner JM, Glauser EM. Improved technique for estimating pleural pressure from esophageal balloons. J Appl Physiol 1964;19:1101-6.

75 Watson AC, Hughes PD, Harris ML, et al. Measurement of twitch transdiaphragmatic, esophageal, and endotracheal tube pressure with bilateral anterolateral magnetic phrenic nerve stimulation in patients in the intensive care unit. Crit Care Med 2001;29:1325-31.

76 Wanke T, Formanek D, Schenz G, Popp W, Gatol H, Zwick H. Mechanical load on the ventilatory muscles during an incremental cycle ergometer test. Eur Respir J 1991;4:385-92.

77 Evans SA, Watson L, Cowley AJ, Johnston ID, Kinnear WJ. Normal range for transdiaphragmatic pressures during sniffs with catheter mounted transducers. Thorax 1993;48:750-3.

78 Stell IM, Tompkins S, Lovell AT, Goldstone JC, Moxham J. An in vivo comparison of a catheter mounted pressure transducer system with conventional balloon catheters. Eur Respir J 1999;13:1158-63.

79 Knowles JH, Hong SK, Rahn H. Possible errors using esophageal balloon in determination of pressure- volume characteristics of the lung and thoracic cage. J Appl Physiol 1959;14:525-30.

80 Baydur A, Behrakis PK, Zin WA, Jaeger M, Milic Emili J. A simple method for assessing the validity of the esophageal balloon technique. Am Rev Respir Dis 1982;126:788-91.

81 Black LF, Hyatt RE. Maximal respiratory pressures: normal values and relationship to age and sex. Am Rev Respir Dis 1969;99:696-702.

82 Koulouris N, Mulvey DA, Laroche CM, Sawicka EH, Green M, Moxham J. The measurement of inspiratory muscle strength by sniff esophageal, nasopharyngeal, and mouth pressures. Am Rev Respir Dis 1989;139: 641-6.

83 Miller JM, Moxham J, Green M. The maximal sniff in the assessment of diaphragm function in man. Clin-Sci 1985;69:91-6.

84 Uldry C, Fitting JW. Maximal values of sniff nasal inspiratory pressure in healthy subjects. Thorax 1995;50:371-5.

85 Laroche CM, Mier AK, Moxham J, Green M. The value of sniff esophageal pressures in the assessment of global inspiratory muscle strength. Am Rev Respir Dis 1988;138:598-603.

86 Nava S, Ambrosino N, Crotti P, Fracchia C, Rampulla C. Recruitment of some respiratory muscles during three maximal inspiratory manoeuvres. Thorax 1993;48:702-7.

87 Laporta D, Grassino A. Assessment of transdiaphragmatic pressure in humans. J Appl Physiol 1985;58:1469-76.

88 Gandevia SC, Gorman RB, McKenzie DK, Southon FC. Dynamic changes in human diaphragm length: maximal inspiratory and expulsive efforts studied with sequential radiography. J Physiol 1992;457:167-76.

89 Marini JJ, Smith TC, Lamb V. Estimation of inspiratory muscle strength in mechanically ventilated patients: the measurement of maximal inspiration pressure. J Crit Care 1986;1:32-8.

90 Caruso P, Friedrich C, Denari SD, Ruiz SA, Deheinzelin D. The unidirectional valve is the best method to determine maximal inspiratory pressure during weaning. Chest 1999;115:1096-101.

91 Harikumar G, Moxham J, Greenough A, Rafferty GF. Measurement of maximal inspiratory pressure in ventilated children. Pediatric Pulmonology 2008;43:1085-91.

92 American Thoracic Society/European Respiratory Society. ATS/ERS Statement on respiratory muscle testing. Am J Respir Crit Care Med 2002;166:518-624.

93 Mills GH, Kyroussis D, Hamnegard CH, Polkey MI, Green M, Moxham J. Bilateral magnetic stimulation of the phrenic nerves from an anterolateral approach. Am J Respir Crit Care Med 1996;154:1099-105.

94 Mills GH, Kyroussis D, Hamnegard CH, Wragg S, Moxham J, Green M. Unilateral magnetic stimulation of the phrenic nerve. Thorax 1995;50:1162-72.

95 Mier A, Brophy C, Estenne M, Moxham J, Green M, De Troyer A. Action of abdominal muscles on rib cage in humans. J Appl Physiol 1985;58:1438-43.

96 Kyroussis D, Polkey MI, Mills GH, Hughes PD, Moxham J, Green M. Simulation of cough in man by magnetic stimulation of the thoracic nerve roots. Am J Respir Crit Care Med 1997;156:1696-9.

97 Polkey MI, Luo Y, Guleria R, Hamnegard CH, Green M, Moxham J. Functional magnetic stimulation of the abdominal muscles in humans. Am J Respir Crit Care Med 1999;160:513-22.

98 Suzuki J, Tanaka R, Yan S, Chen R, Macklem PT, Kayser B. Assessment of abdominal muscle contractility, strength, and fatigue. Am J Respir Crit Care Med 1999;159:1052-60.

99 Moxham J, Wiles CM, Newham D, Edwards RH. Sternomastoid muscle function and fatigue in man. Clin Sci (Lond) 1980;59:463-8.

100 Peche R, Estenne M, Gevenois PA, Brassinne E, Yernault JC, De Troyer A. Sternomastoid muscle size and strength in patients with severe chronic obstructive pulmonary disease. Am J Respir Crit Care Med 1996;153:422-5.

101 Bellemare F, Biglandritchie B. Assessment of human diaphragm strength and activation using phrenicnerve stimulation. Respir Physiol 1984;58:263-77.

102 Mier A, Brophy C, Moxham J, Green M. Twitch pressures in the assessment of diaphragm weakness. Thorax 1989;44:990-6.

103 Sarnoff SJ, Sarnoff LC, Wittenberger JL. Electrophrenic respiration. VII. The motor point of the phrenic nerve in relation to external stimulation. Surg Gynecol Obstet 1951;93:190-6.

104 Wragg S, Hamnegard C, Road J, et al. Potentiation of diaphragmatic twitch after voluntary contraction in normal subjects. Thorax 1994;49:1234-7.

105 Similowski T, Fleury B, Launois S, Cathala HP, Bouche P, Derenne JP. Cervical magnetic stimulation: a new painless method for bilateral phrenic nerve stimulation in conscious humans. J Appl Physiol 1989;67:1311-8.

106 Rafferty GF, Greenough A, Dimitriou G, et al. Assessment of neonatal diaphragm function using magnetic stimulation of the phrenic nerves. Am J Respir Crit Care Med 2000;162:2337-40.

107 Hamnegard CH, Wragg SD, Mills GH, et al. Clinical assessment of diaphragm strength by cervical magnetic stimulation of the phrenic nerves. Thorax 1996;51:1239-42.

108 Hughes PD, Polkey MI, Harrus ML, Coats AJ, Moxham J, Green M. Diaphragm strength in chronic heart fail-

ure. Am J Respir Crit Care Med 1999;160:529-34.

109 Laghi F, Harrison MJ, Tobin MJ. Comparison of magnetic and electrical phrenic nerve stimulation in assessment of diaphragmatic contractility. J Appl Physiol 1996;80:1731-42.

110 Laghi F, Cattapan SE, Jubran A, et al. Is weaning failure caused by low-frequency fatigue of the diaphragm? Am J Respir Crit Care Med 2003;167:120-7.

111 Bellemare F, Bigland Ritchie B, Woods JJ. Contractile properties of the human diaphragm in vivo. J Appl Physiol 1986;61:1153-61.

112 Merton PA. Voluntary strength and fatique. J Physiol (Lond) 1954;123:553-64.

113 Grassino A, Goldman MD, Mead J, Sears TA. Mechanics of the human diaphragm during voluntary contraction: Statics. J Appl Physiol 1978;44:829-39.

114 Luo YM, Hart N, Mustfa N, et al. Reproducibility of twitch and sniff transdiaphragmatic pressures. Respir Physiol Neurobiol 2002;132:301-6.

115 Steier J, Kaul S, Seymour J, et al. The value of multiple tests of respiratory muscle strength. Thorax 2007;62: 975-80.

116 Mier A, Brophy C, Moxham J, Green M. Influence of lung volume and rib cage configuration on transdiaphragmatic pressure during phrenic nerve stimulation in man. Respir Physiol 1990;80:193-202.

117 Man WD, Luo YM, Mustfa N, et al. Postprandial effects on twitch transdiaphragmatic pressure. Eur Respir J 2002;20:577-80.

118 Spicer M, Hughes P, Green M. A non-invasive system to evaluate diaphragmatic strength in ventilated patients. Physiol Meas 1997;18:355-61.

119 Rafferty GF, Mustfa N, Man WD, et al. Twitch airway pressure elicited by magnetic phrenic nerve stimulation in anesthetized healthy children. Pediatr Pulmonol 2005;40:141-7.

120 Hamnegaard CH, Wragg S, Kyroussis D, et al. Mouth pressure in response to magnetic stimulation of the phrenic nerves. Thorax 1995;50:620-4.

121 Taylor BJ, How SC, Romer LM. Exercise-induced abdominal muscle fatigue in healthy humans. J Appl Physiol 2006;100:1554-62.

122 Polkey MI, Lyall RA, Green M, Nigel Leigh P, Moxham J. Expiratory muscle function in amyotrophic lateral sclerosis. Am J Respir Crit Care Med 1998;158:734-41.

123 Estenne M, Pinet C, De Troyer A. Abdominal muscle strength in patients with tetraplegia. Am J Respir Crit Care Med 2000;161:707-12.

124 Harris ML, Moxham J. Measuring respiratory and limb muscle strength using magnetic stimulation. Brit J Intens Care 1998;8:21-8.

125 Heritier F, Rahm F, Pasche P, Fitting JW. Sniff nasal inspiratory pressure. A noninvasive assessment of inspiratory muscle strength. Am J Respir Crit Care Med 1994;150:1678-83.

126 Wilson SH, Cooke NT, Edwards RHT, Spiro SG. Predicted normal values for maximal respiratory pressures in caucasian adults and children. Thorax 1984;39:535-8.

127 Cattapan SE, Laghi F, Tobin MJ. Can diaphragmatic contractility be assessed by airway twitch pressure in mechanically ventilated patients? Thorax 2003;58:58-62.

Chapter 48

재활치료를 위한 임상 경로 개발

카렌 호프만, 아만다 토마스, 스테펜 B. 레트
(Karen Hoffman, Amanda Thomas, and Stephen Brett)

서론

치료 목표의 변화

최근까지 중환자실 의사들의 치료 목표는 환자를 살려서 1차 의료 또는 수술 팀에게 보내는 것이었으며, 급성기 치료 후 퇴원한 환자들을 추적관찰하는 역할은 1차 의료 기관 또는 수술 팀의 몫이었다.[1] 따라서, 중환자실 의사들이 사망률 외의 지표, 즉 중증질환이 환자와 가족, 좀 더 넓게는 사회경제에 미치는 파급력을 이해할 수 있는 기회는 제한적이었다. 중증질환 치료 후 임상 결과, 환자와 가족의 퇴원 후 부담에 대한 인식이 높아지면서 중환자실에서 퇴원한 환자들을 대상으로 하는 의료 서비스가 다양해지고 있다. 환자와 가족의 신체적, 정신적 결과뿐만 아니라 삶의 질을 평가하기 위해 다직종이 참여하는 '중환자실 추적 클리닉'을 도입하기도 하였다.[2-4] 자세한 사항은 '53장'에서 설명하였다. 반대로 말하면 입원 중에 정신적, 신체적 결과에 대해 평가할 필요가 있음을 시사한다.[5] 이 부분은 '20장'과 '52장'에 다루었다. 유럽, 호주, 북미 지역에서는 조기 중재가 환자들의 회복, 재원일수, 의료 비용에 긍정적인 효과가 있다는 사실에 일치된 견해를 보인다.[6] 이 장에서는 재활치료를 지속하기 위한 임상 경로를 논의하며, 환자 사례를 통해 현재의 치료 관행을 되짚어보았다.

임상 경로(Clinical pathways)

중증질환과 이후의 회복과정을 이해하게 된 기간이 비교적 짧았기 때문에, 재활의학적 관점에서 중증질환으로 인한 신체적, 정신적 결과를 아직 체계적으로 접근하지 못하고 있다. 의료인들은 환자의 치료와 치료 결과를 향상하기 위하여 다양한 상황과 질환군에 임상 경로를 적용해왔다. 임상 술기와 급성기 치료를 위해 다양한 임상 경로를 개발하였으나, 아직 재활치료에 관한 임상 경로가 없다.[7] 의사는 임상 경로를 활용하여 환자 치료에 도움을 얻을 수 있고, 더 중요한 것은, 치료 과정 개선을 위해 지속적으로 관리할 수 있다. 또한 치료 과정에서 발생할 수 있는 문제를 인지하고 의료진간 의사소통을 개선할 수 있다.[8-9]

최근 코크란 리뷰에서는[10] 전문적 의료 행위, 임상 결과, 재원일, 병원 비용에 미치는 임상 경로의 효과를 검토하였다. 11,398명의 참여자가 포함된 27개 연구들의 결과에 따르면, 임상 경로를 이용하면 원내 합병증이 감소하고 의무기록이 개선되면서 재원일과 병원 비용에 부정적 영향을 미치지 않았다. 또 다른 코크란 리뷰에서는 조기 다직종 재활팀의 활동 수준과 참여 정도가 개선되었다고 하였다.[11] 재활치료의 적절한 강도와 빈도, 장기적 효과, 사회적 비용에 대해서는 좀 더 연구가 필요하다고 하였다. 이들 리뷰와 몇몇 다른 연구 논문들에서는 재활치료 임상 경로의 장점으로 환자의 임상 결과와 비용효과(cost effectiveness)의 향상을 입증하고 있다. 중환자들에게 복잡한 재활치료가 필요하다는 인식과 임상 경로의 장점을 근거로 영국에서는 중증질환 재활치료 임상 지침을 개발하였다(NICE2009).[12] 지침은 중증질환 치료 과정과 치료 후에 나타나는 복잡한 신체적, 비신체적 재활치료 문제들을 인식하고 아래와 같이 권고하였다.

환자의 치료 과정에서 평가와 중재는 가능한 조기에 시작되어야 하며, 임상 경로 내내 반복하여 시행되어야 한다. 모든 환자들은 중환자실 재실 기간과 그 이후에도 평가받아야 하며, 그 중에서 재활치료가 필요하고 이득이 될 수 있는 환자를 가려내야 한다. 다직종 팀으로 구성된 전문 의료진들(재활의학과 의사, 작업치료사, 언어치료사, 물리치료사, 정신과의사 및 다른 1.2차 치료를 시행하는 의료진들)은 환자의 신체적, 비신체적 문제와 회복과정 단계별로 재활치료의 참여 가능성을 평가하는 일련의 과정에 참여해야 한다. 신중하고 세밀한 협력(coordination) 과정으로 환자의 재활치료에 맞는 적절한 전문가들이 환자를 평가하고 치료할 수 있도록 해야 한다. 우리는 재활의학과 의사들이 특히 이런 협응 역할에 적합하다고 믿는다(그림 48-1 참조).

문화 개선

누구나 알고 있듯이 감당할 수 있는 환자 수가 각기 다르고 재정적 한계 때문에, 이러한 지침을 모든 조건에서 적용하는 것은 가능하지 않다. 그러나 소단위의 질 향상 활동(quality improvement project)으로 환자의 치료와 재활을 증진시킬 수 있다. 예를 들어 Needham은[13] 중환자치료 질 향상 활동의 장점을 보여주었다. 다직종 재활 향상 활동을 수개월 동안 적용하고 중환자의 섬망, 신체 재활, 기능적 이동 능력이 크게 향상되었으며, 환자의 재원일을 줄이는 데에 기여할

그림 48-1. NICE critical care rehabilitation care pathway (Tan et al., 2009).[12]

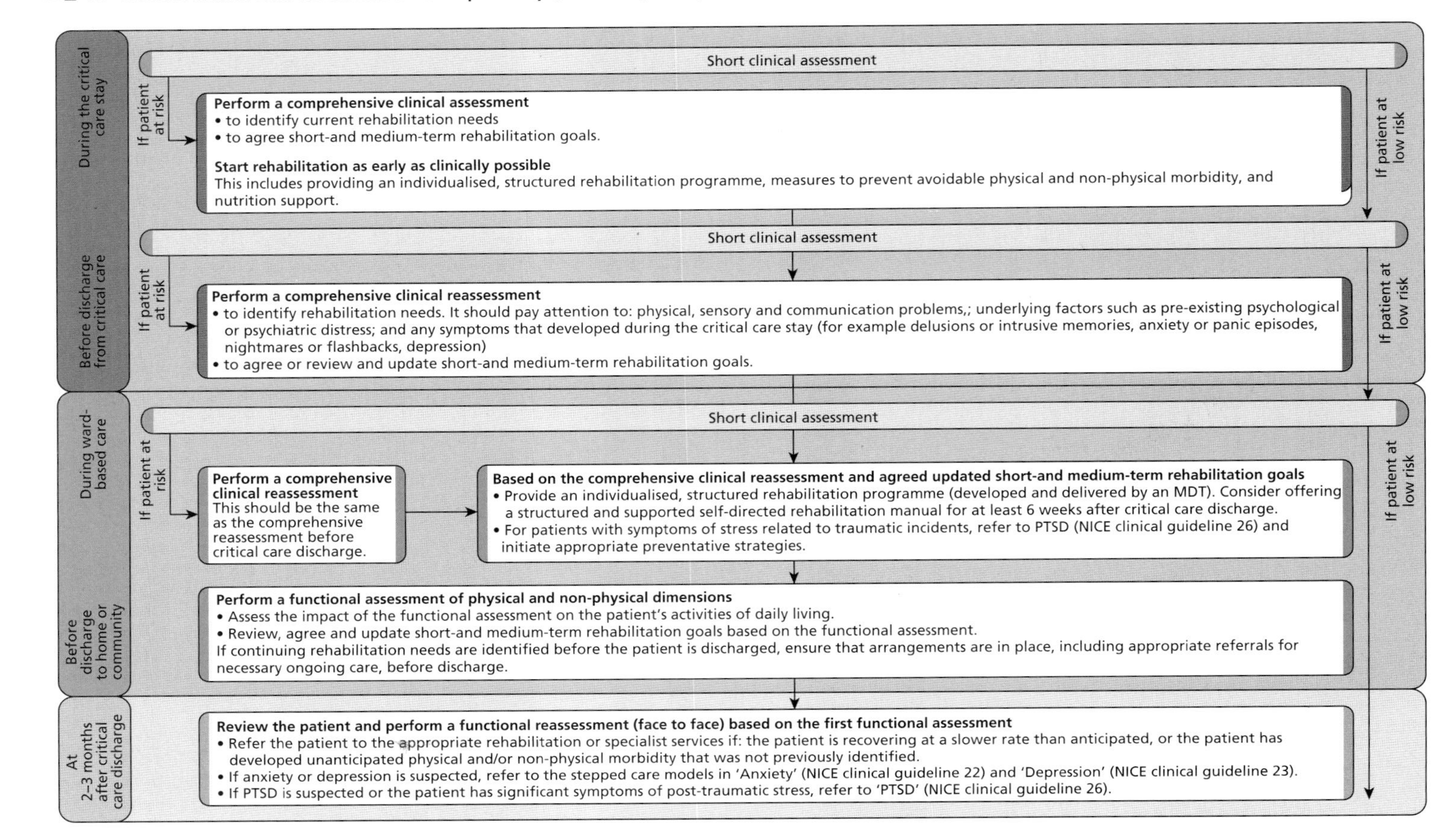

National Institute for Health and Clinical Excellence (2009) Adapted from 'CG 83: Rehabilitation after critical illness: quick reference guide'. London: NICE. Available from http://guidance.nice.org.uk/CG83. Reproduced with permission.

수 있다고 보고하였다. 보행 지침과 치료 지침을 개발하는 것도 프로세스 변화의 일환이었다. 중환자실 내 재활치료 실행 능력이 향상되었고, 진정 방식도 연속주입 방식에서 간헐적 주입방식으로 바뀌었다. 질 향상 프로젝트는 중환자실 재실 기간 중 진정제를 투여 받는 환자의 비율을 낮추는 것부터 시작하였다. 중재군 환자들은 대조군 환자들에 비해 좀 더 각성되어 있었고, 섬망 발생은 적었다. 결과적으로 진정방식을 변경하기 전(70%)에 비해 더 많은 환자들이 변경 후(93%)에 재활치료를 받을 수 있게 되었다. 프로젝트 적용 이후 244회의 물리치료를 적용하였으며, 기능적 이동 수준도 앉기 이상의 이동을 더 높은 빈도로 시행할 수 있었다(56% vs. 78%). 중환자실 재원일은 7일에서 4.9일로 감소되었다. 20%의 입원 증가가 있었음에도 불구하고, 병원 재원일은 17.2일에서 14.1일로 감소하였다. 잘 구성되고 조직된 조기 보행(early mobilization)을 장려하는 중환자치료 환경은 명백히 환자의 신체적 결과 향상으로 이어진다.[14]

중증질환 치료에서 조기 재활

2009년에 개발된 NICE 지침은 그 당시까지 근거에 기반하여 전문가 집단의 의견을 모아 작성되었다. 그 이후, 더 많은 연구 결과들이 지침의 권고를 뒷받침하였다. 예를 들어, 재활치료를 중환자실 재실 중 '가능한 초기에 시작하라'는 권고는 현재 대부분의 중환자의학계에서 받아들이고 있다.[15]

중환자에서 재활치료를 조기에 시작하면 신체적, 기능적 결과의 의미있는 향상과 중환자실 재원 기간의 단축, 병원 자원 활용이 개선된다. 관련 논문들에서 중환자실 재활치료와 부작용은 드문 것으로 보고하고 있으며, 중환자에서 조기 신체 활동이 안전하고 적용 가능하다고 제안하고 있다.[14,16] 중환자실 입실 직후부터 재활을 시작할 수 있는지 평가하고, 일정한 간격으로 평가를 반복해야 한다.[12]

중환자에서 재활 중재는 '이동 또는 보행(mobilization)'이라고 부르며 움직임, 신체적 또는 기능적 작업을 의미한다. Stiller와 Phillps 등은[17] '이동 또는 보행'을 '침대 주변부터 서기, 걷기까지 환자 활동의 단계'라고 정의한다. 유럽호흡기학회 및 유럽중환자의학회가 조직한 '성인 중환자를 위한 물리치료 특별위원회'에서 중환자의 재활치료를 정의하였다.[18] 신체 기능 악화(deconditioning)와 중증질환과 관련한 합병증을 예방하고 관리하기 위하여 자세유지, 스트레칭, 관절가동범위 운동, 보조기, 기능적 이동, 유산소운동, 저항운동 같은 '활동(activity)'을 권고하고 있다. 최근 중환자에서 조기 신체 활동과 보행을 위한 임상 관리 알고리듬이 발표되었는데,[19] 의식이 없는 환자, 의식이 있으며 생리학적으로 안정된 환자, 그리고 이미 신체 기능 악화가 진행된 환자별로 각각 다른 임상 경로를 제시하고 있다. 이 알고리듬은 즉각적인 조기 신체 활동을 촉진하고, 환자와 가족 구성원과의 협의를 통해 특정한 기능적 목표를 분명하게 할 것을 제안한다.

중증 치료의 국가별 차이를 살펴보면 조기 재활의 효과를 알 수 있다. 중환자실 입실부터 시작되는 재활치료와 중환자실 입실 후기에 시작되는 재활치료를 비교할 수 있다. Bailey 등과[14] Thomsen 등은[20] 중환자치료에서 조기 이동의 장점을 증명하였다. 조기 이동은 호흡기 중환자실(중환자실 재원 기간이 길어지거나 기계환기 이탈이 길어지는 환자들을 한 곳에 모아 치료를 지속하고 관리하기 위한 중환자실–역자주)에서 적용하였으며, 네 가지 활동을 달성할 때까지의 시간을 기록하였다.[14] 네 가지 활동은 각각 침대 끝에 앉기, 의자에 앉기, 걷기, 100피트 이상 걷기를 의미한다. 연구 결과 침대 끝에 앉는 것은 호흡기 중환자실에 오기 전부터 가능하였던 일부 환자들을 포함하여 대부분의 환자에서 수행할 수 있었다고 하였다. 보행은 호흡기 중환자실의 조기 이동 단계에 따라 이루어졌다. Thomsen 등은[20] 환자들을 호흡기 중환자실로 옮겨오기 전과 후에 발생한 활동 지표들의 차이를 조사하였다. 호흡기 중환자실로 옮겨오기 24시간 전에는 단지 11%의 환자들만 보행을 달성하였다. 반면에 호흡기 중환자실로 옮겨온 24시간 이후 28%의 환자들이 보행이 가능하였고, 41%의 환자들은 48시간 이내에 보행이 가능하였다. 회귀 분석 결과 호흡기 중환자실로 옮겨온 것이 보행의 가장 강력한 단일 예측인자였고, 저자들은 조기 이동을 환자 치료의 중요한 요소로 생각하는 중환자실 문화의 차이 때문이라고 설명하였다.

조기 재활에 관한 여러 연구가 진행 중이지만, 표준 재활치료 프로토콜은 여전히 완성되지 않았다. 여러 연구들이 다양한 이동 프로토콜을 만들어서 조기 재활치료의 효과를 밝히고 있다. Morris 등은[21] 일반적인 치료에 비해 이동 프로토콜을 이용하면 환자들의 입원 중 신체 재활치료의 양이 증가한다고 하였다(80% vs. 47.4%). 이 프로토콜 중재는 중환자실 입실 직후부터 환자가 반응할 수 있는 능력과 근력에 따라 수준을 정하여 재활치료를 제공하는 것이다. 일반적인 치료군의 환자들에게는 매일 수동관절운동과 2시간 간격의 자세 변경을 제공하였다.

Schweickert 등은[22] 의사의 지시에 따라 물리치료사와 작업치료사가 시행하는 조기 운동과 보행(물리치료 및 작업치료) 치료와 2주 이상 기계환기를 시행하지 않은 환자에서는 물리치료를 제공하지 않는 두 병원을 비교하여 조기 운동과 이동을 비교하는 무작위 연구를 보고하였다. 중재군에서는 진정을 중단하는 시간 동안 환자가 반응하는 수준에 맞추어 적절한 치료를 시행하였다. 반응이 없는 환자는 수동관절가동범위 운동을 사지에서 시행하였고, 반면에 반응하는 환자에서는 능동 보조 운동을 침상 이동, 앉기, 이동하기, 걷기 등으로 환자의 능력에 맞추어 시행하였다. 놀라울 것도 없이, 치료는 중재군에서는 기도삽관 1.5일째부터 시작하였고, 대조군은 7.4일째에 시작하였다. 기능적 회복과정을 달성하는 시간은 중재군에서 통계적으로 좋은 결과를 보였다. '기립'은 대조군의 6.0일(4.5–8.9일)과 비교하여, 중재군에서는 기도삽관 3.2일째(1.5–5.6일)부터 시행할 수 있었다. '의자로의 이동'은 중재군에서는 3.1일(1.8–4.5일)에서, 대조군에서는 6.2일(4.5–8.4일)에서 가능하였다. 중재군은 대조군에 비해 병원 퇴원 당시 기능 능력 점수가 의미있게 높았으며, 보행 거리(33 m vs. 0 m)도 길었다. 중재군에서는 59%의 환자가 병원 퇴원 시에 독립적 기능으로 회복되었으나, 대조군에서는 35%만 가능하였다.

이 연구에서 많은 수의 환자가 제외되었다는 제한에도 불구하고, 조기 이동 패러다임의 시작과 동시에 기능적 회복 단계 도달과 병원 퇴원 시점 기능수준이 향상되었다는 사실은 명백하다. 조기 이동을 표준 치료로 시행하는 병원에서는 잘 조화를 이룬 재활치료 모델을 도입하면 결과의 향상을 기대할 수 있을 것이다.

특수 중환자 중재

신경근육전기자극치료(NMES) 같은, 근육의 수행능력을 보존하기 위한 특정 중재는 장기간 동안 능동운동을 시행할 수 없는 중환자에서 고려되어야 한다. 비록 중환자에서 전기자극을 임상적으로 사용하는 것은 제한적이지만, 중증치료 초기에 근육 감소를 줄이기 위하여 매일 전기자극치료를 시행한 근거들이 있다.[23] 일부 중환자에서는 전기자극치료가 CIPNM의 발생을 예방해준다는 자료들이 있다. Routsi 등은[24] 기계환기 중인 환자들을 대상으로 무작위 평행 중재연구를 시행하여, 중환자실 입실 48시간 이내에 대퇴부 근육에 전기자극치료를 시작하여 중환자실 퇴실 시까지 반복하였다. 중재군에서(12.5%) 대조군(39%)에 비해 CIPNM의 발생률이 낮았고, MRC 합계 점수에서 근력 점수가 높았다.[25] 하지만 유럽호흡기학회와 유럽중환자의학회의 권고에도 불구하고,[18] NMES의 임상적 유용성을 밝히고, 이 치료의 작용 기전을 규명할 수 있는 추가 연구가 필요하다.

중환자실 퇴실 후 재활치료의 시작 시점

여전히 우리는 중환자실 치료 직후 특정 재활 중재의 효과를 충분히 알고 있지 못하다. 이 단계에 있는 환자들은 광범위한 다직종 재활치료 노력이 필요한 대표적인 경우로, 목표지향적이며 조직화된 재활의학적 접근이 필요하다. 영국에서 시행한 한 소규모 연구에서는 재활 보조요원를 고용한 결과 물리치료 횟수가 주당 2.6회에서 8.2회로 증가하였으며, 이동 치료의 빈도도 주간 3.3회에서 14.6회로 증가하였다. 아쉽게도, 3개월 추적 후, 신체 기능 검사에서 표준 치료군과 재활 보조요원을 배치한 강화 치료군 사이에 의미있는 차이는 없었다. 하지만 연구에 포함된 환자 수가 너무 적었다(8명).

2009년에 발표된 NICE 지침은[12] 일반병실에서도 자기주도 재활치료 매뉴얼을 제공하여 재활치료를 하는 것이 환자에게 도움이 된다고 권고하였다. 이 권고는 중환자실 치료를 받은 환자들을 대상으로 6주 재활프로그램을 시행하고 그 영향을 분석한 무작위 대조 임상연구를 인용하였다.[27] 대조군은 병동에서 방문치료를 받았고, 퇴원 후 세 차례 연구진의 전화를 받게 되었으며 이후 외래에 내원하였다. 중재군은 자가 재활 매뉴얼을 제공받고, 매주 전화 연락을 받았으며, 외래를 방문하였다. 중재군에서 8주와 6개월에 측정한 SF-36의 신체기능 점수가 의미있게 높았다.

이와는 대조적으로, 다른 연구에서는 병원 퇴원 후 8주 재택 운동 프로그램의 효과를 평가하였다.[28] 중재군 참여자는 8주동안 집에서 시행하는 근력과 지구력 증진을 위해 구성된, 단계별 신체 재활 프로그램(인쇄물)을 제공받았다. 이 프로그램에서 교육을 받은 운동 치료사가 세 차례 집을 방문하여 운동을 지속할 수 있도록 지도하며, 전화로 참여자와 연락을 지속하였다. 6주 및 26주 추적 기간 동안, 6분보행검사 또는 SF-36 신체기능점수로 평가한 신체 회복속도는 대조군과 중재군에서 차이가 없었다. 다만, 두 군 모두에서 연구 기간 동안 의미있는 호전을 보였다. 중환자실 치료 이후 재활치료 프로그램을 시작하는 최적의 시점은 아직 알지 못한다. 연구들을 비교하여 보았을 때, 일반 병동에서 입원치료를 받는 동안 환자 개개인의 근력과 지구력에 따른 재활치료를 시작한다면 아마도 중증질환 생존자들의 회복 패턴은 더 나아질 것으로 보인다. 재활치료, 중환자실 이후의 재활치료, 중환자실 이후 추적관찰 클리닉에 관한 자세한 설명은 50장, 51장, 53장을 찾아보기 바란다.

코디네이터

환자에게 임상 경로를 효율적으로 적용하고자 할 때 매니저와 물리치료사 등은 핵심이다. 이들 덕분에 입원 기간 동안 여러 단계의 치료를 차례로 이행할 때 명확하고 간결한 정보를 얻을 수 있다.[29] NICE 지침은 재활치료를 조정하고, 치료 경로에 따라 의사 전달을 할 수 있는 핵심 수행자의 중요성을 강조하고 있다(그림 48-1 참조). 급성심근경색이나 급성기 치료 퇴원 후 노인 환자 관리 등 여러 조건에서 매니저의 효과를 증명한 여러 연구가 있다.[30,31] 뇌졸중과 신경 재활에서도 매니저의 역할이 중요하다.

영국재활의학회의 '입원환자를 위한 전문 재활서비스 임상표준지침'에서는 핵심 수행자(예; 물리치료사) 또는 재활 코디네이터를 배치하도록 권고하고 있다.[32] 재활 코디네이터에게 자격증 조건이 필수적인 것은 아니지만, 치료관련 학과의 수련을 받았거나 간호학 전공이 유리하다. 환자와 가족뿐만 아니라, 팀 전체와 밀접하게 협응하는 것이 필수적이기 때문이다.[33] 재활 코디네이터가 있다면 환자가 병원 어느 진료과에 입원해 있든 담당자(코디네이터)는 그 환자에 대해 지속적인 관심을 가지고 추적관찰 할 수 있다. 이러한 재활 코디네이터 덕분에 환자가 각기 다른 치료를 받을 때에도, 재활치료의 연속성을 유지하고, 의료진의 논의가 촉진되며, 중요한 임상정보가 전달될 수 있다.

환자 중심 임상 결과

성과 연구는 임상지침 개발과 의료의 질 평가, 건강정책 결정에 필요한 정보를 제공하므로 중요하다.[34] 성과 연구는 일관성이 있으며, 적절한 측정이 가능한 도구를 사용하는 것이 중요하다. 평가 척도는 중요한 종속변수 중의 하나이고, 이를 결정하는 것은 환자의 치료에 영향을 주고, 미래 연구에 지침이 된다. 결정의 적절성은 평가 척도의 과학적 방법에 달렸다.[35]

중증질환은 특별한 증상과 기능적 장해를 가지고 있는 질환이 아니기 때문에 질환에 특화된 평가도구가 없다. 그럼에도 불구하고, 중증질환의 독특한 특징 때문에 일반적인 건강상태 측정 도구들은 임상연구에 사용되기 전에 중환자실 조건에서 타당성 검증이 필요하다. 선행 고찰을 통해서 일반적 또는 질환 특이적 평가 척도 중에서 중증 치료 성과 연구에 사용하기에 합의가 부족한 것이 무엇인지를 알 수 있다.[12,34,36] 게다가 이는 중증 치료 결과에 관한 체계적 고찰 또는 메타 분석(meta-analysis)을 시행하는 데 장애물이 된다. 치료에 관한 환자와 가족의 만족도는 또 다른 중요한 환자 중심 결과지표이다.

중환자실 일기

중환자실에서의 일을 기억하지 못하는 환자들이 많다. 현실과 환영들이 뒤섞인 채 기억하기도 하고, 일부는 단지 환영만 기억하기도 한다. 사람들은 실제 사건을 기억하기 어려울 경우에는 단지 환영만 붙잡는 경향이 있다.[37] 이러한 기억만을 가지고 있는 환자들의 경우 장기 정신심리적 결과가 좋지 않다. 많은 환자들이 괴로워 하는 '비워진 기억을 채우는 것'을 돕기 위한 노력으로서, 회복 중인 환자에게 제공할 수 있는 일기가 추천되고 있다.[38] 일기장을 만들어 주는 것은 분명 도전에 가까운 일이지만 그에 따른 장점의 근거도 아직 불확실하다. 최근의 무작위 대조연구에서는 퇴원 1개월 시점에 외상후스트레스장애 증상 점수가 높았던 환자들에게 일기장을 사용한 결과, 퇴원 3개월 시점에서는 외상성스트레스장애 관련 증상이 감소하는 것을 확인하였다.[39] 모든 환자들은 일기장을 긍정적으로 평가하였고 친구, 가족 및 동료들과 함께 읽었다. 환자에게 제공하는 비신체적 지지를 극대화 하기 위하여 일기장 사용을 모든 중증 치료 임상경로에 포함하여야 한다. 중환자실 일기장에 대해서는 52장에서 자세히 다루고 있다.

추적관찰 크리닉

병원 퇴원 이후 지속적인 치료가 이루어지기 위한 노력의 일환으로,[4] 근거가 충분하지는 않지만, 여러 의료기관이 중환자 추적관찰 클리닉을 개설하였다. Cuthbertson과 연구진들은 간호사가 주도하는 추적 서비스의 개념을 세 곳의 의료기관에서 무작위 연구(ThePRaCTICaL Trial)를 하였다.[40] 건강관련 삶의 질, 우울증, 불안, 외상후스트레스의 발병률을 결과 지표로 설정하였다. 12개월째 중재군에서 의미있는 이득은 없었다. 추적관찰 클리닉이 중증질환 결과에 대한 이해를 증진하는 데 중요하기 때문에, 이러한 결과는 실망스러웠다. 그러나, 이 연구는 방법론에서 몇 가지 복잡한 문제들이 있었고 53장에서 이를 설명하였다. 중환자 추적관찰 클리닉에서 제공하는 치료를 통해 많은 환자들이 도움을 받고 있다. PRaCTICaL 연구에서는 비선택적으로 환자들을 선정하였으며, 호흡, 심장, 뇌졸중 재활에서와 같은 다직종 접근방식의 재활치료가 부족했다.

의사소통

병원 퇴원과 지역사회로 복귀하는 것 사이에는 간극이 있다. 임상 및 다른 정보를 1차 의료의와 지역 의료팀에게 전달하는 것은 병원의 다직종 팀의 책임이다. NICE 지침은[12] 중환자치료 퇴원요약기록에 재활치료 계획까지 포함하여 1차 의료기관으로 전달할 것을 권고한다. 또한 환자들이 퇴원 요약지와 재활치료계획서 사본을 가져갈 수 있도록 권고하고 있다. 그 효과를 입증하기는 어렵겠지만, 제공하는 정보를 주의 깊게 다룰 수 있다면, 이러한 접근방식이 환자에게 해가 된다고 하기는 어려울 것이다. 영국에서는 모든 병원들에서 지역 1차 의료의에게 보내는 진료 회신서의 사본을 환자나 보호자에게 제공하는 것이 일반적이다.

결론

복잡한 중증질환 환자들의 재활치료는 조기에 시작할 필요가 있으며, 지속적인 관심이 필요하고, 다직종의 노력이 필요하다. 특별한 접근방식이 필요한 환자가 많지 않지만, 이러한 치료 방식은 관련한 모든 사람들에게 책임과 의무를 확실히 함으로써 좀 더 성공적인 치료 기회를 제공할 것이다. 논란은 있지만, 잘 개발되어 자주 사용되는 임상 경로를 이용하면 재활치료를 제공할 수 있게 된다. 하지만 이러한 구조적 접근을 확산시킬 방법이 아직까지 불확실하다.

참고문헌

1 Broomhead LR, Brett SJ. Clinical review: intensive care follow-up-what has it told us? Crit Care 2002;6:411-17.

2 Department of Health. Critical care outreach: progress in developing services. (2003). Available at: http://www.dh.gov.uk/en/Publicationsandstatistics/Publications/PublicationsPolicyAndGuidance/DH_4091873 (accessed 18 November 2012).

3 Croker C. A multidisciplinary follow-up clinic after patients' discharge from ITU. Br J Nurs 2003;12:910-14.

4 Griffiths JA, Barber VS, Cuthbertson BH, et al. A national survey of intensive care follow-up clinics. Anaesthesia 2006;61:950-5.

5 Jones C, Griffiths RD. Physical and psychological recovery. In: Griffiths RD, Jones C (eds.) Intensive care aftercare. Oxford: Butterworth-Heinemann; 2002. pp. 53-65.

6 Kress JP. Clinical trials of early mobilization of critically ill patients. Crit Care Med 2009;37(10 Suppl):S442-7.

7 Wigfield A, Boon E. Critical care pathway development: the way forward. Br J Nurs 1996;5:732-5.

8 De Luk K. Care pathways: an evaluation of their effectiveness. J Adv Nurs 2000;32:485-96.

9 Gendron KM, Lai SY, Weinstein GS, et al. Clinical care pathway for had and neck cancer. A valuable tool for decreasing resource. Utilization Arch Otolaryngol Head Neck Surg 2002;128:258-62.

10 Rotter T, Kinsman L, James EL, et al. Clinical pathways: effects on professional practice, patient outcomes, length of stay and hospital costs. Cochrane Database Syst Rev 2010;3:CD006632.

11 Khan F, Ng L, Gonzalez S, et al. (2008). Multidisciplinary rehabilitation programmes following joint replacement at the hip and knee in chronic arthropathy. Cochrane Database Syst Rev 2:CD004957.

12 Tan T, Brett SJ, Stokes T, et al. Rehabilitation after critical illness: summary of NICE guidance. BMJ 2009; 338:822.

13 Needham DM, Korupolu R, Kanni JM, et al. Early physical medicine and rehabilitation for patients with acute respiratory failure: a quality improvement project. Arch Phys Med Rehabil 2010;91:536-42.

14 Bailey PR, Thompsen GEM, Spuhler VJR, et al. Early activity is feasible and safe in respiratory failure patients. Crit Care Med 2007;35:139-45.

15 Stuki G, Stier-Jarmer M, Grill E, et al. Rationale and principles of early rehabilitation care after an acute injury or illness. Disabil Rehabil 2005;27:353-9.

16 Zeppos L, Patman S, Berney S, et al. Physiotherapy intervention in intensive care is safe: an observational study. Aust J Physiother 2007;53:279-83.

17 Stiller K, Phillips A. Safety aspects of mobilising acutely ill inpatients. Physiother Theory Pract 2003;19:239-57.

18 Gosselink R, Bott J, Johnson M, et al. Physiotherapy for adult patients with critical illness: recommendations of the European respiratory society and European society of intensive care medicine task force on physiotherapy for critically ill patients. Intensive Care Med 2008;34:1188-99.

19 Hanekom S, Gosselink R, Dean E, et al. The development of a clinical management algorithm for early physical activity and mobilization of critically ill patients: synthesis of evidence and expert opinion and its translation into practice. Clin Rehabil 2011;25:771-87.

20 Thomsen GE, Snow GL, Rodriguez L, et al. Patients with respiratory failure increase ambulation after transfer to an intensive care unit where early activity is a priority. Crit Care Med 2008;36:1119-24.

21 Morris PE, Goad A, Thompson C, et al. Early intensive care unit mobility therapy in the treatment of acute respiratory failure. Crit Care Med 2008;36:2238-43.

22 Schweickert WD, Pohlman MC, Pohlman AS, et al. Early physical and occupational therapy in mechanically ventilated, critically ill patients: a randomised controlled trial. Lancet 2009;373:1874-82.

23 Gerovasili V, Stefanidis K, Vitzilaios K, et al. Electrical muscle stimulation preserves the muscle mass of critically ill patients: a randomized study. Crit Care 2009;13:R161.

24 Routsi C, Gerovasili V, Vasileiadis I, et al. Electrical muscle stimulation prevents critical illness polyneuromyopathy: a randomized parallel intervention trial. Crit Care 2010;14:R74.

25 Kleyweg RP, van der Meche FG, Schmitz PJ. Intraobserver agreement in the assessment of muscle strength

and functional abilities in Guillain-Barre syndrome. Muscle Nerve 1991;14:1103-9.

26 Salisbury L, Merriweather JL, Walsh TS. The development and feasibility of a ward based physiotherapy and nutritional rehabilitation package for people experiencing critical illness. Clin Rehabil 2010;24:489-500.

27 Jones C, Skirrow P, Griffiths R, et al. Rehabilitation after critical illness: a randomized, controlled trial. Crit Care Med 2003;31:2456-61.

28 Elliott D, McKinley S, Alison J, et al. Health related quality of life and physical recovery after critical illness: a multi-centre randomised controlled trial of home based physical rehabilitation program. Crit Care 2011; 15:R142.

29 Carr DD. Case managers optimize patient safety by facilitating effective care transitions. Prof Case Manag 2007;12:70-80.

30 DeBusk RF, Miller NH, Superko HR, et al. A case-management system for coronary risk factor modification after acute myocardial infarction. Ann Intern Med 1994;120:721-9.

31 Lim WK, Lambert SF, Gray LC. Effectiveness of case management and post-acute services in older people after hospital discharge. Med J Aust 2003;178:262-6.

32 Turner-Stokes L. Clinical standards for inpatient specialist rehabilitation services in the UK. Clin Rehabil 2000;14:468-80.

33 Hetherington H, Earlam RJ. Rehabilitation after injury and the need for coordination. Injury 1994;25:527-31.

34 Rubenfeld GD, Angus DC, Pinsky MR, et al. Outcomes research. In critical care results of the American Thoracic Society Critical Care Assembly Workshop on Outcomes Research. Am J Respir Crit Care Med 1999;160:358-367.

35 Hobart JC, Cano SJ, Zajicek JP, et al. Rating scales as outcome measures for clinical trials in neurology: problems, solutions, and recommendations. Lancet Neurol 2007;6:1094-105.

36 Hayes JA, Black NA, Jenkinson C, et al. Outcome measures for adult critical care: a systematic review. Health Technol Assess 2000;4:1-111.

37 Jones C, Griffiths RD, Humphris G, et al. Memory, delusions, and the development of acute posttraumatic stress disorder-related symptoms after intensive care. Crit Care Medicine 2001;29:573-80.

38 Bäckman C, Walther SM. Use of personal diaries written on the ICU during critical illness. Intensive Care Med 2001;27:426-9.

39 Jones C, Bäckman C, Capuzzo M, et al. Intensive care diaries reduce new onset post traumatic stress disorder following critical illness: a randomised, controlled trial. Crit Care 2010;14:R168.

40 Cuthbertson BH, Rattray J, Campbell MK, et al. The PRaCTICaL study of nurse led, intensive care follow-up programmes for improving long term outcomes from critical illness: a pragmatic randomised controlled trial. BMJ 2009;339:3723.

Chapter 49

인공호흡기 이탈 지연

베데딕트 크리그브라운, 조지 스타이어, 니콜라스 하트
(Benedict Creagh-Brown, Joerg Steier, and Nicholas Hart)

서론

기계환기에서 지연 이탈(prolonged weaning)이란 환자가 침습적 기계환기(IMV)에서 벗어나고 기관절개 부위를 막기 위해, 환기 보조와 인공기도를 제거하고 상기도 분비물을 통제하기까지의 과정이 늦어진 것이다. 이를 위해서는 신경호흡 경로(neurorespiratory pathway)와 연수 기능이 적절하게 회복되어야 한다. 이탈이 지연되는 환자를 위한 또 다른 전략은 인공기도 도관을 제거(decannulation)하기 전까지 비침습적 환기(NIV)를 이용하는 것이다. 이 방법은 만성폐질환, 흉벽질환, 척수손상, 비만 관련 호흡부전, 선천적/후천적 신경근육질환 등 취침 중 호흡부전 위험이 높은 환자들에서 특히 유용할 수 있다.

영국 보건성, 미국흉부학회, 유럽중환자의학회, 미국중환자의학회 등은 저마다 각각 기계환기 이탈을 정의하고 있다. 자료의 제한으로 이 지침들은 지연 이탈 과정을 겪는 환자들에 관한 자세한 설명은 담고 있지 않고, 비침습적 기계환기 사용에 관해서는 제한적인 지침만 제공하고 있다. 이 장에서는 기계환기 지연 이탈에 관한 국제공통(international consensus) 정의를 제시하고, 지연 이탈 환자의 관리에 초점을 맞출 것이다. 단순 이탈(simple weaning)과 어려운 이탈(difficult weaning)은 14장에서 설명하였다.

표 49-1. International Consensus Definition[2]

▸ Simple wean: patient who proceeds from initiation of weaning to successful extubation on the first attempt
▸ Difficult wean: patient who fails initial weaning and requires up to three SBTs or up to 7 days from the first SBT to achieve successful weaning
▸ Prolonged wean: patient who fails at least three weaning attempts or requires greater than 7 days of weaning after the first SBT

SBT, spontaneous breathing trial.
International Consensus Definition (Boles et al., 2007).
Adapted and reproduced with permission of the European Respiratory Society: J-M. Boles, et al., 'Weaning from mechanical ventilation', Eur Respir J May 2007 29:1033-1056; doi:10.1183/09031936.00010206

정의; 지연 이탈과 이탈 실패

시험적 연구들에서는 침습적 환기 보조가 필요한 환자들의 75%는 이탈을 시작하고 10일 이내에 성공할 수 있다고 보고하고 있다.[3-5] 하지만 나머지 25%의 환자에서 이탈이 어려우며, 5-10%의 환자들은 30일이 지나도록 여전히 환기보조가 필요하다.[6] 대규모 관찰 코호트 연구들의 자료에 따르면 환자들의 60%는 침습적 기계환기 기간이 4일을 넘지 않았다.[7,8]

영국 보건성의 정의에 따르면 이탈 실패란 이탈을 어렵게 하는 호흡기 외적 요인이 없음에도 불구하고 3주 이상 환기보조가 필요한 경우이며,[1] 이탈 실패 유병률(the point prevalence)은 7%라고 보고되고 있다.[1] 최근의 국제공통 정의에 의하면, 지연 이탈은 세 차례 이상의 자발호흡시도(spontaneous breathing trial, SBT) 또는 첫 번째 SBT 후 7일 이상이 걸린 경우이고,[2] 다른 대규모 다국적 관찰 코호트 연구에서는 기계환기 환자의 6% 정도를 지연 이탈로 분류하였다. 영국과 유럽의 유사한 연구결과는 이러한 정의가 일치함을 보여주고 있다.[1,2] 지연 이탈, 이탈 실패라는 용어가 유사한 그룹의 환자들을 설명할 수 있으므로, 이 정의를 사용할 수 있을 것이다.

지연 이탈 그룹의 환자들은 다른 변수들을 보정한 후에도, 단순 이탈 그룹의 환자들과 비교할 때 각각 13%와 7%로 중환자실 사망률이 더 높았다.[9] 다른 유사한 연구에서도 역시 단순 이탈 그룹과 비교할 때 병원 사망률(hospital mortality)이 더 높았다.[10] 중환자실 재원 중 사망률이 높아지는 요소는 기계환기관련 폐렴 위험이 증가하는 것과[11,12] 만성폐쇄성폐질환 같은 만성호흡기질환이다.[13] 비록 중환자실 사망률과 병원 사망률은 두 그룹에서 달랐지만, 1년 사망률은 유사했다. 이는 지연 이탈을 겪고 생존한 이탈 실패 환자들의 경우 1년째에도 생존할 가능성이 있으며, 지속적인 간호, 치료, 의료지원을 받고 있을 가능성을 의미한다.[14]

이탈의 생리학적 접근

이산화탄소(CO_2) 항상성은 폐포 환기의 적절함을 반영한다. 이는 분당 환기량(minute ventilation)과 사강(dead space) 환기량의 차이로 결정된다. 호흡 빈도와 일호흡량(tidal volume)에 영향을 미치는 요인들을 생각해보면 이탈 실패에 영향을 주는 원인들을 이해할 수 있다. 신경-호흡 드라이브, 신경 근육 전달, 호흡-근육의 작용과 호흡기계 교류(impedance) 모두 중요하며, 하나 또는 그 이상의 손상은 이탈 문제를 야기할 수 있다. 이탈 실패는 신경-호흡 드라이브, 호흡-근육 일, 호흡 근육 능력 사이의 부조화라고 이해할 수 있다. 체계적인 접근을 이탈 지연 과정의 환자에게 적용해 볼 수 있으며, 신경-호흡 드라이브와 신경 전달의 실패, 호흡 근육 수행능력의 감소, 저항(impedance)이 증가된 임상 상황을 따져 보는 것이 합리적이다.[15]

최근에는 폐 역학, 호흡 근육의 힘과 피로가 이탈 결과에 미치는 영향을 조사한 연구들이 있었다.[16,17] 연구결과 기계환기에서 성공적으로 이탈한 만성폐쇄성폐질환(COPD) 환자들은 이탈에 실패한 환자들과 비교하여 SBT 후반부에 하부기도의 저항, 내재 호흡기말 양압(intrinsic PEEP), 탄성 부하(elastic load)가 낮았다. 두 그룹 모두 SBT를 시작할 때에는 탄성, 저항, 임계 부하의 차이는 없었다.[16] 게다가 횡격막 수축력은 이탈에 성공한 환자들과 실패한 환자들 모두 유사하였으나, 이탈 실패 그룹에서는 횡격막 피로에 관한 근거가 없었다. 또한 이탈에 걸리는 시간은 횡격막 수축력과 관련이 없었다.[17] 이와 같은 결과들은 SBT 중 호흡 역학의 악화가 가장 중요한 이탈 결정요인임을 시사한다.

기계환기 이탈에 대한 접근

기계환기 모드

간헐적 동조화 강제환기(synchronizied IMV)는 본래 이탈 모드로서 설계된 것이지만, 두 개의 주요 연구에서 드러났듯이,[3,4] 이탈에 불리하였다. 그 결과 이탈을 위한 선호가 통제모드환기(controlled mode of ventilation)에서 보조환기모드(supported ventilation mode)로 변화면서,[18] 임상에서의 사용이 점차 감소하였다. 또한 진정 기간이 길어지는 유해한 효과가 알려지고, 횡격막의 휴지(비활동)가 횡격막의 위축을 유발한다는 연구보고들, 중증질환 중에도 운동 치료와 조기 보행을 하는 문화의 변화로 통제모드환기에서 보조모드환기로 옮겨가게 되었나. 기계환기치료의 표준 묶음(bundles)의 하나로서[24,25] 매일 진정제를 중단하는 전략(Daily interruption of sedation strategy, DIS)이 채택되었고, 이러한 방식으로 진정제 사용은 전반적으로 감소하였다.[26] 최근에는 진정 프로토콜을 사용하는 것이 기계환기에서 환자를 이탈하는데 DIS만큼이나

효과적이라고 입증되었다.[27]

이탈 지연의 예측인자와 결과

'이탈 특별위원회'는 65개의 관찰연구에서 462개의 이탈 예측인자를 파악하고 각 변수들이 SBT의 결과를 예측할 수 있는지 분석하였다.[28] 예측인자들의 공산비(likelihood ratio)는 예측력이 낮아 의미가 없었다. 이탈 성공에 관한 정의는 다양하지만 이탈이 지연되는 환자들에게는 적절하지 않다. 지연 이탈 환자의 결과 지표로 자발환기의 시간에 관한 정의 보다는 다음을 고려하여야 한다; (1) 중환자실, 이탈 및 재활 센터, 장기 급성기 치료(long-term acute care, LTAC) 병원에서 퇴원하기 전 인공호흡기 비의존성 여부, (2) 중환자실, 이탈 및 재활센터, LTAC 병원에서 퇴원 하기 전 야간 비침습적환기 의존성 여부, (3) 중환자실, 이탈 및 재활센터, LTAC 병원에서 퇴원하기 전 침습적 기계환기 의존성 여부, (4) 중환자실, 이탈 및 재활센터, LTAC 병원에서의 사망.

이탈 프로토콜

이탈 프로토콜은 지연 이탈에서는 논란이 있다. Ely 등의 연구에서는 대부분의 다른 이탈 연구들과 마찬가지로, 매일 환자를 선별하고 이탈 프로토콜을 적용하는 방식을 의사주도 이탈 방식과 비교하였다.[6] 침습적 기계환기는 중재 그룹에서 6일에서 4일로 감소하였지만 중환자실 재원기간과 병원 입원기간, 전체 의료비의 차이는 없었다. 비록 이 연구가 이탈 프로토콜의 임상적 장점을 뒷받침하였지만, 대조군의 76%가 기계환기 이탈에서 가장 선호되지 않는 간헐적 동조화 강제환기(SIMV) 모드를 사용하였다는 점은 주의해야 한다.[29,30] 자료를 자세히 살펴보면, 지연 이탈 환자들에서는 프로토콜에 따른 이탈과 의사주도 이탈 사이에 차이가 없음을 알 수 있다. 그러므로 지연 이탈에서 이탈은 임상적, 생리적 원리를 깊이 이해하고 적용할 필요가 있는 복잡한 과정이라고 이해해야 한다. 최근의 메타분석에서는 최적의 숙련된 staff 수를 포함하여 중환자실의 조직과 문화가 잘 갖춰져 있다면 이탈 프로토콜 사용으로 추가적인 이득이 없으며,[31] 이는 이탈 프로토콜이 널리 이용되지 않는 이유를 반영하는 것이라고 보고 하였다.[31]

기관절개 시점

지연 이탈 환자들은 일반적으로 기관절개(Tracheostomy) 환기를 하게 되는 데, 기관절개 튜브 삽입 시기에 관한 지침을 제시하는 데이터가 있다. 단일기관 무작위 대조군 연구와 후속 다기관 무작위 대조군 연구에서 조기 기관절개의 이점이 있었다.[32,33] 지연 이탈이 예상되는 환자에서 첫 주에 기관절개를 한 경우 셋째 주에 시행한 환자들과 비교하여 침습적 기계환기 기간이 짧았고, 중환자실 재실기간이 줄었으며, 폐렴 발생률이 감소하였고, 이탈 성공율이 높았고, 사망률은 낮았다.[32,33] 이 자료들에서는 지연 이탈이 예상된다면 조기 기관절개를 할 것을 주장한다.

지연 이탈 환자를 위한 접근

환자 코호트

지연 이탈은 기본적인 목표는 유사하지만 단순 이탈, 어려운 이탈과는 다르다. 이 환자들은 단일 장기에 국한된, 즉 호흡부전만 있는 상대적으로 안정적인 만성중증질환(chronic critical ill-ness)이며, 따라서 침습적 모니터링과 침습적 간호관리가 필요하지 않다. 이 환자들은 만성폐쇄성폐질환, 신경근 질환, 흉벽질환, 척수질환, 비만 등의 진단을 가지고 있으며,[34] 이러한 질환들은 환자들이 중증질환에서 회복되는 동안 신체적, 정신적 필요에 따라 각기 다른 간호 돌봄과 지원이 필요하다.

지연 이탈 중의 이탈 전략

지연 이탈 환자는 상대적으로 적기 때문에 이탈의 지침이 되는 자료가 충분하지 않다. 유럽에서는 특별히 이러한 환자들을 관리하기 위해 이탈 및 재활센터가 설립하였고, 이 센터들이 관찰 코호트 연구를 통해 그 결과를 보고하였다.[34-38]

분비물 관리

상기도 침샘 분비물과 하기도 분비물을 관리하기 위해, 특히 연수기능저하나 신경근육질환이 있는 환자에서는 분비물 관리 계획이 필요하다. 상기도 분비물 관리를 위해서 세밀하고 철저한 일정관리를 비롯하여, 각성 중 일정기간 기관절개 튜브의 커프 압력을 제거하는 연습(cuff down trial), 타액 분비물 생성을 줄여주는 경피적 하이오신 브로화수소산염(hyoscine hydrobro-mide) 약물을 이용할 수 있다. 일반적으로는 타액 분비가 실제로 증가하였다기 보다는 연하능력이 감소하기 때문이다. 기도분비물 관리를 위해서는 기도 흡인, 두드리기와 진동치료, 체위배액, 인위적인 팽창법을 이용한 폐용적 모집술, 최근에 이용되는 기계적인 팽창-배출 기구의 사용 등을 포함하여 정기적인 호흡 보조 및 기도분비물 제거 테크닉이 필요하다. 분당 160 L 이상의 최대호기유량(peak cough flow rate, peak expiratory flow rate)을 만들어낼 수 있는 능력은 신경근육질환으로 호기근육 기능이 감소한 환자에게서 기관절개관을 제거할 수 있는 지표이다.[40] 또한 기계적인 팽창-배출 방법은 신경근육질환이 있는 성인환자에서 다른 표준 기침 강화 방법보다 최대호기유량을 보다 크게 증가시킬 수 있다.[41] 기계환기에 의존하는 근위축성 축삭 경화증(amyotrophic lateral sclerosis) 환자들을 대상으로 한 소규모 연구 결과, 기관절개 튜브를 통한 기계적 팽창–배출 방법이 전통적인 기도흡인 방법보다 기도 분비물 제거에 있어 더 효과적이었다.[42] 비록 지연 이탈 환자에서 기계적 팽창–배출 방법의 효율성에 관한 보고는 없지만, 신경근육질환 환자를 제외한 임의(unselected)의 중환자실 환자 그룹을 대상으로 하였던 최근의 한 연구에서는 표준치료에 더하여 하루 3회 기계적 팽창–배출 방법을 적용하여 조기 재삽관 비율을 낮추었다고 보고하였다.[43] 하지만 이 연구는 단순 이탈 환자들을 포함하고 있었고, 연구에 등록된 환자 모두 SBT가 3회 미만이었다. 지연 이탈 환자들에서 이러한 기술의 효율성에 관해서는 추가적인 연구와 평가가 필요하다.

기관튜브 발관을 위한 비침습적 기계환기

비침습적 기계환기가 만성호흡기질환 환자와 지속적인 이탈 실패 환자의 이탈을 촉진하는데 효과적인 방법이라는 세 편의 연구가 있지만,[44-46] 비침습적 기계환기를 수면질환(sleep–disorder) 호흡과 야간 저환기가 있는 지연 이탈 환자에서 도관제거를 위한 전단계로 이용하는 방식은 데이터가 부족하다. 하지만 지연 이탈과 기도절개 환기 그룹에 관한 대조 연구(controlled trials)가 부족한 것이 놀라운 일은 아니다. 특히 이러한 환자 대부분은 중환자실 입원이 필요한 급성 위기 이전부터 만성폐질환, 흉벽질환, 비만관련 호흡부전, 선청성/후천성 신경근육질환과 같은 만성호흡부전이 있다. 그러므로 이들에게 표준치료로 확립된 장기간 비침습적 기계환기를 보류하는 것은 오히려 윤리적 문제가 된다.[47-52] 야간 비침습적 기계환기의 설정을 효과적으로 적정화하기 위해서는 면밀한 야간감시와 전문 임상지식으로 환기보조를 최적화하고 야간 환기를 최대화할 수 있어야 한다.[53-56] 이는 일반적인 내/외과계 중환자실 또는 LTAC 병원 영역을 벗어나는 일로, 특화된 이탈 및 재활 병동(중환자실)이 필요하다.

장기 급성기 치료기관(LTAC)과 이탈 센터의 비용 및 임상 효과

지연 이탈 환자를 수용할 수 있는 미국 내 LTAC 병원의 수는 1997년 192개에서 2006년 408개로 증가하였다.[57] 이러한 시설에서 기계환기를 받는 환자들의 비율은 1997–2000년 16.4%에서 2004–2006년 29.8%로 증가하였다.[57] 더욱 관심을 끄는 문제는 이러한 시설로 이송되어 기계환기를 받는 환자들의 1년 생존률로, 최근 69.1%라고 보고되었다.[57] 이러한 결과는 유럽의 전문 이탈 및 재활센터와 다르다. 이탈 병동(중환자실)에 입원하기 전 IMV 기간과 다양한 환자군 및 다양한 질환을 반영하는 이러한 임상결과의 차이에도 불구하고,[34-38] 사망률은 15%에서 25% 범위였다. 최대 45%의 환자들은 기계환기를 이탈하였고, 25%의 환자들은 가정용 야간 NIV를 사용하였으며, 단지 15%만이 장기간 IMV에 의존하였다. 1년, 3년 생존율은 각각 65–80%와 45–60%였다. LTAC 병원들을 대상으로 한 대규모 역학 코호트 연구자료와 전문 이탈 및 재활센터의 상대적으로 소규모 연구자료들을 직접 비교하는 것은 위험하다. 그럼에도 불구하고, 이러한 결과는 가정 환경을 포함하여 비전문시설에서 환자를 관리하는 어려움을 시사한다.[58] 알려진 것처럼 폐보호 기계환기는 급성폐손상 환자의 장기 생존율에 상당한 효과가 있다.[59] 이러한 환자를 관리하는 것은 더 이상 중환자 의사들만의 관심이 아니다. 급성중증질환 치료 이후 장기간 관리를 위해 이제는 호흡치료, 재활전문가 등 다양한 전문가가 필요하다.[60] 미국에서 LTAC 병원이 확산되고 있는 것은 비용절감과 재정적 인센티브 제도 때문으로, 환자를 급성기 단기 치료 병원(short-stay hospital)에서 전원하는 것이 유리하다. 1995년에는 단기 치료 병원에서 기계환기에 의존하는 만성중증질환 환자가 1만 1천 명을 넘는 것으로 추산되었고, 매일 900만 달러 이상의 비용이 소모되었다.[61] LTAC 병원들은 상대적으로 높은 이윤율을 유지하고, 급성기 치료 병원은 중증 환자를 조기에 퇴원시켜[62] 보다 수익성 있는 정규 수술을 위해 중환자실 병상을 제공함으로써 재정 건전성을 유지한다.[63] 영국에서는 중증 환자들을 중환자실에서 퇴실시켜 관리하면 환자 1명당 하루에 50%의 비용을 절감할 수 있다.[1] 영국 북부 지역에서 시행한 연구에서는 지연 이탈 환자들이 지역 중환자실에서 해마다 1,000 병상일을 차지하고 있었으며, 영국 전체로 볼 때는 매년 1만 2천 500 병상일로 추산되어, 줄잡아 매년 5백만 파운드로 추정되는 NHS 비용을 절감할 수 있을 정도다.[64] 최근 영국의 연구들에서도 이는 입증되었으며, 전문 이탈 및 재활센터를 설립하면 중환자 병상 점유를 잠재적으로 10% 줄일 수 있다.[65]

결론

지연 이탈은 복잡하고 어려운 과제이며 앞으로는 더 흔해질 것이다. 모든 IMV 환자들의 일부만이 이러한 분류에 속하게 되겠지만, 중환자실 의사들은 그러한 환자들을 조기에 인지하여야 한다. 그렇지 못할 경우 임상적인 결과는 참담할 것이다. 폐, 흉벽, 신경근 질환을 가지고 있는 환자들에게 지연 이탈이 있을 수 있고, 이는 만성중증질환 상태의 후유증에 동반될 수도 있다. 비만에 의한 호흡부전도 유병률 증가에 기여할 수 있다. 이 환자들에게는 동반한 병리학적 상태와 신체적, 정신적 상태를 고려하여 다학제팀을 통해 이탈과 재활 계획을 개별화하여야 한다.

참고문헌

1 NHS Modernisation Agency Report. Critical care programme. Weaning and long term ventilation. (2002). NHS Modernisation Agency.

2 Boles JM, Bion J, Connors A, et al. Weaning from mechanical ventilation. Eur Respir J 2007;29:1033-56.

3 Brochard L, Rauss A, Benito S, et al. Comparison of three methods of gradual withdrawal from ventilatory support during weaning from mechanical ventilation. Am J Respir Crit Care Med 1994;150:896-903.

4 Esteban A, Frutos F, Tobin MJ, et al. A comparison of four methods of weaning patients from mechanical ventilation. Spanish Lung Failure Collaborative Group. N Engl J Med 1995;332:345-50.

5 Krishnan JA, Moore D, Robeson C, Rand CS, Fessler HE. A prospective, controlled trial of a protocolbased strategy to discontinue mechanical ventilation. Am J Respir Crit Care Med 2004;169:673-8.

6 Ely EW, Baker AM, Dunagan DP, et al. Effect on the duration of mechanical ventilation of identifying patients capable of breathing spontaneously. N Engl J Med 1996;335:1864-9.

7 Zilberberg MD, De Wit M, Pirone JR, Shorr AF. Growth in adult prolonged acute mechanical ventilation: implications for healthcare delivery. Crit Care Med 2008;36:1451-5.

8 Zilberberg MD, Luippold RS, Sulsky S, Shorr AF. Prolonged acute mechanical ventilation, hospital resource utilization, and mortality in the United States. Crit Care Med 2008;36:724-30.

9 Penuelas O, Frutos-Vivar F, Fernandez C, et al. Characteristics and outcomes of ventilated patients according to time to liberation from mechanical ventilation. Am J Respir Crit Care Med 2011;184:430-7.

10 Funk GC, Anders S, Breyer MK, et al. Incidence and outcome of weaning from mechanical ventilation according to new categories. Eur Respir J 2010;35:88-94.

11 Cook DJ, Walter SD, Cook RJ, et al. Incidence of and risk factors for ventilator-associated pneumonia in critically ill patients. Ann Intern Med 1998;129:433-40.

12 Safdar N, Dezfulian C, Collard HR, Saint S. Clinical and economic consequences of ventilator-associated pneumonia: a systematic review. Crit Care Med 2005;33:2184-93.

13 Nava S, Rubini F, Zanotti E, et al. Survival and prediction of successful ventilator weaning in COPD patients requiring mechanical ventilation for more than 21 days. Eur Respir J 1994;7:1645-52.

14 Tonnelier A, Tonnelier JM, Nowak E, et al. Clinical relevance of classification according to weaning difficulty. Respir Care 2011;56:583-90.

15 Suh ES, Hart N. Respiratory failure. Medicine 2012;40:293-7.

16 Jubran A, Tobin MJ. Pathophysiologic basis of acute respiratory distress in patients who fail a trial of weaning from mechanical ventilation. Am J Respir Crit Care Med 1997;155:906-15.

17 Watson AC, Hughes PD, Louise Harris M, et al. Measurement of twitch transdiaphragmatic, esophageal, and endotracheal tube pressure with bilateral anterolateral magnetic phrenic nerve stimulation in patients in the intensive care unit. Crit Care Med 2001;29:1325-31.

18 Esteban A, Ferguson ND, Meade MO, et al., and for the Ventila Group. Evolution of mechanical ventilation in response to clinical research. Am J Respir Crit Care Med 2008;177:170-7.

19 Strom T, Martinussen T, Toft P. A protocol of no sedation for critically ill patients receiving mechanical ventilation: a randomised trial. Lancet 2010;375:475-80.

20 Levine S, Nguyen T, Taylor N, et al. Rapid disuse atrophy of diaphragm fibers in mechanically ventilated humans. N Engl J Med 2008;358:1327-35.

21 Sassoon C, Caiozzo VJ. Bench-to-bedside review: Diaphragm muscle function in disuse and acute high-dose corticosteroid treatment. Crit Care 2009;13:221.

22 Schweickert WD, Pohlman MC, Pohlman AS, et al. Early physical and occupational therapy in mechanically ventilated, critically ill patients: a randomised controlled trial. Lancet 2009;373:1874-82.

23 Pohlman MC, Schweickert WD, Pohlman AS, et al. Feasibility of physical and occupational therapy beginning from initiation of mechanical ventilation. Crit Care Med 2010;38:2089-94.

24 Kress JP, Pohlman AS, O'connor MF, Hall JB. Daily interruption of sedative infusions in critically ill patients undergoing mechanical ventilation. N Engl J Med 2000;342:1471-7.

25 Institute For Healthcare Improvement. Implement the IHI ventilator bundle (online) (2011). Available at: http://www.ihi.org/knowledge/Pages/Changes/ImplementtheVentilatorBundle.aspx.

26 Egerod I, Christensen BV, Johansen L. Trends in sedation practices in Danish intensive care units in 2003: a national survey. Intensive Care Med 2006;32:60-6.

27 Mehta S, Burry L, Cook D, et al. Daily sedation interruption in mechanically ventilated critically ill patients cared for with a sedation protocol: a randomized controlled trial. JAMA 2012;308:1985-92.

28 Macintyre NR, Cook DJ, Ely EW, Jr, et al. Evidence-based guidelines for weaning and discontinuing ventilatory support: a collective task force facilitated by the American College of Chest Physicians; the American Association for Respiratory Care; and the American College of Critical Care Medicine. Chest 2001;120:375S-95S.

29 Esteban A, Frutos F, Tobin MJ, et al. A comparison of four methods of weaning patients from mechani cal ventilation. N Engl J Med 1995;332:345-50.

30 Brochard L, Rauss A, Benito S, et al. Comparison of three methods of gradual withdrawal from ventilatory support during weaning from mechanical ventilation. Am J Respir Crit Care Med 1994;150:896-903.

31 Blackwood B, Alderdice F, Burns K, Cardwell C, Lavery G, O'halloran P. Use of weaning protocols for reducing duration of mechanical ventilation in critically ill adult patients: Cochrane systematic review and meta-analysis. BMJ 2011;342:c7237.

32 Rumbak MJ, Newton M, Truncale T, Schwartz SW, Adams JW, Hazard PB. A prospective, randomized, study comparing early percutaneous dilational tracheotomy to prolonged translaryngeal intubation (delayed tracheotomy) in critically ill medical patients. Crit Care Med 2004;32:1689-94.

33 Terragni PP, Antonelli M, Fumagalli R, et al. Early vs. late tracheotomy for prevention of pneumonia in mechanically ventilated adult ICU patients: a randomized controlled trial. JAMA 2010;303:1483-9.

34 Pilcher DV, Bailey MJ, Treacher DF, Hamid S, Williams AJ, Davidson AC. Outcomes, cost and long term survival of patients referred to a regional weaning centre. Thorax 2005;60:187-92.

35 Schonhofer B, Euteneuer S, Nava S, Suchi S, Kohler D. Survival of mechanically ventilated patients admitted to a specialised weaning centre. Intensive Care Med 2002;28:908-16.

36 Quinnell TG, Pilsworth S, Shneerson JM, Smith IE. Prolonged invasive ventilation following acute ventilatory failure in COPD: weaning results, survival, and the role of noninvasive ventilation. Chest 2006;129:133-9.

37 Chadwick R, Nadig V, Oscroft NS, Shneerson JM, Smith IE. Weaning from prolonged invasive ventilation in motor neuron disease: analysis of outcomes and survival. J Neurol Neurosurg Psychiatry 2011;82:643-5.

38 Rubini F, Zanotti E, Brigada P, Nava S. Factors determining the successful weaning of patients with 'difficult weaning'. Minerva Anestesiol 1998;64:513-20.

39 Vitacca M, Vianello A, Colombo D, et al. Comparison of two methods for weaning patients with chronic obstructive pulmonary disease requiring mechanical ventilation for more than 15 days. Am J Respir Crit Care Med 2001;164:225-30.

40 Bach JR, Saporito LR. Criteria for extubation and tracheostomy tube removal for patients with ventilatory failure. A different approach to weaning. Chest 1996;110:1566-71.

41 Chatwin M, Ross E, Hart N, Nickol AH, Polkey MI, Simonds AK. Cough augmentation with mechanical insufflation/exsufflation in patients with neuromuscular weakness. Eur Respir J 2003;21:502-8.

42 Sancho J, Servera E, Vergara P, Marin J. Mechanical insufflation-exsufflation vs. tracheal suctioning via tracheostomy tubes for patients with amyotrophic lateral sclerosis: a pilot study. Am J Phys Med Rehabil 2003;82:750-3.

43 Goncalves MR, Honrado T, Winck JC, Paiva JA. Effects of mechanical insufflation-exsufflation in preventing respiratory failure after extubation: a randomized controlled trial. Crit Care 2012;16:R48.

44 Girault C, Daudenthun I, Chevron V, Tamion F, Leroy J, Bonmarchand G. Noninvasive ventilation as a systematic extubation and weaning technique in acute-on-chronic respiratory failure: a prospective, randomized controlled study. Am J Respir Crit Care Med 1999;160:86-92.

45 Ferrer M, Esquinas A, Arancibia F, et al. Noninvasive ventilation during persistent weaning failure: a randomized controlled trial. Am J Respir Crit Care Med 2003;168:70-6.

46 Nava S, Ambrosino N, Clini E, et al. Noninvasive mechanical ventilation in the weaning of patients with respiratory failure due to chronic obstructive pulmonary disease. A randomized, controlled trial. Ann Intern Med 1998;128:721-8.

47 Simonds AK, Elliott MW. Outcome of domiciliary nasal intermittent positive pressure ventilation in restrictive and obstructive disorders. Thorax 1995;50:604-9.

48 Bourke SC, Tomlinson M, Williams TL, Bullock RE, Shaw PJ, Gibson GJ. Effects of non-invasive ventilation on survival and quality of life in patients with amyotrophic lateral sclerosis: a randomised controlled trial. Lancet Neurol 2006;5:140-7.

49 Murphy P, Hart N. Who benefits from home mechanical ventilation? Clin Med 2009;9:160-3.

50 Murphy PB, Brignall K, Moxham J, Polkey MI, Davidson AC, Hart N. High pressure versus high intensity noninvasive ventilation in stable hypercapnic chronic obstructive pulmonary disease: a randomized crossover trial. Int J Chron Obstruct Pulmon Dis 2012;7:811-18.

51 Murphy PB, Davidson C, Hind MD, et al. Volume targeted versus pressure support non-invasive ventilation in patients with super obesity and chronic respiratory failure: a randomised controlled trial. Thorax 2012; 67:727-34.

52 Borel JC, Tamisier R, Gonzalez-Bermejo J, et al. Noninvasive ventilation in mild obesity hypoventilation syndrome: a randomized controlled trial. Chest 2012;141:692-702.

53 Gonzalez-Bermejo J, Perrin C, Janssens JP, et al. Proposal for a systematic analysis of polygraphy or polysomnography for identifying and scoring abnormal events occurring during non-invasive ventilation. Thorax 2012;67:546-52.

54 Janssens JP, Borel JC, Pepin JL. Nocturnal monitoring of home non-invasive ventilation: the contribution of simple tools such as pulse oximetry, capnography, built-in ventilator software and autonomic markers of sleep fragmentation. Thorax 2011;66:438-45.

55 Adler D, Perrig S, Takahashi H, et al. Polysomnography in stable COPD under non-invasive ventilation to reduce patient-ventilator asynchrony and morning breathlessness. Sleep Breath 2012;16:1081-90.

56 Drouot X, Roche-Campo F, Thille AW, et al. A new classification for sleep analysis in critically ill patients. Sleep Med 2012;13:7-14.

57 Kahn JM, Benson NM, Appleby D, Carson SS, Iwashyna TJ. Long-term acute care hospital utilization after critical illness. JAMA 2010;303, 2253-9.

58 Wise MP, Hart N, Davidson C, et al. Home mechanical ventilation. BMJ 2011;342:d1687.

59 Needham DM, Colantuoni E, Mendez-Tellez PA, et al. Lung protective mechanical ventilation and two year survival in patients with acute lung injury: prospective cohort study. BMJ 2012;344:e2124.

60 Camporota L, Hart N. Lung protective ventilation. BMJ 2012;344:e2491.

61 Make BJ. Indications for home ventilation. In: Robert D, Make BJ, Leger P (eds.) Home mechanical ventilation. Paris: Arnette Blackwell; 1995. pp. 229-40.

62 Hsia DC, Ahern CA, Ritchie BP, Moscoe LM, Krushat WM. Medicare reimbursement accuracy under the prospective payment system, 1985 to 1988. JAMA 1992;268:896-9.

63 Seneff MG, Wagner D, Thompson D, Honeycutt C, Silver MR. The impact of long-term acute-care facilities on the outcome and cost of care for patients undergoing prolonged mechanical ventilation. Crit Care Med 2000;28:342-50.

64 Robson V, Poynter J, Lawler PG & Baudouin SV. The need for a regional weaning centre, a one-year survey of intensive care weaning delay in the Northern Region of England. Anaesthesia 2003;58:161-5.

65 Lone NI, Walsh TS. Prolonged mechanical ventilation in critically ill patients: epidemiology, outcomes and modelling the potential cost consequences of establishing a regional weaning unit. Crit Care 2011;15:R102.

Chapter

중증질환 이후 재활치료 모델

마가렛 S. 헤리지, 질 I. 카메론
(Margaret S. Herridge and Jill I. Cameron)

서론

중증질환은 환자와 가족 모두에게 큰 상처를 남긴다. 환자는 이전에 없던 비가역적인 장애를 얻게 되고, 가족들은 정서 장애를 겪는다. 이들은 이러한 문제들로 자신들의 삶이 돌이킬 수 없을 정도로 변화하였고 모든 것이 예전으로 되돌아 갈 수 없다는 생각으로 괴로워한다. 새로운 질환들로 기능적인 결과가 악화되고 경제적인 조건과 삶의 조건은 타격을 입는다. 이러한 문제들을 해결하려면 기능적인 결과에 관한 정보, 환자 및 보호자들에 관한 평가 정보가 필요하다. 또한 중재 치료는 신체적, 신경정신과적 문제들을 목표로 삼아야 하며, 오랜 회복기간 내내 꾸준히 지속되어야 한다.

중환자실 치료 이후 장기간의 후속 치료와 질병의 경과 과정을 연구한 기록을 보면, 중환자실 생존자와 그 가족들을 위해 중환자실 퇴원 이후에도 재활을 제공하고 이를 이끌 수 있는 구조가 필요함을 강조하고 있다. 재활 이론에 대한 최신 지견을 통해 재활 이론들이 중증 환자와 가족들을 위한 새로운 치료 모델에 어떻게 녹아 들어 있는지 통찰력을 얻을 수 있다.

이 장에서는 중증질환 이후 환자와 가족들을 위한 재활 개념으로서 국제기능장애건강분류(International Classification of Functioning, Disability, and Health, ICF) 모델을 설명하고자 한다. 이 모델은 환자들이 겪는 경험의 다양한 양상을 통합적으로 이해하고, 질병 결과를 결정짓는 요인들이 어떻게 서로 영향을 미치며 복잡한지를 강조한다. 또한 중증환자와 가족들을 위한 치료를 구성하고, 시험하고, 실행하는 데에는 많은 도전적인 문제들이 있음을 알 수 있다. 재활 중재치료들을 시험하기 위해 적절한 환자 그룹을 인지하고 분류하기 위해서, 중증질환 이후 회복 경로, 병인학적으로 중립적인 새로운 임상 표현형, 환자 그룹에 따른 중증질환 이후의 장애(disability)의 범위를 논의할 것이다. 마지막으로, 시간에 따라 변화하는 재활 요구를 반영하는 '지속적인 치료 개념'의 중요성을 제시할 것이다.

국제기능장애건강분류(ICF)

2001년 제 54회 세계보건회의는 국제기능장애건강분류(ICF)[1]를 개발하기로 결정하였다. 2005년 세계보건기구(WHO)는 '장애의 예방, 관리 그리고 재활'에 대한 해결책의 일환으로 이러한 구조를 재차 강조하고, 국제 사회에 영향을 미치는 여타의 건강 상태 관련 이환률을 경감하기 위한 공약에 포함하였다.

ICF는 이환율과 장애가 건강 상태의 중요한 측정 기준임을 인정하고, 개인과 집단의 건강을 측정하는 영역, 건강 관련 상태를 분류하는 구조와 기준을 제공하고 있다. ICF는 기능적인 결과들을 강조하는 데, 이러한 방식은 국제 질병분류(ICD)와는 다르다. ICD는 질병과 그 질병이 사망에 미치는 영향에 전적으로 초점을 맞춘다. ICF는 신체의 기능과 구조, 활동 그리고 참여라는 세 가지 요소로 구성되어 있다(그림 50-1). 이 개념에 따라, 복잡한 환자 집단을 대상으로 중재와 장기간의 추적 연구를 계획할 때 포괄적이고 전인적으로 접근할 수 있다. 중증질환 이후 기능 손상과 신경정신과적 이환, 환자의 가족들이 지속적으로 겪는 주요 기분 장애에 관한 새로운 자료들이 발표되고 있는 데, ICF는 결과에 영향을 주는 무수한 요인들의 상호 독립성을 찾아내는 데 도움이 된다.

신체 기능장애는 ICF의 구성 요소 중 '신체 기능과 구조'에 속한다. 여기에서는 정상에서 벗어난 것을 손상으로 규정한다. 중요한 활동(움직임)을 실행하는 환자의 능력은 '활동'으로 분류하며 '활동 제약'을 중요하게 다룬다. 여타의 일상 활동을 수행하는 것은 '참여'로 분류하고 '참여 제한'은 환자가 일상생활활동(ADL)을 할 때 경험할 수 있는 어려움을 의미한다. ICF의 세 가지 구성요소에는 기능과 장애를 포함하고 있으며, 전반적인 건강, 환경, 개인적인 요인들을 반영한다. ICF는 양적으로 측정이 가능한 객관적인 기능 평가를 하기 때문에 삶의 질 모델과는 다르다. 지극히 개인적이며 주관적인 감정 혹은 만족에 대한 개인적인 관점에 기초한 기능을 보고하는 여러 삶의 질 측정방법과 대비된다. 예를 들어, SF-36 삶의 질 측정도구는 기능적인 결

그림 50-1. **기능, 장애, 건강에 관한 국제분류(WHO 2001)**

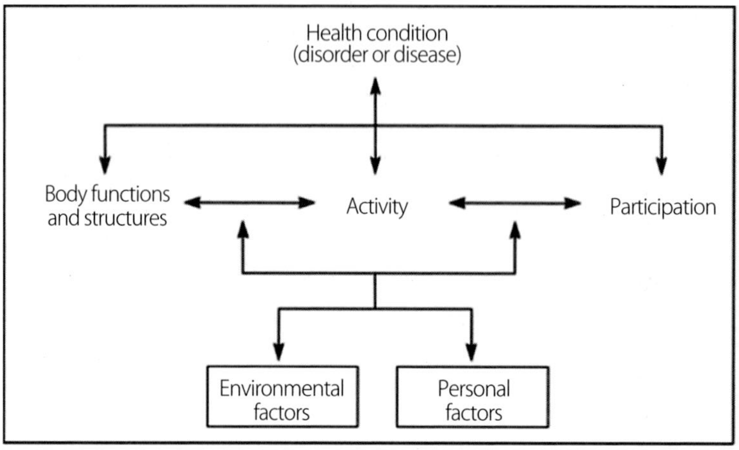

Reproduced from Stucki G, 'International Classification of Functioning, Disability, and Health (ICF): a promising framework and classification for rehabilitation medicine', *American Journal of Physical Medicine and Rehabilitation, 84, 10, pp. 733-740*, copyright 2005, with permission from Wolters Kluwer, Association of Academic Physiatrists and the Asociación Médica Latinoamericana de Rehabilitación (AMLAR).

과들을 분류하고 다른 대상들을 비교 측정하는데 널리 사용되어왔다. 그러나 이 도구는 단지 질병의 맥락에서 기능을 규명한다. 환자의 참여 혹은 개인적 요인이나 환경이 결과에 어떻게 영향을 주는지 통합하여 해석하지 않는다. 결과적으로, 기능적인 장애에 영향을 미치는 요인들을 통찰하지 못하고, 장애를 개선할 수 있는 효과적인 재활 중재를 설계하지 못할 수 있다. ICF는 보편적이고, 여러 국가에서 타당성이 입증되었으며 개인과 환경의 맥락을 통합하고 있어, 가치가 크다. ICF는 병인학적으로 중립적인 생물정신사회학 모델을 사용하는데, 이 모델은 환자의 건강과 기능을 개인과 환경이라는 더 넓은 맥락에서 평가한다. 이 모델의 강점은 국제적 시야에서, 문화적 혹은 연령에 따른 편견에 기초하지 않고 사회적이고 의료적인 요소들을 담아낸 것이다. ICF는 질병이 아니라 결과에 의한 이환율을 기준으로 평가하기 때문에 중증질환을 겪은 환자와 가족들을 위한 모델이다. 중환자실에서 수일이 지난 후에는, 초기 질환의 중요성은 서서히 사라지고 중환자실 획득 쇠약(ICUAW)나 신경정신학적인 기능 장애 이환이 여기저기 모습을 드러내게 된다. 이러한 증상들은 장기간 이환과 결과를 결정짓는 주요 인자이다.

WHO 장애사정, 국제기능분류 체크리스트 및 기능 평가

참조 분류 체계로서 ICF는 소모적인데다 분류가 1,400개나 된다. 이러한 방식이 포괄적일지는 몰라도 임상에서 평가 도구로서는 실용적이지 못하다. 세계보건기구는 ICF와 연관되어 여러 가지 평가 도구들을 개발하였고, 이 도구들은 재활 중재와 성과 연구에 유용하다. 그 중에는 자가관리도구인 세계보건기구 장애평가일정-II (WHO Disability Assessment Schedule II, WHODAS II)[2]와 ICF 체크리스트가[3] 있으며, 활동과 참여 영역에 중점을 두고 있다. 다음 설명을 통해 ICF가 어떻게 재활 평가 모델에 포괄적인 관점을 제시하고, 중증질환 이후 재활 모델에서 오랫동안 간과되었던 회복의 다양한 측면을 강조하게 되었는지 이해하게 될 것이다.

WHODAS II

WHODAS II는 교육적, 문화적 배경까지 포괄적으로 적용할 수 있는 건강 상태 측정도구이다. 이해력과 의사소통, 보행, 자기 돌봄, 어울림, 일상 활동 그리고 사회 참여 등 6가지 주요 영역으로 구성되어 있고, 36개 항목 또는 12개 항목 형식이 있다. 환자 중심적 통합적인 접근을 한다는 점이 장점이지만, 철저하게 질병 경과의 중요성을 생략했기 때문에, 질병 상태와 결과 사이의 연관성을 알기 어렵다.

ICF 체크리스트

ICF 체크리스트는 125개의 하위 카테고리로 구성되어 ICF의 축약판이라 할 수 있다. 환자와 관련한 기록, 주요 회신, 관찰, 가족 혹은 간병인 혹은 다른 정보 제공자 등을 통해서 점검표를 작성한다. 이러한 정보를 가지고 전문가들은 환자, 가족, 환경을 평가하고, 많은 재활 모델에서는 부족했던 중증질환 이후의 재활에 접근할 수 있다. 체크리스트를 사용하는 어려움 중의 하나는 다양한 손상으로 활동과 참여를 하지 못하는 장기 환자들은 체크리스트를 작성하는데 시간이 걸린다는 것이다.

ICF 핵심 세트

ICF 핵심 세트는 ICF 체크리스트와 WHODAS를 활용할 수 없거나, 특정 질병 상태 또는 급성 중증질환 후 재활치료를 받고 있는 환자들을 진료하는 임상 의사들과 연구자들의 필요에 맞춰 개발되었다. 지금까지 12개 만성 상태,[4-6] 급성기 치료 병원, 급성기 재활 시설 후 초기 상황을[7] 위한 ICF 핵심 세트가 개발되었다.

또한 각각의 건강 상태에 따라, 단순 ICF 핵심 세트, 종합 ICF 핵심 세트를 발표하였다. 단순 세트는 임상에서 사용할 목적으로 만들어졌고, 실용성을 위해 제한적인 카테고리를 사용하고 있으나 임상 연구를 위해서도 충분하다. 약식 핵심 세트를 이용하면 비교 가능한 방법으로 질병으로 인한 부담을 기술할 수 있다.

종합 ICF 핵심 세트는 특정 상태의 환자들을 다학제로 평가하기 위한 것이다. 전형적이고 다양한 기능과 관련한 문제들을 다학제 접근방식으로 포괄적으로 평가하여 기술하기에 충분하다. 그러므로, ICF의 틀 내에서, 질병에 따라 환자 중심 평가와 약식, 또는 포괄적 도구들을 수정하고 개선하였다. 이 도구들은 중증질환 이후 장기간 연구를 위한 자료 수집과 환자 및 가족들을 위한 재활 프로그램 수립을 위한 원형이 될 것이다.

전문 분야, 학계, 과학 분야에서 연구자와 실무자 사이에 원활한 의사소통을 위해서는 개념과 용어에 대한 동일한 기준을 세워야 한다. ICF는 기술한 것처럼 –좀 더 질병 특이적으로 만들 수 있었음에도 불구하고– 질병에 의한 제한을 받지 않기 때문에 중환자실 의료진과 중환자실 퇴실 후 재활에 종사하는 사람들 모두에게 유용하다. 공동구조를 갖는다는 것은 특정 질병 혹은 장기(organ)에 국한되지 않고 연구와 의료행위 모두에서 학제간 관여가 필요한 중증 치료 분야에서 특히 유용하다.

결론

통상적으로 재활은 개인의 기능과 능력에 초점을 둔다. 그 결과 환자들이 손상과 관련된 장애를 경험할 뿐만 아니라, 그들이 처한 환경의 물리적, 사회적, 경제적 장애물과 관련한 건강 문제를 가지고 있다는 사회적인 측면이 간과된다. 따라서, 현재 통용되는 정의는 '개인의 재활'이라는 맥락에 담긴 당면한 환경 문제를 다루지 못한다. 게다가, 장애인의 환경을 바꾸기 위해 필요한 사회 정책이나 정치 활동을 명확히 제시하지 못한다.

ICF 체계는 회복에 영향을 주는 요인들이 복합적이고 상호 관련되어 있다는 것을 강조하고, 재활 중재를 수립할 때 고려해야 할 많은 요인들을 제시한다. 또한 건강 결과와 장기간의 이환율에 영향을 주는 요인들 사이의 복잡한 상호관계와 구조들을 명확하고 포괄적으로 설명해 준다. 전통적인 모델들은 사회적 지지 기반, 환자의 감정, 가족 돌봄, 나아가 사회적 혹은 정치적인 변화와 같은 환경적인 변화를 동반하는 기전에 관심을 두지 못했다. 단지 환자의 신체적 기능에 국한된 치료를 하였다.

중증질환 이후의 재활 모델 수립

중개 연구와 재활

중증질환 이후 근육, 신경 그리고 뇌 손상을 분자 수준에서 밝히는 기초 과학 연구는 점차 중요해지고 있다.[8] 재활치료에서 분자, 세포 그리고 장기계통 수준의 기초과학 중개연구는 기능과 독립성이 제한된 환자에게 가장 해볼만한 것이기 때문에 연구에서는 가장 눈에 띄는 결과로서 신체 구조와 기능을 강조할 수밖에 없을 것이다. 그러나 초기와 후기 회복 단계 동안 긍정적 혹은 부정적 결과를 초래할 수 있는 요인들 사이에 상관관계가 상당히 복잡하다는 것을 인식하고 있어야 한다. 신체 구조와 기능 장애 치료에 관한 연구는 예상할 수 있는 다양하고 복잡한 재활치료 결과에 어떠한 치료가 영향을 미칠 수 있는지를 입증해야만 하는 어려운 도전 앞에 서있다.

치료 및 역량 강화 이론

치료와 역량 강화 이론들은 각각 독특한 관점에 기여한다. 단일 중재와 그 결과 사이의 관계를 이해하기 위해서는 반드시 포함되어야만 한다. 이 이론들은 중재 결과를 측정하는 시점과 밀접하게 관련되어 있다.

치료 이론

치료 이론은 주어진 치료 중재가 목표에 영향을 미치는 기전을 강조한다. ICUAW를 예를 들어 보자면, 중환자실 재실기간 동안 조기 운동을 적용하는 것(치료)은 근육의 분자 수준에서 다양한 단백분해 경로들을 차단함으로써(치료 기전) 근육의 힘과 양을 증가(치료 목표)시킬 수 있다. 치료 이론은 걷기와 같은 후기 기능적 결과에 조기 운동이 미치는 영향을 예측할 수는 없을 것이다. 보행 능력에 향상된 근육의 힘과 영향은 근육에 직접적으로 시행된 중재가 영향을 미칠 수 없는 환자의 다른 다양한 요인들에 의해 좌우될 것이다. 균형과 보조, 고유감각, 인지기능, 정서 그리고 주거 환경이 이에 포함될 수 있다.

역량 강화 이론

역량 강화 이론은 다른 ICF 변수들 사이의 인과관계와 상호관계를 설명한다. 예를 들어, 보행 능력을 사용할 때 역량 강화 이론은 효과적으로 걷기 위해 필요한 다양한 기능들을 분석하고 강조한다. 가령, 시각 인식 혹은 인지 기능이 있을 것이다. 또한 이론은 연관된 기여 요인들과 기능에 영향을 미치는 각각의 역할을 분석한다. 요약하자면, 역량 강화 이론은 ICF 틀 내에서 인과관계가 있는 기여 요인들과 그 각각이 지니는 가중(중요도)를 규명하는 것이다. 기전을 밝혀내는 것은 아니다.

중증질환 이후의 장애

우리는 후기 결과로 이어지는 근육, 신경 그리고 뇌의 문제를 해결하고 개선할 수 있는 다양한 요인들의 관계에 대해 여전히 많은 것을 알지 못한다. 예를 들어, 다양한 위험군에 속한 환자들이 각각 어느 정도의 근육과 신경손상을 받게 되는지, 그리고 조기 재활을 조기에 인지하고 중재하는 것이 손상된 장기의 자연적인 경과에 영향을 미치는지 여부는 여전히 명확하지 않다.

이는 복잡한 그룹들이 각 기능적 결과에 기여하는지 방식을 이해하기 위해서는 활동과 참여 및 경제적, 개인적인 요인들을 목표로 할 필요가 있다는 것을 의미한다. 가족에 의한 위험요인을 수정하거나 값비싼 자원을 이용하는 것 등은 코호트 연구와 재활 전략에 포함되어야 하는 중요한 요인들이다.

중증질환 이후 기능 장애는 동일하지 않다고 알려져 왔으나, 다양한 위험요인과 회복에 따라 구별되는 표현형으로 나눌 수 있다는 가설과 이를 지지하는 최근의 연구들도 있다. 나이, 동반질환, 그리고 중환자실 재원 기간과 같은 일반적인 환자들의 특성을 고려한 환자 맞춤형 재활 프로그램이 필요하다는 것을 이해하면서, 병인론적으로는 중립적으로 접근을 할 때 더 효율적인 재활 프로그램이 가능할 것이다.

중증질환을 경험한 환자들이 기능적 측면에서 의미있게 좋아지려면 처음 몇 달이 중요하다.[9-12] 환자의 나이, 동반된 질환의 중증도 그리고 중환자실 재원일수, 다양한 환자 그룹에 따라 장애의 범위와 이 시기 동안의 결과는 가변적이다.

중증질환의 양상과 중증도, 나이 그리고 동반 질환

지난 십여 년 동안 임상 문헌에서 중증 폐손상 표현형(phenotype)이 점점 분명하게 알려지고 있다. 중증 ICUAW를[49,12,19,22] 유발하는 중증 급성호흡곤란증후군(ARDS)과 다발성 장기 손상을 겪은 뒤 젊은 성인 환자들의 경우 독립적으로 기능할 수 있을 정도로 회복하여 직장으로 되돌아갈 수 있다. 이와는 반대로, 중환자실 입원 당시 이들보다 단지 10살 정도 더 많고, 은퇴로 인해 일을 하지 않거나, 동반 질환을 더 많이 앓고 있거나, 입원 당시 이미 장애가 있었던 경우에는 그 결과는 훨씬 나빴다. 1년 후, 이 연구 표본에서는 단 9%의 환자만이 생존하여 기능적으로 의존하지 않아도 되는 상태에 있었다.[14] 이 환자들은 급성기 치료 후 시설로 퇴원할 가능성이 높았지만 동시에, 1년 후 독립적인 기능을 수행할 수 있는 생존자 한 사람당 대략 3백

5십만 달러라는 상당한 액수의 비용이 소진되었다.

고령 환자와 장기간의 기계환기를 요구하는 환자들의 결과에 관한 연구에서는 나이와 이전부터 있던 동반질환들 영향이 중요하다고 강조한다. Chelluri와 연구진들은 장기간 기계환기 이후 1년 간 추적관찰한 연구 표본(연령 중앙값 65세)에서 사망률 및 삶의 질과 관련한 요인들을 평가하였다. 생존자들은 동반질환이 적고, 질병의 중증도가 낮으며, 발병 이전 기능적 의존도가 낮았다.[22] Combes 등은 14일 이상 기계환기를 받은 환자들 중에서, 65세 이상의 연령, 병전 심기능 이상, 면역억제상태, 중환자실 입원 당시 패혈증, 중환자실에서 신대체 요법을 받아야 했던 경우, 그리고 원내 패혈증 발병이 사망과 관련이 있다고 보고하였다.[23] Iwashyna 등은 보다 더 고령의 환자(연령 중앙값 77세)들은 패혈증 이후에도 기능이 계속 감소된다는 것과 중증질환 이전 기능 문제가 전혀 없었던 환자들도 기능 제한이 새로이 발생하는 비율이 높다는 것을 관찰하였다(평균 1.57건의 새로운 기능 제한 발생, 95% CI 0.99−2.15). 패혈증을 경험하기 전에 ADL 손상이 있던 환자들은 패혈증 이후 최소 8년동안 신체, 신경 인지 기능이 더욱 감소하고, 이로 인해 환자가 독립적으로 살아갈 수 있는 능력이 변화하게 된다.[13]

그러나 중증질환 이후의 결과에 연령이 미치는 영향은 논쟁의 여지가 있다. 연령이 증가할수록 생존률이 낮다는 보고도 있고,[24] 반면 그렇지 않다는 보고도 있다.[25,26] Khouli 등은 65세 이상의 환자들을 표본으로 한 연구에서 중환자실 입원 당시와 퇴원 후 6개월이 지났을 때 환자 혹은 그 대리인에게 HRQoL 도구를 이용하여 평가하였다. 65세 이상 환자의 1/3은 퇴원 후 6개월 이내에 사망하였고, 사망 위험요인에는 다음과 항목들이 포함되었다; 환자가 입원 30일 전 '자신의 신체기능이 좋지 않았다'고 느꼈던 기간, 높은 APACHE II 점수 그리고 만성호흡기 질환. 또한 가장 나이가 많은 생존자들(86세)은 시간이 지날수록 HRQoL이 감소하였는데, 이들은 처음과 비교할 때, 신체 및 정신 건강이 좋지 않은 상태로 보내는 기간이 더 길었다. Barnato 등은[18] 입원 전 기능상태 정보가 포함된 국가인구연구표본을 사용하여 평균 연령이 80세에 달하는 환자들을 대상으로 연구하였다. 연구자들은 인공기계환기를 사용한 경험이 있는 환자들은 그렇지 않은 환자들과 비교했을 때, 일상생활능력 및 보행능력이 현저히 감소하였음을 보고하였다. 고령 환자에서 중증질환 이후의 생존, 기능 그리고 HRQoL을 예측할 수 있는 예후 신호가 있었는데, 중증질환 이전의 장기 기능, 동반 장기 기능 부전, 그리고 건강 상태이다.

이러한 자료들을 보면 임상 표현형, 근육과 신경의 생리적 능력과 기능 회복의 잠재적 가능성을 위해 나이, 동반 질환의 정도와 질병 중증도, 그리고 중환자실 재원 기간 등 서로 다른 그룹으로 분류하는 근거 같기도 하다. 다양한 위험요인 범주를 단일 인구집단 내에 적용하지 못하기 때문에 임상 결과 문헌들에서 이질성(heterogeneity)을 생각할 수밖에 없는 것일지도 모른다. 위험요인관리(risk modification)는 핵심이며, 기분장애,[20,28] 인지기능장애,[29,30] 사회 경제적 상태 그리고 보호자의 정신 및 신체 건강의 영향도 여기에 포함된다.

장기간 기계환기 치료를 받은 중환자실 생존자의 절반 이상에서 중증질환 이후 1년간 가족들이 도와야 했다.[22] 이는 보호자들의 삶의 질 저하,[31] 외상후스트레스장애,[32] 정서적 피로,[33-35] 부담감,[36] 우울,[34] 그리고 불안과[35] 같은 결과를 초래하였다.

연구팀은 ARDS 생존자들이 우울감을 겪거나 필요한 돌봄과 간병이 많고 어려울수록 보호자들이 우울증을 겪을 수 있다고 보고한 바 있다.[31] 다른 보고서에 의하면 신체 기능 상태가 좋지 않은 남성 중환자 생존자를 돌보는 보호자들은 더 심한 우울증을 경험하고, 사회 활동을 유지하는데 어려움을 겪는 것으로 나타났다.

Batt와 동료들은 ICUAW의 위험요인과 ICUAW 이후의 기능적 결과를 설명하였다.[37] 동반 질환이 없는 젊은 환자, 심각한 동반 질환을 동반한 노인 환자, 그리고 만성중증질환으로 인해 근육과 신경의 능력(reserve)이 고갈된 환자들을 포함한 임상적인 표현형들이다. 이러한 임상 표현형들은 이전의 근육량 혹은 손상의 정도와 관련이 있으므로 기능적 결과가 각각 다를 것이라고 가정하고 있다. 이 모델은 또한 환자의 결과와 보호자의 신체적, 정신적 건강 사이의 상호의존성을 강조한다. 사회 경제적 상태도 위험 (수정) 요인에 포함된다.

중증질환 이후 회복 단계

중환자실 생존자들과 가족들의 요구, 그리고 이러한 필요와 병원에서의 재활기간이나 지역사회로 돌아간 첫해에 질병과 회복의 상호작용에 대하여는 알려진 바가 거의 없다. 현재 진행되는 연구에서는 중환자실 생존자와 보호자들이 급성기 재원 기간 동안 필요한 정보의 제공이 부족하고[39] 지역사회에서 정신심리 돌봄에 요구가 있음[41]이 알려진 정도이다.

TIR (Timing it right)

중환자실 생존자들과 보호자들에게 장기간의 추적관찰과 지역사회의 지지가 필수적이다.[42] 이들을 위한 중재를 계획할 때는 종합적인 돌봄의 연속선상에서 고려해야 한다. Cameron 등은 환자와 보호자들이 필요로 하는 중재들을 파악하고 평가하기 위해서, 대표적인 급성질환인 뇌경색의 임상적 과정을 활용한 TIR 틀을 고안하였다. 이 틀은 중증질환에 적용되어 왔으며 다음의 다섯 단계를 포함하고 있다: (1) 중증질환과 중환자치료의 과정, (2) 일반 병동에서의 안정화

단계, (3) 가정 및 지역사회로 돌아가기 위해 준비하는 단계, (4) 가정에서의 초기 적응 단계, (5) 지역사회에 장기적으로 적응하는 단계. 단계별로 필요한 요구에 중점을 두어 치료 환경이 변화할 때마다 환자와 가족이 준비하고 대처할 수 있도록 하였다.

결론

중증질환 생존자들과 보호자들의 재활을 위해서는 환자와 보호자 중심의 성과에 근거하여 복잡하고 지속적인 치료 프로그램이 필요하다. 이 장에서 우리는 중증질환 이후의 장애를 구분하고 미래의 재활 전략을 이해하려면 주요 위험요인들을 통합 검증하는 틀이 필요하다고 제언하였다. 또한 연령, 동반 질환에 따른 부담 그리고 중환자실 재원 기간을 중요하게 다루어야 한다는 것과 함께 문헌에 근거한 병인학적으로 중립적인 임상 표현형 개념을 제안하였다. 이러한 표현형들에 따라 각기 다른 재활 중재들을 평가하기 위해 유사한 회복 궤도에 있는 환자들을 임상 그룹으로 분류할 수 있다. 마지막으로 장기 중재를 단계적으로 접근하는 TIR 틀을 제시하여 환자와 보호자들의 성과가 전체적인 치료 과정에 걸쳐 최적화되어야 함을 제안하였다.

참고문헌

1 Stucki G. International Classification of Functioning, Disability, and Health (ICF): a promising framework and classification for rehabilitation medicine. Am J Phys Med Rehabil 2005;84:733-40.

2 World Health Organization. WHO Mental Bulletin: a newsletter on noncommunicable diseases and mental health. Geneva: World Health Organization; 2000.

3 World Health Organization. ICF Checklist, Version 2.1a, Clinical Form for International Classification of Functioning, Disability and Health. Geneva, World Health Organization; 2003.

4 Ustun B, Chatterji S, Kostanjsek N. Comments from WHO for the Journal of Rehabilitation Medicine Special Supplement on ICF Core Sets. J Rehabil Med 2004;44 Suppl:7-8.

5 Stucki G, Grimby G. Applying the ICF in medicine. J Rehabil Med 2004;44 Suppl:5-6.

6 Cieza A, Ewert T, Ustun TB, Chatterji S, Kostanjsek N, Stucki G. Development of ICF Core Sets for patients with chronic conditions. J Rehabil Med 2004;44 Suppl:9-11.

7 Grill E, Ewert T, Chatterji S, Kostanjsek N, Stucki G. ICF Core Sets development for the acute hospital and early post-acute rehabilitation facilities. Disabil Rehabil 2005;27:361-6.

8 Whyte J BA. Advancing the evidence base of rehabilitation treatments: a developmental approach. Arch Phys Med Rehabil 2012;93(8 Suppl):S101-10.

9 Herridge MS, Cheung AM, Tansey CM, et al. One-year outcomes in survivors of the acute respiratory distress syndrome. N Engl J Med 2003;348:683-93.

10 Herridge MS, Tansey CM, Matté A, et al. Functional disability 5 years after acute respiratory distress syndrome. N Engl J Med 2011;364:1293-304.

11 McHugh LG, Milberg JA, Whitcomb ME, Schoene RB, Maunder RJ, Hudson LD. Recovery of function in survivors of the acute respiratory distress syndrome. Am J Respir Crit Care Med 1994;150:90-4.

12 Needham DM, Dennison CR, Dowdy DW, et al. Study protocol: the Improving Care of Acute Lung Injury

Patients (ICAP) study. Crit Care 2006;10:R9.

13 Iwashyna TJ, Ely EW, Smith DM, Langa KM. Long-term cognitive impairment and functional disability among survivors of severe sepsis. JAMA 2010;304:1787-94.

14 Unroe M, Kahn JM, Carson SS, et al. One-year trajectories of care and resource utilization for recipients of prolonged mechanical ventilation: a cohort study. Ann Intern Med 2010;153:167-75.

15 de Letter MA, Schmitz PI, Visser LH, et al. Risk factors for the development of polyneuropathy and myopathy in critically ill patients. Crit Care Med 2001;29:2281-6.

16 Hough CL. Neuromuscular sequelae in survivors of acute lung injury. Clin Chest Med 2006;27:691-703.

17 Latronico N, Peli E, Botteri M. Critical illness myopathy and neuropathy. Curr Opin Crit Care 2005;11:126-32.

18 Barnato AE, Albert SM, Angus DC, Lave JR, Degenholtz HB. Disability among elderly survivors of mechanical ventilation. Am J Respir Crit Care Med 2011;183:1037-42.

19 Hopkins RO, Weaver LK, Collingridge D, Parkinson RB, Chan KJ, Orme JF, Jr. Two-year cognitive, emotional, and quality-of-life outcomes in acute respiratory distress syndrome. Am J Respir Crit Care Med 2005;171:340-7.

20 Hopkins RO, Weaver LK, Pope D, Orme JF, Bigler ED, Larson-LOHR V. Neuropsychological sequelae and impaired health status in survivors of severe acute respiratory distress syndrome. Am J Respir Crit Care Med 1999;160:50-6.

21 Dowdy DW, Eid MP, Sedrakyan A, et al. Quality of life in adult survivors of critical illness: a systematic review of the literature. Intensive Care Med 2005;31:611-20.

22 Chelluri L, Im KA, Belle SH, et al. Long-term mortality and quality of life after prolonged mechanical ventilation. Crit Care Med 2004;32:61-9.

23 Combes A, Costa MA, Trouillet JL, et al. Morbidity, mortality, and quality-of-life outcomes of patients requiring > or = 14 days of mechanical ventilation. Crit Care Med 2003;31:1373-81.

24 Somme D, Maillet JM, Gisselbrecht M, Novara A, Ract C, Fagon JY. Critically ill old and the oldestold patients in intensive care: short- and long-term outcomes. Intensive Care Med 2003;29:2137-43.

25 Chelluri L, Pinsky MR, Donahoe MP, Grenvik A. Long-term outcome of critically ill elderly patients requiring intensive care. JAMA 1993;269:3119-23.

26 Rockwood K, Noseworthy TW, Gibney RT, et al. One-year outcome of elderly and young patients admitted to intensive care units. Crit Care Med 1993;21:687-91.

27 Khouli H, Astua A, Dombrowski W, et al. Changes in health-related quality of life and factors predicting long-term outcomes in older adults admitted to intensive care units. Crit Care Med 2011;39:731-7.

28 Jackson JC, Girard TD, Gordon SM, et al. Long-term cognitive and psychological outcomes in the awakening and breathing controlled trial. Am J Respir Crit Care Med 2010;182:183-91.

29 Ehlenbach WJ, Hough CL, Crane PK, et al. Association between acute care and critical illness hospitalization and cognitive function in older adults. JAMA 2010;303:763-70.

30 Mikkelsen ME, Christie JD, Lanken PN, et al. The adult respiratory distress syndrome cognitive outcomes study: long-term neuropsychological function in survivors of acute lung injury . Am J Respir Crit Care Med 2012;185:1307-15.

31 Cameron JI, Herridge MS, Tansey CM, McAndrews MP, Cheung AM. Well-being in informal caregivers of survivors of acute respiratory distress syndrome. Crit Care Med 2006;34:81-6.

32 Azoulay E, Pochard F, Kentish-Barnes N, et al. Risk of post-traumatic stress symptoms in family members of intensive care unit patients. Am J Respir Crit Care Med 2005;171:987-94.

33 Van P, Schulz R, Chelluri L, Pinsky MR. Patient-specific, time-varying predictors of post-ICU informal caregiver burden: the caregiver outcomes after ICU discharge project. Chest 2010;137:88-94.

34 Douglas SL, Daly BJ, Kelley CG, O'Toole E, Montenegro H. Impact of a disease management program upon caregivers of chronically critically ill patients. Chest 2005;128:3925-36.

35 Pochard F, Darmon M, Fassier T, et al. Symptoms of anxiety and depression in family members of intensive care unit patients before discharge or death. A prospective multicenter study. J Crit Care 2005;20:90-6.

36 Foster M, Chaboyer W. Family carers of ICU survivors: a survey of the burden they experience. Scand J Car-

ing Sci 2003;17:205-14.

37 Choi J, Sherwood PR, Schulz R, et al. Patterns of depressive symptoms in caregivers of mechanically ventilated critically ill adults from intensive care unit admission to 2 months postintensive care unit discharge: a pilot study. Crit Care Med 2012;40:1546-53.

38 Choi J, Donahoe MP, Zullo TG, Hoffman LA. Caregivers of the chronically critically ill after discharge from the intensive care unit: six months' experience. Am J Crit Care 2011;20:12-22.

39 Nelson JE, Kinjo K, Meier DE, Ahmad K, Morrison RS. When critical illness becomes chronic: informational needs of patients and families. J Crit Care 2005;20:79-89.

40 Pattison NA, Dolan S, Townsend P, Townsend R. After critical care: a study to explore patients' experiences of a follow-up service. J Clin Nurs 2007;16:2122-31.

41 Cameron JI, Gignac MA. 'Timing it Right': a conceptual framework for addressing family caregivers' support needs from the hospital to the home. Patient Educ Couns 2008;70:305-14.

Chapter 51

중환자실 퇴실 후 재활

더그 엘리옷, 린다 D. 에니히(Doug Elliott and Linda Denehy)

서론

중증질환의 병원 생존율은 전 세계에 걸쳐 큰 차이가 없다. 유럽에서는 75–94%,[1] 북아메리카에서는 82%의 생존율을 기록하였다.[2] 호주에서는 일반 중환자실 환자들은 89%,[3] 인공호흡기를 사용하였던 환자들은 78%의 생존율을 보고하였다.[4] 생존자들의 일부는 신체적,[5] 정신적,[6,7] 인지적 회복이[8] 지연되기도 한다. 최근에는 다음과 같은 임상적 증후군들이 확인되었고, 이와 관련된 중증질환[9] 연구가 강조되고 있다.

- 중증질환(주로 패혈증), 치료, 침상부동의 결과로 발생한 ICUAW[5,10]
- 퇴원 후 환자와[11] 보호자에게[12] 지속되는 신체적, 정신적, 인지적 후유증을 포함하는 PICS

또 다른 연구에서는 ABCDE 접근법처럼[13,14] ICUAW와 섬망의 후유증을 최소화하는 '치료 묶음(bundle)'과 인지 재활에 초점을 맞춘 중재들을 탐구하고 있다.[15] 중환자실 입원 동안 신체 기능 악화를 최소화하는 운동과 활동으로는 수동적 스트레칭, 관절운동, 체위변경, 저항(부하) 근육훈련, 유산소 훈련, 근력강화, 보행이 있다.[16,17] 이러한 활동은 침대 안에서의 활동(관절가동범위, 구르기, 다리 교차, 침대 끝에 앉기), 침대 옆에 서기, 침대에서 의자로 이동하기, 제자리걸음, 보행까지 다양하다.[18,19] 이 계획들은 보건의료 시스템(또는 국가, 의료기관–역자주)에 따라 저마다 다양하며, 종종 팀 혁신과도 관련 된다. 중환자실에서 운동과 조기 재활에 대한 자세한 설명은 50장과 52장에서 하였다.

중환자실 퇴실 후 일반 병동에서의 재활치료는 의료팀과 다른 전문의들, 물리치료, 관련 보건 서비스 등 이용 가능한 자원의 조합에 달려 있다. 일반 중환자실 환자들을 위한 재활 서비스는 보건의료서비스 또는 시스템의 재정 상태와 호흡재활, 심장재활, 뇌졸중재활, 뇌손상재활처럼 재활 지침이 정해져 있는 임상 코호트에 따라 다를 수 있다.[20] 마찬가지로, 중증질환 생존자의 회복을 최적화할 수 있는 서비스는 보건복지 또는 지역사회 자원 부족의 영향을 받을 수 있다. 물론 이러한 의료환경을 고려할 필요도 있지만 신체적, 정신적, 인지적 후유증의 위험을 확인하기 위해 적절하고 체계적이며 시의적절한 평가는 중요하다.

이번 단원에서는 중환자실 퇴실 이후, 병원 내에서 그리고 퇴원 후 재활에 대한 현재까지의 근거를 조사한다. 첫 부분은 환자의 재활 계획 참여 그리고 기능적 회복 측정과 관련된 방법론적이고 실용적인 주제에 초점을 맞춘다. 또한 과학기술의 이용, 활용 가능한 자원과 지원을 설명하고 중환자실 퇴실 후, 병원 퇴원 후 중재에 대해서 논의하고자 한다.

회복 측정

중환자실에서 퇴실한 환자들은 동반 질병의 경과, 입원 전 기능상태, 인공호흡기 의존 기간, 진정 수준, 중환자실 입원 기간, 나이에 따라 다양한 기능적 손상을 경험한다.[21-23] 급성기 치료팀, 특히 물리치료사, 언어치료사, 작업치료사들은 평가를 표준화하고 치료의 효과를 관찰하며 치료의 질을 향상시키기 위해 성과를 측정한다.[24] 그러나 이 측정 도구들은 노인/신경/호흡/심장재활 코호트를 대상으로 개발된 것으로 중환자들만을 대상으로 하는 기능 측정은 찾아볼 수 없다. 그러므로 측정 도구들과 관련한 측면에서 본다면, 중환자들의 임상적으로 중요한 변화는 평가되지 않았거나 보고되지 않았다.

문헌에서 보고된 기능 측정으로는 주로 6분 보행 검사,[25] 왕복 보행 검사,[26] 10분 보행 검사,[27] 앉았다 일어서기; 균형; 보행 속도로 구성된 간단한 신체 수행 기구,[28] SF-36의 신체 기능 영역,[29] IADLs,[30] 일어나 걷기 검사(TUG),[31] FIM,[32-34] 바델지수(Barthel index),[23,35] 악력,[36,37] HHD를 이용한 근력이 있다.[38,39] 이들 검사법과 임상 계측 특성에 대한 정보는 대부분 있지만 중환자들을 대상으로 한 정보는 거의 없다.[40] 급성기환자들의 다양한 기능적 능력과 관련하여 이러한 검사법들의 천장효과와 바닥효과가 종종 보고되었다. FIM은 낮은 기능 상태의 결과로 급성 환자들에서 바닥효과를 보이므로 병동 입원기간이 짧다면 변화에 민감하지 않다.[41] 유사하게, TUG와 바델지수는 입원 중인 노인 환자들과 중환자실 퇴실 환자들에서 바닥효과와 천장효과

둘 다 나타난다.[43] 중환자들의 관찰 코호트 연구에서, 외래 재활 프로그램 후에 6분 보행 검사의 58% 향상과 비교해서 왕복 보행 검사(the shuttele walk test)는 89%의 향상을 보였다.[44] 왕복 보행 검사가 6분 보행 검사를 대체할 수 있는지는 연구가 더 필요하다. 최근까지 근력의 감소가 기능 저하와 직접적으로 관련이 있다는 보고는 없다. 그래서 중환자실 퇴실 환자들의 나이와 능력의 범위에 따른 적합한 검사들이 무엇인지 확인하는 것이 과제이다. 로체스터 대학교의 급성 치료 평가(The University of Rochester Acute Care Evaluation, URACE)와 같이 단계별 회복에 관한 새로운 검사법 개발은 발전 가능성이 있다.[24] 미래의 연구와 연구들간의 비교를 위해서 검사 민감도를 확립하는 것은 분명 중요하다.

퇴원 후 평가는 지역사회 활동수준,[45] HRQoL, 직업복귀, 운전, 지역사회 지원수준, 우울증과 불안, 수행과 인지 기능을 포함해야 한다. 몇몇 논문들은 중환자실 퇴원 후 5년까지 HRQoL의 지속적인 문제를 보고하고 있으며,[46] 중환자실 생존자들의 결과를 평가하기 위해 사용된 도구의 특성들을 고찰하고 있다. HRQoL 설문지와 같은 측정들은 흔하게 사용되고 있으며,[47] SF-36은 중환자들의 임상 계측 검사와 함께 가장 많이 이용되는 방법이다. SF6D (SF-36에서 나온), EQ-5D, 삶의 질 평가(AQoL)[48] 같은 다중 속성 도구들은 경제학적 분석을 위한 추가적인 평가를 위해 사용된다. 이러한 측정들은 측정하는 변수에 따라 다양하고, 작은 차이가 비용 분석에 영향을 미칠 수도 있다; 중환자실 생존자들에게 가장 적절한 척도를 적용하기 위해서는 더 많은 연구가 필요하다. 또한 포괄적인 HRQoL 도구는 중환자들에서 기준치나 입원 전 측정값을 구하기 어렵고 회상 편향(recall bias)과 반응 변화(response shift)이 있을 수 있다는 제한점이 있다. 이러한 측정들의 편향에 대한 연구가 더 많이 이루어지면 보다 정확하게 결과를 해석할 수 있을 것이다.

중환자실 퇴실 후 중재

여기에서는 중환자실 퇴실 후 환자의 재활 증진을 위한 현재까지의 근거중심진료를 설명한다. 몇몇 진료 지침과 유용한 방법이 있기는 하지만, 회복을 위한 종합적이고 체계적인 접근과[50] 신체적, 정신적, 인지적 기능장애를[49] 다루는 재활은 현재로서는 없다. 가장 중요한 것은 이들 지침들도 재활을 시작하는 데 최적의 시기와 재활전략의 유형을 정한 근거가 현재는 없다고 보고하고 있다.

중환자실 퇴실 후 병동에서의 재활

중환자실 퇴실 환자들을 위한 현재의 진료 관행은 중환자실 비상 연락 서비스나 조기대응팀을 확보하는 것인데, 이는 재활을 위해 개발된 것이 아니라 임상 악화를 관찰하는 것이 초점이다. 이는 중환자실에서 퇴원하였으나 병원 퇴원 전 사망할 수 있는 10%의 환자들을 관리하기 위한 것이다.[55] 그러므로 중환자실 입원 후 재활이 적절한 환자를 선별 검사한 리스트에는 나중에 사망한 환자들이 포함되어 있게 마련이다.

입원 전 병력과 관계없이, 내과계 입원한 노인 환자들에서 신체 기능 저하를 관찰할 수 있다.[56] 급성기 재활은 부동(immobility)상태와 관련된 전신악화를 줄였고, 따라서 몇몇 센터에서는 이러한 목표를 충족하기 위한 기능 유지 프로그램을 시작하였다.[57] 이러한 프로그램은 방문 재활 활동과 보행 프로그램을 늘리고, 가능하다면 병원 내 운동시설에서 하는 그룹 재활을 시행하는 것이다. 다소간 (하지만 결정적으로 중요하지는 않은) 가정으로의 퇴원율 증가, 입원 기간 감소, 비용 감소가 있기는 했지만, 다학제 재활을 받은 급성기 내과계 노인 환자에서 효과의 근거는 제한적이었다.[42] 하지만, 주목할 것은 이 체계적인 문헌 고찰에 포함된 환자들의 평균 나이가 78세였으며, 이는 60세가량 되는 중환자실 생존자들의 나이보다 상당히 높다는 것이다.

현재까지 중환자실 퇴실 이후 입원 기간 동안 신체 기능이 감소한 환자의 회복 단계와 결과를 향상시킬 수 있는 특정 중재 효과와 그 근거는 부족하다. 중재의 최적 기간, 강도, 유형, 빈도에 관한 의문들은 여전히 풀리지 않았다.[58] 중환자실 생존자들의 병동 재활에 관한 연구들이 있었다.[23,59,61,69,103] 기능 손상은 중환자실 퇴실 후[23] 일부 환자들에게 중요하며, 이 시기에 면밀한 관찰과 조기 재활이 권고된다. 자료들은 중환자실에서 시작하여 병동으로 이어지는 운동 재활 후 그 결과와 효과를 보여 주고 있다.[59] 중환자실에서 시작하여 병원 퇴원 후까지도 지속된 이러한 운동은 수동/능동 프로토콜로 시작하여 서기와 보행 전 균형, 이동(보행)을 포함한 기능적 과제로 이행하는 것이다.[60] 또 다른 무작위대조연구에서는 다른 생리학적 운동 전략을 사용하였다. 이 연구에서는 평가결과를 반영하여 운동을 처방하였고, 훈련 효과를 이끌어내기 위해 프로토콜에 따라 정해진 빈도와 강도 범위 안에서 진행하였다.[61] 추가적으로, 운동은 중재 기간 동안 가능한 가장 높은 수준에서 시작하였다. 두 가지 접근법이 기능적 향상을 가져올 수도 있기 때문에, 이러한 프로토콜과 진행의 차이가 중요하지 않을지라도 프로토콜에 관한 상세한 설명과 중재 개선을 위한 더 많은 연구가 필요하다.

나머지 연구들의 결과들도 중환자실 퇴실 후 심각한 기능적 감소가 있는 코호트 집단은 평가를 자주 실시할 필요가 있음을 시사하였다. 다학제 재활 계획을 포함하여 치료 효과를 보이는 그룹을 규명하는 연구도 필요하다. 재활의 1단계는 다른 질환의 환자 집단(COPD, 심장질환자)에서처럼 충분한 증거가 부족할 지라도 중증질환 생존자들에게 적용할 수 있다.[62] 재활의 1단계에서, 개인별 치료 목표는 상태악화를 확인하고 향상된 기능 상태로 조기에 퇴원하도록 돕는 것이다.[24] 이러한 재활에는 주로 조기 신체 기능과 운동 훈련을 포함한다. 중환자실 생존자들은 인지 재활 전략이 추가되어야 한다.[15]

병원 퇴원 후의 재활

중증질환 생존자의 5%는 병원 퇴원 후 12개월 이내에 사망하며, 일반인과 비교하면 사망률은 거의 3배에 이른다. 나머지 생존자에서는 기능적 회복이 12개월 넘도록 지연되기도 한다.[47,63] 노르웨이의 한 센터에서 194명의 참가자를 대상으로 한 관찰연구에서, 관찰 1년 후 참가자 중 50%만이 직장이나 연구에 복귀하였고, 이것은 수술 후 생존자들(60/100의 PF 점수)에서 관찰되는 기능수준의 가장 낮은 정도에 해당했다.[64]

관찰연구들의 유의한 근거와 동시에, 병원 퇴원 이후의 중재, 프로토콜, 연구 결과들이 보고되기 시작하였다.[15,44,49,61,69] 두 가지 연구는 다중요소 중재의[15,44] 탐색 연구로 개념은 증명하였지만 효과를 증명하기 위해서는 더 큰 표본이 필요하다. 첫 번째 연구에서 환자들은 퇴원 전에 검사를 받았고, TUG 또는 TOWER 검사[65](계획 및 전략적 사고에 대한 집행 기능 선별 검사)[15] 점수가 정상 점수 이하로 1−표준편차 범위를 넘었다.[15]

일반적인 치료와 비교하여 재택 재활 프로그램의 무작위대조연구에서는 차이가 없었다.[49] 중재 프로그램은 이러한 잠재적 고위험 집단에서는 보수적으로 중등도부터 고강도의 운동성 호흡곤란 수준에 맞춘 반면,[66] 중환자실 추적 클리닉과[67] COPD 환자들에서의 운동 프로그램에서 모두 중재는 동일하였다.[68] 그럼에도 불구하고, 훈련 강도와 빈도는 심각한 근력 악화가 있는 이 환자 집단의 수준으로서 부적절하였고 준수여부를 객관적으로 측정하지도 않았다.

최근 연구에서 일반적인 치료 그룹과 비교해서, 중환자실 퇴원 이후 6분 보행 검사의 사후검정이 중재군에서 개선을 보였지만, 12개월째에 신체적 기능과 HRQoL은 차이가 없었다.[69,70] 중환자실에서 병동 그리고 외래로 이어지는 운동 프로그램에도 불구하고 병원 퇴원 시점에 6분 보행 검사와 TUG 검사로 측정한 기능적 운동 향상을 확인할 수 없었다. 12개월째 참가자의 6분

보행 검사는 성별, 키, 몸무게를 짝지은 대조군의 65% 수준이었다.[71] 실망스럽게도 환자들의 50%만이 외래 운동 수업에 복귀하였고, 단지 40%만이 재활프로그램을 마칠 수 있었는데(총 세션의 70% 이상 참여했을 때로 정의) 이것이 결과에 영향을 미쳤을지 모른다.[72,73] 중환자실 이후 최적의 운동 조건(수준)을 알기 위해서는 더 많은 연구가 필요하다. 이러한 결과는 미국과 호주의 물리치료의 차이로 일부 설명할 수 있다. 또, 재택 운동 재활은 환자를 돌보는 사람이 도와주거나 좀 더 융통성 있는 운동 재활 프로그램으로 구성된다면 순응도를 높일 수 있을 것이다. 12개월째 추적조사에서[74] 신체적 기능 손상 여부가 중증 환자들의 가장 중요한 후유증인데, 외래환자 재활 프로그램의 도입과 최적의 재활 프로그램 설계가 향후 연구에서의 핵심이다.

향후 연구를 통해 중환자실 퇴실 후 재원기간, 섬망, 근력, 활동성, 신경인지 평가 등 보다 자세한 선별 검사를 통해 신체 회복이 더딘 환자들의 위험요인을 알 수 있을지도 모른다. 또한, 인지 재활과 신체 기능 재활을 함께 시행한 재활 전략의 결과도 조사해야 한다. 동기부여, 운동 프로그램 준수(52장 참조), 운동 강도와 빈도 높이기, 가정 중심 재활을 위한 지원 증가 등 여러 방법론적인 문제도 고려할 필요가 있다.[49,75] 중환자실 추적 클리닉은[64,76] 53장에서 자세히 다루었다.

회복프로그램 참여

운동 전략에서 프로그램 준수율(참여율)은 대부분의 질병군에서, 특히 만성질병군에서 중요한 목표이다. 요즘에는 건강관리에 적극적인 사람이 되어야 한다는 인식이 높아지고 강조되고 있다.[77] 준수(adherence)란 '개인의 행동이 의사의 권고에 일치하는 정도'라고 정의한다.[78] 일반적으로는 매일 매주 운동 수준과 위해 사건의 수를 포함하여 운동 참여 횟수를 측정하지만 최근까지도 준수(율)을 측정하는 표준 방법은 없다.[77] 많은 준수 관련 연구가 약물 치료에 초점을 맞춘 것이지만 당뇨병, 골관절염(OA), COPD, 심장질환 등 여러 만성질병군에서 신체활동과 운동 준수에 관한 보고가 있었다.[77]

재활 후 새로운 운동 습관을 유지하는 비율은 일반인은 3개월째 25%, 심장재활군은 6개월째 50%이다.[80,81] 호흡재활을 시행한 COPD 환자의 8–50%는 외래 재활에 참여하지 못하였다.[72,73] 게다가 참가자의 10–32%는 프로그램을 끝마치지 못하였다.[82] 골 관절염에서 운동 준수율을 높이기 위한 전략으로는 개인관리 교육과 병행하는 개별 운동 또는 감독하에 시행하는 운동, 운동 세션 추적, 운동 비디오와 인지행동기법과 같은 보충 교육 자료 등이 있다.

중환자실 환자군에서 중요한 혼란 변수는 우울증이며 이는 심장재활의 운동 참여율,[83] 심장재활 2단계의 미완성,[84] 호흡재활에[85] 영향을 준다고도 알려져 있다. 정신심리적 스트레스 또한 환자의 치료 권고 준수에 영향을 미칠 수 있다.[86] 최근 연구에서는 급성폐손상 생존자들에게 신체적 기능저하의 독립적인 위험인자로 우울증이 보고되었다.[87]

그러므로 치료 준수는 건강신념모델, 합리적 행동이론, 통합이론 모델(TTM), 계획적 행동 및 자기효능이론[77] 등 준수 전략 체계를 설명하는 여러 이론들과 관련된 복잡한 문제이다.[78] 신체 활동에 적용했을 때, TTM은 전단계(아직 운동을 고려하지 않음)부터 유지 단계(적어도 6개월 동안 정기적으로 운동)까지의 행동을 변화시킬 수 있는 각각의 단계를 정의한다.[88] 따라서 각 단계와 일치하는 중재들을 마련했을 때 운동 참여율을 더 높일 수 있다.[89] 두 가지 심리적 기법, 동기 강화 상담(MI)과 인지행동치료(cognitive behavioural therapy, CBT)는 행동변화를 촉진하고 운동 요법의 준수를 극대화한다.[90,91] MI는 환자를 관찰하고, 변화에 대한 모순된 감정을 극복하도록 도와 행동 변화를 촉진하도록 하는 일련의 환자 중심 기법이다.[92] 행동 변화, 주로 물질 남용 장애에서 MI의 효과를 입증하는 레벨1 수준의 근거가 있으며, MI는 임상 심리사나 여타의 의료인이 훈련을 거쳐 효과적으로 수행할 수 있다.[93] CBT는 다양한 전신 상태에 적용할 수 있으며, 신체적 활동을 포함하여 행동 변화를 촉진하고 유지하는 데 사용되고 있다. PICS의 만성적 특성을 고려할 때, 다학제 재활 프로그램의 일부분으로 이러한 방법을 도입하는 것은 중환자실 생존자들의 운동행동을 개선하고 회복을 유지할 수 있도록 해줄 것이다. 재활의 이러한 측면에서 보호자와 가족들의 참여는 더 좋은 결과를 얻는 데 도움이 될 수 있다.[94]

자원과 지원

더 많은 평가와 근거가 필요하지만, 몇몇 정책과 지침 덕분에 우리는 의료 서비스를 개선해 나가고 있다.[50] 온라인을 통해 다양한 보조 자료를 이용할 수 있다. 이 자료들은 일반적으로 일부 지역에서 개발하고 평가한 것으로 중환자실 추적 클리닉과 관련된 것이 많다(53장). 다양한 조건과 의료기관에서도 이러한 치료와 중재의 효과가 있는지 증명하려면 향후 더 많은 평가가 필요할 것이다.

기술의 발전

환자들이 중환자실에 입원하여 있는 동안 신체 활동 증진을 위해 비디오 게임을 이용하는 등 보조적인 기술에 대한 평가가 이루어지고 있다.[95] 이는 중환자실 퇴실 이후와 병원 퇴원 이후에도 재활 단계 동안 계속해서 사용할 수 있고, 치료와 평가의 연속성을 부여할 수 있을 것이다. 현재의 기술력은 동작 감지와 활동 감시에 '가속도계(accelerometer)'를 이용하고, 착용과 데이터 전송이 가능한[97] body area networks (BANs)와[96] 센서를 개발하기에 이르렀다. 이러한 자료들로는 동작과 보행뿐만 아니라 심박수, 산소포화도, 신체 활동과 같은 생리학적인 정보도 가능하다.

다른 연구에서는 가상현실장치(virtual reality device)를 개발하기도 하였다. 하지만 건강한 지원자들만 대상으로 평가하였고,[98] 재택 원격 재활을 위한 프로토콜의 일환이었다.[99] 재활을 감독하고 결과를 측정하는 모바일 기술 이용이 늘고 있으며, 만성질환에서 적용한 연구 결과들도 있다.[100-102] PICS 환자군에서 원격 재활을 위해 이러한 기술을 개발하여 테스트하고 적용할 수 있다면, 멀리 떨어진 지방에 있는 환자들도 공평한 접근이 가능하게 되고, 이들에게는 매우 실용적인 방법이 될 것이다.[49]

결론

재활 전문가, 일차의료의사, 그리고 의료계를 대상으로 중증질환의 결과와 PICS에 대해 교육하는 것은 중요하다. 중환자실 생존자를 대상으로 검증된 환자 중심 성과를 발굴하는 것은 이 분야의 긴급한 요구이다. 중환자실 퇴원 후 신체적, 비신체적 재활치료의 효과에 대한 더 많은 연구가 필요하다. 어떤 환자가 재활치료 전략에 참여할 가능성이 높은 환자인지를 선별하는 법, 재활치료의 양과 방법, 시점 또한 연구 과제이다. 개인에게 동기를 부여하고 장기간 (재활) 활동을 유지할 수 있도록 하는 심리학적, 기술적 보조 전략 역시도 향후 연구의 주제가 되어야 한다.

참고문헌

1 Azoulay E, Adrie C, De Lassence A, et al. Determinants of postintensive care unit mortality: a prospective multicenter study. Crit Care Med 2003;31:428-32.

2 Levy MM, Rapoport J, Lemeshow S, Chalfin DB, Phillips G, Danis M. Association between critical care physician management and patient mortality in the intensive care unit. Ann Intern Med 2008;148:801-9.

3 Williams TA, Dobb GJ, Finn JC, et al. Determinants of long-term survival after intensive care. Crit Care Med 2008;36:1523-30.

4 Moran JL, Solomon PJ. Mortality and intensive care volume in ventilated patients from 1995 to 2009 in the Australian and New Zealand binational adult patient intensive care database. Crit Care Med 2011;40:800-12.

5 Stevens RD, Dowdy DW, Michaels RK, Mendez-Tellez PA, Pronovost PJ, Needham DM. Neuromuscular dysfunction acquired in critical illness: a systematic review. Intensive Care Med 2007;33:1876-91.

6 Davydow D, Gifford J, Desai S, Needham D, Bienvenu O. Posttraumatic stress disorder in general intensive care unit survivors: a systematic review. Gen Hosp Psychiatry 2008;30:421-34.

7 Griffiths J, Fortune G, Barber V, Young JD. The prevalence of post traumatic stress disorder in survivors of

ICU treatment: a systematic review. Intensive Care Med 2007;33:1506-18.

8 Jackson JC, Mitchell N, Hopkins RO. Cognitive functioning, mental health, and quality of life in ICU survivors: an overview. Crit Care Clin 2009;25:615-28.

9 Angus D, Carlet J. Surviving intensive care: a report from the 2002 Brussels Roundtable. Intensive Care Med 2003;29:368-77.

10 Griffiths RD, Hall JB. Intensive care unit-acquired weakness. Crit Care Med 2010;38:779-87.

11 Needham DM, Davidson J, Cohen H, et al. Improving long-term outcomes after discharge from intensive care unit: report from a stakeholders' conference. Crit Care Med 2012;40:502-9.

12 Davidson J, Jones C, Bienvenu O. Family response to critical illness: postintensive care syndromefamily. Crit Care Med 2011;40:618-24.

13 Pandharipande P, Banerjee A, McGrane S, Ely EW. Liberation and animation for ventilated ICU patients: the ABCDE bundle for the back-end of critical care. Crit Care 2010;14:157.

14 Vasilevskis EE, Ely EW, Speroff T, Pun BT, Boehm L, Dittus RS. Reducing iatrogenic risks: ICU-acquired delirium and weakness-crossing the quality chasm. Chest 2010;138:1224-33.

15 Jackson J, Ely EW, Morey MC, et al. Cognitive and physical rehabilitation of intensive care unit survivors: results of the RETURN randomized controlled pilot investigation. Crit Care Med 2012;40:1088-97.

16 Clini E, Ambrosino N. Early physiotherapy in the respiratory intensive care unit. Respir Med 2005;99:1096-104.

17 Gosselink R, Bott J, Johnson M, Dean E, Nava S, Norrenberg M. Physiotherapy for adult patients with critical illness: recommendations of the European Respiratory Society and European Society of Intensive Care Medicine Task Force on physiotherapy for critically ill patients. Intensive Care Med 2008;34:1188-99.

18 Skinner EH, Berney S, Warrillow S, Denehy L. Rehabilitation and exercise prescription in Australian intensive care units. Physiotherapy 2008;94:220-9.

19 Stiller K, Phillips A. Safety aspects of mobilising acutely ill inpatients. Physiother Theory Pract 2003;19:19.

20 Morris PE, Herridge MS. Early intensive care unit mobility: future directions. Crit Care Clin 2007;23:97-110.

21 Dowdy DW, Eid MP, Sedrakyan A, et al. Quality of life in adult survivors of critical illness: a systematic review of the literature. Intensive Care Med 2005;31:611-20.

22 Herridge M. Long-term outcomes after critical illness: past, present, future. Curr Opin Crit Care 2007;13:3.

23 van der Schaaf M, Dettling D, Beelen A, Lucas C, Dongelmans D, Nollet F. Poor functional status immediately after discharge from an intensive care unit. Disabil Rehabil 2008;30:1812-18.

24 DiCicco J, Whalen D. University of Rochester Acute Care Evaluation: development of a new functional outcome measure for the acute care setting. J Acute Care Phys Ther 2010;1:14-20.

25 Enright P, McBurnie M, Bittner V, et al. The 6-min walk test. A quick measure of functional status in elderly adults. Chest 2003;123:387-98.

26 Singh SJ, Morgan MD, Scott S, Walters D, Hardman AE. Development of a shuttle walking test of disability in patients with chronic airways obstruction. Thorax 1992;47:1019-24.

27 Wade DT, Wood VA, Heller A, Maggs J, Langton Hewer R. Walking after stroke. Measurement and recovery over the first 3 months. Scand J Rehabil Med. 1987;19:25-30.

28 Guralnik JM, Simonsick EM, Ferrucci L, et al. A short physical performance battery assessing lower extremity function: association with self-reported disability and prediction of mortality and nursing home admission. J Gerontol. 1994;49:M85-94.

29 Ware J. SF-36 health survey manual and interpretation guide. Boston, MA: The Medical Outcomes Trust; 1993.

30 Lawton MP, Brody EM. Assessment of older people: self-maintaining and instrumental activities of daily living. Gerontologist 1969;9:179-86.

31 Podsiadlo D, Richardson S. The timed 'Up & Go': a test of basic functional mobility for frail elderly persons. J Am Geriatr Soc 1991;39:142-8.

32 Denti L, Agosti M, Franceschini M. Outcome predictors of rehabilitation for first stroke in the elderly. Eur J Phys Rehabil Med 2008;44:3-11.

33 Granger CV. The emerging science of functional assessment: our tool for outcomes analysis. Arch Phys Med

Rehabil 1998;79:235-40.

34 Kohler F, Dickson H, Redmond H, Estell J, Connolly C. Agreement of functional independence measure item scores in patients transferred from one rehabilitation setting to another. Eur J Phys Rehabil Med 2009;45:479-85.

35 Novak S, Johnson J, Greenwood R. Barthel revisited: making guidelines work. Clin Rehabil 1996;10:128-34.

36 Ali NA, O'Brien JM, Jr, Hoffmann SP, et al. Acquired weakness, handgrip strength, and mortality in critically ill patients. Am J Respir Crit Care Med 2008;178:261-8.

37 Hough CL, Lieu BK, Caldwell ES. Manual muscle strength testing of critically ill patients: feasibility and interobserver agreement. Crit Care 2011;15:R43.

38 Knols RH, Aufdemkampe G, de Bruin ED, Uebelhart D, Aaronson NK. Hand-held dynamometry in patients with haematological malignancies: measurement error in the clinical assessment of knee extension strength. BMC Musculoskelet Disord 2009;10:31.

39 O'Shea SD, Taylor NF, Paratz JD. A predominantly home-based progressive resistance exercise program increases knee extensor strength in the short-term in people with chronic obstructive pulmonary disease: a randomised controlled trial. Aust J Physiother 2007;53:229-37.

40 Elliott D, Denehy L, Berney S, Alison J. Assessing physical function and activity for survivors of a critical illness: a review of instruments. Aust Crit Care 2011;24:155-66.

41 van der Putten JJ, Hobart JC, Freeman JA, Thompson AJ. Measuring change in disability after inpatient rehabilitation: comparison of the responsiveness of the Barthel index and the Functional Independence Measure. J Neurol Neurosurg Psychiatry 1999;66:480-4.

42 de Morton NA, Keating JL, Jeffs K. Exercise for acutely hospitalised older medical patients. Cochrane Database Syst Rev 2007;1:CD005955.

43 Salisbury LG, Merriweather JL, Walsh TS. Rehabilitation after critical illness: could a ward-based generic rehabilitation assistant promote recovery? Nurs Crit Care 2010;15:57-65.

44 McWilliams DJ, Atkinson D, Carter A, Foex BA, Benington S, Conway DH. Feasibility and impact of a structured, exercise-based rehabilitation programme for intensive care survivors. Physiother Theory Pract 2009; 25:566-71.

45 Denehy L, Berney S, Whitburn L, Edbrooke L. Quantifying Physical Activity levels of survivors of intensive care: a prospective observational Study. Phys Ther 2012;92:1507-17.

46 Herridge MS, Tansey CM, Matté A, et al. Functional disability 5 years after acute respiratory distress syndrome. N Engl J Med 2011;364:1293-304.

47 Oeyen SG, Vandijck DM, Benoit DD, Annemans L, Decruyenaere JM. Quality of life after intensive care: a systematic review of the literature. Crit Care Med 2010;38:2386-400.

48 Hawthorne G. Assessing utility where short measures are required: development of the short Assessment of Quality of Life-8 (AQoL-8) instrument. Value Health 2009;12:948-57.

49 Elliott D, McKinley S, Alison J, et al. Health-related quality of life and physical recovery after a critical illness: a multi-centre randomised controlled trial of a home-based physical rehabilitation program. Crit Care 2011;15:R142.

50 National Institute for Health and Care Excellence. Rehabilitation after critical illness. NICE clinical guideline 83. London: National Institute for Health and Care Excellence; 2009.

51 Elliott SJ, Ernest D, Doric AG, et al. The impact of an ICU liaison nurse service on patient outcomes. Crit Care Resusc 2008;10:296-300.

52 Williams TA, Leslie G, Finn J, et al. Clinical effectiveness of a critical care nursing outreach service in facilitating discharge from the intensive care unit. Am J Crit Care 2010;19:e63-72.

53 Hillman K, Chen J, Cretikos M, et al. Introduction of the medical emergency team (MET) system: a cluster-randomised controlled trial. Lancet 2005;365:2091-7.

54 Jones DA, DeVita MA, Bellomo R. Rapid-response teams. N Engl J Med 2011;365:139-46.

55 Moran JL, Bristow P, Solomon PJ, George C, Hart GK. Mortality and length-of-stay outcomes, 1993-2003, in the binational Australian and New Zealand intensive care adult patient database. Crit Care Med 2008;36:46-61.

56 Inouye SK, Acampora D, Miller RL, Fulmer T, Hurst LD, Cooney LM, Jr. The Yale Geriatric Care Program: a model of care to prevent functional decline in hospitalized elderly patients. J Am Geriatr Soc. 1993;41:1345-52.

57 Jones C, Lowe A, MacGregor L, Brand C. A randomised controlled trial of an exercise intervention to reduce functional decline and health service utilisation in the hospitalised elderly. Australasian J Ageing 2006;25:126-33.

58 Denehy L, Elliott D. Strategies for post ICU rehabilitation. Curr Opin Crit Care 2012;18:503-8.

59 Schweickert WD, Pohlman MC, Pohlman AS, et al. Early physical and occupational therapy in mechanically ventilated, critically ill patients: a randomised controlled trial. Lancet 2009;373:1874-82.

60 Pohlman MC, Schweickert WD, Pohlman AS, et al. Feasibility of physical and occupational therapy beginning from initiation of mechanical ventilation. Crit Care Med 2010;38:2089-94.

61 Berney S, Haines K, Skinner EH, Denehy L. Safety and feasibility of an exercise prescription approach to rehabilitation across the continuum of care for survivors of critical illness. Phys Ther 2012;92:1524-35.

62 Langer D, Hendriks E, Burtin C, et al. A clinical practice guideline for physiotherapists treating patients with chronic obstructive pulmonary disease based on a systematic review of available evidence. Clin Rehabil 2009;23:445-62.

63 Cuthbertson B, Roughton S, Jenkinson D, MacLennan G, Vale L. Quality of life in the five years after intensive care: a cohort study. Crit Care 2010;14:1-12.

64 Myhren H, Ekeberg O, Stokland O. Health-related quality of life and return to work after critical illness in general intensive care unit patients: a 1-year follow-up study. Crit Care Med 2010;38:1554-61.

65 Delis D, Kaplan E, Kramer J. Delis-Kaplan Executive Function System (D-KEFS): examiner's manual. San Antonio, TX: Psychological Corporation; 2001.

66 Borg GA. Psychophysical bases of perceived exertion. Med Sci Sports Exerc 1982;14:377-81.

67 Jones C, Skirrow P, Griffiths RD, et al. Rehabilitation after critical illness: a randomized, controlled trial. Crit Care Med 2003;31:2456-61.

68 Maltais F, Bourbeau J, Shapiro S, et al. Effects of home-based pulmonary 67 Jones C, Skirrow P, Griffiths RD, et al. Rehabilitation after critical illness: a randomized, controlled trial. Crit Care Med 2003;31:2456-61.

68 Maltais F, Bourbeau J, Shapiro S, et al. Effects of home-based pulmonary rehabilitation in patients with chronic obstructive pulmonary disease: a randomized trial. Ann Intern Med 2008;149:869-78.

69 Denehy L, Skinner E, Edbrooke L, et al. Exercise rehabilitation for patients with critical illness: A randomized controlled trial with 12 months follow up. Critical Care 17: R156 doi: 10.1186?cc12835.

70 Denehy L, Berney S, Skinner E, et al. Evaluation of exercise rehabilitation for survivors of intensive care: protocol for a single blind randomised controlled trial. Open Crit Care Med J 2008;1:39-47.

71 Jenkins S, Cecins N, Camarri B, Williams C, Thompson P, Eastwood P. Regression equations to predict 6-minute walk distance in middle-aged and elderly adults. Physiother Theory Pract 2009;25:516-22.

72 Arnold E, Bruton A, Ellis-Hill C. Adherence to pulmonary rehabilitation: a qualitative study. Respir Med 2006;100:1716-23.

73 Taylor R, Dawson S, Roberts N, Sridhar M, Partridge MR. Why do patients decline to take part in a research project involving pulmonary rehabilitation? Respir Med 2007;101:1942-6.

74 Agard AS, Egerod I, Tonnesen E, Lomborg K. Struggling for independence: a grounded theory study on convalescence of ICU survivors 12 months post ICU discharge. Intensive Crit Care Nurs 2012;28:105-13.

75 Herridge MS. The challenge of designing a post-critical illness rehabilitation intervention. Crit Care 2011;15:1002.

76 Cuthbertson BH, Rattray J, Campbell MK, et al. The PRaCTICaL study of nurse led, intensive care follow-up programmes for improving long term outcomes from critical illness: a pragmatic randomised controlled trial. BMJ 2009;339:b3723.

77 Jordan JL, Holden MA, Mason EE, Foster NE. Interventions to improve adherence to exercise for chronic musculoskeletal pain in adults. Cochrane Database Syst Rev 2010;1:CD005956.

78 World Health Organization. Adherence to long-term therapies: evidence for action. Geneva: World Health

Organization; 2003.

79 Treuth M. Applying multiple methods to improve the accuracy of activity assessments. In: Welk G (ed.) Physical activity assessments for health-related research. Champaign, IL: Human Kinetics; 2002. pp. 213-26.

80 Oldridge NB. Compliance with exercise in cardiac rehabilitation. In: Dishman RK (ed.) Exercise adherence: its impact on public health. Champaign, IL: Human Kinetics; 1988. pp. 283-304.

81 Oldridge NB. Cardiac rehabilitation services: what are they and are they worth it? Compr Ther 1991;17:59-66.

82 Keating A, Lee A, Holland AE. What prevents people with chronic obstructive pulmonary disease from attending pulmonary rehabilitation? A systematic review. Chron Respir Dis 2011;8:89-99.

83 Glazer KM, Emery CF, Frid DJ, Banyasz RE. Psychological predictors of adherence and outcomes among patients in cardiac rehabilitation. J Cardiopulm Rehabil 2002;22:40-6.

84 Casey E, Hughes JW, Waechter D, Josephson R, Rosneck J. Depression predicts failure to complete phase-II cardiac rehabilitation. J Behav Med 2008;31:421-31.

85 Fan VS, Giardino ND, Blough DK, Kaplan RM, Ramsey SD. Costs of pulmonary rehabilitation and predictors of adherence in the National Emphysema Treatment Trial. COPD 2008;5:105-16.

86 Zarani F, Besharat MA, Sadeghian S, Sarami G. The effectiveness of the information-motivationbehavioral skills model in promoting adherence in CABG patients. J Health Psychol 2010;15:828-37.

87 Bienvenu OJ, Colantuoni E, Mendez-Tellez PA, et al. Depressive symptoms and impaired physical function after acute lung injury: a 2-year longitudinal study. Am J Respir Crit Care Med 2012;185:517-24.

88 Prochaska JO, DiClemente CC. Stages and processes of self-change of smoking: toward an integrative model of change. J Consult Clin Psychol 1983;51:390-5.

89 Marcus BH, Simkin LR. The stages of exercise behavior. J Sports Med Phys Fitness 1993;33:83-8.

90 Britt E. Motivational interviewing in health settings: a review. Patient Educ Couns 2004;53:147-55.

91 Marcus BH, Forsyth L. Motivating people to be physically active. Champaign, IL: Human Kinetics; 2009.

92 Bien TH, Miller WR, Boroughs JM. Motivational interviewing with alcohol outpatients. Behavioural Psychother 1993;21:347-56.

93 Rubak S. Motivational interviewing: a systematic review and meta-analysis. Br J Gen Pract 2005;55:305-12.

94 Davidson J, Jones C, Bienvenu O. Family response to critical illness: postintensive care syndromefamily. Crit Care Med 2012;40:618-24.

95 Kho ME, Damluji A, Zanni JM, Needham DM. Feasibility and observed safety of interactive video games for physical rehabilitation in the intensive care unit: a case series. J Crit Care 2012;27:219.e1-6.

96 Khan JY, Yuce MR, Bulger G, Harding B. Wireless Body Area Network (WBAN) design techniques and performance evaluation. J Med Syst 2012;36:1441-57.

97 Darwish A, Hassanien AE. Wearable and implantable wireless sensor network solutions for healthcare monitoring. Sensors (Basel) 2011;11:5561-95.

98 Van de Meent H, Baken BC, Van Opstal S, Hogendoorn P. Critical illness VR rehabilitation device (X-VR-D): evaluation of the potential use for early clinical rehabilitation. J Electromyogr Kinesiol 2008;18:480-6.

99 Hoenig H, Sanford JA, Butterfield T, Griffiths PC, Richardson P, Hargraves K. Development of a teletechnology protocol for in-home rehabilitation. J Rehabil Res Dev 2006;43:287-98.

100 Dinesen B, Seeman J, Gustafsson J. Development of a program for tele-rehabilitation of COPD patients across sectors: co-innovation in a network. Int J Integr Care 2011;11:e012.

101 Rogante M, Grigioni M, Cordella D, Giacomozzi C. Ten years of telerehabilitation: a literature overview of technologies and clinical applications. NeuroRehabilitation 2010;27:287-304.

102 Vassanyi I, Kozmann G, Banhalmi A, et al. Applications of medical intelligence in remote monitoring. Stud Health Technol Inform 2011;169:671-5.

103 Salisbury LG, Merriweather JL, Walsh TS. The development and feasibility of a ward-based physiotherapy and nutritional rehabilitation package for people experiencing critical illness. Clin Rehabil 2010;24:489-500.

Chapter 52

중환자실 회복 경험담

크리스티나 존스(Christina Jones)

서론

환자의 가족, 친구, 보호자들의 경험과 환자들이 얘기하는 중증질환 경험은 차이가 있다. 이 단원에서는 이 차이를 자세히 살펴보고, 환자와 가족이 공통의 경험을 갖게 하고 장기적인 회복을 돕기 위한 의료진의 역할을 생각해보고자 한다.

질병모델

Morse와 Johnson은[1] 환자와 가족들에게 질병이 미치는 영향을 설명하는 질병모델을 제안했다. 이 모델은 중증질환을 겪는 환자에게 적용할 수 있으며 질병경험을 네 단계로 정의한다.

I 단계 - 불확실성

이 단계에서, 환자에게 질병의 첫 징후가 점점 더 뚜렷해진다. 이 단계에서 환자는 상태의 심각성을 알고 증상을 이해하고자 노력한다. 가까운 가족과 친구들은 환자가 아픈 것을 인지하기 시작하고, 환자도 그들에게 자신의 상태를 호소한다.

II 단계 - 중단

환자는 상태가 심각하다고 생각하고 의사의 진찰을 받거나 또는 너무 아파서 입원하게 된다.

환자들은 자기 통제력을 잃고 의료진이나 가족에게 전적으로 의존하게 된다. 가족들은 환자를 걱정하게 되고 환자의 투병을 보면서, 가족들의 이러한 우려를 표현한다. 중증질환 초기에 가족들은 환자의 자녀나 노인 가족을 돌보는 책임을 지게 된다.

Ⅲ단계 - 자아 회복을 위한 노력

Ⅲ단계는 회복기 단계이다. 환자는 질병을 알고자 하고 질병이 발생한 이유를 생각해 보기도 한다. 환자는 자신의 인생에서 질병의 영향을 예측하려고도 한다. 가족들은 지지와 격려로 이 과정을 도우려 한다. 가족들이 과도한 스트레스로부터 환자를 보호하기 위한 "buffer"가 되어주는 동안 환자는 이 단계에 자신의 에너지를 집중하고 동시에 다른 책임에서는 자유로워진다. 이렇게 하여 환자들은 피동적인 역할에 놓이게 되고 다시 회복하게 되면 의료진, 가족들과 의논하여 옛날의 책임을 다시 맡게 된다. 모두의 요구를 충족하기 위해서는 환자, 의료진, 가족간에 균형이 맞아야 한다. 환자들이 직접 자신의 목표를 설정하여 이루어 내기도 하지만, 가족들이 지침을 결정하거나 만약 목표를 달성하기 어렵다고 생각하면 목표를 수정하기도 한다.

중증질환을 겪었던 환자들은 의료진과 가족들로부터 중환자실 치료 없이는 생존하지 못할 수 있다는 질병의 심각성을 듣게 되었을 때가 가장 스트레스가 컸던 시기라고 말한다.[2] 환자들이 질병의 급성기 시기를 기억하지 못하는 것은 놀라운 일이 아니며, 따라서 이 단계는 환자가 정보를 처리할 만큼 충분한 정신적 능력을 회복하게 되는 중증질환의 첫 단계이다. 일부 환자들은 중환자실 경험부터 회상하려고 노력하는 데 상당한 시간과 에너지를 쏟는다. 환자들은 적극적으로 가족, 친구들, 의사와 간호사들에게서 질병에 관해 자세히 알고자 한다. 환자들은 자신의 기억이 맞는지 확인하기 위해 문병객들에게 그 이야기를 설명한다. 이와는 반대로 가족들은 환자를 스트레스로부터 보호할 목적으로 '완충(buffering)'을 제공하고자 한다. '모르는 것이 더 낫겠어'라는 의미로 자세한 얘기는 하지 않는 것도 이런 종류다. 가족들이 자신에게 투명하지 않다는 사실 때문에 환자는 혼란스러울 수 있다. 환자는 그 순간 매우 스트레스를 받는 상황에 노출되고, 자신과 질병 상태를 올바로 이해하지 못한 채 심지어 자신이 거의 죽게 되었다고 이해하기도 한다. 질병의 상태를 환자에게 전달하지 않거나 중환자실에서의 상황을 전혀 얘기하지 않으려 하면, 반드시 문제는 심각해진다. 게다가 가족들도 중환자실 입원 동안 임상경과를 얘기하지 못할 정도로 너무 큰 상처를 받은 상태일 수도 있다. 몇 년 전에 저자들이 했었던 중환자실 보호자들에 관한 연구는 이러한 사실을 뒷받침한다. 일부 환자들은 배우자들이 참가할 수 없어 혼자 그룹 미팅에 참여하기도 했다. 특히, 배우자는 환자에게 환자의 질병이나 심지어 자신이 느꼈던 감정조차도 말하고 싶어하지 않았다.[3] 예상했던 대로 가족들이 이러한 태도를 취하게 되는 가장 흔한 이유는 환자의 요구와 달리 환자가 자신의 질병 상태를 모르는 것이 오히려 낫다고 생각했기 때문이었다.

Ⅳ단계 - 건강회복 단계

이 단계에서 환자는 예전의 모든 역할을 다시 하게 된다. 특히, 환자는 완전히 또는 낮은 수준의 기능을 회복한다. 이 과정에서 환자는 자신의 신체에 대한 확신을 다시 습득하고 증상을 관찰하고 이를 통해 자신에 몸에 새로운 한계를 정한다. 무엇보다 가족이 환자 혼자서 스스로를 관리하게끔 허락한다.

무슨 일이 있었는지를 이해하기

환자들에게 어떻게 자신이 병원으로 이송되어 중환자실에서 치료받게 되었는지를 기억하지 못한다는 것은 굉장히 걱정스러운 일이어서 가족과 친구들에게 기억의 간극을 채워달라고 요구하게 된다.[4,5] 게다가 환자들은 자신의 질병을 경험하지 못했기 때문에, 매일매일을 기억하고 있고 다시는 그런 경험을 하고 싶어하지 않는 가족들과 갈등을 빚을 수 있다. 가족들은 환자가 점차 독립적 능력을 회복할 때 실제로는 더 방어적이 되기도 한다. 일부 환자들은 회복단계에서 자신이 앓았던 질병의 심각성과 그들이 얼마나 죽음에 가까이 갔었는지를 알게 되었을 때 가장 스트레스를 많이 받았다고 진술한다.[6] 폐렴으로 중환자실에 입원했던 이스라엘 사회학자 David Reir는 미국에 있는 가족들에게 보낸 팩스 사본들과 의료진 및 가족과 소통하기 위해 사용했던 노트북을 통해서 기억의 조각들을 구성하였다.[7] 그는 환자인 자기 자신을 묘사하였다.

중환자실을 떠나 일반병동으로 온 후 나는 더 좋아졌고, 의사들에게 더 많은 질문을 하기 시작했다. 가급적 친밀하게, 퇴원 날짜와 같은 일들을 의료진들과 상의하는데 집중하게 되었다. 나는 말썽꾼이라는 꼬리표를 달지 않으면서도 가능하다면 많은 정보를 의료진들에게서 얻어내려고 정말 열심히 노력했다.

일부 환자들에서는 중증질환의 여파로 인생의 모든 면이 변화하기도 한다; 그들은 삶, 가족에 대한 사랑으로 행복해하고, 인생의 목적에 대한 생각이 고조되기도 한다.[8] 또 다른 환자들은 무서운 망상이 떠올라 머리 속에서 자꾸 맴도는 경험을 하게 되는데, 이것은 자신의 병과 병원에서의 일을 떠올리게 하는 것을 회피하려고 그 자신이 계속 노력하고 있다는 것을 의미한다.[9] 저자는 중환자 보호자 그룹을 연구할 때 이러한 사실을 처음으로 알게 되었다. 중환자실 환자들과 가족들이 병원으로 찾아오고 싶어하지 않았기 때문에 지역의 공공 건물 한 켠을 빌려 사

용해야 했다.[3]

환자의 경험을 이해하기 위해 서사 이론[10]을 사용할 수 있다.[11] 첫 번째 개념은 서사의 일관성(narrative coherence)이다; 질병과 관련된 서술에는 환자, 가족 그리고 의료진이 각각 한 부분이다. 일부 진단의 경우, 알려진, 고정된 경로가 있고 모든 사람의 역할이 있다. 그러나 이 이론은 중증질환에 꼭 맞지는 않다. 환자는 기억의 일부를 잃어버리거나, 가족은 자신의 역할에 심한 압박을 받을 수 있다. 이 때문에 환자와 그 가족들 사이에 갈등이 발생하기도 한다. 두 번째 개념은 서사의 근접성(narrative closure)이다. 질병에 익숙해지고, 앞으로의 결과를 이해하게 되면 사람은 그제서야 다른 이들을 이해하고 도울 수 있게 된다. 다시 말하지만, 중환자는 여기에 문제가 있다. 현대 의학에서 의료진이 중증질환의 회복을 확실하게 알지 못하기 때문에 환자나 가족에 충분한 관심을 주지 못하는 것이다. 중환자와 가족들에게 정보를 제공하는 웹 사이트의 인기가 높아지고 있는 데, 정보가 엄격하게 검증된 곳이라면 장려할 만하다. 중증질환 경험을 공유 할 수 있는 'Healthtalkonline'와[12] 같은 사이트는 환자, 친구, 가족들과의 수준 높은 인터뷰에 근거한 정보를 제공한다. 이 사이트에서는 환자와 가족의 고립을 예방하고 사회화를 돕는다. 또한, 이러한 사이트들에서 가족들은 정보를 얻고 '중환자'를 이해하게 됨으로써 좀 더 지지적인 역할을 할 수 있게 된다.

마지막 개념은 서사의 상호 의존성(narrative interdependence)이다. 이것은 관련된 모든 사람들이 한 진술의 상호 관계를 의미한다. 따라서 한 사람의 이야기는 일반적으로 다른 가족 구성원의 진술과 연관이 있다. 중환자의 중증질환에 대한 서사는 종종 가족이 이해한 진술과 연결되지 않는다. 게다가 환자의 서술은 단절되어 있기도 하다. 이러한 이유들 때문에, 중환자와 가족들이 회복 과정의 단계를 따라 정보를 얻고 질병에 대한 서사 구조를 만드는데 우리의 도움이 필요하다.

망상

정신분열증 환자의 환청 치료를 위한 인지적 접근방법은 이러한 경험이 주는 감정적 결과가 개인이 느끼는 의미에 따라 다르다는 점을 시사한다. 환청은 환자 스스로가 만들어내는 경험이기 때문에, 그렇다면 환청의 내용도 환자의 기억이나 믿음을 반영할 것이라고 예상할 수 있다. 중환자들이 진술한 환청의 내용을 조사한 연구가 있다. 이 연구는 코소보 전쟁(1998-1999년) 직전과 전쟁 중에 이루어진 것인데, 그 기간에 중환자실에 있었던 환자들에서 전쟁과 군대와 관련한 회상 경험이 훨씬 많았다고 보고하였다.[13] 코소보 전쟁 기간 중에 전쟁을 테마로 한 회상을 보고한 환자들은 모두 70세 이상이었고, 즉 제2차 세계대전의 시작을 기억할 수 있는 연령대였다. 결과적으로, 제2차 세계대전의 경험으로 그들은 코소보 전쟁을 더 심각하게 걱정하게 되고, 이 때문에 전쟁과 관련한 환각으로 표현되었다는 가설을 세울 수 있다. 이와 유사하게, 21장에서 다룬 망상 환자는, 중환자실 경험의 일부 중에 그녀의 딸이 성적학대를 받는 것을 보았다고 하였다. 그녀의 망상에 영향을 준 과거의 경험이 무엇이었는지는 그녀가 연구자를 신뢰하게 된 이후 확실히 드러나게 되었다. 그녀는 자신이 어렸을 때 성적으로 학대를 받았다고 했지만, 그 어느 누구 앞에서도 이런 이야기를 할 수 없었다고 실토하였다.

중환자에서 흔한 망상의 한가지 유형은 capgras 증후군이라고 불리는 것이다. 이 망상에서, 개인은 주변 사람들이 그 사람으로 변장한 사기꾼이라고 생각한다. 한 사례 연구 보고서에서, 어떤 환자는 간호사 모두와 그녀의 가족 대부분이 가족의 모습을 한 변장한 외계인이었지만 그녀는 그들이 외계인인 것을 알았다고 말했다.[14] 이 기간 동안 그녀가 정말 무서웠던 것은 만약 그녀가 잠이 들면 그녀도 외계인으로 바뀌게 될 것이라는 점이었다. 어떤 환자들은 마네킹이 자신들을 치료해주었다고 말하기도 하였다. 얼굴의 감정적 중요성을 인식하는 능력의 결함이 capgras 망상의 원인이고 이러한 환자들은 일련의 기억들을 연관 짓는 과정을 일반적으로 더 어려워 한다.[15] 이것은 진정과 섬망이 있으면 환자가 중증질환이 경과한 후에도 서로 다른 기억을 연결하지 못하는 일이 상대적으로 빈번한 이유를 설명해준다. 이러한 망상 기억은 중환자실 퇴원 후에도 대부분 지속되는 회상이 된다.[16]

회복 중인 중환자들에게 중환자실에서 있었던 일을 조리있게 설명할 필요가 있다. 특히 망상 기억이 있는 사람들에게는 더욱 그러하다.[17] 그들에게 '미친 것이 아님'을 확인해줄 필요가 있으며, 다른 사람들도 환각, 악몽, 그리고 편집증적 망상 같은 경험을 한다는 점을 알려주어야 한다. 망상으로 고통스러워 하는 환자에게는 공감하고 포용하는 방식으로 경청해 주고 자신의 감정들을 차근차근 다룰 수 있도록 격려해주어야 한다. 이것은 저절로 할 수 있는 것이 아니고 그들을 돌보는 의료진들이 계획적으로 진행해야 하는 것이다. 환자를 도와 그들의 병에 관한 이야기를 구성할 때는, 가족들의 핵심 역할을 기억하자. 환자와 가족 사이에 투명한 의사소통이 가능하도록 가족들을 지원하는 것이 중요하다.

투병이야기 만들기

매일 환자의 상태에 대해 중환자실 의료진이 기록한 중환자실 일기(ICU diary), 중요한 변화의 시점마다 촬영한 사진, 가족들이 가져온 물품 등은 환자에게 병에 관한 정보를 제공하는 방법으로 중환자실 간호사들 사이에서 널리 사용되고 있다.[18] 중환자실 일기의 효과와 관련하여 가족들의 역할을 저평가해서는 안 된다. 환자에게 일기에서 가족들의 등장을 읽는 것은 가족의 경험을 상세히 이해할 수 있게 되는 첫 시작이기 때문에 일기를 통틀어서 가장 감정적인 부분이 될 수 있다. 하지만 이는 환자가 가족들의 이야기에 감사해하고, 다른 경험들과 충돌하는 첫 단계일 뿐이다. 환자들과 가족들의 중화자실 일기 사용을 살펴 본 근거이론(grounded theory) 연구에서는 환자들이 중환자실 일기를 중환자실 입원과 병원 입원 사이의 기억의 간극을 채우는데 이용한다는 점을 발견하였다.[19] 또 일기는 심각한 부상을 입은 군인들이 전장에서 부상을 입은 이후의 기억의 간극을 찾는데도 도움이 되었다.[20] 일기 전체가 아우르고 있는 시간은 매우 중요했다. 처음 읽을 때가 가장 상처받고 고통스러울 수 있기 때문에, 환자들은 이야기를 판단할 수 있는 준비가 되어 있어야만 한다. 그리고 무엇보다도 환자들은 이 과정에서 간호사들의 지지를 받을 수 있어야만 한다. 연구에서 인터뷰에 응한 대부분의 환자들은 일기를 다 읽게 되기 전까지 병의 심각성을 인정하지 않았다.

중증질환 이후 새로 발생하는 외상후스트레스증후군에 중환자실 일기가 미치는 효과에 관한 최근의 다기관 무작위대조실험군연구는 21장에서 설명한 바 있다. 환자들에게 일기에 대한 피드백을 요청하였고, 환자들은 이러한 방법을 통해 자신들이 받은 도움에 대해 상세히 설명하여 주었다. 중환자실 일기를 받았던 대부분의 환자들은 일기에 매우 긍정적이었고 일기를 여러 차례 읽으며 도움을 얻었노라 평가하였다. 또한, 높은 비율로 다른 사람들(가족, 친구, 주치의 등)도 그 일기를 읽었다고 보고하였다. 비록 중재군의 환자들은 모두 간호사와 함께 일기를 보는 미팅을 가졌지만, 흥미롭게도 단 2명의 환자만이 이런 미팅이 장기적인 도움이 되었다고 보고하였다. 환자의 49%가 일기의 내용을 읽는 것이 가장 도움이 되었다고 하였고, 36%는 제일 도움이 되는 부분이 사진과 텍스트 모두, 15%는 사진들이라고 하였다.[21] 대부분의 환자들에서 서사 구축은 글을 통해서도 가능했다. 하지만 일부에서는 질병에 대한 현실감과 개인적인 이유들을 위해 중환자실 침대에 누워 있는 자신의 모습을 경험해 보는 것이 더 중요했다.

결론

중증질환의 서사는 회복 중인 환자에게 매우 중요하다. 특히, 환자는 자신의 신체가 약해진 원인과 운동능력이 감소한 이유를 이해할 필요가 있다. 이러한 접근법으로 환자는 망상 기억을 맥락에 맞추어 보게 되고 가족의 행동을 이해할 수 있게 된다. 중환자실 일기와 중요한 변화마다 촬영한 사진은 간단한 방법이지만 환자가 질병에서 회복해 가는 자신의 과정을 이해하는데 도움이 된다. 아울러 가족들의 경험을 나눔으로써 환자는 가족들이 느꼈던 스트레스를 이해하고 가족들이 보여주었던 방어적인 행동들을 용서하고 받아들일 수 있게 될 것이다.

참고문헌

1 Morse JM, Johnson JL (eds.). Towards a theory of illness: the illness-constellation model. In: The illness experience. California: Sage Publications; 1991. pp. 315-42.

2 Compton P. Critical illness and intensive care: what it means to the client. Crit Care Nurse 1991;11:50-6.

3 Jones C, Macmillan RR, Griffiths RD. Providing psychological support to patients after critical illness. Clin Intensive Care 1994;5:176-9.

4 Griffiths RD, Jones C, Macmillan RR. Where is the harm in not knowing? Care after intensive care. Clin Intensive Care 1996;7:144-5.

5 Barnett L. Intensive care: an existential perspective. Therapy Today 2006;June:33-5.

6 Compton P. Critical illness and intensive care: what it means to the client. Crit Care Nurse 1987;11:50-6.

7 Reir D. The missing voice of the critically ill: a medical sociologist's first-person account. Sociology of Health and Illness 2000;22:68-93.

8 Papathanassoglou EDE, Patiraki EI. Transformation of self: a phenomenological investigation inot the lived experience of survivors of critical illness. Nurs Crit Care 2003;8:13-21.

9 Jones C, Griffiths RD, Humphris GH, PM Skirrow. Memory, delusions, and the development of acute posttraumatic stress disorder-related symptoms after intensive care. Crit Care Med 2001;29:573-80.

10 Chatman S. Story and discourse. Ithaca, NY: Cornell University Press; 1978.

11 Weingarten K. Making sense of illness narratives: braiding theory, practice and the embodied life. Working with the stories of women's lives. Adelaide, Dulwich Centre Publications; 2001.

12 HealthTalkOnline. Intensive care. Available at: http://www.healthtalkonline.org/Intensive_care/(accessed 6 September 2011).

13 Skirrow P, Jones C, Griffiths RD, Kaney S. The impact of current media events on hallucinatory content: The experience of the intensive care unit (ICU) patient. Br J Clin Psychol 2002;41:87-91.

14 Jones C, Griffiths RD, Humphris GH. A case of Capgras delusion following critical illness. Intensive Care Med 1999;25:1183-4.

15 Hirstein W, Ramachandran VS. Capgras syndrome: a novel probe for understanding the neural representation of the identity and familiarity of persons. Proc Biol Sci 1997;264:437-44.

16 Capuzzo M, Valpondi V, Cingolani E, et al. Application of the Italian version of the Intensive Care Unit Memory Tool in the clinical setting. Crit Care 2004;8:R48-55.

17 Kiekkas P, Theodorakopoulou G, Spyratos F, Baltopoulos G. Psychological distress and delusional memories after critical care: a literature review. Int Nurs Rev 2010;57:288-96.

18 Bäckman CG. Patient diaries in ICU. In: Griffiths RD, Jones C (eds.) Intensive care aftercare. Oxford: Butterworth Heinemann; 2002. pp. 125-9.

19 Egerod I, Christensen D, Schwartz-Nielsen KH, Ågård AS. Constructing the illness narrative: a grounded theory exploring patients' and relatives' use of intensive care diaries. Crit Care Med 2011;39:1922-8.

20 Thomas J, Bell E. Lost days-diaries for military intensive care patients. J R Nav Med Serv 2011;97:11-15.

21 Jones C, Bäckman C, Capuzzo M, et al., and RACHEL group. Intensive Care diaries reduce new onset PTSD following critical illness: a randomised, controlled trial. Crit Care 2010;14:R168.

Chapter 53

중환자실 추적 클리닉

새논 L. 고다드, 브라이언 H. 커트버슨
(Shannon L. Goddard and Brian H. Cuthbertson)

서론

중증질환 생존자가 맞닥뜨리는 삶의 질이 전 세계 중환자의학계의 화두가 되고 있다. 전통적으로 중환자치료의 주된 목표는 단기 사망률을 개선하는 데 있었다. 그러나 생존자들은 중환자실 퇴실 후에도 신체 기능의 장애,[1] 인지 기능 감소,[2-4] 우울증,[2,3] 성기능 감소[5,6] 등 신체적, 비신체적 합병증을 경험한다. HRQoL은 일반 인구집단과 비교하여,[7,8] 중환자실 퇴원 5년 후까지도 지속되는 문제일 정도로 나쁘다.[9]

중환자실에서 기계환기를 받았던 126명의 환자들(평균 중환자실 재실 기간 26일)의 전향적 코호트 연구에서는 1년간 추적관찰하며 이들의 의료 이용을 확인하였다.[10] 연구자들은 이 그룹이 건강상태가 좋지 않을 뿐만 아니라, 병원 재입원 비율이 높고, 보건의료 서비스(자원) 이용이 많았음을 알게 되었다. 중환자실 퇴원 후 환자 1인당 1년 동안의 의료 비용은 집으로 돌아간 환자는 6,669달러, 여전히 급성기 치료를 받고 있는 환자들은 91,277달러에 이를 정도로 다양했다. 이 환자들이 일반적인 중환자실 생존자 집단 전체를 대표하는 것은 아니지만, 장기 중환자실 사망률이 가장 심각한 수준의 중환자들에게만 국한되는 문제가 아니며, 중증질환 생존자들 중에도 많은 수가 퇴원 이후에도 높은 비율로 보건의료 서비스(자원)을 이용하게 될 것이라고 예상할 수 있다.

장기간 사망률과 함께, 치료 효과의 감소, 지속적인 보건의료 이용, 비용 상승 등의 문제들은 중증 치료의 비용대비효과와 효율성에 심각한 위협이 되고 있다. '중환자실 추적 클리닉'이 퇴원 후 생존자들을 추적 관리하는 한 가지 방법으로 제안되고 있는데, 중증질환과의 관련 여부와 상관없이 다양한 동반 질환을 진단하고 치료하며, 잠재적인 비용대비효과를 개선하는 것이 클리닉의 목적이다. 현재 영국의 지침은[11] 중환자실 생존자의 경우 퇴원 2–3개월째에 신체 기능, 우울증, 불안, 외상후스트레스증후군을 평가하여 적절하게 협진을 의뢰할 것을 권고하고 있다. 흥미롭게도 영국에서는 지역의 보건의료 제공자들이 이러한 클리닉을 도입하는 것을 주저하였고, 이러한 서비스는 일반의들이 할 수 있다는 판단 때문에 오히려 지역마다 널리 분포하게 되었다.[12]

'중환자실 추적 클리닉' 만들기

외래 클리닉의 목표와 성과

중환자실 추적 클리닉은 명문화된, 또는 암묵적인 다양한 목표를 가지고 있다. 역사적으로 보면 주된 목표는 중환자실 생존자에게 흔한 만성질환의 진단과 관리를 개선하고, 재활에 관한 요구 사항을 해결하는 것이었다.[13] 그러나 이 클리닉의 존재는 우리가 중증질환 또는 장기 후유증을 이해하는 데 기여하기도 했다. 또한 가족들과 보호자들의 삶에도 중요한 역할을 하고 있다.

구성

중환자실 추적 클리닉에 관한 경험은 대부분 영국에서 이루어졌는데, 일반적일 정도는 아니지만 상대적으로 흔해서, 중환자실의 약 30%가 운영하고 있다.[12] 호주와 유럽 여러 나라에서는 개별적인 보고가 있기는 하지만 전 세계 다른 국가에서는 이러한 클리닉의 설치 비율이 알려지지 않았다. 북미 지역에서도 일반적인 것은 아니다.

중환자실 추적 클리닉은 직원 구성, 내원 환자의 조건, 외래 추적 시점과 기간, 표준 평가 도구, 제공하는 서비스의 수준, 직접 이송 체계 등이 매우 다양하다. 클리닉의 조직은 부분적으로 예산에 따라 결정될 텐데, 예산은 센터나 나라마다 다르다. 현재 이러한 클리닉을 위한 예산 지원은 최소한의 수준이고, 운영하는 경우에도, 다소 즉흥적이어서, 기존의 중환자실 예산의 일부이거나, 공식적인 재정 계획이 없는 것으로 보인다.[12] 일부에서는 외래 방문과 병행하여 재택 재활 프로그램을 기초로 운영하고 있다.[14,15]

임상 서비스

Griffiths 등이 영국에서 시행한 중환자실 추적 클리닉에 관한 설문 조사에서,[12] 절반 이상이 간호사 주도 클리닉이고 나머지가 의사 주도 클리닉이었다.[13] 클리닉의 약 1/3에서는 심리치료 또는 상담 서비스가 가능하고, 비슷한 비율로 물리치료 서비스가 가능하였다. 기타 전문 분야의 서비스(가령, 이비인후과, 정신과)는 일반적으로 이용할 수 없었다.

인력 모델과 자원에 따라, 중환자실 추적 클리닉이 중환자실 생존자와 가족들에게 임상 서비스와 정보를 직접 제공할 수 있는 경우도 있다. 여기에서는 의료 상담, 심리 사회적 지원을 제공하기도 하고, 재활 팀, 약사나 다른 의료인의 협진이나 치료를 연계할 수도 있다. 중환자실 추적 클리닉에 관한 단일 센터들의 문헌 보고들이 있다.[19,35-41]

클리닉만으로 ICUAW의 진단과 치료 등 직접 서비스 제공자의 역할을 하거나 다른 서비스의 조정자로서 외부 협진과 의뢰를 하기도 하고, 또는 이 두 가지 모두를 겸하기도 한다. 클리닉은 '생존자, 가족들의 모임'과 같은 역할을 할 수도 있는데, 가령 중환자들이 궁금해 하는 중환자실 경험에 대한 질의응답과 정보를 제공해줄 목적으로 생존자들의 중환자실 방문을 계획하기도 한다.

약물관리

약물 조정도 중요한 역할 중에 하나다. 중환자들은 종종 정기적으로 복용하던 약물을 중단하고 부정맥과 같은 일시적인 급성기 문제를 조절하기 위해 새로운 약을 시작한다. 그리고 입원 전 복약을 적절하게 조정할 시간 없이 퇴원하기도 한다. 중환자들은 다른 입원 환자에 비해서 집에서 복용하던 약이 중단되거나 의도하지 않게 퇴원 시점에 재복용을 하지 못할 가능성이 더 높다.[16] 중환자실 추적 클리닉은 투약중인 약물을 중환자실 전담 약사나 의사가 검토할 수 있는 기회가 된다.

추적 클리닉의 환자 중심 성과

정량적 증거

PRaCTICaL 연구는[15] 특별히 추적 클리닉에 관한 유일한 무작위 연구로서, 환자 중심 성과를 위한 클리닉의 역할에 관한 것이다. 환자들은 '일반적인 치료' 그룹에 배정되거나, 또는 숙련된 간호사 주도로 3개월째, 9개월째 클리닉을 방문하는 추적 프로그램 그룹으로 배정되었다. 중

환자실 의사의 지도를 받았으며, 중환자실 퇴실 이후 자기주도 재택 재활프로그램을 병원에서부터 시작하였다. 결과적으로 두 그룹 사이에 HRQoL의 주요 목표에서 결과의 차이가 없었다. 미리 정해둔 PTSD (Davidson Trauma Score) 점수, 우울증 및 불안 척도(HADS), 만족도, 이차 HRQoL (EQ-5D) 등 이차 목표에서도 결과의 차이는 없었다.

또 다른 연구에서는 기존의 중환자실 추적 클리닉 서비스를 제공하는 상황에서 재택 재활프로그램의 이용을 평가하였다.[14] PRaCTICaL 연구와 이 연구의 핵심적인 차이는 두 환자 그룹 모두 중환자실 추적 클리닉을 방문한다는 것과 실험군은 재택 재활프로그램을 받는 것이다. 이 연구에서는 다른 임상 결과에서는 유의한 차이가 없었지만, SF-36의 신체 기능 점수가 개선되었다. 이 치료 효과는 재활치료와 관련된 것으로, 추적 외래 클리닉 자체가 기여한 것은 아니었다.

장기적인 결과에 영향을 줄 수 있는 중재는 중환자실 일기이다. 무작위배정연구에서 중재군 환자들은 자신들의 중환자실 경험을 평범한 언어로 기록한 일기를 받았다. 3개월째 PTSS 점수의 주요 결과에서는 차이가 없었다. 그러나, 사후 분석에서 중재군 환자들이 PTSD로 진단되는 빈도가 적었다.[17] 현장에서 중환자실 일기의 역할을 확인하기 위해서는 연구가 더 필요하고, 이에 관한 상세한 설명은 21장과 52장에 실었다.

질적 증거

일부 연구자들은 환자의 경험에 관한 중환자실 추적 클리닉의 영향을 질적으로 살펴보았고 긍정적인 영향을 발견하였다. 영국 전역에서 모집된 34명 환자에 관한 연구에서는 중환자실 추적 클리닉에서 생존자의 경험을 설명할 수 있는 일부 구조화된 인터뷰와 주제별로 나눈 서사 방법을 이용하였다.[18] 환자의 경험은 일반적으로 긍정적이라고 생각되었고, 연구의 저자들은 이들의 경험을 치료의 연속성/정보 제공/전문가의 의견/경험을 의료인들에게 전달할 수 있는 기회라는 주제들로 분류하였다. 참고로, 이 연구에서는 중환자실 추적 클리닉을 권유 받았지만 편집증, 혹은 필요하지 않다는 개인의 판단, 또는 지리적 제약 때문에 클리닉에 참여하지 않은 일부 환자들도 포함하였다. PRaCTICaL 연구에서는 클리닉과 관련한 환자의 만족도 측면에서는 추가 이점을 찾지 못했다.[15]

많은 중환자들이 퇴원 후 중환자실을 방문하는 데, 추적 외래 클리닉이 이러한 방문을 공식화하는 방법이 되기도 하고, 환자가 긍정적인 방법으로 경험을 이용하는 데 도움이 될 수도 있다. Engstrom 등은[19] 스웨덴의 단일 기관 중환자실을 대상으로 퇴원 후 중환자실 방문에 참여한 아홉 명의 환자와 가족들을 인터뷰했다. 인터뷰 내용을 주제별로 분석한 결과에 따르면 생존자

와 가족에게 외래 클리닉은 네 가지 주요한 역할을 하였다. 첫째, 환자들과 가족들 모두 '함께 회복한다는 것에서 힘을 받았다'고 하였다. 둘째, 특히 환자들은 경험을 통해서, 그 중에서도 중환자실과 기계장비들의 소리에서 자신들의 '중증 질병 경험을 이해할 수 있었다'고 하였다. '살아난 것에 감사함을 느낌'이라고 분류된 세 번째 주제에서 생존자와 가족 모두 그들이 머물렀던 곳에서 일하고 있는 의료진과 직원들을 만날 수 있는 기회를 감사해 하였다. 마지막으로, 환자들과 가족들은 그러한 방문을 자신들의 긍정적, 부정적 경험에 대한 의견을 제공하고, '돌봄을 개선하는 기회'라고 생각하였다.

정량적 vs. 정성적 근거

HRQoL, 우울, 불안, 외상후스트레스증후군을 평가하는 일반적인 도구를 사용하는 경우, 무작위대조연구 데이터에서는 간호사가 주도하는 중환자실 추적 클리닉의 장점을 입증하지 못했다. 그러나, 환자들의 경험에 관한 질적 연구 결과에서는 환자들은 (개인적이고 주관적인-역자주) 장점에 대해 말하고 있었다. 이러한 차이는 여러 가지로 설명할 수 있다. 첫째, 결과를 평가하는 도구가 이들 인구집단을 대상으로 충분히 유효성이 입증되지 않았기 때문에 환자의 경험을 정확하게 반영하지 못할 수 있다. 또, 이러한 도구들(SF-36, EQ-SD) 상당수는 환자가 자신의 증상을 직접 평가한 종이로 된 설문 조사를 필요로 하는데, 인지기능장애를 경험한 중환자실 생존자에게는 이 평가가 어려울 수도 있다. 하지만, 반대로 의료진에게 좋은 소식을 전해주고자 하는 바램을 가진 환자가 질적 인터뷰에 참여하면 실제 성과보다 과대평가로 이어질 수 있다는 주장도 가능하다.

그러나 대규모 무작위대조연구의 결과는 우리가 가지고 있는 최선의 근거를 보여주었고, 이러한 결과들은 자원과 서비스 계획에서 고려되어야 한다.[15] 일치하지 않는 결과라고 분류하기 보다는, 이들이 서로 보완적인 것이라고 생각할 수도 있다. 질적 연구는 환자들의 중환자실 생존 경험에 대한 상세한 이해를 제공하고 있으며, 일종의 가설수립이라고 이해해야 한다. 이런 정보들은 우리가 중환자실 생존자들의 종단(longitudinal) 치료 프로그램을 계획하는 데 길잡이가 되어줄 것이다.

가족 및 간병 지원

중환자실 재원은 생존자에게 오랜 시간 지속되는 영향을 초래한다. 뿐만 아니라 그들의 가족과 보호자들에게도 지대한 영향을 미친다. Azoulay 등은 중환자실에서 퇴원했거나 또는 사망한 뒤 90일 후 284명의 환자 가족을 연구하였다. 거의 1/3에서 외상후스트레스증후군의 위험을 시사하는 증상이 있었으며,[20] 이는 다른 연구에서도 확인되었다.[21] 급성호흡곤란증후군 생존자

의 보호자들에서 정서적, 감정적 스트레스 증상이 높았고 퇴원 후 2년까지도 지속되었다.[22] 중환자실 생존자들의 보호자들에 관한 최근의 한 연구에서는 2개월 째 30% 이상에서 우울증상이 있었고, 심지어 추적관찰 12개월째에서도 대부분의 보호자들에서 증상이 지속되었다.[23]

중환자실 추적 클리닉의 주요 초점은 환자이므로, 보호자와 가족들의 필요나 합병증이 클리닉의 목표는 아니다. 종종 가족들도 외래를 방문하도록 권장하고 있지만, 이러한 노력이 항상 가족들이 겪는 문제들의 진단이나 증상 관리로 이어지지는 않는다. 'PRaCTICAL 연구'에서는 가족들도 외래 클리닉에 참여하도록 하였지만, 실제로 방문한 경우는 약 1/3에 그쳤다.[15] 원인에 관한 자세한 고찰은 52장에서 설명하였다. Enstrom 등은 9명의 가족 구성원을 대상으로 질적 연구를 수행하였다.[19] 주제별 분석과 의견을 통해 참여자들이 긍정적인 경험을 하였다고 주장하였지만, 가족들을 그룹별로 나누어 분석하지는 않았다.

환자를 위한 재활 매뉴얼 및 프로그램에 관한 자신들의 연구에서 Jones 등은 임상 중재 전후 보호자들의 심리적 문제를 확인하고 별도의 연구를 발표했다. 그들은 보호자들의 49%에서 외상후스트레스증후군 증상을 확인하였고, 58–62%에서 불안 증상, 22–31%에서 우울증을 확인하였지만, 중재 치료의 효과는 찾지 못했다. 전술한 바와 같이, 두 그룹 모두 중환자실 추적 클리닉에 참가하였고, 중재군에서 재활 매뉴얼 및 프로그램을 추가하였다. 중재 치료는 구체적으로 보호자를 염두에 두지 않았기 때문에, 후속 외래 프로그램 설정이 목표였던 중재 치료가 보호자들의 심리 문제(우울, 외상후스트레스증후군)에도 영향을 줄 것인지 여부는 평가하기 어렵다.

한 연구에서 가족과 친척들은 클리닉에 참석한 경험이 긍정적이었다는 개인적인 평가를 보고하였지만, 이러한 그룹에서 심리적 부담에 관해 더 구체적인 주의가 필요할 수도 있다. 즉, 심각한 심리적 병적 상태(우울증, 외상후스트레스증후군) 증상이 있는 보호자들에게 중환자실 생존자들과 별개의 의료 서비스를 제공하는 것이 더 적절할지 모른다.

외래 클리닉의 직원 교육

중환자와 그 가족을 돌보는 과정에서 중환자실 의료진의 경험은 상당한 소진(burnout)을 유발한다. 이런 현상은 간호사와[24] 의사[25] 모두에서 나타난다. 정식 진단이 아닌 증상에 관한 설문조사에 의한 추정치이지만, 간호사들의 약 1/4은 외상후스트레스증후군을,[26] 1/3은 심한 소진을[24] 경험하고 있다. 일부 연구자들은 자신의 직업이 가치 있고 다른 사람에게 중요하다고 느끼는 사람들은 소진을 덜 경험할 거라고 주장했다. 우리는 중환자실 추적 클리닉에서 일하고 있는 의료인들의 정신심리적 질환을 구체적으로 조사한 연구는 알지 못한다. 그러나 한 연구

그룹은 중환자실 후속 연구에 참여한 중환자실 간호사들을 대상으로 인터뷰와 주제 분석을 하였다.[27] 연구진은 간호사들이 '건강해진 환자를 만나는' 경험에 감사해하고, 환자들의 외래 클리닉 방문을 '배움의 경험'으로 인식한다는 사실을 알게 되었다.

이 소규모 연구 말고는 중환자실 의료진이 추적 외래 클리닉에 참여하는 역할이 아직 다른 연구를 통해 증명되지 않았지만, 관련 의료인, 의사 등의 역할을 들여다보지 않은 연구로 중환자실 추적 클리닉의 존재를 정당화하는 것은 합리적이지 않다. 하지만 클리닉이 환자들에게 도움이 된다고 입증할 수 있다면, 클리닉에 중환자실 의료진을 참여하도록 하는 것은 합리적일 것이다.

연구 중심 접근 방식

외래 환자들의 치료라는 역할 외에도, 우리는 추적 클리닉을 연구 프로그램의 한 부분으로 삽입하여 중증질환의 장기 합병증에 관해 더 깊이 이해할 수 있었다. 신체 기능, 정신 질환, 인지 기능 및 HRQoL에 관한 대규모 관찰연구들의 결과, 이제 우리는 중환자실과 병원에서 퇴원 후 환자가 맞닥뜨리는 도전들을 이전과 다르게 생각하게 되었다.

어떤 집단에서든 장기적 결과(장기 합병증)을 연구하는 것은 매우 도전적인 과제이다. 중환자 치료도 예외 없이 특히나 그렇다. 이탈(탈락, affrition)이 노출이나 중재의 영향을 받는다면, 코호트 연구와 임상 시험 모두에서 이탈은 연구결과의 설명력과 내적 타당성에 영향을 미칠 수 있다.[28] 또한 중환자의 전향적 장기간 추적 연구는 이 집단에서의 높은 사망률의 현실을 설명할 수 있어야 한다.[28] Tansey 등은 자신들의 장기간 급성호흡곤란증후군 코호트[29]뿐만 아니라 다른 환자군에서도 성공했던 전략을 검토하고 환자들과 장기적인 관계를 수립하고 유지하는 중요성을 확인하였다.

중요한 중재 연구에 착수했을 때와 마찬가지로, 우리는 환자들이 중환자실과 병원에서 퇴원한 후에도 추적관찰을 해야 한다. 또한, 연구자들은 이 이질적인 환자 집단에서 사용할 수 있는 HRQoL, 신체 문제, 정신 질환, 인지 결과를 연구하는 도구들의 타당성을 검증하고 가능하다면 개발할 필요가 있다. 연구 기간 동안 연락을 유지하면서 환자와의 관계를 수립하는 중요성에[29] 대해 중환자실 추적 클리닉이 향후 중요한 역할을 하게 될 것이다.

비용대비 효과

대부분의 국가에서 보건의료 시스템은 이미 과도한의 부담을 안고 있으며 무제한적으로 치료를 지원할 수 없다. 부족한 의료 자원이 공정하게 분배되도록 새로운 치료의 비용 대비 효과를 평가하는 것이 중요하다.

지금까지 PRaCTICAL 연구만이 유일하게 중환자실 추적 서비스의 비용 효율성을 평가하였고 그들의 모델이 비용 대비 효과적이지 않음을 알게 되었다. 그도 그럴 것이 QALY (Quality adjusted life year)의 측면에서 이득이 없었고 비용은 증가하였다.[15] 다른 코호트 연구에서도 의료 자원 소모가[10] 크고 중환자실 퇴원 후 누적 QALY는 낮았다.[9] 이는 중재 치료의 비용-효과를 위협하는 결과이다. 향후 중환자실 추적 프로그램의 연구에서는 비용-효과 분석을 포함해야 한다. 재정에 관한 본격적인 논쟁 없이 보험 회사들은 그와 같은 서비스를 의뢰하려고 하지 않을 것이다.

장애와 도전

비용 대비 효과나 효율성을 지지하는 근거의 부족을 넘어서, 중환자실 추적 서비스의 도입과 연구는 수많은 도전과 장애물을 마주하고 있다. 한 가지 분명한 문제는 이러한 서비스를 공평하게 제공하는 것이다. 타당한 이유로 중환자실은 일반적으로 인구 밀집 지역에 집중되어 있다. 많은 나라에서, 지리적 제한과 중환자실 치료의 지역분포로 인해 환자들은 집에서 멀리 떨어진 중환자실에서 치료를 받는다. 가족들은 이미 상당한 비용을 감당했고, 입원하는 동안 수입도 잃었는데, 퇴원 후 추적 클리닉을 방문하려면 상당한 부담이 될 것이다.

중환자실 추적 서비스를 제공하는 데 가장 적합한 의료인이 누구인지는 아직 모른다. 열정적인 중환자실 의사들과 간호사들이 주목받고는 있지만, 만성질환과 외래 환자를 위한 이들의 수련은 제한적일지도 모른다(중환자실 의료인은 급성기 중증치료를 훈련 받은 사람들이다-역자주). 만일 그렇다면 좋은 의도에도 불구하고 환자들에게 적절한 치료를 제공하지 못할 수 있다. 게다가 중환자실 의사와 간호사는 매우 제한적이고 전문적인 인력자원이므로 이를 활용하는 것은 좋은 방법이 아니며 이들의 능력과 기술이 중환자실에 투입되는 것이 더 바람직하다. 일차의료 의료인을 장기간 합병증 관리의 논의에서 배제한다면 추적 클리닉에는 손해가 될 수 있다. 외래 업무는 확실히 일차의료에 더 가깝다. 하지만 일차의료 담당의들은 이들 환자들을 위한 복잡하고 때로는 전문적인, 가령 기관절개, 성대 장애, 신경근육질환, 외상후스트레스증후군 등과 같은 요구를 다루는 데 어려움을 느낀다. 과거에는 재활의학과 의사들이 이러한 환자들의 치료에 관여된 적이 별로 없지만, 그들은 재활의학 전문가로서 환자들이 중증질환에서 회복하는 데 큰 도움이 될 것이다.

추적 클리닉이 환자들에게 미치는 효과나 장점을 측정하는 것은 어렵다. 중환자실에서 생존한 환자들은 인지장애, 우울증, 또는 둘 모두의 문제를 안고 있고, 이는 HRQoL과 불안, 우울, 외상후스트레스증후군 증상 표준측정도구의 타당성을 검증하는 데 장애물이 된다. 또한 복잡하고 다측면적인 중재 치료를 평가하는 것은 어렵고, 따라서 치료 결과를 평가하는 것이 중요하다. 심지어 중환자실 퇴원 후 추적 프로그램의 효율성을 증명하는 것조차도 중재 치료의 어떤 요소가 좋은 결과를 낳는지 확실하지 않다. 하지만 이는 자원이 제한되고 비용을 생각할 수밖에 없는 상황에서 중요한 문제이다.

정신심리적 질환의 이환율이 높다고 알고는 있지만 환자 가족들이 중환자실 추적 클리닉에 참여하게끔 유도하는 것 역시도 어려운 문제이다. 가족들이 추적 클리닉의 경험을 긍적적이었다고 응답하고는 있지만,[19] 실제로는 많은 수가 클리닉을 방문하지 않고 있다.[31] 중환자실 생존자들이 얻게 된 (신체적/정신적) 문제들을 치료하는 데 있어 중환자실 의료진들의 역할이 분명하지 않다면, 환자 가족들이 맞닥뜨리고 있는 문제들에 대한 우리의 역할은 설명하기 더 어렵다. (현재의 의료체계에서−역자주) 중환자실 의료진이 환자 가족들과 치료−돌봄 관계에 있지 않고 중증질환에 관해 잘 알지 못하는 일차의료 담당의사들과 소통하고 있지 않으므로, 일차의료 담당의사들은 생존자 가족들이 겪는 문제들을 스스로 알아낼 수밖에 없다.

결론

현재까지의 근거에 기초하여, 일반적으로 이용되고 있는 중환자실 추적 외래 클리닉 모델은 환자에게 이득이 없거나 비용적으로 효과적이지 않았다. 그러나, 이러한 결과가 장기 결과의 중요성이 바랜다거나 우리가 중환자실을 퇴원한 환자를 포기하고 잊어버려도 된다는 뜻은 아니다. 질적 연구 결과는 환자는 물론 가족들도 추적 클리닉이 그들에게 도움이 되는 요소가 있다고 확실히 말하고 있다.

이제 우리의 목표는 환자가 중환자실에 입실하는 날에 시작하여 퇴원 후에도 계속되는 종단 치료 모델을 개발하고 구현하는 것이다. 질병 이환을 예방하는 것에서 시작하여 조기에 재활을 시작하고,[32] 장기 결과에 영향을 미치는 섬망을 관리해야 한다.[33] 외상후스트레스증후군을 낮추는 데 도움이 되는 치료는 의료진이 작성해 퇴원할 때 환자에게 주는 중환자실 일기이다.[17] 중환자실과 병원 퇴원 후, 일부에서는 추적 클리닉에서 원격의료(telemedicine), 전자차트기록(electronic health records)과 같은 기술을 더 잘 활용하여 일차의료 담당의들, 입원/외래 재활 기관 및 환자 및 보호자들과 소통하여야 한다고 주장한다.[34] 기술을 적절하게 이용한다면

3차 의료기관이 주로 위치하고 있는 가까운 도시지역에서 멀리 떨어진 환자들과도 소통할 수도 있어 불평등한 서비스 이용을 해결할 수도 있을지 모른다.

추적 클리닉에 관한 앞으로의 연구와 모델 설계에는 대조군을 통합해야 하며, 잘 설계된 결과 분석은 비용-효과 분석을 포함해야 한다. 중환자실 생존자들, 특히 인지장애와 정신심리 질환이 발생한 환자들에서는, 이러한 결과를 평가하고 타당성을 검증할 때에 연구자들은 평가도구들을 신중하게 생각해볼 필요가 있다. 모델은 중환자실에 재원 중일 때부터 시작하여 급성기 치료 기간 내내 그리고 퇴원 후까지 지속되는 종적 모델이어야 한다. 일차 진료 담당의 및 다른 전문 분야 의사들과 의사 소통도 이 기간 내내 지속되어야 한다.

참고문헌

1 Herridge MS, Tansey CM, Matte A, et al. Functional disability 5 years after acute respiratory distress syndrome. N Engl J Med 2011;364:1293-304.

2 Adhikari NK, McAndrews MP, Tansey CM, et al. Self-reported symptoms of depression and memory dysfunction in survivors of ARDS. Chest 2009;135:678-87.

3 Hopkins RO, Weaver LK, Collingridge D, Parkinson RB, Chan KJ, Orme JF, Jr. Two-year cognitive, emotional, and quality-of-life outcomes in acute respiratory distress syndrome. Am J Respir Crit Care Med 2005;171:340-7.

4 Iwashyna TJ, Ely EW, Smith DM, Langa KM. Long-term cognitive impairment and functional disability among survivors of severe sepsis. JAMA 2010;304:1787-94.

5 Ulvik A, Kvale R, Wentzel-Larsen T, Flaatten H. Sexual function in ICU survivors more than 3 years after major trauma. Intensive Care Med 2008;34:447-53.

6 Griffiths J, Gager M, Alder N, Fawcett D, Waldmann C, Quinlan J. A self-report-based study of the incidence and associations of sexual dysfunction in survivors of intensive care treatment. Intensive Care Med 2006;32:445-51.

7 Dowdy DW, Eid MP, Sedrakyan A, et al. Quality of life in adult survivors of critical illness: a systematic review of the literature. Intensive Care Med 2005;31:611-20.

8 Graf J, Muhlhoff C, Doig GS, et al. Health care costs, long-term survival, and quality of life following intensive care unit admission after cardiac arrest. Crit Care 2008;12:R92.

9 Cuthbertson BH, Roughton S, Jenkinson D, MacLennan G, Vale L. Quality of life in the five years after intensive care: a cohort study. Crit Care 2010;14:R6.

10 Unroe M, Kahn JM, Carson SS, et al. One-year trajectories of care and resource utilization for recipients of prolonged mechanical ventilation: a cohort study. Ann Intern Med 2010;153:167-75.

11 National Institute for Health and Care Excellence. Rehabilitation after critical illness. (2009). London: National Institute for Health and Care Excellence. Available at: http://www.nice.org.uk/CG83.

12 Griffiths JA, Barber VS, Cuthbertson BH, Young JD. A national survey of intensive care follow-up clinics. Anaesthesia 2006;61:950-5.

13 Griffiths RD, Jones C. Intensive care aftercare. 1st ed. Oxford: Butterworth Heinemann; 2002.

14 Jones C, Skirrow P, Griffiths RD, et al. Rehabilitation after critical illness: a randomized, controlled trial. Crit Care Med 2003;31:2456-61.

15 Cuthbertson BH, Rattray J, Campbell MK, et al. The PRaCTICaL study of nurse led, intensive care follow-up programmes for improving long term outcomes from critical illness: a pragmatic randomised controlled trial. BMJ 2009;339:b3723.

16 Bell CM, Brener SS, Gunraj N, et al. Association of ICU or hospital admission with unintentional discontinu-

ation of medications for chronic diseases. JAMA 2011;306:840-7.

17 Jones C, Backman C, Capuzzo M, et al. Intensive care diaries reduce new onset post traumatic stress disorder following critical illness: a randomised, controlled trial. Crit Care 2010;14:R168.

18 Prinjha S, Field K, Rowan K. What patients think about ICU follow-up services: a qualitative study. Crit Care 2009;13:R46.

19 Engstrom A, Andersson S, Soderberg S. Re-visiting the ICU Experiences of follow-up visits to an ICU after discharge: a qualitative study. Intensive Crit Care Nurs 2008;24:233-41.

20 Azoulay E, Pochard F, Kentish-Barnes N, et al. Risk of post-traumatic stress symptoms in family members of intensive care unit patients. Am J Respir Crit Care Med 2005;171:987-94.

21 Jones C, Skirrow P, Griffiths RD, et al. Post-traumatic stress disorder-related symptoms in relatives of patients following intensive care. Intensive Care Med 2004;30:456-60.

22 Cameron JI, Herridge MS, Tansey CM, McAndrews MP, Cheung AM. Well-being in informal caregivers of survivors of acute respiratory distress syndrome. Crit Care Med 2006;34:81-6.

23 Van Pelt DC, Schulz R, Chelluri L, Pinsky MR. Patient-specific, time-varying predictors of post-ICU informal caregiver burden: the caregiver outcomes after ICU discharge project. Chest 2010;137:88-94.

24 Poncet MC, Toullic P, Papazian L, et al. Burnout syndrome in critical care nursing staff. Am J Respir Crit Care Med 2007;175:698-704.

25 Embriaco N, Azoulay E, Barrau K, et al. High level of burnout in intensivists: prevalence and associated factors. Am J Respir Crit Care Med 2007;175:686-92.

26 Mealer ML, Shelton A, Berg B, Rothbaum B, Moss M. Increased prevalence of post-traumatic stress disorder symptoms in critical care nurses. Am J Respir Crit Care Med 2007;175:693-7.

27 Engstrom A, Soderberg S. Critical care nurses' experiences of follow-up visits to an ICU. J Clin Nurs 2010;19:2925-32.

28 Rubenfeld GD. Improving clinical trials of long-term outcomes. Crit Care Med 2009;37(1 Suppl): S112-16

29 Tansey CM, Matte AL, Needham D, Herridge MS. Review of retention strategies in longitudinal studies and application to follow-up of ICU survivors. Intensive Care Med 2007;33:2051-7.

30 Seymour DG, Ball AE, Russell EM, Primrose WR, Garratt AM, Crawford JR. Problems in using health survey questionnaires in older patients with physical disabilities. The reliability and validity of the SF-36 and the effect of cognitive impairment. J Eval Clin Pract 2001;7:411-18.

31 Cuthbertson BH, Rattray J, Johnston M, et al. A pragmatic randomised, controlled trial of intensive care follow up programmes in improving longer-term outcomes from critical illness. The PRACTICAL study. BMC Health Serv Res 2007;7:116.

32 Schweickert WD, Pohlman MC, Pohlman AS, et al. Early physical and occupational therapy in mechanically ventilated, critically ill patients: a randomised controlled trial. Lancet 2009;373:1874-82.

33 Girard TD, Jackson JC, Pandharipande PP, et al. Delirium as a predictor of long-term cognitive impairment in survivors of critical illness. Crit Care Med 2010;38:1513-20.

34 Kahn JM, Angus DC. Health policy and future planning for survivors of critical illness. Curr Opin Crit Care 2007;13:514-18.

35 Kvale R, Ulvik A, Flaatten H. Follow-up after intensive care: a single center study. Intensive Care Med 2003;29:2149-56.

36 Cutler L, Brightmore K, Colqhoun V, Dunstan J, Gay M. Developing and evaluating critical care follow-up. Nurs Crit Care 2003;8:116-25.

37 Hall-Smith J, Ball C, Coakley J. Follow-up services and the development of a clinical nurse specialist in intensive care. Intensive Crit Care Nurs 1997;13:243-8.

38 Crocker C. A multidisciplinary follow-up clinic after patients' discharge from ITU. Br J Nurs 2003;12:910-14.

39 Waldmann CS. Intensive care after intensive care. Curr Anaesthes Crit Care 1998;9:134-9.

40 Sharland C. Setting up a nurse-led clinic. In: Griffiths RD, Jones C (eds.) Intensive care aftercare. 1st ed. Oxford: Butterworth Heinemann; 2002. pp. 96-113.

41 Daffurn K, Bishop GF, Hillman KM, Bauman A. Problems following discharge after intensive care. Intensive Care Nurs 1994;10:244-51.

색인

기호

A

B

C

D

E

F

G

ㅈ